1898 : le *Balzac* de Rodin

16 juin · 13 septembre 1998

1898 : le *Balzac* de Rodin

Hôtel Biron
77 rue de Varenne
75007 Paris

Remerciements

Nous exprimons notre reconnaissance à ceux qui nous ont aidés tout au long de ce travail :
tout d'abord à Mme Judith Petit, conservateur général à la Maison de Balzac à Paris, qui avait espéré que cette exposition pourrait être jumelée à celle qu'organise l'institution qu'elle dirige pour le bicentenaire de la naissance de Balzac, en 1999 : sa connaissance approfondie de Balzac et les collections dont elle a la responsabilité ont été largement mises à contribution. Nous avons également trouvé un accueil bienveillant auprès de la Société des gens de lettres qui a mis très généreusement à notre disposition les archives et les documents dont elle disposait : notre gratitude va à son président, François Coupry, et à son secrétaire général, Marie-France Briselance, ainsi qu'à Zahia Zebboudj. Enfin, que les musées des Beaux-Arts à Tours et d'Orsay à Paris soient remerciés de leurs prêts amicaux.
Pour les recherches nécessitées par ce travail, nous avons mis à contribution le fonds Spoelberch de Lovenjoul à la bibliothèque de l'Institut de France, la Conservation des œuvres d'art religieuses et civiles à la direction des Affaires culturelles de la Ville de Paris, la bibliothèque de la Comédie-Française, la Bibliothèque marxiste, les archives Alfred Stieglitz au Museum of Modern Art de New York, les archives Eduard Steichen à la Beinecke Rare Book and Manuscript Library à Yale University, New Haven, ainsi que de nombreux collègues, des chercheurs, des curieux. Nous remercions tout particulièrement de leur intérêt et de leur efficacité : Bernard Barryte, Hélène Bayou, Rachael Blackburn, Blandine Bouret, Jacques Bousquet, Lynn Braunsforf, Janet M. Brooke, Thérèse Burollet, Ruth Butler, Gilles Candar, Jean Cartier, Philippe Carton, Philippe Chabert, Annie Chassagne, Christine Condit, Malcom Daniel, Danièle Devynck, Anne Distel, Virginia Dodier, Annie Elluin, Christiane Filloles, Isabelle Flattot, Valérie J. Fletcher, Catherine Gaich, Peter Galassi, Robert Garzillo, Carol C. Gilham, Nathalie Giuliana-Peyrard, Angela Gratzl, Pascale Grémont, Guénola Groud, Vivien Hamilton, Laurent Houssais, Raymond Huard, Daniel Imbert, Martine Jacquet, Fahrid Kaci, Geneviève Lacambre, Yves Lacasse, Claude Lapaire, Philippe Le Leyzour, Pierre Leveel, Laure de Margerie, Françoise Marquet, Jacques Maurice, Paul Métadier, Jean Meunier, Madeleine Michaud, Geneviève Morlet, Maria Morris Hamburg, Audrey Nassieu-Maupas, Maureen O'Brien, Danielle Oger, Laurence Olivier, Anne Panchout, Mireille Pastoureau, Anne Pingeot, Tamara Préaud, Claudie Romane, Joseph J. Rishel, Jane Roos, Laura Rosenstock, Emmanuel Rousseau, Marie-Claude Saint-Ellier, Laure Schwartz, Christine Shimizu, Laure Stasi, Anna Tahinci, Philippe Thiébaut, Naomi Van Loo, Clare Vincent, Jacques Vistel, Philip Ward-Jackson, Ian Wardropper, Catherine Whistler, Patricia C. Willis.
Enfin, que tous ceux qui ont contribué au catalogue et à l'exposition sachent que nous en leur sommes reconnaissants :
en particulier Jean-Yves Cousseau et Marion Clément à qui l'on doit la maquette du catalogue, Sarah Clément et Isabelle Sauvage qui en ont relu les textes avec un soin extrême, Dominique de Coninck, Jean-Emmanuel Silveira et Vincent Teissier qui ont assuré la mise en place des œuvres, et Jean-Michel Seguin dont l'aide a été particulièrement précieuse à Meudon pendant toute la période de préparation.

Commissariat

Commissaire général

Antoinette Le Normand-Romain,
conservateur en chef au musée Rodin,
assistée de Hélène Marraud, Diane Tytgat et Marie Lhébrard

Commissaires

Claudie Judrin,
conservateur en chef au musée Rodin,
assistée de Christina Buley et Bénédicte Garnier

Hélène Pinet,
chargée de la collection de photographies du musée Rodin,
asssistée de Sylvester Engbrox

Documentaliste

Véronique Mattiussi, *musée Rodin*

Avec la collaboration de

Alain Beausire,
chargé des archives et de la bibliothèque du musée Rodin
Agnès Cascio,
restauratrice
Roland Chollet,
C.N.R.S., Institut des textes et manuscrits modernes
Martine Contensou,
documentaliste à la Maison de Balzac
Stéphanie Le Follic,
assistante du directeur du musée Rodin
Frédérique Leseur,
responsable du service culturel du musée Rodin

Directeur du musée Rodin
Jacques Vilain, *conservateur général du patrimoine*

Secrétaire général
Laurence Nicod

Responsable du service commercial et éditorial
Jean-Luc Pichon
*assisté d'*Annie-Claude Demagny

Responsable du service photographique
Jérôme Manoukian
*assisté d'*Anne-Marie Barrère

Relations presse
Stéphanie Le Follic

Mise en scène de l'exposition
Pierre-Louis Falocci, *architecte*

Cette exposition a été rendue possible
grâce au généreux soutien de Cantor Fitzgerald.
This exhibition has been made possible
by a generous grant from Cantor Fitzgerald.

Avant-propos du mécène

Cantor Fitzgerald est heureux de parrainer l'exposition **1898 : le *Balzac* de Rodin** au musée Rodin.

Nous remercions vivement le musée Rodin pour sa remarquable exposition qui projette une lumière nouvelle sur l'histoire et la genèse du célèbre monument, de sa conception et de sa réalisation. **1898 : le *Balzac* de Rodin** invite le public à mesurer la portée du *Balzac* de Rodin – œuvre majeure des XIXe et XXe siècles – et souligne l'impact profond de Rodin sur l'histoire de l'art.

Au regard des œuvres de Rodin juxtaposées à celles de ses confrères, adversaires et critiques, le public de 1998 aura cette occasion unique de comprendre le choc visuel et philosophique suscité par la première présentation du *Balzac* au Salon de la Nationale, un siècle auparavant.

À cette occasion, Cantor Fitzgerald, qui se consacre depuis toujours au mécénat artistique, est particulièrement heureux de s'associer au musée Rodin pour vous offrir une nouvelle approche du génie artistique de Rodin.

Howard W. Lutnick
Président & C.E.O. de Cantor Fitzgerald, L.P.

Sponsor's Preface

Cantor Fitzgerald is proud to sponsor, **1898 : le *Balzac* de Rodin** *at the musée Rodin.*

We extend our sincere congratulations to the musée Rodin for this magnificent exhibition which sheds new light on the evolution of Auguste Rodin's Balzac monument from its inception forward. **1898 : le *Balzac* de Rodin** *invites viewers to take in the full measure of Rodin's Balzac as one of the great works of the 19th and 20th centuries and accentuates Rodin's profound impact on the history of art.*

By viewing works by Rodin's hand juxtaposed with those of his colleagues, adversaries and critics, the contemporary audience will have a unique opportunity to realize the visual and philosophical experience elicited by the first public presentation of the Balzac monument exactly one century ago.

It is for these reasons that Cantor Fitzgerald, long dedicated to supporting the arts, is especially pleased to join the musée Rodin in offering audiences a fresh revelation of Rodin's genius.

Howard W. Lutnick
President & C.E.O. Cantor Fitzgerald, L.P.

fig. 1
Lotte Jacobi (1896-1990)
Steichen regardant le Balzac de Rodin
devant le Museum of Modern Art de New York
Vers 1960
Musée Rodin, Ph. 13156

Préface

L'émergence d'un chef-d'œuvre peut suivre des voies diverses, parfois diamétralement opposées. Elle peut être discrète et modeste comme le fut celle de *L'Enseigne de Gersaint*. Elle peut se passer dans la plus totale des incompréhensions, telle la représentation de *Léonore*, esquisse très achevée du *Fidelio* de Beethoven, qui en un incomparable hymne à la liberté laissa dans une stupéfiante indifférence les occupants français qui assistèrent à sa première en 1805 à Vienne. Elle peut également être sujette à polémiques et rejets ; ce fut le cas du *Sardanapale* de Delacroix au Salon de 1828 ; ce le fut également de l'*Hernani* de Victor Hugo en 1830, du *Déjeuner sur l'herbe* de Manet au Salon des Refusés de 1868. Dans tous les cas, le temps a fait son travail de banalisation et ces œuvres ne choquent plus. Le *Balzac* de Rodin que nous sommes habitués à voir à l'angle des boulevards Raspail et du Montparnasse fait maintenant partie d'un paysage urbain et quotidien : le chef-d'œuvre a perdu la force contestatrice qu'il avait à l'époque de sa naissance.

Replaçons-le cependant dans le contexte des milieux artistiques français des années 1890. Même si l'on peut trouver des exceptions, ce n'est pas un hasard si ces quelques scandales artistiques intervinrent au XIXe siècle, à cette partie du siècle où s'affirmait la révolution industrielle. L'artiste acquit alors son statut, il fut au premier plan et, du moins pour les arts plastiques, ses œuvres furent largement diffusées grâce à la multiplication des moyens de reproduction qui vont de la lithographie à la photographie.

C'est l'époque également du triomphe de la presse qui faisait ou défaisait les réputations artistiques. Rodin en avait déjà fait la triste expérience en 1877 avec son exposition publique de *L'Âge d'airain*. 1898, à cet égard, fut bien l'année décisive, celle où la presse embrasa violemment les opinions ; c'était l'année du *J'accuse* de Zola ; c'était celle du scandale du *Balzac*.

Les deux scandales sont liés, et celui du *Balzac* vint amplifier les déchirures provoquées par l'affaire Dreyfus. Rodin n'y put rien, même s'il tenta de se réfugier dans une vaine neutralité ; il se tut, ne voulut pas prendre parti, mais rien n'y fit, et il resta marqué par le choix que la Société des gens de lettres effectua lors de sa séance du 6 juillet 1891. Si Rodin fut préféré à Marquet de Vasselot, Zola, alors président de la Société, y fut pour beaucoup et Rodin ne pourra renier cette clairvoyante décision.

Et pourtant, le sculpteur avait fait preuve d'une fine stratégie en montrant simultanément au Salon de 1898 son *Balzac* et son grand *Baiser* en marbre. La renommée de ce dernier n'arriva pas à faire passer l'audace du grand plâtre et, dans le contexte d'une France qui se déchirait en deux clans, le scandale s'amplifia. *Le Baiser* fut oublié et la presse et les critiques se focalisèrent sur le monument incongru dont Rodin en 1908 disait : "Cette œuvre dont on a ri, qu'on a pris soin de bafouer parce qu'on ne pouvait pas la détruire, c'est la résultante de toute ma vie, le pivot de mon esthétique." Ainsi, dans son aveuglement même, le scandale ne s'était pas trompé de cible. *Le Baiser*, même s'il reste l'un des symboles de Rodin, n'apporta pas grand-chose à l'art du sculpteur ; et c'est bien l'étrange "monolithe", cet ouvrage "conçu au mépris, au défi du bon sens, en dépit des plus simples notions de la statuaire" qui écrasait de sa puissance évocatrice l'image mièvre, et pour ainsi dire trop parfaite, du groupe de *Paolo et Francesca* que Rodin avait décidé du reste d'enlever de *La Porte de l'enfer* tant le sculpteur lui-même n'y reconnaissait pas les audaces de son esthétique.

Pour en revenir au *Monument à Balzac*, dès la commande de 1891, Rodin se mit intensément au travail avec toute l'excitation engendrée par les débuts d'un nouveau projet. Comme pour *La Porte de l'enfer* ou le groupe des *Bourgeois de Calais*, qui, lui, fut mené à son terme, Rodin bouillonnait d'idées et chercha à se renseigner sur son modèle. Mais très tôt l'idée d'une description somme toute banale, telle celle d'un *Bastien-Lepage* ou d'un *Claude Lorrain*, s'effaça au profit d'un projet plus audacieux ; le sculpteur voulut symboliser *Balzac* et non le décrire : "Pour moi Balzac est avant tout un créateur, et c'est l'idée que je souhaiterais faire comprendre dans ma statue."
Comme pour le *Monument des Bourgeois de Calais*, la gestation du *Balzac* est lente et s'étale de 1891 à 1898. Il est inutile de paraphraser ce catalogue qui donne précisément une chronologie ainsi que toutes les informations et commentaires sur ce travail de sept ans. Notons seulement que Rodin se dégagea assez rapidement d'un contexte simplement descriptif, celui du *Balzac* d'après Boulanger ou, dans une moindre mesure, celui du *Balzac en redingote*. Les études préparatoires, toutes commentées et analysées plus bas, sont nombreuses et on a le sentiment que Rodin voulut explorer toutes les voies afin de se prouver que l'état ultime était définitivement le bon.

Le public de 1998 verra donc ce que celui de 1898 ne pouvait connaître ; ce lent cheminement vers l'immense monolithe, les doutes du sculpteur, les reprises partielles d'états antérieurs et, surtout, ses éclairs de génie, car il s'agit bien là de ce mot, quand il eut l'idée – que ne renieraient pas certains artistes de l'après-guerre – de tremper dans du plâtre une véritable robe de chambre.

Rien ne pouvait arrêter la machine en marche ; l'échec de 1898 fut retentissant ; Rodin fut blessé, meurtri et se sentit "persécuté" pour reprendre ses propres termes. Il se réfugia dans le silence de son atelier. Refusant, le 4 juin 1898, la souscription qui avait été lancée par ses amis afin de faire fondre le monument vilipendé, Rodin déclarait : "La statue de Balzac est le développement logique de ma vie d'artiste. J'en prends la complète responsabilité. Et mon désir est d'en rester le seul possesseur." Ce n'est que le 1er juillet 1939 que fut enfin inauguré le bronze posthume du *Balzac*, à l'angle des boulevards Raspail et du Montparnasse. Ainsi, quarante-huit ans après la commande, s'achevait – en paraphrasant un titre de roman balzacien – l'histoire du *Chef-d'œuvre refusé*.

Notre gratitude va à tous ceux qui nous ont aidés dans la préparation de cette exposition ; à tous les prêteurs, à tous les responsables d'archives ou de fonds anciens, tant en France qu'aux États-Unis, et une mention toute particulière doit être faite de nos collègues et interlocuteurs de la Maison de Balzac et de la Société des gens de lettres dont l'aide a été précieuse et décisive. Notre gratitude va surtout à Cantor Fitzgerald dont le généreux soutien nous a permis de présenter dignement cette exposition et surtout d'éditer ce catalogue qui est, en réalité, le catalogue raisonné du *Balzac*.

En guise de conclusion, et c'est une conclusion de rêve puisqu'elle ouvre grand sur l'avenir, remontons le temps et arrêtons-nous en 1908. La scène se situe à Meudon, à la villa des Brillants. Pendant que Rodin, alors âgé de 68 ans dormait, un jeune photographe américain, Eduard Steichen, âgé de 29 ans, prenait des clichés du *Balzac* monté sur un socle drapé, à la seule lumière de la lune ; il s'agissait là d'un véritable tour de force technique, certaines poses durant jusqu'à deux heures. Le résultat enthousiasma Rodin, et lui qui pensait toujours ses sculptures dans l'espace, déclara : "Vos photographies feront comprendre au monde mon Balzac." Le chef-d'œuvre n'était qu'endormi et, avec la complicité du sculpteur, le photographe l'avait réveillé. Steichen devint directeur des collections photographiques du Museum of Modern Art de New York en 1947. En 1955, ce même musée acquit la quatrième fonte du grand monument. Peu de temps après, Lotte Jacobi surprenait Steichen posant à côté du *Balzac*. Le photographe était photographié et lui que l'on avait surnommé "le Rodin de la photographie" rendait hommage à son modèle, à cette étrange statue qui lui avait donné l'occasion de réaliser ces feuilles qui comptent parmi les incunables de la photographie.

Arrêtons-nous enfin, sur le lieu, sur ce Museum of Modern Art de New York qui est au monde l'une des collections les plus complètes de l'art de ce siècle, tant européen qu'américain. Deux œuvres historiques inaugurent le parcours : dans le jardin de sculptures, le *Balzac*, et, au premier étage, le triptyque des *Nymphéas* de Monet. Ainsi les deux amis sont-ils réunis et reconnus comme les précurseurs de l'art du XXᵉ siècle ; de refusé, le *Balzac* est devenu l'emblème de la modernité, tout comme la peinture de Monet, à qui Rodin disait en 1908 : "J'ai reçu une bordée qui est pareille à celle que vous avez eue autrefois quand il était de mode de rire de l'invention que vous aviez eue de mettre de l'air dans les paysages."

Jacques VILAIN
Directeur du musée Rodin
Conservateur général du Patrimoine

Avertissement

Dans les citations, les fautes d'orthographe, les mots soulignés, l'emploi des majuscules et minuscules et l'absence de ponctuation des textes originaux ont été respectés. En revanche, les accents ont été rétablis. Les ajouts ou suppressions sont indiqués entre crochets.

Dans les notes, les références bibliographiques abrégées renvoient à la bibliographie générale, en fin d'ouvrage. Celle-ci est classée chronologiquement. Cependant, pour éviter les risques de confusion, les références des articles sont données intégralement.

La mention "musée Rodin" recouvre les musées de Paris et de Meudon.

Sommaire

I

Antoinette Le Normand-Romain

"Une campagne 1880-1881"

"Balzac est mort en août 1850. Et Paris ingrat, à une époque où les statues poussent en une nuit sur le pavé, comme des champignons, n'a point encore songé à honorer le grand romancier du siècle, un des plus illustres enfants de la France. Pas même un buste sur une de nos maigres fontaines, pas même une plaque de marbre rappelant une date de sa vie. On lui a fait l'aumône d'une rue, et c'est tout.

Le puissant créateur de ce monde qui se nomme *la Comédie humaine* aura eu pour destinée d'être méconnu et traqué, même dans la terre. Ses contemporains l'écrasèrent sous toutes les médiocrités de son temps. [...]

Comparez un instant à cette existence celle de Victor Hugo. Balzac est seul, sans chapelle, sans dévots, sans ambitions voisines pour le pousser et le défendre ; il lutte dans un grenier souvent assiégé par le doute, ayant besoin de tout l'orgueil solitaire qu'on lui a reproché, pour se tenir debout. Victor Hugo marche, précédé de trompettes sonnant des fanfares, suivi par une queue qui l'encense et l'acclame. Que de fois Balzac a dû regarder passer le cortège de ces braillards, le cœur gros de sa supériorité.

Comparez même sa vie à celle d'Alexandre Dumas. Ici, la production était également formidable et les créanciers attendaient aussi à la porte les feuilles toutes fraîches ; mais quelle production heureuse et facile, au milieu d'une popularité souriante ! Dumas, satisfaisant tous ses caprices, jetant l'argent dans des fantaisies princières, n'a jamais eu un doute sur son œuvre et a pu se croire le roi du roman, en abandonnant à Hugo l'empire de la poésie. L'Europe le dévorait et l'applaudissait ; il suffisait de son nom pour enrichir les journaux ; et certes, si jamais un romancier lui donna de l'inquiétude, ce ne fut pas Balzac, ce fut Eugène Sue.

Je sais bien que cette injustice imbécile des contemporains est réparée de nos jours [...].

Aujourd'hui, voilà donc Balzac très grand, le plus grand. Écoutez le retentissement de son nom et voyez avec quelle puissance son œuvre s'est emparée de nous tous. Et rien ! pas un buste, pas une plaque de marbre ! La postérité lui marchande une statue, comme ses contemporains lui marchandaient du talent. Singulier sort du génie, même lorsqu'il a triomphé et qu'il est reconnu, d'être sacrifié à la simple verve, à cet esprit amuseur, aisé à comprendre et d'une digestion facile pour tout le monde.

. . .

Je songeais un instant à ces choses, en apprenant qu'on allait élever une statue à Alexandre Dumas. Le conseil municipal a donné un des plus larges emplacements de Paris, un comité a été formé, des articles excellents et très émus ont paru ici même. Tout cela est bon. Mais Balzac ! [...] Au lendemain de la mort d'Alexandre Dumas, il y a dix ans, on songea, m'a-t-on dit, à faire une édition définitive de ses œuvres complètes, une de ces éditions qui sont comme le monument de bronze d'un grand écrivain. Mais, après une première étude, on dut y renoncer. [...] L'idée d'une édition complète abandonnée forcément, le projet d'une statue devait tôt ou tard se produire. [...] Paris est un 'gobeur' qui a besoin d'être diverti. Il faut songer que Dumas a été son enfant gâté, pendant près d'un demi-siècle. Paris était à l'aise avec lui, riait de ses mots, lui tapait sur le ventre, gardait la reconnaissance du gros rire dont il l'emplissait. Ajoutez l'engouement de la presse pour un esprit sans profondeur, mais d'une verve intarissable. [...]

Vous comprendrez [ainsi] comment Paris peut être pris de l'impérieux besoin d'élever une statue à Alexandre Dumas, lorsqu'il n'a jamais songé une seconde à en élever une à Balzac. Je suis même certain que ma réclamation va étonner bien du monde. Une statue à Balzac, mais pour quoi faire ? En voilà une idée ! Il n'était pas drôle, il n'amuse pas, et même il s'est montré parfois très grossier pour les journalistes. Puis c'est un homme de génie, il a le temps d'attendre ; il obtiendra bien sa statue tout seul ; tandis qu'il faut se hâter de couler en bronze les amuseurs, si l'on veut que le temps ne les mette pas en poussière. [...]

. . .

Ô Paris, Ville-Lumière comme t'a nommée le poète, ou plus simplement comme nous t'appelons nous-mêmes, ville de toutes les intelligences et de toutes les vérités, as-tu bien songé à cela ?

Le jour où tu éprouves le besoin d'honorer le roman, de mettre en face de Molière, le génie de ton théâtre, en face de Voltaire, le génie de ta raison et de ton esprit, un prince littéraire d'une taille égale, le génie même de ton roman moderne, tu vas choisir un producteur qui certes a eu sa gloire, mais qui a sombré dans la production et que notre génération ne lit déjà plus !

Eh quoi ! il n'y a pas sur tes places un seul romancier en bronze ou en marbre, et le premier qu'il nous faudra saluer, ce sera un simple conteur où nous ne retrouvons rien de nous, rien de notre art, rien de notre philosophie, rien de notre avenir. Serait-ce un essai du suffrage universel en matière de statue, car le peuple, les illettrés et les badauds voteraient sans doute ; mais je doute que les délicats et les artistes donnent leur voix. [...]

Mais vois-tu, ô Paris, les étrangers s'arrêter devant la statue d'Alexandre Dumas et, ne trouvant dans tes murs que ce romancier de bronze, s'écrier : 'Voilà donc le plus grand de leurs romanciers !' Eh bien ! non, eh bien ! non, cela n'est pas vrai ! Il y en a dix avant lui. Je demande que tout au moins tu mettes sur le socle les raisons de ton engouement : À Alexandre Dumas, parce qu'il était bon enfant, parce qu'il nous a amusés, parce qu'il est le père d'Alexandre Dumas fils.

· · ·

J'imagine qu'un matin Balzac quitte la froide terre et qu'en visitant ce Paris qu'il a tant aimé, il aperçoive tout d'un coup un gigantesque Alexandre Dumas de bronze, au milieu d'une vaste place. Quelles ne seraient pas sa surprise et son amertume ? 'Eh ! quoi, c'est lui qui est là-haut, ce n'est pas moi !' Tel serait le cri de son cœur. [...]

Est-il besoin de mettre aujourd'hui face à face l'auteur de la *Comédie humaine* et celui des *Trois Mousquetaires*, pour faire à chacun sa part dans notre littérature ? Il ne s'agit plus d'auteurs vivants sur le compte desquels les passions du jour peuvent égarer. Tout le monde est d'accord. Balzac est le maître indiscuté du roman contemporain. M. H. Taine, dans la belle étude qu'il a écrite sur lui, a dû, pour trouver un homme à sa taille, remonter jusqu'à Shakespeare. Oui, notre Shakespeare français, ce n'est pas Victor Hugo, dont les figures sont de pures imaginations, toutes coulées dans le même moule ; c'est Balzac, qui a créé un monde, ainsi que le grand tragique anglais. Eux deux seuls ont tiré de leur cerveau des centaines de créatures distinctes, ayant chacune sa vie propre ; et leurs œuvres sont ainsi restées des magasins de documents humains, les plus vastes que l'on connaisse.

Si l'on veut saisir le fonds de ma pensée, je dirai que je suis d'avis de n'élever de statue à personne. Pour les écrivains surtout, les œuvres sont là qui suffisent comme monument. Si vous laissez des œuvres grandes, à quoi bon une statue qui paraîtra toujours plus petite ; et si vos œuvres sont médiocres, si vos flatteurs pensent les hausser en mettant un bronze dessus, ce bronze, trop grand pour vous, vous rapetissera encore devant les générations. Seulement lorsqu'on dresse des statues, encore faut-il qu'on les dresse avec quelque logique et quelque justice.

Nous ne repoussons pas Alexandre Dumas. Nous demandons simplement que Balzac passe le premier. C'est de l'équité littéraire, rien de plus. Une Académie peut être injuste ; une grande ville comme Paris ne saurait l'être.

Et c'est uniquement ici l'appel d'un écrivain, d'un fils dévoué de Balzac, qui n'a entre les mains aucun moyen d'exécution et qui laisse à d'autres toute la besogne matérielle. Qu'on cherche des journaux, qu'on forme un comité, qu'on obtienne du Conseil municipal un emplacement, le plus large et le plus central qu'on pourra trouver. Il me suffira d'avoir rétabli les rangs et empêché une œuvre de suprême injustice.

· · ·

Je m'inscris pour mille francs.

Je donnerai cent francs pour la statue d'Alexandre Dumas, lorsque j'aurai donné mille francs pour la statue de Balzac[1]."

Émile Zola

Les premiers projets : Dumas, Gonzalès, 1853-1887

Ainsi Zola réclamait-il dès 1880 un monument à Balzac. À cette date, toutefois, l'idée d'un monument à Balzac n'était pas nouvelle. Le jour même de son enterrement au Père-Lachaise, en août 1850, Antoine Étex avait en effet réclamé l'ouverture d'une souscription pour lui élever un monument :

"La mort vient de frapper un des hommes de génie de la France.

Balzac n'est plus !

Les coteries académiques l'ont repoussé.

Son nom est européen.

Une souscription va être ouverte pour lui élever un monument.

Je souscrirai l'un des premiers et je donne rendez-vous le 20 août 1851, jour anniversaire de sa mort, aux artistes peintres, sculpteurs, architectes, admirateurs de son talent, pour un concours à ce sujet, et je m'engage à y envoyer un modèle que je m'efforcerai de rendre digne de cette grande renommée[2]."

Il jeta immédiatement sur le papier deux idées de monuments dont l'un a un caractère funéraire très marqué, tandis que l'autre semble plutôt destiné à un espace public (fig. 2 et 3).

fig. 2
Antoine Étex (1808-1888)
Première idée du monument à ériger à la mémoire de Balzac
30 août 1850, encre sur papier
Versailles, archives départementales des Yvelines

fig. 3
Antoine Étex (1808-1888)
Esquisse projet de monument à Balzac
1850 ?, encre sur papier
Versailles, archives départementales des Yvelines

Mais rien ne se fit. En 1853, le critique théâtral du *Siècle*, Matharel de Fienne, se rendit à son tour au Père-Lachaise pour "causer avec les cœurs amis que Dieu a rappelés à lui" : "À côté de deux mausolées assez dignes qui renferment les dépouilles de Casimir Delavigne et de Charles Nodier, près d'un fastueux monument sous lequel est enseveli un industriel dont j'ignore le nom, se trouve une modeste grille que les herbes protègent. Sur cette pierre on lit ces mots : *Honoré de Balzac, né à Tours en 1799, mort à Paris en juillet 1850*. Les promeneurs passent et ne s'arrêtent même pas devant cette tombe. Il n'y a là que les restes d'un homme de génie, et les herbes cachent le nom qu'il portait... Ce qui touche c'est qu'il n'est pas possible que la tombe de l'homme qui a fouillé si profondément le cœur humain, qui a fait l'inventaire de nos vices et de nos vertus, reste ainsi délaissée. Ne serait-il pas d'une juste reconnaissance que le concours de tous les gens de goût qu'il a charmés dans le monde entier élevât un monument qui témoignât de leur

admiration[3] ?" Alexandre Dumas constata à son tour, en décembre 1853, l'état d'abandon de la tombe et, dans *Le Mousquetaire*, journal dont il était propriétaire (30 et 31 décembre 1853, 2 et 3 janvier, 5 et 26 avril, 2, 10 et 15 mai 1854), lança le projet d'un monument dont l'exécution serait financée en partie par des représentations théâtrales. Étex revendiqua l'exécution du monument[4], mais d'autres artistes s'y intéressèrent aussi : Auguste Clésinger[5] et sans doute Auguste Préault dont la statuette intitulée *La Comédie humaine*[6] (fig. 4) - même si elle fut exposée au Salon de 1853 et est donc antérieure à la découverte de l'état de la tombe par Dumas - s'inscrit probablement dans ce mouvement d'opinion. Les souscriptions affluaient et l'on s'interrogeait déjà sur l'emplacement du futur monument, lorsque Mme de Balzac (Eve Hanska) prit ombrage de la propagande de Dumas en faveur du tombeau de son mari et l'assigna devant le tribunal civil. "Avez-vous vu, écrit Delacroix à Mme de Forget le 30 avril 1854, le drôle de procès que fait Mme Vve Balzac à Dumas, qui veut absolument faire un tombeau de sa façon à son mari, avec les souscriptions du public, bien entendu ? Elle a raison si elle a effectivement fait ce tombeau ; mais s'il est encore à faire après quatre ans, Dumas a raison de vouloir rendre à son confrère mort qu'il détestait de son vivant, ce petit honneur qui ne lui coûtera rien[7]."
Mme de Balzac n'avait rien fait et imputa l'état du tombeau aux retards de l'architecte chargé de sa réalisation. Personne n'était dupe ; cependant l'objet du litige fut déplacé et, le 3 mai 1854, la première chambre du tribunal civil de la Seine, considérant que "le droit de construire un tombeau [pouvait certes] être revendiqué par la famille du défunt comme son privilège exclusif [mais que] l'érection d'un monument en l'honneur d'un homme qui s'est illustré à un titre quelconque n'est plus ce témoignage pieux rendu par la famille à un de ses membres et qui est une dette qu'elle doit être jalouse d'acquitter seule, mais un hommage public de la reconnaissance et de l'admiration publique rendue à l'homme qui a honoré son pays, [... donna] acte à la veuve de Balzac de ce que Dumas reconnaît n'avoir aucun droit d'élever un tombeau à de Balzac et de ce qu'il n'a d'autre but que celui de provoquer l'érection d'un monument en son honneur sur un emplacement désigné par l'administration[8]". Écœuré par l'attitude de Mme de Balzac, qui l'accusait de s'être approprié l'argent de la souscription, Dumas se désintéressa du monument à Balzac, qu'il soit funéraire ou public, et reporta sur Frédéric Soulié (dont la sépulture était également à l'abandon) les sommes recueillies pour Balzac. Quant à la tombe de Balzac, elle reçut peu après une fonte en bronze du buste de David d'Angers (fig. 5).

"Ainsi, sans l'incompréhensible maladresse de sa veuve, l'auteur de *la Comédie Humaine* aurait eu une statue à Paris depuis 1854[9]." Il fallut en effet attendre la mort de Mme de Balzac, le 10 avril 1882, pour que le projet de monument surgisse à nouveau, cette date correspondant d'ailleurs au début de la période pendant laquelle monuments et statues envahirent les espaces publics parisiens. L'inauguration du *Monument à Alexandre Dumas père* (cf. fig. 24), l'un des premiers de la décennie, le 4 novembre 1883, à Paris, joua le rôle de détonateur : il parut injuste que Balzac n'eût pas son monument, alors que Dumas avait le sien. Emmanuel Gonzalès (1815-1887), qui avait été "l'ami intime du maître romancier, et son rédacteur en chef au journal la *Caricature* qu'il dirigeait alors, avec la collaboration de camarades qui s'appelaient Théophile Gautier, Alphonse Karr, Alexandre Dumas, Léon Gozlan, Gavarni et bien d'autres d'une égale envergure[10]", **prit l'initiative d'une lettre circulaire qu'il envoya à diverses personnalités du monde des lettres, des arts et de la fonction publique, pour lancer une souscription :**

"Monsieur et cher confrère,

De nombreux amis et admirateurs du grand Honoré de Balzac m'ont invité à prendre l'initiative d'une souscription destinée à élever une statue au créateur de la *Comédie humaine*.

J'ai obéi et accepté la tâche délicate d'être le sonneur de cloche d'une œuvre si souvent réclamée par le public et par la presse. Mon seul titre à cet honneur c'est d'avoir connu intimement le maître à l'époque où il écrivait ces pages étincelantes : 'Les Petites Misères de la Vie conjugale' dans *La Caricature* que je dirigeais avec la collaboration de Théophile Gautier, Alphonse Karr, Léon Gozlan, Alexandre Dumas, Gavarni, etc...

[...] De timides tentatives de glorification avaient échoué, tant que la famille de Balzac pouvait veiller aux intérêts de sa renommée. – Aujourd'hui les admirateurs de l'illustre écrivain forment son clan d'esprit et de cœur ; ils ont le droit de devenir les serviteurs de sa gloire.

Balzac est isolé dans son œuvre, enfermé dans nos bibliothèques, ne rayonnant qu'aux vitrines des libraires, il n'a pas d'action extérieure sur le public, la magie du prestige théâtral lui fait défaut, mais en revanche tous les romanciers modernes se considèrent comme ses fils et ses petits-fils. [...] Est-il réellement moins populaire qu'Alexandre Dumas ? [...] Il est permis d'en douter. [...] S'il charme moins que Dumas, Balzac fait penser davantage. Ses ouvrages sont capiteux comme ces vins d'Orient pimentés de haschich. Ceux du premier pétillent comme la mousse gaie du vin de Champagne. [...]

Je crois donc l'heure venue de réaliser ce projet si longtemps rêvé d'un hommage solennel rendu au maître dont Victor Hugo a salué la tombe d'un suprême et éloquent adieu qui ne sera jamais oublié.

Après la statue d'Alexandre Dumas, la statue d'Honoré de Balzac.

Je viens donc, mon cher confrère, [...][11]."

Cet appel fut accueilli avec enthousiasme :

"Mon cher président, s'empressa de répondre Théodore de Banville, comme le dit votre lettre si pieusement émue, ce sont les nombreux amis et admirateurs du grand Honoré de Balzac qui vous ont invité à prendre l'initiative d'une souscription destinée à élever une statue au créateur de *La Comédie humaine*. [...]

Oui, mon ami, élevons la statue à Balzac ! Que la noble figure de ce géant, de ce fils immortel de Rabelais, se dresse sur une des places publiques de son Paris, brillante de force et de joie, et resplendisse sous le soleil en sa gloire triomphale ! Cette statue, Balzac ne l'aura pas volée, lui de son vivant toujours insulté, vilipendé, méconnu, grignoté par toutes les misères qui toujours mordent le talon du génie. Ah ! pour la faire cette statue du héros qui fut et sera notre maître, rassemblons vite beaucoup d'étain et beaucoup de cuivre ! Et si nous en avons, jetons aussi notre argent dans la fournaise, et si nous en avons, jetons-y aussi notre or, afin que la figure du dieu soit coulée avec un airain pareil à celui qui ruisselait dans les rues après l'incendie de Corinthe. [...]

Élevons-la donc, cette statue, et qu'elle évoque, avec sa vigueur héracléenne, le géant à l'épaisse chevelure ! Et une fois coulée, refroidie, posée sur son socle, j'imagine qu'elle éclatera d'un vaste rire, image d'un homme divin à qui on donnera une statue après sa mort, après lui avoir tout refusé de son vivant[12]."

Bien d'autres réponses mériteraient d'être citées car elles montrent l'importance reconnue à Balzac par les romanciers de la génération suivante. Il suffit de feuilleter le gros dossier conservé à la Maison de Balzac[13] pour s'en convaincre : si Edmond de Goncourt refuse de participer, ce n'est certes pas qu'il renie "le culte littéraire de toute sa vie. C'est même par excès d'admiration pour l'auteur des Parents pauvres qu'il croit inutile de lui élever une statue[14]" : "En ce temps de statuomanie à l'aveuglette, je trouve véritablement très distingué pour des génies comme Balzac de n'avoir point de statue, et je décline l'honneur de faire partie de la commission d'étude convoquée sous vos auspices[15]." **Quant aux autres, ils sont unanimes à apporter leur soutien, financier et moral :** "Je serai heureux de participer de toutes les manières à l'hommage qu'on rend à notre grand Balzac, étant un de ses plus anciens et plus fervents admirateurs" (**Émile Augier, 23 novembre 1883**) ; "Pour Balzac, cher ami, tout ce que vs voudrez. Je suis à vous de tout cœur" (**François Coppée, 27 novembre 1883**) ; "Mon concours est évidemment acquis au projet d'élever à Balzac la statue que nous lui devons. Si je ne suis pas un des plus forts souscripteurs, je serais au moins un des premiers. Inscrivez moi toujours pour cinq cent francs" (**Alexandre Dumas fils**) ; "Oui, certainement, mon cher ami. J'accepte" (**Ludovic Halévy, 22 novembre 1883**) ; "Cher ami, Tu as eu bien raison de compter sur moi et sur mes cinq amis. Élever une statue aux hommes de génie et même aux hommes d'esprit prouve qu'il ne reste plus de place pour les sots" (**Arsène Houssaye**) ; "[...] Je vous réponds oui immédiatement" ; "Je considère Balzac comme le Père du Roman moderne ; et j'applaudis des deux mains à l'œuvre que vous entreprenez" (**Guy de Maupassant, 26 novembre 1883 et 15 novembre 1885**) ; ou encore : "Je suis tout à vous pour l'œuvre de glorification de Balzac. La Comédie humaine c'est mon bréviaire" (**Georges Ohnet**)[16].

Quant à Émile Zola, il refusa d'abord son appui, ainsi qu'on le comprend à travers la réponse de Gonzalès dont le brouillon est conservé à la Maison de Balzac :

"Mon cher ami, Je regrette amèrement votre décision – et peut-être la regretterez-vous vs même un jour.

En effet elle repose sur des hypothèses.

Comment vous, chef de l'École naturaliste et documentaire, vous refusez-vous à accepter des faits matériels.

J'ai discrètement indiqué que du vivant de Mme de B. nul ne pouvait prendre l'initiative d'une statue à élever à son mari ; plusieurs journaux rappelaient ces jours derniers qu'elle a intenté des procès à [??] et à Alex. Dumas qui voul. organis. dans ce but des représentations théâtrales.

Il y a quatre ou cinq ans un comité s'est formé pour ouvrir une souscription destinée à élever une statue à Dumas. je n'ai pu établir le droit de priorité ou de supériorité [??] dans une question à laquelle j'étais étranger. Je ne faisais pas partie de ce comité.

La statue de Dumas a été inaugurée. C'est un fait public. Je ne puis [??] supprimer l'histoire ni la dénaturer. Ne prêtez donc pas à ma lettre un sens absolument contraire à mon intention.

[D'une autre encre] Il me sera demandé compte de votre abstention. M'autorisez-vous à faire connaître[17]."

Mais Zola, qu'André Gill avait représenté dès 1878 saluant son illustre prédécesseur, dans *Les Hommes d'aujourd'hui* (fig. 6), ne pouvait pas refuser longtemps de s'intéresser à un monument à Balzac, cet "expérimentateur qui a pris le titre de docteur ès sciences sociales et humaines [et qui] s'il n'a pas inventé le roman naturaliste, pas plus que Victor Hugo n'a inventé le lyrisme romantique, [...] est certainement le père du naturalisme comme Victor Hugo est le père du romantisme[18]". Très vite, il revint donc à de meilleurs sentiments : "Cette statue de Balzac n'est-elle pas faite maintenant que vous la voulez tous ? Je l'ai réclamée, moi, lorsque personne ne semblait y songer, lorsqu'on dressait un monument colossal à un romancier que je juge moindre. Maintenant je n'ai plus qu'à vous laisser aller et à me mettre derrière vous si je trouve que vous faites autant sinon plus pour Balzac que vous n'avez fait pour Dumas[19]."

fig. 6
André Gill (1840-1925)
"Émile Zola",
Les Hommes d'aujourd'hui,
1878, n° 4

En dépit d'une telle unanimité, le projet prit du retard, celui-ci s'expliquant, selon Gonzalès, "par l'éclosion formidable des statues sympathiques qui ont escaladé les socles depuis 18 mois. J'en ai compté soixante[20]", ajoute-t-il en exagérant quelque peu. Mais l'intention annoncée par la mairie de Tours d'élever un monument à Balzac[21] l'incita à relancer le projet : en 1885, il convoqua donc les souscripteurs qui, à sa demande, procédèrent dès le début de la séance à l'élection d'un président, Émile Augier, devant lequel Gonzalès s'effaça immédiatement, puis à la formation d'une commission. Un conflit survint cependant sur la part que devait prendre la Société des gens de lettres au monument. Celle-ci avait été créée en 1837 par Louis Desnoyers sur une idée émise par Balzac dans sa *Lettre aux écrivains français du XIXe siècle* (1834), afin de mieux défendre la propriété littéraire constamment menacée par des contrefaçons frauduleuses ; Gonzalès en était le délégué depuis 1866, après avoir été trésorier de 1860 à 1865 et président en 1864, tandis que Balzac, admis comme sociétaire le 28 décembre 1838, avait été l'un des premiers présidents (en 1839) et avait joué jusqu'à sa mort un rôle très actif. En 1885, les uns, tel Jules Claretie, alors président, préféraient en effet une statue modeste, financée par la seule Société, les autres un monument plus important pour lequel le grand public serait mis à contribution. C'était la position que défendait Gonzalès contre Claretie, qui avait d'abord accueilli avec enthousiasme le projet de monument, mais ne voulait pas, notamment, que l'éditeur Calmann Lévy prenne trop d'importance dans cette affaire : "Était-il possible d'exclure le propriétaire de toutes les œuvres de Balzac qui doit tenir à honneur d'aider au succès, demande Gonzalès qui poursuit en remarquant qu'"il est plus glorieux pour la Société que le Paris intelligent prenne part à cette ovation du grand romancier[22]". Gonzalès ne voulait à aucun prix de conflit et proposait donc de démissionner à la fois de son rôle de délégué de la Société des gens de lettres et de secrétaire général de la commission du monument à Balzac. "Une opposition sourde, mais efficace, s'était faite contre l'œuvre de Gonzalès... dans la Société des gens de lettres elle-même ! (Parbleu !) Dans cette maison où la seule préoccupation de la grandeur et de la dignité de la littérature auraient dû dominer, des questions de boutique éclatèrent et [...] l'opposition fut telle que Gonzalès dut arrêter le courant qu'il avait provoqué ; – avec quel crève-cœur, on le conçoit[23] !"

À cette date, la statue était-elle vraiment "en marche" comme le prétendait Gonzalès ? Il ne semble pas qu'aucun sculpteur ait été alors choisi officiellement, même s'il apparaît que Gonzalès était plus ou moins engagé avec Anatole Marquet de Vasselot, auquel il avait demandé en novembre 1883, comme à Alexandre Falguière[24], d'apporter son obole à la souscription, et qui, depuis cette date, cherchait à s'imposer comme le sculpteur de Balzac : "Monsieur et cher Maître, écrit-il dès le 21 novembre 1883 sans doute au reçu de la circulaire de Gonzalès, Balzac a été mon premier maître, ma première œuvre a été le buste de ce premier maître, c'est assez vous dire si je suis avec vous. L'homme et l'artiste sont à votre disposition, disposez de mon temps, de mon talent, je tiens à cœur de faire la statue de celui dont j'ai déjà fait quatre bustes. Je suis donc avec vous et je vous remercie d'avoir pensé à moi[25]." À la fin de l'année 1885, la Société des gens de lettres ayant émis le souhait d'avoir les bustes des écrivains qui avaient fait partie de la société, il s'empressa de faire don d'un exemplaire en bronze (cat. 15) de celui qu'il avait exécuté pour la Comédie-Française[26], alors que, de son côté, Rodin donnait un plâtre du buste de *Victor Hugo* qu'il avait exposé au Salon de 1884[27]. Puis, alors qu'il terminait la statue de *Lamartine* (inaugurée en 1886 à Paris, détruite), "œuvre sans caractère, exécutée par un artiste sans mandat" qui l'avait obtenue "par intrigue[28]", Marquet de Vasselot revint encore à la charge par deux fois auprès de Gonzalès, soulignant dans la seconde lettre, en mai 1887, qu'"il faut en finir ou nous ne verrons jamais cette statue de Balzac à laquelle vous et moi nous avons attaché notre nom[29]". Ce devait être le cas pour Gonzalès, dont la mort fut annoncée au Comité de la Société des gens de lettres, le 15 octobre 1887. C'est Marquet de Vasselot qui fut chargé du buste placé sur sa tombe au cimetière Montmartre.

L'échec de Gonzalès était dû, en grande partie, à l'ambiguïté du rôle de la Société des gens de lettres qui, de tendance conservatrice, s'était refusée à soutenir officiellement le projet, bien qu'étant directement concernée par lui. Pour qu'elle se décidât à le reprendre à son compte, il fallut que fût annoncée une réunion du Congrès littéraire en 1889, et surtout qu'elle prît conscience du nombre croissant de monuments qui s'élevaient en l'honneur d'écrivains. C'est ce qui ressort clairement de la lecture des procès-verbaux des comités d'avril et mai 1888 : le 23 avril 1888, le nouveau délégué, Édouard Montagne (élu le 24 octobre 1887), rappela "ce qui [avait] été entrepris, avec un caractère d'initiative personnelle, par son prédécesseur", et il entraîna ainsi le Comité, l'organe exécutif de la Société des gens de lettres, à prendre la décision de se charger de la réalisation du monument.

1888-1891 : Chapu

Le 7 mai 1888, fut donc créée une commission de la statue de *Balzac*[30] ; dès la semaine suivante (14 mai 1888), celle-ci pouvait déjà transmettre "deux propositions d'exécution complète (modèle en bronze), au chiffre de 15 000 francs. [... et donner] connaissance d'une lettre de M. Jourdain, architecte, qui se porte fort pour M. Rodin, sculpteur, et offre d'établir la statue à ce même prix de 15 000 f." Le président, André Theuriet, proposa "de faire une démarche officieuse auprès de M. Rodin, sculpteur, pour savoir si, malgré les travaux qu'il a entrepris, il serait disposé à exécuter la statue de Balzac ; dans quelles conditions et en combien de temps". Enfin, Charles Diguet, l'un des membres de la commission, et qui resta actif jusqu'à la fin de l'affaire, lut une lettre de Marquet de Vasselot "qui a déjà exécuté le buste de Balzac et qui offre d'ériger le monument complet au même chiffre de 15 000 francs et qui s'engage à l'achever dans le délai d'un an, soit de juillet 1888 à juillet 1889". Quinze jours plus tard (28 mai), la commission soumit au Comité une nouvelle candidature : celle de Paul Fournier (1859-1926) qui travaillait alors à la statue destinée à Tours (fig. 7).

Le Comité, qui s'inscrivit lui-même pour 1 000 francs, ce qui incita la Société des auteurs dramatiques à en faire autant[31], prit en charge la collecte des fonds. Mais, avant de susciter de nouveaux donateurs, il fallait tout d'abord obtenir des souscripteurs de 1883 qu'ils confirment leurs dons. Montagne écrivit donc à chacun d'entre eux. Les réponses varièrent : M. de Saint-Yves fait savoir "que des pertes d'argent le forcent à réduire à 100 francs la souscription primitive de 1000 f. M. François Coppée maintient sa souscription initiale de 50 f. M. Alexandre Dumas fils répond que le talent de Balzac n'ayant pas décliné il n'a aucune raison pour diminuer son engagement primitif de 500 f. M. Sardou élève à 200 f. sa souscription de 100 f[32]."

Le deuxième point concernait le choix du sculpteur. Dès le 4 juin 1888, le Comité en débattit : fallait-il le désigner tout de suite "et donc limiter le chiffre de la dépense" ? - ce qui paraissait imprudent, celle-ci s'élevant souvent bien au-delà de ce qui avait été prévu. Diguet rappela la candidature de "l'ouvrier de la première heure, M. Marquet de Vasselot, qui s'est offert avec tant de dévouement. M. Charles Theuriet [répondit] qu'il [s'agissait] d'abord et surtout de Balzac et que la Société [devait] faire passer toutes les considérations accessoires après la nécessité d'élever à l'auteur de la Comédie humaine une statue digne de lui." Dalou avait été pressenti, semble-t-il, mais avait refusé, "par principe, [ne comprenant] qu'un monument", ce qui veut sans doute dire qu'une simple statue ne l'intéressait pas. En fin de compte, il fut décidé que le sculpteur ne serait choisi que lorsque la souscription aurait atteint les deux tiers du devis minimum de 15 000 francs.

fig. 7
Paul Fournier (1859-1926)
Monument à Balzac
Inauguré le 24 novembre 1889
à Tours, détruit
D'après *L'Illustration*,
7 décembre 1889, p. 492

En attendant d'en arriver là, le Comité s'inquiéta de l'emplacement de la future statue. À son regret, il apprit le 9 juillet que le carrefour Friedland-Messine venait d'être attribué à *Shakespeare* (dont la statue due à Paul Fournier, l'auteur du *Balzac* de Tours, fut inaugurée le 14 octobre 1888). Mais Charles Chincholle avait suggéré le Palais-Royal, ce qui rallia tous les suffrages : il fut donc décidé d'envoyer immédiatement une délégation à Édouard Lockroy qui était alors, pour une brève période, ministre de l'Instruction publique et des Beaux-Arts. Celui-ci s'intéressa au projet, promit "le concours de l'État et le don du bronze et [trouva] le Palais-Royal un bon emplacement[33]".

Cependant le choix du sculpteur préoccupait toujours le Comité : Pierre Granet, Aimé Millet et même Jules Dalou s'étaient proposés (9 et 16 juillet), tandis que Marquet de Vasselot poussait sa candidature par l'intermédiaire de Diguet : il "fixe à 1500 f. [sans doute une erreur de copie pour 15 000] la somme à dépenser, déclara celui-ci le 9 juillet, et garantit le Comité contre toute sorte de frais ou d'embarras imprévus. Il a exécuté déjà un buste de Balzac qui est sous les yeux des membres du Comité et qui est très ressemblant [cat. 15] ; il offre de faire des maquettes au gré du Comité, en variant les poses, et un piédestal avec bas-reliefs représentant quatre grandes scènes de l'œuvre du romancier : Eugénie Grandet, par exemple, Goriot, etc. etc."

La souscription atteignait presque 9 000 francs en juillet. "Les gens du monde nous ont puissamment aidés, reconnut Philibert Audebrand, qui avait été vice-président des Gens de lettres en 1887. Je ne citerai qu'un nom : celui de la famille de Rothschild. Plusieurs dames de cette maison nous ont envoyé chacune 500 francs. Mais ce qui a le plus abondé, c'est la lectrice anonyme, la femme masquée, laquelle envoyait 20 francs avec cette seule rubrique : 'Une admiratrice de Balzac' [...]. Dans les cercles des lettres la faveur a été grande : Alexandre Dumas fils a donné 1000 francs, Émile Zola aussi 1000 francs ; la maison Calmann Lévy, 1000 francs[34]." En effet, le 25 août, Zola avait envoyé à Montagne les 1 000 francs promis huit ans auparavant, dans *Le Figaro*, lorsqu'il avait réclamé un monument à Balzac[35]. En septembre, la souscription dépassait 17 000 francs. Le 5 novembre, on lut au comité une lettre d'Henri Chapu estimant à 25 000 francs les frais probables, bronze et fonte compris, mais sans le piédestal : le choix du sculpteur fut alors fixé à la séance suivante. Selon *L'Architecture*[36] quatorze artistes avaient posé leur candidature ; sept furent écartés immédiatement tandis que les sept autres étaient examinés attentivement, "au regard de la notoriété, du talent et de la nature des propositions". Trois candidats demeurèrent finalement en lice : Chapu, Marquet de Vasselot et, en troisième position, Antonin Mercié selon les uns (*L'Architecture*), Rodin selon les autres. Interrogé par *Le Temps*, en septembre, ce dernier avait déclaré que c'était "un grand honneur que celui d'exécuter le monument de Balzac et que, pour s'en charger il [fallait] de vigoureuses épaules". Lui-même n'exécuterait un projet que s'il avait la commande mais, selon lui, le buste de David d'Angers serait le point de départ obligatoire de la statue. "Là seulement où interviendra l'artiste, c'est dans le choix des figures symboliques qui décoreront le monument et dans la disposition même de celui-ci[37]."

Le 12 novembre, la discussion reprit donc sur les mérites de ces artistes : Marquet de Vasselot avait seul "un projet complet, tout prêt, sans surprise à craindre" et pouvait montrer "deux maquettes", dont l'une est peut-être cette statuette représentant Balzac debout, vêtu de la fameuse robe de moine qu'il mettait pour travailler, dont plusieurs exemplaires sont connus (cat. 16). Ses partisans rappelèrent encore que pour Gonzalès la statue devait être exécutée par lui "sur qui on avait pris l'habitude de compter, en commençant, quand les souscriptions étaient rares, quand MM. Dalou, Chapu, Rodin n'étaient pas encore entrés en concurrence". Malgré tout, Chapu l'emporta par dix-sept voix contre quatre. Mercié, malade, n'avait pu recevoir les délégués ; quant à Rodin il aurait obtenu deux voix : "juste la moitié des suffrages remportés par M. Marquet de Vasselot. C'est gentil ça, n'est-ce pas[38] ?", commente Frantz Jourdain qui l'avait incité à se présenter.

fig. 8, 9 et 10
Henri Chapu (1833-1891)
Trois études pour
le *Monument à Balzac*
Vers 1889, encre et crayon
Paris, Louvre, fonds du musée
d'Orsay, département des Arts
graphiques, RF 23. 116 f° 46 v°,
23. 151 f° 36, 23. 172 f° 14 v°

Le 17 décembre, Chapu annonça qu'il lui fallait environ six mois de travail pour réaliser le modèle dont la transcription en marbre ou bronze demanderait encore six mois supplémentaires. En novembre 1889, un an plus tard, la commission de la statue lui rendit visite et se déclara satisfaite de ce qu'elle avait vu. Il avait longuement hésité sur le parti à adopter, comme le montrent les carnets conservés au Louvre : "Vingt-quatre fois l'écrivain sera assis, onze fois presque debout, trente-huit fois debout, a compté Anne Pingeot. Mais il est rarement seul. Une figure féminine, un enfant et un masque semblent à Chapu nécessaires pour expliquer au public la nature du génie de l'écrivain. [...] C'est l'allégorie qui mobilise toute la sensibilité du sculpteur. Pour rompre les deux verticales parallèles de sa composition, il la transforme en figure volante coupant obliquement le socle soit de face, soit de dos, puis il l'assoit aux pieds mêmes de Balzac. Il utilise une nouvelle idée qu'il a pris soin de noter '*La Comédie humaine recevant le masque de Balzac*' (RF 23. 172 f° 27 v°). [...] Selon une tradition encore plus classique, il fait voler l'allégorie au dos de l'écrivain (RF 23. 104 f° 39), ou bien la précipite à terre pour que, à genou, elle écrive sur la base du socle (RF 23. 151 f° 32 v°), parfois orné d'un relief circulaire[39]" (fig. 8, 9 et 10). Si l'on en croit les maquettes conservées (cat. 17), Chapu se décida pour un Balzac assis, vêtu d'une robe de moine et tenant une plume, tandis que *La Comédie humaine*, qui s'appuie au socle, un masque à la main, lève les yeux vers lui : ces conventions rendaient le sujet immédiatement compréhensible par le public auquel il était destiné.

En avril 1890, Chapu pouvait écrire à Charles de Lovenjoul que l'esquisse du monument avait été "arrêtée", et qu'il allait "en commencer l'étude aussitôt[40]" ; en octobre, le Comité apprit que la statue était "fort avancée", mais pas terminée ; le 15 décembre, il entendit la lecture d'une lettre de Chapu annonçant que la décision qui avait été prise de la placer dans la galerie d'Orléans déplaisait aux riverains. Cet emplacement n'avait d'ailleurs pas rallié tous les suffrages au sein du Comité lui-même : si certains faisaient remarquer que la galerie, "fort gracieuse d'aspect, rappelle un musée de sculptures et fera valoir la statue" et, comme Chapu, appréciaient l'idée qu'ainsi, "à l'abri des intempéries de l'air et dans un cadre restreint, [elle pourrait] être exécutée en marbre blanc de grandeur nature, et donner une œuvre plus fine, plus fouillée, plus délicate, plus artistique qu'une statue en bronze, purement décorative, destinée à une vaste place publique", d'autres regrettaient le plein air.

Deux conceptions s'opposaient donc : un objet précieux destiné à être admiré de près, ou un monument conçu pour un large espace. La première l'emporta d'abord. Mais, le 6 avril 1891, Émile Zola (qui avait été reçu sociétaire le 9 février avec le parrainage d'Alphonse Daudet et de Ludovic Halévy) fut élu président de la Société des gens de lettres. "On sait aujourd'hui, **commente un certain Caribert le 16 mai suivant**, pourquoi M. Émile Zola est entré à la Société des gens de lettres. Ce n'est point, comme d'aucuns l'ont dit, pour goûter l'ambroisie des titres pompeux ou pompiers ; pour se voir décerner les suprêmes honneurs et s'entendre appeler président gros comme le bras de Mlle Mathilde ; c'est pour prendre en main les intérêts de son ami Balzac[41]."

À peine élu président, il pesa en effet de toute son influence pour faire changer l'emplacement du monument. Il profita de ce que l'artiste n'avait guère donné de nouvelles de son travail pour protester contre "cette melonnière de la galerie d'Orléans[42]". Mais, quelques jours plus tard, Chapu était emporté par une congestion pulmonaire (21 avril). Aussi, au début du mois de mai, Zola et Armand Renaud, président de la commission de la statue, se rendirent-ils à son atelier pour constater l'état d'avancement du projet. Contre toute attente, **ils trouvèrent** "une esquisse sommaire, à peine ébauchée, qui dans son état incomplet n'offre pas encore le caractère d'une œuvre. Il leur a donc semblé qu'en droit et rigoureusement, la Société se trouvait dégagée de son contrat par la mort du sculpteur avant l'exécution d'un modèle achevé. Mais ils signalent d'autre part les inconvénients qu'il y aurait à rompre avec le projet Chapu. Ce serait, pensent-ils, manquer à la mémoire du grand artiste, entamer de douteuses contestations, agir contre l'avis de maîtres compétents tels que MM. Mercié, Dubois et Falguière. Aussi proposent-ils de conserver en principe le projet esquissé dont l'exécution en marbre sera réglée avec les collègues de Chapu après qu'aura été définitivement fixé l'emplacement de la future statue[43]."

"Il faut s'occuper de deux choses, **déclara Zola à la presse** : de la statue d'abord, de l'endroit où elle sera placée ensuite. Chapu n'a laissé qu'une maquette, une esquisse, un bloc de terre glaise sur armature non dégrossi. Fera-t-on achever cette *dernière pensée* du sculpteur, soit par un autre, soit par les élèves qu'il a formés et qui savent ce qu'il voulait faire ? C'est presque un devoir à l'égard de l'artiste trop tôt enlevé. Et cependant, sans le critiquer, sans critiquer surtout l'œuvre ébauchée, je puis bien dire que pour moi, ce n'était pas l'homme né pour exécuter la statue de Balzac. Le talent de Chapu était tout de délicatesse, un peu affecté même parfois et n'a rien de commun avec la hauteur, l'ampleur d'idée, la robustesse de main du célèbre romancier. [...] Maintenant il y a la question de l'emplacement que j'ai soulevée. A-t-on idée d'une statue de Balzac placée ailleurs qu'en plein pavé de Paris ? Voyez-vous cette puissance écrasée sous un vitrail ? La raison déterminante qu'avait donnée Chapu, c'est qu'il voulait faire quelque chose de très fin et qu'il désirait préserver son marbre des intempéries. Je ne sens pas bien une statue de Balzac *très fine*. Mais, en tout cas, j'aimerais mieux la placer dans un musée, dans une bibliothèque, je ne sais où, plutôt que dans ce passage mal fréquenté, hanté par un tas de gens équivoques. Balzac là-dedans, oh ! non ! tant pis pour le marbre ; il n'en ira que mieux lorsqu'il sera devenu un peu plus rugueux[44]." **Le 28 mai, il écrivit donc à Eugène Poubelle, préfet de la Seine, et à Léonce Levraud, président du conseil municipal de Paris, pour leur demander d'autoriser l'érection du monument place du Palais-Royal** : "En votre personne, monsieur le président, je m'adresse au conseil municipal tout entier, et je le prie instamment, lui qui est l'émanation directe, la volonté de notre cher et grand Paris, d'être notre collaborateur, en nous aidant à glorifier dignement l'écrivain qui a raconté et décrit toute une époque de la cité, avec la vivante provocation du génie. Vous serez Paris lui-même donnant une de ses places à son peintre le plus puissant, et la littérature française vous en saura une éternelle gratitude[45]."

Tout indiquait que la place du Palais-Royal serait accordée par l'administration[46]. Par ailleurs, Zola annonça le 1er juin qu'il avait vu Antonin Mercié et que celui-ci estimait possible de réaliser la statue au prix de 31 000 francs, même si le monument devait désormais atteindre 6 mètres pour être en harmonie avec son cadre. "L'affaire est en bonne voie, conclut M. Ém. Zola, il n'y a qu'à attendre la marche lente des choses, et nous saurons au besoin la pousser, lui mettre l'épée dans les reins[47]." **Le 17 juin, le conseil municipal autorisa l'érection** de la statue place du Palais-Royal, après une vive discussion : "La place du Palais-Royal est très encombrée, **avait fait valoir l'un des conseillers, Cochin**. La statue, placée au milieu d'un va-et-vient continuel, gênera la circulation. [...] Il me semble – je ne sais si je me trompe – que lorsqu'il s'agit des statues des hommes de lettres ou de science, il convient de choisir les emplacements dans des endroits tranquilles, tels que les jardins publics. [...] Je crois donc que le jardin du Palais-Royal conviendrait parfaitement. [...] – Bien loin de gêner la circulation, **rétorqua le rapporteur, Pierre Baudin**, la création d'un refuge central sur la place du Palais-Royal la facilitera. [...] – Il n'y a pas de place trop large, trop grandiose – on a dit trop solennelle – pour la statue (de Balzac), **appuya Charles Longuet**. Donnons-lui ce que nous pouvons et ce que nous avons de mieux. Faisons-lui une large place dans un Panthéon à ciel ouvert. (Très bien ! Très bien !). Enfin ne venez pas me dire que le lieu choisi est trop fréquenté. Le recueillement, le calme et la méditation ne composeront jamais un décor qui convienne à cette statue. C'est en plein Paris, au milieu du tourbillonnement même de la vie parisienne, si bien pénétrée, reconstituée avec une telle puissance d'observation et d'idéalisation, que cette statue doit s'élever[48]."

Dès le lendemain, Zola remercia le conseil municipal d'avoir "fait là, au-dessus de la querelle des partis, un acte de haute intelligence et d'absolue justice, auquel applaudira toute la nation lettrée. Il a, une fois de plus, bien mérité du cerveau de la France, qui est Paris[49]."

Charles Chincholle[50], qui apparaît ici pour la première fois, mais auquel nous devons, surtout après 1894, une chronique régulière des péripéties du *Monument à Balzac*, jugea ce changement inacceptable : "Les sculpteurs héritiers de l'atelier Chapu, **déclara-t-il**, sont armés du contrat passé entre la Société et M. Chapu, en vertu duquel ils doivent livrer la statue de Balzac sur l'emplacement choisi par M. Chapu lui-même, au Palais-Royal. M. Chapu meurt et vous vous empressez de transporter cette place en un autre endroit. Eh bien ! je trouve que vous êtes trop pressé de défaire ce que ce sculpteur a fait et de... cracher sur sa tombe.

Mais, riposte M. le Président, c'est de Balzac qu'il s'agit et non de Chapu. C'est Balzac que nous défendons et, en honorant Balzac sur l'une des plus belles places de Paris, j'estime que nous honorons encore la mémoire de M. Chapu[51]."

Chincholle aimait beaucoup – il n'hésita pas à le dire en 1898 – la maquette de Chapu qu'il trouvait "distinguée, [...] élégante, [...] compréhensible[52]". En revanche, Zola qualifiait de "bourgeois" ce groupe "où l'illustre écrivain est représenté assis, vêtu de sa robe monacale, et regardant une femme qui se dévoile devant lui. [...Certes] dans la pensée du statuaire, cette femme dont les nudités apparaissent ainsi à l'œil observateur de Balzac symbolisait l'Humanité. Malheureusement, pour le public non initié, ce 'moine' devant lequel se dresse une femme nue, risquait de représenter tout aussi bien la Tentation de saint Antoine que la Comédie humaine se révélant au plus grand romancier de ce siècle et de tous les siècles[53]." Par ailleurs, Mercié, à qui Zola avait écrit le 9 juin pour lui demander davantage de précisions sur le coût des travaux, et en particulier du piédestal qui devrait être plus important pour la place du Palais-Royal qu'il n'avait été prévu d'abord[54], ne répondait toujours pas. Il semble en effet qu'il ait en fin de compte jugé insuffisante la somme réunie, "sauf à apporter au projet original certaines modifications destinées à le simplifier et consistant notamment dans la suppression des deux figures allégoriques" ; cependant, à la réflexion, les exécuteurs testamentaires de Chapu, Dubois, Falguière et Mercié lui-même, ne voulaient pas admettre de modification ni dans la composition, ni dans le style, et estimaient que la statue, conçue pour être vue de près "et, en quelque sorte, d'une façon intime afin que les détails d'exécution pussent en être appréciés", aurait été "dépaysée" sur une grande place[55].

Fin juin, les choses se précipitèrent : Zola demanda au romancier Gustave Toudouze, proche de Rodin et membre de la Société des gens de lettres depuis 1875, de sonder les intentions de l'artiste dont le second projet pour le *Monument à Victor Hugo* au Panthéon venait d'être approuvé (fig. 11). On ne sait pas exactement quand et comment Zola et Rodin

fig. 11
Auguste Rodin
Deuxième projet de *Monument à Victor Hugo* pour le Panthéon
1891, esquisse en bronze
Musée Rodin, S. 1066

étaient entrés en relation mais la première lettre conservée de Zola à Rodin, au ton déjà amical, remonte au 14 février 1889[56]. Les deux hommes avaient de nombreux amis communs, Rodin ayant des littérateurs pour "admirateurs les plus convaincus, les plus passionnés", comme le remarquait Toudouze[57], qui faisait partie de leur entourage à tous deux. Il en allait de même pour : Octave Mirbeau, Gustave Geffroy à qui, dès le 20 juin 1883, Zola s'était plaint de l'injustice qu'il y avait à élever une statue à Dumas avant d'en ériger une à Balzac[58], Edmond de Goncourt qui avait présidé le 17 février 1888 le banquet "offert par les amis de la personne et du talent" de Rodin, Alphonse Daudet, le romancier suisse Édouard Rod, Léon Cladel dont on considère en général que c'est lui qui présenta Rodin à Zola, ou encore Frantz Jourdain. Or c'était celui-ci, "l'architecte et l'homme de lettres, d'une passion si chaude, si en avant pour ceux qu'il admire et qu'il aime[59]", qui avait eu le premier l'idée que Rodin pourrait faire la statue de Balzac : "La statue de Balzac, dites-vous, n'avait que deux concurrents : MM. Chapu et Marquet de Vasselot, protesta-t-il dans une lettre ouverte à *La Vie artistique*, le 21 novembre 1888. Pardon, il y en avait trois, sans parler des autres. Ce troisième-là était Rodin que j'avais *officiellement* présenté au Comité de la Société des gens de lettres."

"Mon cher Maître, écrivit Rodin à Zola, Monsieur Toudouze est venu de votre part me demander si je ferais la statue de Balzac si l'on exécute pas celle de Chapu. Certainement, et ce ne sera pas une de mes moindres satisfactions d'avoir été choisi par vous, cher Monsieur Zola.

Quand il n'y aurait que cela ce serait déjà beaucoup. Car je n'assiste pas à vos victoires comme un indifférent. Bien que je ne vous envoi pas de cartes de félicitations, et que je ne puisse aller au banquet du Rêve, je suis dans le groupe qui vous est dévoué[60]."

Il avertit aussitôt Gustave Geffroy qui était l'un de ses plus sûrs appuis : "Mon cher ami, merci pour votre mot, lui répondit celui-ci. Oui, je voudrais bien vous voir sculpter un Balzac. Je suis sûr que vous sauriez évoquer le grand homme du siècle et que vous inscririez sur le piédestal un beau résumé de la Comédie humaine. Attendons et aidons au projet[61]."

Le 29 juin, Mercié laissa entendre à Toudouze que la succession Chapu ne demandait qu'à renoncer au monument, mais qu'elle craignait de devoir rendre les 5 000 francs qui avaient été versés à l'artiste. Il allait réunir ses amis pour prendre une décision, et celle-ci serait communiquée au Comité le 6 juillet. Toudouze en avertit Zola et proposa immédiatement à celui-ci d'aller voir Rodin "et de lui demander une lettre de demande officielle adressée à vous, président, de manière à pouvoir la produire à la séance de lundi, immédiatement après le désistement Chapu, si désistement il y a[62]". Le 1er juillet, Zola chargea donc Jourdain de dire à Rodin de lui envoyer immédiatement à lui, Zola, une lettre de candidature officielle : "L'affaire dont je vous ai parlé presse, et peut-être pourrons-nous arrêter le choix du nouveau sculpteur dans notre séance de lundi. Voyez donc Rodin le plus tôt possible, persuadez-le que la statue doit avoir au moins quatre mètres, sans compter le piédestal, et voyez si le tout peut être exécuté et mis en place pour la somme de trente mille francs. Dans ce cas il faudrait que Rodin m'écrivît tout de suite, en me demandant d'exécuter la statue (y compris le piédestal dont vous vous chargeriez) pour cette somme de trente mille francs. Il devra s'engager dans sa lettre à livrer le monument le 1er mai 1893. Enfin qu'il indique aussi la hauteur de l'ensemble[63]."

"Monsieur le président, écrivit donc Rodin le 3 juillet,

Ayant appris que la Société des gens de lettres allait peut-être avoir à se préoccuper d'un nouveau sculpteur pour la statue de Balzac, je viens vous prier de vouloir bien, le cas échéant, soumettre ma candidature au Comité.

J'offre de me charger d'exécuter un Balzac en bronze, haut d'environ 3 mètres, avec piédestal en rapport, et cela dans un délai maximum de dix-huit mois, à partir du jour de la commande, pour la somme restant de la souscription ouverte dans ce but.

Je me suis toujours préoccupé de cette grande figure littéraire, je l'ai souvent étudiée non seulement dans ses œuvres, mais aussi dans son pays natal (vallée de l'Indre)[64]."

Au comité du 6 juillet 1891, Berryer, avocat de Mme Chapu, confirma "que la succession Chapu se désisterait de tout droit sur la commande [...] moyennant une somme de sept mille francs" (que Zola espérait faire descendre à 5 000 francs, montant de l'acompte qui avait été versé à Chapu de son vivant). "Le Comité, se considérant dès lors comme prochainement dégagé vis-à-vis de l'atelier Chapu, discute la question d'un choix à faire pour l'exécution de la statue de Balzac." Zola mena l'affaire tambour battant : "Apportez la lettre de Rodin, avait-il recommandé à Toudouze. Et préparez vos amis au vote, car nous allons tâcher d'enlever l'affaire[65]." Sans consulter la commission[66], on rappela donc les candidatures soumises, dont celles de Rodin et de Marquet de Vasselot, celui-ci se présentant une première fois sous le nom de Marquet, puis une seconde sous celui de Vasselot ! "Dans sa lettre M. Marquet offre de faire la statue en marbre ou en bronze, dans le délai de 18 mois, pour la somme dont disposera la Société en faveur de cette œuvre.

Par lettre également, M. Coutant pose sa candidature sans parler des conditions.

Par lettre, M. de Vasselot propose de livrer la statue complètement terminée le 10 avril 1892 ; elle aurait trois ou quatre mètres ; et coûterait vingt-cinq mille francs, tout compris, M. de Vasselot s'étant assuré du concours gracieux de M. Pascal architecte.

Enfin la lettre de M. Rodin offre l'exécution de l'œuvre dans un délai de dix-huit mois et demande comme rétribution la somme qui reste dans la caisse de la Société à destination de ce monument."

Hector Malot ayant demandé s'il ne faudrait pas susciter d'autres candidatures, Zola répondit "que le nombre des concurrents ne ferait qu'ajouter à l'embarras d'une décision ; et M. Chincholle que cet appel fut précisément lancé lors du premier choix, du choix de Chapu : les mêmes vingt-cinq concurrents, pense-t-il, se représenteraient ; ils ont été écartés et il n'y a pas lieu de les faire revenir.

M. Zola conclut le débat en disant que les candidats en présence représentent assez exactement les tendances contraires de l'art pour que chacun vote selon son goût en sculpture."

Au premier tour, Marquet de Vasselot, qui était très soutenu par une partie du Comité (Larmandie, Jahyer, Gourdon), et Rodin obtinrent chacun neuf voix ; au second, Rodin en eut douze et son rival huit, quoique Chincholle lui eût donné sa voix alors qu'il avait voté pour Rodin au premier tour[67]. La séance du 6 juillet 1891 se conclut donc sur la désignation de Rodin. "Mon cher Jourdain, écrivit immédiatement Zola, enfin la grande chose est faite, et ça n'a pas été sans peine, je vous assure, le comité a choisi Rodin ; mais le vote doit rester secret tant que nous n'en aurons pas fini avec la succession Chapu. Et je vous demande donc le silence.

Si je vous écris, c'est que je voudrais bien avoir tout de suite quatre lignes de vous, vous proposant à titre gracieux pour le piédestal, en collaboration avec Rodin, votre ami. De cette façon, lundi, je terminerais tout, et nous n'aurions plus qu'à marcher.

N'est-ce pas ? une lettre à moi, sans réflexions, où vous vous offrez et que je puisse lire[68]."

Jourdain désirait en effet, depuis longtemps, être chargé du piédestal. Le 16 mai, il en avait fait part à Zola : "Voulez-vous me permettre de vous demander de faire, gratuitement, bien entendu, le piédestal de la statue du Maître. Je le dis sans orgueil, mais sans modestie, je suis le seul architecte qui aime – et probablement qui ait lu – Balzac[69]." "À cette heure nous sommes dans le gâchis, avait répondu Zola. Si je soulevais la question du piédestal, elle serait renvoyée à plus tard. Remettez-vous entre mes mains, et croyez que je ferai tous mes efforts pour que les choses marchent à votre gré[70]." Il communiqua en effet la proposition de Jourdain au comité du 8 juin et elle fut acceptée le 12 juin 1891.

1. Émile Zola, "Une statue pour Balzac", *Le Figaro*, 6 décembre 1880 ; repris *in* Zola, 1888, pp. 85-95.

2. *Cf. Le Livre*, 10 janvier 1884 ; cité par Gabriel Ferry, 1899, p. 641.

3. Cité par Gabriel Ferry, 1899, p. 642.

4. "Par cette initiative vous me donnez le droit de réclamer l'exécution de ce monument, moi qui en ai eu la première idée le jour néfaste de la mort de l'auteur de *la Comédie Humaine*. Comptez donc, pour l'exécution de cette œuvre nationale, sur mon dévouement fraternel et désintéressé" (Antoine Étex à Alexandre Dumas ; cité par Gabriel Ferry, 1899, p. 643 ; *cf.* aussi *Le Mousquetaire*, 5 avril 1854).

5. "Quant à moi, je vous préviens que je n'ai pas interrompu mon travail, et que je me crois le droit, malgré toutes les veuves du monde, de faire un monument à tel grand homme qu'il me plaira. Je ne sais pas si Soulié a une veuve, je n'ai jamais entendu parler ni de Mme Shakespeare, ni de Mme Racine ; ce que je sais c'est que vous aurez votre statue toute faite dans un mois. C'est moi qui vous la donne, voilà ma souscription" (Auguste Clésinger à Alexandre Dumas, [mai 1854] ; cité par Gabriel Ferry, 1899, p. 643). Balzac étant "pris" par Étex, Clésinger avait proposé en effet de se charger de la statue de Soulié (*Le Mousquetaire*, 2 et 3 janvier 1854).

6. *Cf.* exp. Paris, musée d'Orsay ; Blois ; Amsterdam ; 1997, cat. n° 102.

7. Eugène Delacroix, *Journal 1822-1863*, préface de Hubert Damisch, introduction et notes par André Joubin, Paris, Librairie Plon, 1996, p. 419 ; *cf.* aussi *Le Mousquetaire*, 17 mars, 2, 3 et 4 mai 1854.

8. Balzac, *Lettres à Mme Hanska*, éditées, présentées et annotées par Roger Pierrot, Paris, Robert Laffont, coll. "Bouquins", 1990, t. II, p. 1100.

9. Sur ce premier projet de monument, *cf.* Gabriel Ferry, 1899, pp. 641-644.

10. Jean de Nivelle, "La statue de Balzac", *Le Soleil*, 24 novembre 1883.

11. Novembre 1883 ; Paris, Maison de Balzac, 105 A 2 ; épreuves corrigées, 105 A 3a.

12. Théodore de Banville, *Lettres chimériques*, Paris, G. Charpentier, 1885, chap. XLII : "La statue de Balzac", pp. 306-312.

13. Dossier 105 : ensemble de cent vingt lettres, d'écrivains et de journalistes surtout, adressées à Emmanuel Gonzalès. Ce dossier comprend également divers documents relatifs à la souscription. Je remercie Mme Judith Petit de me l'avoir signalé. Ce dossier est probablement celui que Jeanne Gonzalès, la fille d'Emmanuel Gonzalès, remit à André Maurel pour qu'il le publie, ce qu'il ne fit pas (*cf.* André Maurel, "Une statue pour Balzac", *Le Figaro*, supplément, novembre 1883). Le dossier semble avoir été alors plus important qu'il ne l'est aujourd'hui.

14. Emmanuel Gonzalès à un correspondant inconnu ; Paris, Maison de Balzac, 105 A 6.

15. Edmond de Goncourt à Emmanuel Gonzalès, *Le Livre*, 10 février 1884.

16. Paris, Maison de Balzac, 105 B.

17. Emmanuel Gonzalès à Zola (1883), brouillon, annoté en haut "lettre à É. Zola" ; Paris, Maison de Balzac, 105 A 5.

18. Repris *in* Zola, 1888, p. 131. *Cf.* aussi sur l'importance reconnue à Balzac par Zola : Zola, *Les Romanciers naturalistes. Balzac, Stendhal, Gustave Flaubert, Edmond et Jules de Goncourt, Alphonse Daudet*, Paris, Bibliothèque Charpentier, Fasquelle, 1906.

19. André Maurel, 1883.

20. Emmanuel Gonzalès à un correspondant inconnu, brouillon ; Paris, Maison de Balzac, 105 A 9.

21. Le maire de Tours demande à la Société des gens de lettres de s'associer à "l'hommage rendu au grand romancier. [...] M. Emmanuel Gonzalès, délégué, donne à ce propos quelques renseignements sur la statue de Balzac à Paris. Le Comité décide qu'il sera écrit à M. Le Maire de Tours que la sympathie est acquise à son œuvre" (Paris, arch. de la Société des gens de lettres, procès-verbal du comité du 9 novembre 1885). Le monument fut confié à Paul Fournier (*cf.* fig. 7). Refusé par la commission, il fut soumis au jugement de quatre arbitres, Mézières et Claretie pour la Ville de Tours, les sculpteurs Guillaume et Doublemard pour Fournier qui le reçurent "à correction". Il fut inauguré le 24 novembre 1889 (*cf. L'Illustration*, 7 décembre 1889, p. 492).

22. Emmanuel Gonzalès à un correspondant inconnu, brouillon ; Paris, Maison de Balzac, 105 A 9.

23. André Maurel, 1883.

24. "Monsieur, J'étais absent lorsque m'est arrivé votre appel pour la statue de Balzac. À mon retour je m'empresse de vous envoyer mon adhésion comme membre de la commission d'étude. Je vous remercie d'avoir pensé à moi ; je serai très honoré de participer à cette œuvre de juste reconnaissance envers la mémoire de l'illustre père du roman moderne" (Alexandre Falguière à Gonzalès, 20 décembre 1883 ; Paris, Maison de Balzac, 105 C 1).

25. Paris, Maison de Balzac, 105 C 3a.

26. Comité du 11 janvier 1886.

27. Paris, arch. de la Société des gens de lettres, procès-verbal du comité du 1er février 1886. Ce buste, signé *A. Rodin* sur le côté droit du piédouche, est toujours conservé à l'hôtel de Massa.

28. Louis de Ronchaud, *L'Artiste*, 1886 ; cité par Radegonde Carnot, 1983, p. 258.

29. "Monsieur le Président Je ne puis être juge et partie. Veuillez donc avoir la bonté d'accepter ma démission. Depuis la mort de Balzac deux modestes monuments ont été élevés à la mémoire de ce grand voyant du cœur humain : L'un grâce à Got est à la Comédie française, L'autre au musée de Tours. Ces deux bustes sont dus à mon initiative – et c'est à force d'essayer que j'ai réussi à faire entrer Balzac dans la maison de Molière où il est placé en face Dumas. Mais ces deux bustes, Monsieur le Président, ne pouvaient dans ma pensée suffire à la gloire de Balzac. Aussi dès 1880 à Tours et à Paris en 1883 j'ai offert mon concours gratuit pour la statue qui nous occupe aujourd'hui. Je viens donc offrir au comité la statue de Balzac, elle sera en bronze et sa hauteur sera de 2 m 50. Elle coûtera 10 000 f. C'est à cette somme que me revient la statue de Lamartine que je termine en ce moment. Soit 8 000 f. de fonte environ 2 000 f. moulage et autres frais. L'excédent de la souscription pourra être consacré au piédestal et aux figures décoratives qui peuvent le décorer.

Je n'ai pas l'honneur d'être de la société des Gens de lettres, mais je suis de la famille – je vous prie donc, mon cher Président, de m'inscrire pour la somme de cent francs [...] Mon dernier buste de Balzac a été fait sous la direction de sa nièce Madame Duhamel née Surville" (Marquet de Vasselot à Emmanuel Gonzalès, 18 9bre 1885 ; Paris, Maison de Balzac, 105 C 3c). Et : "Mon cher Président, Lisez et <u>montrez</u>. 1 Salon de 1868 Balzac, buste plâtre 2 " 1870 Balzac id. bronze 3 " 1875 Balzac id. marbre – Comédie française Balzac marbre 1873 4 Musée de Tours Balzac marbre 1875. 5 Roi de Suède Balzac bronze 6 Société des Gens de lettres Balzac buste bronze à cire perdue 7 Enfin un dernier buste de Balzac fondu par Barbedienne en 1882 pour sa nièce Mme Duhamel née Surville. Tous ces bustes ont été faits par votre très bon ami <u>Marquet de Vasselot</u> il s'engage à donner au comité de la statue de Balzac un bronze hauteur 3 mètres pour 10 000 f. fondu chez Thiébaut, il ne demande rien pour lui Vasselot. [Au dos] J'arrive de voyage à l'instant. J'irai vous voir demain mardi. N'oubliez pas, mon cher Président, que c'est à mon activité et à mon désintéressement que Balzac est à la Comédie française que Lamartine est à Paris et Henri Martin à St Quentin et je vous annonce que le 1er octobre 1889 Musset sera à Paris. À vous de tout cœur. [En travers dans l'angle] Il faut en finir ou nous ne verrons jamais cette statue de Balzac à laquelle vous et moi nous avons attaché notre nom" (Marquet de Vasselot à Emmanuel Gonzalès, 16 mai 1887 ; Paris, Maison de Balzac, 105 C 3d).

30. Composée de cinq membres : Paul Eudel, Charles Diguet, Arthur Arnould, Charles Chincholle et Charles Gueullette, auxquels furent adjoints Armand Renaud et Félix Jahyer, le 22 mai suivant.

31. *L'Artiste*, août 1888, p. 144.

32. Paris, arch. de la Société des gens de lettres, procès-verbal du comité du 4 juin 1888.

33. Paris, arch. de la Société des gens de lettres, procès-verbal du comité du 9 juillet 1888.

34. Philibert Audebrand, "La statue de Balzac", *Le Figaro*, 10 octobre 1902. *Cf.* aussi Philibert Audebrand, "La statue de Balzac", *L'Événement*, 27 juillet 1898.

35. Zola à Édouard Montagne, 25 août 1888. *Cf.* Mathias Morhardt, 1934, p. 469 (qui date la lettre à tort du 25 avril 1898) ; et Zola, *Correspondance*, t. VI, 1987, p. 330.

36. "La statue de Balzac", *L'Architecture*, 8 décembre 1888, p. 587.

37. "Au jour le jour. La statue de Balzac", *Le Temps*, 12 septembre 1888.

38. Lettre ouverte de Frantz Jourdain, 21 novembre 1888, "La statue de Balzac", *La Vie artistique*, 2 décembre 1888.

39. Anne Pingeot, 1979, p. 42.

40. Henri Chapu à Lovenjoul, 28 avril 1890 ; Paris, Institut de France, fonds Spoelberch de Lovenjoul, G. 1160.

41. Coupure de presse sans référence ; Paris, Maison de Balzac. En 1888, Zola avait fait partie d'un comité composé d'Alphonse Daudet, Paul Bourget, Edmond de Goncourt et Guy de Maupassant qui, avec l'éditeur Lemerre, décidèrent l'exécution d'un monument allégorique en l'honneur de Balzac, destiné à faire pendant à la fontaine de Corot, près des étangs de Ville-d'Avray : "Accoudée à une colonne supportant le buste du peintre de la *Comédie humaine*, une jeune femme d'une main lève son voile, de l'autre retire un masque comique, et ses traits tristes, ses yeux résignés, se tournent vers l'illustre analyste du cœur humain" ("Chronique", *L'Artiste*, janvier 1889, pp. 65-66). La figure fut commandée à Émile Soldi, auteur d'un médaillon de *Balzac* qui se trouve aujourd'hui dans le pavillon construit sur l'emplacement de la chapelle Saint-Nicolas qui avait fait partie de l'hôtel aménagé par Balzac pour Mme Hanska.

42. Paris, arch. de la Société des gens de lettres, procès-verbal du comité du 18 avril 1891. Aujourd'hui disparue, la galerie d'Orléans a été décrite par Andrée Jacob comme un "hall vitré sordide et poussiéreux" ("La statue de Balzac par Rodin", *Commission du vieux Paris*, 1972).

43. Paris, arch. de la Société des gens de lettres, procès-verbal du comité du 11 mai 1891.

44. "La statue de Balzac. Chez M. Émile Zola", 16 mai 1891 ; coupure de presse sans référence ; Paris, Maison de Balzac. Dans *Le Figaro* du 15 mai 1891, Philippe Gille confirme que Zola "remuera le ciel et la terre" pour obtenir un meilleur emplacement.

45. *Cf.* Zola, *Correspondance*, t. VII, 1989, pp. 151-152.

46. Poubelle répondit très vite, favorablement (*cf.* les remerciements de Zola, vers le 30 mai 1891, *Correspondance*, t. VII, 1989, p. 154). L'arrêté officiel, approuvant "l'érection d'une statue de Balzac sur une place publique de Paris conformément à l'arrêté du Préfet de la Seine du 11 août 1891", fut pris le 5 avril 1892 (Arch. nat. F1/C1-169).

47. Paris, arch. de la Société des gens de lettres, procès-verbal du comité du 1er juin 1891.

48. Conseil municipal de Paris, procès-verbal de la séance du 17 juin 1891, Paris, arch. de la Seine. Le monument devait être érigé "sur un terre-plein muni de quatre candélabres qui serait substitué à cet effet aux deux refuges existants actuellement dans l'alignement de la rue Saint-Honoré".

49. Zola au président du conseil municipal de Paris, Paris, 18 juin 1891 ; *cf.* Zola, *Correspondance*, t. VII, 1989, p. 162.

50. Reçu sociétaire des Gens de lettres en 1885, il fit partie du Comité, presque constamment, de 1888 à 1902.

51. Paris, arch. de la Société des gens de lettres, procès-verbal du comité du 22 juin 1891.

52. Charles Chincholle, "L'incident Rodin-Balzac", *Le Figaro*, 17 mai 1898.

53. Firmin Javel, "Le monument de Balzac", *Gil Blas*, 22 juin 1891.

54. "La vérité est que nous ne pouvons rouvrir la souscription et qu'il faut arriver à se contenter des trente-un mille francs que nous avons. Nous trouverons peut-être encore trois ou quatre mille francs. Mais ce serait folie que d'espérer davantage..." (Zola à Antonin Mercié, Paris, 9 juin 1891 ; Zola, *Correspondance*, t. VII, 1989, p. 157).

55. "Chronique", *L'Artiste*, septembre 1891, p. 223.

56. "Cher monsieur Rodin, Vous êtes bien aimable de vous inquiéter de ma santé. J'ai regretté plus que

vous ce malaise qui m'a empêché d'admirer vos œuvres et d'en causer comme je l'aurais voulu..." (Zola à Rodin, *Correspondance*, t. VI, 1987, p. 369).

57. Gustave Toudouze, "Auguste Rodin", *La Petite Revue*, 12 décembre 1891, p. 370.

58. Lettre mentionnée par Joy Newton et Monique Fol, 1977, p. 177 note 2.

59. Gustave Toudouze, "Auguste Rodin", *La Petite Revue*, 12 décembre 1891, p. 370.

60. Paris (2 ou 6 juillet 1891, selon Joy Newton et Monique Fol, 1985, n° II ; avant le 25 juin, date du banquet du *Rêve* ; *cf.* Zola, *Correspondance*, t. VII, 1989, p. 172), Bibliothèque nationale de France, Mss, N. a. fr. 24523, f° 334. *Le Rêve*, opéra-comique de Louis Gallet, musique d'Alfred Bruneau, d'après le roman de Zola, fut créé à l'Opéra-Comique le 18 juin 1891, et, le 25, *L'Écho de Paris* organisa un banquet en l'honneur des auteurs et des interprètes au restaurant du Château de Madrid au Bois de Boulogne.

61. Cette lettre est datée seulement "lundi" mais, dans la mesure où il y est ensuite question du dimanche 5 juillet, on peut la situer en 1891 et considérer que ce "lundi" est le 29 juin (arch. musée Rodin).

62. Gustave Toudouze à Zola, 30 juin 1891 ; Bibliothèque nationale de France, Mss, N. a. fr. 24524, ff° 93-94.

63. *Cf.* Judith Cladel, *Rodin, sa vie glorieuse...*, 1936, p. 185 ; Zola, *Correspondance*, t. VII, 1989, pp. 171-172. Le même jour il écrit à Gustave Toudouze : "Votre idée de me faire écrire par Rodin une demande officielle est excellente. Seulement, dans cette demande, il faudrait qu'il fixât la hauteur du monument, le prix qu'il demande (et qui ne doit pas être supérieur à trente mille francs) et enfin le délai dans lequel il s'engage à livrer son œuvre. J'ai déjà chargé Jourdain de s'entendre de tout cela avec Rodin, et je vais lui écrire de nouveau. Tâchez donc de voir Jourdain. Vous agiriez ensemble, vous m'apporteriez lundi la lettre de Rodin. Et voyez vos amis du comité, assurons-nous de la majorité" (Paris, bibliothèque de l'Arsenal, ms. 15072, f° 825 ; *cf. ibidem*, pp. 172-173).

64. L'original de la lettre n'est pas localisé, mais celle-ci est souvent

évoquée dans les comités de la Société des gens de lettres, et des copies en furent publiées dans la presse en 1896, au moment où le retard de Rodin inquiéta de nouveau les souscripteurs. *Cf.* par exemple, Charles Chincholle, "Question enterrée", *Le Figaro*, 26 août 1896.

65. Zola à Gustave Toudouze, 5 juillet 1891 ; *cf.* Zola, *Correspondance*, t. VII, 1989, p. 177.

66. "Mon cher Vasselot, Le comité a tout décidé. Membre de la commission je n'ai pas même été convoqué. Voilà la vérité ; je tenais à rétablir ces faits" (Paul Eudel à Anatole Marquet de Vasselot, 10 juillet 1891 ; cité par Louis Gaillard, "La statue de Balzac. Comédie humaine !", *Gil Blas*, 7 décembre 1894).

67. "Mon bon ami, Nous sommes battus. Au premier tour 9 voix pour, 9 voix contre, une abstention, un bulletin blanc. Au deuxième tour, 12 voix contre, 8 voix pour. Je puis te donner ce détail intime. Au deuxième tour Chincholle a voté pour toi, et Collas qui s'était abstenu, a voté également pour toi, tous les deux sur ma prière et par amitié pour moi. Je croyais le succès assuré ; trois autres nous ont lâché. Lesquels ? Jahyer et Gourdon, très nettement pour nous. J'ai fait, ainsi que Larmandie, sois en convaincu, tout ce que nous pouvions" (anonyme à Marquet de Vasselot, lundi [6 juillet 1891] ; cité par Gaillard, 1894).
Selon Chincholle ("La vente de la statue de Balzac", *Le Figaro*, 12 mai 1898), Paul Eudel et Arthur Arnould étaient au nombre des partisans de Rodin.

68. Zola à Frantz Jourdain, 8 juillet 1891 ; arch. musée Rodin.

69. Frantz Jourdain à Zola, 16 mai 1891 ; Bibliothèque nationale de France, Mss, N. a. fr. 24520, f° 486 ; *cf.* Joy Newton et Monique Fol, 1985, note de la lettre X. *Cf.* aussi le procès-verbal du comité du 8 juin 1891 ; Paris, arch. de la Société des gens de lettres.

70. Zola à Frantz Jourdain, 19 mai 1891 ; *cf.* Zola, *Correspondance*, t. VII, 1989, p. 144.

1891-1898 : Rodin

II

Antoinette Le Normand-Romain

Être "le sculpteur de Balzac"

La nouvelle de la commande se répandit très vite : certes, quelques esprits chagrins accusèrent Zola de s'être arrangé pour que ne fussent présents, à la séance du 6 juillet, que ceux qui partageaient sa façon de voir[1], mais dès le 9, "A. A." (sans doute Arsène Alexandre) faisait paraître dans *Paris* un entrefilet qui reflète la satisfaction des admirateurs de Rodin : "Un bon point à la Société des gens de lettres, et une masse de bons points à M. Émile Zola. La statue de Balzac vient d'être attribuée, dans la dernière séance du comité, à Auguste Rodin. L'auteur de la *Comédie humaine* aura un monument digne de lui ; tandis qu'on craignait un peu, nous pouvons bien le dire maintenant, qu'avec M. Chapu, il ne fût représenté par une œuvre certainement très consciencieuse et habile, mais sans puissance et sans caractère. [...] Et maintenant, si nous sommes bien informés, c'est M. Émile Zola qu'il faut remercier de ce résultat. M. Zola tenait à Rodin et il a, paraît-il, conduit très politiquement l'affaire. Nous retrouvons une occasion qui ne s'était pas rencontrée depuis longtemps de féliciter l'auteur de l'*Œuvre*."

Tant que la situation n'était pas complètement réglée avec la succession Chapu[2], le vote du 6 juillet aurait pourtant dû rester secret, sauf pour les intéressés, bien entendu : Rodin fut averti très vite et, dès le 9, remerciait Zola : "Mon cher Maître, Grâce à vous me voilà le sculpteur de Balzac, et patronné par Zola ! me voilà encadré d'une manière redoutable.

Je vais donc faire mes efforts pour en être digne j'espère aller vous voir la semaine prochaine pour vous consulter à ce sujet, si vous voulez bien me donner votre jour et votre heure, je me trouverai à Médan où vous êtes je crois ou à Paris à votre choix.

Vous me serez d'un grand secours pour les idées à venir car pour le moment je n'en ai pas. et vous avez certainement pensé à ce monument[3]." Et Toudouze confirme, le lendemain : "J'ai trouvé un Rodin plein de joie, de reconnaissance envers vous, et tout flambant de son Balzac[4]."

"Mon cher Rodin, répondit Zola le 12 juillet, Je serai justement cette semaine à Paris, et cela me fera grand plaisir de vous voir, si vous vouliez bien prendre la peine de venir frapper à ma porte mercredi matin, à dix heures et demie. Je vous recevrai un peu en camp volant, car toute mon installation est détraquée à Paris, l'été ; mais nous causerons tout de même à notre aise[5]."

Enthousiaste, comme il l'était toujours devant une nouvelle idée, Rodin se mit au travail sans attendre la commande officielle qui fut annoncée seulement à la mi-octobre[6]. Mais il connaissait mal Balzac, contrairement à Hugo qui était depuis toujours l'un de ses dieux : travail, cela voulait donc dire pour lui, tout d'abord, réflexion et documentation. "Je ne veux rien commencer avant d'avoir recueilli sur Balzac le plus de documents possible. Je vais aller passer quelques jours dans la patrie de Balzac à Tours, et je ferai des recherches dans la bibliothèque de cette ville. En attendant, je reçois avec plaisir toutes les communications que l'on veut bien me faire au sujet de la vie et des habitudes du grand romancier.

J'ai vu M. Surville, le petit-neveu de Balzac, qui m'a donné à son sujet de nombreux détails qui m'ont bien intéressé personnellement s'ils ne peuvent m'aider beaucoup dans l'exécution de la statue. M. Surville m'a promis aussi un moulage en plâtre de la main de son grand-oncle [*cf.* cat. 11].

Je m'adresserai aussi à M. Zola, qui est un homme de la lignée et qui connaît Balzac. Je compte beaucoup sur ses indications pour me diriger dans mon travail. En somme j'espère, avec tous les documents que je pourrai recueillir, et la grande admiration que j'ai toujours eue pour Balzac, pouvoir exécuter un monument digne de l'auteur de la *Comédie humaine*[7]."

Le 14 août, Zola annonça officiellement à Rodin que la Société des gens de lettres lui confiait l'exécution du monument[8]. Quelques jours plus tard, Rodin l'en remerciait et l'assurait que, pour lui être agréable, il s'occuperait activement "de ce travail à l'exclusion de tout autre et qu'au mois de novembre [il aurait] l'esquisse. J'ai eu beaucoup de renseignements, poursuit-il, bien que Monsieur de Lovenjoul ne m'ait fait donner que des renseignements indirects, ayant dit à un de mes amis Pontremoli qu'il attendrait que la famille Chapu soit désintéressée.

fig. 12
"La bibliothèque de
M. de Lovenjoul à Bruxelles",
L'Illustration, 6 mai 1899, p. 297

Il y a à la Bibliothèque de Paris 7 ou 8 lithographies de Balzac – elles sont petites j'ai fait photographier un très beau pastel (g. nature) de Court qui est au musée de Tours où il y a aussi un dessin de Boulanger[9]" (cat. **1 et 5**, le pastel alors attribué à Court étant en réalité de Gérard-Seguin).

Rodin s'était en effet tourné vers les spécialistes de Balzac. "[Il] fréquentait des passionnés de Balzac, notamment mon père et Geffroy, se rappelait Léon Daudet. Il s'était imprégné de ces conversations sur Balzac, qui revenaient dans nos milieux comme un refrain d'admiration et d'amour[10]." Il interrogea le peintre Jean Gigoux, qu'il connaissait depuis plusieurs années déjà, et près de qui Ève (ou Eveline) de Balzac avait vécu de 1852 à 1882[11]. Gigoux lui conseilla de s'adresser à "un Monsieur qui s'est chargé de faire le recueil de tout ce qu'a écrit et tout ce qu'a fait Balzac et ce qu'on a fait d'après lui, il les a achetés à tout prix il est le seul possesseur de tout ce que je viens de vous dire. C'est M. le Vicomte de Spoelberch de Lovenjoul qui habite à Paris 11 rue Louis le Grand, et à Bruxelles où il doit être maintenant, 37 Boulevard du Régent. Il est évident que vous devez chercher à voir cet homme-là avant de chercher à avancer davantage votre monument[12]." En réalité, comme Chapu avant lui[13], Rodin était déjà entré en relation avec Charles de Spoelberch de Lovenjoul (1836-1907), qui avait constitué une très importante collection de documents balzaciens (fig. 12). Dès le 11 juillet, Albert Pontremoli avait écrit à Lovenjoul, avec lequel il correspondait depuis le mois d'avril : "Monsieur, Rodin notre grand sculpteur, vient d'être choisi par le Comité de la société des gens de lettres pour exécuter la statue de Balzac qui doit être élevée sur la place Palais Royale. Il s'enquiert en ce moment de tous les renseignements qu'il faut trouver sur le Maître et comme je lui parlais tout à l'heure de l'exquise amabilité avec laquelle vous m'avez laissé entrevoir une petite partie de vos richesses balzaciennes, il m'a dit combien il serait heureux de faire votre connaissance et de profiter de votre science. Si vous voulez bien me permettre de vous mettre en rapports avec Rodin, vous me feriez grand plaisir de me faire savoir si vous venez très prochainement à Paris ou s'il vous est possible de le recevoir à Bruxelles[14]." Par honnêteté envers Chapu, Lovenjoul préféra attendre que la succession de celui-ci fût officiellement réglée pour recevoir Rodin[15], mais il lui fit transmettre quelques indications[16] et, en octobre, lui fit dire, toujours par l'intermédiaire de Pontremoli, qu'il l'attendait[17]. Au grand mécontentement de son introducteur, Rodin tarda cependant à faire le voyage[18], et ce n'est que le 19 février 1892 qu'il rencontra Lovenjoul à Bruxelles, où il s'était rendu avec Pontremoli[19]. Rodin conserva un souvenir émerveillé de cette visite : "Je suis et serai toujours votre obligé de m'avoir ouvert si bienveillant vos trésors", écrivit-il à Lovenjoul en mai

1893[20], tandis que, bien des années plus tard, Pontremoli évoquait cette "bonne journée [... passée] au milieu de vos trésors, le jour où vous avez reçu avec moi notre grand Rodin et lui avez montré tout ce que vous possédez d'images de Balzac. Combien vous fûtes aimablement accueillant ! Rodin m'en parla souvent avec une vraie gratitude[21]." Lovenjoul avait en effet aidé Rodin de son mieux, mettant même à sa disposition un portrait de Balzac qu'il tenait à garder secret et qui est sans doute le portrait dû à Achille Devéria (cf. fig. 127). En contrepartie il espérait que Rodin contribuerait à l'enrichissement de sa collection : il comptait en particulier sur lui pour "retrouver la piste des lettres de Balzac à M. Pion, cédées par lui à un officier[22]", et, en 1900 encore, les deux hommes correspondent à propos d'une caricature attribuée à Eugène Sue et qui appartenait alors à M. de La Panouze[23] (fig. 13 et 13bis).

Rodin s'était également rendu en Touraine (cf. chap. VI) à l'automne 1891, à la recherche d'un modèle susceptible d'offrir un type physique proche de celui de Balzac. "Ç'aurait été jouer de malheur que de ne pas rencontrer parmi tous ces hommes soumis aux mêmes influences de terroir et de ciel, quelque chose de la même corpulence, des mêmes plans de visage, du même rire des yeux, de la même lippe de la bouche. [...] Au cours de sa promenade et de son enquête Rodin discerna un type tourangeau qui est le type de Balzac. Il choisit quelques-uns de ceux qui portaient le plus profondément cette empreinte, et il modela leurs masques en des séances attentives avec le soin minutieux, l'étude respectueuse qu'il apporte à la reproduction de la nature[24]." C'est alors qu'il découvrit Estager, ce "conducteur de Tours" (cat. 21 à 24) d'après lequel il exécuta une tête en terre (fig. 14), qui fut le point de départ de toute une série de recherches (cat. 25, 30 et 31). Rodin croyait en effet en la permanence de types physiques et, pour *Les Bourgeois de Calais*, avait cherché des modèles dans le Nord de la France : le peintre Jean-Charles Cazin, né dans le Pas-de-Calais, avait ainsi posé en 1885 pour *Eustache de Saint-Pierre*, dont il pensait d'ailleurs descendre ; Coquelin cadet avait également proposé ses services pour le groupe : "je suis né à Boulogne sur Mer donc tout à fait Pas de Calais, je serai d'un <u>naturel</u> absolu et cela me ferait plaisir d'être le modèle du grand sculpteur Rodin[25]." Cette méthode ayant sans doute donné satisfaction à l'artiste,

fig. 13 et 13bis
D. Freuler
Balzac d'après E. Sue
Épreuve sur papier albuminé
Musée Rodin, Ph. 10300 ;
et Paris, Institut de France,
fonds Spoelberch de Lovenjoul
Le fait que la même reproduction
de cette caricature se trouve dans
les deux fonds confirme que
c'est bien d'elle qu'il s'agit dans
la correspondance entre Rodin
et Lovenjoul.

fig. 14
Auguste Rodin
Balzac, masque dit du "conducteur de Tours"
1891, terre cuite
New York, The Metropolitan Museum of Art

celui-ci fit appel à Louis Malteste, un jeune dessinateur "qui avait avec le poète une étonnante ressemblance", pour le buste de *Baudelaire* (1892), à peu près contemporain des premières recherches pour *Balzac* : "C'est d'après ce buste vivant que j'ai *construit* mon buste, c'est-à-dire que j'en ai établi la donnée générale, l'allure ou, si vous aimez mieux, *l'air de race*. Je ne me suis attaché qu'après à produire le caractère spécial de l'individu... C'est ainsi que je travaille, ajoute Rodin avec simplicité car, même en s'entourant de tous les documents, on n'imite jamais la nature... Et la nature est le seul objet de mes efforts. Si je m'en suis écarté – ce que je ne crois pas – c'est pour avoir trop voulu la conquérir[26]."

Les documents

Un monument public doit présenter le statufié de telle façon qu'il soit immédiatement reconnaissable. Comme le dit Geffroy de façon pittoresque, Rodin consolida grâce au "renseignement surgi du terroir" l'iconographie contemporaine de Balzac. Si le recours à la nature lui était indispensable, il ne faisait pas fi pour autant des documents : pour *Baudelaire* comme pour *Balzac*, et au même moment, il rassembla tout ce qu'il put trouver comme portraits – en particulier photographiques –, Nadar lui étant venu en aide dans les deux cas. L'image à laquelle il aboutit apparaît ainsi comme le condensé d'éléments d'origines très diverses.

En ce qui concerne Balzac, les sources étaient relativement pauvres, car le romancier s'était longtemps opposé à tout portrait : Rodin connaissait sans doute la toile de Louis Boulanger qui appartenait alors à Alexandre Dumas fils (cat. 3) ; il avait vu au musée de Tours le lavis attribué à Boulanger et donné par le baron Larrey en 1887 (cat. 1), ainsi que le pastel de Gérard-Seguin déposé par l'État la même année (cat. 5). Ces deux œuvres montrent un Balzac encore jeune, aux cheveux courts dégageant les oreilles, dont se rapproche en effet le "conducteur de Tours". Est-ce aussi ce modèle que Geffroy avait cru reconnaître en un certain Ferrou qui tenait la librairie de l'Amateur, boulevard Saint-Germain[27] ? Ou bien ce "libraire sosie de Balzac" se rapprochait-il davantage des portraits de Balzac plus âgé, avec des cheveux plus longs, tel qu'il apparaît dans le portrait de Boulanger, le daguerréotype que Rodin vit chez Nadar en septembre 1892 (cat. 6), les caricatures de Roubaud et de Bertall (cat. 12 et 13) ou le buste de David d'Angers ? Rodin possédait une réduction de celui-ci (cat. 10), mais il avait pu en voir le marbre original grâce à Lovenjoul : "Je viens de revoir, lui fait savoir celui-ci en avril 1892, chez son propriétaire actuel, M. Parran 56 rue des Sts Pères, le buste de Balzac par David d'Angers, et je ne saurais trop vous engager à l'y voir aussitôt. Le bronze n'en donne qu'une faible idée" ; et, quelques jours plus tard, il ajoute que le comte Mniszech, frère du gendre de Mme de Balzac, qui a "beaucoup connu" Balzac, lui a assuré "que le buste de David est on ne peut plus ressemblant. Vous y trouverez du reste, ce me semble, une grande analogie de traits avec le dessin de Giraud[28]." Rodin lui-même devait déclarer qu'il s'était surtout inspiré du daguerréotype et d'un portrait de Balzac sur son lit de mort – exécuté par Giraud (fig. 15) et dont Lovenjoul lui avait prêté une photographie[29] –, qui lui avaient paru plus fidèles que le buste de David, qu'il qualifiait, en 1892, de "solennel et un peu froid[30]". En 1888, il avait pourtant affirmé que "le sculpteur chargé de cette statue [...] ne pourra négliger ce buste. Bien mieux il sera obligé de le copier plus ou moins exactement. [...] Selon moi, la question très importante de la tête de Balzac est réglée : c'est le buste de David d'Angers qui la représente[31]." Il eut également connaissance, plus tard, du dessin de David montrant *Balzac de profil* (cat. 9).

Il disposa donc assez vite des documents dont il avait besoin. Cependant, il continua à en recevoir pendant plusieurs années encore, comme en témoignent les archives du musée Rodin : le 15 novembre 1894, un certain Angicourt lui signale qu'il possède un portrait de Balzac vers sa trentième année : "Il est représenté assis revêtu de sa robe de moine et fumant

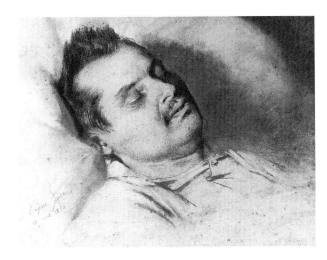

fig. 15
Eugène Giraud (1806-1881)
Balzac sur son lit de mort
18 août 1850, pierre noire, fusain,
sanguine et craie sur papier
Besançon, musée des Beaux-Arts
et d'Archéologie, D. 3598

une pipe de terre. [...] M. Turquet, ancien sous-secrétaire d'État, a eu pendant quelque temps mon tableau dans sa galerie ; il le trouve fort beau. Peut-être y aurait-il là un élément qui vous permettrait de mener à bonne fin la statue d'H. de Balzac que vous avez entreprise[32]." **Paul Lapret, élève et légataire universel de Gigoux,** avait un ami qui possédait plusieurs portraits de Balzac. "Il offre de me les confier, si cela vous convenait vous n'auriez qu'à me le faire savoir et je l'en préviendrai et ceux des portraits qui vous conviendrait je pourrais les photographier pour vous car vous savez les amateurs n'aiment pas lâcher ce qu'ils ont dans leur collection[33]." **En août 1896, Margaine,** qui avait connu aux Jardies "le vieux jardinier de M. de Balzac [et eu] par lui divers objets ayant appartenu à l'illustre littérateur", **proposa à Rodin de lui envoyer une lithographie et une** "canne rustique que le jardinier lui avait fabriquée en déracinant un jeune poirier et y adaptant une lanière de cuir formant fouet : cette canne servait à Balzac en promenade dans les bois de Viroflay et de Chaville[34]". **À une date inconnue, Ary Renan** signala enfin à Rodin un exemplaire en terre cuite du buste "exécuté d'après nature" par Émile Hébert et exposé au Salon de 1877, en vente chez un marchand d'objets d'art, rue du Sabot[35]. On ne sait si Rodin alla le voir, mais il aurait pu l'intéresser car il semble que la démarche d'Hébert était proche de la sienne : s'inspirant de données fournies par Mme de Balzac, il aurait copié "purement et simplement la tête d'un cuisinier auquel il prétendait trouver une ressemblance frappante avec les portraits de l'écrivain[36]".

Cependant, si complètes fussent-elles, ces sources étaient insuffisantes. En lui envoyant son livre, *Balzac, sa vie, son œuvre,* paru chez Sauvaitre à Paris au début de l'année 1892, Julien Lemer insistait sur la complexité de l'écrivain : "Quoique j'aie un peu vu et pratiqué Balzac, que j'aie appliqué toutes mes facultés, toute mon âme, à comprendre, à sentir, à aspirer cette physionomie si originale et si complexe, à m'en pénétrer profondément, je crains de n'avoir pas réussi à m'en faire une suffisante vue d'ensemble.

Il y avait tant de traits contradictoires dans cette figure de [??] dont l'aspect variait de minute en minute qu'il eût été impossible à l'observateur le plus sagace de saisir, de fixer les contours de cette physionomie, fidèle expression de cette mobilité, de ces oppositions de son caractère. [...] Toutefois le trait souverain qui m'a paru régner sur cette physionomie, sans néanmoins la gouverner d'une façon absolue, c'est la <u>Bonté</u> [...]. Il est aisé de comprendre qu'en raison du Balzac idéal que j'ai essayé de me faire pour concilier tant de complexités contrastées, aucun des portraits que j'ai vus de lui ne me satisfasse complètement : je n'aime pas plus le tableau de Louis Boulanger que les gravures qui figurent en tête des deux éditions de ses œuvres ; je n'aime pas beaucoup non plus le buste colossal de David d'Angers, malgré le beau mot de Victor Hugo : 'Voici l'immortalité !' Je préférais je crois le médaillon[37]."

Rodin compléta donc les portraits peints ou gravés par des portraits littéraires : "Je crois bien que depuis le jour où la commande a été faite, Rodin a lu et relu non seulement toutes les œuvres de Balzac, mais encore tous les écrits publiés sur Balzac, tous ceux qui contiennent, en même temps que des renseignements de cérébralité, l'identification de quelque détail physique à travers lequel on puisse entrevoir la physionomie et l'attitude de l'homme[38]." "Avez-vous lu le volume de la <u>Correspondance</u>, un gros volume paru chez Calmann Lévy, lui demanda Geffroy. C'est là que vous connaîtrez le mieux l'admirable grand homme. Il se biographie lui-même là-dedans[39]." Rodin ne suivit sans doute pas ce conseil, car nulle part ailleurs il n'est question de cette *Correspondance* dont le musée Rodin ne possède pas d'exemplaire ; il ne semble pas non plus avoir trouvé nécessaire de s'immerger dans *La Comédie humaine*[40]. En revanche il lut l'ouvrage de Lemer : "Je ne parcours le livre que petit à petit, bien qu'à mon atelier je ne m'occupe que de Balzac et j'aurais donc plus encore le devoir de vous remercier lorsque j'aurais fini et qu'il m'aura complètement aidé dans mon travail[41]" ; et il consulta quelques ouvrages sur Balzac, y laissant des signets aux passages qui l'intéressaient particulièrement. Ce sont dans l'ensemble des descriptions physiques : chez Gozlan, il note ses "dents de sanglier[42]" ; chez Werdet[43], il repère, de signets annotés, une description de son costume ("B. en tenue de...", p. 355), quelques lignes sur son regard "noir, profond, scrutateur et magnétique" ("son portrait par E. de Mirecourt", p. 357), ou encore la description de la statuette de Dantan ("mention d'une statuette de Da...", p. 359) ; enfin, chez Lamartine, il relève un portrait de "Balzac en négligé" (p. 25), puis il marque d'un coup de crayon une longue description du romancier, sans doute le portrait le plus évocateur[44] : "Il était gros, épais, carré par la base et les épaules ; le cou, la poitrine, le corps, les cuisses, les membres puissants ; beaucoup de l'ampleur de Mirabeau, mais nulle lourdeur ; il y avait tant d'âme qu'elle portait tout cela légèrement, gaîment, comme une enveloppe souple, et nullement comme un fardeau ; ce poids semblait lui donner de la force et non lui en retirer. Ses bras courts gesticulaient avec aisance, il causait comme un orateur parle. Sa voix était retentissante de l'énergie un peu sauvage de ses poumons, mais elle n'avait ni rudesse, ni ironie, ni colère ; ses jambes, sur lesquelles il se dandinait un peu, portaient lestement son buste ; ses mains grasses et larges exprimaient en s'agitant toute sa pensée. Tel était l'homme dans sa robuste charpente. Mais en face du visage on ne pensait plus à la charpente. Cette parlante figure, dont on ne pouvait détacher ses regards, vous charmait et vous fascinait tout entier. Les cheveux flottaient sur ce front en grandes boucles, les yeux noirs perçaient comme des dards émoussés par la bienveillance ; ils entraient en confidence dans les vôtres comme des amis ; les joues étaient pleines, roses, d'un teint fortement coloré ; le nez bien modelé, quoiqu'un peu long ; les lèvres découpées avec grâce, mais amples, relevées par les coins ; les dents inégales, ébréchées, noircies par la fumée de cigare ; la tête souvent penchée de côté sur le cou, et se relevant avec une fierté héroïque en s'animant dans le discours. Mais le trait dominant du visage, plus même que l'intelligence, était la bonté communicative. Il vous ravissait l'esprit quand il parlait, même en se taisant il vous ravissait le cœur. Aucune passion de haine ou d'envie n'aurait pu être exprimée par cette physionomie : il lui aurait été impossible de n'être pas bon.

Mais ce n'était pas une bonté d'indifférence ou d'insouciance, comme dans le visage épicurien de La Fontaine, c'était une bonté aimante, charmante, intelligente d'elle-même et des autres, qui inspirait la reconnaissance et l'épanchement du cœur devant lui, et qui défiait de ne pas l'aimer. Tel était exactement Balzac[45]."

Ce portrait très vivant offre l'avantage de décrire non seulement le visage, mais aussi la prestance de Balzac, son allure, ce qui, pour une statue, a autant d'importance. Lovenjoul avait transmis à Rodin des informations données par Mniszech sur la corpulence de Balzac :

fig. 16
Jean-Pierre Dantan (1800-1869)
Balzac
1835, plâtre patiné
Paris, Maison de Balzac

"[... Il] m'a dit aussi que le corps de l'homme qui ressemblait le plus à celui de Balzac était celui de Carrier-Belleuse[46]." De quel Carrier-Belleuse s'agit-il ? Plutôt du sculpteur, que Rodin connaissait bien pour avoir travaillé dans son atelier sous le Second Empire, que de son fils Pierre qui avait épousé Thérèse Duhamel, petite-fille de Laure de Balzac-Surville. Mais Albert Carrier-Belleuse était mort en 1887, et il sembla donc nécessaire à Rodin de compléter ces informations en faisant faire un costume (non conservé) aux dimensions de Balzac par Pion, qui avait été le tailleur du romancier (février 1893). Il tint certainement compte aussi des caricatures qui, d'un trait, définissent la silhouette d'un personnage. Trois terres cuites, très rapidement modelées, semblent ainsi inspirées, l'une (cat. 20) du portrait-charge de Dantan (fig. 16) qui "reproduit avec infiniment d'exactitude la figure, la pose, la toilette, les cheveux, jusqu'à la célèbre canne de notre auteur favori", les deux autres (cat. 18 et 19), lorsqu'on les regarde de profil, de ce "demi-as de pique" auquel, disait Gavarni, Balzac ressemblait exactement[47].

1892-1894 : les premiers projets, *Balzac en redingote* ou *Balzac en robe de moine* ?

"Outre que ma conception est généralement assez lente, je ne veux rien commencer avant d'avoir recueilli sur Balzac le plus de documents possible, avait déclaré Rodin à un journaliste en juillet 1891. Pour moi, Balzac est avant tout un créateur, et c'est l'idée que je souhaiterais faire comprendre dans ma statue. Jusqu'à présent je veux exécuter une figure debout plutôt qu'assise. Vêtirai-je Balzac de la fameuse robe de moine qu'il mettait pour travailler, si on en croit la légende ? Lui laisserai-je au contraire l'habit de ville ? Autant de questions auxquelles je ne saurais répondre en ce moment[48]."

Dès octobre, Zola lui fit cependant dire par Jourdain qu'"il y aurait très grand intérêt à ce qu'on montrât au Comité un bout d'esquisse dans le courant de novembre[49]". "Rien n'est encore ce que je veux, pour le moment, répondit Rodin à Zola, et c'est à vous, cher maître, que je demanderai la première appréciation. [...] Cependant j'espère vous demander et aller vous inviter à venir dans le milieu ou à la fin du mois de novembre[50]." La visite de Zola eut lieu, semble-t-il, le samedi 19 décembre[51] et fut suivie, le 9 janvier 1892, de celle de la commission de la statue[52]. Chincholle en rendit compte au Comité, le 11 janvier : "Sauf de légères critiques de détail, la maquette a été approuvée et son auteur invité à hâter l'exécution de l'esquisse définitive[53]."

La presse fut informée de cette visite et en donna, elle aussi, des comptes rendus grâce auxquels nous savons que Rodin avait présenté trois maquettes : "La première représente Balzac debout, les mains derrière le dos, la tête haute. Dans la seconde on voit Balzac accoudé sur le dos d'un fauteuil et souriant (!) dédaigneusement. La troisième enfin montre Balzac debout, les mains croisées sur la poitrine, dans l'attitude de la méditation. Il est vêtu de la fameuse robe monacale. À ses pieds, des manuscrits et des livres, mais suppression complète de la belle créature qui devait personnifier la Comédie humaine, au grand scandale des gens chagrinés de voir un moine en tête à tête avec une dame en costume léger. Ici encore Balzac relève la tête et semble observer l'humanité qui passe. C'est cette maquette-là que la Commission a définitivement acceptée et Rodin va se mettre immédiatement à l'œuvre[54]." Se mettre à l'œuvre, c'est-à-dire modifier l'esquisse choisie selon les remarques qui lui avaient été faites, puis commencer l'exécution du modèle en terre. "J'ai arrangé la jambe l'ai montée et mise en arrière, écrit-il ainsi à Zola dès le 15 janvier. La figure a beaucoup gagné, tellement que j'en suis heureux, et je prends la terre et commence impatient d'aller à votre gré !" ; il en profite pour demander un premier acompte de 5 000 francs : "C'est dans la donnée réglementaire après l'esquisse, cela aide aux premiers frais d'exécution[55]."

À quoi correspondaient ces premières maquettes ? Quelles qu'elles fussent, une chose est certaine : Rodin hésitait sur la façon de vêtir Balzac, et c'est la commission qui fit choix de la robe de moine qu'avaient popularisée le portrait de Boulanger et d'innombrables gravures. "Il portait en guise de robe de chambre, rapporte Théophile Gautier, ce froc de cachemire ou de flanelle blanche retenu à la ceinture par une cordelière, dans lequel quelque temps plus tard il se fit peindre par Louis Boulanger. Quelle fantaisie l'avait poussé à choisir, de préférence à un autre, ce costume qu'il ne quitta jamais, nous l'ignorons ; peut-être symbolisait-il à ses yeux la vie claustrale à laquelle le condamnait ses labeurs et, bénédictin du roman, en avait-il pris la robe ? toujours est-il que ce froc blanc lui seyait à merveille[56]." Pour les contemporains, cette tenue caractérisait Balzac, et Paul Fournier l'en avait déjà revêtu pour la statue de Tours. Mais, avec lui, la robe de moine reste un élément purement anecdotique, ce qu'elle était aussi, pour Rodin, en janvier 1892 : "M. Rodin en est revenu simplement à la légendaire robe de chambre quasi monacale, avec sa cordelière. Ce costume prête à de magnifiques drapés d'une ampleur et d'une couleur vraiment majestueuses. La jambe droite, jetée en avant, sort à peu près jusqu'à hauteur du genou, de cette robe entr'ouverte, et rien que par ce bas de pantalon et cette chaussure, l'on retrouve le caractère exact et complet du costume de l'époque. C'est ainsi qu'un détail en apparence secondaire suffit à l'artiste pour donner l'impression de la matérielle réalité historique[57]." Plus tard, cependant, la robe de moine ou robe de chambre devint un moyen de magnifier la silhouette du romancier en échappant à cette réalité historique, ainsi que Roger Marx l'avait pressenti dès février 1892 : "Comme l'ample vêtement séculaire n'accuse aucune date, la pensée va généralisant et la seule idée suggérée par le costume est celle de la réclusion laborieuse et la complexité des sentiments qui peuvent s'y lire[58]." Toutefois, avant d'en arriver là, il semble que la robe embarrassât fort Rodin : "Il m'a prié de le renseigner sur un point qui le gêne beaucoup, écrit Pontremoli à Lovenjoul en octobre 1891, c'est celui de la robe de moine qu'il ne voit pas très bien et la bienveillance que vous avez mise à me montrer vos précieuses richesses m'encourage à venir vous importuner encore et à parler d'un détail que comme tous les autres vous connaissez à fond. Je crois que vous possédez même une copie de cette fameuse robe de moine en sorte qu'il vous est facile de m'apprendre comment elle était faite si Balzac y ajoutait le capuce ou quelque autre supplément et si vous connaissez quelque portrait de lui sous ce vêtement que je puisse me procurer[59]."

La première des trois maquettes ne semble pas être parvenue jusqu'à nous. Pour le Balzac accoudé à un fauteuil, on peut l'identifier au plâtre dédicacé à Henry de Braisne (aujourd'hui au Caire, musée Mahmoud Khalil, fig. 17), dont Rodin ne conserva que la figure, ce qui montre bien qu'il pouvait revenir sur des œuvres pourtant en principe écartées. Avec les trois esquisses citées plus haut, ce *Balzac en redingote* (cat. 33) constitue le seul exemple, dans la démarche de Rodin, de l'utilisation d'un costume contemporain tel que l'avait décrit Werdet dans un passage repéré par Rodin : Werdet montre Balzac vêtu "comme à son ordinaire [...] d'un paletot brun, usé par le temps, et qui accusait de longs services. Une cravate en mérinos rouge était enroulée comme une corde autour de son cou. Un pantalon large, de couleur foncée, lui descendait à peine jusqu'à la cheville, laissant à découvert de gros bas de laine noire et d'épais souliers, noués sur le cou-de-pied, non pas avec des cordons quelconques, mais bien avec de véritables ficelles[60]."

Quant au troisième projet, celui qui fut choisi par la commission, il n'est pas non plus conservé, bien qu'un dessin (cat. 34) nous en transmette sans doute le souvenir ; mais il s'agit très probablement du point de départ de l'étude de nu dite *Étude C* (cat. 36) : les quelques descriptions que l'on a de la maquette s'accordent sur un Balzac debout, les bras croisés sur la poitrine et la jambe droite en avant. Certes il était vêtu "de la fameuse robe monacale", mais on sait que Rodin étudiait toujours ses figures nues avant de les habiller : on en a de

fig. 17
Auguste Rodin
*Balzac en redingote appuyé
à un fauteuil Louis XV*
1891-1892, plâtre
Le Caire, musée Mahmoud Khalil

nombreux exemples avec, entre autres, *Claude Lorrain* ou *Les Bourgeois de Calais*. Une fois
le projet approuvé, Rodin se mit donc en quête d'un modèle ; il est probable qu'en février
il se rendit de nouveau en Touraine : le voilà "en route à travers champs, fouillant les villages,
[...] essayant d'embaucher les paysans dont le type incarnait les principaux traits de son idéal et
de les entraîner jusqu'à son atelier de Paris. Peine perdue : nul ne voulait quitter son toit, même
pour avoir l'honneur de figurer un moment le grand Balzac. Il fallut se contenter d'un modèle qui
n'était pas du cru, mais qui d'ailleurs convenait assez bien. Le personnage se créait peu à peu :
un Balzac debout, bras croisés, tête en arrière, l'air dominateur. Il devait porter la robe de moine
que l'écrivain affectionnait pour travailler ; mais tout d'abord il était nu : c'est ainsi que Rodin
commence ses figures, pour les étudier complètement, muscle par muscle[61]."

Rodin lui-même confirme cette façon de travailler dans une lettre à Zola, datée du
5 février 1892 :

"Mon cher Maître

J'ai commencé le Balzac. je ne puis vous dire qu'il est avancé, car j'ai un modèle qui ne
fera peut-être pas entièrement l'affaire ce n'est qu'en travaillant que je le saurai si cela prend
belle tournure. ne vous alarmez pas, le travail suit son cours d'Étude. Monsieur Malot est passé
me voir, et je ne lui ai pas montré le commencement d'exécution car cela n'a pas en ce
moment d'intérêt. Vous avez ma parole de faire mon possible, quand au piédestal quand ma
figure aura sa valeur et peut-être sa robe j'avertirai Jourdain mais ce n'est qu'en dernier lieu

dans six ou 7 mois, là il vous fera le prix du piédestal que je désire simple et puissant aucunement prétentieux comme les socles que l'on fait journellement. pour que ma figure ne soit pas lourde avec, ni placée trop haut les prix du piédestal seront de 300 peut-être plus m'a dit dans le temps Jourdain, du reste il aura ce qu'il demandera. la pierre différente tout cela est de peu d'importance comme somme. Je viens de passer chez M. Lovenjoul et j'ai vu encore quelques renseignements qui n'ajoutent que peu et ne changent rien à ce que je savais. Quand à la dimension, ma figure faite, ou très avancée, on la photographiera et on fera une maquette en toile et vous verrez sur la place la dimension. Quoique ces décors embrouillent, parce qu'ils ne donnent pas l'effet véritable. Voilà en quelques lignes grossièrement ma pensée. J'espère être d'accord avec vous du reste j'irai vous voir[62]."

À cette date, la statue semblait donc aller bon train et il paraissait tout naturel de se soucier du piédestal dont Frantz Jourdain était chargé. Mais en janvier 1892, lors de la visite de la commission, Rodin avait eu une parole maladroite : pour exprimer la force qu'il souhaitait voir donner au piédestal, il l'avait comparé à un bloc de terre. *Le Figaro* du 10 janvier 1892 l'ayant rapporté, Jourdain en avait été mécontenté au point qu'il envoya sa démission à la fois à Zola et à Rodin[63]. Cependant les deux amis s'expliquèrent, Jourdain revint sur sa démission et Rodin put fournir des renseignements sur le socle[64] au Comité qui se préoccupait déjà de l'inscription.

En réalité, comme Rodin avançait, les difficultés surgissaient. "J'ai négligé le monde depuis plus d'un an, du reste, il faut que cela soit puisque j'ai des travaux qui me prennent mes forces", se plaint-il à Armand Dayot le 16 octobre 1892[65]. L'année 1893 ne devait pas être plus facile, ni au plan personnel ni du point de vue de la sculpture : c'est en effet l'année de sa rupture avec Camille Claudel et il était surchargé de travail ; Dewavrin, le maire de Calais, le pressait de faire fondre et installer *Les Bourgeois de Calais*, et il fallait surtout mener à bien les deux *Monuments à Victor Hugo*.

En décembre 1892, Montagne lui ayant rappelé qu'il s'était engagé à livrer son *Balzac* au bout de dix-huit mois, "c'est-à-dire le 14 février 1893[66]", Rodin dut informer le Comité que "malgré un travail continu, il ne pourrait livrer son œuvre pour l'époque désirée[67]". Son modèle avait d'ailleurs disparu : "chercher un nouveau modèle, accrocher les muscles d'un individu sur l'ossature d'un autre ? Il aurait pensé commettre un sacrilège. La première maquette fut oubliée à jamais : c'était le labeur d'une année perdu[68]." Courageusement, il commença une nouvelle étude, mais, en juin 1893, il avoua à Lovenjoul qu'il n'était pas encore content "pour ce travail colossal pour l'expression [...] quel dommage qu'après avoir tant travaillé je ne suis pas arrivé mais je mûris très lentement mes idées[69]" ; en juillet, remerciant Zola de lui avoir envoyé *Le Docteur Pascal*, il l'assura qu'il ne travaillait "qu'à Balzac[70]" ; en octobre, il reconnaissait son retard, qu'il attribuait à l'anémie dont il avait souffert pendant les mois précédents[71], et s'il tarde, en novembre, à répondre à l'invitation du peintre Russell, c'est que, dit-il, "je suis tarabusqué pour mon Balzac ce qui fait que moins que jamais je n'ose prendre sur moi de fuir Paris pour quelque quinze jours[72]".

Ses amis – en particulier Gustave Geffroy, qui lui consacra un long article[73] – attribuaient son retard à sa conscience d'artiste. Il semble également que le modèle ait encore une fois disparu[74], et il ne faut pas oublier que Rodin travaillait aussi à *Victor Hugo*. Cependant, tous ceux qui l'approchèrent insistent sur l'exigence personnelle de l'artiste qui voulait faire à la fois "le Balzac de la réalité et le Balzac de la Comédie humaine", ainsi que l'écrit joliment Francisque Sarcey[75]. "Il nous a dit qu'il le voulait immense, dominateur, vraiment créateur d'un monde, et qu'il tenait à faire sentir dans cette œuvre tout l'ascendant et toute l'envergure de ce génie qu'il admire profondément[76]", mais il le voulait aussi ressemblant. Son ambition était considérable et l'angoisse constituait "son état d'esprit permanent" ; il "a déjà fait trois Balzac, lit-on dans *Paris*, le 22 octobre 1893 ; aucun ne l'a satisfait. Il s'occupe actuellement d'un quatrième projet qui sera selon toute apparence définitif." En effet, que ce soit à cause de la disparition du modèle, ou plutôt par souci de perfection, il avait abandonné l'*Étude C* : "C'est rudement beau ! – Non, non ! Seulement pas mal ; assez dans le mouvement. Mais le sentiment, l'intimité de l'homme, voilà ce qu'il faudrait rendre... Et là, pensez si c'est commode, l'âme de Balzac ! [...] Je cherche... je cherche ! c'est très difficile. Mais je pense bien que j'y arriverai[77]." S'il est, hélas ! impossible aujourd'hui de dire à quoi correspondaient les autres projets évoqués dans la presse (Rodin aurait d'ailleurs détruit ceux dont il n'était pas satisfait), un article de Charles Chincholle permet toutefois d'avancer un peu. Chincholle évoque tout d'abord une maquette, l'*Étude C* certainement, "qui, il faut bien le dire, dérouta tous ceux qui la virent. [...] L'artiste [...] avait conçu un Balzac étrange, ayant l'attitude d'un lutteur, semblant défier le monde. Il lui avait mis, sur des jambes très écartées, un ventre énorme. S'inquiétant plus de la ressemblance parfaite que de la conception qu'on a de Balzac, il l'avait fait choquant, difforme, la tête enfoncée dans les épaules. Avec le plus grand respect toutefois, poursuit Chincholle, on lui exposa qu'il avait le droit de représenter Balzac à l'âge où il était moins ventru, où la graisse ne lui avait pas encore supprimé le cou, de le montrer enfin tel que l'a dessiné Devéria dans sa lithographie géniale.

Rodin n'eut point de mal à comprendre. Il demanda un délai qu'on lui accorda tout de suite. Depuis il a modifié plusieurs fois sa maquette, mais n'en est pas plus satisfait. Ah ! certes, il faut admirer ses efforts, ses recherches, ses tentatives qu'il reconnaît vaines ; il faut le plaindre de ne pouvoir encore sortir triomphant du combat qui s'est engagé dans son âme d'artiste entre la vérité matérielle et la vérité idéale[78]."

Ce texte ne permettrait-il pas de dater de fin 1892-début 1893, moment où, pour la première fois, Rodin demanda un délai supplémentaire, un groupe d'œuvres se rattachant à un projet complètement différent, montrant Balzac plus jeune, le bras gauche replié derrière le dos, le bras droit tendu devant, la main droite tenant des manuscrits ? À partir d'un nu sommairement modelé, puis grossièrement modifié, l'*Étude G* (cat. 50), Rodin réalisa un nouveau *Balzac en robe de moine* (cat. 49) qui, par sa majesté, n'est pas sans évoquer le *Jacques Cœur* d'Auguste Préault, puis il le modifia et n'en conserva que le torse qui lui plaisait tout particulièrement sans doute, car c'est la seule des études pour *Balzac* qu'il exposa, à deux reprises, en 1899 et en 1900 (cat. 51). De l'un à l'autre, la tête a été modifiée, mais le point de départ en demeure le même que pour le *Balzac en redingote* ou l'*Étude C* : une tête assez ronde, aux volumes enveloppés et aux pommettes saillantes, inspirée du portrait de Boulanger et du daguerréotype. On peut en reconnaître la première idée dans une esquisse en terre cuite très rapidement modelée (cat. 35), la tête placée sur le torse étant, elle, directement issue du *Masque souriant* (cat. 26), probablement exécuté en Touraine en 1891. Cette dernière tête fut agrandie, ce qui montre que, telle quelle, elle satisfaisait Rodin ; toutefois, pour la statue, il lui parut nécessaire d'ajouter une chevelure mi-longue : quoique se sachant ridicule, Balzac avait en effet refusé de se faire couper les cheveux pendant un certain temps après sa rencontre avec Mme Hanska à Genève ; les caricaturistes, Bertall, Roubaud ou Dantan dans un portrait-charge disparu, ne manquèrent pas d'en tirer parti. Mais il est bien possible que ce soit également le fruit de la leçon de David d'Angers qu'admirait Rodin, on le sait. À propos de la galerie de médaillons qu'a laissée David, Henry Jouin son biographe faisait remarquer que "bien que la tête soit le résumé de l'être humain, l'artiste ne peut appeler à son aide ni le geste ni l'attitude. [...] C'est [donc] aux cheveux que le maître imprime le mouvement sur ses médailles. Aux cheveux encore il confiera le soin de trahir l'origine ou les habitudes de son modèle. La nationalité de Valdès, la distraction d'Ampère, l'enthousiasme de Ballanche, l'exaltation de Barbier sont clairement écrits dans leur chevelure[79]." La chevelure léonine de Balzac, que l'on voit croître au fil des études de Rodin, ne joue-t-elle pas un rôle aussi important dans la définition du personnage ?

Au même moment sans doute (vers 1893-1894), Rodin explorait une autre direction : s'appuyant sur le petit portrait exécuté par Achille Devéria et donné par Balzac à Laure de Berny, il réalisa un buste montrant le romancier jeune, le visage plein et encore indemne des marques que l'âge et la maladie lui infligèrent par la suite, et coiffé, comme dans le portrait peint, de courtes mèches qui ondulent autour de la figure (cat. 57). Rodin poussa aussi loin que possible l'exécution de ce buste, qui a un caractère beaucoup plus abouti que toutes les autres études qu'il fit du visage de Balzac ; pourtant, il ne lui donna pas de suite en ce qui concerne le monument. Ce buste apparaît ainsi comme une œuvre isolée.

Cependant, à une date que l'on peut situer vers la fin de l'année 1893, Rodin revint à l'*Étude C* pour lui faire subir d'importantes transformations : il coupa une épreuve au niveau du ventre, puis modifia la position du corps en basculant le buste vers l'arrière et en le désaxant vers la gauche. Cette opération entraîna une réduction importante de la partie supérieure du torse et créa par conséquent une solution de continuité entre les deux parties, ce qui ne gênait nullement l'artiste qui, à ce stade, cherchait simplement une composition, des volumes. Les jambes sont plus largement ouvertes tandis que le tertre qui supportait la figure a été supprimé, mais l'amorce en demeure visible (cat. 71). Rodin essaya aussi de mettre un bras derrière le dos, comme dans l'*Étude G*, mais, avec les jambes écartées, il n'était pas possible de laisser l'autre plié devant : il serait donc tendu vers l'extérieur (cat. 74). Pour préciser la silhouette générale, Rodin modela alors une esquisse (cat. 73), qui correspond par conséquent à une étape intermédiaire de la réflexion de l'artiste plutôt qu'au début de ses recherches.

Quelle solution préférait-il ? Il est difficile de le dire. Si les deux nus reçurent une nouvelle tête, appartenant à la série dite *Tête H* (cat. 67 à 70), offrant une chevelure nettement plus importante que celle de l'*Étude C* et, pour la première fois, des volumes plus charpentés, plus aigus, on constate cependant que seul le modèle aux bras croisés sur le ventre, donc le plus proche de l'*Étude C*, fut drapé : le *Nu au gros ventre au manteau ouvert* (cat. 72) constituerait ainsi l'aboutissement de toute la première phase du travail de Rodin : "À une troisième maquette, en 1894, Rodin déclara : Cette fois, je le tiens ! et s'en alla prendre quelque repos en Auvergne. Rentré à Paris, son projet lui plut moins[80]." Il s'orienta donc dans une nouvelle direction qui le mena, à travers le *Nu en athlète*, visiblement réalisé d'après un nouveau modèle, vers la figure définitive.

"Je comprends que vous preniez tout le temps nécessaire pour la parfaite élaboration de votre œuvre personnelle, lui écrivait Gabriel Ferry, auteur de plusieurs articles sur Balzac, le 4 décembre 1893 : la tête le masque de Balzac n'est pas facile à faire. Il y avait chez ce grand esprit un mélange d'idéalisme et de positivisme que ses traits, son attitude, sa pose doivent exprimer[81]." Tous cependant n'étaient pas aussi accommodants, et la Société des gens de lettres s'impatienta. Ayant pris connaissance "des lettres d'un grand nombre de souscripteurs qui se plaignent du retard apporté à l'inauguration du monument [...], la commission désirerait vivement savoir où en est la statue. Voudriez-vous avoir la bonté de m'indiquer le jour et le lieu où elle pourrait, devant votre œuvre, fixer avec vous le jour où vous pourrez livrer le modèle à la fonte[82]." Quelques jours plus tard, le 19 juin, une vive discussion, qui devait être la première d'une longue série, s'engagea entre les membres du Comité : tandis que Zola demandait "qu'on laisse au talent de M. Rodin le temps d'achever un travail dont il s'occupe très activement et très artistiquement", d'autres se plaignaient du "manque d'égards" de l'artiste qui n'avait jamais invité la commission à examiner son travail, et Alfred Duquet (qui jusqu'au bout se montra systématiquement hostile à Rodin) déclara que la statue ne serait jamais achevée. En fin de compte, le Comité décida "d'écrire à M. Rodin pour lui demander un nouveau rendez-vous, auquel se rendront les membres de la Commission[83]".

Conciliant, Rodin convia celle-ci, le 26 juin 1893, à venir examiner ce qu'il avait fait et, le 3 juillet, il promit de "montrer son travail en voie d'achèvement <u>définitif</u> vers le mois d'octobre[84]".

Le 30 septembre, Théodore Cahu lui fit donc demander "de bien vouloir me fixer très prochainement le jour, l'heure et l'endroit où je pourrais me rencontrer avec vous pour voir où en est la statue[85]". N'ayant sans doute pas reçu de réponse, le même Cahu insista auprès du Comité, le 27 novembre, pour que l'on fixât une date de livraison. Zola s'étant rendu chez Rodin, on apprit alors que l'artiste espérait terminer la maquette dans l'hiver, mais que "la fonte et l'agrandissement [reculeraient] la date de la livraison jusqu'au printemps de 1895[86]".

La crise de 1894

Le 9 avril 1894, Zola laissa la présidence de la Société des gens de lettres à Jean Aicard (1848-1921), poète et romancier d'origine et d'inspiration méridionales. Il le prévint qu'il avait "laissé pendante à la Société des gens de lettres une question grosse d'orages : la question de la statue de Balzac commandée à Rodin. Vous allez avoir les plus grands ennuis. Je vous en préviens amicalement. Vous savez combien je suis dévoué à Rodin ; vous m'avez entendu au Comité parler, de toutes mes forces, en sa faveur, quand j'étais président ; mais je ne veux pas que dans une question déjà compliquée, vous croyiez devoir encore vous embarrasser de mes opinions, avec le désir amical d'en tenir compte. Ne pensez plus à moi. N'ayez plus pour Rodin que les déférences qui viendront de vous seul. Et j'ajoute : soyez, en tous cas, conciliant. Le mieux pour tout le monde serait que vous vous missiez en rapport avec les amis de Rodin. Vous chercherez ensemble un terrain d'entente. Sinon ce sera déplorable. Un procès fera perdre du temps à l'artiste et ne sera pas fait pour faire aimer la Société... Voyez, réfléchissez et agissez... La bourrasque approche[87]." Et en effet Édouard Montagne avertit Rodin en mai que la commission désirait s'entretenir avec lui : "Elle m'a chargé de vous prier de lui indiquer où, quel jour et à quelle heure elle est certaine de vous rencontrer. [...] Il est bien entendu que la commission a l'intention de voir le projet de la statue et que je vous prie d'avoir l'amabilité de leur donner rendez-vous dans ce but à votre atelier[88]."

Le 4 juin, le Comité entendit le compte rendu de la visite de la commission. "Deux points résument l'impression de la majorité des membres de la commission. Le 1er c'est que le projet, dans son état actuel, n'est pas artistiquement suffisant ; le 2ème c'est que le sculpteur ne peut fixer aucune époque pour l'achèvement de son projet. Il est dans un état de santé qui lui interdit momentanément tout travail. Tout en tenant compte des difficultés de la situation de l'artiste, la commission croit nécessaire d'écrire à M. Rodin une lettre qui couvrira sa responsabilité à l'égard des souscripteurs." Les partisans de Rodin réagirent vivement : Henry de Braisne rappela que, la livraison étant prévue pour 1895, Rodin avait donc encore un peu de temps devant lui ; Pierre Sales, "se plaçant au point de vue artistique, croit que la commission n'a pu sainement préjuger la valeur définitive du monument sur le simple aperçu d'une maquette. Lui-même, dans l'atelier du sculpteur, a vu des œuvres achevées de la plus grande beauté, dont il pouvait à peine reconnaître l'origine dans la maquette que le maître plaçait à côté, sous ses yeux. En pareille matière, il faut s'en rapporter à la valeur reconnue de l'artiste." Duquet maintenait que la commission s'était toujours réservé le droit d'examiner, discuter et éventuellement refuser la maquette. Aicard intervint alors pour tenter d'apaiser les esprits ; il y avait, dit-il, deux points à examiner : la valeur artistique du projet et la date de livraison. En ce qui concernait le premier, Rodin n'avait encore "fourni qu'une ébauche dont, après plusieurs essais, il dit ne pas être satisfait lui-même". Quant à la date, "un artiste ne peut pas être traité comme un fabricant. D'ailleurs l'état physique et moral de M. Rodin impose au Comité de le traiter, à cet égard, avec les plus grands ménagements." Il fut appuyé par Huard, conseil judiciaire de la Société - "Aucun tribunal, déclara celui-ci, ne reconnaîtrait à la commission le droit de refuser l'œuvre de M. Rodin pour cause d'insuffisance artistique, du moment que ce droit ne résulte pas d'un consentement formel du sculpteur" -, et par Marcel Prévost, qui proposa de laisser à Rodin un délai illimité. En conclusion, le président fut chargé de faire une démarche auprès de l'artiste pour lui exprimer les inquiétudes du Comité, "sans blesser en rien ses justes susceptibilités d'homme et d'artiste[89]".

L'été passa sans apporter de changement. Rodin avait fui en Auvergne : "Je continue d'être très mal portant, écrit-il à Zola, et je me suis réfugié à la campagne lorsque je reviendrai au mois d'octobre ma première visite sera pour vous[90]." Par ailleurs, il devait avouer qu'il lui était insupportable de se sentir pressé par une échéance[91]. Mais, lors du comité du 22 octobre, ses ennemis se manifestèrent à nouveau. Ils craignaient en effet que sa maladie n'eût une issue fatale et que l'avance qui lui avait été faite ne fût encore une fois perdue. "La commission d'administration, par la voix de M. Tarbé [...] estime que depuis le 28 juin 1894 la commission de la statue de Balzac aurait dû prendre des mesures destinées à couvrir la responsabilité de la société qui se trouve sérieusement engagée concurrence de seize mille francs. Elle pense que M. Rodin [...] doit être immédiatement mis en demeure de livrer son projet dans les 24 heures, sous peine de se voir demander la résiliation du contrat intervenu entre lui et la société, le remboursement des 10 000 francs qu'il a déjà reçus et le paiement d'une somme de 1 franc à titre de dommages et intérêts[92]." Après le premier acompte de 5 000 francs en février 1892, Zola avait en effet fait remettre une seconde fois 5 000 francs à Rodin, sans juger bon de faire approuver ce nouveau versement par le Comité.

Aicard réussit à faire admettre qu'on lui laissât tenter une dernière démarche auprès de Rodin afin de l'amener "à renoncer de lui-même à l'exécution du projet qui lui a été confié et à subir les conséquences qui pourront en résulter. Dans le cas où cette suprême tentative échouerait la résolution prise par le Comité deviendrait immédiatement exécutoire." Le 29 octobre, après avoir vu Zola, qui s'apprêtait à partir en Italie[93], et Rodin, il voulut rendre compte de sa mission, mais la décision fut renvoyée à la séance suivante. Celle-ci s'ouvrit sur la lecture d'une note d'Aicard qui était partagé entre le devoir qu'il avait de faire aboutir le monument, ou tout au moins de protéger les intérêts de la Société dont il était président, et l'admiration que lui inspirait Rodin, même si, jusqu'alors, il ne le connaissait pas.

"Mon désir en faisant cela est de me borner aux paroles nécessaires dans une affaire qui déjà nous a pris trop de temps ; et aussi de fixer avec la plus grande précision mon attitude personnelle dans le débat.

Le Comité à une époque où je n'en faisais pas partie a confié à M. Rodin l'exécution de la statue de Balzac.

M. Rodin s'est engagé à la livrer dans un délai aujourd'hui expiré depuis deux ans.

Voilà les seuls faits qui nous importent pour aujourd'hui.

M. Rodin n'a pas livré sa statue à l'époque convenue. Il a manqué depuis deux ans à un engagement pris, et la Société lui en a, à plusieurs reprises, exprimé de légitimes impatiences.

Convient-il de traiter jusqu'au bout M. Rodin comme un artiste libre malgré les engagements pris de choisir son heure d'inspiration, ou comme un ouvrier qui doit rendre son ouvrage à une heure fixe ?

Des hommes de lettres qui sont aussi des artistes ne peuvent prendre le second parti. Il faut traiter M. Rodin comme un artiste. Son tort, je le sais bien, restera d'avoir accepté une époque déterminée dont il ne devait tenir nul compte mais il ne s'agit pas de récriminer, il ne s'agit pas d'excuser les torts de M. Rodin. Il s'agit de faire que, devant l'opinion, vous ayez nous ayons, vous Comité, nous Société des Gens de lettres, toutes les attitudes de la plus haute courtoisie.

J'ai réfléchi [...].

Que gagnerez-vous de positif à attaquer judiciairement M. Rodin ? La statue de Balzac vous sera-t-elle livrée plus tôt ? Assurément non. M. Rodin n'est pas homme, par bonheur pour lui, à exécuter un chef-d'œuvre par commandement sur papier timbré. La statue de Balzac en sera-t-elle meilleure ? Les irritations qu'on donne aux artistes n'assurent pas leurs mains, soyez-en certains.

Que gagnerait-on à ne pas attendre encore ? Peut-être un peu d'argent. Et ne perdrait-on rien ? La Société des gens de lettres y perdra le renom qu'elle a fort peu, il faut bien vous le dire, d'être une société d'artistes, sympathique à tous les artistes, sachant supporter, par bienveillance pure, et par goût des belles idées, quelques dommages à l'occasion et quelques retards, quelques manquements aux conventions.

[...] Nous aurions raison, songez-y, d'une façon exclusivement administrative et matérielle[94]."

Il ajouta qu'il avait vu Rodin qui allait mieux[95] et dont il avait reçu le matin même une lettre "belle, émouvante même", qu'il lut au Comité :

"Monsieur le Président,

Je vous prie de croire que je suis infiniment sensible à la pensée que vous avez eue de demander une démarche à mon ami Geffroy. Je ne puis mieux y répondre qu'en vous redisant ici avec quelle joie j'ai accepté la tâche qui m'a été confiée par la grande réunion d'hommes de lettres que vous représentez. Ce que je désire surtout, c'est que ni vous, ni vos confrères ne vous mépreniez sur mes intentions. Elles sont toujours de terminer à votre satisfaction le monument de Balzac, de vous remettre une œuvre que je m'efforce de rendre digne de son objet, de vous, de la pensée de glorification qui a été la vôtre.

Ce que je vous demande d'admettre, c'est qu'une belle œuvre, pour être accomplie dans les meilleures conditions, pour contenter ceux-là mêmes qui me l'ont confiée, souffre de préoccupations extérieures de délais, d'échéances fixes. L'œuvre d'art, tous ceux qui luttent avec elle le savent, veut la libre réflexion et le calme. C'est là ce que j'aimerais voir ratifier par vous pour me permettre le plus prompt et le meilleur achèvement de mon travail.

Vous le pouvez et le devez car ces préoccupations sont les vôtres puisque ce sont celles de tous les producteurs dans les arts et dans les lettres.

La haute idée que j'ai de ma responsabilité d'artiste a été sans cesse présente à mon esprit. C'est elle qui m'occupe toujours après les quelques semaines de repos que j'ai dû prendre. Je vous demande de me laisser les moyens d'honorer de toutes mes forces, de toute ma volonté, le grand homme dont l'exemple doit nous animer tous. Je pense à son labeur acharné, aux difficultés de sa vie, à la bataille incessante qu'il a dû livrer, à son beau courage. Je voudrais exprimer tout cela, donnez-moi confiance et crédit, Monsieur le Président, et croyez bien à mes sentiments de cordialité et de dévouement[96]."

À la suite de la lecture de ces deux textes et après discussion, il fut décidé de demander à Rodin de fixer un nouveau délai. Le 12 novembre 1894, Aicard avait donc entre les mains une nouvelle lettre de Rodin :

"Monsieur le Président,

La lettre que je vous ai écrite il y a huit jours vous demandait de me laisser continuer et achever le monument de Balzac dans les conditions de réflexion, de tranquillité, de liberté qui sont les seules conditions possibles du travail d'art.

Pour le temps qui m'est nécessaire, je crois pouvoir le fixer à une année, mais je pourrai plus facilement évaluer dans un ou deux mois les jours qui me sont utiles pour vous remettre une œuvre que je m'attache à rendre digne de la Société des Gens de lettres, de Balzac, de Paris, et qui satisfasse ma conscience d'artiste[97]."

Aicard affirma de nouveau que ne pas accorder à Rodin le délai demandé porterait tort à la Société. La discussion reprit et aboutit à trois propositions : Duquet voulait saisir "le tribunal pour dire s'il y a lieu d'accorder de nouveaux délais et, dans ce cas, quels seront ces délais" ; Hector Malot conseillait d'accorder à Rodin une année supplémentaire ; Toudouze de s'en remettre à sa lettre du 10 novembre "et lui reconnaître le droit de ne livrer qu'une œuvre qui le satisfasse pleinement".

Par neuf voix contre sept, le Comité choisit l'attitude la plus intransigeante. Mais Aicard disposait d'une dernière carte : afin de s'assurer le délai souhaité tout en rassurant la Société sur les versements d'argent qu'il avait reçus par anticipation, Rodin proposait de les rembourser[98]. Un nouvel ordre du jour fut donc voté à l'unanimité, exception faite de Toudouze, hostile à ce que l'on apportât quelque entrave que ce soit au travail de Rodin : "Le Comité, forcé à son grand regret de se rappeler qu'il est un Conseil d'administration et pour se couvrir vis-à-vis des souscripteurs au monument qui doit être élevé à la mémoire de Balzac, déclare à M. Rodin qu'il lui laisse tous les délais qui lui sembleront nécessaires au meilleur achèvement de sa statue, pourvu que M. Rodin veuille bien remettre à la Société des gens de lettres la somme de dix mille francs qu'il a reçue à titre de provision[99]."

L'affaire eut un retentissement immédiat dans la presse. Le litige avait en apparence pour objet le retard de Rodin : elle s'interrogea donc sur la liberté dont devaient jouir ou non les artistes et sur ce que devaient être les relations de ceux-ci avec leurs commanditaires, l'opinion générale étant qu'un artiste n'est pas un fournisseur et ne saurait donc être contraint. "Un statuaire lent mais consciencieux", titre *La Patrie* le 10 novembre 1894, tandis que les amis de Rodin, Charles Morice, Georges Clemenceau, Arsène Alexandre et Séverine, s'enflammaient : "De nombreuses maquettes, que les amis de l'artiste ont pu voir dans ses ateliers, attestent son patient et persévérant labeur. Ajoutons qu'une indisposition grave, et à laquelle tant d'efforts n'étaient pas étrangers, obligea Rodin à prendre quelque repos pendant les derniers mois d'été. [...] Mais voilà, nous sommes dans un temps de régularité administrative et d'un universel souci de rapidité ! M. Zola, lui-même, qui est pourtant un artiste, mais qui écrit ses gros romans à raison de six pages par jour, a grand peine à comprendre que Rodin ne fasse pas ses statues à raison de cent coups de ciseau quotidiens[100]" ; ou, sous la plume de Clemenceau : "Rodin est en retard, nous dit-on. Tant mieux ! C'est qu'il est difficile à satisfaire. Cherche bon pétrisseur d'argile. Je sais que tu trouveras. Va en Touraine te pénétrer de la race, interroge ces têtes rustiques, modèle ces crânes solides, assemble ces traits volontaires, fouille le masque énorme, fais revivre la pensée si tu peux. Tu pourras. Et puis, promène-toi dans Paris, cause, regarde, questionne, heurte ta pensée à d'autres pensées pour en faire jaillir l'éclair attendu. [...] Fais ce que tu voudras en un mot, pourvu que, de la façon qu'il te plaît, tu presses ton génie et le forces de se mesurer avec le génie de ton modèle. [...] Fais que, contents, nous puissions dire : 'C'est bien !' Il faut d'abord, n'est-ce pas ? que tu sois satisfait toi-même. C'est ton droit, c'est ton devoir envers ton nom, ton art. Mieux vaudrait briser ta statue que de balbutier l'excuse du temps trop court. [...] Peine donc à loisir et souffre à ton aise dans l'enfantement de l'œuvre douloureuse. Traduis ton rêve en pétrissement de terre, essaye, détruis et recommence, brise l'ébauche, désespère, puis espère encore, peste, jure, maudis et crée. Reconnaissants, nous attendrons[101]." **Tous accablent de sarcasmes la Société des gens de lettres ou plutôt des "'chands de lettres", comme la baptise Arsène Alexandre, le plus acerbe à son égard :** "Ces gens de lettres, il est vrai, sont sans doute des romanciers-feuilletonistes plutôt dépourvus de lettres, de pâteux pisseurs d'aventures invraisemblables et de situations 'émouvantes'[102]."

Cependant Rodin, s'était déclaré satisfait :

"M. le président, écrit-il à Aicard, sitôt informé de la décision du Comité,

Je vous remercie d'avoir transmis au comité mon désir de devenir libre au prix d'une restitution provisoire.

J'accepte avec grand plaisir le vote du comité (séance du 12 nov. 94) qui me rend la liberté nécessaire à l'achèvement de la <u>statue de Balzac</u> telle que je la rêve. il reste donc entendu, aux termes de ce vote que vous voulez bien me communiquer, que vous m'accordez tous les délais que je jugerai utiles. Soyez sûr que je n'en abuserai pas. je n'ai que le souci de faire le mieux possible la grande <u>figure de Balzac</u>.

Les 10 000 de provision que j'ai reçu serait en conséquence déposés par moi à la caisse des dépôts et consignations comme argent affecté au <u>monument de Balzac</u> et ne pouvant être retiré que par la Société des gens de lettres à l'achèvement de mon travail ou par moi-même sur accord intervenu entre nous le jour où je vous livrerai la statue.

Je n'oublierai pas, Monsieur le président, l'attitude de conciliation qui a été la vôtre, et laissez moi ajouter que je suis heureux de la bonne amitié née entre nous par les circonstances.

C'est affectueusement que je vous serre la main[103]."

"Mon cher grand artiste, **répondit Aicard,**

Je vous remercie de votre lettre en ce qui me concerne. je n'ai pas seulement défendu, de toute mon énergie, l'art et les artistes, mais aussi le grand admirable artiste que vous êtes, et dont l'œuvre, depuis que j'ai eu l'honneur et la joie de voir votre atelier, poursuit ma pensée et m'enchante.

J'ai aussi été pris de sympathie pour l'homme, et je serre votre main avec émotion et reconnaissance[104]."

Au Comité des gens de lettres, le 18 novembre 1894, Pierre Sales exprima son regret d'avoir voté cet ordre du jour. Pour lui c'était "l'enterrement de la statue". De son côté, Aicard "[conjura] le comité de ne pas se cantonner dans son droit, prière qu'il a faite aussi à M. Rodin". Une longue discussion suivit, sur les modalités du versement. L'avoué Charles Auzoux, chargé par Aicard de représenter Rodin, y participa pendant un moment. Mais elle continua après qu'il se fut retiré et se termina sur le vote (par 9 voix contre 5) d'un ordre du jour confiant au président la conclusion d'une "convention assurant la <u>restitution</u> des sommes qui lui ont été avancées, sous la condition résolutoire que ces sommes seront acquises à M. Rodin le jour où il livrera la statue". Edmond Tarbé, ancien directeur du *Gaulois*, qui avait proposé ce texte tenait essentiellement au mot "restitution[105]" qui fut cependant remplacé par "dessaisissement".

Cette convention devait être négociée par le conseil judiciaire de la Société (Huard) et le mandataire de Rodin, en l'occurrence Charles Auzoux, qui avait accepté d'essayer officieusement d'aplanir les difficultés surgies à propos du remboursement, mais qui, se voyant désormais investi d'une mission officielle, craignait d'empiéter sur les droits de Chéramy, l'avoué de Rodin[106]. Cependant, il accepta de jouer le jeu : "Comme je vous l'ai dit hier, **écrit-il à Rodin le 22 novembre,** j'ai été chargé par tout le monde de trouver un texte qui concilie tous les intérêts en jeu. j'ai vu M. Chéramy nous sommes d'accord. je viens de terminer ma besogne à deux heures du matin. je vous écris avant de me coucher car dès le matin je porte mon projet à M. Chéramy. je voudrais vous voir demain dans l'après-midi avant 5 h. afin de pouvoir remettre mon projet à M. Huard samedi matin" ; et le 24 : "Il a fallu modifier à nouveau notre projet. [...] J'ai promis demain soir d'envoyer le texte définitif ratifié par vous[107]."

Mais Aicard jugea inacceptable d'être exclu de fait de son rôle, puisque le Comité avait chargé le conseil judiciaire de s'entendre directement avec le représentant de Rodin : le 26 novembre 1894, il donna donc sa démission de la Société[108]. Avec lui se retiraient le vice-président, Gustave Toudouze, ainsi qu'Henry de Braisne, Pierre Maël, Hector Malot, Raoul de Saint-Arroman et Marcel Prévost[109], qui avaient milité avec lui pour que Rodin fût laissé libre de tout délai : "C'eût été le prix généreux accordé au génie d'un artiste par des écrivains, pour l'honneur de la Société des gens de lettres. De plus nous gardions la pensée que la société ayant commandé à un grand statuaire une grande œuvre pour laquelle il a dépensé déjà beaucoup d'efforts, d'études, de temps et d'argent, on pouvait courir le risque d'avoir à le dédommager un jour équitablement, même si un cas de force majeure l'empêchait d'achever son œuvre."

Les démissionnaires quittèrent la séance : leur départ laissait Rodin dépourvu de défenseur au sein de la Société des gens de lettres. "La situation n'est pas gaie à envisager, **remarque Auzoux avec perspicacité.** Par suite de la démission des amis nous n'aurons plus désormais en face de nous que des ennemis dont les espoirs la rancune et les mauvais sentiments n'ont pu qu'être avivés par les derniers incidents[110]." **Huard s'empressa de lui donner raison en faisant la** lecture du projet de convention accepté par Auzoux au nom de Rodin, texte qui, dit-il, "donne pleine satisfaction à la Société et la met à l'abri de toute revendication".

"Entre :

1/ la Société des Gens de lettres, dont le siège social est à Paris 47 rue de la Chaussée d'Antin,

représentée par M. Édouard Montagne, délégué du Comité de la Société des gens de lettres, d'une part,

et M. Auguste Rodin, statuaire demeurant à Paris, 182 rue de l'Université, d'autre part,

Il a été convenu ce qui suit :

La Société des Gens de lettres a ouvert une souscription pour l'érection d'un monument à Balzac et a chargé M. Rodin, moyennant un prix et des conditions déterminées, de l'exécution de ce monument.

Les délais convenus n'ont pu être observés par M. Rodin, par suite de la préoccupation de créer une œuvre d'art digne du génie de Balzac, et le monument n'a pu être livré à la date fixée.

Le Comité de la Société des Gens de lettres s'est ému de ces retards et a paru craindre que sa responsabilité ne fût engagée, vis à vis des souscripteurs, dont la Société n'est que le mandataire.

M. Rodin a compris cette préoccupation et, pour dégager d'une façon complète la responsabilité de la Société, il a spontanément offert de remettre entre les mains de telle personne qui serait désignée par elle les dix mille francs de provision qui lui avaient été versés. Il a offert d'effectuer ce dépôt de telle façon qu'en conservant pour l'avenir ses droits éventuels, il se dessaisit actuellement de la propriété de cette somme, entendant que ni lui, ni ses ayants droit quels qu'ils fussent, ne puissent jamais, à un titre quelconque, se prévaloir d'un droit de propriété sur cette somme en raison du versement antérieur qui lui avait été fait, et la revendiquer pour ce motif contre la Société ou le tiers détenteur.

Cette proposition a paru concilier tous les intérêts en cause, et en conséquence les présentes conventions ont été arrêtées :

Article 1er

Dans les trois jours de la présente convention, M. Rodin remettra entre les mains de M. Champetier de Ribes, notaire de la Société, qui est constitué dépositaire et séquestre amiable, la somme de dix mille francs antérieurement reçue à titre de provision et dont il abandonne la propriété dans les termes susrappelés.

Article 2ème

Cette somme de dix mille francs demeurera entre les mains du séquestre avec affectation spéciale au paiement du monument de Balzac, mais elle ne deviendra la propriété de M. Rodin qu'après l'exécution par lui du monument.

Article 3ème

Aucun délai fixe n'est imparti à M. Rodin pour la terminaison de son œuvre, la Société déclare s'en remettre à la parole de M. Rodin qui prend vis à vis d'elle l'engagement moral de terminer aussitôt qu'il le pourra une œuvre à laquelle il veut donner tous ses soins et qui constitue pour lui un travail considérable.

Fait double à Paris[111]."

Le texte de la convention fut adopté à l'unanimité, sauf par Diguet qui regrettait que l'argent fût déposé chez le notaire "ce qui, peut-on dire, prouverait de la part de M. Rodin une suspicion de nos intentions". **Deux membres iraient** "en conciliateurs" **instruire Aicard de la conclusion de l'affaire ; quatre autres allaient rédiger une note pour les journaux[112].**

Ceux-ci ne furent pas dupes : Séverine accusa la Société des gens de lettres de vouloir favoriser un "tailleur de navets[113]" **; Clemenceau renchérit en mettant directement en cause Alfred Duquet,** "qui est, nous dit-on, l'historien de la guerre de 1870[114]", **et fut en effet l'un des plus acharnés contre Rodin. Mais c'est** *L'Éclair* **qui analysa le mieux la situation :**

"Le conflit avec M. Rodin aurait de tout autres causes qu'une simple divergence d'appréciation artistique ou même qu'une mesure de défiance envers le statuaire. Les dessous seraient beaucoup plus compliqués.

Premier dessous. Il s'agirait de faire retirer la statue à M. Rodin pour la donner à un autre sculpteur. [...] Ce sculpteur compterait des amis influents au comité des gens de lettres qui auraient profité du retard de M. Rodin, vaille que vaille, pour tâcher de lui faire simplement donner sa démission d'imagier de Balzac sous le coup de l'irritation que lui auraient causée ces tracasseries.

Deuxième dessous. Tout ce tapage servirait également à masquer des manœuvres contre l'éventualité d'une réélection de M. Émile Zola comme président de la Société des gens de lettres. M. Émile Zola a, paraît-il, soulevé de grandes jalousies et des inimitiés parmi ses collègues, qui lui reprochaient d'*être trop autoritaire* et d'"avoir des idées trop libérales'. Or c'est grâce à l'intervention de M. Zola qu'a été faite à M. Rodin une seconde avance de cinq mille francs, après la première d'égale somme donnée au moment de la présentation de la première maquette. Cette avance a été faite sur avis de M. Zola sans que le comité eût été rassemblé. C'est ce que les membres hostiles à M. Émile Zola appellent un abus de pouvoir, et ils veulent exploiter le fait contre une candidature possible[115]." **Edmond de Goncourt, qui venait de voir Toudouze, le confirme :** "À ce qu'il paraît, il y aurait un dessous dans ce conflit, ce serait une hostilité contre Zola, qu'on aurait trouvé trop autoritaire et qu'on voudrait empêcher d'être renommé au mois d'avril[116]."

L'Éclair, **comme Goncourt, était bien informé : Marquet de Vasselot continuait en effet à intriguer dans l'espoir de rattraper la commande de la statue. Quant à Zola, il avait cédé la présidence à Aicard parce que les statuts de la Société ne lui permettaient pas d'occuper ce poste plus de trois ans d'affilée. Mais l'usage était de rester trois ans.** "Désireux de ne pas mécontenter ses amis en ne se représentant pas, ne voulant point, d'autre part, s'exposer à mettre M. Zola en échec, M. Aicard cherchait et a trouvé le moyen de se démettre. Il s'en va sur une double question d'art et de dignité[117]." **Quelle que soit la raison profonde de sa démission, Aicard tint à démentir l'article de** *L'Éclair* **:** "Il ne faut pas chercher de raisons *de dessous* à ma démission de président de la Société des gens de lettres. Je me suis retiré parce que j'admire trop M. Rodin pour vouloir être de ceux qui tracassent ce grand artiste et lui font perdre du temps. Quant à M. Émile Zola, nos rapports d'amitié m'assurent qu'il ne saurait y avoir entre nous, en aucun cas, aucune rivalité au sujet de la présidence de la Société des gens de lettres. Ma décision est irrévocable. Le débat n'est pas clos. La conciliation n'est pas obtenue. M. Rodin ne l'a pas encore signée[118]."

En effet, il ne restait plus qu'à faire signer l'acte par Rodin[119]. Mais en le relisant, et peut-être alerté par Geffroy[120], celui-ci découvrit "qu'un <u>monument</u> c'est ce que je dois livrer. non statue. j'ai la commande de la figure modelée moulé en plâtre (de Balzac) près à être livré au fondeur la figure seule m'incombe le comité doit payer la fonte et l'architecte, Jourdain, qui doit faire le piédestal[121]". "Votre observation est très juste relativement au <u>monument</u> à exécuter, **lui répondit Auzoux.** Si vous persistez toujours dans votre première idée les choses sont [entendues ?] et l'on pourra faire très facilement cette modification[122]." **Ce n'était pas l'avis de la Société qui protesta que** "du traité de M. Rodin avec la Société, de la lettre même de M. Rodin, il résulte que c'est à tort qu'il croit ne pas être chargé de <u>l'exécution</u> de la statue, y compris le bronze et le piédestal. Les dix mille francs obtenus du ministère en plus des sommes versées par les souscripteurs le dédommageront du reste amplement à cet égard[123]."

Aurélien Scholl, favorable à Rodin (il avait d'ailleurs hésité à démissionner en même temps qu'Aicard), fut élu président à l'unanimité le 26 novembre[124]. Le 10 décembre, alors que Tarbé, Duquet et lui-même étaient adjoints à la commission de la statue, il résumait

La Société des gens de lettres fait mettre dans l'atelier de M. Rodin un perroquet dressé à crier :
— Je suis pressé !

fig. 18
Bobb
"La physiologie du recollage :
Le sculpteur Rodin et la Société
des Gens de Lettres réconciliés
par Aurélien Scholl, le plus
spirituel des Pacificateurs !",
décembre 1894 ?
Musée Rodin

fig. 19
"La Société des gens de lettres
fait mettre dans l'atelier de
M. Rodin un perroquet dressé
à crier : – Je suis pressé",
L'Illustration, 15 décembre 1894

ainsi l'arrangement qu'il avait conclu avec l'artiste[125] : lorsque Rodin aurait livré le plâtre, il pourrait reprendre les 10 000 francs ; quand il aurait livré la statue, il toucherait le reste de la souscription. "Si la statue était inacceptable, nous rentrerions dans le droit commun et le différend serait soumis à l'arbitrage." Le 14 décembre, Montagne donna donc rendez-vous à Rodin pour le lendemain, dans la grande salle de la Caisse des dépôts "pour y signer notre traité[126]". Il l'avait convoqué à 11 h 15 et attendit jusqu'à midi, mais Rodin ne vint pas. Il lui envoya donc le traité par la poste, le lendemain, en lui demandant de le signer et de le lui renvoyer immédiatement[127], ce que Rodin fit le jour même[128]. Quelques jours plus tard, Rodin l'avertissait qu'il venait de "faire la visite à Monsieur Champetier de Ribes et lui verser les dix mille francs convenus entre la Société des gens de lettres et moi[129]". Comme l'a remarqué Ruth Butler[130], il allait sans tarder demander un nouvel acompte à la direction des Beaux-Arts, sur le *Monument à Victor Hugo*, pour compenser ce versement. Celle-ci ne lui accorda toutefois que 8 000 francs au lieu des 10 000 qu'il espérait (janvier 1895).

La crise se terminait ainsi (fig. 18 et 19), tout à l'honneur et à la satisfaction de Rodin qui était "d'humeur joyeuse, bien en point pour causer de l'incident qui a échauffé l'opinion et qui l'a laissé, lui, très froid", lorsqu'il accueillit un journaliste du *Matin*, au Dépôt des marbres, le 10 décembre 1894. À l'honneur aussi de Jean Aicard et des démissionnaires dont la presse était unanime à faire l'éloge, tandis que le mauvais rôle était attribué à la Société des gens de lettres à laquelle on reprochait d'avoir "manqué tour à tour de modestie en prenant l'initiative d'une statue à Balzac, et de convenance en traitant comme on fait d'un fournisseur en retard le sculpteur Rodin, coupable d'une lenteur dans l'exécution[131]".

Ces péripéties avaient permis à Aicard et à Rodin de se découvrir une véritable communauté de pensée : "À mesure que les démarches en conciliation me rapprochaient de lui – que j'apprenais à mieux le connaître, **déclara Aicard au** *Temps* **le 1er décembre**, je me sentais de moins en moins le président qu'il aurait fallu. Le jour où Rodin m'introduisit dans son atelier plein de chefs-d'œuvre, où, à côté de son *Ève*, de son *Baiser*, de ses femmes ondoyantes, mystérieuses comme la nature, se dresse sa surprenante *Porte de l'Enfer*, derrière moi s'ouvrit, comme d'elle-même, pour m'inviter au départ, la porte du comité des gens de lettres. Sur l'une et sur l'autre je vis éclater en lettres de flamme le mot dantesque : *Lasciate ogni speranza, voi ch'entrate... Alors je sortis...*"

Un bel échange de correspondance, dans les jours qui suivirent la démission d'Aicard, témoigne de cette estime réciproque, estime accompagnée toutefois d'une certaine surprise chez Rodin. "Mon ami, ce titre si commun avec tout le monde, est avec vous l'expression même de mon âme, **écrit Rodin** ; et à cette tendresse je joins la haute estime et l'admiration. vous nous avez convié à un exemple magnifique en sacrifiant vos intérêts à une idée. vous m'avez ravi et un peu étonné ! je souhaite que quelque chose de noble vous arrive et que quelqu'un vous imite (en dehors de nos amis qui vous ont suivis) je voudrais que ce soit moi. de tout cœur à vous cher poète[132]." "Mon ami, mon cher Rodin, **répond Aicard**, C'est que voyez-vous, nous devrions être tous ainsi les uns pour les autres. Le monde serait à nous, aux artistes, aux poètes, – et ce serait très bon. j'aurais tant voulu en ma vie de poète combattant pour son rêve, voir souvent ce que j'ai vu rarement : la vérité placée au-dessus de la politique. Votre lettre simple et admirable. c'est un des plus beaux titres d'honneur qu'on puisse recevoir : je suis payé par ce mot jailli de votre cœur. je vous embrasse[133]."

Cette amitié fut matérialisée par le don d'un *Fugit Amor*[134] en bronze, dédicacé "*Au grand poète Jean Aicard son ami A. Rodin*", auquel Aicard, à son tour, consacra un poème intitulé "Sur un groupe de Rodin" (15 mars 1895). La correspondance entre les deux hommes dura jusqu'en 1911.

Avec Zola en revanche, le ton n'est pas le même. Certes, il demeurait l'instigateur du monument, comme lui-même l'avait rappelé dans *La Nation*, le 25 octobre 1893 : "Je me suis occupé avec beaucoup d'activité de faire rendre au grand écrivain l'hommage qui lui était dû. Je voyais en ce bronze non pas seulement le banal souvenir que l'on donne à des mémoires plus ou moins chères, mais surtout une manifestation en faveur des lettres françaises. Aussi, je l'avoue, ai-je fait tout ce que j'ai pu – et c'est la seule fois que j'ai, non pas abusé, mais usé grandement de mon influence de président – pour faire attribuer à la statue de Balzac une place plus digne d'elle que cette horrible galerie de Valois [... Après la mort de Chapu] de nouveau je rentrai en scène et insistai de toutes mes forces pour que l'on confiât à Rodin l'exécution du nouveau bronze. J'estime Rodin un sculpteur de grand talent, qui a eu du génie même à ses heures et j'espère encore, comme alors, qu'il fera une œuvre digne de lui-même, de la place qu'elle occupera au cœur de Paris, et du grand homme qu'elle doit représenter. Malheureusement, **poursuivait-il**, voilà deux ans que M. Rodin a la commande du bronze et nous ne sommes guère plus avancés aujourd'hui qu'à cette époque. Je sais bien qu'on ne demande pas une œuvre à un artiste comme un habit à son tailleur, en lui fixant une date de livraison. Producteur moi-même, je sais que l'inspiration vient à son heure et qu'il faut la laisser venir. Pourtant il y a des limites, et si le comité manifeste aujourd'hui une certaine impatience, il a, je crois, quelques raisons[135]..." Un an plus tard, en 1894, sa confiance en Rodin avait sans doute encore faibli ; de plus, étant en Italie au moment des démêlés de Rodin avec la Société des gens de lettres, Zola n'apprit la démission d'Aicard et des six autres sociétaires que bien après[136].

"J'arrive donc bien tard pour vous dire mon chagrin de tout le bruit fâcheux qui vient de se faire autour de la statue de Balzac.

Vous savez quelle admiration j'ai pour vous et combien j'ai été heureux que le grand sculpteur que vous êtes fût chargé de glorifier le plus grand de nos romanciers, notre père à tous. Et c'est pourquoi, sans attendre mon retour, je veux vous adresser une ardente prière.

Je vous en supplie, au nom du génie, au nom des lettres françaises, ne faites pas attendre Balzac davantage. Il est votre dieu comme il est le mien, passez vos jours, passez vos nuits, s'il le faut, pour que son image règne enfin au milieu de notre immortel Paris. Songez que cela dépend de vous, que vous seul retardez l'échéance. Certes, vos droits d'artiste consciencieux sont absolus, je ne vous ai jamais pressé ; mais Balzac attend, et il ne faudrait pas que sa gloire souffrît trop longtemps encore du légitime souci que vous avez de la vôtre.

Exaucez-moi, c'est mon cœur qui vous parle pour votre honneur lui-même car je vous aime autant que je vous admire[137]."

Il est vrai que l'engagement d'Aicard ne laissait plus guère à Zola de possibilité d'action ; toutefois, on croit deviner que Rodin lui en voulut quelque peu de sa passivité. Il hésita en effet sur la réponse qu'il lui ferait, mais un brouillon conservé aux archives du musée Rodin montre, par la place donnée à l'éloge de Jean Aicard dans les deux projets de lettres, combien il avait été sensible à l'attitude résolue de celui-ci :

"1er projet

Mon cher Maître

La lettre que vous m'adressez, avec sa belle adjuration, me touche ; elle me prouve que vous êtes absolument avec nous.

Comme vous l'avez très bien compris à distance, si j'ai pu reprendre librement mon travail, c'est grâce à l'aimable entremise d'Aurélien Scholl et surtout à la généreuse démission de Jean Aicard, Gustave Toudouze, Henry de Braisne, Pierre Maël, Hector Malot, Marcel Prévost et Raoul de Saint-Arroman, qui avaient eux-mêmes libellé la convention définitivement acceptée par le Comité de la Société des Gens de Lettres.

2ème projet

Mon cher Maître

L'éloquent appel que vous m'adressez me touche en me prouvant que vous êtes absolument avec nous pour la gloire de Balzac.

Tous mes efforts, vous le savez, sont dirigés vers ce but ; mais si j'ai pu reprendre en toute liberté d'esprit mon travail, c'est grâce à l'aimable intervention d'Aurélien Scholl, et surtout, je tiens à le dire, à la généreuse démission de Jean Aicard, Gustave Toudouze, Henry de Braisne, Pierre Maël, Hector Malot, Marcel Prévost et Raoul de Saint-Arroman[138]."

1895-1896 : le *Nu en athlète*

"L'assemblée générale de la Société des gens de lettres, lisait-on dans *Le Figaro* du 1er avril 1895 sous la plume d'Henri Hamoise, offrait hier un intérêt tout particulier à cause de la nouvelle candidature de M. Émile Zola au comité. À en juger par les réunions préliminaires, la lutte promettait d'être vive. Les polémiques qui se sont produites depuis un an autour du prochain auteur de *Rome* ont été trop nombreuses, trop bruyantes, pour qu'il n'en soit rien resté dans l'esprit des électeurs." **Zola avait en effet beaucoup d'adversaires :** "les uns ne lui pardonnent pas son grand talent, d'autres lui en veulent de ses cent mille éditions ; ceux-ci lui reprochent ses idées personnelles, ceux-là ont été blessés par la façon de tirer à lui la couverture quand il occupait déjà ce siège où on veut le hisser de nouveau. Bref, il y avait dans la salle une opposition très marquée contre M. Zola[139]." **Il fallait en effet élire douze nouveaux membres au Comité des gens de lettres et Zola, arrivé en dernière position avec seulement quatre-vingt-onze voix sur cent cinquante-quatre votants, fut élu pour un an seulement.** "Il paraît probable, **concluait Hamoise,** qu'en raison des services qu'il a rendus à la Société et de ceux qu'il pourra rendre encore, c'est M. Émile Zola [...] qui sera élu président du Comité. Il ne serait même pas étonnant du tout qu'il le fût à l'unanimité. On lui doit bien cela." **Et il le fut en effet, lors de la séance du 1er avril 1895.**

Les mois passèrent sans que Rodin donnât de nouvelles de la statue. Au comité du 30 décembre, Zola, qui ne croyait plus qu'il la mènerait jamais à son terme, annonça qu'il allait tenter une nouvelle démarche auprès des amis de l'artiste "pour amener celui-ci à renoncer au travail dont il s'était chargé, dans le cas où sa santé ou des obstacles ne lui permettraient pas de l'achever[140]". La presse s'en fit l'écho : "Il paraîtrait que le monument n'est pas plus avancé aujourd'hui, au contraire, qu'il y a un an, et la chose n'est du goût de personne à la Société, pas plus de M. Zola que de tout autre de ses confrères du Comité." De Zola certainement, d'autant plus que son mandat de président s'achevait en mars et qu'il n'était pas rééligible[141]. L'auteur de l'article, Henry Lapauze, évoque ensuite l'intention de Zola de faire intervenir des amis de Rodin, tels qu'Octave Mirbeau et Gustave Geffroy : "et déjà il se serait entretenu de la question avec M. Gustave Geffroy qu'il aurait prié de faire des ouvertures à M. Rodin[142]". On peut imaginer que, si on le lui avait demandé, Geffroy aurait refusé, comme Mirbeau, de chercher à influencer Rodin en quoi que ce soit : "Jamais, avait déclaré Mirbeau à la presse, et cela parce que je suis toujours et dans tous les cas – malgré mon amitié pour Zola – contre la Société des gens de lettres, pour Rodin. J'ai trop le respect des grands artistes pour me mêler de choses qui ne me regardent pas du tout, et pour les laisser travailler en paix[143]."

L'attitude de Zola est surprenante. Après avoir tout fait pour imposer Rodin, il semble avoir été déçu par la lenteur de celui-ci, au point d'envisager de lui demander de se retirer puis, n'ayant sans doute pas osé le faire quoique le bruit s'en fût répandu[144], de se désintéresser complètement du monument. Rodin lui-même eut peine à y croire : "D'abord, s'il faut vous dire toute ma pensée, l'information de votre confrère me paraît étrange, déclara-t-il à *L'Éclair*. D'abord personne ne m'a été envoyé, ni Mirbeau, ni Geffroy ; ensuite je m'étonne que Zola ait pris la décision de m'envoyer un ou deux amis, sans m'en avoir préalablement averti, sans même avoir vu où en était le travail. Et puis, à quoi servirait l'intervention de Geffroy et de Mirbeau ? J'ai à cœur de mener à bonne fin l'œuvre dont j'ai accepté la création[145]." Cependant la rumeur de son retrait se propageait. Dès janvier, "en apprenant la décision du comité de la Société des gens de lettres, les reporters [n'avaient] fait qu'un bond chez le statuaire. Et, malgré le repos dominical, ils l'[avaient] trouvé 'ayant modèle', c'est-à-dire pétrissant la glaise vis-à-vis d'un bonhomme au torse puissant. Le futur torse de Balzac, parbleu ! – Voyez, a déclaré M. Rodin, je travaille et vous demande la permission de ne pas m'interrompre… Je matérialise mon rêve… Je ne chôme pas, même le dimanche[146]." "Maintenant Rodin tient son Balzac, confirme *Le Soleil* ; il l'a bien dans sa tête. Depuis le mois de septembre, il l'a mis sur pied, et on peut le voir dans son atelier, debout, solidement campé, avec ses muscles solides, sa tête puissante que nous a heureusement si bien conservée le précieux daguerréotype que possède Nadar et qui figura à l'Exposition des écrivains du siècle. Avant peu la maquette sera définitivement terminée. L'artiste s'attache encore à l'expression du visage : il faut rendre cette physionomie du grand observateur, de celui qui devina tout un monde moderne, créant même des modèles qui n'ont eu que trop de Sosies.

– Vous le voyez, dit le maître, je pioche. L'an prochain, j'aurais certainement fini. Dame ! il faut le temps de faire une statue. Celle-là, j'aimerais mieux l'abandonner que de la gâcher. Pour arriver à bonne fin, j'ai abandonné tous mes travaux[147]."

En juillet 1895, revenant de chez Mirbeau, qui avait une maison à Carrières-sous-Poissy, Edmond de Goncourt avait noté que Rodin était "vraiment changé et très mélancolieux de son état d'affaissement, de la fatigue qu'il éprouve à travailler dans le moment[. Il] se plaint presque douloureusement des contrariétés que dans le métier de sculpteur et de peintre infligent aux artistes les commissions d'art qui, au lieu d'être des aides de leur travail, par les sollicitations, les démarches, les courses, leur font perdre un temps que lui aimerait mieux employer à faire de l'eau-forte[148]." Mais, en 1896, il allait mieux : c'est encore Goncourt qui rapporte qu'il aurait "triomphé de la défaillance physique et morale de ces dernières années[149]".

La maquette que divers journalistes évoquent alors est certainement l'*Étude de nu dit en athlète* (cat. 89 à 91), réalisée d'après un nouveau modèle, solide, musculeux, puis retravaillée par Rodin à partir d'un premier modelage, presque jusqu'à l'exagération. Un immense chemin a été parcouru depuis *L'Âge d'airain*, au modelé illusionniste, ou même depuis l'*Étude C* : désormais, sans se soucier de réalisme, l'artiste cherche des oppositions de volumes sur lesquelles jouera la lumière. Mais tout ceci se fit dans la durée. Il fallait à Rodin – le *Balzac* en est la preuve – beaucoup de temps pour créer. "Je suis un nerveux, un timide et il suffit de peu pour arrêter l'œuvre ébauchée. Que de travaux j'eusse abandonnés si, dans la période de gestation, comme dans celle de l'enfantement, on eût mené un tel charivari[150]." Il lui fallait le silence pour "matérialiser son rêve", ainsi qu'il le déclara à plusieurs reprises. Mais ce silence était habité de toutes ses œuvres anciennes : leur présence dans l'atelier devait compter beaucoup et parfois influencer l'œuvre nouvelle. Or l'année 1895 est celle qui vit enfin, le 3 juin, l'inauguration, à Calais, du *Monument aux Bourgeois de Calais* : on ne peut donc s'étonner de voir, sur une page de croquis, *Pierre de Wissant* et *Jean de Fiennes* se mêler à *Balzac* (cat. 63), puis, un beau jour, *Jean d'Aire* se greffer sur *Balzac*. Rodin ne semble jamais avoir hésité sur l'attitude du premier, les deux pieds solidement ancrés au sol, les bras raidis par le poids des clefs : il est donc difficile de considérer comme une étude pour celui-ci un plâtre (cat. 84) qui présente sur les jambes de l'*Étude en athlète* le torse de *Jean d'Aire*, celui-ci ayant été basculé vers l'arrière, alors qu'à l'origine il était tiré en avant par le fardeau qu'il porte à bout de bras. Faut-il imaginer que, les recherches menées jusque-là pour *Balzac* ayant abouti à une impasse, Rodin reçut de ce *Bourgeois de Calais* l'inspiration qui devait le guider vers le modèle définitif ? C'est en effet le corps de l'*Athlète* que couvrira la fameuse robe de chambre.

Du tout premier exemplaire, en terre, seule la tête est parvenue jusqu'à nous, pour des raisons pratiques évidentes de conservation (pour se conserver, la terre doit être cuite ; or, on ne peut cuire que des terres de petites dimensions ; par ailleurs, tout conserver prendrait beaucoup de place), mais peut-être aussi parce qu'il fut victime d'un accident. Évoquant la Folie Payen, qu'occupa Rodin entre 1890 et 1898, 68, boulevard d'Italie, "cette maison qui avait été en pleine campagne et qui maintenant achevait de tomber en ruine dans un faubourg avec lequel elle n'avait jamais pu s'amalgamer complètement", Arsène Alexandre décrit ainsi *Les Bourgeois de Calais*, coupés à mi-corps et un *Balzac* "nu, les bras croisés, une espèce de lutteur extraordinaire, une statue complète que personne ne verra jamais plus, car la terre merveilleuse que c'était là fut détruite par accident[151]". Les œuvres passaient d'un atelier à l'autre, car cette description correspond à l'*Étude C*[152] que de nombreux journalistes avaient pourtant vue en 1894, au Dépôt des marbres, près du Champ-de-Mars, où Rodin avait ses ateliers principaux et où se fit en effet la plus grande partie du travail pour *Balzac*. Mais c'est le *Nu en athlète*, dressé dans le silence des beaux volumes abandonnés, qu'a photographié Druet (cat. 93). "Dire ce que l'œuvre de Rodin était saisissante dans le vide de ces pièces blanches avec les restes de fines boiseries au-dessus des portes, un demi-jour d'autrefois venant envelopper les grands plâtres posés à terre, les petits groupes frémissants s'érigeant sur des selles, s'accumulant sur des cheminées ou se combinant curieusement avec de majestueux tessons de poteries grecques ou gallo-romaines[153] !"

En réalité, plusieurs *Nus en athlète* se succédèrent. Deux seulement existent encore, l'un des premiers et le dernier, mais des mains provenant de modèles intermédiaires attestent l'existence de ceux-ci. Rodin, comme il en a coutume, moule chaque étape de son travail, puis, la fois suivante, repart de l'épreuve qui a été réalisée, la modifie avec de la terre ou de la plastiline, et fait faire un nouveau moule qui servira à son tour de point de départ, lors d'une prochaine séance. Parfois, comme c'est le cas pour les deux grands plâtres de l'*Étude C* (cat. 36 et 37), un double réseau de coutures témoigne de ces phases successives ;

mais parfois aussi les coutures anciennes sont effacées et l'épreuve n'offre que celles qui correspondent à la combinaison des pièces du moule dont elle est issue.

Les séances de travail avaient lieu en présence de modèles vivants dont l'identité n'est pas connue et qui furent certainement plusieurs à se succéder. Réalisé d'après un nouveau modèle, le *Nu en athlète* reçut une tête différente (*cf.* cat. 67) de celle des *Études au gros ventre* : ne serait-ce pas celle que Rodin modela d'après le libraire Féroux (ou Ferrou[154]) ? ou bien d'après cet "industriel parisien dont la ressemblance avec Balzac est bien connue [et qui] a posé quelque temps, afin de permettre au statuaire de donner plus d'animation, plus de vie à son œuvre. Bientôt la tête de Balzac était modelée. M. Rodin n'avait plus qu'à la faire mouler. Cette partie du monument, non la moins importante, était donc terminée. Il ne restait plus qu'à chercher le corps et à le draper", nous apprend *Le Temps* du 19 août 1896. L'identité de l'industriel parisien - s'il a même réellement existé - n'est, hélas ! pas parvenue jusqu'à nous. En revanche, nous savons que Rodin fut satisfait de cette tête (cat. 90), qui est effectivement le point de départ de la tête définitive, car elle fut séparée du corps, moulée et fondue. Par la suite, le plâtre original ayant disparu, c'est une épreuve, enduite d'un agent démoulant, de couleur grise, qui fut fixée sur le corps qui, lui, était resté blanc : une photographie publiée par Gsell en 1923 (fig. 20) montre bien cet aspect hétérogène que l'œuvre offre aujourd'hui encore.

"Il y a déjà un ou deux mois, poursuit *Le Temps*, que M. Rodin a terminé une maquette qui lui donne la satisfaction qu'il a si infatigablement cherchée. Balzac sera représenté debout, dans une attitude forte et simple, les jambes un peu écartées, les bras croisés. Il sera revêtu d'une sorte de longue robe de chambre sans ceinture, qui descend jusque sur ses pieds." À cette date, pour la première fois, il apparaît enfin que Rodin sait où il veut en venir. Joseph Bridau le confirme, le même jour, dans *Gil Blas* : "La statue de Balzac est en voie de prompt achèvement. Il n'y faut plus que quelques retouches ; dès à présent, l'artiste *tient* son modèle, et il le tient bien [...].

Par exemple, M. Rodin demande, avec une insistance que nous comprenons de reste, qu'on lui accorde enfin la tranquillité dont il a besoin pour quelques mois encore, afin de perfectionner une œuvre qu'il veut digne du grand romancier, digne aussi – ajouterons-nous – du grand sculpteur en qui revit une étincelle du génie michelangelesque. Ces hésitations, ces recommencements perpétuels qu'il s'est imposés pendant des années, ces objurgations dont on l'a poursuivi si souvent dans sa laborieuse retraite, l'ont énervé au-delà de toute expression : nous sentons la trépidation de son impatience et la profonde lassitude que lui cause cette inquiète gestation du chef-d'œuvre[155]."

À la suite d'un article paru dans *Le Figaro* du 19 août 1896, la presse avait en effet cru bon de se faire l'interprète de l'inquiétude des souscripteurs qui réclamaient la statue "pour d'ici un an" ou le remboursement de leur versement. "L'argent ou la statue ! Ainsi parlent quinze admirateurs de Balzac, fatigués d'attendre. Leur ultimatum est catégorique, presqu'impertinent ; mais il faut avouer qu'il est légitime[156]." "Émile Augier est mort, Emmanuel Gonzalès aussi, Alexandre Dumas aussi, et aussi Auguste Vitu, et la statue ne se fait pas, et les autres souscripteurs se disent : Mourrons-nous donc avant de la voir paraître[157] ?" En réalité, si l'on en croit *L'Écho de Paris* du 23 août, la Société des gens de lettres n'avait pas reçu la moindre protestation, et c'était une affaire montée de toutes pièces par les ennemis de Rodin pour essayer de nouveau de se débarrasser de lui. Les procès-verbaux des comités n'en offrent en effet aucune trace, et Chincholle lui-même affirma très clairement que "nul ne peut songer, comme on l'a écrit, 'à retirer la statue à M. Rodin'. Nul n'a maintenant le droit de le contraindre à livrer son œuvre. Qu'on laisse donc et l'artiste et la Société tranquilles[158]." Cet article, écrit Léon Maillard à Rodin en le lui envoyant, le 26 août 1896, "une fois pour toutes clôt le débat des ennuis Balzac. Le signataire, Chincholle, est un des gros bonnets de la

MAQUETTES POUR LE MONUMENT DE BALZAC.

CL. RENAISSANCE

toujours inquiète. On note les scrupules anxieux de cette haute conscience artistique. Pour chaque statue, on mesure le chemin parcouru du premier essai jusqu'au terme. Et l'on aperçoit un progrès incessant vers une simplification qui finit par suggérer plutôt qu'elle n'exprime. Car pour son *Balzac* comme pour son *Hugo*, l'attitude seule du personnage fait songer au décor dans lequel Rodin l'a conçu. Autour du *Victor Hugo* du PalaisRoyal hurle la formidable symphonie des éléments. Autour du *Balzac*, palpite tout le désordre de la maisonnette où tournait l'écrivain comme un fauve en cage.

C'est encore Rodin qui nous disait à propos de ce *Balzac* :

— J'ai appliqué là une découverte récente dont je suis l'auteur. J'ai compris que l'art ne devait pas se limiter aux contours de l'œuvre, mais qu'il devait autour du personnage représenté, faire entrevoir le milieu où il vit et faire imaginer comme un halo d'idées qui expliquent ce personnage. L'art ainsi se prolonge en mystérieuses ondes. Il concluait :

— Oui, c'est là ma grande découverte, quelque chose comme *ma direction des ballons*.

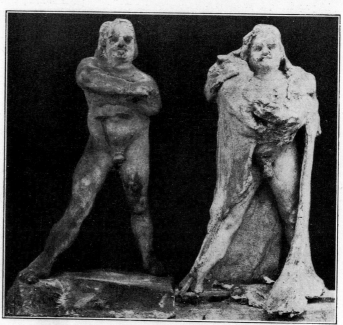

MAQUETTES POUR LE MONUMENT DE BALZAC.

CL. RENAISSANCE

fig. 20
Auguste Rodin
Maquettes pour le monument de Balzac
Paul Gsell, *La Renaissance de l'art français et des industries de luxe*, 1923, p. 463

Société des gens de lettres. Quoique peu favorable pour vous – étant du bord adverse – il exprime nettement que vous êtes dans votre droit ; aussi après un pareil article, vos adversaires malins vont-ils taire leur bec[159]."

Certes. Toutefois, à la lecture de ces articles, on sent que la confiance du public s'était émoussée. Les adversaires de Rodin étaient de plus en plus nombreux. Et, à travers la lettre qu'il envoya à Zola le 12 mai 1896 pour le remercier de son nouveau livre, *Rome*, on croit deviner que l'artiste aussi doutait de lui-même : "Vous savez combien je vous trouve heureux d'avoir les dons d'un génie plein de fécondité[160]." En effet, alors qu'il se sentait près du but, Rodin fut sans doute exaspéré par les nouvelles attaques qu'il subissait ; s'il était défendu par un journaliste qui prit le pseudonyme de l'un des personnages de *La Comédie humaine*, Joseph Bridau, homme vertueux et peintre de talent, c'est en le comparant à Fredenhorf (pour Frenhofer, le peintre mis en scène par Balzac dans *Le Chef-d'œuvre inconnu* !) que Paul Dollfus l'accable : croyant montrer à ses amis une toile "qui sera, dit-il, 'le chef-d'œuvre des chefs-d'œuvre, la vie même', le vieux maître leur présente un lamentable gribouillage de couleurs, où l'on ne distingue plus que dans un coin, un admirable petit pied de femme. Si, au moins, un jour, M. Rodin nous donnait le pied de Balzac[161] !" "Il essaie, il s'épuise, il tâtonne", note Henry Céard, un proche de Zola, selon lequel l'œuvre "n'a pas seulement encore pris corps dans une maquette de terre glaise. [...] M. Rodin, penché dans la poussière de son atelier et cherchant ses humbles et admirables figurines, n'a guère la posture d'un sculpteur de menhirs[162]." Le pire fut Aurélien Scholl qui, après avoir écrit que "la question Rodin revient sur l'eau comme un simple cadavre qu'on ne transporte jamais à la Morgue[163]", ne résista pas au plaisir de faire des bons mots : "de même que Balzac, écrivain génial, ne put jamais mettre sur pied une pièce en cinq actes, Rodin, grand artiste, auteur de beaucoup de statues, ne moulera jamais un Balzac" ; ou encore, à qui lui disait avoir vu la maquette en terre : "Oui, c'est un peu de terre qu'il arrange précipitamment... quand on sonne[164] !"

1896 : *Balzac-sphinx*

"C'est le secret de Polichinelle qu'il y a une conspiration en vue d'ôter la commande de Balzac à Rodin et de la donner à un autre. Déjà, à la première difficulté qui s'éleva entre le sculpteur et les romanciers, M. Marquet de Vasselot s'offrit à faire la statue et à la livrer rapidement. M. Marquet de Vasselot est un amateur de quelque dextérité dont la principale préoccupation est de semer dans les journaux mondains des réclames à son avantage et de se faire donner par le pape, en échange d'un buste de Sa Sainteté, des décorations papales[165]." Marquet de Vasselot, qui venait d'exécuter deux bustes de Léon XIII, l'un en soutane, l'autre avec les ornements pontificaux, n'avait en effet jamais accepté son échec et avançait de nouveau ses pions, insidieusement : en mars, il invitait ainsi le Comité "à visiter le monument qu'il prépare pour le centenaire de Balzac[166]", tandis qu'il demandait à être reçu comme sociétaire de la Société nationale des beaux-arts, celle-là même dont Rodin avait été l'un des membres fondateurs en 1889. Cette prétention suscita une lettre virulente de Frantz Jourdain : "Mon cher ami, écrit-il à Rodin le 13 mars, j'apprends que M. Marquet de Vasselot est présenté comme associé. C'est tout simplement une honte, et c'est presque une injure personnelle qu'on vous fait car personne n'ignore l'attitude odieuse de ce Monsieur au moment de la commande de la statue de Balzac. Vous avez été éreinté de la façon la plus grossière par lui dans la France [...] j'ai été traîné dans la boue parce que j'avais demandé à la Société des Gens de Lettres qu'on vous confiât la statue. Je rends des services et je n'en demande à personne. Je ne trouve donc pas étonnant qu'aucune voix amie ne se soit élevée pour me défendre, mais votre personnalité est trop en jeu pour que vous, de même, ne soyez pas abandonné aux basses attaques de cet amateur. Je vous engage donc vivement à vous opposer de toute votre personnalité à l'élection d'un pareil personnage[167]."

fig. 21
Anatole Marquet de Vasselot
(1840-1904)
*Projet de monument pour
le centenaire de Balzac*
1896, plâtre
Paris, Maison de Balzac

Le Salon de la Nationale ouvrit le 25 avril. On y voyait un ensemble particulièrement beau et important de marbres de Rodin : *L'Illusion sœur d'Icare*, *Jeunesse triomphante*, *L'Homme et sa pensée* et *L'Éternelle Idole*, ainsi que l'agrandissement de l'une des figures du *Monument à Victor Hugo*, *La Voix intérieure* ou *Méditation*, en plâtre, une des œuvres les plus significatives de cette période. De son côté, Marquet de Vasselot exposait son *Projet de monument pour le centenaire du grand écrivain français (1799-1899)* [fig. 21], qu'il destinait à Angoulême et dans lequel Balzac apparaissait en sphinx – le portrait dont il existait déjà de nombreuses versions étant associé à un corps de lion ailé. En 1891, interrogé par A. B. de Farges, Marquet de Vasselot avait reconnu qu'il était naturel qu'on lui eût préféré Rodin dont lui-même appréciait le grand talent, mais, disait-il, il craignait "que le Balzac qu'il nous donnera ne soit pas le vrai Balzac car M. Rodin excite généralement plus les sens que la pensée ; or la pensée est la seule chose que l'on puisse chercher dans un Balzac", Balzac étant le seul à avoir su voir et peindre l'humanité dans son ensemble. "Je ne puis mieux comparer Balzac, continue-t-il, qu'à un sphinx assis au sommet d'une tour Eiffel démesurément haute, et découvrant ainsi un horizon immense." Aussi, et quoiqu'il eût proposé au Comité un Balzac "debout, vêtu de sa fameuse robe de dominicain, ouverte en haut et découvrant une poitrine de mâle, toute velue" (*cf.* cat. 16), il pensait déjà que le seul monument digne de ce grand écrivain serait le Sphinx de Gizeh dont la tête, "qui a, paraît-il, huit mètres de haut", aurait été remplacée par celle de Balzac. "Mais alors la place du Palais-Royal serait trop petite pour le cerveau de Balzac[168] !" En cinq ans, cette idée avait mûri : "J'ai fait Balzac en sphinx, se défend-il en 1896, parce que le sphinx est le symbole le plus élevé dans la pensée des grands initiés égyptiens. Il représente l'unité de la création dans ses énergies intellectuelles et matérielles. Le sphinx est la réunion, la synthèse des symboles qui indiquent la force, la puissance par le corps du lion ; la pensée, l'intelligence par la tête humaine, la volonté élevant l'idée au-delà des monts par les ailes de l'aigle. […] Balzac, le grand initié, était aussi un grand sphinx car, malgré toute sa science, malgré son immense pénétration, presque toutes ses théories philosophiques se terminent par des points d'interrogation. L'homme illustre ne proposait-il pas lui aussi des énigmes à cette grande société *qui aujourd'hui encore ne le comprend pas*[169] ?"

Après avoir tenté d'expliquer cette œuvre étrange qui se voulait un symbole de la pensée de Balzac, Marquet de Vasselot rassembla lui-même dans la *Nouvelle Revue internationale* les critiques hostiles à son œuvre. Celles-ci furent nombreuses, en effet : les termes "déplorable", "grotesque", "bouffon", "incompréhensible", "ridicule"... reviennent sans cesse sous la plume des journalistes. Toutefois, il se réservait de publier dans une livraison suivante les éloges qu'il avait également reçus : Léonce de Larmandie, qui était vice-président du Comité des gens de lettres en 1896, l'avait félicité d'avoir ainsi réussi à tourner "la difficulté naissant des formes inesthétiques du grand homme ; […] la corpulence, la taille rabougrie, le vilain profil du génial écrivain ne sauraient être des réalités observables et reproductibles ; la seule chose qui puisse valablement nous intéresser est la représentation de la pensée, par le dessin général de son attitude, l'accentuation de sa physionomie, l'éclair profond et saisissant de son regard[170]". Joséphin Péladan, grand admirateur de Balzac et fondateur en 1891 de la Rose+Croix catholique et esthétique, groupe voué à la spiritualité et au mystère, auquel appartenait aussi Larmandie, renchérit : "Mon cher statuaire, […] Vous avez fait le seul buste de Balzac et aussi la seule statue de Balzac imperator, debout et drapé. Vous avez fait ces bas-reliefs uniques, d'accent contemporain, où Vautrin coudoie la princesse de Cadignan, et d'Arthez Birotteau. – Mais votre Balzac-sphinx est l'hommage suprême, après quoi il n'y a rien[171]." La Rose+Croix se voulait une confrérie d'artistes ayant pour but de produire un art "idéaliste et mystique", en réaction contre les mouvements réalistes et impressionnistes[172] ; ainsi que l'a montré Ruth Butler[173], la bête noire de Péladan était Zola qui avait fait de Balzac la tête de file de l'école naturaliste : comme Marquet de Vasselot, Péladan voulait un *Balzac* symbolique et visionnaire, à l'opposé du personnage réaliste et prosaïque que ne manquerait pas d'être celui de Rodin influencé par Zola. Pour lui, il était donc non seulement injuste, mais absurde, de préférer Rodin à son rival. Péladan n'avait peut-être pas une audience considérable, mais, chez les Gens de lettres, dont lui-même était sociétaire depuis 1888, Marquet de Vasselot pouvait compter sur l'appui de Larmandie, le bras droit de Péladan, ainsi que sur d'autres membres du Comité, en particulier Charles Diguet, qui intervint souvent en sa faveur. Il avait donc de fortes chances de réussir. "Au surplus, excellent ou médiocre, M. Marquet de Vasselot a fait un Balzac et c'est bien quelque chose. M. Rodin n'en pourrait dire autant[174]."

Mais les amis de Rodin ne s'en laissèrent pas imposer : Mirbeau riposta vigoureusement dans *Le Journal* du 30 août : "Avec cet homme de génie qu'est véritablement Auguste Rodin, le seul, peut-être, dont on puisse dire sûrement, dans notre temps, qu'il a du génie, avec cet homme-là, on est arrivé à ceci : que des personnages notables, des groupes puissants, de glorieux et spirituels gendelettres lui préfèrent, pour nous restituer Balzac, qui ? M. Marquet de Vasselot ! Cela pourrait paraître une chose invraisemblable et calomnieuse. Eh bien, non ! [...] ON PRÉFÈRE À RODIN M. MARQUET DE VASSELOT. Il faut écrire cette phrase en gros caractères, et la redire souvent, la redire toujours, afin que nos petits-neveux sachent bien ceci : QU'ON PRÉFÈRE À RODIN M. MARQUET DE VASSELOT[175]." Arsène Alexandre intitula "Les sculpteurs persécutés", la chronique "Au jour le jour" qu'il donna au *Figaro* le 31 août, tandis que Georges Rodenbach, le poète symboliste belge qui avait fait la connaissance de Rodin peu de temps auparavant, sans doute par l'intermédiaire de Mallarmé ou de Mirbeau[176], s'enflamma et publia, également dans *Le Figaro* (25 août 1896), un magnifique article, "Encore la statue de Balzac", véritable plaidoyer en faveur de la liberté de création : "C'est, depuis deux ans, une suite de manèges, de sommations, de vexations qui cachent, au fond, paraît-il, une permanente intrigue et la préférence pour un autre sculpteur [...]. M. Rodin sans doute, avec sa haute philosophie, ses yeux de myope qui ne voient pas les choses immédiates et regardent au loin dans l'avenir et dans l'éternité, se contente d'en sourire. Il n'y prend pas garde. Il travaille et persévère, en s'étonnant un peu qu'on lui réclame un chef-d'œuvre, à terme ! [...] Tous les vrais artistes le savent. Une œuvre s'augmente comme un amour. Elle est vague d'abord, s'accroît parfois vite, parfois avec lenteur [...] On a beau sommer, interroger l'artiste. Il attend. L'œuvre est en lui. L'argile est prête mais elle attend le dieu. Et le dieu ne vient qu'à son heure. Le souffle qui doit tout animer est en train de créer ailleurs, et nul ne le dirige." Puis il nous montre Rodin dans son atelier, "pensif et noble avec ses yeux de rêve, sa longue barbe qui a l'air de vouloir mettre une distance entre la foule et lui. Il circule parmi tant d'œuvres en train, infatigable et calme. Ses étranges mains, fermes et douces, manient des linges, les enlèvent, mettent à nu une figure, semblent la caresser, la guérir du mal d'être inachevée. Un amas d'argile, plus loin, souffre aussi. Il va le délivrer, l'accoucher, avec ses mains sûres, de la Beauté qui est en lui. [...] Il rêve que la statue de Balzac soit digne du modèle, belle, durable, qu'elle ait un visage qui revive vraiment, un front où tienne la *Comédie humaine*, des gestes qui traversent l'avenir. Pour cela il faut des délais, un travail libre ; et nulle hâte surtout ! Le temps ne respecte pas ce qu'on fait sans lui."

Échaudé par les critiques, Rodin mit plusieurs semaines à lire l'article. "J'ai été peureux, écrit-il à Rodenbach le 24 septembre, au point de ne pas lire ce qui avait trait à Balzac. Aussi ma surprise a-t-elle été vive de me découvrir un ami subitement grandi – un ami généreux. Le poète venu chez moi s'est souvenu et a embelli ses souvenirs de tout son talent. Il m'a fait bénéficier de la faveur qu'il a dans le monde des lettres et des artistes[177]." Quelques jours plus tard, Félicien Champsaur donnait raison à sa prudence : alors que dix ans plus tôt il avait été l'un des premiers à s'enthousiasmer pour *La Porte de l'enfer*, il fit paraître dans *Gil Blas* le 30 septembre, sous le titre "Un raté de génie", un article particulièrement injurieux pour Rodin, présenté comme incapable de faire aboutir ses œuvres ; exhortant celui-ci à se démettre pour que le monument puisse être confié à quelque autre sculpteur, il était dédié à "Honoré de Balzac, [...], à Celui à qui Paris – par la faute de M. Rodin – n'a pas encore élevé de statue" !

1897 : le modèle définitif

Cependant, la Société des gens de lettres se persuadait que le monument ne verrait jamais le jour. Le 8 février 1897, tandis que Duquet demandait "si le délai de livraison de la statue, qui a été laissé indéfini dans le traité passé avec M. Rodin, ne pourrait pas être fixé et limité par les tribunaux", Hector Malot s'inquiétait : "il serait bon de savoir si M. Rodin est toujours dans l'intention de faire la statue de Balzac. Il l'[avait] rencontré, il y a 18 mois, et lui [avait] demandé : Et Balzac ? – Je le tiens, a répondu M. Rodin". Mais Albert Cim avait rencontré Rodin, deux mois plus tôt et lui avait également demandé : "Et Balzac ? à quoi M. Rodin a répondu : Je ne le tiens pas." On décida donc que le président (Henry Houssaye, élu le 30 mars 1896) irait voir Rodin, lui proposerait un nouveau traité avec délai de livraison et que, s'il refusait, le Comité déciderait avec le conseil judiciaire de la procédure à adopter[178]. Un mois plus tard, Houssaye annonçait qu'il avait vu "la maquette de la statue de Balzac et [...] reçu du sculpteur l'assurance que la statue définitive serait prête pour l'inauguration en octobre 1897". Duquet demanda à ce que la commission vît la statue et donnât un avis. Saint-Arroman envisageait "avec appréhension [ce] jugement lequel pourrait n'être pas ratifié par l'avenir s'il était défavorable à l'œuvre de M. Rodin". Mais, pensait Houssaye, le nom de Rodin couvrait le Comité, et, si l'œuvre n'obtenait pas la satisfaction générale, c'est sa propre réputation qui en subirait la peine. Tarbé fit remarquer que "l'examen du traité passé avec Rodin établit que le Comité n'aurait pas le droit de refuser la statue dans le cas où elle ne lui conviendrait pas. Il [parut] alors inutile au Comité d'envoyer à l'atelier de M. Rodin une commission dont le jugement ne saurait recevoir aucune sanction." On décida donc simplement que Houssaye retournerait prochainement voir Rodin[179], mais cela n'apaisa pas l'inquiétude de ses collègues.

Cependant, et en dépit de toutes les attaques, Rodin poursuivait son travail. *Le Temps* du 19 août 1896 avait annoncé qu'il avait enfin réalisé une maquette qui le satisfaisait, à quelques détails près. En réalité, il lui fallut encore le premier semestre 1897 pour aboutir au modèle définitif. Il semble qu'en avril, enfin content du nu, et par conséquent en meilleure santé, il commença à étudier le drapé. "C'est le sourire sur les lèvres, que le grand artiste m'a accueilli dans son atelier du Dépôt des marbres. Il n'avait plus sa physionomie mélancolique et contrariée de l'an dernier. La santé est tout de suite revenue avec la satisfaction du travail accompli et surtout la cessation des tracasseries sans nombre dont il avait été l'objet. Maintenant, les joues sont roses, les yeux bien clairs, et la longue barbe blonde s'épanouit sur la poitrine.

– Vous arrivez à propos me dit mon interlocuteur ; dans quelques instants la maquette de Balzac sera enveloppée de plâtre. Regardez, mon héros que vous aviez vu tout nu est maintenant revêtu de sa fameuse robe de moine. À part cela, rien n'est changé dans la pose que j'avais adoptée. Cependant les bras, au lieu d'être croisés sur la poitrine, retombent sur l'abdomen et les mains se joignent simplement comme lorsque l'on réfléchit. Balzac contemple la comédie humaine, et son regard inquisiteur et profond pénètre dans le repli des cœurs[180]." C'est sans doute alors qu'il faut placer la scène décrite, beaucoup plus tard il est vrai, par Mathias Morhardt : ayant fait tirer six épreuves du nu (cat. 91) auquel il avait abouti, Rodin essaya sur chacun d'eux un drapé différent : "Je revois ces six personnages rangés les uns à côté des autres, debout dans le fond de l'atelier. Déjà, ils sont tout frémissants de vie. Au moyen de plâtre humide jeté sur l'étoffe, on a donné de la rigidité à celle-ci. Chacun d'eux a une personnalité différente. À gauche, les deux ou trois premiers sont dans la tradition clas-sique. L'étoffe tombe en plis réguliers et modestes. Mais les autres prennent progressivement une physionomie plus dramatique. L'étoffe s'élargit et s'amplifie. Le dernier a quelque chose d'impé-rieux et de grandiose. C'est lui qui sera l'idée première du Balzac définitif[181]."

Le plâtre S. 2844 (cat. 94) est certainement l'une des six maquettes drapées dont parle Morhardt. C'est, hélas ! la seule qui soit parvenue jusqu'à nous, mais elle nous permet de constater que si le corps est bien le corps définitif, la tête n'a pas encore totalement abouti : comme le drapé, celle-ci ne trouva sa forme que dans les derniers mois des recherches de Rodin. Cependant, elle se caractérise dès lors par un contraste entre le front dégagé à droite, les cheveux étant repoussés en arrière, et une mèche qui retombe presque jusque sur l'œil à gauche ; l'on sent que le but est désormais proche. Le plâtre S. 1581 (cat. 98), qui présente la lèvre supérieure fendue, une oreille différente et l'arrière de la tête creusé, cor-respond à l'étape suivante, celle-ci différant encore de la tête définitive, telle que la pré-sente le plâtre S. 2846 (cat. 116), par le traitement de la chevelure, qui sera à la fois accentué et simplifié. C'est toutefois à partir d'un plâtre identique à S. 1581, et non de la tête définitive, que, dès 1898, furent fondus des bronzes (cf. cat. 99) et qu'en 1899, Lebossé réalisa un agrandissement de la Tête monumentale, éditée en grès du vivant de Rodin et en bronze après sa mort (cat. 144 à 147).

Pendant la même période (approximativement printemps-été 1897), Rodin travailla sur le costume : quatre modèles habillés sont parvenus jusqu'à nous. Le vêtement du premier (cat. 104) présente encore, comme un habit religieux, un capuchon et, dans le dos, une multitude de plis verticaux, réguliers, dont le traitement très sculptural évoque cette sculp-ture gothique que l'artiste admirait tant, mais aussi les œuvres de l'un des grands prédéces-seurs de Rodin, Auguste Préault. De face, le vêtement s'ouvre et laisse entrevoir une chemise à jabot, largement échancrée ; la main gauche est visible ; la tête est tournée à gauche. Le corps correspond bien à celui du dernier Athlète : ce modèle est sans doute l'aboutissement (après des étapes perdues) de l'un des plâtres drapés sous les yeux de Morhardt. Toutefois, à ce stade, Rodin sentit le besoin d'étudier la robe de chambre isolé-ment. Mais il était gêné par l'aplomb du Nu en athlète dont la jambe gauche était trop en arrière, car il cherchait – des esquisses le montrent – une figure que son élan porte vers le ciel, comme l'Héra de Samos[182] (fig. 22), et qui semble contempler l'humanité de très haut. Aussi, alors qu'il avait tant travaillé sur ce nu, utilisa-t-il un agrandissement du Balzac/Jean d'Aire comme support d'une véritable robe de chambre en lainage qu'il avait dû se procu-rer dans le commerce. Après avoir rigidifié celle-ci, il en retira le corps et la moula, obte-nant ainsi l'objet extraordinaire que constitue la robe de chambre habillant le vide (cat. 112). Mais il tenait au Nu en athlète : pour aboutir au modèle définitif, il lui fallut donc, d'une part, le modifier, en le coupant à la taille pour le basculer en arrière, afin de lui donner un aplomb à peu près semblable à celui du Balzac/Jean d'Aire, et, d'autre part, le vêtir d'une robe de chambre qui reste très fidèle au modèle établi d'après nature. Trois maquettes au moins se succédèrent encore, allant dans le sens d'une simplification de plus en plus grande. Désormais, la tête a changé de sens, les mains sont cachées sous le man-teau. Celui-ci, dégageant le cou sans que la chemise soit visible, s'allège peu à peu des détails superflus : le grand col, le revers et la surabondance de tissu en haut de la manche gauche qui caractérisent la première des trois maquettes (cat. 114) disparaissent lors du passage à l'étape suivante, au cours de laquelle la tête se renverse en arrière, afin de mieux dégager le bas du visage. Ce modèle (cat. 115) est proche de la figure définitive (cat. 116), au point de pouvoir en être considéré comme une variante, les dernières modifications étant guidées par le souci de ne garder que l'essentiel : la cravate qui entoure le cou est donc supprimée et les plans de la chevelure simplifiés, tandis que le pan du drapé qui, de

fig. 22
Héra de Samos
Grèce
Vers 570-560 av. J.-C., marbre
Paris, musée du Louvre

même que dans le modèle précédent, se soulevait inutilement et de façon peu naturelle, tombe droit et se raccourcit.

L'agrandissement exécuté par Henri Lebossé, qui dirigeait un atelier de réduction et d'agrandissement fondé en 1865, 26, rue du Moulin-Vert à Paris, permit ensuite de passer de ce modèle demi-grandeur à la taille monumentale (2,80 m). "Je n'ai pu vous causer du grandissement de Balzac, écrit Lebossé à Rodin, dès le 23 juin, mais dès qu'il [le modèle] sera prêt je suis entièrement à vos ordres et ferai de mon mieux pour que vous ayez un bon résultat[183]." L'opération fut sans doute commencée au cours de l'été pour être terminée à la fin du mois d'octobre 1897[184]. Camille Claudel, qui avait été si proche de Rodin alors qu'il commençait ses recherches pour *Balzac*, mais qui n'était sans doute plus au courant de l'évolution de son travail, vit alors le plâtre rue du Moulin-Vert, et Lebossé sut la convaincre d'exprimer à Rodin l'admiration qu'elle avait éprouvée devant la statue : "Je la trouve très grande et très belle et la mieux entre toutes vos esquisses du même sujet. Surtout l'effet très accentué de la tête qui contraste avec la simplicité de la draperie et absolument trouvé. J'aime beaucoup aussi l'idée des manches flottantes qui exprime bien l'homme d'esprit négligent [déchirure] Balzac. En somme je crois que vous devez vous attendre à un grand succès surtout près des vrais connaisseurs qui ne peuvent trouver aucune comparaison entre cette statue et toutes celles dont jusqu'à présent on a orné la ville de Paris[185]."

Le 25 octobre, Lebossé livra au Dépôt des marbres le grand modèle qui était, semble-t-il, en plâtre plein, par conséquent extrêmement lourd étant donné ses dimensions. Après quelques retouches apportées par Rodin, il fallut donc le mouler, par fragments, le montage définitif étant réalisé dans l'atelier du sculpteur. "Enfin elle est faite, déclara Chincholle le 19 mars 1898. Elle existe. Je l'ai vue, par devant, par derrière, à droite, à gauche. [...] Elle a trois mètres de haut. Balzac est debout, drapé dans sa célèbre robe de chambre. Sa forte tête, rejetée en arrière, il regarde fièrement l'humanité qui, lorsqu'il était en chair et en os, lui fut parfois si dure. [...] Les jambes, dont on devine le mouvement sous la robe, marchent. C'est grâce à ces détails que l'immense vêtement, qui, vu d'en bas, pourrait produire un si vilain effet, se trouve animé de la vie de celui qui le porte[186]." Lorsque Henry Houssaye demanda à Rodin, par acquit de conscience, le 15 mars, ce que devenait la statue : "Le plâtre est-il terminé ? comptez-vous l'exposer cette année ? ou en est-on déjà au bronze. J'ai tout-à-fait besoin de ces renseignements pour répondre à l'interpellation qui me sera certainement faite au cours de la prochaine assemblée générale[187]", c'est avec une immense satisfaction, on l'imagine sans peine, que Rodin lui répondit : "Monsieur le Président, Le Balzac est fini et je dois le donner à la fonte. Si vous et le Comité désiraient le voir à l'exposition il ne pourrait y aller qu'en plâtre. Cela retarderait un peu[188]." Au comité du 31 mars 1898, Houssaye annonça donc que la statue était terminée et demanda si la Société souhaitait qu'elle fût exposée au Salon[189]. Celle-ci ayant confirmé que tel était son désir, Houssaye en avertit Rodin : "Je pense, dit-il, que ce vœu unanime du comité ne saurait vous contrarier en rien[190]."

Avant de livrer la statue, Rodin souhaitait toutefois la voir en plein jour. "Comme [elle] doit se dresser sur un piédestal de quatre mètres et être vue en plein air, il a commandé un piédestal provisoire de pareille hauteur, qu'il placera dans l'allée où s'ouvre son atelier. Les praticiens installeront sur cet échafaudage les morceaux du modèle définitif. Alors seulement il jugera avec certitude de l'effet produit. Si la statue penche trop d'un côté, il modifiera le mouvement à l'aide de cales, ajoutera ou retirera, puis livrera au fondeur[191]." Cette présentation n'eut sans doute lieu qu'au début du mois d'avril[192], et c'est alors seulement que Rodin vit, en lumière naturelle et à la hauteur à laquelle elle devait être présentée, cette œuvre qui lui avait coûté tant de peine. À ce moment-là, il prit conscience de l'inutilité d'un socle décoré : à plusieurs reprises[193], il avait été question, en effet, d'un bas-relief représentant *La Comédie humaine*, sous l'aspect d'une figure féminine nue, grimaçante, tenant un masque ; selon

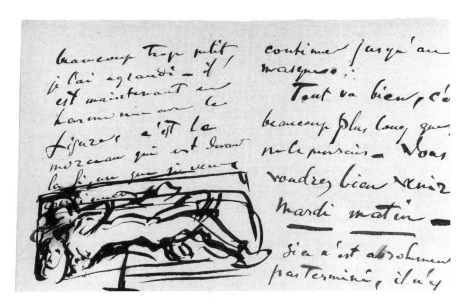

fig. 23
Auguste de Niederhausern,
dit Rodo (1863-1913)
La Comédie humaine
Croquis à l'encre sur une lettre
adressée à Rodin,
19 janvier 1898
Musée Rodin

Chincholle (19 mars 1898), Rodin avait fait faire une maquette du socle conçu par Jourdain et, sur la face principale de celle-ci, placé une esquisse du relief auquel l'artiste suisse Auguste de Niederhausern (1863-1913) – qui prit le nom de Rodo en hommage au maître français – travaillait depuis mai 1897 avec, semble-t-il, une grande liberté. Rodin et Rodo s'entendaient fort bien, le premier ayant toute confiance dans le second, et leur correspondance révèle que loin d'être simplement chargé de traduire en pierre un modèle remis par Rodin, Rodo eut un rôle actif dans sa réalisation même[194]. Il n'exécutait d'ailleurs pas ce travail sous les yeux de Rodin, mais dans son propre atelier ; c'est probablement la raison pour laquelle aucune trace du relief n'est parvenue jusqu'à nous, en dehors d'un croquis rapide sur une lettre de Rodo (fig. 23).

Balzac en revanche ne subit pas de changement, Rodin disposant de trop peu de temps avant l'ouverture du Salon. Il aurait souhaité garder "pendant des mois encore, loin des regards, confia-t-il à *L'Éclair*, la statue à laquelle j'ai cependant donné le dernier coup de pouce [...] car on ne juge bien qu'après un certain éloignement, quand la fièvre de la conception n'enveloppe plus votre œuvre[195]" ; mais il s'était engagé à l'exposer, et il ne lui était plus possible de revenir en arrière.

1. "A la séance de lundi dernier, la séance du vote, il ne fallait avoir que des *amis*. Ces *amis* seuls ont été prévenus et les autres membres du comité, croyant, d'après ce qu'avait dit M. Zola, que la question Balzac ne reparaîtrait qu'en novembre, ne se sont pas présentés à la séance en question" ("La statue de Balzac. La vérité sur le monument", *La France*, 11 juillet 1891).
2. Lors de la séance du 13 juillet 1891, Zola reçut la mission de faire aboutir l'accord avec la succession

Chapu. Mme Chapu ne demandait rien de plus que les 5 000 francs déjà versés à son mari, mais le comité d'artistes consultés sur la réalisation possible du monument, Paul Dubois, Alexandre Falguière et Antonin Mercié, réclamerait peut-être un dédommagement supplémentaire. Ensuite seulement, le choix d'un nouveau sculpteur pourrait être annoncé officiellement. Le 17 août 1891, le Comité apprit que Mme Chapu avait signé la transaction par laquelle

elle abandonnait toute prétention sur la statue moyennant le paiement de 1 000 francs (Paris, arch. de la Société des gens de lettres, procès-verbaux des comités).
3. Paris, Bibliothèque nationale de France, Mss, N. a. fr. 24523, f° 332 ; *cf.* Judith Cladel, 1936, p. 186 ; Joy Newton et Monique Fol, 1985, n° II.
4. Gustave Toudouze à Zola, 10 juillet 1891 ; Bibliothèque nationale de France, Mss, N. a. fr. 24523, f° 96 ; *cf.* Zola, *Correspondance*, t. VII, 1989, p. 180.

5. Copie de l'original envoyé à Édouard Herriot, maire de Lyon, le 6 janvier 1908 pour sa collection d'autographes ; *cf.* Joy Newton et Monique Fol, 1985, n° IV ; Zola, *Correspondance*, t. VII, 1989, p. 180.

6. "La statue de Balzac [...] a été officiellement confiée à M. Rodin qui soumettra en novembre son avant projet" (Paris, arch. de la Société des gens de lettres, procès-verbal du comité du 12 octobre 1891).

7. A. B. de Farges, "La statue de Balzac. L'opinion de deux artistes", *La France*, 15 juillet 1891.

8. "Mon cher Rodin, Je suis heureux de vous annoncer d'une façon officielle que le Comité de la Société des gens de lettres, dans sa séance du 6 juillet, vous a choisi, par 12 voix contre 8, pour exécuter la statue de Balzac, qui doit être érigée sur la place du Palais-Royal. Tout se trouvant réglé avec la succession Chapu, le vote du comité devient dès maintenant définitif.
Je vous serai personnellement reconnaissant si vous pouviez hâter votre travail le plus possible et nous soumettre dès novembre votre projet. Nous attendons de votre grand talent une œuvre superbe, digne de Balzac" (Zola à Rodin, sur papier à en-tête de la Société des gens de lettres, Paris, 14 août 1891 ; arch. musée Rodin ; *cf.* Newton et Fol, 1985, n° V ; Zola, *Correspondance*, t. VII, 1989, p. 188).

9. Rodin à Zola, 21 août 1891 ; Bibliothèque nationale de France, Mss, N. a. fr. 24523, f° 331 ; *cf.* Newton et Fol, 1985, n° VI.

10. Léon Daudet, "Le génie de Rodin", *L'Action française*, 20 novembre 1917.

11. Ève de Balzac se trouvait soi-disant entre ses bras tandis que son mari agonisait ; *cf.* le récit souvent cité d'Octave Mirbeau, "La mort de Balzac", chapitre destiné à la *628 E 8* (1907), dont il fut retiré à la demande d'Anna Mniszech, fille du premier mariage de Mme de Balzac, pour être publié dans *Balzac, sa vie prodigieuse, son mariage, ses derniers moments*, Paris, Aux dépens d'un amateur, 1918. Mirbeau tenait le fait de Gigoux lui-même qui l'avait également rapporté à Rodin :
"Je l'ai raconté à notre ami Rodin, un jour que j'étais allé dans sa petite maison du boulevard d'Italie, voir une esquisse de son *Balzac*."

12. Jean Gigoux à Rodin, 12 août 1891 ; arch. musée Rodin.

13. "Je serai très heureux, Monsieur, de profiter de votre proposition et de connaître les précieux souvenirs que vous avez rassemblés de Balzac et je vous suis doublement reconnaissant, de vouloir bien m'en aviser, et de votre aimable proposition de me les montrer. Je me propose de faire le voyage de Bruxelles pour les voir, et si j'étais certain de ne pas être indiscret, un dimanche, et que vous soyez encore à Bruxelles, j'irais le Dimanche 24 – de ce mois – partant le samedi soir par un train arrivant vers minuit, et serais le lendemain matin à vos ordres, pour visiter votre collection.
La commande de la statue de Balzac est de quelques jours, je n'ai pas encore eu le temps d'étudier mon sujet, je commencerai donc cette étude par ce que vous possédez..." (Henri Chapu à Lovenjoul, Paris, 13 février 1889 ; Paris, Institut de France, fonds Spoelberch de Lovenjoul, G. 1160). Chapu se rendit effectivement à Bruxelles pour voir la collection de Lovenjoul, et resta en relation avec lui comme en témoignent quatre autres lettres conservées dans le même fonds.

14. Albert Pontremoli à Lovenjoul, 11 juillet 1891 ; Paris, Institut de France, fonds Spoelberch de Lovenjoul, G. 1191. Est-ce la même collection qu'avait en tête Paul Eudel, membre lui-aussi de la Société des gens de lettres et qui fit partie du Comité pendant plusieurs années ? Le 15 juillet, il félicite Rodin d'avoir obtenu la commande du monument et ajoute :
"Vous aurez besoin de beaucoup de documents pour votre travail. Les portraits de Balzac sont rares. Venez me faire une petite visite. Je vous indiquerai une source précieuse où vous pourrez puiser d'utiles indications" (arch. musée Rodin).

15. "Rodin [...] apprécie parfaitement les scrupules qui vous empêchent de lui fournir les renseignements qu'il aurait désirés et ses regrets sont atténués par votre aimable promesse de vous mettre à sa disposition quand les difficultés entre les héritiers Chapu et la Société des gens de lettres seront aplanies. Pour ma part je vous suis très reconnaissant de l'aimable accueil que vous aurez

bien voulu faire à ma demande et je n'ai qu'un regret c'est que Rodin soit privé, pour des causes d'ailleurs bien légitimes, de vos précieux conseils" (Albert Pontremoli à Lovenjoul, 16 juillet 1891 ; Paris, Institut de France, fonds Spoelberch de Lovenjoul, G. 1191).

16. Le 18 octobre 1891, Albert Pontremoli écrit à Lovenjoul que, la veille, il a trouvé Rodin "ravi des renseignements que, grâce à vous, j'ai pu lui fournir, entouré de portraits de toute sortes du Maître, et plongé dans les études préparatoires de son œuvre" (Paris, Institut de France, fonds Spoelberch de Lovenjoul, G. 1191).

17. "Je suis bien heureux que l'invitation de M. de Lovenjoul vous soit agréable" (Albert Pontremoli à Rodin, 23 octobre 1891 ; arch. musée Rodin). Et : "Votre bonne invitation pour mon ami Rodin m'a été vraiment précieuse. Je lui ai fait part aussitôt de votre gracieuse lettre et il sera ravi de se rendre à Bruxelles dans quelque temps pour s'entretenir avec vous de son grand modèle et pour admirer vos trésors" (Albert Pontremoli à Lovenjoul, 23 octobre 1891 ; Paris, Institut de France, fonds Spoelberch de Lovenjoul, G. 1191).

18. "Êtes-vous toujours dans l'intention de profiter de l'invitation de M. de Lovenjoul ? Pensez-vous aller avant peu à Bruxelles ?" (Albert Pontremoli à Rodin, 5 novembre 1891 ; arch. musée Rodin). "Cher Monsieur, Quelle opinion devez-vous avoir de moi après ce long silence ? Depuis bien des jours je désirais répondre à votre si aimable lettre et j'attendais toujours un mot de Rodin pour vous faire part de notre venue. Il ne m'écrivait rien et je n'osais l'importuner. Enfin je n'ai plus voulu rester exposé à vos justes reproches et je lui ai demandé s'il pouvait dès maintenant prévoir la date de notre départ. Il me répondit négativement empêché par l'annonce de la visite du ministre de l'Instruction publique, me disait-il. Il est probable qu'il l'attend encore car je ne sais plus rien de lui depuis lors et comme je ne puis répondre à votre cordiale courtoisie par un silence aussi prolongé je tiens à dégager ma responsabilité vis-à-vis de vous. Peut-être dans quelques jours Rodin aura-t-il vu son excellence ; et si à ce moment-là nous ne vous dérangeons

pas je vous redemanderai la permission de l'amener à vous" (Albert Pontremoli à Lovenjoul, 21 novembre [1891] ; Paris, Institut de France, fonds Spoelberch de Lovenjoul, G. 1191).

19. *Cf.* trois lettres d'Albert Pontremoli à Lovenjoul, 16 février, 18 février et 8 mars 1892, au sujet de ce voyage ; Paris, Institut de France, fonds Spoelberch de Lovenjoul, G. 1191. Rodin et Pontremoli quittèrent Paris le jeudi 18 février ; ils avaient rendez-vous avec Lovenjoul le lendemain à 14 h et rentrèrent le soir même à Paris.

20. Rodin à Lovenjoul, [23] mai 1893 ; Paris, Institut de France, fonds Spoelberch de Lovenjoul, G. 1193.

21. Albert Pontremoli à Lovenjoul, 26 mars 1902 ; Paris, Institut de France, fonds Spoelberch de Lovenjoul, G. 1191.

22. Lovenjoul à Rodin, 10 avril 1892 ; arch. musée Rodin.

23. "M. de La Panouze m'assure que vous avez eu la bonté de faire tirer à mon intention un exemplaire de la caricature de Balzac qu'il vous a communiquée" (Lovenjoul à Rodin, 9 mars 1900 ; arch. musée Rodin). "Pardonnez-moi, je désirais vous envoyer le dessin de suite mais, hélas l'ordre n'est pas chez moi comme chez vous et c'est toute une affaire de chercher le dessin que monsieur de la Panouse m'a laissé prendre néanmoins croyez que j'y pense et que je tiens à vous être agréable vous l'avez été tant avec moi" (Rodin à Lovenjoul, [22 mars 1900] ; Paris, Institut de France, fonds Spoelberch de Lovenjoul, G. 1193). Des exemplaires de la photographie se trouvent au musée Rodin et dans le fonds Spoelberch de Lovenjoul (album Iconographie I).

24. Gustave Geffroy, "L'imaginaire", *Le Figaro*, 29 août 1893.

25. Coquelin cadet à Rodin, non daté ; arch. musée Rodin.

26. Jean Caujolle, "Chez Rodin. Balzac et Baudelaire", *La Lanterne*, 7 novembre 1898.

27. Gustave Geffroy à Rodin, sans date ; arch. musée Rodin. Il faut rapprocher cette lettre d'un article, paru dans *L'Événement* du 24 août 1896, mentionnant que "Féroux, le libraire d'art, ressemblait à Balzac [et que] Rodin vint lui demander de bien vouloir poser quelques instants devant lui".

28. Lovenjoul à Rodin, 10 et 15 avril 1892 ; arch. musée Rodin.

29. On connaît deux portraits de Balzac sur son lit de mort et, à l'époque de Rodin, tous deux étaient considérés comme des œuvres de Giraud. En réalité, un seul est dû à celui-ci : le dessin qui se trouve aujourd'hui à Besançon, après avoir appartenu à Gigoux. L'autre (Maison de Balzac) a été reconnu comme une œuvre de Pinelli. Le fonds Spoelberch de Lovenjoul comporte des photographies des deux tableaux (album Iconographie I), mais c'est sans doute le premier qui a inspiré Rodin, le visage qu'il a donné à Balzac dans ses premières études (cf. *Étude C*, cat. 36) se rapprochant davantage en effet de celui-ci, et l'œuvre mentionnée par Lovenjoul étant qualifiée de "dessin".

30. "Prochaines statues. Chez Rodin", *L'Éclair*, 8 mars 1892 ; cf. aussi Un Domino, "Interview-Express", *Le Gaulois*, 16 avril 1892.

31. "Au jour le jour. La statue de Balzac", *Le Temps*, 12 septembre 1888.

32. Angicourt à Rodin, 15 novembre 1894 ; arch. musée Rodin.

33. Paul Lapret à Rodin, 13 janvier 1895 ; et, le 25 janvier, il lui annonce qu'il vient de recevoir "un portefeuille contenant une vingtaine de portraits de H. de Balzac" (arch. musée Rodin).

34. Margaine à Rodin, Sully-sur-Loire, 28 août 1896 ; arch. musée Rodin.

35. Arch. musée Rodin. Ce buste est sans doute celui qui figurait dans le hall de la librairie Houssiaux et apparaît dans le catalogue de la librairie Rossignol, 1980, n° 489. La Maison de Balzac en possède un moulage en plâtre.

36. "Le monument de Balzac", *Les Nouvelles illustrées*, 20 novembre 1902.

37. Julien Lemer à Rodin, 25 juin 1892 ; arch. musée Rodin.

38. Gustave Geffroy, "L'imaginaire", *Le Figaro*, 29 août 1893.

39. Gustave Geffroy à Rodin, 4 octobre [1891 ?] ; arch. musée Rodin.

40. Si l'on en croit ce qui est parvenu jusqu'à nous de sa bibliothèque, il n'en aurait connu que les extraits du *Père Goriot*, d'*Eugénie Grandet* et du *Lys dans la vallée*, qui constituent le corps de l'ouvrage d'Alphonse de Lamartine, *Balzac et ses œuvres*, Paris, Michel Lévy frères, 1866.

41. Rodin à Julien Lemer, 7 juin [ou plutôt 7 juillet ?] 1892 ; arch. musée Rodin ; cf. Rodin, *Correspondance*, t. I, 1985, n° 190.

42. Léon Gozlan, 1862, p. 209. Signet portant "B. dînant/ses dents".

43. Edmond Werdet, 1859.

44. Son attention avait peut-être été attirée sur cette description par *Le Rappel* du 11 février 1892 : "Le sculpteur Rodin, y lisait-on, a visité la Touraine, s'est entouré de documents de toutes sortes pour faire la statue de Balzac. Voici un portrait du grand romancier qu'il ne connaît peut-être pas et dont il pourrait se servir." Le texte cité commence à : "Cette parlante figure, dont on ne pouvait détacher ses regards, vous charmait" et va jusqu'à : "il lui aurait été impossible de n'être pas bon".

45. Alphonse de Lamartine, 1866, pp. 16-18.

46. Lovenjoul à Rodin, 15 avril 1892 ; arch. musée Rodin.

47. Edmond et Jules de Goncourt, "Gavarniana", mars 1855, *Journal*, 1989.

48. "Le monument de Balzac", *Le Moniteur des arts*, 24 juillet 1891.

49. Frantz Jourdain à Rodin, 25 octobre 1891 ; arch. musée Rodin.

50. Rodin à Zola, 1er novembre 1891 ; Bibliothèque nationale de France, Mss, N. a. fr. 24523, ff° 323-324 ; cf. Joy Newton et Monique Fol, 1985, n° VII.

51. "Je compte me rendre chez vous demain samedi, vers trois heures, pour voir votre esquisse du Balzac, et vous seriez bien aimable de me prévenir, dans le cas où vous ne pourriez m'attendre" (Zola à Rodin, 18 décembre 1891 ; arch. musée Rodin ; cf. Newton et Fol, 1985, n° VIII ; Zola, *Correspondance*, t. VII, 1989, p. 223).

52. Édouard Montagne, délégué du Comité de la Société des gens de lettres, en avise Rodin le 8 janvier 1892 (arch. musée Rodin).

53. Paris, arch. de la Société des gens de lettres, procès verbal du comité du 11 juillet 1892.

54. Richard de Monroy, *L'Univers illustré*, 30 janvier 1892. Cf. aussi Firmin Javel, "Nouvelles artistiques. La statue de Balzac", *Gil Blas*, 12 janvier 1892.

55. Rodin à Zola, 15 janvier 1892 ; Bibliothèque nationale de France, Mss, N. a. fr. 24523, f° 325 ; cf. Newton et Fol, 1985, n° IX. "Je suis heureux, répondit Zola

en donnant son accord pour un versement de 5 000 francs, que vous soyez content de votre esquisse, et heureux encore de vous savoir au travail, résolu à le pousser le plus rapidement possible" (18 janvier 1892 ; cf. Zola, *Correspondance*, t. VII, 1989, p. 237).

56. Théophile Gautier (1858), 1874, p. 47. "On le trouvait toujours chez lui vêtu d'une large robe de cachemire blanc doublée de soie blanche, taillée comme celle d'un moine, attachée par une cordelière de soie", confirme la sœur de Balzac, Laure de Surville (cf. Alphonse de Lamartine, 1866, p. 25).

57. "Deux monuments. Balzac et Victor Hugo par Auguste Rodin", *L'Éclair*, 20 janvier 1892.

58. Roger Marx, "Balzac et Rodin", *Le Voltaire*, 23 février 1892.

59. Albert Pontremoli à Lovenjoul, 18 octobre [1891] ; Paris, Institut de France, fonds Spoelberch de Lovenjoul, G. 1191. La réponse à cette lettre n'ayant pas été conservée, on ne sait pas exactement de quels documents s'inspira Rodin.

60. Edmond Werdet, 1859, p. 355.

61. Gaston Stiegler, "Rodin et Balzac", *L'Écho de Paris*, 12 novembre 1894. Cf. aussi G. R., "Lettres parisiennes", *Journal de Bruxelles*, 13 novembre 1894 : "ainsi pour Balzac, entouré de cent portraits, il a fait une première figure pour l'ensemble, drapée de la célèbre robe de moine dont l'écrivain s'affublait aux heures de travail. Puis il s'est mis à parcourir toute la Touraine, qui est le pays de Balzac, certain qu'il y trouverait des signes de race, des conformations physiques, des éléments du type qui tiennent au sol. Alors il a fait un Balzac qui est un morceau extraordinaire".

62. Rodin à Zola, 5 février [1892 ?] ; Paris, fondation Custodia, n° 1994-A.

63. "Mon cher ami, Je lis dans Le Figaro que la statue de Balzac sera placée sur un 'bloc de terre'. Ce bloc de terre n'est pas de ma compétence – comme dirait M. Prudhomme. Je ne suis qu'architecte et pas terrassier. Excusez-moi donc d'avoir demandé une petite, très petite part de collaboration à l'œuvre projetée, j'y renonce absolument. En même temps qu'à vous j'écris à Zola" (Frantz Jourdain à Rodin, 10 janvier 1892 ; arch. musée Rodin).

Et : "Cher Monsieur Zola, Je lis dans

Le Figaro que la statue de Rodin serait placée sur un 'bloc de terre'. Ce bloc de terre me paraît vraiment trop... bloc de terre ; je renonce au plaisir que je m'étais fait de collaborer, si modestement que ce soit, à la glorification de Balzac, et je vous remercie de [vrai ?] cœur du mal que vous avez eu pour me procurer une joie qui tourne à l'humiliation" (Frantz Jourdain à Zola, 10 janvier 1892 ; Bibliothèque nationale de France, Mss, N. a. fr. 24520, f° 491 ; cf. Newton et Fol, 1985, note de la lettre X).

64. "Mon cher Rodin, Le comité dans sa séance de lundi dernier, après s'être remis en mémoire la lettre par laquelle vous vous chargez d'exécuter la statue de Balzac et de faire exécuter le piédestal, pour la somme qui reste acquise à la souscription, a désiré que les devis de ce dernier travail lui soient communiqués. Vous seriez donc fort aimable, après vous être entendu avec M. Frantz Jourdain, de le prier de nous adresser, outre les devis, le dessin du piédestal, ses dimensions, et de nous faire connaître la qualité de la pierre qu'il compte employer. Si vous voulez nous faire connaître en même temps le degré d'avancement de la statue, nous vous en serons fort obligés" (lettre écrite par Édouard Montagne, signée Zola, à Rodin, 1er mars 1892 ; arch. musée Rodin ; cf. Newton et Fol, 1985, n° X ; Zola, *Correspondance*, t. VII, 1989, pp. 250-251).

Lors de la séance du 7 mars, Zola lut la réponse de Rodin "qui fournit de complets détails sur la maquette de sa statue et les conditions du piédestal" (Paris, arch. de la Société des gens de lettres, procès-verbaux des comités).

65. Arch. musée Rodin ; cf. Rodin, *Correspondance*, t. I, 1985, n° 197.

66. Et il poursuit : "Vous m'aviez dit, il y a quelque temps, qu'elle pourrait être inaugurée le 19 mai, époque de la naissance de Balzac. S'il pouvait en être ainsi, nous en serions tous très heureux" (Édouard Montagne à Rodin, 6 décembre 1892 ; arch. musée Rodin). Cette lettre faisait suite à une remarque du Comité : "M. le Président se propose de voir l'auteur du monument Balzac en voie d'exécution, M. Rodin, et pense qu'il sera bon de le tenir en haleine pour qu'il ne se ralentisse pas dans ses bonnes résolutions"

(Paris, arch. de la Société des gens de lettres, procès-verbal du comité du 5 décembre 1892).

67. Paris, arch. de la Société des gens de lettres, procès-verbal du comité du 12 décembre 1892.

68. Gaston Stiegler, "Rodin et Balzac", *L'Écho de Paris*, 12 novembre 1894. *Cf.* aussi Léon Riotor, 1927, p. 36.

69. Rodin à Lovenjoul, [23] mai 1893 ; Paris, Institut de France, fonds Spoelberch de Lovenjoul, G. 1193.

70. Rodin à Zola, 15 juil[let 1893] ; Bibliothèque nationale de France, Mss, N. a. fr. 24523, f° 326 ; *cf.* Joy Newton et Monique Fol, 1985, n° XII.

71. *Le Petit Républicain*, 26 octobre 1893.

72. Rodin à John Peter Russell, [novembre 1893] ; arch. musée Rodin ; *cf.* Rodin, *Correspondance*, t. I, 1985, n° 206.

73. Gustave Geffroy, "L'imaginaire", *Le Figaro*, 29 août 1893.

74. Léon Riotor, 1927, p. 36.

75. Coupure de presse sans référence ; arch. musée Rodin.

76. Arsène Alexandre, "Le Balzac de Rodin", *L'Éclair*, 11 novembre 1894.

77. Séverine, "Les dix mille francs de Rodin", *Le Journal*, 27 novembre 1894.

78. Charles Chincholle, "Balzac et Rodin", *Le Figaro*, 25 novembre 1894.

79. Henry Jouin, *David d'Angers. Sa vie, son œuvre, ses écrits et ses contemporains*, Paris, Plon, 1878, t. II, p. 267.

80. Léon Riotor, 1927, p. 36. Rodin passa en effet une partie de l'été 1894 en Auvergne. Les "trois maquettes", ou plutôt trois directions de recherche, pourraient correspondre à l'*Étude C* (cat. 36), au groupe d'études pour *Balzac en robe de moine* (cat. 49 à 51) et aux *Nus au gros ventre* (cat. 71 à 74).

81. Gabriel Ferry à Rodin, 4 décembre 1893 ; arch. musée Rodin.

82. Édouard Montagne à Rodin, 15 juin 1893 ; arch. musée Rodin.

83. Paris, arch. de la Société des gens de lettres, procès-verbal du comité du 19 juin 1893.

84. Paris, arch. de la Société des gens de lettres, procès-verbaux des comités.

85. Théodore Cahu, sur le papier à lettres d'Édouard Montagne, à Rodin, 30 septembre 1893 ; arch. musée Rodin.

86. Paris, arch. de la Société des gens de lettres, procès-verbal du comité du 11 décembre 1893.

87. Jean Aicard, "L'art au-dessus de l'argent", *Le Figaro*, 3 décembre 1894.

88. Édouard Montagne à Rodin, 22 mai 1894 ; arch. musée Rodin.

89. Paris, arch. de la Société des gens de lettres, procès-verbal du comité du 4 juin 1894.

90. Rodin à Zola, 1er août 1894 ; Bibliothèque nationale de France, Mss, N. a. fr. 24523, f° 326 ; *cf.* Newton et Fol, 1985, n° XV.

91. *Cf.* "Chez Rodin. Une visite à l'atelier du Dépôt des marbres", *Le Matin*, 10 décembre 1894.

92. Paris, arch. de la Société des gens de lettres, procès-verbal du comité du 22 octobre 1894.

93. "Avant de partir pour Rome, je veux causer avec vous de l'affaire Rodin car je crains qu'elle ne vous apporte quelque ennui" (Zola à Jean Aicard, avant le 24 octobre 1894 ; *cf.* Zola, *Correspondance*, t. VIII, 1991, p. 171).

94. Paris, arch. de la Société des gens de lettres, procès-verbal du comité du 5 novembre 1894. Toutefois, "à la suite de ce vote MM. Benjamin, Cahu, Diguet, Duquet, Rameau et Tarbé qui composaient la minorité des votants demandent qu'il soit inséré au procès-verbal une protestation tendant à établir qu'ils ont demandé que la délibération prise par le Comité dans sa séance du 22 octobre 1894 reçût purement et simplement son exécution".

95. En effet des paiements à Henri Lebossé attestent qu'il s'était remis au travail : le 29 octobre 1894, celui-ci reçut 120 francs pour l'"augmentation de 55 cent. à 120 d'un fragment de la statue de Balzac". On sait qu'il s'agissait d'un "fragment de buste", mais celui-ci n'a pu être repéré.

96. Cette lettre est citée par Judith Cladel, *Rodin, sa vie glorieuse...*, 1936, pp. 193-194.

97. La lettre de Rodin à Jean Aicard, datée du 10 novembre 1894, est conservée au musée Rodin (*cf.* Rodin, *Correspondance*, t. I, 1985, n° 215). Elle répondait à une lettre d'Édouard Montagne, du 6 novembre 1894, lui demandant, comme cela avait été convenu lors du comité du 5 novembre, de fixer une date (arch. musée Rodin).

98. Lors de la séance du 18 novembre, Jean Aicard fit le récit de son entrevue avec

Rodin : "Ce que craint la Société, avait dit Rodin, c'est d'être à découvert si je mourais. J'offre de rendre l'argent avancé à titre de provision" – "J'allais vous le demander, a répondu M. Jean Aicard, tout en appréciant la dignité de ces paroles. Votre offre est ce que la Société désire, mais je n'en parlerai par délicatesse que si je suis poussé à le faire comme argument in extremis en votre faveur."

99. Paris, arch. de la Société des gens de lettres, procès-verbal du comité du 12 novembre 1894.

100. Charles Morice, "Rodin et la Société des Gens de lettres", *Le Soir*, 9 novembre 1894.

101. Georges Clemenceau, "Balzac et Rodin", *La Justice*, 12 novembre 1894.

102. Arsène Alexandre, "Chroniques d'aujourd'hui. Le comité gaffeur", *Paris*, 14 novembre 1894. *Cf.* aussi, du même, "Opinions. La Société des 'chands de lettres", *L'Éclair*, 20 novembre 1894.

103. Rodin à Jean Aicard, brouillon, entre le 12 et le 14 novembre 1894 ; arch. musée Rodin ; *cf.* Rodin, *Correspondance*, t. I, 1985, n° 216.

104. Jean Aicard à Rodin, 14 novembre 1894 ; arch. musée Rodin. La lettre d'Édouard Montagne mentionnée dans le post-scriptum, datée du 14 novembre 1894, se trouve également au musée Rodin : "M. Jean Aicard dont je reçois à l'instant la visite accepte le dépôt <u>provisoire</u> de dix mille francs à la Caisse des dépôts et consignations. Il se pourrait en effet que le Comité élevât les prétentions que je vous ai indiquées dans ma lettre <u>personnelle</u> d'avant hier ; mais M. le Président me charge de vous faire connaître que son avis est résolument favorable à votre désir. Voulez-vous vous trouver demain, à deux heures très précises, à la Caisse des dépôts et consignations, et nous ferons le nécessaire." Cette lettre modifiait celle qu'avait envoyée Montagne la veille : "Les nombreux journaux d'aujourd'hui qui parlent de cette affaire disent que vous verserez cette somme à <u>la Caisse des dépôts et consignations</u>. Je crois bon de vous faire remarquer que ce n'est pas du tout ce qui a été décidé par le Comité. <u>Il a au contraire été décidé que cette somme serait versée entre mes mains</u>. Je vous

serais infiniment obligé de m'affirmer par un mot qu'il en sera ainsi" (arch. musée Rodin).

105. "Je n'ai pas cru devoir prendre en votre nom d'engagements formels, écrivit dès le lendemain Charles Auzoux à Rodin, ne me considérant pas comme autorisé à le faire. [...] Je vais revoir demain les conseils de la Société qui me demanderont probablement une réponse. En tout cas il me semble que tout peut se conclure par une entente préalable sur les termes de la convention à signer entre vous et la Société relativement à ce dépôt. Quoique vous décidiez je vous serais reconnaissant de me voir avant de rendre une réponse. N'oubliez pas qu'en ceci comme en tout autre chose je ne demande qu'à pouvoir vous être utile et agréable et que vous me ferez le plus grand plaisir en acceptant mon offre" (19 novembre 1894 ; arch. musée Rodin). Mais le lendemain, A. Huard informait Charles Auzoux qu'après son départ le Comité avait voté la résolution suivante : "le Comité donne mandat à M. le Président du conseil judiciaire de conclure avec le mandataire de M. Rodin une convention assurant la restitution des sommes qui lui avaient été avancées sous la condition résolutoire que ces sommes lui seront acquises le jour où il livrera la statue. Je vous transmets le texte de cette résolution en vous priant de me dire si nous pouvons nous entendre sur cette base. J'ajoute que les sommes dont il s'agit pourraient être déposées soit à la Caisse de la Société, soit entre les mains du notaire de la Société comme vous l'avez proposé. J'ai promis au comité une solution pour lundi prochain" (20 novembre 1894 ; coll. part., copie au musée Rodin). Charles Auzoux réagit immédiatement : "Je n'accepterai pas le mot 'restitution' je veux que cela soit dit en termes dignes de vous et du sentiment que vous a fait faire cette offre. [...] Vous avez dû savoir que ce n'est pas sans peine que j'ai obtenu '<u>entre les mains du notaire de la société</u>'" (Charles Auzoux à Rodin, 20 novembre 1894 ; arch. musée Rodin).

106. *Cf.* Charles Auzoux à Rodin, 21 novembre 1894 ; arch. musée Rodin.

107. Charles Auzoux à Rodin, 22 et 24 novembre 1894 ; arch. musée Rodin.

108. Jean Aicard en donna au *Figaro* du 3 décembre 1894, sous le titre "L'art au-dessus de l'argent", un récit qui, sous une forme humoristique laisse transparaître son amertume : "Quand la question arriva au Comité, comme un grain sur le vaste océan, je sentis tout de suite qu'il faudrait fuir devant le temps et jeter à la mer quelques tonnes d'opinions personnelles, un ou deux colis de la maison Rodin et quelques ballots marqués au chiffre de la Société. [Ainsi fut fait...] Nous faisions bonne route et tout se serait bien terminé peut-être si une partie de l'équipage, méconnaissant le porte-voix du capitaine, n'avait tout à coup, au mépris de toutes les disciplines, invité deux commissaires d'administration du bord à prendre le commandement. Ils le prirent en effet, malgré mes protestations. Ce n'était pas 'une révolte à bord'. C'était pis. On ne s'apercevait même plus de la présence du capitaine, et telle était l'irritation générale que je trouvai un des quartiers-maîtres occupé à souffler dans les voiles de toute la force de ses poumons ; il activait la violence de la tempête, sous prétexte d'augmenter la vitesse utile..."

109. Jean Aicard, Henry de Braisne, Gustave Toudouze et Raoul de Saint-Arroman confirmèrent leur démission le 29 novembre ; Hector Malot, Pierre Maël et Marcel Prévost le 3 décembre. Toutefois, lors de la séance suivante, Malot retira la sienne, "l'affaire Rodin étant arrangée".

110. Charles Auzoux à Rodin, 30 novembre 1894 ; arch. musée Rodin.

111. Arch. musée Rodin ; et Paris, arch. de la Société des gens de lettres, procès-verbal du comité du 26 novembre 1894.

112. Paris, arch. de la Société des gens de lettres, procès-verbal du comité du 26 novembre 1894.

113. Séverine, "Les dix mille francs de M. Rodin", *Le Journal*, 27 novembre 1894.

114. Georges Clemenceau, "Tartempion", *La Justice*, 1er décembre 1894.

115. "Affaire Rodin-Balzac", *L'Éclair*, 27 novembre 1894.

116. Edmond de Goncourt, 25 novembre 1894, *Journal*, 1989.

117. Charles Chincholle, "À la Société des gens de lettres", *Le Figaro*, 27 novembre 1894.

118. Jean Aicard, Lettre ouverte au *Figaro*, 27 novembre 1894 ; reprise dans le *Journal des débats*, 28 novembre 1894.

119. Dès le 26 novembre, A. Huard avait envoyé la convention à Charles Auzoux en lui demandant de la faire signer par Rodin : "Mon cher Maître, Le Comité a accepté le projet sur lequel nous nous étions mis d'accord et que vous aviez rédigé. Voilà donc une affaire terminée et je crois que c'est une solution heureuse pour M. Rodin et pour la Société. [...]
P.S. Voulez-vous demander à M. Rodin de signer un double de la convention ; je vous enverrai votre exemplaire signé par M. Montagne délégué de la Société" (copie, arch. musée Rodin).

120. *Cf.* la lettre malheureusement non datée, mais que l'on situerait volontiers alors, de Gustave Geffroy à Rodin : "Cher ami, Nous avons encore reparlé de votre affaire, Clemenceau et moi. Ne signez rien, sans nous revoir, sans revoir surtout Clemenceau, si avisé, si prompt à prendre la décision. vous savez que vous nous trouverez tous les jours à 6 heures à la Justice. Il est évident que ce papier vous retire les 10 000 f. et peut vous faire retirer la commande. c'est autrement important que le mot monument qui doit, d'ailleurs, disparaître aussi. De tout cœur je viens de vous, cher ami" (arch. musée Rodin).

121. Rodin à Charles Auzoux, non daté ; copie au musée Rodin.

122. Cependant, Charles Auzoux ne savait plus bien comment agir. Dans la même lettre du 28 novembre, il expose la situation à Rodin : lorsque, le 26 novembre, A. Huard était venu chercher le projet de convention "arrêté entre M. Chéramy et vous [Rodin]", il le lui avait remis en lui signalant que Rodin n'avait pas pris connaissance des modifications apportées, et donc qu'il n'était engagé en rien. Huard lui fit alors remarquer, par lettre, que la convention était conforme à son projet. Il ne savait que répondre lorsqu'il reçut la lettre de Rodin. "Si vous avez changé d'opinion c'est évidemment affaire à vous mais je me suis trouvé dans une situation ridicule qui me semblait d'autant plus dure que je n'ai agi que sur les instances d'Aicard lui-même. Il n'a pas été il me semble très adroit dans la circonstance je le trouve même peu

correct à mon égard. je n'ai jamais demandé à aller à la Société des gens de lettres il m'y a emmené et brusquement a changé d'attitude sans rien me dire [...] Si au contraire vous avez décidé de ne pas maintenir votre offre il faut toujours répondre aux lettres que j'ai reçues et dans ce cas il était absolument nécessaire de nous voir" (arch. musée Rodin).
Le 29, Charles Auzoux redit à Rodin que A. Huard était venu à son étude "demandant si oui ou non vous vouliez signer la convention", et il lui envoya la copie de sa lettre à A. Huard : "Vous verrez par la fin de ma lettre que je parle de modifications à son projet qu'il a tort de croire exact et définitif."
La copie de la lettre d'Auzoux à Huard est également conservée : Auzoux voulait montrer le projet de convention à Chéramy qui "avait rédigé le premier projet que nous avons modifié samedi sur vos observations. [...] Il y a une erreur matérielle dont je viens de m'apercevoir. M. Rodin n'est pas chargé de l'exécution du monument mais de l'établissement du modèle de la statue prêt à être livré au fondeur. La fonte si mes renseignements sont exacts regarde le comité et c'est l'architecte choisi M. Jourdain qui est chargé de l'exécution du piédestal" (arch. musée Rodin).
Huard répondit le même jour : il rappelait que, le 3 juillet 1892, Rodin avait offert à la Société (il cite) "de se charger d'exécuter un Balzac en bronze d'environ 3 mètres de hauteur avec piédestal en rapport et cela dans un délai maximum de 18 mois à partir du jour de la commande, pour la somme restant de la souscription ouverte dans ce but". À cette époque, il restait 20 000 francs, 6 000 ayant été remis à Henri Chapu sur les 26 000 souscrits. Depuis, le ministre avait promis 10 000 francs qui seraient versés quand la statue serait terminée. Rodin avait déjà reçu 10 000 francs ; il en recevrait donc encore 20 000 quand il aurait livré la statue en bronze avec piédestal (A. Huard à Charles Auzoux, 29 novembre 1894 ; copie, arch. musée Rodin).
Le 30, Charles Auzoux écrivit de nouveau à Rodin : la veille, dit-il, "j'ai soulevé la question de monument et de statue en la prenant sur mon dos. M. Huard

me répond quatre pages pour me dire qu'il n'y a pas d'erreur que vous devez tout fournir, statue et piédestal. Avez-vous votre traité ? La question est intéressante à élucider avant la signature surtout après les incidents d'hier. [...] Je ne sais pas ce que pourra faire Jean Aicard mais je trouve toujours qu'il a bien mal engagé sa question – prise au moment psychologique elle était belle. Enfin ! la lettre de M. Huard se termine par une demande très catégorique d'en finir avant dimanche" (Charles Auzoux à Rodin, 30 novembre 1894 ; arch. musée Rodin).
Excédé de cette affaire, Auzoux la remit entre les mains de Chéramy (*cf.* comité du 3 décembre 1894).

123. Paris, arch. de la Société des gens de lettres, procès-verbal du comité du 29 novembre 1894.

124. "Il a eu cet honneur que cette nomination s'est faite en son absence et qu'une députation a été la lui transmettre à domicile" (Edmond de Goncourt, 1er décembre 1894, *Journal*, 1989).

125. Lors d'un dîner au restaurant Durand, place de la Madeleine, *cf. Le Temps*, le 6 décembre 1894 ; ou bien grâce à l'entremise de Léon Deschamps, directeur de *La Plume*, si l'on en croit celui-ci : "Il y a deux ans, lors du conflit entre la Société des gens de lettres et Rodin [...] la très profonde amitié qui m'unit au maître statuaire, d'une part, et à Aurélien Scholl, alors président de ladite Société, d'autre part, me fournit l'occasion de tenter une médiation qui aboutit. À cette entrevue qui eut lieu ici, à *La Plume*, en secret, les deux hommes de cœur dont je viens de parler firent assaut de courtoisie et se prouvèrent mutuellement leur noblesse d'âme" (Léon Deschamps, "Le Balzac d'Auguste Rodin", *La Plume*, 15 mai 1898).

126. Édouard Montagne à Rodin, 14 décembre 1894 ; arch. musée Rodin.

127. Édouard Montagne à Rodin, 15 décembre 1894 ; arch. musée Rodin.

128. Ainsi que le rappelle Édouard Montagne dans sa lettre à Rodin du 20 décembre 1894 (arch. musée Rodin).

129. Rodin à Édouard Montagne, 19 décembre 1894 ; arch. musée Rodin ; *cf.* Rodin, *Correspondance*, t. I, 1985, n° 221. Montagne en accuse réception le 20 décembre.

130. Ruth Butler, 1993, p. 295.

131. *Journal de Genève*, 30 novembre 1894. *Cf.* aussi : "Le comité par sa maladresse a donné le beau rôle à son adversaire. [...] Le public n'admet pas que l'Art et l'Argent soient mis en balances. Les malheureux gens de lettres qui se sont placés dans ce mauvais cas ne sont pas dénués d'intelligence, du moins pour la plupart. Pris isolément ils raisonnent à merveille ; groupés autour d'un tapis vert, ils ne font plus que sottises" (Adolphe Brisson, "Autour d'une statue", *La République française*, 28 novembre 1894) ; "Une statue de Balzac ne s'improvise pas, et Rodin qui prend l'art au sérieux et qui ne cesse de chercher que lorsqu'il a trouvé, n'avait pas trouvé à l'époque fixée. Il y a, paraît-il, dans le comité de la Société des gens de lettres, des membres qui entendent l'art autrement. Ils ont commandé une statue, comme on commande un plat à un cuisinier, pour tel jour et pour telle heure" (Auguste Vacquerie, "La statue de Balzac", *Le Rappel*, 29 novembre 1894) ; ou encore : "C'est une affaire de chantage des mieux caractérisées [...] Des gens de lettres réclamer les travaux forcés contre un artiste du renom glorieux de Rodin dont l'excès de conscience qu'il apporte à toutes ses œuvres était seule cause du retard à lui imputé [...] on ne pouvait y croire. [...] Il apparaît net et clair à présent que l'on n'a poursuivi qu'un but : à force de vilenies patientes, incessantes, amener Rodin à renoncer à la commande qu'on lui a faite. [...] Travaillez Rodin. Et votre œuvre debout, ce sont ceux-là qui marchandent les heures à votre conscience [...] qui viendront ACCEPTER le *Balzac*... Sans doute M. Duquet sera des examinateurs. [...] M. Duquet est, paraît-il, historien. Tant pis pour l'histoire ! J'aurais cru que M. Duquet travaillait dans le pince sans rire" (Jean Ajalbert, "Tripot des lettres", *Le Gil Blas*, 4 décembre 1894).

132. Rodin à Jean Aicard, 7 décembre 1894 ; La Garde (Var), musée Jean Aicard.

133. Jean Aicard à Rodin, 6 décembre 1894 ; arch. musée Rodin. Cette lettre semble être une réponse à la précédente, et pourtant elle est datée d'un jour plus tôt : peut-on admettre que Rodin, ou Aicard, se soit trompé de date ?

134. Fonte A. Gruet aîné. Ce bronze fut volé au musée Jean Aicard de La Garde en 1986.

135. "La statue de Balzac (de la Petite République française)", *La Nation*, 25 octobre 1893.

136. "Si vous écrivez donc un mot à Aycard il serait très heureux lui et ses amis de vous relater les détails d'une affaire qui vous intéresse tout cela confidentiellement, pour ne pas réveiller des débats qui se sont éternisés. Ils ont cru en servant leur pensée intime par leur démission servir aussi votre pensée et votre sympathie pour moi. Si vous les réunissez ils seront heureux de vous dire le sentiment d'amitié qui a dominé les débats, et il vous sera très doux de causer ensemble" (Rodin à Zola [décembre 1894] ; Bibliothèque nationale de France, Mss, N. a. fr. 24523, f° 333 ; *cf.* Joy Newton et Monique Fol, 1985, n° XIX).

137. Zola à Rodin, 8 décembre 1894 ; arch. musée Rodin ; *cf.* Newton et Fol, 1985, n° XVII. Cette lettre reçut une publicité considérable et fut publiée par un grand nombre de journaux.

138. Non daté ; arch. musée Rodin ; *cf.* Rodin, *Correspondance*, t. I, 1985, n° 219 ; et Newton et Fol, 1985, n° XVIII a et b, mais les deux projets sont alors inversés.

139. Un Bourgeois de Paris, "Coins et recoins. Chez les Gens de Lettres. L'assemblée d'hier", *L'Événement*, 2 avril 1895.

140. Paris, arch. de la Société des gens de lettres, procès-verbal du comité du 30 décembre 1895.

141. "Il paraît que si le comité de la Société des gens de lettres presse de cette façon commerciale le sculpteur de livrer son *Balzac*, c'est que les clients, amis de M. Zola, ont une idée de derrière la tête ; ce petit groupe veut essentiellement que le discours à Balzac soit prononcé par Zola ; le rapprochement de ces deux noms résumerait la gloire même de l'auteur de *Rome* et serait comme une consécration scellée" (Alexandre Hepp, "Notes quotidiennes. L'impossible statue", *Le Soir*, 3 février 1896).

142. Henry Lapauze, "Rodin abandonnerait-il Balzac ?", *Le Gaulois*, 20 janvier 1896.

143. *Le Gaulois*, 29 janvier 1896.

144. "Il y a trois ans – car la lutte ne date pas d'aujourd'hui – ce fut M. Zola qui donna le signal contre Rodin. Je m'étonnai alors de l'antagonisme d'un écrivain qui fut un innovateur et qui eut tant à se débattre contre l'aveuglement ou la basse jalousie de ses confrères. Nul mieux que lui ne devait pourtant accepter un art révolutionnaire. À quel sentiment cédait-il ? je l'ignore" (Georges Duval, "Rodin et le Comité des gens de lettres", *L'Événement*, 13 mai 1898).

145. "Balzac et Rodin", *L'Éclair*, 28 janvier 1896.

146. *La République française*, 28 janvier 1896.

147. F., "Au jour le jour. Chez le sculpteur Rodin", *Le Soleil*, 28 janvier 1896.

148. Edmond de Goncourt, 6 juillet 1895, *Journal*, 1989. "On me rendit malade pendant six mois, je fus incapable de donner le moindre coup de pouce à l'argile du Balzac que je voulais créer", avoua Rodin au journaliste de *L'Éclair* (28 janvier 1898).

149. Edmond de Goncourt, 4 février 1896, *Journal*, 1989.

150. "Balzac et Rodin", *L'Éclair*, 28 janvier 1896.

151. Arsène Alexandre, 1904, p. 16. Aucune autre source n'évoque cet accident. Mais, de toute façon, une grande terre ne peut se conserver et est vouée à la destruction.

152. Arsène Alexandre confirma par la suite qu'il s'agissait bien d'elle : "cette magnifique figure du gros homme nu, les bras croisés et les jambes très écartées, dont les artistes n'ont eu, plus tard, et pendant longtemps, la connaissance que par l'épreuve en plâtre que l'on pouvait admirer dans le salon du brillant traducteur des *Mille nuits et une nuit*, le Dr Mardrus" (Arsène Alexandre, 1921, p. 55).

153. Arsène Alexandre, 1904, p. 16.

154. *Cf.* Gustave Geffroy à Rodin, non daté, arch musée Rodin ; et "Petite chronique des lettres et des arts", *L'Événement*, 24 août 1896.

155. Joseph Bridau, "La statue de Balzac", *Gil Blas*, 19 août 1896.

156. Ch. Formentin, "Le Boulevard. Statues en l'air", *La Presse*, 19 août 1896.

157. *Journal des débats*, 19 août 1896.

158. Charles Chincholle, "Question enterrée", *Le Figaro*, 26 août 1896.

159. Arch. musée Rodin.

160. Bibliothèque nationale de France, Mss, N. a. fr. 24523, f° 330 ; *cf.* Newton et Fol, 1985, n° XX.

161. Paul Dollfus, *L'Événement*, 20 août 1896.

162. Henry Céard, "Tribune littéraire. Le menhir de Balzac", *Paris*, 3 septembre 1896.

163. Aurélien Scholl, "Courrier de Paris", *L'Écho de Paris*, 28 août 1896.

164. Aurélien Scholl, cité par Daniel Cloutier, *La Patrie*, 31 août 1896.

165. Édouard Conte, "Rodin et la Société des gens de lettres", *Le Voltaire*, 29 janvier 1896.

166. Paris, arch. de la Société des gens de lettres, procès-verbal du comité du 30 mars 1896.

167. Arch. musée Rodin.

168. A. B. de Farges, "La statue de Balzac. L'opinion de deux artistes", *La France*, 15 juillet 1891.

169. Marquet de Vasselot, mars-juin 1896, pp. 511-512.

170. Léonce de Larmandie à Marquet de Vasselot, 16 juin 1896 ; *cf.* Marquet de Vasselot, juillet 1896, pp. 62-63.

171. Joséphin Péladan à Marquet de Vasselot, non daté ; *cf.* Marquet de Vasselot, juillet 1896, p. 65.

172. *Cf.* Laure Stasi, 1997.

173. Ruth Butler, 1993, p. 300.

174. "Lettres, sciences et arts", *Journal des débats*, 15 juin 1896.

175. *Cf.* Octave Mirbeau, *Combats esthétiques*, t. II, édition établie par Pierre Michel et Jean-François Nivet, Paris, Nouvelles Éditions Séguier, 1993, p. 146.

176. *Cf.* Antoinette Le Normand-Romain, "Les amis belges", *Vers L'Âge d'airain, Rodin en Belgique*, cat. exp., Paris, musée Rodin, 1997, pp. 350-351.

177. Copie, arch. musée Rodin.

178. Paris, arch. de la Société des gens de lettres, procès-verbal du comité du 8 février 1897.

179. Paris, arch. de la Société des gens de lettres, procès-verbal du comité du 8 mars 1897.

180. F., "Au jour le jour. Chez le sculpteur Rodin", *Le Soleil*, 7 avril 1897.

181. Mathias Morhardt, 1934, p. 467.

182. "J'ai voulu travailler dans le sens des Égyptiens (à ce que je crois) des Grecs (à ce qu'il m'a dit). Orante ? Héra de Samos" (René Chéruy, *Notes manuscrites*, non datées ; arch. musée Rodin).

183. Arch. musée Rodin.

184. "Votre statue est bien en marche", écrit Henri Lebossé à Rodin, le 24 septembre (arch. musée Rodin), tout en précisant qu'il n'avait pu y travailler pendant les dernières semaines et qu'il ne pourrait s'y remettre de sitôt car il était gravement atteint d'une double bronchite. Il la livra cependant le 25 octobre. L'agrandissement avait coûté 1 700 francs que Rodin versa en quatre fois (400 francs le 7 octobre ; 600 francs le 25 ; 500 francs le 27 novembre et 200 francs le 24 décembre). Dacy, dans *Le Rappel* du 6 novembre 1897, avait affirmé que : "Le Balzac de Rodin [...] est terminé", mais il faut plutôt croire l'artiste lui-même qui déclara au *Figaro*, le 25 novembre : "cette fois, il est au moulage. Quelques retouches encore quand il me rentrera et je vous fais signe pour venir le voir couler." En réalité, les diverses opérations de retouches et de moulage durèrent jusqu'en mars 1898 : Rodin "a pris le parti d'aller habiter Meudon où, après avoir empli d'air ses poumons, il vient quotidiennement s'enfermer à Paris dans son atelier où tour à tour il corrige sur le plâtre un pli de la robe de Balzac, il creuse le sourire de la Comédie humaine" (Charles Chincholle, "La statue de Balzac", *Le Figaro*, 19 mars 1898).

185. Arch. musée Rodin. Cette lettre, non datée, est postérieure au 17 novembre 1897, date à laquelle, évoquant la visite de Camille Claudel à son atelier (qui eut lieu au moins trois semaines plus tôt puisque le plâtre fut livré à Rodin le 25 octobre), Henri Lebossé écrit : "J'aurais désiré obtenir par écrit les chaleureuses appréciations qu'elle a manifesté à mon atelier devant mon personnel en examinant votre statue grandie du Balzac" (arch. musée Rodin). Il dut revenir plusieurs fois à la charge pour que Camille s'exécute.

186. Charles Chincholle, "La statue de Balzac", *Le Figaro*, 19 mars 1898.

187. Henry Houssaye à Rodin, 15 mars 1898 ; arch. musée Rodin.

188. Rodin à Henry Houssaye, 17 mars 1898 ; Paris, bibliothèque d'Art et d'Archéologie, fondation Jacques Doucet.

189. Paris, arch. de la Société des gens de lettres, procès-verbaux des comités.

190. Henry Houssaye à Rodin, non daté (après le 31 mars 1898) ; arch. musée Rodin.

191. Charles Chincholle, "La statue de Balzac", *Le Figaro*, 19 mars 1898 ; il précise ensuite que "comme [il prend] congé du sculpteur, le mouleur apporte la tête du romancier".

192. "Monsieur Rodin, écrit François Pompon, Le moulage de votre Balzac est terminé sauf la tête dont on prépare la gélatine en ce moment. Pépeyre compte couler samedi prochain. J'ai vu la terre qui est restée intacte, et on la conserve en bon état" (arch. musée Rodin). La lettre n'est pas datée, mais il y est question des comptes des praticiens arrêtés au 7 avril 1898.

193. "Je veux pour le socle une architecture aussi peu mouvementée que la statue et, sur ce socle, une seule figure en bas-relief, tenant un masque", avait confié Rodin au *Matin* ("Chez Rodin. Une visite à l'atelier H du Dépôt des Marbres", 10 décembre 1894). Pour ne pas allonger encore le délai, il y avait ensuite renoncé : "Je comptais orner le piédestal d'une figure symbolique en bas-relief qui aurait représenté la Comédie humaine, avec des attributs qui eussent signifié la variété et la puissance de cette œuvre grandiose. Mais cela m'aurait pris trop de temps. On m'a tellement bousculé que j'ai abandonné cette première idée, dont la réalisation eût exigé plus de loisirs et de calme qu'on m'en laissait" (Joseph Bridau, "La statue de Balzac", *Gil Blas*, 19 août 1896). L'année suivante, il y travaillait cependant : ce sera, dit-il au *Figaro* (14 juin 1897) "une figure en plat que je veux placer sur le socle que prépare Frantz Jourdain, [...] une femme tenant un masque, la Comédie humaine. Dans un mois sans doute, si l'on peut assigner des dates à l'exécution de l'œuvre d'un artiste, j'en aurais fini."

194. Eugène Guioché fait un "raccord" à la *Comédie humaine* en mai 1897, puis il estampe la figure, dans l'atelier du boulevard d'Italie, entre le 9 et le 12 juillet 1897 (arch. musée Rodin) : c'est d'ailleurs un des premiers travaux qu'il exécute pour Rodin. Le 19 mars 1898 (arch. musée Rodin), Rodo rappelle à Rodin que, de mai à fin juillet 1897, il a travaillé au relief, boulevard d'Italie : "commencement mai la pierre était debout et a été couchée sur ma demande par Autin, modèle Anna

Abbruzesi". Après son retour de Genève, fin octobre, il avait recommencé la mise aux points et utilisé un modèle personnel. Pour cette période, d'octobre 1897 à mars 1898, il avait reçu de Rodin 300 francs, sans les frais de modèle, ce qui correspondait à trois semaines de travail à temps plein. Travaillant dans son propre atelier, rue Dutot, Rodo informait régulièrement Rodin de l'avancement de la pratique ou lui demandait de venir : "Hier j'ai encore démoli le masque et la main qui avance qui étaient faits, encore repris le torse" (non daté) ; "Le bas-relief va, venez quand vous pourrez. Je crois que samedi matin ce sera très avancé. J'ai fait le masque, j'attaque les bras et les mains. Les jambes sont déjà avancées" (1er novembre 1897) ; ou encore : "Après avoir avancé j'ai trouvé le masque beaucoup trop petit, je l'ai agrandi. Il est maintenant en harmonie avec la figure. c'est le morceau qui est devant la figure que je veux continuer jusqu'au masque. Tout va bien, c'est beaucoup plus long que je ne le pensais. Vous voudrez bien venir mardi matin. Si ce n'est absolument pas terminé, il n'y aura que les retouches que vous m'indiquerez" (19 janvier 1898 ; *cf.* fig. 23). (Toutes ces lettres sont conservées au musée Rodin.) Si l'on en croit René Chéruy, le relief fut abandonné à la suite du scandale causé par l'exposition du *Balzac* (*Notes manuscrites*, non datées ; arch. musée Rodin). Je remercie vivement M. Claude Lapaire, spécialiste de Rodo, des informations qu'il m'a aimablement communiquées.

195. "Œuvre achevée. M. Rodin et la statue de Balzac", *L'Éclair*, 10 avril 1898.

III

Antoinette Le Normand-Romain

Le Salon
de la Nationale

"Le Salon de 1898 resterait une date émouvante dans l'histoire de l'art quand il n'offrirait à notre admiration que la statue de Balzac, de Rodin. L'œuvre vient justifier ceux qui ont demandé toujours et quand même que ce grand artiste fût maître de ses délais et de son heure. [...] Au premier abord, c'est un bloc, un rocher, un monolithe, une de ces colonnes espacées dans l'histoire et qui marquent les grandes étapes humaines. [...] Peu à peu, on distingue qu'un corps informe se démène sous cette enveloppe, avec le mouvement rapide et leste des gros hommes, et cette façon légère de porter ce poids de matière qu'eut Balzac en particulier et qui fut si bien décrite par Lamartine.

D'ailleurs voici que tout s'allège en effet, qu'une grâce formidable apparaît au sommet, avec cette tête de lion à lourde crinière qui se rejette en arrière d'un mouvement si fier et si beau, et ce fin visage envahi de chair et de graisse, [...] qui projette le noir magnétisme de ses yeux sur l'immensité des choses [...]. C'est le grand témoin de ce temps qui est dressé ainsi, l'adorateur et le contempteur des forces naturelles et des forces sociales en présence[1]."

Gustave Geffroy, l'auteur de cet article paru avant même l'ouverture du Salon, faisait partie, depuis plusieurs années, du groupe de ceux qui admiraient Rodin et le soutenaient de leur plume. Ce groupe ne cessait de s'agrandir : chargé à la fin de l'année 1897 d'une rubrique artistique au *Mercure de France*, André Fontainas se rendit ainsi un beau samedi, du mois de mars ou d'avril 1898 sans doute, dans l'atelier de Rodin qu'il ne connaissait pas encore. Celui-ci l'accueillit "comme un ami" et le fit pénétrer dans le second atelier. Dès le seuil, une vision saisissante le cloua sur place, fasciné. "De sa stature dominatrice, le corps frémissant dans les plis de sa robe aux manches vides, Balzac, debout, rejetant en arrière sa vaste tête de fauve aux aguets, buvait, des yeux, des narines, des lèvres, humait la rumeur tourbillonnante, l'odeur, la fièvre de la comédie humaine[2]..." Fontainas publia immédiatement, dans le *Mercure de France* (mai 1898), un important article qui lui valut dès lors l'amitié et la reconnaissance de Rodin. Pour un Bracquemond déplorant "l'impression lamentable, l'oppression qu'on ressent à la vue du bloc informe, inexistant[3]", quel enthousiasme *Balzac* ne suscita-t-il pas en effet auprès de ceux qui défendaient ou représentaient le modernisme dans le domaine de l'art : de Monet - "Enfin j'ai vu votre Balzac et, bien que j'étais certain de voir une belle chose, mon attente a été dépassée, je vous le dis bien sincèrement. Vous pouvez laisser crier, jamais vous n'étiez allé plus loin ; c'est absolument beau et grand, c'est superbe et je ne cesse d'y penser[4]" -, Cézanne[5], Gauguin qui, sans avoir vu le *Balzac*, tenait Rodin "sinon [pour] le plus grand sculpteur, au moins [pour] l'un des rares grands sculpteurs de notre époque[6]", ou Forain[7], aux jeunes sculpteurs - "les Charpentier, les Desbois, les Besnard, les Bourdelle, les Baffier et les Carrière qui se déclarent hautement les disciples du maître [et] font bravement face aux détracteurs[8]".

En revanche, le grand public ne comprit pas le travail de Rodin et, dès le 30 avril 1898, jour du vernissage du Salon de la Société nationale des beaux-arts, il se laissa aller à des attaques aussi violentes que peu justifiées dont la presse, tant française qu'étrangère, se fit immédiatement l'écho. "La foule s'amasse autour de cet étrange envoi. Un étonnement douloureux se lit sur le visage de quelques-uns, comme sur quelques autres le plaisir stupide et féroce en face d'un ouvrage conçu au mépris, au défi du bon sens, en dépit des plus simples notions de la statuaire. Haussements d'épaules, exclamations étouffées, rires et quolibets s'entrecroisent, mêlés d'affirmations enthousiastes lancées par des fanatiques qui exultent à être les seuls de leur avis. - Prodigieux ! Grandiose ! On n'a jamais mieux compris l'auteur de la *Comédie humaine*. - C'est une mystification, une farce, répliquent, furieux, les autres, de la mauvaise foi[9] !" "Écoutez : 'C'est un fou !' 'C'est un fumiste !' 'Ça ne se discute pas !' 'Ça, mais c'est un échappé du Bazar de la charité !' 'C'est un phoque !' 'C'est à hurler !' 'Ce n'est pas fini[10] !'" C'est encore une "borne informe et grotesque qu'un critique a comparée à un crapaud dans un sac[11]", "un bloc de sel qui a subi une averse, un stalactite ayant une vague ressemblance avec une forme humaine[12]", "un dolmen déséquilibré, un sac de plâtre, [...] une statue encore emballée[13]", ou bien un bonhomme de neige, vêtu d'un peignoir de bain dont la manche vide suggère une camisole de force... "Madame : Enfin !... ça n'a jamais été un homme. – Monsieur : Chut ! plus bas... c'est peut-être un chef d'œuvre. – M. Gustave G...oy : C'en est un, Monsieur, c'en est un grand. – M. Rodin (lui serrant la main) : Merci, mon ami... Vous autres artistes vous devinez (se reprenant) du moins vous voyez au moins dans nos œuvres ce que nous avons voulu y mettre. – Madame (à son mari) : Je ne dois pas être artiste, car je préfère son *Baiser*... Hein ! et toi ? – Monsieur : Moi !... (bas à sa femme) Ne me questionne donc pas tout le temps... Je ne sais quoi te répondre... Il est bon avant de formuler son opinion de lire les comptes rendus des critiques[14]." **Le scandale attirait les visiteurs, qui négligeaient les autres œuvres pour s'empresser autour de la statue, et firent de l'exposition un succès financier. "Je crois, note plaisamment Félix Duquesnel,** que s'il revenait au monde [Balzac] serait charmé de l'agitation dont il est le prétexte. Tous les jours en effet, c'est un défilé ininterrompu, dans le jardin de l'exposition, devant son fantôme de plâtre devenu pour tous comme un point de rendez-vous. Là, une fois en présence du monstre, les uns s'extasient, – c'est le plus petit nombre. – Les autres s'étonnent, certains baissent la tête, certains se mettent à rire. – Ceux-là sont légion, c'est la foule[15] !"

Les plus empressés à aller voir la statue furent, bien entendu, les Gens de lettres. Chincholle, toujours réservé, avait terminé son article du 19 mars sur une appréciation plutôt favorable : "On a publié sur Balzac de nombreux portraits très différents. Celui qu'a sculpté Rodin ne ressemble 'exactement' à aucun d'eux. L'artiste n'a peut-être pas fait le Balzac qu'ont connu Gavarni ou Nadar : il l'a certainement conçu tel que le voient beaucoup d'admirateurs de la *Comédie humaine*[16]." **En revanche, l'impression de ses collègues se révéla franchement mauvaise et, dès le 2 mai, après s'être consultés, ils conclurent avec ensemble :** "L'opinion qui se dégage est que cette œuvre ne répond nullement à l'attente du Comité." **En vertu du traité signé avec Rodin en 1894, la Société était tenue de l'accepter. Mais devait-elle vraiment se laisser imposer une œuvre qui lui déplaisait ? Duquet estimait qu'il fallait en tous cas protester et proposa au Comité de voter la résolution suivante :** "La Société des gens de lettres fait défense à M. Rodin de couler en bronze le plâtre de Balzac exposé au Palais des Machines, attendu que, lui ayant commandé une statue, il refuse de recevoir un travail qui n'a rien de la statue." **Le conseil judiciaire fit remarquer que, s'il y avait procès, l'issue en paraissait chanceuse. Le président, Henry Houssaye, ayant hypocritement suggéré que la meilleure solution serait que le conseil municipal refusât un emplacement, Saint-Arroman déclara avec bon sens :** "Évidemment le Conseil municipal conserve son droit d'interdire l'érection d'un monument déparant la ville, mais sans doute il ne voudra exercer ce droit qu'en dernier ressort et c'est, en définitive, à la Société à prendre d'elle-même une décision. Il est vrai que, si la statue n'agrée pas au public, son auteur en sera seul responsable, mais il n'en est pas moins à craindre que la Société qui l'a commandée ne soit vivement attaquée[17]."

Tous étant d'accord sur la nécessité de protester, sans bien savoir toutefois sous quelle forme, la décision fut remise à la semaine suivante. Mais la presse eut vent de leur hésitation et des communiqués perfides parurent dans les journaux : "On annonce aujourd'hui que la Société – mécontente du chef-d'œuvre – ne demandera pas d'emplacement pour son érection. La Société s'est d'ailleurs interdit le droit de le refuser. Tous les membres du comité sont d'accord sur ce point que leur traité les oblige à accepter l'œuvre de M. Rodin. Ce qui ennuie surtout les 'gens de lettres', c'est que M. Félix Faure ne s'est pas arrêté devant le Balzac le jour de la visite officielle aux Salons[18]."

Le 9 mai, le Comité des gens de lettres se réunit de nouveau et, "après avoir émis à l'unanimité un vote de protestation en principe", **examina les propositions qui lui étaient soumises,**

par Jules Mary d'une part : "Le Comité de la Société des gens de lettres après examen du projet de la statue de Balzac exposé au Salon par M. Rodin, exprime l'espoir que l'artiste achèvera son œuvre, réserve en conséquence son opinion jusqu'après l'entière exécution du travail et passe à l'ordre du jour" ; et par Henri Lavedan de l'autre : "Le Comité de la Société des gens de lettres a le devoir et le regret de protester contre l'ébauche que M. Rodin expose au Salon et dans laquelle il se refuse à reconnaître la statue de Balzac[19]."

Malgré l'intervention d'Henri Demesse, qui jugeait inadmissible que l'on traitât de la sorte "un artiste connu comme M. Rodin", c'est la seconde proposition, celle de Lavedan, qui fut adoptée par onze voix contre quatre (celles de Demesse, Jules Mary, Léonce de Larmandie et François de Nion). Chincholle, qui apparaît comme le chroniqueur fidèle de l'affaire à travers les articles de plus en plus favorables à Rodin[20] qu'il donnait régulièrement au *Figaro*, avait pourtant rappelé à la Société qu'elle s'était engagée avec celui-ci en toute connaissance de cause, et qu'elle l'avait choisi parce que son nom représentait une garantie : "Il a l'avantage de nous couvrir, avait fait valoir Zola lors du comité du 6 juillet 1891. M. Rodin est de ceux à qui on doit laisser la responsabilité de ce qu'ils font. Admettons que la statue ne plaise pas. Personne ne songera à nous accuser. Rodin est l'un des premiers sculpteurs de notre temps. S'il se trompe les plus malveillants nous excuseront d'avoir choisi pour artiste l'auteur de *la Porte de l'Enfer*[21]."

Comme en 1894, les journalistes, friands de nouvelles, se précipitèrent chez l'artiste : sans cacher que le refus du *Balzac* était pour lui un véritable désastre financier[22], Rodin décida très vite de reprendre la statue, sans rien demander : "J'ai examiné votre cas. Il est bien simple. Vous avez tous les droits", lui avait déclaré son avoué, Chéramy, mais il l'avertissait qu'il fallait s'attendre à un procès. "Ce procès, vous ne pouvez point ne pas le gagner. [... Mais] vous êtes à même d'employer votre temps mieux qu'en un procès qui peut être très long et où vous recevrez – avant l'argent de la souscription – plus d'une injure pénible. Écrivez à la Société une lettre très posée, digne de votre talent, dans laquelle vous vous contenterez de dire que vous renoncez à votre droit, que vous l'autorisez à toucher les dix mille francs d'acompte mis sous séquestre, et que vous disposez de votre statue. Pas un mot de plus[23]."

Rodin suivit d'autant plus volontiers ces conseils qu'il avait reçu deux propositions d'achat émanant, l'une, d'Edmond Picard, écrivain et homme politique belge qui allait organiser à Bruxelles, l'année suivante, la première exposition personnelle de Rodin, et l'autre, d'Auguste Pellerin, industriel et collectionneur, qui possédait déjà un exemplaire de son *Ève* et comprit qu'il avait là l'occasion "de [se] procurer un chef-d'œuvre sur lequel [il n'aurait] jamais dû compter[24]". Picard n'hésita pas à écrire à Rodin qu'il souhaitait que la Société des gens de lettres refusât le *Balzac* pour qu'il pût le faire acheter par la Belgique : "On aime Balzac à Bruxelles. Votre œuvre se dressera sur l'une de nos places[25]" ; mais malgré la publication d'un article enthousiaste dans la revue qu'il dirigeait, *L'Art moderne* (15 mai 1898), Rodin ne se laissa pas convaincre, et Picard le regretta toujours[26].

"Monsieur Rodin, écrivait de son côté Pellerin, le 11 mai, Le Comité de la Société des gens de lettres, protestant contre ce qu'il appelle votre ébauche, se refuse à reconnaître la statue de Balzac.

Mon jugement différant du tout au tout de celui du Comité, je viens vous demander de me vendre votre statue de Balzac.

Elle sera chez moi en bonne compagnie, à côté de l'Artiste de Manet, tableau refusé au Salon de 1876[27]."

Hésitant sur la réponse à donner, Rodin décida de consulter ceux qui le soutenaient avec un enthousiasme indéfectible. Plusieurs réunions, sans doute, eurent lieu au Dépôt des marbres ; elles aboutirent à la constitution de "listes [...] où sont notés les artistes, les notabilités marquantes, les amateurs d'art. Une souscription va être ouverte et dès qu'elle aura atteint le chiffre nécessaire, le *Balzac* sera envoyé au fondeur. On est assuré d'ores et déjà du concours pécuniaire de M. Pellerin[28] qui voulait acquérir pour lui-même l'œuvre du maître et s'est rallié à l'idée d'une souscription, solution plus conforme à l'intérêt de Rodin, qui est de produire son œuvre en public. Il ne restera plus ensuite qu'à obtenir pour la statue tant discutée une place digne d'elle. [...] En attendant, et comme preuve de la solidarité qui lie entre eux les artistes du Champ de mars, un banquet intime sera offert mardi à Rodin à Vélisy[29]."

Le banquet eut lieu le 17 mai, à Vélisy, où aurait lieu également le 20 mai 1903 le banquet donné pour la promotion de Rodin au grade de commandeur de la Légion d'honneur. Ce "coin charmant connu des artistes, par la magnifique journée de mai qu'il faisait hier, était plus charmant encore. Aussi l'agape fut-elle exquise. Jean Baffier, le bon Berrichon, avait apporté sa vielle, et, au dessert, il se mit à jouer des airs de son pays ; puis, à travers les bois, tous accompagnèrent Rodin chez lui, à Bellevue, Baffier en tête, viellant toujours. [...] Et le souvenir écrit de cette journée fut laissé à Rodin sous la forme suivante :

Vélisy, le 17 mai 1898

Les soussignés, réunis autour de Rodin en un déjeuner intime, désireux de lui témoigner leur respect, sont unanimes à regretter la décision du Comité de la Société des gens de lettres, qui porte atteinte à la corporation toute entière des sculpteurs français.

A. Lenoir, Granet, C. Lefèvre, Escoula, Constantin Meunier, E. Michel-Malherbe, J. Desbois, Gaston Schnegg[30], Alexandre Charpentier, V. Vallgreen, F. Voulot, L. Schnegg, Bourdelle, Jean Baffier, Niederhausern-Rodo[31]."

Entre-temps, l'idée d'une souscription avait pris corps. "Vous ne devez pas céder, **supplia Georges Lecomte**. Votre Balzac est l'affirmation d'un art nouveau, un et harmonieux, rejoignant dans son modernisme les plus belles choses antiques. Parce que c'est une œuvre admirable et aussi parce que c'est un enseignement pour l'avenir, il faut que votre Balzac soit érigé. S'il va chez un collectionneur, nous en serons privés pendant plusieurs années. Évidemment il arriverait un jour où la statue serait élevée sur la place publique. Mais quand ?

Résistez donc. Imposez votre droit. [...]

Au moins consentez à ce que nous, vos amis, nous prenions l'initiative d'une souscription pour acquérir cette statue que nous <u>parviendrons certainement à faire élever dans Paris</u>.

Mais, je vous en prie, que votre Balzac, <u>qui doit se dresser au cœur de Paris</u>, n'aille point s'enfermer dans une collection privée. Ce n'est pas là qu'il doit être[32]."

Cependant, la proposition de Pellerin tentait Rodin. Le 16 mai, il se rendit chez le collectionneur à Neuilly avec Antonin Proust et Josse Bernheim-Jeune qui menait la négociation. Si l'on en croit Chincholle, la discussion dura plus de deux heures au terme desquelles Rodin se rendit au désir de Pellerin. "Il lui a, au prix de vingt mille francs, cédé le *Balzac*, 'qui sera, dit le traité, érigé sur une des pelouses de la propriété de Neuilly'. Seulement, d'après un deuxième paragraphe, il est convenu que M. Auguste Pellerin s'engage 'à rétrocéder le *Balzac* au Comité qui vient de se former dans le cas où la souscription ouverte à cet effet atteindrait un chiffre suffisant pour effectuer cet achat'. Il a été de plus formellement entendu que ce n'est qu'à la condition que le Conseil municipal désignerait une des places de Paris pour ériger cette statue, que 'le Comité serait autorisé à en prendre possession'[33]." Mais l'amertume laissée par l'attitude de Zola s'ajoutant à la crainte que son *Balzac* ne fût utilisé dans l'affaire Dreyfus, Rodin décida finalement de ne pas donner suite au projet de souscription (*cf.* chap. IX et X) et refusa même la proposition de Pellerin qui était revenu à la charge par l'intermédiaire de Bernheim[34]. Il décida donc que le plâtre serait transporté à Meudon, "où je le laisserai quelque temps, quelques années peut-être avant de le revoir ; pour le moment je n'y veux plus penser, **nous dit Rodin**, et je souhaite qu'on ne m'en parle plus. J'ai d'ailleurs à m'occuper de travaux multiples[35]." Pellerin ne put que s'incliner : "Je le fais, **nous dit-il**, avec le plus vif regret, car je n'ai jamais varié et j'éprouve pour la statue de Balzac la même admiration que le premier jour[36]."

Un renouveau du monument public

Rodin pressentait la surprise que provoquerait son *Balzac* et avait d'ailleurs pour cette raison décidé d'exposer au même Salon le grand *Baiser* en marbre que lui avait commandé l'État une dizaine d'années plus tôt. "Je sais bien, disait-il, que ma conception habituelle n'a rien de ce que le genre officiel réclame[37]." Le "genre officiel" reposait en effet sur des critères de ressemblance et de pédagogie : un statufié devait être facilement reconnaissable, et les raisons pour lesquelles il était mis à l'honneur clairement expliquées : si *Diderot* (Gautherin sc., 1886, Paris, boulevard Saint-Germain) est seul, on l'identifie très facilement grâce à son visage, à son costume et à la plume qu'il tient à la main. Mais, en général, des figures secondaires, ou des reliefs, précisent le sens du monument : sur le socle du *Monument à Alexandre Dumas père* (Doré sc., 1883, Paris, place Malesherbes, fig. 24), représenté assis, la plume à la main, comme il sied à un écrivain, un ouvrier, une jeune femme et un étudiant sont plongés, côté face, dans la lecture de l'un de ses romans, tandis qu'au dos on reconnaît d'Artagnan lui-même ; le buste de *La Fontaine* (Dumilâtre sc., 1891, détruit) était entouré des animaux des *Fables* ; au pied de l'effigie de *Maupassant* (Verlet sc., 1896, Paris, parc Monceau), rêve une jeune femme qui incarne à la fois l'héroïne de *Fort comme la mort* et le public du romancier (fig. 25).

Or, au fil de ses recherches, Rodin s'était éloigné des portraits connus de Balzac. Par ailleurs, ni l'attitude ni le costume n'aidaient à identifier le personnage ; André Fontainas fut un des premiers à le remarquer : "Nul emblème, ou attribut, ne souligne le sens où ne révèle le nom du héros suscité. Tout tient en lui-même, on n'y saurait douter[38]." Ce parti, très novateur, rendait perplexe un excellent connaisseur de la sculpture comme Louis de Fourcaud, ami de Rodin et futur biographe de Rude, qui nota combien la statue lui paraissait devenue "étrange à se trop vouloir surcharger de pensées, en se déchargeant de détails. [...] Je ne suis pas parvenu, poursuit-il, à saisir le trait plastique d'un bloc, malgré tout imposant. [... Mais] si M. Rodin s'est trompé, il l'a fait en regardant les étoiles[39]."

fig. 24
Gustave Doré (1832-1883)
Monument à Alexandre Dumas
Bronze, inauguré le 4 novembre 1883
Paris, place Malesherbes

fig. 25
Raoul Verlet (1857-1923)
Monument à Guy de Maupassant
1896, marbre
Paris, parc Monceau

Plus entière dans son jugement, la Société des gens de lettres refusa la statue sous prétexte qu'elle n'y "reconnaissait" pas Balzac. "Que veut dire ce mot : 'ne reconnaît pas[40] ?'", s'exclama Rodin. "Pour moi la sculpture moderne ne saurait être de la photographie. L'artiste doit travailler non seulement avec sa main, mais surtout avec son cerveau[41]." **Très débattue dans la presse, la position de la Société apparut à certains** "un peu sotte. Aviser les gens, en effet, qu'en une statue élevée à Balzac on ne 'reconnaît' pas Balzac, c'est s'exposer d'abord à la question facile : – Vous l'avez beaucoup connu ?, car on n'attend pas d'un statuaire ce que l'on demande à un photographe", **fait remarquer Émile Bergerat, qui poursuit en déclarant que** "le statuaire choisi pour l'apothéose n'était tenu qu'à faire poser le génie de Balzac", **tâche dont il s'est acquitté avec honneur si l'on en croit certains,** "fort bons juges[42]". **Pour d'autres, comme Henri de Régnier qui reconnaissait, certes, la force de** "ce bloc pensant, animé d'un intense sursaut d'inspiration", **Balzac était** "trop un contemporain et, par cela même, trop présent à la pensée en ses traits réels et authentiques pour qu'il soit facile de leur en substituer d'autres que ceux-là et de remplacer la face de l'homme par le masque même de son génie[43]". **Selon Henri Rochefort, qui avait un peu connu Balzac et se souvenait** "de l'éclat de ses yeux pétillants, de la finesse de sa bouche souriante et de l'ampleur de son beau front", **c'est cela même qui était critiquable : il n'admettait pas que Rodin ait eu** "la prétention de lui faire exprimer dans les contorsions des lèvres et le retroussis des narines les quarante volumes qu'il a mis au monde [...]. Jamais on n'a eu l'idée d'extraire ainsi la cervelle d'un homme et de la lui appliquer sur la figure[44]."

Que voyait-on donc ? "Une tête sur un bloc. Dans cette tête des yeux de vie et de génie [...] C'est la réalisation d'un état d'intelligence fixé à jamais dans la pierre, [...] un concept à la fois réel et idéalisé de l'effort cérébral[45]." **Georges Rodenbach, qui en 1896 avait déjà vigoureusement défendu le** *Balzac*, **développa ce thème avec talent :** "Il est visible que M. Rodin [...] a rompu avec la tradition assez niaise en somme, qui veut faire d'une statue un portrait, une effigie exacte. [...] Puisqu'il s'agit, dans ce cas-ci du moins, d'un génie dont Lamartine a dit que le visage était comme un élément ! C'est ce visage-là, et lui seul, qu'il fallait exprimer ! le corps, certes, y est. [...] Mais le visage [...], ce visage qui a pris tous les masques de la comédie humaine, non pas un visage humain, ni le mien, ni le vôtre, ni même celui de Balzac ; mais celui qu'il eut, *quand il a regardé tout ce qu'il a vu*. Pensez donc : avoir vu la comédie humaine ! [...] Il avait vu toute la vie, toutes les passions, toutes les âmes, tout l'univers. La terreur d'avoir vu tout cela – et l'angoisse aussi ! Car ce n'était que pour un moment ; il fallait tout dire, vite. La mort prématurée était là... Elle était déjà sur son visage. Voilà le visage qu'il faut rendre, n'est-ce pas ? Voilà ce que doit être la statue d'un homme comme Balzac, dans l'éternité de Paris, – sinon il y a le daguerréotype de Nadar : Balzac avec des bretelles[46] !" **Plus brièvement, Oscar Wilde déclara que** *Balzac* **était** "superbe – exactement comme un romancier est ou devrait être. La tête léonine d'un ange déchu, avec une robe de chambre[47]."

S'il était parti de documents aussi véridiques que possible, Rodin avait en effet bientôt compris qu'au lieu d'un portrait littéral, il devait donner l'image de la puissance créatrice de Balzac. "Qui ne s'est ingénié à déchiffrer la *Comédie humaine* dans le front et le visage compliqué de Balzac", s'écriait Baudelaire alors qu'il s'interrogeait sur le rapport entre le portrait et l'œuvre d'un écrivain[48]. Rodin sentit lui aussi qu'il fallait, selon la belle image de Rilke, que "[ce fût] la création elle-même qui se [servît] de la forme de Balzac pour apparaître ; l'orgueil de la création, sa fierté, son vertige, son ivresse[49]". Il oublia donc la plupart des détails physiques qu'il connaissait pourtant fort bien, y compris même la corpulence de Balzac, pour ne garder que les éléments essentiels, chargés d'exprimer à eux seuls la grandeur du romancier. En cela il n'agit pas autrement que Balzac lui-même : "La vérité de l'art n'est point celle de la nature, disait Théophile Gautier à propos de celui-ci ; tout objet rendu par le moyen de l'art contient forcément une part de convention. [...] Balzac accentue, grandit, grossit, élague, ajoute, ombre, éclaire, éloigne ou rapproche les hommes ou les choses, selon l'effet qu'il veut produire. [...] Balzac que l'école réaliste semble vouloir revendiquer pour maître, n'a aucun rapport de tendance avec elle[50]." De son côté, Rodin, expliqua à Philippe Dubois qu'il fallait "amplifier la nature, de façon à donner à une œuvre le caractère d'une synthèse[51]" : ainsi avait-il exagéré le cou pour "représenter la force[52]", la bouche, la chevelure et les yeux. Il avait "par son génie tout particulier, donné à cette tête de puissantes accentuations qui font, d'après son interprétation à lui, le Balzac qu'il suppose que Balzac lui-même aurait voulu être. [...] La ressemblance matérielle, en art, est déjà une chose tout à fait relative. S'il s'agit d'un personnage déjà éloigné de nous, elle devient une chose très secondaire, surtout s'il y a dans l'image l'interprétation de certains traits fondamentaux par un artiste de génie[53]."

C'était là une tâche difficile. "Dans une seule statue, sans le secours des groupes symboliques qui facilitent souvent la traduction de notre pensée, il fallait, déclara Rodin, que je misse l'attitude et l'expression qui devaient en faire un Balzac digne de l'immortel auteur de la *Comédie humaine*[54]." Il avait en effet pris le parti audacieux de supprimer, de même que les détails physiques, les symboles et les allégories. En même temps que le *Monument à Balzac*, Rodin en exécutait pourtant deux autres, en l'honneur de Victor Hugo, qui, comme il était de règle alors, offrent tous deux des figures allégoriques. Dans le premier (Victor Hugo assis), dont la maquette définitive (fig. 26) fut terminée en 1895 et le grand modèle exposé en 1897, *La Muse tragique* et *La Voix intérieure* remplissent leur rôle de façon aussi peu conventionnelle que possible, par leur expression même et non par des attributs. Lors de la traduction en marbre, après 1900, elles disparurent cependant du groupe, plutôt par l'effet d'une sorte de lassitude que l'on sent poindre chez Rodin que d'une volonté clairement exprimée (fig. 27). À moins qu'il ne faille y voir une réminiscence de *Balzac* ? En effet, peut-être sous l'influence de Zola, Rodin n'avait pas prévu à l'origine d'allégories. Dans l'espoir d'amadouer ses adversaires, il avait ensuite tempéré sa position en réfléchissant à une figure de *La Comédie humaine* dont il est question à partir de 1894 et jusqu'en mars 1898, mais à laquelle il n'accordait qu'une position assez secondaire, en bas-relief sur le piédestal. En mars 1898, Chincholle rapporte qu'il envisageait également "de faire partir du socle, à droite de la statue une [autre figure]. Il lui plaît de supposer qu'il y avait dans le bureau de Balzac, une colonnette surmontée d'une Renommée brandissant une couronne. – Vous comprenez, dit-il. Cette statue qu'il rencontre du pied sans la voir, représente la renommée tardive qui, aujourd'hui, essaye de se hausser jusqu'à lui sans pouvoir l'atteindre. Elle n'est encore

fig. 26
Auguste Rodin
Dernière maquette
du *Monument à Victor Hugo*
1895, plâtre
Musée Rodin, S. 55

fig. 27
Auguste Rodin
Monument à Victor Hugo
1901, marbre
Inauguré dans les jardins
du Palais-Royal à Paris,
le 30 septembre 1909
Musée Rodin, Ph. 1194

fig. 28
Auguste Rodin
La Voix intérieure ou *Méditation*
1896, plâtre
Musée Rodin, S. 1125

qu'en plâtre, mais elle sera en bronze doré et rompra la monotonie du noir de la robe[55]." **Mais la violence du scandale fut telle que la présence de figures allégoriques ne pouvait rien y changer. Par ailleurs, l'exposition du grand modèle en plein air dut convaincre Rodin de leur inutilité : elles affaiblissaient la statue au lieu de la compléter. Alors que *La Comédie humaine* au moins était en voie d'achèvement, il décida donc de les supprimer : sans doute prit-il conscience devant *Balzac*, comme Judith Cladel devant *Victor Hugo* en 1906, qu'il** "est si complet par lui-même, son attitude, son geste disent si bien *tout* que les Muses [...] ne lui ajoutent rien. Je crois même qu'elles le limitent[56]."

Cette décision apparaît comme l'aboutissement logique de l'évolution de Rodin à cette époque : le Rodin des années 1890, c'est celui qui s'oriente vers une sculpture fragmentaire, celui qui exposera en 1900 sa *Porte* – cette *Porte de l'enfer* dont on avait beaucoup parlé mais que bien peu avaient vue – sans les figures. En 1897, n'avait-il pas envoyé à Stockholm la grande *Voix intérieure* ou *Méditation* sans bras, ni genou droit (fig. 28), en précisant : "l'étude de la nature y est complète et j'ai mis tout mon effort à y rendre l'art aussi entier que possible. Je considère que ce plâtre est une de mes œuvres le mieux finies, le plus poussées[57]." Après la grande période de création liée à *La Porte de l'enfer*, très influencée par une recherche du mouvement en tant que moyen d'expression des passions, Rodin se tourne vers une sculpture plus dépouillée, réduite à l'essentiel, à l'exemple de ces antiques qui, quoique parvenus jusqu'à nous sous la forme de fragments, contiennent la beauté absolue : "Dans la sculpture moderne de Rodin, écrit Verhaeren en 1900, il importe peu qu'une main, comme dans la statuaire antique, soit absente, qu'un doigt soit coupé, qu'un bras ou qu'une jambe reste, comme dans l'art indochinois, à état fragmentaire, qu'un torse soit négligé, quand la tête crie la vie. L'expression partielle est si forte qu'elle emporte tout et donne le sang, le muscle et le mouvement au bloc entier[58]."

Fruit d'un long cheminement[59], *La Voix intérieure* apparaît comme la première affirmation de cette nouvelle démarche. Elle fut suivie, peu après, par *Balzac*, dont le grand modèle, épuré de tout ce qui n'était pas indispensable, est le résultat de sept années d'efforts et d'une "torture morale" que Gaston Leroux, le père de Rouletabille, semble être l'un des seuls à avoir comprise : "Ce *Balzac* n'a ni jambes, ni bras, ni cou, ni rien ; rien que deux arcades sourcilières, deux trous, deux yeux [...], et puis une lèvre [...]. En faveur de ces yeux et de cette lèvre, Rodin mérite peut-être qu'on lui pardonne les bras absents et tout le reste qui n'existe pas. Je me représente Rodin faisant son Balzac aussi complet, aussi fini, aussi merveilleux d'exécution que les héros de son *Baiser*, et puis effaçant, effaçant, passant des mois à effacer les muscles, les bras, les jambes, tout ce qui est inutile et n'exprime point uniquement ce qu'a vu cet homme avec ces yeux et ce qu'il en a ressenti avec cette lèvre[60]."

Les nouveaux principes mis en œuvre par Rodin, suppression des éléments inutiles, amplification des autres, eurent également une influence sur le modelé. "Mon principe, ce n'est pas d'imiter seulement la forme, mais d'imiter la vie. Cette vie, je la cherche dans la nature, mais en l'amplifiant, en exagérant les trous et les bosses, afin de donner plus de lumière ; puis, je cherche dans l'ensemble une synthèse[61]." Les aspérités s'estompèrent donc, les angles vifs, les arêtes coupantes disparurent au profit d'une enveloppe fluide "qui réunit et harmonise tous les détails particuliers, qui en fait un amalgame, un tout, l'image unifiée de la vie[62]". Mais cette enveloppe était traitée de façon très nuancée, afin de laisser toute son importance au jeu de la lumière. Ainsi *Balzac* apportait-il une réponse au défi lancé par Baudelaire lorsqu'il reprochait aux sculpteurs d'être incapables de faire "*entrer dans leurs œuvres les éléments essentiels de valeurs, de lumière, de mouvement, de perspective, et d'enveloppe atmosphérique*". Tout en le soulignant, Camille de Sainte-Croix faisait remarquer que c'était le sculpteur italien Medardo Rosso (1858-1928) qui, le premier, avait pratiqué ce type de recherches conduisant à ce que l'on a appelé la sculpture impressionniste[63]. Dès 1889, il avait ainsi exposé à Paris des œuvres au modelé animé portant l'empreinte profonde des doigts qui ont pétri la terre ou la cire. Rosso voulait en effet intégrer l'atmosphère ambiante à sa sculpture et, pour cela, refusait les lignes et les volumes trop précis qui constitueraient des limites et donc des ruptures : "Il importe avant tout, en effet, qu'en regardant ce que l'artiste a traduit d'un sujet, on puisse rétablir ce qui manque. Il n'y a pas de limite dans la nature, il ne peut y en avoir dans une œuvre. Ainsi on obtiendrait l'atmosphère qui entoure la figure, la couleur qui l'anime, la perspective qui la met en place[64]."

"Mon Balzac, dit à son tour Rodin, par sa pose et par son regard fait imaginer autour de lui le milieu où il marche, où il vit, où il pense. Il ne se sépare pas de ce qui l'entoure. Il est comme les véritables êtres vivants[65]." Mais s'agit-il d'un milieu physique ou d'un milieu intellectuel ? *Balzac* est-il une sculpture impressionniste ou symboliste ? Si, pour Camille Mauclair et bien d'autres, cette "sculpture d'âme, faite de quelques daguerréotypes et de l'émotion sublime que causa Balzac [à Rodin][66]", est évidemment liée au symbolisme, il ne fit aucun doute pour Rosso que Rodin l'avait plagié[67]. Mais aujourd'hui, avec le recul que donne un siècle écoulé, les choses apparaissent peut-être différemment. Rosso et Rodin, qui firent connaissance entre 1890 et 1894[68], partageaient les mêmes idées sur bon nombre de points, et en particulier en ce qui concernait la sculpture : "L'un et l'autre ont rompu avec le convenu, l'un et l'autre ne se sont inspirés que de la nature et d'eux-mêmes[69]." Toutefois Rosso avait mis ses théories en application plus tôt et plus radicalement que Rodin : celles-ci étaient clairement affirmées dans les œuvres exposées en 1889, de même que dans celles qu'il montra à la Bodinière pendant l'hiver 1893-1894 et qui suscitèrent la "folle admiration" de Rodin. Pendant les années qui suivirent, les deux artistes entretinrent des relations très amicales : Rodin donna à Rosso un *Torse* en bronze et reçut de lui la *Rieuse*, qui est toujours au musée Rodin, et ils échangèrent des adresses, des recommandations auprès de critiques ou de collectionneurs. En 1896, Edmond de Goncourt nota que Rodin inaugurait "une nouvelle sculpture à la recherche d'un modelage fait par le jeu des lumières et des ombres[70]" : sans doute l'amitié de Medardo Rosso et les conversations que les deux artistes eurent ensemble encouragèrent-elles et guidèrent-elles Rodin. Le *Portrait d'Henri Rouart* (1890), de même que le *Bookmaker* (1894, fig. 29) ou le personnage debout de *Conversation au jardin* (1896) peuvent en effet avoir contribué à le mettre sur la voie. Il est également probable qu'il vit dans l'atelier de Rosso les grandes figures d'*Impression de boulevard. Paris la nuit* (vers 1895-1896), dont il ne subsiste que des photographies qui montrent des silhouettes

simplifiées et monumentales guidant le regard vers la tête. En 1898, l'entente entre les deux hommes semble être encore bonne, même si un article d'Yveling Rambaud, paru dans *Le Journal* du 6 juin 1898, laisse deviner une dissension au moins en ce qui concernait la technique de la sculpture : "Rosso [...] plaint ceux qui, pour habiller un personnage, d'une chlamyde ou d'un manteau, déshabillent un individu et le couvrent ensuite de linges trempés dans du plâtre mouillé pour obtenir, en se séchant, les plis et les cassures d'une draperie rigide", ce qui correspond exactement à la façon de procéder de Rodin. Néanmoins, après avoir évoqué ces "crapules [qui] vous ont fait cet action criminelle[71]", Rosso envoya 100 francs pour la souscription *Balzac*[72] et, l'année suivante ou en 1900, il demanda à Rodin s'il était possible qu'il expose dans son pavillon (sans doute le pavillon de l'Alma) "une pièce[73]" de trois mètres sur deux.

C'est alors que leurs relations se dégradèrent : dès le 10 septembre 1900, *La Petite République socialiste*, annonçant une conférence de Charles Morice sur Rodin, signalait que "l'œuvre du sculpteur milanais Medardo Rosso [...] fut pour beaucoup dans la genèse de *Balzac*" et demandait si Morice ne pourrait "profiter de l'occasion qui s'offre pour rendre au génie de Rosso l'hommage qui lui est dû". Rosso, sans doute aigri par les difficultés qu'il connaissait toujours alors que Rodin apparaissait comme le maître incontesté de la sculpture, se mit en effet à répandre le bruit qu'il avait conseillé celui-ci pour son *Balzac*. La critique française et étrangère s'en fit l'écho : "Une œuvre vous a rendu célèbre : votre *Balzac*. Voulez-vous que nous parlions de *votre* Balzac ?... Oui n'est-ce pas ? Eh bien, mon cher Monsieur, Balzac est une œuvre conçue – mal conçue même ! – d'après les théories d'un autre ; d'un autre qui est l'auteur de cette 'Rieuse' que vous lui échangeâtes contre votre Torse – d'un autre que vous vous êtes efforcé de chasser de partout ; d'un autre enfin qui a ouvert à l'Art sculptural de nouveaux horizons[74]." **Ou encore** : "Les œuvres que Rosso a créées dans la détresse et dans la misère [...] ont aidé Rodin à trouver sa voie, ou plutôt elles la lui ont montrée. Mais ensuite lorsque la gloire de Rodin fut répandue dans le monde entier [...] on oublia volontiers l'homme solitaire qui l'avait inspiré. Il était plus jeune que le maître et étranger. Depuis

fig. 29
Medardo Rosso (1858-1928)
Bookmaker
1894, bronze
Rome, galerie nationale
d'Art moderne

fig. 30
Medardo Rosso (1858-1928)
Le Malade à l'hôpital
1889, plâtre
Rome, galerie nationale
d'Art moderne

ce temps, Rosso s'est imposé lui aussi, mais c'est avec amertume qu'il parle de Rodin, il porte un jugement amer sur Rodin comme homme et comme artiste[75]." Pour souligner ce que lui devait Rodin, Rosso prit alors l'habitude, ainsi qu'on le voit sur une image ancienne, de placer près de son *Malade à l'hôpital* de 1889 (fig. 30) une photographie du *Balzac*[76].

Toutefois, *Balzac* est de toute évidence l'œuvre de Rodin, le résultat d'un long cheminement personnel au cours duquel il est naturel qu'il ait fait son miel d'un certain nombre d'apports extérieurs. "Cet art qui volontairement dépasse par la suggestion le personnage sculpté et le rend solidaire d'un ensemble que l'imagination recompose de proche en proche c'est, je crois, une innovation féconde. Mon *Balzac* c'est en somme ma direction des ballons. C'est ma grande découverte[77]." La synthèse à laquelle aspirait Rodin va bien au-delà en effet de celle que cherchait Medardo Rosso, car elle intègre une dimension spirituelle absente de l'œuvre de ce dernier, tout simplement peut-être parce qu'il n'en eut pas l'occasion. Il faut en effet reconnaître que la nature du personnage représenté, Balzac, et la fonction de l'œuvre jouèrent alors un rôle décisif : c'est la première fois qu'un portrait de ce type aboutit à une réalisation monumentale, destinée à un espace public. Dès lors devient sensible une différence fondamentale entre les deux artistes : Rodin raisonne en statuaire, soucieux tout autant du sens profond de l'œuvre que de son impact, tandis que Rosso, pour doter la sculpture de tous les avantages de la peinture, recherche une fragmentation de la lumière sur la surface qui aboutit à une dissolution de la forme dans l'espace ambiant et produit l'illusion du mouvement : "Tout bouge, disait-il, rien n'est matériel dans l'espace[78]." Aussi, comme il l'écrivit lui-même dans *La Vie de Paris*, le 1er juin 1906, chercha-t-il à démontrer à Rodin qu'il n'aurait eu "qu'à gagner, devant le principe de l''unité' en évitant de 'creuser des *trous* pour faire des yeux afin d'en signaler le regard' et en supprimant le 'plateau' sur lequel ce statuaire a placé son ouvrage" : ses figures à lui, toujours conçues en fonction d'un point de vue unique, émergent d'une terrasse qui semble faire corps avec elles, à la façon d'un magma originel, tandis que Rodin demeure fidèle au socle traditionnel mettant en valeur l'œuvre soigneusement étudiée pour être visible de tous côtés, de même qu'il creuse les yeux pour attirer l'attention sur eux. La fluidité des lignes du *Balzac*, guidant le regard vers le visage, permet effectivement de rapprocher le modelé du travail de Rosso, mais elle trompe sur les mobiles profonds de Rodin qui étaient de rendre tout d'abord la forme expressive par elle-même puis, comme il l'avait appris de l'antique en particulier, de la concentrer afin qu'elle résiste à la grande lumière : "J'avais renoué entre les grandes traditions perdues et mon propre temps un lien que chaque jour je resserre davantage", déclara-t-il à propos de *Balzac*, dans une interview publiée par *Le Matin*, le 13 juillet 1908. Et sur une feuille de carnet, à côté de croquis des statues-colonnes du portail occidental de la cathédrale de Chartres, il griffonna quelques mots sur la "science du plein-air dont je m'approchais, dit-il, avec le Balzac qui est ce que l'on voudra mais qui est un pas décisif pour le plein air[79]".

Pour preuve de sa réussite, il suffit de constater que, sous la plume des critiques, reviennent sans cesse, à propos de *Balzac*, les termes "force de la nature", "rocher", "menhir"... ainsi que la notion d'éternité, liée à l'univers minéral, qui permet un rapprochement avec la sculpture égyptienne. C'est "moins une statue qu'une sorte d'étrange monolithe, un menhir millénaire, un de ces rochers où le caprice des explosions volcaniques de la préhistoire figea par hasard un visage humain", écrit Rodenbach[80], tandis que Séverine s'exclame : "C'est beau comme ces rocs où se retrouvent des profils géants, et que les contrebandiers, les marins baptisent de noms fantastiques, vénèrent et redoutent – les croyant hantés[81]." D'un bout à l'autre de la France, des rochers lui donnent raison : "Votre Balzac vit dans la nature : le voilà aux îles Chausey l'étonnant profil de rocher qui rappelle votre Balzac", écrit Aurel, une femme de lettres qui fit partie de l'entourage de Rodin, au dos d'une carte postale représentant le *Robinson des Îles*[82] (fig. 31). Et en 1922 encore, Bourdelle, qui avait été l'un des praticiens

fig. 31
Îles Chausey. – Robinson des Îles
Carte postale envoyée
par Aurel à Rodin
Musée Rodin

fig. 32
*Les Alpes. – Sur les Pentes
du Chaillol. – Une Aiguille*
Carte postale envoyée
par Bourdelle à sa fille Rhodia,
15 septembre 1922
Paris, musée Bourdelle

de Rodin pendant toute la période de gestation du *Balzac*, envoya à sa fille Rhodia l'image d'une aiguille des Alpes qui représentait "le balzac de Rodin en rocher nature[83]" **(fig. 32)**.

"Rodin est le plus grand artiste de notre temps – et l'un des plus grands de tous les temps. Cet homme de pensée et de travail, dont le masque aux lignes droites offre un frappant assemblage de volonté et de douceur, est au-dessus du jugement des foules. Il est grand, même quand il se trompe. Encore s'est-il trompé ? C'est ce qu'on saura dans trente ans, plus tôt peut-être[84]." *Balzac* ayant rompu avec la conception traditionnelle du monument, descriptif et didactique, désormais remplacé par un portrait symbolique, l'étape suivante dans l'évolution du monument public, la suppression de ce portrait, fut franchie moins de dix ans plus tard. Rodin lui-même joua alors un rôle important : peut-être parce que les difficultés rencontrées pour *Balzac* l'avaient incité à chercher une autre solution, il se refusa à réaliser un portrait de Whistler, celui-ci étant mort, et pour le monument qui lui fut commandé en 1906 il donna le rôle principal à une figure allégorique. Cependant le *Monument à Whistler* demeura inachevé et c'est Aristide Maillol, très proche de Rodin pendant toute cette période[85], qui fit aboutir cette nouvelle vision : pour le *Monument à Blanqui* (1905-1908, Puget-Théniers), le portrait est réduit à un simple médaillon placé au-dessus de l'inscription, tandis que sur le socle grimpe *L'Action enchaînée* ; pour *Cézanne*, il disparaît complètement et le monument, dont le modèle était prêt pour l'essentiel avant la Première Guerre mondiale, fut pour cette raison refusé en 1925 par la Ville d'Aix-en-Provence qui l'avait commandé : après avoir été placée aux Tuileries, la grande figure classique qui constitue l'*Hommage à Cézanne* est donc exposée désormais au musée d'Orsay, non loin de *La Danse* de Carpeaux et du *Balzac*, comme pour confirmer que "si tous les jugements contemporains en art sont d'avance cassés par l'avenir, les plus immédiats sont toujours les plus aveugles et doivent devenir les plus ridicules. La postérité appartient invariablement aux sifflés. Le temps procède par palinodie[86]."

**Le *Balzac*
de Falguière
et le *Balzac*
de Rodin :
un "sac vide"
et un "sac plein"**

Au comité du 6 juin 1898, les Gens de lettres apprirent que Marquet de Vasselot ne poserait pas sa candidature en ce qui concernait la nouvelle statue. "Balzac a sa statue, c'est <u>chose réglée</u>, je me retire de la lutte", avait d'ailleurs écrit celui-ci à Rodin dès le 1er mai[87]. Le 27 juin, après que le délégué eut confirmé que l'on n'attendait plus que la signature de Rodin pour retirer les fonds en dépôt chez Me Champetier de Ribes[88], on lut en revanche une lettre de Falguière faisant savoir "qu'il accepterait de faire la statue si son nom était prononcé dans cette intention par quelqu'un du Comité[89]" ; le 11 juillet, la proposition de Falguière fut adoptée à l'unanimité, mais elle était encore "subordonnée à la renonciation que signera M. Rodin" : c'est donc le 25 juillet seulement qu'il reçut la commande du monument, commande dont l'annonce déchaîna les sarcasmes des partisans de Rodin ; ceux-ci reprochèrent à Falguière de manquer du tact élémentaire qui lui aurait permis d'"apprécier le rapport qui existe entre son propre talent et celui de Rodin. Peut-être eût-il convenu de s'entendre avec ce dernier, de lui demander si décidément il renonce. Mais tant de courtoisie semblerait une faiblesse et une faute à un bon Toulousain. Il est un chasseur qui ne perd pas un coup de fusil. La proie qui passe est condamnée[90]." En réalité, il semble que la Société des gens de lettres n'osait pas donner la commande à Marquet de Vasselot et qu'elle échut ainsi à Falguière. "De cet incident, dit Rodin au moment de l'inauguration du monument, est née l'amitié qui nous unit Falguière et moi. Peu de temps après, il m'avait envoyé un grand tableau. Plus tard, je fis son buste[91]" : celui-ci (fig. 33) fut en effet exposé en 1899, en même temps que le modèle de la statue de *Balzac* par Falguière (fig. 34).

Falguière avait déclaré qu'il espérait "être prêt pour le centenaire de Balzac, au printemps de l'année prochaine[92]".

"Il est certain que Balzac aura sa statue sur la place du Palais-Royal lorsque s'ouvrira l'Exposition, **déclara en effet** *Le Figaro*, le 23 août.

Qui eût osé l'espérer il y a six mois ?

M. Osiris possède une magistrale esquisse de Falguière exécutée jadis pour le monument que lui avait d'abord commandé la Société des gens de lettres avant de s'engager avec Rodin.

C'est de cette esquisse que Falguière est parti pour chercher sa maquette définitive, qu'il présentera dans quelques semaines au Comité.

Il a interrompu ses vacances pour revenir dans son atelier étudier des attitudes, fixer des expressions de physionomie vraies du grand écrivain.

Nous y avons compté hier, avec la première, cinq petites maquettes, l'une reproduisant la tête de Balzac avec toute la beauté que lui a gardée le daguerréotype de Nadar ; une autre, admirable morceau de nature, représentant l'auteur de la *Comédie humaine* assis, le regard puissant, le corps vivant sous la robe de bure ; la dernière, une petite cire exécutée hier, plus parfaite encore : Balzac les bras croisés, guette la mascarade et de sa plume toute prête va dessiner ses grimaces et ses contorsions.

De tout cela sera faite la maquette définitive de Falguière."

Celui-ci avait en effet repris une maquette plus ancienne, représentant Balzac enveloppé de sa robe de moine, assis sur un banc de jardin[93], exécutée à la demande du financier philanthrope Daniel Iffla, plus connu sous le nom d'Osiris, celui-là même qui racheta le domaine de Malmaison en 1896, le restaura et en fit don à l'État français. La nouvelle maquette fut exposée en novembre au Nouveau-Cirque et suscita l'ironie des journalistes qui tinrent à "féliciter Falguière d'avoir assis Balzac[94]". Le "bon Chincholle" lui-même montra "dans un article inoubliable comment Falguière avait entrepris d'accommoder le fameux monument aux convenances bourgeoises. Ne pouvant échapper à l'influence impérieuse de Rodin, il a ingénument demandé à celui-ci la permission de lui emprunter 'le cou puissant, la carrure, la draperie, la chevelure, le menton, les prunelles de son Balzac'. Et la chronique rapporte que Rodin, impassible derrière son binocle, répondit sans s'émouvoir : 'Mais faites donc, mon cher confrère.' Sur

fig. 33
Auguste Rodin
Alexandre Falguière
1899, plâtre
Musée Rodin, S. 1546

quoi Falguière opéra et toute l'opération consista à asseoir le personnage ainsi amenuisé sur un banc de square[95]." De façon plus nuancée, Geffroy note que "pour le moment, c'est une maquette où se manifeste avec évidence la préoccupation de la statue de Rodin, et même plus que la préoccupation, une gêne qui fit paraître un peu comique ce Balzac assis, comme fatigué au souvenir de l'*autre* qui était si bien debout[96]". C'est "une œuvre revue et corrigée et non une germination différente", constate à son tour *L'Éclair*[97] ; et, pour Georges Lecomte, "M. Falguière expie sa docilité (aux directives de la Société des gens de lettres) par la hantise hallucinante du chef-d'œuvre de Rodin, à tel point qu'il n'a pu chasser de son cerveau le souvenir de l'admirable statue et qu'il s'est borné à en diminuer la signification grandiose en asseyant le colosse dominateur de Rodin et en compromettant par l'anecdote d'un capuchon et d'autres accessoires, sa simplicité puissante[98]."

En décembre, le président des Gens de lettres "fournit quelques renseignements sur la statue" et, en janvier, l'architecte Noël apporta un devis estimatif de 1 500 francs pour le piédestal[99], Jourdain s'étant en effet désisté lorsque Rodin avait renoncé au monument, car il ne voulait pas s'imposer au sculpteur qui serait choisi[100]. Le projet avait évolué depuis l'exposition du Nouveau-Cirque, car "ce serait mal connaître Falguière que de supposer qu'il peut reprendre une œuvre sans la retoucher, sans la parfaire. [...] Nous avons donc trouvé, poursuit *Le Petit Temps*, un Balzac différent de celui que nous avions vu. Après une dizaine d'esquisses et huit ou dix essais définitifs de son modèle, Falguière s'en tiendra-t-il à celui-ci ? Les élèves qui nous montrent l'œuvre en son absence nous assurent que le maître est satisfait cette fois et compte s'en tenir là[101]." À cette date, il était prévu de compléter la statue par les reliefs représentant *La Comédie humaine*[102] que Marquet de Vasselot avait proposés, une fois de plus, lors du comité du 11 juillet 1898.

Cependant la maquette avait été agrandie à sa taille définitive (2,80 m), ce qui rendait la statue proportionnellement beaucoup plus grande que celle de Rodin, et le modèle, qui offre un portrait familier du romancier, à l'opposé de la vision monumentale de Rodin, fut exposé au Salon des artistes français de 1899 : certains, tels Léo Claretie l'avaient vu auparavant, dans l'atelier de l'artiste, rue d'Assas. Il avait été accueilli par Falguière "toujours alerte et jovial [...] Son praticien ouvrit les deux vantaux de la porte. Dans la remise, tapissée de bustes, de fragments, de plâtres, [...] auprès d'un modèle vêtu de la robe de bure à cordelière, s'élevait l'imposant chef-d'œuvre en glaise grise. Ah ! celui-là, il n'y a pas à le discuter. C'est sobre, simple, puissant. La statue est colossale. Balzac, vêtu de la robe de moine, est assis sur un banc de pierre, les mains croisées sur un genou ; la tête est vigoureusement expressive ; les sourcils épais ombragent les yeux enfoncés ; le nez dominateur surplombe la petite moustache et les lèvres fortes ; l'attitude est éloquente ; le penseur réfléchit, observe, a l'air de regarder de haut toute l'humanité qui grouille à ses pieds, et de scruter les masses pour en pénétrer l'âme. La conception est impressionnante par sa puissante simplicité. Ni accessoires, ni fioritures : c'est beau par la grandeur, l'énergie, la sobriété : c'est vraiment là le Jupiter olympien du roman de mœurs[103]." Pour les partisans de Rodin, en revanche, Falguière n'avait pu "échapper à la hantise de l'œuvre vivante qu'il devait faire oublier [... Il] a voulu faire solide, grand, colossal. Il a assis le Balzac de Rodin, mais il l'a allongé, enflé, de manière à faire immédiatement songer à la grenouille qui veut devenir aussi grosse que le bœuf. [...] S'il est permis de reprendre au moins une des plaisanteries usitées au dernier vernissage, et si le Balzac de Rodin a pu être comparé à un sac, c'était au moins un sac plein, et celui-ci est un sac vide. Voilà la différence essentielle[104]."

La Société des gens de lettres se déclara satisfaite du modèle et s'interrogea de nouveau sur la matière dans laquelle le réaliser. Falguière préférait décidément le marbre, à cause "de la mauvaise qualité des bronzes actuels [et] de la décoration monumentale de la place où doit s'élever ce monument[105]". Il était prêt à prendre à sa charge les frais supplémentaires et le confirma par une lettre lue au cours de la séance du 26 juin. La Société donna son accord.

"Cette décision trahit un manque de goût notoire. Depuis quand les dessus de pendule ne sont-ils plus en zinc[106] ?" Le 17 juillet, Falguière demanda encore l'autorisation de changer l'échelle de la statue. Le Comité répondit qu'il s'en remettait à lui.

"Après avoir refusé à Balzac l'honneur d'être statufié par Rodin, **protesta le public**, [la gendelettrie] lui inflige la déchéance d'avoir pour effigie officielle la grosse Nounou dont on s'est tant amusé au dernier Salon. Cette œuvre de Falguière est acceptée définitivement par le comité des Gens de Lettres, sous réserve de quelques modifications de détail. Mais l'ensemble ne variera pas. Si c'est un affront pour Rodin, c'en est un plus grand pour Balzac[107]."

Cependant, Falguière fut à son tour emporté avant d'avoir achevé le monument. Voilà qui prouvait le "mauvais œil de Balzac", ainsi que le remarquait *Le Petit Bleu* dans "Balzac jettature" (pour "jettatore" !), le 4 juin 1900. L'auteur de l'article, Delphi Fabrice, ne croyait pas si bien dire : ce fut ensuite le devis de l'architecte qui parut trop élevé, puis le "métropolitain [qui] s'empara de l'emplacement" choisi depuis si longtemps et y établit une station. L'on s'accorda enfin sur le carrefour de la rue de Balzac et de l'avenue de Friedland, quoiqu'il parût un peu loin du centre (mais il en allait de même pour le *Monument à Victor Hugo*, érigé place Victor Hugo[108]), pour apprendre, le 19 octobre 1902, que la cérémonie d'inauguration qui aurait dû avoir lieu la veille, était remise *sine die*.

Ce mauvais œil atteignit également Zola et Marquet de Vasselot : le 23 avril 1900, ce dernier avait demandé à servir d'intermédiaire entre la société et les artistes qui pourraient être appelés à terminer l'œuvre de Falguière[109]. Mais la veuve de l'artiste préféra confier à Paul Dubois, dont l'amitié avec Falguière remontait à leur séjour en Italie au début des années 1860, le soin de surveiller l'achèvement de la pratique confiée à Bouillot père et fils[110] et elle "émit en même temps le vœu qu'afin que l'œuvre dernière de son époux apparut plus grande aux yeux du public et que l'attention ne fût distraite par aucun accessoire, les bas-reliefs [de Marquet de Vasselot] ne figurassent point sur le socle[111]". **Quant à Zola, il mourut le 29 septembre 1902 !**

"Tout arrive : on inaugure aujourd'hui la statue de Balzac[112], cinquante-deux ans après sa mort" : **le 22 novembre**, par un froid glacial, en présence d'une assemblée nombreuse au sein de laquelle on reconnaissait Rodin lui-même, ainsi qu'Anna Mniszech, fille du premier mariage d'Ève Hanska, et donc belle-fille de Balzac, et les descendants de Laure de Balzac-Surville, la sœur de l'écrivain, on entendit d'abord un discours d'Abel Hermant qui, quoiqu'il parlât au nom de la Société des gens de lettres, n'hésita pas à rappeler

fig. 34
E. Fiorillo, d'après Falguière
Modèle de la statue de *Balzac*
1899, papier albuminé
Musée Rodin, Ph. 6824

fig. 35
Affiche de l'exposition *Rodin*
à Prague, 1902
Musée Rodin, Af. 172

"le grand nom de Rodin car devant ce monument le fantôme de l'autre persiste, obsédant et inoubliable", ce qui fut accueilli par une vive ovation. Paul Escudier prit ensuite possession du monument au nom du conseil municipal de Paris. Enfin, on lut un poème de Larmandie :

"Exalté sur la pierre et creusé dans le marbre
En ta grande cité, dresse-toi glorieux,
Solide comme un roc, vigoureux comme un arbre,
Inflexible et serein, fier et silencieux[113]",

termes qui correspondent mieux au *Balzac* de Rodin qu'à celui de Falguière !

C'est d'ailleurs le nom de Rodin qui resta associé à celui de Balzac : la presse avait souligné son refus, de même que celui de Zola, de participer au banquet donné en l'honneur du centenaire de la naissance de Balzac, le 20 mai 1899. L'année suivante, en revanche, Rodin présida le pèlerinage organisé pour le cinquantenaire de la mort du romancier. Il était, "on s'en souvient, l'auteur de l'extraordinaire effigie dans laquelle certains de nos bons blagueurs du modernisme s'évertuent à reconnaître l'auteur de la *Comédie humaine*[114]" et, en tant que tel, guida les balzaciens vers les différents domiciles du romancier, rue Raynouard, puis rue Berryer et enfin aux Jardies à Ville-d'Avray. Le même groupe avait entendu la veille, au pavillon de l'Alma, une conférence de Léopold Lacour portant "sur le genre du plus grand romancier français et du plus grand statuaire de ce siècle[115]".

Le grand *Balzac* (*cf.* cat. 117) était en effet présenté dans le cadre de l'exposition de la place de l'Alma (cat. 134 à 136). Rodin n'avait pas voulu le montrer au Salon de la Libre Esthétique à Bruxelles l'année précédente : "Le balzac a été pour moi une défaite et je n'ose courir à autres en Belgique", écrivait-il à Constantin Meunier en septembre 1898[116]. En 1899, il le fit cependant figurer, en photographie, dans l'exposition itinérante qui fut organisée en Belgique et aux Pays-Bas. Après 1900, s'il fit l'affiche de l'exposition de Prague (1902, fig. 35), il ne fut guère exposé qu'à Vienne en 1901 et peut-être à Düsseldorf en 1904. Quelques tentatives de souscription ou d'achat direct eurent lieu ensuite, mais aucune n'aboutit.

C'est bien après la mort de Rodin en effet que fut exécuté le premier bronze, destiné à Anvers (1931), suivi de l'exemplaire fondu pour le musée Rodin en 1935 ou 1936 (cat. 118) et de celui qui fut inauguré au carrefour des boulevards Raspail et du Montparnasse à Paris, le 1er juillet 1939 (*cf.* chap. XII). Entre-temps, Léonce Bénédite et Gustave Danthon, directeur de la galerie Haussmann à Paris, s'étaient entendus pour éditer l'*Étude C* (*cf.* cat. 36 à 48) : il est bien probable que c'est à ce moment-là que furent réalisés, à partir de modèles en pied, les nombreux bustes, aux formes variées, du grand et du petit modèle, qui circulent de par le monde. Du vivant de Rodin, en effet, seuls un buste (cat. 58), deux têtes (cat. 90 et 99) et peut-être l'une des dernières études furent fondus[117], l'édition des différents modèles ou têtes de *Balzac* (aujourd'hui pratiquement épuisée) n'ayant été systématiquement entreprise par le musée qu'à partir de la fin des années 1960[118]. Cette décision avait été prise par Cécile Goldscheider à la suite de l'exposition *Balzac et Rodin* qu'elle avait organisée au musée en 1950 : trente-neuf pièces, dont seulement trois bronzes, étaient exposées et c'était la première fois que l'on tentait d'établir un ordre logique à l'intérieur de la série. Cet effort fut repris par Athena T. Spear en 1967, puis en 1973 par Albert E. Elsen à partir des quinze bronzes de la collection Cantor Fitzgerald. Ni l'un ni l'autre cependant n'avaient pu travailler à partir des plâtres : c'est l'étude minutieuse de ceux-ci (*cf.* chap. XIII), jointe à des recherches approfondies dans les archives et dans la presse, qui a permis un nouveau progrès dans l'étude du *Monument à Balzac*, l'une des œuvres les plus importantes de la carrière de Rodin et certainement celle pour laquelle sont conservées le plus grand nombre d'études.

Comme l'avait souhaité Rodin, *Balzac* attendit, dans le calme de l'atelier, puis du musée, que le public fût prêt à l'accepter. Mais l'incompréhension qu'il avait rencontrée lors de l'exposition du plâtre au Salon avait été profondément douloureuse pour l'artiste : "J'ai reçu une bordée qui est pareille à celle que vous avez eue autrefois quand il était de mode de rire de l'invention que vous aviez eue de mettre de l'air dans les paysages[119]", disait-il à Monet. Toutefois, il demeura convaincu d'avoir raison et, à l'occasion de l'ouverture de la Maison de Balzac, il réaffirma dans *Le Matin*, le 13 juillet 1908, que la statue "[ferait] son chemin. [...] Cette œuvre dont on a ri, qu'on a pris soin de bafouer parce qu'on ne pouvait pas la détruire, c'est la résultante de toute ma vie, le pivot même de mon esthétique."

1. Gustave Geffroy, "Le Salon de 1898", *Le Journal*, 30 avril 1898.

2. André Fontainas, 1918, p. 386. Fontainas eut un rôle très actif au moment de la souscription (*cf.* Judith Cladel, 1936, p. 209 ; et Mathias Morhardt, 1934, p. 480). Je remercie vivement Laurent Houssais, qui prépare une thèse d'histoire de l'art sur *André Fontainas (1865-1948), critique et historien d'art*, sous la direction de Jean-Paul Bouillon, des précieux renseignements qu'il a bien voulu me communiquer.

3. Et il poursuit : "Cette chose n'est pas de Rodin, du dessinateur, de l'auteur des admirables morceaux de sculpture que nous connaissons. C'est le résultat du vent de folie dans lequel nous tourbillonnons. C'est le produit de l'orphéon qui chante les louanges de Zola [...] C'est l'extravagance, le sentiment, l'expression qui remplace le plan, c'est de la littérature et non de la sculpture. J'aime Rodin, j'admire son rare talent, je suis navré" (Félix Bracquemond, 7 mai 1898 ; vente publique, Versailles, 28 mars 1982, Mᵉ Blache, n° 32).

4. Claude Monet à Rodin, 30 juin 1898 ; arch. musée Rodin.

5. Cézanne admirait profondément *Balzac*, "ce bloc, [...] fait pour être vu de nuit, éclairé par-dessous, violemment, à la sortie du Français ou de l'Opéra, dans cette fièvre nocturne du Paris où l'on imagine le romancier et ses romans", mais il en attribuait la conception à Octave Mirbeau plutôt qu'à Rodin (Paul Cézanne, 1978, p. 128 ; *cf.* aussi chap. V).

6. Et il continue : "Refusé par les gens de lettres ! Cela m'effraya plus que la catastrophe de la Martinique" (Paul Gauguin, *Racontars de rapin*, Atuana, septembre 1902 ; *cf.* Paris, éditions Falaize, 1951, pp. 48-49).

7. "Peut-être difficile à comprendre, mais je ne vous cacherai pas ma satisfaction et vous adresse mes compliments", déclara Jean-Louis Forain, alors que Rodin s'attendait "à quelque mot cruel" (*cf.* "Le 'Balzac' de Rodin", *Le Progrès de la Somme*, 5 mai 1898). C'est peut-être, outre ses opinions antidreyfusardes, ce qui lui valut d'être joint, à la demande de Rodin, aux signataires de la protestation envoyée le 13 mai à la Société des gens de lettres (*cf.* Mathias Morhardt, 1934, p. 472 ; *cf.* aussi chap. VIII, IX et X).

8. "Le 'Balzac' de Rodin", *Le Progrès de la Somme*, 5 mai 1898.

9. "Exposition des Beaux-Arts à la galerie des machines à Paris", *Journal de Saint-Pétersbourg*, 13 mai 1898.

10. Gaston Leroux, "À Paris. Le vernissage", *Le Matin*, 1ᵉʳ mai 1898.

11. A. B., *Le Bien public*, 10 mai 1898.

12. "Exposition des Beaux-Arts à la galerie des machines à Paris", *Journal de Saint-Pétersbourg*, 13 mai 1898.

13. Philippe Gille, "Balzac et M. Rodin", *Le Figaro*, 18 mai 1898.

14. Max Maurey, "Gil Blas-Revue", *Le Gil-Blas*, 2 mai 1898.

15. Félix Duquesnel, "À propos de la statue de Balzac", *Le Petit Journal*, 24 mai 1898.

16. Charles Chincholle, "La statue de Balzac", *Le Figaro*, 19 mars 1898.

17. Paris, arch. de la Société des gens de lettres, procès-verbal du comité du 2 mai 1898.

18. "Le Balzac de Rodin", *Les Droits de l'homme*, 3 mai 1898. Rodin attribuait l'attitude de Félix Faure à une cabale : "Il est indéniable qu'un mot d'ordre a été lancé contre moi ; le jour même où le Président de la République vint au Salon, un grand nombre d'artistes s'étaient massés autour de mon Balzac, afin d'empêcher M. Félix Faure de s'arrêter devant lui, ou de me *conspuer*, le cas échéant. [...] C'est d'un certain milieu d'artistes, j'en ai la persuasion, que le coup est parti [...] Dans quel but ? Je suis le premier à ne pas m'en rendre compte" ("La statue de Balzac. Une visite à Auguste Rodin", *Le Rappel*, 6 mai 1898).

19. Paris, arch. de la Société des gens de lettres, procès-verbal du comité du 9 mai 1898.

20. Charles Chincholle entretenait avec Rodin d'amicales relations, même si, à plusieurs reprises, il semble avoir critiqué *Balzac*. En lui recommandant un modèle, le 20 janvier 1898 (arch. musée Rodin), il signe en effet : "À bientôt, votre dévoué admirateur et ami."

21. Charles Chincholle, "La vente de Balzac", *Le Figaro*, 12 mai 1898.

22. "Ne vous y trompez pas, ce refus de mon Balzac serait *désastreux* pour moi. N'oubliez pas que j'y ai travaillé pendant *cinq ans* et que, par conséquent, si la Société des gens de lettres ne me paie pas cette œuvre, j'aurai inutilement employé à mon âge, cinq années de ma vie, sans profit, sans avantage, et que je n'ai pas à faire le compte de ce que coûte une œuvre pareille à ce Balzac" (Rodin, cité par Auguste Blosseville, "Chez Rodin", *Les Droits de l'homme*, 12 mai 1898).

23. Charles Chincholle, "Me Chéramy chez Rodin", *Le Figaro*, 13 mai 1898.

24. "La statue de Balzac", *Le Public*, 14 mai 1898.

25. Charles Chincholle, "Me Chéramy chez Rodin", *Le Figaro*, 13 mai 1898.

26. *Cf.* Isabelle Vassalo, "La curiosité clairvoyante. Les collectionneurs belges", *Vers L'Âge d'airain, Rodin en Belgique*, cat. exp., Paris, musée Rodin, 1997, p. 452.

27. Arch. musée Rodin.

28. Il avait envoyé 500 francs.

29. "Le 'Balzac' de Rodin", *Le Petit Journal*, 15 mai 1898.

30. "En présence de l'hostilité que vous rencontrez auprès de la Société des Gens de lettres, lui avaient ainsi écrit les frères Schnegg qui travaillaient pour lui comme praticiens, nous considérons comme un devoir de vous témoigner toute notre admiration pour votre talent et en particulier pour votre statue de Balzac" (12 mai 1898 ; arch. musée Rodin).

31. "Le 'Balzac' de Rodin", *Le Journal*, 18 mai 1898.

32. Georges Lecomte à Rodin, vers le 12 ou 13 mai 1898 ; arch. musée Rodin. En marge, Rodin a inscrit : "remercier et dire que mon cher ami vous me donnez confiance et faites partager cette confiance remercier pour les brillants articles de combat".

33. Charles Chincholle, "L'incident Rodin-Balzac", *Le Figaro*, 17 mai 1898.

34. "Mon cher Maître,
À la suite de la dernière visite que je vous ai faite, dès que le refus de la société des gens de lettres vous a été officiellement notifié, visite dans laquelle je vous ai fait part du désir de Monsieur Pellerin d'acquérir votre Balzac, pour lequel vous m'avez demandé 20 000 francs sans le socle, un rendez-vous a été pris à Neuilly pour décider les conditions de cet achat.
Entre le temps de cette visite et la date fixée pour ce rendez-vous, un comité avait été formé dans le même but ; et lorsque nous nous sommes préparés à discuter les conditions définitives de cet achat, vous nous avez arrêtés en raison des préférences que vous aviez de voir acquérir cette statue par le Comité.
Mais devant le fait accompli, c'est-à-dire devant le principe d'achat nettement établi, vous avez reconnu avec la médiation de Monsieur Proust qu'il fallait considérer le Balzac comme la propriété de Monsieur Pellerin. De son côté Monsieur Pellerin, désirant s'effacer devant l'intérêt artistique que présentait cette souscription, consentait à rétrocéder son achat aux conditions suivantes relatées par le Figaro du lendemain :
1– Que le montant obtenu par la nouvelle souscription atteindrait 30 000 francs statue et socle.
2– Que le Conseil Municipal accorderait une place de Paris pour élever cette statue.
[...] Lors de notre visite chez vous (le dimanche 5 juin), vous nous avez appris que vous aviez arrêté la souscription pour des raisons qui vous étaient personnelles ; et que par conséquent la statue deviendrait la propriété de Monsieur Pellerin s'il acceptait le prix de 20 000 francs primitivement fixé par vous, et sur lequel je vous avais demandé une réduction.
Il me paraissait équitable de ne pas mettre en parallèle le prix payé par un particulier avec celui obtenu par une souscription publique. Afin de vous laisser le temps de réfléchir à cet argument il a été entendu que nous déciderions ce jour 13 juin d'une façon définitive le prix de cette statue, le principe d'achat étant fermement établi. Ne m'ayant pas fait connaître que vous acceptiez une diminution sur ce prix de 20 000 francs primitivement fixé et afin de remplir le mandat que m'avait confié Monsieur Pellerin, je m'empresse de vous faire savoir que je me rends acquéreur pour son compte du Balzac en bronze grandeur nature du plâtre exposé au Champ de Mars – exemplaire unique –, toutes conditions acceptées par vous au prix primitivement fixé, c'est-à-dire 20 000 francs" (Josse Bernheim-Jeune à Rodin, 13 juin 1898 ; arch. musée Rodin).

35. Le Masque de fer, *Le Figaro*, 4 juillet 1898.

36. "La statue de Balzac", *Le Temps*, 15 juin 1898. Cité en termes légèrement différents par Mathias Morhardt, 1934, p. 489.

37. "La statue de Balzac. Une visite à Auguste Rodin", *Le Rappel*, 6 mai 1898.

38. André Fontainas, mai 1898, p. 385.

39. Louis de Fourcaud, "Une heure aux deux Salons", *Le Gaulois*, 7 mai 1898.

40. Adolphe Possien, "Le 'Balzac' de Rodin", *Le Jour*, 12 mai 1898.

41. Charles Chincholle, "La vente de la statue de Balzac", *Le Figaro*, 12 mai 1898.

42. Émile Bergerat, "Opinions. Une bonne affaire", *L'Éclair*, 14 mai 1898.

43. Henri de Régnier, "Le bronze et l'argent", *Le Gaulois*, 5 avril 1901.

44. Henri Rochefort, "Les Précieux ridicules", *L'Intransigeant*, 19 mai 1898.

45. Un Parisien, "Bavardage", *Le Radical*, 5 mai 1898.

46. Georges Rodenbach, "Une statue", *Le Figaro*, 17 mai 1898.

47. Oscar Wilde à Robert Ross (mai 1898) ; cf. *The Letters of Oscar Wilde*, éditées par Rupert Hart-Davis, 1962, pp. 738-739 ; cité par Denys Sutton, 1983, p. 92.

48. Charles Baudelaire, "Edgar Allan Poe", in *Œuvres complètes*, Paris, Gallimard, Pléiade, t. II, 1976, p. 267.

49. Rainer Maria Rilke, 1928, p. 120.

50. Théophile Gautier, 1874, pp. 113-114.

51. Philippe Dubois, "Chez Rodin", *L'Aurore*, 12 mai 1898.

52. Charles Chincholle, "La vente de Balzac", *Le Figaro*, 12 mai 1898.

53. Arsène Alexandre, 1898, pp. 32-34.

54. "Œuvre achevée. M. Rodin et la statue de Balzac", *L'Éclair*, 10 avril 1898.

55. Charles Chincholle, "La statue de Balzac", *Le Figaro*, 19 mars 1898.

56. Judith Cladel, 1936, p. 178.

57. Rodin au prince Eugène de Suède, 2 janvier 1897 ; Stockholm, arch.

58. Émile Verhaeren, "Chronique de l'exposition", *Mercure de France*, mai 1900 ; cf. *Écrits sur l'art*, édités et présentés par Paul Aron, Bruxelles, éditions Labor et Archives et musée de la Littérature, 1997, p. 784.

59. *Cf.* exp. *Rodin. La Voix intérieure*, Marseille, musée des Beaux-Arts, 1997.

60. Gaston Leroux, "À Paris. Le vernissage", *Le Matin*, 1er mai 1898.

61. Anonyme, "M. Rodin et la Société des Gens de Lettres", *Le Journal*, 12 mai 1898.

62. Gustave Geffroy, "À la Société nationale des Beaux-Arts. Le 'Balzac' de Rodin", *Le Journal*, 1er mai 1898.

63. Camille de Sainte-Croix, "Bataille artistique et littéraire", *La Petite République*, 3 mai 1898.

64. Cité par Edmond Claris, 1902, p. 52.

65. Paul Gsell, 1er novembre 1907, p. 100.

66. Camille Mauclair, "Les deux lions", *L'Aurore*, 16 mai 1898.

67. Cette querelle, sous-jacente dans l'ouvrage d'Edmond Claris, *De l'Impressionnisme en sculpture*, paru en 1902, se développa ensuite. Elle est évoquée dans la plupart des ouvrages concernant Rosso : *cf.* Margaret Scolari Barr, 1962, pp. 225-230 ; exp. Milan, 1979 ; Marco Fagioli et Lucia Minunno, 1993, pp. 28-31 ; Elda Fezzi, 1994, pp. 35-38 et 135-140.

68. La première lettre datée qui soit conservée est envoyée par Rodin à Medardo Rosso, le 17 janvier 1894. Mais la façon dont Rodin s'adresse à Rosso – "Mon cher Rosso vous m'avez fait un <u>immense plaisir</u> en arrivant à l'atelier..." – laisse entendre qu'ils se connaissaient depuis un certain temps déjà. Rosso était en effet installé à Paris depuis 1889 et avait présenté cinq sculptures à l'Exposition Universelle de 1889, auxquelles Rodin, Dalou et Meissonier, qui faisaient partie du jury, avaient voulu attribuer une mention honorable, ce qui fut refusé par le reste du jury et entraîna les trois artistes à donner leur démission. Rosso garda toujours le souvenir du geste de Rodin. Par ailleurs, les deux sculpteurs avaient plusieurs amis communs : Zola, les Goncourt ou Paul Alexis, qui rapprocha l'œuvre de Rosso de celle de Rodin pour la vie qu'elle contenait (*cf.* Elda Fezzi, 1994, p. 121).

69. Edmond Claris, 1902, p. 10.

70. Edmond de Goncourt, 4 février 1896, *Journal*, 1989.

71. Medardo Rosso à Rodin, non daté (1898 ?) ; arch. musée Rodin.

72. Une carte de visite de Rodin porte l'inscription "Mon cher ami" et la mention "100 francs" (Barzio, Museo Rosso).

73. Medardo Rosso à Rodin, non daté [1900 ?] ; arch. musée Rodin.

74. André Ibels, in *Vie de Paris* ; cité dans le catalogue de l'exp. *Medardo Rosso. Impressions*, Londres, galerie Eugène Cremetti, 1906, p. 28

75. "Medardo Rosso", *Die Zeit*, 14 février 1905 ; traduction en français, arch. musée Rodin.

76. *Cf.* Margaret Scolari Barr, 1962, p. 232. De son côté, Giovanni Lista cite une lettre de Medardo Rosso aux frères Eissler : "Si encore vous me prendriez le *Malade à l'hôpital* je [...] vous prierais de le mettre en face de monsieur Rodin (Falguière) avec une photo du *Balzac* – 1896 – et mettant au mien la date 89" (*cf.* Medardo Rosso, 1994, p. 105).

77. Paul Gsell, 1er novembre 1907, 1907, p. 100.

78. Cité par Mario di Micheli, 1992, p. 177.

79. Musée Rodin, carnet 50, f. 14 v.

80. Georges Rodenbach, *L'Élite. Écrivains. Orateurs sacrés. Peintres. Sculpteurs*, Paris, Fasquelle, 1899, p. 290.

81. Séverine, "Opinions. Le 'monstre'", *L'Éclair*, 19 mai 1898.

82. Aurel à Rodin, non daté (vers 1908-1909 ?) ; arch. musée Rodin. Dans les années 1930, la comparaison de *Balzac* avec un rocher redevint de mise : cf. *Le Cri de Paris*, 24 avril 1936 ; et les *Annales politiques et littéraires*, 25 novembre 1937 ; tandis qu'en 1934, le peintre David Burnand découvrit encore un rapport entre le sommet du *Sphinx* dans les Alpes valaisannes et la tête de *Balzac* ("Une curieuse rencontre", *L'Illustration*, 16 juin 1934).

83. Paris, musée Bourdelle.

84. Aurélien Scholl, "Courrier de Paris", *L'Écho de Paris*, 20 mai 1898.

85. *Cf.* Antoinette Le Normand-Romain, "Maillol et Rodin", *Aristide Maillol*, cat. exp., Lausanne, musée cantonal des Beaux-Arts, 1996, pp. 119-125.

86. Émile Bergerat, "Opinions. Une bonne affaire", *L'Éclair*, 14 mai 1898.

87. En lui demandant de soutenir sa candidature de membre sociétaire (il était déjà associé) auprès de la Société nationale des beaux-arts. La lettre originale est conservée aux archives du musée Rodin et a été citée avec de très légères variantes par Marcel Hutin, dans "Entre artistes. Le Balzac de M. Rodin et le Balzac de M. Marquet de Vasselot", *Le Gaulois*, 28 mai 1898.

88. Paris, arch. de la Société des gens de lettres, procès-verbal du comité du 27 juin 1898. En réalité, il fallut encore un mois pour que la Société rentrât en possession des 10 000 francs qui avaient été déposés par Rodin chez Me Champetier de Ribes en 1894, plus 320 francs d'intérêts (*cf.* procès-verbal du comité du 25 juillet 1898).

89. Paris, arch. de la Société des gens de lettres, procès-verbal du comité du 27 juin 1898.

90. Roger Lemoisne, "L'or de Toulouse", *Le Patriote de l'Ouest*, 27 juillet 1898.

91. "Chez Rodin", *Le Petit Bleu de Paris*, 23 novembre 1902. Le tableau, représentant *Hylas et les Nymphes*, est exposé au musée Rodin de Meudon.

92. Paris, arch. de la Société des gens de lettres, procès-verbal du comité du 25 juillet 1898.

93. Reproduite par Léon de Montarlot, *in* "Le Balzac de

Falguière", *Le Monde illustré*, 26 novembre 1898. Ayant "fait exécuter une maquette en grand à ses frais", Osiris avait proposé à la Société des gens de lettres de donner 25 000 francs pour sa réalisation, à la condition que l'on inscrirait "en grand" sur le socle "offert à la Société des gens de lettres par M. Osiris" et qu'elle serait exécutée par Falguière. Le Comité avait refusé (*cf.* Paris, arch. de la Société des gens de lettres, procès-verbal du comité du 12 novembre 1888).

94. *Cf.* Paul Espéron, "Quand Balzac est assis, ça contente Chincholle", refrain de la ballade "Pour féliciter Falguière d'avoir assis Balzac", *La Volonté*, 11 novembre 1898.

95. Camille de Sainte-Croix, "Bataille artistique et littéraire", *La Petite République*, 15 novembre 1898. L'article de Charles Chincholle, intitulé "Le nouveau Balzac", avait paru dans *Le Figaro*, le 8 novembre 1898.

96. Gustave Geffroy, "L'art d'aujourd'hui. Falguière, Chauvel, Gauguin", *Le Journal*, 20 novembre 1898.

97. "Exposition A. Falguière", *L'Éclair*, 21-22 novembre 1898.

98. Georges Lecomte, "La vie artistique. Maquettes de Falguière au Nouveau-Cirque", *Les Droits de l'homme*, 22 novembre 1898.

99. Paris, arch. de la Société des gens de lettres, procès-verbaux des comités des 29 décembre 1898 et 9 janvier 1899.

100. Paris, arch. de la Société des gens de lettres, procès-verbal du comité du 25 juillet 1898.

101. "Le 'Balzac' de Falguière", *Le Petit Temps*, 18 janvier 1899.

102. Il fut question pour la première fois de reliefs "représentant quatre grandes scènes de l'œuvre du romancier" au comité du 9 juillet 1888. Marquet de Vasselot proposa les reliefs pour le socle de la statue de *Balzac* le 1er juin 1891, les exposa au Salon de la Rose+Croix de 1893, puis les proposa encore à la Société des gens de lettres le 11 juillet 1898 et le 25 février 1901, et les présenta de nouveau en 1901, au Salon de la Société nationale des beaux-arts. Le plâtre est conservé au Dépôt des œuvres d'art de la Ville de Paris, à Ivry ; un bronze, fondu par Susse en 1982, se trouve à la Maison de Balzac.

103. Léo Claretie, "Entretiens. Le Balzac de Falguière", *Journal des débats*, 27 mars 1898.

104. Gustave Geffroy, "Salon de 1899. Le Balzac de Falguière et le Falguière de Rodin", in *La Vie artistique*, 6e série, 1900, pp. 391-392.

105. Paris, arch. de la Société des gens de lettres, procès-verbal du comité du 19 juillet 1899.

106. Jean Mitron, "Les lettres et les arts", *La Petite République socialiste*, 15 juin 1899.

107. Jean Mitron, "Les lettres et les arts", *La Petite République socialiste*, 18 juillet 1899.

108. Paris, arch. de la Société des gens de lettres, procès-verbal du comité du 16 décembre 1901. Approuvé par délibération du conseil municipal du 6 janvier 1902.

109. Paris, arch. de la Société des gens de lettres, procès-verbal du comité du 23 avril 1900.

110. "Balzac et Pasteur. Les maquettes du maître Falguière", *Le Soir*, 16 août 1900.

111. *Le Figaro*, 10 novembre 1902. Marquet de Vasselot revint à la charge le 25 février 1901, assurant qu'Alexandre Falguière avait accepté les bas-reliefs. Mais Gustave Toudouze ne croyait pas que l'accord était définitif entre eux : l'affaire serait donc examinée par le conseil judiciaire, la Société craignant que cette proposition de "don gracieux", acceptée par elle avec réserves, ne se transforme en engagement ferme ! Le 4 mars, Mme Falguière confirma que son mari ne voulait pas des reliefs. Marquet de Vasselot menaça alors la Société d'un procès. Mais Charles Chincholle exprima l'idée "que 'le mort a parlé', puisqu'en exposant sa statue, Falguière l'a placée trop bas pour qu'il fût possible d'adapter des bas-reliefs à son piédestal". Le 11 mars 1901 la Société refusa définitivement les reliefs (*cf.* Paris, arch. de la Société des gens de lettres, procès verbaux des comités du 25 février, 4 et 11 mars 1901).

112. Aux archives du musée Rodin est conservé un carton d'invitation (à la tribune) au nom de "M. Auguste Rodin et deux personnes", pour l'inauguration du *Monument à Balzac*, le samedi 22 novembre 1902 à 14 h. L'invitation est faite, au nom de la Société des gens de lettres, par le commissaire général, Henry de Braisne, et le président du Comité, Abel Hermant.

113. *Cf.* "La statue de Balzac. Glorification tardive", *La Presse*, 23 novembre 1902 ; *Le Petit Bleu de Paris*, 23 novembre 1902.

114. Frontis, "Notes parisiennes. En l'honneur de Balzac", *L'Événement*, 20 août 1900.

115. "Au jour le jour", *Le Temps*, 20 août 1900.

116. Arch. musée Rodin ; *cf.* Rodin, *Correspondance*, t. I, 1985, n° 284.

117. À laquelle se rapporte sans doute un reçu de Rodin à Loïe Fuller, du 24 juillet 1916, dont la copie se trouve aux archives du musée Rodin : "Reçu de Loïe Fuller la somme de Deux mille francs pour la grande figure (en bronze) <u>Balzac</u>, en plus il est entendu qu'elle payera le prix de coulage qui luis donne le droit de prendre l'œuvre du fondeur" (*cf.* Rodin, *Correspondance*, t. IV, 1992, n° 193). La somme paraît insuffisante pour le grand modèle, mais il pourrait s'agir de l'*Avant-dernière étude, avec un large revers au bord de la robe de chambre* dont le musée Rodin et le Rodin Museum de Philadelphie possèdent des fontes anciennes, quoique sans doute postérieures à la mort de Rodin (*cf.* cat. 114).

118. *Nu A* en 1949 (*cf.* cat. 73) ; *Avant-dernière étude, avec un large revers* en 1950 (cat. 114) ; *Nu en athlète* en 1967 (*cf.* cat. 91) ; *Masque souriant* et *Balzac en redingote* en 1969 (*cf.* cat. 28 et 33) ; *Têtes H, I* et *monumentale* en 1970 (*cf.* cat. 70, 51 et 147) ; *Étude G, Balzac en robe de moine* et *Buste d'après Devéria* en 1971 (*cf.* cat. 50, 49 et 57) ; *Étude finale* en 1972 (*cf.* cat. 116) ; *Étude drapée avec un capuchon et un jabot de dentelle* en 1983 (*cf.* cat. 104) ; *Étude pour la tête avec la mèche retombant à droite* en 1985 (*cf.* cat. 75) ; *Buste souriant, grand modèle* en 1988 (*cf.* cat. 55).

119. 7 juillet 1898 ; cité par Judith Cladel, *Rodin, sa vie glorieuse...*, 1936, p. 220.

IV

Roland Chollet

À vingt ans, Balzac ne jure, avec une ferveur ingénue, que par la gloire et l'immortalité : "si j'illustrais le nom *Balzac* ! quel avantage de vaincre l'oubli[1] !..." Dix ans plus tard, il a trouvé la société bourgeoise bien marâtre pour ce créateur, ce producteur intellectuel qu'il appelle l'artiste, et dont on attend "qu'il soit mort et roi pour suivre son cercueil[2]" – avant de l'oublier. Aussi exhorte-t-il les artistes à faire face de leur vivant, à se réunir, à défendre les intérêts matériels de leur métier, à revendiquer la propriété de leur œuvre et de leur nom, à en préparer la survie. Les initiatives syndicalistes de ce précurseur de la Société des gens de lettres sont bien connues : en 1843, se serait-il déjugé en dédiant *Le Curé de Tours* à David d'Angers pour le remercier d'avoir fait sa médaille, de l'avoir en somme classé parmi les grands et distrait de son combat ?

L'immortalité à l'essai

On pense si ce médaillé vif est dupe du jeu funèbre qui l'oblige à feindre d'être mort ! Les arts se doivent assistance dans l'au-delà comme ici-bas, semble-t-il nous dire en méditant dans sa Dédicace, avec un enjouement non exempt de gravité, sur l'œuvre de l'artiste, son nom et, pourquoi pas, son effigie, en proie à l'Histoire et au temps.

Les amis de Rodin permettront à un balzacien presque de profession de citer en forme de prologue ce petit texte peu connu ; ils n'entendront peut-être pas sans plaisir Balzac y glorifier le "divin privilège" du sculpteur :

"À DAVID, STATUAIRE

La durée de l'œuvre sur laquelle j'inscris votre nom, deux fois illustre dans ce siècle, est très problématique ; tandis que vous gravez le mien sur le bronze qui survit aux nations, ne fût-il frappé que par le vulgaire marteau du monnayeur. Les numismates ne seront-ils pas embarrassés de tant de têtes couronnées dans votre atelier, quand ils retrouveront parmi les cendres de Paris ces existences par vous perpétuées au-delà de la vie des peuples, et dans lesquelles ils voudront voir des dynasties ? À vous donc ce divin privilège, à moi la reconnaissance.

DE BALZAC[3]."

Quelques mois plus tard, c'est au tour de David de dédier "*à son ami de Balzac*" son célèbre buste (*cf.* cat. 10). Le dédicataire jubile devant cette image de lui-même où il pose pour l'éternité, au moment où la publication de *La Comédie humaine* arrive à mi-chemin. Il écrit à Mme Hanska : "Ma sœur a dit en voyant les 15 ou 16 bustes de grands hommes faits par David : – Allons ! je vois qu'Honoré n'est pas le plus mal. Et en effet vous serez stupéfaite en voyant la tête olympienne que David a su tirer de ma grosse face de bouledogue[4]." C'est cette tête sublime qui arracha huit ans plus tard une formule non moins olympienne à Victor Hugo sortant de la chambre où Balzac agonisait : "Voici l'immortalité." C'est enfin une réplique en bronze de ce buste que sa veuve fit placer sur le tombeau du romancier afin qu'il n'en sortît plus.

Balzac avoue "une bouffée de vanité[5]" à la pensée de compter bientôt parmi les élus de l'olympe davidien, en compagnie de Goethe, Chateaubriand ou Lamartine ; mais ce qui exalte le romancier qu'il est, c'est d'assister à sa propre venue au monde, terre pétrie entre les mains du statuaire, avant que la rhétorique antique dont David d'Angers fait profession ne l'envoie siéger prématurément parmi les morts. Aussi convie-t-il quelques intimes, le 3 décembre 1843, à l'inauguration de cette statue selon son cœur, statue éphémère qui n'a encore connu ni le plâtre ni le marbre. Il annonce cette espèce de baptême à Mme Hanska : "Il a fallu dix séances d'un jour à David, et aujourd'hui, chère mi, je donne la dernière séance, le buste est fini, et il y a convocation de quelques amis pour voir ce que vous ne verrez pas, ce qui n'a qu'un jour d'existence : à savoir la glaise au moment où elle porte l'empreinte du dernier travail de l'artiste, ce glorieux et léger faire, cette vie, que l'opération du moulage détruit et que l'artiste doit refaire, Dieu sait s'il le peut, pour le marbre quand le praticien le lui livre[6]."

Entre la réalisation de ce buste et la mise en chantier du *Balzac* de Rodin, que la Société des gens de lettres refusa en 1898, un demi-siècle s'est écoulé sans que Balzac règne dans l'espace parisien autrement que par sa *Comédie humaine* – c'est-à-dire par le miracle de la lecture –, si l'on excepte la place que l'ex-futur immortel sculpté par David trouva, en 1854, parmi les locataires du Père-Lachaise. Peut-être a-t-on lieu de se réjouir que toutes les initiatives, quarante ans durant, pour élever une statue à Balzac aient échoué. Au long de ces années sans effigie publique, la figure de Balzac a pris sa vraie stature, son aura imaginaire. Chacun aimait l'avoir rencontré. Rares et précieuses rencontres réelles, attestées au détour d'une page de Flaubert, de Barbey d'Aurevilly, de Baudelaire... En guise de glorification posthume, les derniers témoins de sa vie, Gautier, Gozlan, qui furent ses amis, Werdet, qui fut son éditeur, Julien Lemer, son admirateur inconditionnel, et Lamartine, qui découvrait sur le tard que Balzac avait été son égal, avaient légué de précieux instantanés biographiques ou anecdotiques, les premiers éléments d'un portrait psychologique, intellectuel et même physique entre lesquels on n'avait pas encore trié. Personne ne s'était encore emparé de l'image de Balzac, aucune coterie littéraire, politique ou universitaire. Sa veuve, plus ou moins sincèrement éplorée, n'avait réussi qu'à empêcher l'érection du monument préconisé par Alexandre Dumas[7]. Au projet, sans cesse remis, de statue s'attachaient surtout des noms d'amis, d'artistes, de lecteurs inconnus. Balzac avait échappé aux institutions.

Car sa gloire croissante accompagnait simplement celle de son œuvre, servie par de grandes entreprises éditoriales souvent simultanées, dont l'étude bibliographique exacte reste à faire : multiples réimpressions de l'édition Furne (édition testamentaire de *La Comédie humaine*), diffusion populaire et illustrée de tous ses romans en livraisons chez Maresq, édition souvent réimprimée, publication "définitive" des *Œuvres complètes* chez Michel puis Calmann Lévy, dont la qualité était garantie par la passion balzacienne austère du vicomte de Lovenjoul. Ce savant collectionneur, éclairé plus souvent que trompé par sa passion, sans nul penchant pour l'hagiographie et heureusement privé de la fibre romanesque, fut un gardien sévère de l'authenticité balzacienne.

En quelques années, et dès le fameux discours de Victor Hugo sur sa tombe, Balzac est devenu un "phare", au sens baudelairien du terme, et son nom est invoqué par Flaubert, les Goncourt, Maupassant, Barbey, Remy de Gourmont, Zola, etc., point de repère pour les uns, pour les autres modèle, référence absolue qui dit le devoir de l'artiste. C'est une figure, objet d'admiration, de respect et d'amitié, ce n'est pas un demi-dieu de qui on sollicite de pédants oracles, c'est une *présence vivante* dont l'importance, aujourd'hui encore, n'a pas été vraiment mesurée. On pourrait dire que la fin du siècle est encore toute bruissante de Balzac.

On devine que la question d'un monument à Balzac ne se pose plus désormais dans les mêmes termes qu'au lendemain de sa mort. En 1880 déjà, Zola réclame une statue parisienne pour celui dont l'"œuvre s'est emparée de nous tous[8]". La disparition de Mme de Balzac, le 10 avril 1882, lève le dernier obstacle à l'entreprise. La ferveur des réponses à la souscription lancée par Emmanuel Gonzalès l'année suivante, et relancée en 1885 avec l'aval et l'appui de la Société des gens de lettres, semble exprimer le vœu presque unanime de la France lisante et pensante, comme aurait dit Balzac. Zola présentait son appel comme celui "d'un écrivain, d'un fils dévoué de Balzac[9]" ; "le plus grand de nos romanciers, notre père à tous", écrira-t-il quelques années plus tard à Rodin et, forçant la note : "votre dieu comme il est le mien[10]". "Le Père du Roman moderne[11]", dit un peu plus simplement Maupassant dans sa réponse à Gonzalès, en novembre 1885. Mais la figure et l'œuvre de Balzac n'intéressent pas que les littéraires. En 1842 déjà, la lecture de la deuxième partie de *La Rabouilleuse* dans *La Presse* avait donné à Étex l'envie de faire le buste de Balzac[12]. À la suite de David d'Angers, les sculpteurs – Clésinger, Dalou, Préault peut-être, Chapu, Falguière – furent nombreux à subir la même fascination pour le romancier.

Quand, le 6 juillet 1891, à l'initiative de Zola, Rodin est désigné pour réaliser la statue de Balzac, ce n'est pas un grand absent qu'il a pour mission de figurer, fût-il l'auteur de *La Comédie humaine*, mais, nous l'avons dit, une présence restée vivante dans le siècle. Par définition le monument à Balzac sera le contraire d'un monument funéraire et commémoratif. Mettre au jour ce Balzac vivant – ce visage de lui-même que le romancier avait aperçu un instant dans la glaise de David –, le mettre au monde une seconde fois, tel fut bien l'enjeu d'une œuvre qui resta près de huit ans enveloppée dans "la fièvre de la conception[13]". De là le titre de cette petite étude à laquelle nous aurions volontiers donné pour épigraphe ces mots de Rodenbach : "Un amas d'argile, plus loin, souffre aussi. Il va le délivrer, l'accoucher, avec ses mains sûres, de la Beauté qui est en lui. [...] Il rêve que la statue de Balzac soit digne du modèle, belle, durable, qu'elle ait un visage qui revive vraiment, un front où tienne la *Comédie humaine*, des gestes qui traversent l'avenir[14]."

C'est, on l'a vu, aux concepts de créateur et de producteur que Balzac a recours pour définir l'artiste. De même Rodin voit d'emblée sa figure "debout plutôt qu'assise", faisant face, incarnant l'image du "créateur[15]". Trois ans plus tard, il n'a pas varié dans sa volonté de faire son *Balzac* "immense, dominateur, vraiment créateur d'un monde[16]". Mais c'est comme s'il se plaçait en deçà de ce monde imaginaire – en l'occurrence *La Comédie humaine* –, dont il se refuse à faire état. C'est la virtualité de la force créatrice qu'il veut sculpter, le feu prométhéen, non pas son résultat, fût-ce par le détour de l'allégorie, de la glorification, de la surenchère visionnaire. Il ne faut pas perdre de vue le caractère abstrait de cette recherche de l'expressivité maximale lorsqu'on observe la longue gestation du *Balzac*. Elle nous conduit très loin de *La Porte de l'enfer*. Elle nous rapproche en revanche de ce que Balzac dit du rôle de la statuaire dans *Séraphîta* :

"Dans les grandes villes de l'Europe d'où sortent des œuvres où la Main humaine cherche à représenter les effets de la nature morale aussi bien que ceux de la nature physique, il est des hommes sublimes qui expriment des idées avec du marbre. Le statuaire agit sur le marbre, il le façonne, il y met un monde de pensées. Il existe des marbres que la main de l'homme a doués de la faculté de représenter tout un côté sublime ou tout un côté mauvais de l'humanité, la plupart des hommes y voient une figure humaine et rien de plus, quelques autres un peu plus haut placés sur l'échelle des êtres y aperçoivent une partie des pensées traduites par le sculpteur, ils y admirent la forme ; mais les initiés aux secrets de l'art sont tous d'intelligence avec le statuaire : en voyant son marbre, ils y reconnaissent le monde entier de ses pensées. Ceux-là sont les princes de l'art[17]."

Zola, Maupassant, la plupart des naturalistes ont répété que Balzac était leur père. Rien d'une telle filialité chez Rodin, qui respecte en Balzac un lutteur courageux et fraternel, une vie exemplaire qui enseigne que les moyens ne sont pas moins importants que les fins pour l'artiste. C'est la même conscience d'artiste que Rodin invoque lorsqu'il réclame à Aicard, président de la Société des gens de lettres, le droit de terminer au rythme qu'il aura choisi une œuvre qui exige du temps. C'est ce qu'il voudrait faire admettre par le Comité de la statue :

"L'œuvre d'art, tous ceux qui luttent avec elle le savent, veut la libre réflexion et le calme. C'est là ce que j'aimerais voir ratifier par vous [...] ces préoccupations sont les vôtres puisque ce sont celles de tous les producteurs dans les arts et dans les lettres. [...] Je vous demande de me laisser les moyens d'honorer [ce mot de Rodin n'est pas dit au hasard] de toutes mes forces, de toute ma volonté, le grand homme dont l'exemple doit nous animer tous. Je pense à son labeur acharné, aux difficultés de sa vie, à la bataille incessante qu'il a dû livrer, à son beau courage. Je voudrais exprimer tout cela[18]."

N'est-ce pas là l'accent et l'idée même de Balzac dans plus d'un texte où il rend hommage au combat solitaire des artistes, tel celui-ci : "Ce doit être une consolation pour les hommes qui aiment la gloire si pure de la littérature française, de savoir qu'il y a loin du monde marchand quelques personnes, rares et solitaires, occupées à vivre pour de grandes œuvres, [...] sous la conduite d'une pensée dont elles sont les sujets, au parfait développement de laquelle elles sont vouées, peu leur importe le temps ; et qui vont nonchalantes de la misère ou du fruit quotidien, pèlerins sublimes, se déporter sur quelque rocher désert, un jour le piédestal de leurs statues[19]."

Voici donc ce jour, ce jour de la statue, arrivé pour Balzac. "Exprimer tout cela" dans une "pensée de glorification" : "l'œuvre d'art" et la lutte avec l'œuvre, selon les formules chères à Balzac et à Zola, le "labeur acharné", la vie difficile, la beauté du "courage" de l'artiste, c'est aussi, pour Rodin, dresser sa propre statue. Son *Balzac* est en même temps un grandiose autoportrait, c'est Dante dans l'ombre de Virgile. Pour mieux rendre compte de la majesté hautaine du monument – "Réunissons-nous donc pour [...] faire reconnaître les droits et les majestés de la pensée", s'écriait déjà Balzac soixante ans plus tôt[20] –, on pourrait évoquer la familiarité altière de Rodin avec ses génies tutélaires, Balzac sans doute, qu'il avait peu lu, mais, depuis toujours, Michel-Ange et Dante. On pourrait lui prêter l'ambition d'avoir voulu confronter dans son œuvre les deux *Comédies*, la *divine* de Dante, et l'*humaine* de Balzac, mais tout semble s'opposer à une telle hypothèse. Car si *La Divine Comédie* a constitué pour des dizaines de poètes et de grands artistes, pendant tout le XIXᵉ siècle, une source intarissable de mythes et de figures[21] – et on sait que, pendant dix ans, le sculpteur a passionnément interrogé Dante pour sa *Porte de l'enfer* –, il faut bien avouer en revanche – a-t-on osé le dire ? – que, mis à part le déplorable Marquet de Vasselot et les illustrateurs attitrés et stipendiés de *La Comédie humaine* et des *Contes drolatiques* (Gustave Doré), aucun artiste digne de ce nom, peintre ou sculpteur, n'a jamais trouvé la moindre scène, la moindre figure, le moindre mythe, le moindre thème à exploiter dans cette énorme épopée du XIXᵉ siècle. Rodin ne fait pas exception à la règle. Plastiquement, *La Comédie humaine*, autant qu'on sache, ne rencontre en lui aucun écho[22], alors que Balzac ne doutait nullement que son œuvre fictive ne pût donner lieu à sculpture. La caricature, d'une manière générale, une esquisse du sculpteur Préault, quelques rarissimes "citations" musicales ou picturales demanderaient peut-être – encore n'est-ce pas sûr – qu'on nuance un propos que certains pourraient sentir attentatoire à la gloire de "leur" Balzac, mais qui soulève un problème concernant tout le XIXᵉ siècle.

Aussi bien les deux entreprises successives de *La Porte de l'enfer* et du *Balzac*, quoique d'une même envergure, d'une durée, d'une ambition comparables, semblent-elles obéir à une dynamique absolument inverse. Les scènes et figures de *La Divine Comédie*, singulièrement désertée de son auteur – sinon sous les espèces d'un *Penseur* dont la tête n'est plus celle de Dante et n'est pas celle de Rodin –, essaiment dans tout l'espace rodinien, tandis qu'avec une égale impétuosité le torrent des préfigurations d'un *Balzac* sans *Comédie humaine* vient s'engouffrer, se réduire méthodiquement, dans la statue unique de 1898.

La réalisation d'un monument qualifié à tort ou à raison de commémoratif exige du sculpteur qu'il tranche l'inévitable question de la ressemblance du simulacre, question dont le spirituel Arsène Alexandre se gaussa comme d'un faux problème, en 1898, quand la Société des gens de lettres ne reconnut pas "son" Balzac. Un véritable artiste, pensait-il, n'a que faire de "photo-sculpture", et la ressemblance qu'il met au monde est "immatérielle[23]". Pour être insoluble, la question de la ressemblance n'en mérite pas moins d'être posée. Le visiteur de la Maison de Balzac a-t-il tort de se demander qui est le vrai Balzac, le Balzac qui respire derrière la tapisserie de ses romans. Est-ce celui du daguerréotype qui l'accueille au haut de l'escalier, 47, rue Raynouard, le lutteur exténué et qui fait face ? Est-ce, le seuil de la Maison à peine

Ressemblance et faux-semblants

franchi, le nain ventru de Dantan qui ricane en silence à sa droite, ou est-ce, à gauche, cette tête coupée rayonnant de violence expressive, avant-dernière esquisse en plâtre pour le *Balzac* de Rodin aujourd'hui au boulevard Raspail, et que le visiteur a peut-être déjà rencontrée dans son ultime variante de bronze verdi ? Est-ce enfin, dans la pénombre du cabinet de travail, le buste colossal aux yeux éteints, apprêté pour l'éternité par David d'Angers ? Le vrai Balzac est-il jeune, est-il vieux, obèse, ricanant, extatique ? De même, le lecteur ne peut éviter de se demander s'il ressemblait à Louis Lambert mort fou prématurément dans le roman de même nom, s'il s'est jeté dans la Sarthe comme Athanase Granson, ou s'il a donné ses traits au jeune amant qui guérit aux genoux de Mme de Mortsauf les souffrances d'une enfance malheureuse.

Balzac n'a pas manqué de donner le modèle de cette interrogation anxieuse sur lui-même. Il s'est interrogé sur son moi-kaléidoscope[24], sur ses origines ambiguës, son nom factice. Dès ses premiers romans, de 1819 à 1824, il a poursuivi à travers des personnages inventés l'enquête la plus profonde qu'un écrivain ait jamais faite sur lui-même. Il a tenu dans ses *Lettres à Mme Hanska* le journal d'une confession mégalomane et masochiste. Il n'est pas étonnant qu'il se soit aussi soucié de l'image que les autres, à commencer par sa mère et Mme de Berny, se faisaient de lui. Mais qu'attendait-il des artistes qui l'ont représenté ? Ici les témoignages sont plus rares. Si modestes soient-ils, ils intéressent notre propos. Voici quelques éléments épars d'auto-analyses que Rodin ne paraît pas avoir connues.

En dépit de la preuve du contraire offerte par les beaux portraits antérieurs de Devéria et la sépia de Boulanger conservée au musée des Beaux-Arts de Tours (cat. 1), Balzac, en 1833, souffrait encore assez vivement de la laideur qu'il s'attribuait pour pouvoir répondre en riant – en riant jaune – au célèbre baron Gérard, désireux de faire son portrait, qu'il n'était "pas assez beau poisson pour être mis à l'huile[25]". Aussi demeura-t-il longtemps chiche de son image.

La gloire venant, et l'âge, et la conscience croissante de son talent, en 1836, son attitude changea. On le voit passer dès lors, devant son image, par de surprenantes alternatives de satisfaction et de déception. Ressemble-t-il au beau portrait à l'huile de Louis Boulanger (cat. 3) ? Le peintre, écrit-il, "a fouillé, scruté, saisi l'âme du modèle" – soit ! –, "les yeux surtout sont bien rendus – concède-t-il encore –, mais plutôt dans l'expression psychique générale du travailleur qu'avec l'âme aimante de l'individu". C'est "l'écrivain", sans la "tendresse". Nous avons la fierté, mais "peut-être un peu trop poussée à l'excès", et le peintre a "outré" le caractère d'une "force assez tranquille". Comment concilier "le feu de l'œil" et cet "air soudard et matamore[26]" ? Voilà un Balzac presque officiel, percé à jour et aussitôt perdu de vue.

L'année suivante, au cours d'un voyage passablement euphorique en Italie, on le surprend à faire une expérience toute différente, enthousiaste qu'il est d'une petite statue de sa personne qu'un sculpteur italien, Puttinati, vient d'exécuter en marbre de Carrare dans le style lisse et gracieux de Bartolini (fig. 36). Œuvre d'affection et de respect, cette statue "merveilleusement ressemblante[27]" – au dire de Balzac – le représente debout, en robe de moine, les bras fortement croisés sur la poitrine. On peut trouver cette quasi-figurine un peu fade, mais elle a le mérite inattendu de constituer la seule représentation de l'écrivain où sa corpulence ne soit ni masquée, ni caricaturée. Balzac s'y reconnut donc, et le format réduit de la figure lui parut devoir servir son image. Car la ressemblance existe-t-elle en dehors du travail de l'imagination ? De l'avis de Bartolini lui-même, écrit-il, "il vaut mieux que l'imagination ait à agrandir une tête qu'à la trouver dans ses proportions exactes[28]". Mais cette merveilleuse ressemblance n'était pas celle qu'étaient disposés à reconnaître les amis de Balzac. À Paris, la statue – conservée aujourd'hui à la Maison de Balzac – fut jugée mauvaise[29]. Qui avait raison ? Rodin a-t-il, lui aussi, refusé cette ressemblance attestée par l'intéressé ? Ou cette œuvre médiocre est-elle restée en dehors de sa documentation ? On s'étonne que cette figure juvénile de Balzac, peu conforme à l'image convenue de sa

fig. 36
Alessandro Puttinati (1801-1872)
Honoré de Balzac
1837, marbre
Paris, Maison de Balzac

jeunesse, mais en même temps, avec sa chevelure en bataille tout en hauteur, si ressemblante au portrait tout à fait contemporain de Boulanger, n'ait donné lieu de la part de Rodin à aucune variation en plâtre. Il est vrai, on l'a dit, que Rodin ne s'est guère inspiré, pour son *Balzac*, des statuaires qui l'ont précédé. À moins que la ressemblance matérielle ne lui ait été, comme à Balzac, beaucoup plus indifférente qu'on ne le prétend.

Qu'est-ce que la ressemblance en définitive, pensa Balzac quelques années plus tard, devant l'habile pastel de Gérard-Seguin actuellement conservé au musée de Tours (*cf.* cat. 5). À Mme Hanska, il se plaint que l'artiste n'ait saisi que l'apparence, dans toute sa pauvreté. Ce qu'il a vu, c'est *"l'homme extérieur, c'est la bête, sans aucune espèce de poésie*[30]*"*. En somme, rien. La propre sœur de Balzac n'en a pas voulu ! Quant au daguerréotype (cat. 6) qu'il fit faire de lui le 2 mai 1842, il ne vit dans ce fac-similé de sa personne que de quoi s'ébaubir[31] – c'est son mot – de l'admirable précision du travail de la lumière, cette lumière qui n'avait que faire d'un artiste pour surprendre l'apparence éphémère. Rien à voir ici avec la ressemblance intérieure qu'il cherchait. Rodin devait être plus sensible à ces archives de la lumière.

Malgré les réticences exprimées par Balzac à se voir transformer en "antique" par David d'Angers, l'écrivain vieillissant dut convenir que si la ressemblance passe, la beauté demeure et la signifiance s'approfondit en s'enrichissant du passé. Il donna quitus au grand artiste d'avoir sacrifié le frisson à la forme, la proximité à l'horizon, la vie à l'au-delà et, finalement, la description à l'expression, reprenant à son compte le credo que Frenhofer formule en préceptes inoubliables dans *Le Chef-d'œuvre inconnu* : *"La mission de l'art n'est pas de copier la nature, mais de l'exprimer !"* ou : *"Ni le peintre, ni le poète, ni le sculpteur ne doivent séparer l'effet de la cause qui sont invinciblement l'un dans l'autre*[32] *!"* L'effet dans la cause, et la cause dans l'effet, belle définition de l'*expression* – qui réconcilie le baroque et le classique. En mots sibyllins, Balzac demande à Mme Hanska d'être garante de cette nouvelle esthétique de la ressemblance lorsque, présentant le buste de lui que David vient d'achever, il écrit : *"je ne vous dis rien de cette grande œuvre que David et quelques autres croient ce qu'il a fait de mieux, vu la beauté de l'original sous le rapport de l'expression et des qualités purement symptomatiques relatives à l'écrivain* [c'est lui qui souligne, et il ajoute], *termes que vous ne contesterez probablement pas*[33]*..."* C'était louer l'original plutôt que le simulacre, et définir par avance une part du programme que Rodin devait se donner plus tard comme objectif, ce qu'il appelle, dans une lettre au vicomte de Lovenjoul, en juin 1893, un *"travail colossal pour l'expression*[34]*"*.

En parcourant à la suite de Balzac une partie du dossier dont hérita Rodin, on ne peut éviter de dire un mot des caricatures dont Balzac fut l'objet et la victime, trop nombreuses pour que Rodin ait pu les ignorer. Avec le poussah en redingote de Dantan, ce dandy grotesque armé de son énorme canne à turquoises, l'œil fou, le visage allumé, ricanant d'un sourire édenté – et que le stupide Werdet trouvait fait avec *"infiniment d'exactitude*[35]*"* –, Balzac n'a pu se sentir en commun que cette obésité dont on ne cessait de le "charger" à la manière du podagre Louis XVIII - trait esthétiquement et idéologiquement dévalorisant dont il n'a pas pu ne pas souffrir. Et qui reconnaîtra, qui aimerait reconnaître l'hilarité chaleureuse évoquée par Gautier dans le ricanement stéréotypé des hideuses caricatures de Roubaud (cat. 12), qui répandent l'image d'un nabot aux bras croisés et revêtu de la même robe à cordelière que le *Balzac* de Puttinati ou de Boulanger ? Peu à retenir de tout cela sinon, peut-être, le commentaire que fait Balzac d'une caricature où E. Bernard l'a représenté de dos dans un cul-de-lampe, au bas du texte de sa *Monographie de la presse parisienne*, en conversation avec une allégorie de la presse périodique. Cela ne lui *"ressemble guère"*, écrit-il à Mme Hanska, tout en admettant cependant : *"c'est assez la ressemblance de la redingote avec laquelle je trotte le matin à mes imprimeries, et surtout celle du chapeau qui reçoit les averses. Ce n'est pas beau ; j'ai très peu d'amour-propre à vous envoyer cela*[36]*."* Il se révolte contre cette laideur, et contre l'exploitation de cette laideur, dont il dénonce la *"répétition"*, car "c'est toujours la même charge. C'est celle d'Hetzel dans les *Animaux*, et celle de la *Monographie de la presse* et celle de Philipon, ce n'est pas digne[37]."

On voit qu'il est temps de congédier la ressemblance. Cette petite enquête montre l'impossibilité, et l'inutilité, d'une telle recherche prise à la lettre. À cinquante ans de la mort de l'auteur, quand presque tous les témoins visuels ont disparu, la construction de l'apparence relève de toute évidence d'une synthèse que le caractère incohérent et lacunaire du dossier conservé rend particulièrement hasardeuse. D'ailleurs le ressuscité sera sans âge et s'inscrira autrement dans le temps retrouvé. Ajoutons qu'en plusieurs dizaines d'années – le modèle vivant perdu de vue –, les images, les témoignages littéraires ou oraux ont continué à travailler, à s'influencer, à s'engendrer parfois les uns les autres, à s'organiser en filières parallèles. Patrice Boussel, observant cent quatre-vingt-un portraits de Balzac réunis à la Maison de Balzac pour une exposition, a décrit ce processus de falsification ou de déréalisation qu'on peut appeler la dérive de l'apparence, dont Balzac parlait déjà à propos de ses caricatures :

"Ainsi, tel portrait gravé en 1835 par Brandt pour une revue en langue allemande a été repris pour *Le Voleur* par Julien, tel dessin de Bertall a suscité une longue descendance, telle statuette de Dantan est devenue le modèle qui inspira maints portraitistes. Il arriva parfois à un artiste, David d'Angers par exemple, ayant eu vraiment Balzac pour modèle, d'emprunter à un autre artiste, Louis Boulanger dans ce cas, les éléments essentiels du nouveau portrait qu'il souhaitait exécuter (le médaillon de face). Les caricaturistes semblent même avoir préféré à la charge faite d'après le modèle l'interprétation d'une œuvre connue. Roubaud adapta à sa technique caricaturale la peinture de Louis Boulanger et, à leur tour, Platier ou Barray tracèrent des 'à la manière de' Roubaud. Ainsi se popularisa une certaine apparence balzacienne dont il n'est pas certain qu'elle fut la véritable[38]."

Rodin était parfaitement conscient des insuffisances du dossier iconographique et littéraire réuni avec l'aide de ses amis Geffroy, Pontremoli, Lovenjoul, Julien Lemer, etc. Comme il devait le faire pour Victor Hugo, en se rendant à Guernesey, il procéda par imprégnation et intuition ; il se targua de rencontrer Balzac en Touraine, et de fait il le rencontra, sans l'avoir jamais connu jusque-là qu'à travers ses douteuses effigies. À chaque document, dont il fut insatiable, il fit subir l'épreuve du doute méthodique, n'en adoptant aucun entièrement. Ce qui animait Rodin, c'est ce même fétichisme du réel qui avait incité Balzac à donner des noms vrais aux personnages fictifs de *La Comédie humaine*, comme le rappelle Gautier dans son livre[39].

L'invention des origines

L'étude d'Antoinette Le Normand-Romain fait apparaître d'emblée la genèse du *Balzac* comme une ascèse où la figure gagne en énergie (et en signification) à mesure, ou en même temps qu'elle perd en ressemblance. Sans prétendre refaire après elle ce savant parcours, encore moins le corriger, notre seul et modeste objectif est de présenter ci-après quelques observations faites en marchant sur ses pas.

Le fétichisme du vrai a pour contrepartie chez Rodin le refus de toute forme de copie d'une ressemblance qu'il sait par avance illusoire. Cette copie serait copie de copie, interprétation d'interprétation, ressemblance de ressemblance qui nous éloignerait inexorablement de la réalité. Or il existe aussi un fétichisme de l'apparence ; c'est, avouons-le, celui des "balzaciens". Au gré des rares documents que le hasard a épargnés, chaque balzacien s'est fabriqué à son usage un portrait imaginaire de l'écrivain, visage imprécis, composite, intemporel, auquel les plâtres de Meudon lui paraissent extraordinairement infidèles.

Depuis l'essai de Cécile Goldscheider[40], on a souvent tenté d'apparier photographiquement les ébauches de Rodin pour la tête de son *Balzac* et les documents censés les avoir inspirées. Le signataire de ces lignes n'est pas en mesure de distinguer dans ces rapprochements ceux qui sont dictés par des présomptions critiques sérieuses et ceux que les historiens de Rodin fondent sur des informations incontestables. L'avantage de cette ignorance est, en l'occurrence, le droit qu'il se donne d'interroger ces images avec naïveté. Une naïveté que les spécialistes voudront bien excuser.

Ce qui le frappe de prime abord, c'est combien le sculpteur est en garde contre les pièges de la littéralité, contre le danger paradoxal de l'exactitude et même de la simple "paraphrase" des documents. Le statuaire cherche pour ainsi dire Balzac *en avant*, il ne fait pas le pari de déchiffrer le secret d'une origine, par définition inconnaissable, il crée à Balzac des origines. Il ne répudie pas la ressemblance, il la réinvente. S'il ne copie pas, il croit en revanche à la contagion du vrai, forgeant pour la figure de celui qu'il veut mettre une deuxième fois au monde une réserve d'apparences à la mesure de ce qu'il entend lui faire signifier par la suite, et dont beaucoup se perdront en chemin.

C'est donc de la vie que le sculpteur accumule dès le départ, avec un enthousiasme de création du monde, improvisant inlassablement de libres variations sur des photographies, des portraits gravés ou peints de Balzac, jouant à les projeter dans l'espace à trois dimensions de la sculpture sans le secours de dessins préparatoires. Il dérive ainsi des images par multiplication, mise en série, hybridation, non sans écarter nombre de simulacres provisoires ou aberrants, vie abandonnée à l'état naissant peut-être, par lesquels le visiteur de Meudon se sent observé avec un sentiment de malaise. Les principales virtualités expressives testées dans ces essais dispersés viendront se condenser progressivement dans la matrice invisible où se forme la vraie tête du *Balzac*.

Ce faisant, Rodin procède par une opération qui n'a pas de nom, et qui est assez exactement l'inverse de ce processus de déréalisation qu'on pouvait observer dans le dossier documentaire. Ce Balzac fragmenté en images fortuites, incohérentes, disséminées au hasard dans le calendrier de sa vie, il l'enracine dans sa terre natale, il l'abrite sous ce que l'écrivain appelait le "ciel maternel[41]" de la Touraine, il en fait un portrait d'origine. Tel est à nos yeux le but et le sens de l'épisode Estager[42].

Les photos que Rodin fait faire sous plusieurs angles du "conducteur de Tours" (cat. 21 à 24) nous montrent une tête particulièrement inexpressive, solide, banale - terre qui attend d'être modelée par la main du sculpteur. Les volumes de ce visage en attente ne sont pas sans analogie - Cécile Goldscheider le remarquait déjà - avec la tête de Balzac dans le pastel de Gérard-Seguin. De tous les portraits de l'écrivain, aucun n'a moins d'âme que celui-ci ; c'est "l'homme extérieur", "la bête", disait Balzac. Il faudrait maîtriser la chronologie exacte des séries engendrées par ce modèle tourangeau, et par d'autres semble-t-il - mais ce savoir nous fait défaut -, pour pousser plus avant l'interprétation que nous sommes tenté d'esquisser ici. De même que nous l'avons vu se méfier du style imitatif, Rodin semble hostile, à ce stade de sa recherche, à l'analyse psychologique tout autant qu'au portrait de caractère. Il ne scrute pas l'âme comme Boulanger dans son portrait de Balzac, au dire de ce dernier, il n'évoque, dans la série issue des photos d'Estager, ni l'"hilarité puissante" dont se souvenait Théophile Gautier, ni l'air d'infinie bonté loué par Lamartine, ni la gravité tragique des deux daguerréotypes. Voici une série de visages qui vivent en quelque sorte par leur vacuité, leur disponibilité tranquille et lumineuse. Estager respire le plus souvent une sérénité bouddhique, entrouvrant ses lèvres épaisses, peu sensuelles, sur un sourire sans expression qui n'appartient ni aux photographies que nous possédons de lui ni aux portraits connus de l'écrivain, mais où s'annonce peut-être mystérieusement l'extase des dernières études pour la tête du *Balzac*.

Il en va de même des admirables masques souriants (cat. 26 à 28) : ils échappent totalement aux catégories du psychologique, et la quasi-absence de cette lèvre inférieure si typique du faciès balzacien montre à quel point ils sont affranchis de tout code imitatif. Ce qui les rend décidément bien étrangers à la sépia de Boulanger dont ils sont parfois rapprochés.

Et leur sérénité indienne n'a rien de commun avec les rares sourires de l'iconographie balzacienne, sourire amer esquissé sous le crayon de Bertall vers 1847, ou sourire d'outre-tombe du buste de David d'Angers.

Nous avons parlé de la vacuité de ces premières séries tourangelles. C'est comme si Balzac s'en était absenté, ou qu'il n'y eût pas encore pénétré. Essayons de mesurer cette absence.

L'architecture du visage de Balzac nous est bien connue dans ses traits constitutifs grâce aux daguerréotypes notamment, qui confirment les portraits de Boulanger, de Bertall, de David d'Angers, grâce aussi à une page célèbre de Théophile Gautier, sans parler de ces masques étonnamment concordants que le romancier lui-même a prêtés, dans *La Comédie humaine*, à ces personnages d'inspiration autobiographique que Pierre Citron appelle "les fantômes du miroir". "Prenez garde à mon nez ; – mon nez, c'est un monde !", disait Balzac à David d'Angers qui faisait son buste, et qui tint compte de l'avertissement. Gautier, qui rapporte la scène, évoque, outre ce "nez, carré du bout, partagé en deux lobes, coupé de narines bien ouvertes", ses "bonnes lèvres épaisses et sinueuses", les "protubérances de la mémoire des lieux" formant "une saillie très prononcée au-dessus des arcades sourcilières", la "crinière léonine" d'une chevelure drue et noire rejetée en arrière, enfin ces yeux inoubliables dont la description est chère aux balzaciens : "deux diamants noirs qu'éclairaient par instants de riches reflets d'or : c'étaient des yeux à faire baisser la prunelle aux aigles, à lire à travers les murs et les poitrines, à foudroyer une bête fauve furieuse, des yeux de souverain, de voyant, de dompteur[43]". Autant d'éléments qui structurent le portrait et le visage de David Séchard, par exemple, au début d'*Illusions perdues*, l'"abondante forêt de cheveux noirs", "les sillons des lèvres épaisses", le "nez carré, fendu par un méplat tourmenté[44]" et "dans les yeux surtout, un feu sombre[45]". On ne reconnaît aucun de ces traits structurants dans les premières ébauches de têtes de 1891.

Cette étape initiale aurait-elle la valeur d'une expérience limite, d'une catharsis dont la fonction aurait été de rompre tout lien anecdotique avec le "sujet" commémoratif au profit de la pure virtualité de l'entreprise – le biographique, le psychologique étant relégués parmi les "sources" inutiles à la signification de l'œuvre telle qu'elle sera recherchée et construite désormais ? Mais, répétons-le, Rodin, comme Balzac, a le fétichisme du vrai. Les quelques traits structurants essentiels du visage de Balzac ne deviendraient-ils pas, à la suite de cette catharsis, le vocabulaire fruste d'un nouveau discours plastique sur un nouveau Balzac, les médiateurs d'une nouvelle ressemblance ? Une ancienne photographie anonyme conservée au musée Rodin (cat. 96), qui rapproche deux têtes d'après Estager et une troisième, plus tardive (cat. 95), nous paraît visualiser ce processus évolutif.

Ici encore la connaissance de la chronologie des ébauches donnerait seule le droit d'aborder, à la suite d'Antoinette Le Normand-Romain, les métamorphoses de la tête du *Balzac* dans une perspective génétique, la plus rationnelle semble-t-il. De même que l'étude conjointe de l'évolution simultanée de la tête et de l'ensemble de la figure, avec les conflits engendrés par ce double processus, correspondrait mieux à l'histoire réelle de l'œuvre. Dans les deux cas, l'honnêteté nous dictait de nous abstenir. Nous ne nous dissimulons donc pas ce que peut avoir d'arbitraire la mise à plat nécessitée par les quelques remarques qui suivent.

Antoinette Le Normand-Romain constate que "la chevelure léonine de Balzac, que l'on voit croître au fil des études de Rodin" joue "un rôle [...] important dans la définition du personnage[46]". Sans doute serait-il possible de suivre de la même manière l'expressivité croissante d'un petit nombre d'éléments structurants, l'œil, le nez, les lèvres, dont naîtrait un Balzac de plus en plus vrai, de moins en moins ressemblant à ses images convenues, mais de plus en plus ressemblant à lui-même, et toujours aussi reconnaissable. Contentons-nous de quelques observations au sujet de l'œil.

Personne n'a mieux parlé du regard de Balzac que Gautier. À l'en croire, "jamais yeux plus étincelants ne scintillèrent dans une face humaine[47]". Il faut avouer cependant que, mis à part, peut-être, le beau dessin de Bertall exécuté vers 1847, aucun portrait de Balzac, et pas même le daguerréotype de Bisson, ne nous donne une idée du "feu sombre" que le romancier prête aux yeux de David Séchard, ni de ces "yeux de flamme", de ces "diamants noirs" à reflets d'or comme dit encore Gautier[48]. Si Balzac trouve que Boulanger a bien rendu l'expression de ses yeux, il critique à cet égard le dessin préparatoire de David d'Angers pour son deuxième médaillon, ou plutôt la copie qui en a été faite pour Mme Hanska. Le copiste n'y est pour rien, explique-t-il à celle-ci le 2 mars 1843, l'imperfection tient à David lui-même : "Comme il ne s'est pas occupé de l'œil, l'œil est absent, *il n'existe jamais en statuaire* – décrète-t-il –, et le copiste qui est d'ailleurs un artiste m'a donné un air séraphique qui, je dois en convenir, me manque entièrement[49]." Il revient quelque temps plus tard sur ce défaut inhérent, croit-il, à la sculpture elle-même : "Quel dommage que l'absence du regard qui se trouve dans la sculpture ait obligé le copiste à me donner cet air d'inspiré qui ne vaut certes pas la nature[50]." N'existe-t-il donc ni œil ni regard pour la statuaire ?

Rodin relève le défi pour son *Balzac*, comme il le relève ou le relèvera pour son *Hugo* avec une autre technique, pour d'autres yeux, avec la même terrifiante efficacité. L'analyse que Paul Claudel fait, en deuxième écriture, du marbre de Hugo conservé au musée de Copenhague nous éclaire sur les deux œuvres, et nous aimerions la citer. Parlant des yeux de Hugo, Claudel écrit que Rodin, "avec son instinct de coloriste", en a fait "la base de son édifice de valeurs". Et il poursuit :

"Tandis que les peintres, la plupart du temps, allument un éclair dans la pupille de leurs modèles, les yeux de Hugo dans aucun portrait que j'aie vu ne brillent d'aucun rayon, et, sur le visage qui s'offre à moi, ici, [...] ces étroites ouvertures donnent une impression de noir absolu : l'air hagard que donnent aux maisons inhabitées [...] des fenêtres sans vitres ouvertes sur une cavité insondable. Mais la face que je confronte n'est pas inhabitée, il y a une grande âme souffrante par derrière, et j'ai compris tout à coup ! j'ai compris ce qui regarde là-dedans de cet air menaçant et plein de nuit[51]."

Les yeux de Balzac ne sont pas ceux de Hugo. Mais Rodin optera aussi pour le "feu sombre" des yeux de Balzac, si imparfaitement suggéré par les portraits connus, plutôt que pour la flamme et l'étincelle. Une difficulté naît pourtant du fait que, dans toutes les représentations du visage de Balzac – daguerréotypes compris –, à l'exception des deux lavis d'Achille Devéria, qui remontent à la jeunesse de l'écrivain, et du pastel aux yeux clos exécuté par Giraud à son lit de mort, la paupière supérieure apparaît plissée ou enflée, tuméfiée, mal dégagée du sourcil. Pour corriger cet effacement de l'orbite, qui affaiblit le "caractère" de la figure, David, dans son buste, a accentué l'arcade sourcilière et même dessiné le sourcil, au-dessus des yeux inexpressifs de son candidat à l'immortalité, par un léger renflement qui introduit un effet de profondeur, assez réussi dans la version en marbre.

Il va sans dire que Rodin procède de manière diamétralement opposée. Nous avons rappelé qu'il redéfinit à partir des éléments structurants de la tête de Balzac le vocabulaire d'une nouvelle représentation, "travail colossal pour l'expression". L'œil d'"un des plus profonds regardeurs de son siècle[52]", selon la formule d'un critique, va naître de ce besoin d'expression exaltée. On peut observer, ou tout au moins retrouver, dans une série de têtes, dont certaines sont de grands chefs-d'œuvre, le creusement d'une forme tenant lieu de cavité orbitaire où pourra naître, dans la brèche sombre de l'œil, la fulgurance du regard noir. Les variations de la formule, cherchée jusqu'à la fin, sont aussi nombreuses que celles de la chevelure. C'est dans l'amplification énorme du sourcil et de l'arcade sourcilière confondus que le statuaire, passant outre aux artifices pseudo-réalistes timorés de

David, trouve la solution de ce problème d'architecture de la face. Une ébauche conservée en terre cuite (cat. 35) visualise ces ajouts de matière au-dessus des yeux, dont seule la place est indiquée au milieu des particules de glaise accumulées d'un pouce rapide par l'artiste.

Parmi les familles de têtes qui coexistent dans la genèse du *Balzac*, cette hypertrophie de l'arcade sourcilière – aux dépens de l'arcade zygomatique quand la statue est vue d'en bas, orientation naturelle du regard de qui la contemplera dans sa version définitive – est inégalement développée, mais nous paraît le plus souvent présente. Sans nous prononcer sur le nombre de séries existantes ni sur leur probable hybridation mutuelle, sans chercher à résoudre les problèmes de filiation et de succession que posent ces études préparatoires – autant de sujets hors de notre compétence –, nous nous plaisons à distinguer parmi ces têtes deux types dominants d'organisation plastique.

Dans les unes, les plus rares, l'élaboration de l'œil se fait en harmonie avec les autres éléments structurants (nez, lèvres, cheveux, etc.). Le plâtre patiné (cat. 90) offre une élégante courbure soulignée d'un sourcil d'aspect hindou, qui abrite des yeux profonds, s'accorde à une bouche flexueuse, presque souriante, dans un visage aux formes denses, simplifiées, enveloppé d'une chevelure stylisée. Cet équilibre ne semble pas se maintenir dans une variante en terre cuite de la même tête (cat. 88), où le front s'alourdit et se fronce sous l'effet d'une tension intérieure où nous serions tenté de reconnaître une de ces expressions du génie créateur que Rodin voulait figurer à travers son *Balzac*.

Nombreuses sont d'autres têtes, beaucoup plus dramatiques, travaillées par une énergie violente et douloureuse dont la face porte les stigmates, telles S. 765 et S. 265 (cat. 99 et 100). Telle encore la tête monumentale en grès émaillé (*cf.* cat. 144 à 147), où les yeux entourés de leur gangue envahissent le front, la chevelure formant désormais, avec le sourcil gauche, un bloc d'ombre compact tandis que les sinuosités des lèvres paraissent tirées vers le haut du visage dans une grimace de souffrance. On touche ici, dans cette tête très ressemblante à celle que le statuaire a finalement adoptée, au degré extrême d'une tension intolérable. Une sérénité grave reprend possession du dernier visage, le dessin des lèvres s'apaise, l'expression se partage entre l'extase et une majestueuse bienveillance. Le passant ne peut croiser le regard de cette figure de proue, dirigé trop haut, mais il n'aperçoit pourtant, de ce visage, que les deux énormes taches noires des yeux invisibles surmontés de leur visière de bronze, et auxquelles toutes les lignes de la figure conduisent.

La conception générale de la figure en pied du *Balzac* nous paraît relever à l'origine, comme l'architecture élémentaire de la tête, de ce que nous avons appelé le fétichisme du vrai et ne se réaliser qu'au prix d'une subversion analogue des modèles traditionnellement invoqués. Nous voudrions essayer d'illustrer brièvement cette idée, sans entrer, ici non plus, dans la mécanique compliquée de la genèse décrite par Antoinette Le Normand-Romain. Les deux études préparatoires successives de la figure, le *Nu au gros ventre* (*Étude C* ; cat. 36) et le *Nu en athlète* (cat. 89 et 91), principales étapes de cette genèse, serviront de références aux observations qui suivent et les mettront en quelque sorte en perspective.

L'embonpoint de Balzac a été tourné en dérision par Benjamin Roubaud et ses imitateurs avec un acharnement qui surprend aujourd'hui où nous sommes habitués à d'autres formes de malveillance. L'abdomen proéminent du romancier à la canne aux turquoises, dandy insolite, fut en particulier la cible de charges continuelles. Il est vrai qu'en 1835 Balzac feignit de n'être pas mécontent qu'on l'admît, lui, sa canne et son ventre parmi les célébrités du jour sculptées en caricature par Dantan. Mais ne fallait-il pas prévenir le rire de Mme Hanska, à qui il fit envoyer deux exemplaires de cette statuette que Gautier qualifiait de "grimace de plâtre[53]" ?

Vingt ans plus tard, Gavarni se moquait encore du profil en "as de pique" de son ami disparu ! Les Goncourt rapportent ses propos, qui confirment sa médiocrité et la leur[54]. Quant à Lamartine, s'il évoque avec sympathie, dans une page que Rodin connaissait, la "robuste charpente" de Balzac, il ne peut s'empêcher de remarquer : "Mais en face du visage on ne pensait plus à la charpente[55]", ce qui est tout de même une réserve quant à la charpente.

À n'en pas douter, Rodin écrirait l'inverse au moment où il se saisit de cette robuste charpente, de cet énorme ventre que Lamartine n'ose pas nommer, et qu'il campe cet admirable chef-d'œuvre connu sous le nom rébarbatif d'*Étude C.*

L'invention de Rodin commence par une triomphante inversion du signe de son prétendu modèle. Ou, si l'on préfère, il rend à sa vraie nature ce modèle prétexte, il le rend à la Nature offensée par les poncifs de la tradition iconographique.

Il illustre ainsi l'attitude qu'il défend constamment dans sa correspondance, dans les propos qu'on lui prête et dans le deuxième chapitre de ses entretiens sur *L'Art*, si malencontreusement réduits au "bien parler" par Paul Gsell : "Pour l'artiste, tout est beau dans la nature[56]." Nous nous déclarerions volontiers convaincu que le statuaire n'a pu "s'inspirer" en quoi que ce soit des artistes de deuxième ordre que nous venons de nommer. Soit ! Balzac était gros, son ventre était gros – on le sait par des lettres où Balzac s'en plaint, tout en avertissant Mme Hanska... –, commençons, pense Rodin, par le modeler à l'image d'un gros homme, que nous fournira ou non sa Touraine natale. Nul besoin que Roubaud nous inspire. S'il y a dans le livre de Werdet[57] possédé par Rodin un signet portant : "'mention d'une statue de Da...', p. 359", c'est tout au plus que Rodin ne connaît pas cette œuvre. Sans doute cherchera-t-il à la voir, sans doute l'aura-t-il vue, féru de documentation comme il est au départ. Faute d'une confirmation explicite – nous ignorons si elle existe –, cette annotation n'est peut-être pas une présomption suffisante pour reconnaître la statuette de Dantan dans quelques petites ébauches en terre où Rodin a modelé un personnage ventru (cat. 20). On peut s'étonner que ne soit pas reproduite la difformité des jambes raccourcies, sur quoi repose le principal effet caricatural de Dantan. Les mains derrière le dos ou sur un support n'appartiennent pas non plus au modèle présumé. Quant au ventre, s'il est saillant, il n'en occupe pas moins exactement la partie médiane de la figure, comme dans l'*Étude C.*

Quoi qu'il en soit, cette dernière ne comporte pas le moindre élément de ridicule, pas la moindre allusion satirique. C'est une œuvre sévère, foncièrement virile. Gageons que ce puissant lutteur ne se dandine pas sur ses jambes comme Balzac tel qu'il est évoqué dans le portrait de Lamartine, et sa "robuste charpente" n'essaie pas de se faire oublier au profit d'une physionomie qui "vous ravissait le cœur[58]". Rappelons-nous la formule de Balzac, dans *Le Chef-d'œuvre inconnu*, pour désigner les grands artistes aux prises avec l'incommode vérité de la Forme, ces "victorieux lutteurs[59]". En voici un, et qui n'est certainement pas dessiné sur le patron du beau portrait de Lamartine. C'est une figure solitaire du créateur, une figure intérieure, muette. Son visage est altier, dense, impénétrable, impossible à regarder fixement, comme le sera d'ailleurs la tête ultime du *Balzac*. Ses yeux n'entrent pas "en confidence dans les vôtres comme des amis". Les "bras courts" qui "gesticulaient avec aisance" sont croisés, puissamment immobiles, même la main symbolique de l'écrivain s'y cache, s'y fait oublier. C'est une force concentrée en elle-même, autour de ce ventre où se crée un monde. C'est *le plus fécond de nos romanciers*.

L'énorme charge expressive de la figure ne fut pas comprise. Cette figure s'inscrivait pourtant dans l'élan de la création rodinienne. C'est encore un homme qui marche, mais dans la cinétique particulière du sculpteur, c'est comme s'il se produisait tout à coup un arrêt sur image. L'homme avance et en même temps – le mouvement suspendu – le lutteur prend racine dans la terre à travers son sexe transformé en "tertre". N'incarne-t-il pas, comme Gautier l'écrivait de Balzac, reprenant une formule qu'Alexandre Dumas avait appliquée à Shakespeare, "l'homme qui a le plus créé après Dieu[60]" ?

L'*Étude C* et les variations qui en furent tirées donnèrent lieu à un déluge de contresens dont on pourrait faire un sottisier qui ressemblerait à un manuel de chirurgie esthétique. Les arguments les plus contradictoires furent invoqués contre les innovations révolutionnaires de Rodin. Les tenants de la ressemblance s'indignèrent... d'un excès de ressemblance, comme si, un demi-siècle après sa mort, ils avaient eu le fâcheux privilège de contempler l'immontrable nudité de Balzac. Antoinette Le Normand-Romain cite la prodigieuse réaction de Chincholle : sacrifiant à la "ressemblance parfaite", Rodin "avait mis, sur des jambes très écartées – on sent l'émoi du critique –, un ventre énorme". Balzac en somme était une sorte de monstre vrai qu'un sculpteur conscient de sa mission glorificatrice avait le devoir d'arranger pour le montrer en public : "on lui exposa [à Rodin] qu'il avait le droit de représenter Balzac à l'âge où il était moins ventru, où la graisse ne lui avait pas encore supprimé le cou[61]".

Le problème esthétique posé par la statue de Rodin en était réduit à ce thème dérisoire : l'art et l'obésité. Le malentendu n'était pas nouveau : avant même que l'exécution de la statue n'eût été attribuée à Rodin, Honoré de Bourzeis, sociétaire de la Société des gens de lettres, exprimait à Gonzalès son vœu d'avoir un monument où la France puisse se recueillir "en face de notre Goethe à nous". Suivait la description du monument souhaité ; elle commençait en ces termes : "ce serait le penseur assis, *copieusement drapé en vue d'amoindrir un excès de corpulence*[62]", etc.

Des préjugés de toutes sortes, idéologiques, esthétiques, moraux, sexuels, entrent dans l'hostilité rencontrée auprès de la Société des gens de lettres par un *Balzac* aussi déconcertant. Si l'on en juge par les alternances d'abandon et de reprise de l'*Étude C*, les projets, contre-projets et diversions qui se succédèrent de 1892 à 1894, Rodin découragé renonça, ou feignit de renoncer, à sa première idée. Des considérations oiseuses de bienséance avaient empêché Rodin et ses commettants d'aborder et de discuter les vraies questions esthétiques. On avait préféré se taire ou laisser dire. Une telle attitude fut sans doute nuisible aux essais qui eurent lieu, selon la technique rodinienne, pour draper la statue. *Balzac* habillé ne réussit pas mieux que *Balzac* nu et fut encore plus mal reçu. Peut-être Rodin excédé ne fut-il pas mécontent, après une année de tergiversations, de présenter à ses détracteurs en 1894 – pour emporter leur refus plutôt que leur adhésion – la maquette drapée d'un *Balzac* encore plus provocante que la précédente. Dans cette ébauche très sommaire (cat. 72), la figure était revêtue d'un manteau largement ouvert qui laissait voir les jambes écartées et le sexe sous la masse encore peu travaillée du ventre. Est-ce à propos de cette maquette que les envoyés de la Société des gens de lettres décrètent dans leur rapport, en 1894, que "le projet, dans son état actuel, n'est pas artistiquement suffisant[63]" ?

Entre le *Nu au gros ventre* (*Étude C*) et le *Nu en athlète* qui lui est substitué après plus d'une année d'oubli apparent du projet[64], l'incompatibilité paraît flagrante. Il existe pourtant, nous semble-t-il, entre ces deux étapes, de profondes analogies, et même une forme de continuité, moins linéaire que conceptuelle, qui contribuent à éclairer la genèse et le sens du *Balzac*.

Au nombre de ces affinités, sur lesquelles nous voudrions attirer l'attention pour finir, il y a chaque fois, chez Rodin, la volonté de repartir de zéro, l'exigence triplement contradictoire d'une origine, d'une rupture et d'une permanence. L'enracinement tourangeau du *Balzac* au gros ventre subvertit ainsi les modèles biographique et iconographique, revendication du même et de l'autre. Le *Balzac* athlétique réaffirme l'identité du projet commémoratif à condition d'en être simultanément la dérision ; le maigre, ou tout au moins le fort, prend la place du gros, et la greffe du torse de *Jean d'Aire* des *Bourgeois de Calais* (cat. 84) "réorigine" le projet dans la création de Rodin.

D'un épisode à l'autre, la poursuite du processus symbolique à travers des formes récurrentes n'est pas moins intéressante. Comparons par exemple, à cet égard, les bras fortement croisés sur la poitrine du *Nu* de l'*Étude C* avec les mains de la figure qui lui est substituée en 1896. Dans une première étude (cat. 89), la main droite du *Nu en athlète* semble tenir son sexe, qu'elle cache, tandis que la main gauche vient se poser légèrement sur le poignet droit. Une variante de cette étude (cat. 91) présente plusieurs différences : la main n'est plus simplement posée sur le sexe, mais l'étire fortement vers l'avant, les deux mains croisées se trouvant ici beaucoup plus en saillie par rapport au ventre. Dans une version "habillée" de la même étude (cat. 87), les mains, entièrement recouvertes par le drapé, provoquent dans la silhouette de la figure une protubérance arrondie qui lui donne l'aspect d'une femme enceinte, qui nous ramène de manière inattendue – mais nullement fortuite sans doute – au profil du *Nu* au ventre fécond.

Cet élément d'architecture, avec sa forte charge symbolique, s'intériorise de plus en plus dans la figure du *Balzac*. Il a sa place, essentielle, dans le drapé de la robe de chambre vide (cat. 112), comme dans la merveilleuse esquisse en terre qui lui correspond (cat. 113), et, dans la statue définitive, il a pris la forme de la puissante courbure de bronze qui dit obscurément au promeneur parisien que le géant vert qui marche au-dessus de sa tête est le plus fécond de nos écrivains.

De David d'Angers à Michel-Ange

Avec l'achèvement du chef-d'œuvre de Rodin, une page était tournée, à la fois pour Balzac et pour Rodin, pour la littérature, pour la statuaire et pour l'histoire de la littérature. Une vie nouvelle commençait pour Balzac. Non pas simplement parce que Balzac, un demi-siècle après sa mort, avait été l'occasion d'une nouvelle bataille d'*Hernani*, mais parce que la statue de Rodin, bien avant la grande et historique synthèse de Curtius et les avancées de la critique moderne, proclamait pour la première fois l'unicité et l'unité de l'œuvre balzacienne. Cette œuvre qui défendait son unité derrière les murs invisibles de *La Comédie humaine*, son "titre de propriété", la statue de Rodin la montrait comme enveloppée dans son auteur et dans son nom, au moment où les lois sur la propriété littéraire – Balzac pensait qu'on aurait dû parler de "déshérédation" littéraire – la livraient sans défense à la curiosité du public et aux convoitises du commerce. Le *Balzac* de Rodin a choqué ; comme Beethoven, comme Michel-Ange ; il choque encore. Il suffit de prêter l'oreille aux commentaires, aux rires, aux quolibets du passant d'aujourd'hui. Le scandale de la statue, cette statue qui n'a pas cessé de nous parler, dit aussi l'indémodable modernité de *La Comédie humaine* et la nécessité de sauvegarder cette modernité.

Puisque nous avons commencé avec David d'Angers, terminons sur David d'Angers en citant deux prises de position qui nous montrent Balzac et sa statue suspendus entre le passé et l'avenir.

Donnons d'abord la parole au passé en la personne d'Henry Jouin, historien et biographe de David d'Angers. Le 15 juin 1898, dans *La Nouvelle Revue*, il s'adresse en ces termes au président de la Société des gens de lettres, feignant de s'étonner que la statue commandée n'ait pas donné satisfaction à la Société :

"Quand le créateur de *La Comédie humaine* eut disparu, sa veuve, ses admirateurs, ses amis estimèrent qu'un bronze du buste de David serait le plus digne ornement de son tombeau. On le voit au cimetière du Père-Lachaise. C'est à cet endroit, Monsieur le Président, que l'auteur de la statue de Balzac souhaitée à juste titre par votre honorable Société, peut juger du type consacré de Balzac. C'est là qu'est la tradition.

[...] Suis-je indiscret, Monsieur le Président, en vous donnant ces indications ? Je ne le pense pas, car il y a moins de dix ans, j'avais l'honneur de me rencontrer à Paris avec le sculpteur que vous aviez chargé de la statue de Balzac. Il s'appelait Henri Chapu. Et comme nous

fig. 37
Antoine Bourdelle (1861-1929)
Rodin
Vers 1910, bronze
Musée Rodin, S. 1213

parlions ensemble du monument qu'il méditait d'élever à la gloire de l'écrivain : 'Je me préoc-cupe, dit-il, de ma composition que je veux expressive dans son ensemble, mais je n'ai nulle inquiétude en ce qui concerne la tête de mon modèle : David est là !' Je ne doute pas que le successeur de Chapu ne soit heureux de penser comme lui, et d'agir avec cette franchise dont entendait user le charmant et habile statuaire. Il n'y a pas deux Balzac quant à la représenta-tion de sa tête par le ciseau ; il n'y en a qu'un, celui de David.

[...] Je me persuade qu'aucun artiste parisien ne voudrait s'écarter sciemment des enseigne-ments profitables qui découlent d'un chef-d'œuvre."

À ce traditionaliste qui voit l'avenir de la sculpture au Père-Lachaise, opposons notre second témoin, un certain Plouchart à qui le *Balzac* inspire en 1898 l'intéressante et bizarre brochure intitulée *Psychologiquement sur le Balzac de M. Rodin*. Lui aussi, mais dans un esprit tout différent, se réfère à David d'Angers, pour s'indigner contre le célèbre mort qui a imposé l'art antique à l'Institut :

"Il s'ennuie fort, l'art libre des Grecs, au sein de l'Institut, il s'alourdit, il s'empâte. Puis il prend peu à peu le ton de la maison et il faudra rendra grâce aux Étex, aux Clésinger de la mauvaise époque – mais combien libératrice – d'avoir étranglé dans leurs propres œuvres ce vieillard maussade et doctrinaire."

Et de saluer Rodin qui a posé "les éléments d'une morphologie nouvelle". Terminons sur ce bel éloge que Plouchart fait du chef-d'œuvre contesté : "le *Balzac* est catégorique ; il convient d'y contempler l'œuvre avant-courrière, l'œuvre dont ce fut la destinée d'être l'un des plus éton-nants enjambements de ce siècle sur l'Avenir".

Et si nous laissions Rodin arbitrer entre ces deux fanatiques ? "David a trop subi l'influence romantique ; mais c'est un beau sculpteur tout de même[65]."

Vous l'avez compris, Rodin c'est autre chose, et il le sait, comme l'atteste une anecdote rapportée dans les entretiens sur *L'Art*[66]. Au Salon de la Société nationale de 1910, Rodin, Despiau et Bourdelle s'arrêtent devant l'image du dieu Pan que Bourdelle, qui en est l'auteur, s'excuse d'avoir sculptée, avec ses cornes, "à la ressemblance de Rodin". Celui-ci n'en veut nullement à son célèbre praticien ; évoquant les cornes du *Moïse* de Michel-Ange, il déclare : "Elles sont l'emblème de la toute-puissance et de la toute-sagesse, et je suis assurément très flatté d'en avoir été gratifié par vos soins." Ce Pan à tête de Rodin n'est autre que le portrait de Rodin à tête de Pan, que Bourdelle a dédicacé à son modèle en ses termes : "*À Rodin, ces profils rassemblés*" (fig. 37).

Sans doute Rodin fut-il flatté d'avoir les cornes de Pan, mais plus encore d'être représenté à la ressemblance de Moïse, c'est-à-dire de Michel-Ange. Dans le buste que Camille Claudel fit de son maître, la paraphrase du *Moïse* vu de face (il a la tête tournée vers la gauche) est fla-grante, et ce n'est pas sans un étonnement amusé qu'on voit s'ébaucher au front de son *Rodin* une timide corne de Pan.

Ces cornes de Pan, de Michel-Ange, de Moïse et de Rodin réapparaissent sans aucun doute dans le profil gauche de la tête du *Balzac*. C'est sur la sublime photographie, par Steichen, du grand fantôme blanc dans le jardin de la villa des Brillants à Meudon que nous les avons remarquées pour la première fois. Elles ne sont pas moins visibles sur la version en bronze. Nous avons dit que ce *Balzac* est aussi le plus profond des autoportraits. Dans les "profils rassemblés" du sculpteur et de son modèle, ces cornes de Pan représentent un signe d'élection, l'emblème tutélaire d'un génie commun – ou, si l'on préfère, un hommage à la permanence de l'art et à une tradition au-dessus de toutes les traditions.

1. Balzac à Laure Balzac,
6 septembre 1819 ; *in* Balzac,
Correspondance, éd. R. Pierrot, 1960,
t. I, p. 36 [désormais cité *Corr.*].
2. Balzac, *Des artistes*, in *Œuvres
diverses*, Paris, Gallimard, Pléiade,
1996, t. II, pp. 708 et 714 [désormais
cité *OD*].
3. Balzac, *La Comédie humaine*,
nouv. éd. publiée sous la direction
de P.-G. Castex, Paris, Gallimard,
Pléiade, 12 vol., 1976-1981
[désormais cité *CH*] ; ici, t. IV, p. 181.
4. Balzac, *Lettres à Mme Hanska*,
Paris, Robert Laffont, coll.
"Bouquin", 1990, t. I, p. 734
(lettre datée 3-5 décembre 1843)
[désormais cité *LHB*].
5. *Id., ibid.*
6. *Id., ibid.*
7. Notre référence constante
sera l'étude d'Antoinette
Le Normand-Romain publiée dans
le présent catalogue, à laquelle
il sera désormais renvoyé
dans les notes par le sigle ALNR
suivi du numéro de la page ;
ici, *cf.* ALNR, p. 20.
8. ALNR, p. 17 ; Émile Zola,
"Une statue pour Balzac", *Le Figaro*,
6 décembre 1880 ; repris *in* Zola,
1888, pp. 85-95.
9. ALNR, p. 18 ; *id., ibid.*
10. ALNR, pp. 56 et 57 ; Zola
à Rodin, 8 décembre 1894 ;
arch. musée Rodin.
11. Guy de Maupassant à
Emmanuel Gonzalès, 15 novembre
1885 ; Paris, Maison de Balzac,
manuscrit 105 A 2.
12. Il lui fait cette proposition
le 19 novembre 1842 (*Corr.*, t. IV,
pp. 520-521). Refus de Balzac
quelques jours plus tard, car il
a donné sa parole à David
(*ibid.*, pp. 522-523).
13. ALNR, p. 68 ; "Œuvre achevée.
M. Rodin et la statue de Balzac",
L'Éclair, 10 avril 1898.
14. ALNR, p. 64 ; Georges
Rodenbach, "Encore la statue
de Balzac", *Le Figaro*, 25 août 1896.
15. ALNR, p. 42 ; *Le Moniteur
des arts*, 24 juillet 1891.
16. ALNR, p. 45 ; Arsène Alexandre,
"Le Balzac de Rodin", *L'Éclair*,
11 novembre 1894.
17. *CH*, t. XI, p. 794.
18. ALNR, p. 50 ; Rodin à Jean
Aicard ; lettre citée par Judith
Cladel, 1936, pp. 193-194.
19. "[De l'état actuel de la
littérature]", *OD*, t. II, p. 1226.
20. Dans sa "Lettre aux écrivains
français du XIXᵉ siècle", *ibid.*,
p. 1251.

21. En témoigne la magnifique
exposition organisée en 1994 par
le musée de Rimini sur le mythe
de Paolo et Francesca de Rimini
au XIXᵉ siècle ; *cf.* le catalogue
*Sventurati amanti. Il mito di Paolo
e Francesca nell' 800*, Milan,
Mazzotta, 1994.
22. Les remarques d'Antoinette
Le Normand-Romain à propos
du socle envisagé par Rodin pour
son *Balzac* et le désir exprimé par
l'artiste de faire un "Balzac digne
de l'immortel auteur de *La Comédie
humaine*" ("Œuvre achevée.
M. Rodin et la statue de Balzac",
L'Éclair, 10 avril 1898) corrigeront
ce que cette déclaration a d'un peu
trop catégorique ; *cf.* ALNR,
pp. 44-45, 67-68 et 83.
23. Arsène Alexandre, 1898,
pp. 29 et 32.
24. L'image du kaléidoscope pour
qualifier son moi est dans une belle
lettre à la duchesse d'Abrantès datée
du 22 juillet 1825 (*Corr.*, t. I, p. 270).
25. *LHB*, t. I, p. 31.
26. *Ibid.*, p. 346 (28 octobre 1836) ;
p. 387 (2 juin 1837) ;
p. 399 (19 juillet 1837) ;
p. 438 (10 février 1838).
27. *Ibid.*, p. 369 (10-13 avril 1837).
28. *Ibid.*, p. 370 (même lettre).
29. *Ibid.*, p. 452 (26 mars-22 avril
1838).
30. *Ibid.*, p. 632 (10-21 janvier
1843). C'est nous qui soulignons.
31. *Ibid.*, p. 579 (27 avril-15 mai
1842).
32. *Le Chef-d'œuvre inconnu*,
CH, t. X, p. 418.
33. *LHB*, t. I, p. 734 (3-5 décembre
1843).
34. ALNR, p. 45 ; Rodin à
Lovenjoul, (23) mai 1893 ; Paris,
Institut de France, fonds Spoelberch
de Lovenjoul, G. 1193.
35. Edmond Werdet, 1859, p. 359.
36. *LHB*, t. I, p. 656 (19-21 mars
1843).
37. Lettre à Mme de Brugnol,
mai 1845 ; *Corr.*, t. V, pp. 17-18.
38. Catalogue de l'exposition de
la Maison de Balzac : *Les Portraits
de Balzac connus et inconnus*, Ville
de Paris/Maison de Balzac, 1971 ;
préface de Patrice Boussel, non
paginé.
39. Théophile Gautier, 1859,
pp. 159-161.
40. Cécile Goldscheider, 1952, I,
pp. 37-44.
41. *Le Mendiant* (*Scène de village*),
OD, t. II, p. 1126.
42. *Cf.* ALNR, p. 37.
43. Théophile Gautier, 1859, pp. 7-8.

44. *Illusions perdues*, *CH*, t. V,
pp. 144-145.
45. *Ibid.*, p. 1155, variante *a* de
la page 145 ; "feu sombre" est la
version du manuscrit. Le texte
imprimé définitif donne : "le feu
continu d'un unique amour".
46. ALNR, p. 46.
47. Théophile Gautier, 1859, p. 59.
48. *Ibid.*, pp. 159 et 8.
49. *LHB*, t. I, p. 647 (2 mars 1843).
C'est nous qui soulignons.
50. *Ibid.*, pp. 662-663 (25 mars-
9 avril 1843).
51. Paul Claudel, "Digression
sur Victor Hugo", in *Réflexions
et propositions sur le vers français* ;
Œuvres en prose, Paris, Gallimard,
Pléiade, 1965, p. 21.
52. Eugène Plouchart,
*Psychologiquement sur le Balzac de
M. Rodin*, Chamuel, 1898, p. 7.
53. Dans *La Presse*, 13 octobre
1836. Jugement mentionné dans
la notice [n° 19] de cette œuvre,
catalogue de l'exposition
*Les Portraits de Balzac connus
et inconnus*, Ville de Paris/Maison
de Balzac, 1971, non paginé.
54. ALNR, p. 42 ; Edmond et
Jules de Goncourt, "Gavarniana",
Journal de la vie littéraire,
mars 1855.
55. ALNR, p. 41 ; Alphonse
de Lamartine, 1866, p. 17.
56. Rodin, 1911, p. 39.
57. ALNR, p. 41 ; Edmond Werdet,
1859, p. 359.
58. ALNR, p. 41 ; Alphonse
de Lamartine, 1866, pp. 16-18.
59. *CH*, t. X, p. 419.
60. Théophile Gautier, 1859, p. 70.
61. ALNR, p. 46 ; Charles
Chincholle, "Balzac et Rodin",
Le Figaro, 25 novembre 1894.
62. Sur l'initiative Gonzalès,
cf. ALNR, pp. 21-24. La lettre de
Bourzeis est conservée à la Maison
de Balzac, manuscrit n° 105 B 7.
63. ALNR, p. 48 ; procès-verbal
du comité du 4 juin 1894 ; Paris,
arch. de la Société des gens
de lettres.
64. *Cf.* ALNR, p. 59.
65. Dujardin-Beaumetz, 1913,
p. 108.
66. Rodin, 1911, pp. 289-290.

Remarques sur les portraits de Balzac

V

Martine Contensou

"Ses yeux qui lampent le monde"

Nous devons à Cézanne cette formule flamboyante que lui inspira la vision du *Balzac* de Rodin. Des "yeux qui lampent le monde et se closent passionnément sur lui", et qui apparaissent au visiteur dans l'entrée de la Maison de Balzac, enfouis dans le masque de plâtre. Cette tête de *Balzac* – une épreuve de l'une des études faites par Rodin, la plus proche de sa version finale (*cf.* cat. 98) – nous le rend plus présent que n'ont su le faire la plupart de ses portraitistes.

Est-ce à dire qu'aucun des artistes qui l'a *de ses yeux vu* n'a su nous restituer ce regard que Rodin a capté sans l'avoir jamais croisé ? Ce serait oublier que le sculpteur a collecté tous les portraits possibles de Balzac et clairement désigné ceux qui lui ont permis de se faire une idée de l'homme, qu'il n'avait pas connu mais dont il cherchait à rendre "l'intimité"... "Et là, pensez si c'est commode, l'âme de Balzac !" (*cf.* chap. IV).

Rodin a bien du mérite cependant ! L'homme qu'il s'engage à représenter en 1891 est mort depuis quarante ans ; aussi sera-t-il difficile de trouver des témoins oculaires fiables. En outre, de son vivant, Balzac a refusé longtemps de s'exposer aux regards de ceux qui souhaitaient faire son portrait, le montrer, le publier, le divulguer. Ce qui ne l'a pas empêché de se laisser portraiturer clandestinement par des artistes amis, dont il sollicitait lui-même la complicité afin d'offrir son image à la femme qu'il aimait. Mais il a soigneusement brouillé les pistes qui pouvaient permettre de retrouver ces portraits confidentiels, de les dater, d'en connaître les auteurs... Au point qu'il nous est difficile encore aujourd'hui de savoir quel est exactement celui que Rodin a eu sous les yeux grâce au collectionneur balzacien Lovenjoul, qui prend soin, dans une lettre adressée au sculpteur le 17 mai 1893, d'insister sur la nécessité de le garder caché : "Je vous recommande toujours de ne montrer à personne le portrait de Balzac que je vous ai confié[1]."

Un portrait tabou

Ce portrait serait-il celui de Balzac jeune, attribué à Devéria, dont l'existence ne sera révélée qu'en 1903, quand Hanotaux et Vicaire le feront graver pour illustrer le livre qu'ils publient alors, *La Jeunesse de Balzac. Balzac imprimeur* (fig. 38, *cf.* cat. 57 et 58) ?

Rodin aurait-il ainsi découvert sous le sceau du secret un visage de Balzac qu'aucun de ses contemporains n'avait vu ? En effet, nous savons désormais que Balzac avait donné ce portrait en gage d'amour – et en secret – à Laure de Berny, qu'il le lui avait dédié, en inscrivant de sa main, sous son visage, les mots d'un serment d'éternité, *"...et nunc et semper..."* ("et maintenant et toujours")[2].

Laure le conserva comme un talisman sa vie durant. Son fils Alexandre en hérita et le légua à son tour à son fils adoptif, Charles Tuleu. C'est ce dernier qui le communique à l'Institut de France et autorise Hanotaux et Vicaire à le publier en 1903, dix ans après que Lovenjoul a montré à Rodin le portrait tabou. Or, dans leur préface, les auteurs expriment toute leur reconnaissance à Tuleu mais remercient tout aussi vivement Lovenjoul de leur avoir ouvert les portes de sa bibliothèque. Ce dernier léguera sa collection à l'Institut de France en 1907, et Georges Vicaire en sera nommé conservateur. Il est possible que ce soit Lovenjoul qui, connaissant le portrait depuis quelques années déjà, ait mis en relation Tuleu et Vicaire au moment qui lui semblait opportun.

En effet, selon sa biographe, Alice Ciselet, Lovenjoul "craignait la brutale mise au jour de certains documents révélateurs. Ce ne fut qu'à contre-cœur qu'il entrouvrit la porte secrète et à la fin de sa vie seulement qu'il autorisa la publication du 'Balzac imprimeur' de MM. Hanotaux et Vicaire[3]." Il est vrai que l'ouvrage lève le voile sur la liaison de Balzac avec Laure de Berny à travers des documents inédits, qui font partie de ceux que Lovenjoul s'est employé inlassablement à rassembler dès 1853.

fig. 38
Auguste Lepère (1849-1918)
Portrait de Balzac jeune,
d'après Achille Devéria
Gravure publiée dans
G. Hanotaux et G. Vicaire,
La Jeunesse de Balzac. Balzac
imprimeur, Paris, 1903

Mais si c'est bien ce portrait que Lovenjoul fit découvrir à Rodin en 1893, sous quelle forme le lui a-t-il montré ? Probablement en a-t-il fait faire une photographie. Nous n'en connaissons pas de gravure antérieure à celle qu'Auguste Lepère a exécutée en 1903 pour *La Jeunesse de Balzac. Balzac imprimeur.* Pourtant Charles Chincholle, décrivant une maquette de Rodin dans *Le Figaro* du 25 novembre 1894, évoque bel et bien une lithographie de Devéria : "S'inquiétant plus de la ressemblance parfaite que de la conception qu'on a de Balzac, il [Rodin] l'avait fait choquant, difforme, la tête enfoncée dans les épaules. Avec le plus grand respect toutefois, on lui exposa qu'il avait le droit de représenter Balzac à l'âge où il était moins ventru, où la graisse ne lui avait pas encore supprimé le cou, de le montrer enfin tel que l'a dessiné Devéria dans sa lithographie géniale."

On croirait voir ce Balzac jeune que nous décrivent dix ans plus tard, en termes moins crus mais selon le même mode, Hanotaux et Vicaire : "La figure et le corps n'étaient pas empâtés et alourdis ; Balzac ne portait pas encore les cheveux longs [...] il ne portait pas non plus la moustache"... Éblouis par la "beauté ardente, expansive et rayonnante" de ce visage qu'anime "la flamme du génie", ni Hanotaux ni Vicaire, ni Tuleu ni Lovenjoul, ni même le graveur chargé de reproduire le portrait, ne voient la signature d'Achille Devéria, auquel ils doivent se contenter d'attribuer l'œuvre[4].

Quand Chincholle nous parle d'une "lithographie géniale" de Devéria, nous pourrions imaginer qu'il a entrevu chez Rodin une photographie du lavis de Devéria et qu'il a pris celui-ci pour une lithographie, mais le sculpteur aurait alors, par inadvertance, laissé traîner le portrait qu'il devait soigneusement cacher... À moins que Chincholle n'ait vu un autre portrait dont Rodin possédait une photographie (cat. 2), et qu'il l'ait par erreur attribué à Devéria. Il s'agit en réalité d'une lithographie d'Émile Lassalle, qui représente un Balzac jeune, mince et souriant, bien plus proche du portrait de Devéria que des multiples caricatures qui ont fait abondamment circuler l'image d'un gros Balzac stéréotypé. Au point que se posera encore pour Rodin, à en croire Chincholle, la question de savoir si l'on a "le droit de représenter Balzac à l'âge où il était moins ventru".

Figure obligée, figure captive

Rodin qui voulait pénétrer "l'âme" de Balzac n'aura sans doute pas manqué de se demander pourquoi Balzac lui-même a attendu si longtemps pour opposer à son image caricaturale un portrait flatteur de "l'auteur de *La Peau de chagrin*". Quand enfin, en 1836, il se décide à poser pour Louis Boulanger (*cf.* cat. 3), ce n'est pas en tant qu'auteur des *Études de mœurs au XIXe siècle* et des *Études philosophiques*, qui sont pourtant l'assise de l'œuvre monumentale que constituera *La Comédie humaine*, mais parce qu'il est "dans l'obligation de [se] faire peindre[5]". "Je n'étais pas assez beau poisson pour être mis à l'huile[6]", avait-il dit auparavant, couvrant comme à l'accoutumée d'une note humoristique des motifs à la fois plus obscurs et plus sérieux.

Peut-être trouverons-nous dans la préface de *La Peau de chagrin*, écrite en août 1831, une première explication à ses tentatives constantes d'échapper au regard du peintre comme à une Gorgone (mais ce ne sera certainement pas la seule raison et nous n'épuiserons pas celles que Rodin a pu imaginer) :

"Malgré l'incertitude des lois qui régissent la physiognomonie littéraire, les lecteurs ne peuvent jamais rester impartiaux entre un livre et le poète. Involontairement, ils dessinent, dans leur pensée, une figure, bâtissent un homme, le supposent jeune ou vieux, grand ou petit, aimable ou méchant. L'auteur une fois peint, tout est dit. *Leur siège est fait[7]*."

Ces lignes disparaîtront avec la préface, supprimée dans les éditions suivantes. Aussi nous semblent-elles d'autant plus révélatrices qu'elles apparaissent cachées, comme les lignes effacées d'un palimpseste.

"*Leur siège est fait*"... le lecteur dessine, ainsi, sur le tissu de sa lecture, une physionomie du poète en passe de devenir figure obsédante et exclusive. Puis les artistes à leur tour assiègent son visage, le fixent sur le papier, le plaquent sur la toile, l'épinglent comme un papillon, ou le prennent dans les filets de la caricature. Peut-être est-ce cette immobilisation, cet arrêt, ce verdict – "tout est dit" – que redoutait Balzac.

Et plus tard, quand Rodin doit faire *son* Balzac, c'est à ces images fixes qu'il a affaire. Et il doit en répondre. C'est d'ailleurs une *commande* qui lui est faite. Son *Balzac* devra être le *Balzac* de tous, et d'abord celui de ses commanditaires, et ne pas trahir le *Balzac* des anciens, celui de Boulanger ou de David d'Angers (fig. 39, *cf.* cat. 10), celui qui comme un furet court d'un portrait à l'autre.

Tous les témoins, Gautier, Lamartine ou Julien Lemer, dont Rodin lit attentivement les portraits qu'ils ont brossé de Balzac, tous insistent sur la "mobilité" du personnage qui, comme dans une pièce de Marivaux, n'est jamais là où on l'attend.

Ainsi, sortant de l'ombre en 1836 pour de longues séances de pose dans l'atelier de Boulanger, Balzac se présente-t-il en robe de moine, remplaçant l'attribut qu'ont voulu lui imposer les caricaturistes, sa trop célèbre canne, par un vêtement qu'il porte dans le privé et dont Théophile Gautier, qui le connaissait pourtant intimement, affirme ignorer "quelle fantaisie l'avait poussé à choisir, de préférence à un autre, ce costume qu'il ne quitta jamais".

Le *Journal intime* d'Antoine Fontaney, publié en 1925, nous en dira davantage sur cet habit de moine. "Il n'a pas voulu d'autres costumes depuis qu'il a visité les Chartreux[8]", note

fig. 39
Pierre-Jean David,
dit David d'Angers (1788-1856)
Balzac
1844, marbre
Paris, Maison de Balzac

Fontaney en rentrant de l'atelier de Boulanger le 10 septembre 1836. En août, en allant en Italie, Balzac était repassé par la Grande Chartreuse qu'il avait déjà visitée quatre ans plus tôt. Il avait alors noté, comme une devise, sur la page de titre de son carnet intitulé *Pensées, sujets, fragmens*, qui lui servit de mémento ou d'agenda pour sa création durant de longues années, une inscription relevée dans la cellule d'un moine : *"Fuge, late, tace"*.

Quels qu'ils soient, privés ou publics, confidentiels ou officiels, rares sont les portraits de Balzac qui ne recèlent pas une énigme. Comme s'il avait organisé le mystère autour d'eux, comme s'il n'avait cessé de fomenter un complot propre à nous perdre dans le labyrinthe de ses "cent moi-même" que l'on voit surgir dès 1831 dans la *Théorie du conte*, un fragment qu'il écrit la même année que *La Peau de chagrin* : "Hier en rentrant chez moi, je vis un nombre incommensurable d'exemplaires de ma propre personne, tous pressés les uns contre les autres à l'instar des harengs au fond d'une tonne[9]."

Il n'est pas jusqu'à la seule image photographique que nous ayons de lui, et que nous voudrions croire ressemblante, ou au moins fidèle, ce daguerréotype dont Rodin s'est inspiré (cat. 6), qui ne renferme sa part d'obscurité. L'homme qui, en mai 1842, "revien[t] de chez le

L'homme et ses masques

daguerréotypeur [...] ébaubi par la perfection avec laquelle agit la lumière" n'est plus seulement "le plus fécond de nos romanciers". Il est l'auteur de *La Comédie humaine*, qui paraît en livraisons depuis le 12 avril. Et pourtant, ce "portrait de votre serviteur au daguerréotype[10]", comme il le présente à Mme Hanska, elle sera seule, avec quelques intimes, à le voir, jusqu'à ce que Nadar l'édite, à partir de 1863, en différents formats, "carte de visite" ou "carte-album". Du vivant de Balzac, il sera resté privé, confidentiel. Portrait-talisman, comme celui qu'Achille Devéria fit de lui dans sa jeunesse, auquel il semble secrètement s'adresser : sa chemise ressemble à celle qu'il portait alors, et sa main posée sur son cœur semble prêter le même serment, maintenant et toujours. À moins qu'un tel geste n'exprime aussi la douleur.

Le visage de Balzac se dérobe sans cesse. Même quand il semble se prêter à l'effigie, il ne peut s'empêcher d'en dévoiler la comédie. Au marbre dans lequel David d'Angers "tâche de rendre l'admiration [qu'il a] pour [son] puissant génie", il arrache le masque : "vous serez stupéfaite en voyant la tête olympienne que David a su tirer de ma grosse face de bouledogue", écrit-il à Mme Hanska le 3 décembre 1843 (*cf.* cat. 10).

"Un visage d'artiste est toujours exorbitant"

À propos des artistes qu'il défend inlassablement dans les articles qu'il donne à des revues comme dans des textes théoriques, Balzac écrit dans *La Fille aux yeux d'or* : "La concurrence, les rivalités, les calomnies assassinent ces talents. Les uns, désespérés, roulent dans les abîmes du vice, les autres meurent jeunes et ignorés pour s'être escompté trop tôt leur avenir. Peu de ces figures, primitivement sublimes, restent belles. D'ailleurs la beauté flamboyante de leurs têtes demeure incomprise. **Un visage d'artiste est toujours exorbitant**, il se trouve toujours en dessus ou en dessous des lignes convenues pour ce que les imbéciles nomment le beau idéal. Quelle puissance les détruit ? La passion."

Tous ceux qui ont connu Balzac nous le montrent doué d'une formidable énergie vitale. "Vivacité", "énergie", "ardeur", "feu", "passion[11]", tous le voient excessif, exorbitant.

Baudelaire, né quelque vingt ans après le "visionnaire passionné" qu'il a tant admiré et rencontré une fois, et quelque vingt ans avant Rodin qu'il ne connaîtra pas mais qui le sculptera, nous décrit Balzac en ces termes : "Balzac, grand, terrible, complexe aussi, figure le monstre d'une civilisation, et toutes ses luttes, ses ambitions et ses fureurs [...]. Bref, chacun, chez Balzac, même les portières, a du génie. Toutes les âmes sont des âmes chargées de volonté jusqu'à la gueule[12]."

Cézanne éprouva des sentiments analogues, il admira Balzac, il s'identifia à l'une de ses créatures, le peintre Frenhofer, héros tragique du *Chef-d'œuvre inconnu*, et il nous semble, au moment où il rend au *Balzac* de Rodin un magnifique hommage, reprocher en quelque sorte à son créateur de n'être pas Balzac... "Rodin est un prodigieux tailleur de pierres, avec tous les frissons modernes, qui réussira toutes les statues qu'on voudra, mais qui n'a pas une idée. Il lui manque un culte, un système, une foi. [...] Mirbeau, je pense, est derrière son *Balzac*. Par exemple, il l'a attrapé, calé, d'une intelligence prodigieuse, avec ses yeux qui lampent le monde et se closent passionnément sur lui, des yeux qui ont l'air d'avoir noirci dans tout le café dont s'abreuvait continuellement Balzac. Et les mains, qui sous la houppelande maîtrisent toute la vie de ce chaste. C'est épatant !"

Cézanne est d'humeur maussade ce jour-là. Il le reconnaîtra lui-même. Il peste contre la terre entière, contre les siens, et d'abord contre lui : "Et ce bloc, ajoute-t-il, vous savez, il est fait pour être vu de nuit, éclairé par dessous, violemment, à la sortie du Français ou de l'Opéra, dans cette fièvre nocturne du Paris où l'on imagine le romancier et ses romans, hein !" Le "hein !" annonce qu'il se sent un peu piteux, Cézanne, d'avoir maltraité Rodin... "Je ne voulais pas diminuer Rodin, écoutez un peu, en disant ce que je disais. Je l'aime, je l'admire beaucoup, mais il est bien de son temps, comme nous tous. Nous faisons le morceau. Nous ne savons plus composer[13]."

Qu'est-ce qui leur fait défaut ? Cette énergie, cette volonté dont Balzac était doué ? Ce courage qu'il a eu, et qu'ils n'ont plus, d'édifier l'œuvre monumentale, *La Comédie humaine* ? Il est vrai que pour Balzac, le monument ce sont les œuvres complètes. Il l'écrivait dès 1826, alors qu'il était un jeune éditeur, dans la *Notice sur la vie de La Fontaine*, premier texte qu'il signait de son nom, en tête de son édition des *Œuvres complètes de La Fontaine*, ornée de trente vignettes dessinées par Achille Devéria et gravées par Thompson :

"Il existe si peu d'ouvrages qui, semblables aux œuvres du Créateur, n'aient besoin que des yeux pour exciter l'enthousiasme, qu'on devrait se garder, comme d'un sacrilège, de les confondre avec le reste, par des éloges de gazette.

Aussi avons-nous cru élever le seul monument digne de La Fontaine, en publiant ses *Œuvres complètes* [...]. Là est l'éloge, parce que le poète y est tout entier ; là est sa vie, parce que là sont toutes ses pensées."

Quant à l'absence d'idée que Cézanne fait mine de reprocher à Rodin, celui-ci y répond indirectement, dans ces propos que rapporte Gabriel Ferry : "David d'Angers avait beaucoup de génie, c'est convenu, mais c'était un *idéaliste* ; tous ses bustes se ressemblent, qu'il s'agisse de Balzac, de Victor Hugo, de Goethe, de Frédérick-Lemaître ; toutes ces figures ont entre elles un air de famille, parce que c'est toujours la même facture. Donc, **je ne m'inspire pas du buste de David d'Angers ; je veux même *l'oublier***[14]."

Ne devra-t-il pas oublier tous les portraits de Balzac avant de parvenir à l'*attraper*, à le *caler* ? Et comme Cézanne qui dit tantôt son admiration pour lui, tantôt son agacement, Rodin exprime à l'égard de David d'Angers des sentiments partagés. Dans une lettre datée du 20 août 1896, dont le destinataire est peut-être Pierre Carrier-Belleuse, le fils du sculpteur, qui avait épousé la petite-nièce de Balzac, Rodin écrit en post-scriptum : "Le dessin que vous avez bien voulu me communiquer et qui est l'idée première du petit bas-relief de David est, très bien fait, intéressant et vaut peut-être mieux que le buste lui-même[15]."

Quant à Balzac, s'il a entretenu avec David d'Angers des rapports amicaux dès qu'il a consenti à poser pour lui en 1842, il ne l'en a pas moins fait attendre sept ans. David en effet l'avait sollicité sans succès dès novembre 1835 : "Je sais combien vos moments sont précieux, mais ne pourriez-vous pas disposer de quelques instants en ma faveur pour que je puisse faire votre médaille ?"

"Il n'y a pas que les statuaires qui piochent"

C'est en ces termes qu'en 1845 Balzac dédie à David d'Angers *La Femme supérieure*. Il compare souvent le travail du sculpteur à celui de l'écrivain.

"Entre le projet en plâtre et la statue exécutée en marbre, on pouvait, disait Claude Vignon, défigurer un chef-d'œuvre", lit-on dans *La Cousine Bette*. Un peu plus loin, ces lignes qui ont dû retenir l'attention de Rodin : "La sculpture est comme l'art dramatique, à la fois le plus difficile et le plus facile de tous les arts. Copiez un modèle, et l'œuvre est accomplie ; mais y imprimer une âme, faire un type en représentant un homme ou une femme, c'est le péché de Prométhée." Puis celles-ci : "La main doit être si châtiée, si prête et obéissante, que le sculpteur puisse lutter âme à âme avec cette insaisissable nature morale qu'il faut transfigurer en la matérialisant."

Le 19 novembre 1842, le lendemain du jour où Hugo l'a invité à dîner avec David d'Angers pour le convaincre d'accepter enfin l'offre de celui-ci, Balzac écrit à Antoine Étex qui a souhaité faire un buste de lui : "Plus que personne, j'aime la statuaire, car je comprends le monde d'idées qui s'enfouit dans les travaux cachés qu'elle exige." S'étant heureusement engagé la veille auprès de David, il doit cependant décliner la proposition d'Etex, qui, rappelons-le, sera le premier, au lendemain de la mort de Balzac, à demander qu'on dresse en sa mémoire un monument, dont lui-même dessine des projets (*cf.* fig. 2 et 3).

En 1838, dans la préface de la première édition des *Employés* (alors intitulée *La Femme supérieure*), Balzac évoque le travail chaotique, le désordre, la multiplicité d'œuvres en chantier, qui sont le lot du créateur : "Les artistes, sous peine de ne rien faire, sont obligés de commencer plusieurs choses pour en achever une de-ci, de-là. L'une des plus belles élégies d'André de Chénier peint admirablement l'atelier qu'il portait dans son cerveau. Qui n'a mille sujets dans ses portefeuilles, les uns commencés, les autres presque finis ? Cet état confus où reste le grand ou le petit domaine de chaque écrivain aidera l'auteur dans la démonstration de son innocence."

L'élégie de Chénier à laquelle il fait allusion est très probablement le poème intitulé *Épître sur ses ouvrages* dont voici quelques vers qui nous diront encore l'affinité entre l'écriture et la sculpture :

"Ainsi donc, sans coûter de larmes à personne,
À mes goûts innocents, ami, je m'abandonne.
Mes regards vont errant sur mille et mille objets.
Sans renoncer aux vieux, plein de nouveaux projets,
Je les tiens ; dans mon camp partout je les rassemble,
Les enrôle, les suis, les pousse tous ensemble.
[...]
S'égarant à son gré, mon ciseau vagabond
Achève à ce poème ou les pieds ou le front ;
Creuse à l'autre les flancs ; puis l'abandonne et vole
Travailler à cet autre ou la jambe ou l'épaule.
Tous, boiteux, suspendus, traînent : mais je les vois
Tous bientôt sur leurs pieds se tenir à la fois.
[...]
Moi, je suis ce fondeur : de mes écrits en foule
Je prépare longtemps et la forme et le moule,
Puis sur tous à la fois je fais couler l'airain ;
Rien n'est fait aujourd'hui, tout sera fait demain."

Comment ne pas penser à Rodin en lisant ces pages de Balzac, en écoutant ces vers de Chénier ? Comment ne pas penser à l'énergie qu'il mit à faire tenir ensemble tous ces morceaux de Balzac ?

Quand la Société des gens de lettres fait appel à lui en 1891, il a précisément l'âge que Balzac avait en mourant, cinquante et un ans. Une telle coïncidence a-t-elle pu exercer une pression sur l'œuvre qu'il lui a consacrée ? L'a-t-elle poussé à dresser ce Balzac en mouvement, cet homme qui marche contre le Temps, drapé dans sa houppelande comme dans une immense peau de chagrin ?

Soudain, dans l'ombre de Balzac, se profile celle d'un jeune homme, celui de *L'Âge d'airain*. Rodin l'appela aussi *Le Vaincu*, *L'Homme qui s'éveille à la nature*, *L'Éveil du printemps*, *L'Éveil de l'humanité*, *L'Homme des premiers âges*. Détournée par une torsion douloureuse comme celle de Balzac, sa tête s'élève vers un ailleurs inconnu. De l'une à l'autre se tend comme un arc cette pensée exprimée par Balzac dans la *Théorie de la démarche* : "Tout mouvement exorbitant est une prodigalité sublime."

Un an après *L'Âge d'airain*, en 1878, Rodin sculpte *Saint Jean-Baptiste*. À l'instar de Balzac nous racontant dans la *Théorie de la démarche* comment il eut l'idée de sa théorie en voyant un homme trébucher[16], Rodin a retracé l'histoire de sa sculpture : "Un matin, on frappe à l'atelier ; je vois entrer un Italien [...] un paysan des Abruzzes arrivé la veille de son pays natal et qui venait se proposer comme modèle. En le voyant, je fus saisi d'admiration ; cet homme fruste, hirsute, exprimait dans son allure, dans ses traits, dans sa force physique, toute la violence, mais aussi tout le caractère mystique de sa race. [...] Le paysan se déshabille, monte sur la table tournante comme s'il n'avait jamais posé ; il se campe, la tête relevée, le torse droit, portant à la fois sur les deux jambes, ouvertes comme un compas. Le mouvement était si juste, si caractéristique et si vrai que je m'écriai : 'Mais c'est un homme qui marche !' Je résolus immédiatement de faire ce que j'ai vu[17]."

Alberto Giacometti a fait lui aussi *L'Homme qui marche*, mais également, en 1946, un autre portrait de Balzac en mouvement, faisant jaillir son visage d'un tourbillon de traits (fig. 40). Ainsi les sculpteurs ont-ils bien rendu à l'écrivain l'amour qu'il leur portait.

PETITE COLLECTION BALZAC

GOBSECK
UN ENTR'ACTE L'ÉPICIER

fig. 40
Alberto Giacometti (1901-1966)
Couverture de *Gobseck,
Un Entr'acte, L'Épicier*,
Genève, éditions Albert Skira,
"Petite collection Balzac", 1946

1. Lovenjoul à Rodin, Bruxelles, 17 mai 1893 ; arch. musée Rodin.
2. Balzac renouvellera ce serment publiquement dans la dédicace de *Louis Lambert*, le plus autobiographique de ses romans, mais sans révéler le nom de la *Dilecta* : *"ET NUNC ET SEMPER // DILECTAE // DICATUM."*
3. Alice Ciselet, *Un grand bibliophile, le vicomte de Spoelberch de Lovenjoul*, Paris-Bruxelles, Éditions universitaires, 1948.
4. En effet, tout au bonheur inespéré de découvrir le visage inconnu du jeune Balzac, aucun ne décela dans le dessin la signature du portraitiste, qui n'apparut que très récemment, enfouie dans les plis de la chemise de Balzac avec lesquels elle se confond... habilement. Nous avons retracé l'histoire de sa découverte providentielle dans "Cryptogames et cryptogrammes. À propos du portrait de Balzac par Devéria", dans le *Courrier balzacien*, nouvelle série, n° 63, 2e trimestre 1996.
5. Balzac à Mme Hanska, 8 mars 1836. Dans cette citation comme dans celles qui suivent, c'est nous qui soulignons.
6. Balzac à Mme Hanska, fin mars 1833 (Balzac reprend pour Mme Hanska la réponse qu'il avait faite au baron Gérard).
7. Balzac adapte ici un mot de l'abbé de Vertot qui, alors qu'il rédigeait son *Histoire de l'ordre de Malte*, refusa des documents concernant le siège de Rhodes, en disant "Mon siège est fait !"
8. Antoine Fontaney, *Journal intime*, Paris, Les Presses françaises, 1925.
9. Dans le catalogue de l'exposition *Balzac dandy et créateur*, organisée par la Maison de Balzac

(Moscou, musée littéraire Pouchkine, décembre 1997-mars 1998), Roland Chollet propose au lecteur russe de larges extraits de la *Théorie du conte*, "cette page énigmatique" qu'il cite "pour son extraordinaire portrait de Balzac sculpté dans le temps".
10. Balzac à Mme Hanska, 2 mai 1842.
11. Nous ne rappellerons que le témoignage d'Étienne-Jean Delécluze (1781-1863), qui se souvient de la première fois où il vit Balzac entrer dans le salon de Mme Récamier : "Il se fit un silence général, et l'attention se porta sur le nouveau venu. D'une taille médiocre et trapue, les traits de son visage, quoique communs, indiquaient une vivacité d'intelligence extraordinaire, et le feu de son regard, ainsi que le contour vigoureusement dessiné de ses lèvres, trahissaient en lui l'énergie de la pensée et l'ardeur des passions" (*Souvenirs de soixante années*, Paris, M. Lévy frères, 1862).
12. Charles Baudelaire, *Œuvres complètes*, Paris, Gallimard, Pléiade, t. II, 1976, pp. 117 et 120.
13. C'est Joachim Gasquet qui a recueilli ces propos de Cézanne en 1898 ou en 1900. Il écrit par ailleurs que Rodin et Cézanne dînaient occasionnellement ensemble à Paris : "j'aime beaucoup ce qu'il fait. C'est un intense [...]. Il a de la chance. Il réalise", disait Cézanne (Cézanne, 1978, p. 128).
14. Gabriel Ferry, "La statue de Balzac", *Le Monde moderne*, novembre 1899, p. 652.
15. La transcription de cette lettre conservée à la Maison de Balzac mais que des petits trous rendent

difficilement lisible est donnée sous toute réserve. Son destinataire pourrait aussi bien être Laurent Duhamel, le petit-neveu de Balzac, beau-frère de Pierre Carrier-Belleuse. Le dessin mentionné est le portrait de Balzac de profil (cat. 9), dont Rodin avait une photographie. Quant au "petit bas-relief", il s'agit d'un des deux médaillons de David d'Angers représentant Balzac. Rodin possédait aussi la photographie du médaillon montrant Balzac de face.
16. "Quand un homme rencontre un trésor, sa seconde pensée est de se demander par quel hasard il l'a trouvé. Voici donc où j'ai rencontré la *Théorie de la démarche*, et voici pourquoi personne jusqu'à moi ne l'avait aperçue", écrit-il (*La Comédie humaine*, Paris, Gallimard, Pléiade, t. XII, p. 265).
17. Rodin, cité par François Dujardin-Beaumetz, 1913, p. 60. Et le sculpteur poursuit, refaisant alors pour son propre compte ce que Balzac avait entrepris dans son ouvrage, "la théorie de la démarche de nos idées" : "On avait alors l'habitude, quand on examinait un modèle, de lui dire : 'Marchez', c'est-à-dire de lui faire porter tout l'équilibre du corps placé droit sur une seule jambe ; on croyait ainsi trouver des mouvements plus harmonieux, plus élégants, et donner ce qu'on appelait 'de la tournure'. La seule pensée de placer l'aplomb d'une figure sur les deux jambes apparaissait comme un manque de goût, un outrage aux traditions, presque une hérésie. J'étais déjà volontaire, entêté. [...] Je me promis donc de le modeler avec toute ma volonté."

VI

Véronique Mattiussi

"Que de voyages j'ai faits en Touraine pour comprendre le grand romancier[1] !" Tel est le cri lancé par Rodin au souvenir de "l'aventure du Balzac".

Pourtant, rien ne pouvait perturber le processus de recherche que le sculpteur mit soigneusement en place lorsqu'il reçut la commande du monument en août 1891. L'étude des œuvres de Balzac, de sa vie et de sa physionomie constituaient les axes majeurs de ses investigations autour desquels le voyage en Touraine prit tout son sens.

Il se rendit à plusieurs reprises dans la vallée de l'Indre, s'imprégnant de l'atmosphère de la province natale du romancier, parcourant les lieux où Balzac vécut et interrogeant tous ceux qui l'avaient pu connaître.

La découverte de la Touraine s'inscrivit dans ses multiples pérégrinations à travers la France, à la recherche des "vieilles pierres". Fasciné par la beauté de l'architecture de la région, c'est en juillet 1889 que Rodin découvrit la vallée de la Loire et ses châteaux. Parmi les notes et les dessins consignés en quantité lors de ses voyages, Rodin consacra quatre pages à Blois et aux pays de la Loire dans son ouvrage *Les Cathédrales de France*[2]. Cette époque correspond précisément à sa relation avec son élève Camille Claudel[3]. Mais parce que Rodin s'efforça de taire – dans la mesure du possible – cette liaison passionnée de plus de dix ans, toute étude de cette période de la vie du sculpteur apparaît délicate. Une lettre adressée par Joanny Peytel à Rodin le 15 juillet 1889[4] situe les promenades des deux amants à Amboise, Blois, Cheverny, Chambord et Saint-Aignan. Découvrant ainsi pour la première fois le pays natal de Balzac, deux ans avant la commande officielle du monument, Rodin relisait-il "le soir, dans sa chambre de voyageur – et comme par prédestination selon Judith Cladel – *Le Lys dans la vallée* et les pages où l'immortel écrivain dépeint sa province[5]"?

À deux kilomètres d'Azay-le-Rideau, Marie, fille de Cyprien Courcelle, était l'heureuse héritière du château de l'Islette (fig. 41 et 42). "Ce château antique, flanqué de tourelles[6]" avait déjà séduit Beaumarchais en son temps. Malgré les fâcheuses mutilations subies à travers les siècles, l'imposante demeure gardait fière allure. Son aspect massif du XVe siècle associé aux charmes de la vallée de l'Indre incitèrent Rodin et Camille à y trouver refuge, elle allait devenir le lieu commun à tous leurs séjours en Touraine. À l'abri des tours du château, les deux amants, isolés de la vie publique et de ses obligations officielles et mondaines, goûtèrent des heures paisibles. "Je me suis promenée dans le parc, tout est tondu, foin, blé,

fig. 41
Le château de l'Islette
Carte postale
Musée Rodin

fig. 42
Auguste Rodin
*Façade du château de l'Islette
à Cheillé*
Plume et encre brune sur papier
crème filigrané
Musée Rodin, D. 3503

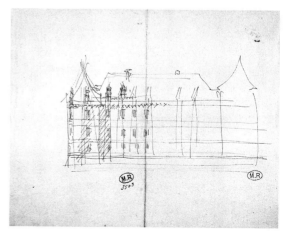

Château de l'ISLETTE (Indre-et-Loire). — L'Étang   ND Phot.

fig. 43
Le château de l'Islette, l'étang
Carte postale
Musée Rodin

avoine, on peut faire le tour partout c'est charmant. Si vous êtes gentil, à tenir votre promesse, nous connaîtrons le paradis[7]" (fig. 43). Quelques récits de cette époque ont traversé les générations depuis Marie Courcelle[8] (épouse Boyer) jusqu'à nos jours et nous parviennent aujourd'hui par la voix de sa petite fille. Précieux et émouvants, ils font revivre ces séjours volés. Rodin et Camille, "les artistes", pour citer l'ancienne propriétaire, logèrent au château en tant qu'hôtes payants. Tout en s'imprégnant de la nature, Rodin se consacrait à son travail. Plusieurs pièces à l'étage leur étaient réservées, dont certaines faisaient office d'atelier. L'orgueil du château reste, à ce jour encore, la grande salle qui a su conserver son décor d'origine, ses ornements architecturaux des XVIe et XVIIe siècles ; elle apparaît plus prestigieuse encore en se faisant le théâtre des longues séances de poses que Rodin infligea au voiturier d'Azay-le-Rideau, sosie de Balzac.

En 1890, Rodin se rendit en Touraine et en Anjou à plusieurs reprises au printemps et à l'automne. En convalescence, sa compagne Rose Beuret se reposait chez leurs amis de longue date, les Vivier[9]. Conservant l'Islette comme port d'attache dont il transmettait l'adresse à ses correspondants, Rodin se rendit à Tours, Saumur[10] et Loches. "Épris de la Touraine et de l'Anjou, de leurs églises, de leurs châteaux, de la Loire, 'ce fleuve paresseux', Rodin y prolongeait voluptueusement son séjour[11]."

Un document inédit situe en mai 1891 un nouveau déplacement du sculpteur dans la région : c'est du château de l'Islette, achevant son *Monument à Claude Lorrain*, que Rodin adressa le 29 mai un courrier au maire de Nancy, Émile Adam, pour l'informer de la bonne évolution du projet[12].

S'il fallut attendre le 14 août pour que Rodin succédât officiellement à Chapu, le sculpteur ne tarda pas à manifester aussitôt son enthousiasme. "Il va s'y mettre immédiatement et profiter des vacances pour aller à Tours s'imprégner d'atmosphère balzacienne, voir les gens, fouiller le Musée, le pays[13]" écrit Gustave Toudouze à Émile Zola dès le 10 juillet. Le départ de Rodin pour la Touraine est imminent. La presse s'agite, et retranscrit les propos du sculpteur annonçant ses projets : "je ne veux rien commencer avant d'avoir recueilli sur Balzac le plus de documents possible. Je vais aller passer quelques jours dans la patrie de Balzac à Tours, et je ferai des recherches dans la bibliothèque de cette ville. En attendant, je reçois avec plaisir toutes les communications que l'on veut bien me faire au sujet de la vie et des habitudes du grand romancier[14]." Effectivement Rodin se documenta sérieusement. Amis, hommes de lettres, érudits, collectionneurs, anciens voisins… balzaciens en tout genre renseignèrent, conseillèrent, orientèrent le sculpteur avec le plus grand soin. Parmi ces conseils, il en est un que Rodin ne suivra pas et qu'il s'efforcera de négliger. "Selon Mr de Lovenjoul, lui écrit Albert Pontremoli

fig. 44
Château de Saché
Maison de Balzac
Photographie ancienne
Collection particulière

le 29 juillet 1891, un voyage en pays tourangeau est de peu d'utilité, car si Balzac est né à Tours, c'est de parents étrangers au pays tous deux, et s'il a eu le type tourangeau comme vous me le disiez ce n'est certes pas qu'il soit d'un sang des bords de la Loire[15]." Plus tard, Gustave Geffroy lui transmettait un message identique : "Je ne voudrais pas déranger vos études de têtes de tourangeaux, mais ne perdez pas de vue tout de même, cher Rodin, que Balzac est d'origine méridionale[16]." Force est de constater que rien ne pouvait perturber l'audacieux travail de prospection et les investigations que Rodin menait depuis déjà plusieurs mois en Touraine.

Le sculpteur quitta Paris un dimanche de la fin du mois de juillet 1891 ou du tout début du mois d'août[17]. Avec son enthousiasme habituel pour tout nouveau projet, Rodin parcourut la "patrie" de Balzac, cette Touraine qui lui était déjà si familière et où il entendait se consacrer exclusivement à son étude. Son séjour allait durer près de trois mois.

Sur place, et le plus naturellement du monde, Rodin cherchait un Balzac "vivant". Soucieux d'approcher le plus près possible la réalité physique du romancier, Rodin sillonnait la région, étudiait les physionomies, à la recherche d'un type d'homme puissant et pittoresque semblable à celui de Balzac et qu'il qualifiait de "type tourangeau". Il se fixa dans un premier temps à Tours où Balzac naquit le 20 mai 1799 et qu'il ne quitta qu'à sa quinzième année. Parti depuis à peine une semaine, Rodin écrivit du château de l'Islette – dont il fit une fois encore son port d'attache – et sollicita son ami le peintre Jean Gigoux. "Je fais mon étude de Balzac à la campagne dans son pays. J'ai reçu la commande du Balzac et j'espère que vous me direz des choses intéressantes sur lui. Peut-être avez-vous des lithographies, dessins, brochures. Quoique j'en ai vu beaucoup. On ne voit pas encore assez. Et puis vous l'avez vu en grand artiste et peut-être avez vous fait quelques croquis.

P.S. Si vous connaissez des renseignements à prendre à Tours ou des indications donnez les moi[18]." Sur place et sans l'aide de quiconque, Rodin mena à bien ses recherches en bibliothèque, et découvrit au musée un très beau pastel attribué alors à Antonin Court (en réalité de Jean-Alfred Gérard-Seguin, *cf.* cat. 5), qu'il s'empressa de faire photographier, et un portrait de Boulanger (cat. 1). Ses promenades dominicales le conduisirent ensuite à Chinon où le hasard de l'excursion le mêla à une importante fête organisée dans la ville ce 16 août 1891 : "Pardonnez moi cher maître mon griffonnage, je vous écris au milieu d'une fête de Chinon et ma plume est exécrable[19]." Il s'agissait de la fête du Comice agricole dont nous connaissons avec précision le programme publié dans le *Journal de Chinon* du 9 août[20].

Poursuivant son pèlerinage, Rodin se rendit de toute évidence à Saché[21]. À la recherche d'un havre de paix ou fuyant ses créanciers, Balzac s'était souvent réfugié dans ce petit bourg, recevant toujours l'hospitalité de son ami châtelain, M. de Margonne[22] : "C'est là que j'ai fait mes premiers pas dans les chemins de la pensée et que se sont passées les heures les plus solennelles de ma vie intellectuelle... À Saché je suis libre et heureux comme un moine dans son monastère. Je vais toujours y méditer quelque ouvrage sérieux... Le ciel est si pur, les chênes si beaux, le calme si vaste ! Là, j'ai écrit 'Louis Lambert', rêvé 'le Père Goriot', repris courage pour mes horribles luttes d'intérêts matériels[23]." Lorsque Rodin s'y rendit, le château (fig. 44) n'était pas ouvert au public, malgré des gardiens connus pour faciliter l'accès aux fidèles balzaciens[24]. Sur place, Rodin interrogea les précieux témoins de ces séjours, en particulier un homme approchant les soixante-dix ans, le père Pion, qui avait été jadis le tailleur du grand homme. Il avait vingt ans lorsqu'il connut Balzac et se souvenait qu'à chaque automne l'écrivain lui commandait de nombreux vêtements : "Il venait me voir travailler. Et bien sûr qu'il était content des habits que je lui fabriquais, puisqu'il m'écrivait de Russie pour m'en commander de tout pareils. Je ne vous mens pas, à preuve que j'ai reçu jusqu'à dix lettres de lui[25]." Il avait gardé en mémoire ses mensurations et les transmit au sculpteur avec exactitude[26]. Rodin lui commanda alors un costume en tout point semblable à ceux que Balzac portait[27], promettant avec humour de le revêtir pour se rendre à l'Académie[28]. Mais l'affaire ne se régla pas aussitôt. Pion mit un temps infini à confectionner le complet – pantalon à pont et à sous-pieds, style Louis Philippe – et ne fut en mesure de le livrer qu'en février 1893, pour la somme de vingt-cinq francs[29].

Rodin ne tarda pas à discerner plusieurs individus susceptibles de l'aider à restituer la physionomie "physique et morale" de Balzac. Travaillant alors comme un forcené, exigeant et obstiné, le sculpteur ne se satisfaisait pas de ses modèles, et s'en plaignait ouvertement. À en juger par la réponse écrite le 21 août 1891 de son ami Jules Desbois, il est aisé d'imaginer les propos de Rodin. "Ce que vous me dites à propos de votre modèle ne m'étonne pas, je sais par expérience combien il est difficile de faire poser un paysan. Ils sont comme les sauvages qui ne veulent pas faire faire leur portrait de peur qu'on ne leur prenne quelque chose d'eux même en dehors de leur image. Du reste il n'y a peut être pas une très grande différence entre les naturels des bords de l'Indre et ceux de l'Amérique. Je suis bien sûr pourtant qu'avec la volonté que je vous connais vous nous rapporterez un Balzac digne de vous et de lui[30]." Grâce au père Pion semble-t-il, Rodin finit bientôt par rencontrer un homme ressemblant étonnamment au romancier. Il se nommait Estager. "il me rappelait Balzac jeune, explique Rodin, tel que je me le figurais d'après des dessins et des lithographies[31]." Le sculpteur s'en contenta aisément, ignorant sûrement que son modèle, né à Combressol, n'était en rien originaire de Touraine, mais du fin fond de la Corrèze. Rodin dut prolonger son séjour pour mener à bien cette étude et terminer le travail commencé. "si je ne travaillais pas ferme à mon Balzac, je m'ennuierais ferme nous autres hommes de peine, la réjouissance indéfinie ne nous va pas. notre esprit est comme les faucons il faut qu'il aille à la chasse et rapporte ce qu'il a trouvé, pour nous tenir en éveil et en gaîté. Je prend autant que je puis des constructions de tête (type du pays) et avec les nombreux renseignements que j'ai et trouvé j'espère bien du Balzac[32]." Voiturier à Azay, au service d'un tonnelier de La-Chapelle-Saint-Blaise, Estager était âgé de trente-cinq ans lorsqu'il fut présenté à Rodin[33]. Ressemblant en tout point au romancier, il se vit offrir par le sculpteur de poser moyennant un louis la séance. Satisfait de l'offre généreuse, celui-ci accepta sans la moindre hésitation malgré les railleries du voisinage. Mais pour que la ressemblance fût parfaite, Rodin pria son modèle de laisser pousser ses cheveux noirs en une abondante crinière. Avec un soin minutieux il étudia son modèle. Ainsi, au fil de ces interminables et attentives séances de poses, Rodin modela une importante série de masques (cat. 25). Il utilisa aussi pour des études de tête les quelques photographies du voiturier de face, profil et trois quarts qu'il possédait (cat. 21 à 24).

Son travail accompli, Rodin quitta l'Islette et les beaux chemins de la Loire un matin d'octobre[34]. "Comme on regarde longuement sa maîtresse, avant de se séparer d'elle, comme on se retourne à plusieurs reprises, pour la revoir encore, et encore, je quitte ces beaux paysages – rapporte Rodin dans les *Cathédrales de France*, évoquant avec tendresse celle qu'il avait tant aimée en ces lieux – comme on se détache d'un cœur aimé, aimant. Je les laisse en pleine gloire[35] !" Le lent processus de création du monument mis en place, Rodin, de retour à Paris, multiplia les ébauches, les dessins, les études de nu... "Je n'ai pas perdu de temps depuis que vous m'avez confié le Balzac, j'ai travaillé et fait des projets. J'ai étudié en plus des masques, documents importants au point de vue de la vie. Rien n'est encore ce que je veux pour le moment[36]", déclare-t-il à Émile Zola à son retour. Il poursuivit inlassablement ses recherches, à Bruxelles en février 1892 pour examiner la collection du grand balzacien qu'était le vicomte Spoelberch de Lovenjoul (*cf.* chap. II), et très probablement à nouveau en Touraine cette même année. Au tout début de ses incertitudes, Rodin se savait bien loin encore du puissant Balzac auquel il rêvait.

Bien après "l'affaire du Balzac", en mars 1910, Rodin cheminera une dernière fois dans la vallée de l'Indre[37].

Loin des protestations violentes, et du charivari soigneusement entretenu par la presse de l'époque autour de sa sculpture, Rodin n'en demeurait pas moins un fervent admirateur du grand écrivain. Aussi, lors d'un voyage en Bretagne entre 1907 et 1909 dans le château de Fougères chez la marquise de Choiseul[38], découvrit-il avec émotion les séjours de Balzac chez le baron de Pommereul. L'écrivain, pauvre et sans ressource, préparant le récit des *Chouans*, avait séjourné dans la région afin de se documenter sur la localité.

À toute occasion Rodin rendit hommage à ce génie fécond, qu'au bout de tant d'investigations il était parvenu à cerner : "Vous lisez Balzac, écrivait-il à Hélène de Nostitz en janvier 1907, cet homme qui aurait dû avoir une femme qui le soigne et l'aime. Mais les hommes comme lui n'ont pas ce qui plaît. leur préoccupation constante de leur art, les empêchent d'être gracieux et d'une propreté élégante, et les rend même grossier malgré leur intelligence, parceque l'on ne fait bien que ce que l'on fait tous les jours[39]."

1. *Cf.* Gustave Coquiot, 1917, p. 107.
2. Rodin, 1914, pp. 21-22 et 37-39.
3. Rodin et Camille affectionnent tout particulièrement la Touraine durant leur relation et y multiplient les escapades. Pourtant, à cette époque, le déclin de leur passion a déjà commencé et se concrétisa par une première rupture en 1892.
4. Joanny Peytel à Rodin, 15 juillet 1889 ; arch. musée Rodin.
5. Judith Cladel, 1936, p. 187.
6. Beaumarchais à sa femme, 15 juillet 1769. *Cf.* Jacques Maurice, 1957, p. 36.
7. Camille Claudel à Rodin, s. d. ; arch. musée Rodin, Ma.102.

8. La fille de Marie Courcelle, Marguerite Boyer, alors âgée de six ans, servit de modèle à Camille Claudel pour la réalisation de *La Petite Châtelaine*.
9. Paul Vivier était médecin et ami de Rodin. Il accueillit souvent le couple dans sa maison du Châtelet-en-Brie. Plusieurs lettres de Rodin à Rose publiées par Judith Cladel nous sont apparues d'autant plus précieuses qu'elles constituaient presque nos seules sources d'information concernant cette période. Leur localisation demeure inconnue à ce jour (*cf.* Judith Cladel, 1936, pp. 236-238).

10. Peut-on supposer qu'il rendit visite à son ami le sculpteur Jules Desbois, originaire de Parçay-les-Pins ? Un dessin du château de Saumur (inv. D. 3847), associé à l'amitié qu'il portait au sculpteur, nous incite à l'envisager. Pourtant, aucun document à ce jour n'est venu confirmer cette hypothèse.
11. Judith Cladel, 1936, p. 237.
12. Rodin à Émile Adam, L'Islette, 29 mai 1891 ; Nancy, arch. municipales.
13. *Cf.* Joy Newton et Monique Fol, 1977, p. 180.
14. Rodin, cité par A. B. de Farges,

"La statue de Balzac", *La France*,
15 juillet 1891.

15. Albert Pontremoli à Rodin,
29 juillet 1891 ; arch. musée Rodin.

16. Gustave Geffroy à Rodin,
4 octobre 1891 ; arch. musée Rodin.

17. Le dimanche 26 juillet ou le
dimanche 4 août.

18. Copie d'une lettre de Rodin
à Jean Gigoux, s. d., non localisée.
Jean Gigoux eut une liaison avec
Mme Hanska (Eveline de Balzac),
veuve du grand romancier.

19. Rodin à Jean Gigoux, [Chinon],
16 août 1891 ; arch. musée Rodin,
L. 1476.

20. *Journal de Chinon*, n° 32,
9 août 1891.

21. Petit bourg situé à 24 kilomètres
de Tours.

22. Propriétaire de Saché,
M. de Margonne fut le plus dévoué
des amis de Balzac. Avant Saché,
M. et Mme de Margonne avaient
habité à Tours, près de la famille
Balzac.

23. Balzac à "Louise", vers 1836.
Cf. Jacques Maurice, 1973, p. 113.

24. Le musée ouvre ses portes
au public en 1951. La visite
comprend alors la chambre
et une pièce rassemblant divers
documents. En 1958, le domaine
et ses collections sont donnés au
département dans le cadre d'une
fondation et M. Métadier est nommé
conservateur.

25. Le père Pion, cité par
Adolphe Brisson, "La vallée du Lys",
Le Temps, 10 mai 1899. Le vicomte
de Spoelberch de Lovenjoul sollicita
Rodin à plusieurs reprises pour se
procurer ces lettres (*cf.* lettres de
Lovenjoul à Rodin du 10 et 15 avril
1892 ; arch. musée Rodin). Mais, au
grand désespoir du collectionneur,
Pion n'en conserva aucune.

26. Le père Pion garda toute sa
vie en mémoire les mensurations
précises du romancier, les
énumérant à toute occasion et avec
le plus grand plaisir. *Cf.* Adolphe
Brisson, "La vallée du Lys",
Le Temps, 10 mai 1899 : *Paltot* :
Carrure 21-Dos 52-78/Grosseur du
haut 104/Ceinture 104/Manche
coude 50-76/Largeur 23 23 16.
Gilet : 132-52-52-56-7. *Pantalon* :
Côté 92-Entre-jambe 68/Largeur :
40-28-22/Pieds 27."

27. Rodin jugea utile à son étude
de se procurer ses vêtements, mais
Mathias Morhardt se souvient qu'ils
ne lui furent d'aucune aide dans
la réalisation du monument
(*cf.* Mathias Morhardt, 1934, p. 467).

28. *Cf.* Adolphe Brisson, 1901, p. 226.

29. Le père Pion à Rodin,
Liancourt, 18 février 1893 ; arch.
musée Rodin.

30. Jules Desbois à Rodin, Paris,
21 août 1891 ; arch. musée Rodin.

31. *Cf.* Gustave Coquiot, 1917, p. 107.

32. Rodin à Gustave Geffroy,
7 septembre 1891 ; Paris, fondation
Custodia.

33. Les nombreux renseignements
rassemblés sur le modèle de Balzac
nous sont parvenus grâce aux études
de M. Jacques Maurice. Selon lui,
Estager "avait réuni quelques
documents sur ses séances de
poses, des lettres, des
photographies, même une maquette
de lui donnée par Rodin... Mais
il avait compté sans la grande crue
de 1910, qui parmi bien d'autres
ravages pénétra inopinément dans
sa cuisine et en fit écrouler le
plafond" (*cf.* Jacques Maurice,
"Un sosie de Balzac", 30 mars 1950 ;
Tours, arch. départementales).

34. Nous ignorons le jour précis
de son retour, même si l'on sait
que Rodin pensait initialement
rentrer à Paris vers le 20 octobre.
Une chose est sûre, il est à Paris
le 14 octobre et écrit à Armand
Dayot : "Je suis revenu et ai
bien travaillé à mon Balzac"
(arch. musée Rodin, L. 948 ;
cf. Rodin, *Correspondance*, t. I,
1985, p. 124).

35. Rodin, 1914, p. 22.

36. Rodin à Zola, Paris,
1er novembre 1891 ; Bibliothèque
nationale de France, Mss,
N.a.fr. 24523, ff° 323, 324.

37. Un projet de voyage fut
envisagé à la mi-février 1910 mais
Rodin l'annula au dernier moment
pour une raison encore ignorée.
C'est à la fin du mois de mars de
cette même année qu'il se rendit
à Tours pour revenir à Paris le
2 avril.

38. *Cf.* René Chéruy, Notes
manuscrites, non datées ; arch.
musée Rodin.
Rodin rencontre la marquise
de Choiseul (1864-1949) autour
de 1904. Une relation amoureuse
les liera de 1907 à 1912, au cours
de laquelle ils se rendront à
plusieurs reprises en Bretagne
dans son château de Fougères
(Ille-et-Vilaine). La marquise
devint duchesse en 1909.

39. Rodin à Hélène de Nostitz ;
arch. musée Rodin, L. 831.
Cf. Rodin, *Correspondance*, t. II,
1986, p. 199.

Dessins et gravures

VII

Claudie Judrin

HONORÉ DE BALZAC
d'après une sépia de Louis Boulanger
Portrait inédit offert à la Ville de Tours par M. le baron Larrey

fig. 45
C. Peigné
Portrait d'Honoré de Balzac
Phototypie, d'après le lavis
à la sépia de Louis Boulanger
de 1830
Collection d'Auguste Rodin
Musée Rodin, G. 8384

On sait combien Rodin s'informe et s'entoure de témoignages et de documents dès qu'il reçoit une commande. C'est ainsi qu'il espère rendre "l'état d'âme[1]" de ses modèles. Sans doute en août 1891 sollicita-t-il de Jean Gigoux, qui était occupé à peindre son portrait[2], des lithographies, des dessins et des brochures. Par son entremise, il entra en relation avec le vicomte de Spoelberch de Lovenjoul. La collection personnelle, que Rodin donna à l'État en 1916 avec ses propres œuvres, nous apporte quelques lumières.

On y remarque, comme portrait de Balzac, une phototypie de Peigné (fig. 45) d'après le lavis à la sépia de Louis Boulanger ou d'Achille Devéria, fait vers 1830 et offert par le baron Larrey à la Ville de Tours qui l'expose aujourd'hui dans son musée des Beaux-Arts (cat. 1). Rodin y fit allusion dès le 21 août 1891, dans un mot adressé au président de la Société des gens de lettres, Émile Zola[3].

Il n'est pas non plus surprenant de rencontrer l'héliogravure de Paul Dujardin publiée le 25 mai 1891 dans le numéro 1 de *Paris-Photographe* (cat. 8). Elle a été tirée d'après le daguerréotype de Louis Bisson de 1842 donné par le fils de Gavarni à Camille Silvy qui le remit à son tour à Nadar, à Londres en 1863 (cat. 6). L'héliogravure a été montée sous verre avec un tirage du daguerréotype imputable à Nadar. Comment ce *"Balzac à la bretelle"* est-il parvenu entre les mains de Rodin ? Il y a bien des lettres de Margaine, propriétaire posthume des Jardies, qui proposait "une lithographie [...] figurant dans le cabinet de travail du romancier". Il l'expédia à Rodin dans un petit cadre tel qu'il était aux Jardies. "La boîte, dit-il, aura 35 × 23." Tout cela eut lieu en 1896 alors qu'en 1898, il parlait encore du "petit cadre" qu'il lui avait envoyé en précisant : "ce dessin a le mérite de reproduire fidèlement l'homme se promenant dans son jardin ou dans les bois de Viroflay-Chaville[4]." Les termes imprécis parlant tantôt de lithographie, tantôt de dessin ne permettent pas de penser qu'il s'agit de ce cadre laissé à dessein dans son aspect d'origine.

Par le truchement du vicomte de Lovenjoul[5], Rodin détenait encore une photographie du dessin en portrait-charge de l'écrivain que l'on prête à Eugène Sue (*cf.* fig. 13).

Rodin n'a pas coutume de faire des études dessinées préparatoires à ses sculptures. Aussi cherche-t-on en vain, contrairement à ce qu'il a fait pour Victor Hugo qui n'a pas posé mais qu'il a approché, le portrait dessiné d'un modèle dont les traits rappellent ceux de l'écrivain. Balzac est cependant une exception dans la démarche du dessinateur, car l'attitude du personnage et ce qu'elle exprime semblèrent le préoccuper jusque dans de nombreux croquis en silhouette proches des sculptures.

Un dessin a un style singulier et ambitieux, par la technique et par la dimension. Il s'agit d'un étrange fusain (cat. 34),

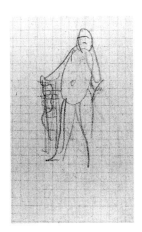
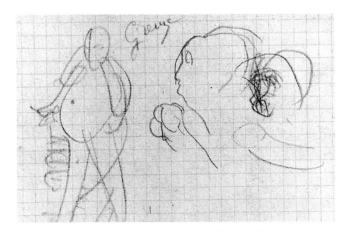

fig. 46, 47 et 48
Auguste Rodin
Études pour Balzac
Mine de plomb sur papier
Philadelphia Museum of Art,
inv. F' 29-7-212-323, 324 et 379

aux contours indécis, où Balzac a les mains enfilées dans les manches d'une coule serrée par une cordelière, geste qu'on ne retrouve sur aucune sculpture.

Ce fusain est-il le croquis "à la plume" réclamé le 11 mars 1892 par le directeur de la revue *L'Art*, Léon Gauchez, pour un article sur Balzac[6] ? La plume est la technique qui s'adapte le mieux à une reproduction flatteuse. Rodin fut très prompt à réagir mais nullement dans le sens désiré car, trois jours plus tard, Gauchez, sans flagornerie, lui déclara que ce qu'il lui livrait n'était "ni fait, ni à faire" et qu'il s'empressait de lui renvoyer "cet informe frottis" avec tous ses regrets. Nous constatons alors que l'article de Philibert Audebrand sur "La statue d'Honoré de Balzac" parut bien à la date prévue mais sans illustration[7].

En même temps, Rodin travaillait le nu avant d'habiller le corps et il se mit en quête de la pose du nu ordinairement désigné par les lettres *C* et *A*.

Le nu voisine avec des dessins de l'église Saint-Jacques-et-Saint-Christophe de Houdan (cat. 59 et 60) que l'on peut imaginer avoir été visitée simultanément, comme si le compas formé par les jambes du Balzac évoquait, dans l'instant de sa conception, le toit en pente d'une *"cathédrale gothique"*, annotation qui ne laisse aucun doute. Un frottis au verso de la feuille, réservé au seul *Balzac*, est la preuve que Rodin souhaitait en conserver la silhouette pour un report. N'oublions pas que, dans le temps où Rodin voyageait sur les traces de Balzac, entre 1891 et 1892, il se passionnait pour les petites églises de France, non seulement de Touraine mais aussi des environs de Paris et de la Bourgogne, comme en témoignent maintes esquisses. Le musée d'art de Philadelphie détient sur deux petites feuilles d'un ancien carnet de papier quadrillé (fig. 46, 47 et 48) des esquisses d'un Balzac nu, appuyé à un support. Un autre croquis (cat. 61) prouve que Rodin eut alors l'intention d'aller rencontrer Georges Hecq qui était chef du secrétariat des Beaux-Arts au cabinet du ministre de 1878 à 1895. Un dessin (cat. 62) figure sur un papier à en-tête de l'hôtel Monnet Trillat Suc.ʳ à Grenoble, ville où Rodin s'est arrêté le 2 avril 1894. On identifie une esquisse à la plume du *Balzac* nu aux mains jointes parce qu'à ses côtés, en marge d'une silhouette à la main sur le cœur et au vêtement à col châle, Rodin porta l'annotation *"Très beau Balzac"*. Sur la feuille, des allusions aux bustes de Mme Russell, de Rose ou de Camille mettent en évidence des préoccupations contemporaines.

Si les dessins correspondant au *Balzac C* se situent autour de 1892, il est tentant de considérer comme postérieurs les *Balzac en robe de chambre*, mais nous avons vu avec le fusain, qu'on estime être le premier dans le temps, que la logique d'un artiste n'a rien à voir avec celle d'un chercheur. Un ensemble de figures de petit format, parfois sur des cartes de visite de l'atelier du 182 de la rue de l'Université (cat. 64 et 65), où Balzac est campé le plus souvent de dos, est aujourd'hui monté en album au musée de Philadelphie.

fig. 49
Auguste Rodin
Étude pour Balzac
Mine de plomb sur papier
Philadelphia Museum of Art,
inv. F' 29-7-212-417

Le placement des bras croisés sous ou sur la robe, vers la droite ou, comme sur le monument, vers la gauche, marque l'hésitation. Une note sur un feuillet du musée américain évoque "le Balzac, revers de redingote avec le cou, le reste, voir la poitrine du maître[8]." Une autre montre la préoccupation de Rodin quant au placement des deux "mains sur le torse" (fig. 49).

Un sculpteur a comme souci essentiel le tracé du socle de ses statues. Rodin consacra un chapitre de son livre des *Cathédrales de France* aux moulures. Il écrivit sur elles des mots pleins de tendresse : "La moulure, dans son esprit, dans son essence, représente, signifie toute la pensée du maître d'œuvre. Qui la voit et la comprend voit le monument [...]. Doucine est bien le nom de la moulure française [...]. Les moulures sont des symphonies douces[9]." Ces expressions concernent autant l'architecte de la *Porte de l'enfer* que l'auteur des bases de ses monuments. Ce n'est pas parce qu'il est malaisé d'identifier la destination des moulures qui couvrent maintes pages de carnets qu'on doit les passer sous silence, malgré leur caractère souvent ingrat. Rodin n'a-t-il pas écrit en 1906, dans un carnet, devant les voussures de la cathédrale de Chartres, qu'elles l'avaient aidé à comprendre la science du plein air dont il s'approchait avec "le Balzac qui est ce que l'on voudra mais qui est un pas décisif pour le plein air[10]".

C'est l'architecte Frantz Jourdain qui se proposa à Zola pour imaginer le piédestal de la statue. Il désira dès le 16 mai 1891 en dessiner un gratuitement par attachement au grand homme car il estimait être le seul architecte à l'avoir aimé et probablement lu, et il manifesta sa déception quand il apprit qu'un "bloc de terre[11]" devait faire office de socle. Zola demanda à Rodin le 1er mars 1892[12] de s'entendre avec Jourdain pour en obtenir le dessin en coupe et en élévation (cat. 130 et 131). L'architecte venait en effet de s'entremettre lors de la commande de l'illustration des *Fleurs du Mal* pour l'exemplaire de Paul Gallimard. Le temps passa puisqu'il s'adressa en septembre 1897 au sculpteur, qui séjournait au château de Montrozier chez Maurice Fenaille, en lui expliquant sa conception du piédestal : "Depuis que je vous ai vu, je travaille au piédestal de Balzac et je compte vous présenter un socle au point dans une dizaine de jours. Cela n'a pas été tout seul et j'ai eu du mal à trouver une donnée à peu près originale qui sorte des silhouettes d'une crapuleuse commande dont Paris est déshonoré. J'ai la haine du sempiternel piédestal classique aux profils romains et plutôt que de commettre le support de l'obélisque j'aimerais mieux renoncer à la grande joie de donner un support à votre œuvre. Pour se tenir avec votre sculpture, d'abord, et pour s'identifier, pour ainsi dire, avec le colosse qu'était Balzac, le piédestal que je cherche doit s'imposer par la masse, rester sobre de mouluration et ne pas s'évaporer au plein air dans des profils petits, grêles, mesquins, qui rappellent le bois et non la pierre. J'ai donc étudié une silhouette robuste et simple et un ensemble ne rappelant aucun style connu ; le plan est carré, mais c'est l'angle du carré et non un des côtés qui se présentera de face ; Je vous donne d'avance ces quelques renseignements afin que vous ne soyez pas trop effrayé d'un projet qui n'aura aucun rapport direct avec la maquette du piédestal que vous m'avez montrée[13]."

De son côté, Rodin cherchait diverses hauteurs et moulures pour le socle et un parallèle s'imposa à lui, entre la base du *Monument à Balzac* et celle du *Monument à Sarmiento*, le patriote argentin (cat. 121 et 122). Les projets étaient contemporains, entre 1894 et 1898. L'un connut l'échec retentissant que l'on sait alors que l'autre fut installé dans un parc de Buenos Aires en 1900, deux ans après le refus du *Balzac*.

Un dessin nettement plus abouti, à la plume (cat. 120), dut être conçu après 1898 et d'après l'œuvre achevée, à la manière des gravures de bustes que Rodin exécuta une dizaine d'années plus tôt. Si le monument avait été accepté, c'est exactement le dessin que Gauchez appelait de ses vœux mais qui n'était pas mûr dans l'esprit de Rodin en 1892.

Les graveurs professionnels n'ont pas manqué d'être tentés par le *Balzac* de Rodin et c'est Alexandre Duchemin qui en tira une belle eau-forte qu'il exposa au Salon des artistes français de 1899[14] (cat. 143). Il en sollicita l'autorisation le 28 juin 1898 et l'acheva en décembre de la même année. Sa correspondance atteste certaines suggestions émises par le "Maître" : "Les épreuves sont tirées avec quelques lumières placées là où vous le désirez. Je compte – pensant vous faire plaisir – envoyer en hommage des épreuves à ceux des hommes de lettres et des critiques qui vous ont défendu, notamment Mirbeau, Geffroy, Arsène Alexandre et Roger-Milès[15]", écrivit-il à Rodin. L'eau-forte fut présentée au Cercle de la ville de La Haye pour la première exposition personnelle du sculpteur. Le jury de l'exposition de 1900 la refusa, imitant en cela l'attitude de la Société des gens de lettres. À la demande de Duchemin, Rodin accepta en 1908 de signer un tirage limité à cinquante épreuves.

Léon Maillard, dans son étude sur Rodin de 1899, fit volontiers appel à des sources inédites et il demanda à des graveurs, et, selon toute vraisemblance à Léveillé, de tailler sur un bois la sculpture qui venait d'être refusée. La gravure existe (cat. 142), mais elle n'a pas été choisie par Maillard qui lui a préféré la simple reproduction du plâtre.

Le lithographe Auguste Clot, surtout prisé pour sa fidélité à l'interprétation des nus du Maître, est l'auteur d'un dessin à la plume de la *Tête du Balzac*[16], publié en marge d'un article de Frank Harris sur "Un chef-d'œuvre de l'Art moderne" dans le numéro spécial consacré à Rodin par la revue *La Plume* en 1900[17], et repris en ornement du menu du banquet offert par la dite revue à l'Alma le 11 juin 1900 (fig. 50).

Les graveurs, par la diffusion, contribuèrent ainsi à faire le succès d'une statue malgré le jugement erroné des officiels.

Le dessinateur du *Balzac* est entièrement atypique si on met en regard la vingtaine d'œuvres et les quelque sept mille dessins restants, mais l'aspect particulier que réclame un monument, et à plus forte raison ce monument, le justifie. Le dessin est là comme l'instrument indispensable qui accompagne et comme le support d'une recherche.

fig. 50
Auguste Clot (1858-1936)
Tête du Balzac
Illustration parue en 1900
dans la revue *La Plume*,
numéro spécial

1. Un domino, "Interview-express", *Le Gaulois*, 16 avril 1892.
2. Rodin à Jean Gigoux, 16 août 1891 ; arch. musée Rodin, L. 1476.
3. Rodin à Zola, Paris, 21 août 1891 ; Bibliothèque nationale de France, Mss, N.a.fr. 24523, f° 331.
4. Margaine à Rodin, 24 et 28 août, 18 septembre 1896, 16 mai 1898 ; arch. musée Rodin.
5. *Cf.* Lovenjoul à Rodin, 9 mars 1900 ; arch. musée Rodin.

6. Léon Gauchez à Rodin, Paris, 11 mars 1892 ; arch. musée Rodin.
7. Philibert Audebrand, "La statue d'Honoré de Balzac", *L'Art*, 1892, p. 257.
8. Philadelphia Museum of Art, inv. F' 29-7-212-336.
9. Auguste Rodin, *Les Cathédrales de France*, introduction par Charles Morice, avec cent planches inédites hors texte (fac-similés par Auguste Clot), Paris, A. Colin, 1914, p. 159.

10. Musée Rodin, carnet 50, f° 14 v°.
11. Frantz Jourdain à Zola, Paris, 8 juillet 1891 ; Bibliothèque nationale de France, Mss, N.a.fr. 24520, ff° 486 et 491. *Cf.* Joy Newton et Monique Fol, pp. 194-195.
12. Zola à Rodin, Paris, 1er mars 1892 ; Bibliothèque nationale de France, Mss, N.a.fr. 24520, ff° 486 et 491. *Cf.* Newton et Fol, pp. 194-195.
13. Frantz Jourdain à Rodin, 9 et 16 septembre 1897, arch. musée Rodin.

14. *Cf.* cat. exp. Paris, Société des artistes français, Salon de 1899, 117e exposition, n° 4543, p. 469.
15. Alexandre Duchemin à Rodin, 7 décembre 1898 ; arch. musée Rodin.
16. Le petit-fils d'Auguste Clot se souvient fort bien avoir vu le dessin encadré au mur chez ses grands-parents.
17. Frank Harris, "Un chef-d'œuvre de l'Art moderne", *La Plume*, 1er juin 1900, p. 55.

VIII

Alain Beausire

Vers 1890, Victor Champier rappelait dans un long article (23 colonnes !) sur la caricature, un passage d'Aristote : "'Il faut nécessairement représenter les hommes, ou meilleurs que nous ne sommes, ou pires.' Pires ! voilà la caricature, s'écrie M. Champfleury[1] !" Ce raccourci est loin de traduire la belle étude que nous a laissée cet auteur sur le sujet.

Tradition quasi populaire ramenant à l'accoutrement ancestral d'accessoires, accumulation de fétiches, de saints, de monstres, de croyances, de breloques à symboles et autres superstitions, la caricature nous accompagne depuis des lustres, miroir dépoli ne renvoyant qu'une silhouette, image de nos traits les plus "chargés", familière et complice. Devenue synthèse, elle s'exprima lors de la première exposition des caricatures de Rodin et de son œuvre présentée en 1990 au musée Rodin ; "ouverte" sur l'expression libre du public, qui laissa, caricature dans la caricature, la trace de ses visions sur des tableaux à dessiner et des cahiers de notes. Ce fut le plus grand et le plus fantastique des dialogues directs du public avec le Maître, la "charge" étant la plus sociable des représentations, de par ce jeu complice du clin d'œil, de l'ironie, de la pique[2], sans être nécessairement l'accablant jugement défini par ailleurs en terme de droit. La caricature dessinée – mais aussi la satire – est le support d'une expression facilitée tant par son apparent manque de sérieux, offrant une protection à son auteur, que par son langage universel et populaire.

Il ne faut chercher l'origine de la caricature (du latin *caricare*, charger) qu'à la fin du XVIe siècle (Carrache, Bernin, Arcimboldo) ; polichinelles, grotesques ou gargouilles médiévales n'eurent pas les mêmes intentions. Antithèse, dans le propos, de l'image d'Épinal, elle rejoint parfois la bande dessinée (Töpffer). Pour ne pas être puriste, donnons-lui aussi la définition du "dessin satirique", déviation de l'illustration – dont elle est l'expression critique – d'une personnalité, d'un événement, etc., par la déformation du physique ou de la situation. Qu'elle s'inspire de faits réels, de rumeurs ou de préjugés, ou qu'elle invente et mente simplement, la caricature doit sa survie à la démagogie[3].

L'évolution des techniques de reproduction au XIXe siècle (lithographie, gillotage, photogravure...) lui donna toute son ampleur et toute sa signification. Si, dans le dernier quart du siècle, industrialisation et démocratisation firent augmenter les tirages, les revues bénéficièrent avant les journaux de l'évolution de l'illustration ; celle-ci profita de la suppression de la censure sur les dessins en 1881. Paradoxalement, alors que la presse illustrée satirique prit un essor considérable, essentiellement après 1895, les vieux titres, perdant de leur audience, disparurent ou survécurent difficilement, tel *Le Charivari*, créé en 1832. La caricature s'installa alors dans la presse généraliste et populaire – et dans la presse politique où elle devint une arme efficace –, plus souvent insérée dans le texte.

Les salons, et autres activités artistiques, avaient leur place comme presque tout événement, étroitement liés à la politique et inépuisables réservoirs d'images. Celui de 1881 fut l'occasion pour *Le Charivari* d'apprécier à sa manière les contorsions de l'*Adam* de Rodin – "regardant si son vaccin prend[4]".

Cet exemple nous amène à constater que la chronologie rodinienne s'inscrit parfaitement dans ce contexte historique, à commencer par la brève activité de dessinateur satirique du sculpteur, alors en Belgique : il réalisa en effet les trois premiers numéros de 1874 de l'hebdomadaire bruxellois *Le Petit Comique*[5]. Outre l'affaire de *L'Âge d'airain*[6] en 1877, l'année 1880 – avec l'acquisition de cette œuvre et la commande de *La Porte de l'enfer* par l'État – le plaça définitivement dans la liste incontournable des cibles de la caricature. Toutefois, la véritable offensive fut déclenchée avec le *Balzac* dès 1894. Dès lors, Rodin et chacune de ses œuvres ne purent échapper à la satire, directement visés comme le *Victor Hugo* en 1901, *Le Penseur* en 1905, ou l'occupation de l'hôtel Biron en 1911 et 1912 ; et, dès qu'il s'agissait de *corps en morceaux*, c'est Rodin qui faisait les frais de l'illustration ("Les atrocités balkaniques[7]" en 1913 ou les mutilations rituelles en Afrique en 1931[8]). Indirectement, il fut aussi le support et l'instrument privilégié de la satire politique de son vivant jusqu'à nos jours ("Le Front du Penseur populaire[9]" en 1936 ou "Président de la République prenant une décision[10]" en 1987).

Dans le registre des déboires de Rodin avec la Société des gens de lettres, Bobb nous présente, dans "La physiologie du recollage" (*cf.* fig. 18), Aurélien Scholl, "le plus spirituel des Pacificateurs", regardant, satisfait, les deux parties toujours méfiantes, se tenant par la main avec une certaine distance ; chacun porte jalousement son "attribut" : l'allégorie de la Société, un sac de 10 000 francs et Rodin, une petite poupée sur laquelle est plantée une pancarte : "Maquette de la robe de chambre de Balzac".

Afin d'éviter de n'avoir que des dreyfusards parmi les souscripteurs (après le refus de son *Balzac, cf.* chap. IX et X), Rodin fit rajouter à la liste déjà imprimée le nom du peintre (plus que caricaturiste) Jean-Louis Forain qui venait de créer avec Caran d'Ache l'hebdomadaire antidreyfusard *Psst...!*[11], uniquement consacré à l'Affaire ! Même si Forain fut un admirateur du *Balzac* et même si Rodin mit une cloche insonorisée sur son œuvre, il y a dans cette combinaison grotesque et cette irresponsabilité du sculpteur une double cocasserie. Rodin générait une vraie satire politico-sociale et sa propre caricature ; la "charge" fut ici bien lourde. Tant Jacques-Émile Blanche que Louis Gillet[12] accordaient un crédit d'honnêteté à Forain, exprimée dans cette présence simultanée aux côtés de Rodin et dans *Psst...!* D'ailleurs, Rodin et Forain entretinrent de bonnes et libérales relations et firent un échange d'œuvre en 1896[13]. Ce qui n'empêcha pas Forain de suivre l'actualité en reprenant les satires de la presse, comme avec ce dessin du *Figaro*[14] du 3 juin 1912, où l'on voit Rodin et des modèles se déshabillant dans l'ancienne chapelle de l'hôtel Biron : "Maître, où dépose-t-on ses nippes ? – À côté, dans l'oratoire", répond le statuaire. Louis Vauxcelles, même s'il reconnaissait les qualités du dessin et de Forain en général, s'indigna dans *Le Gil Blas* et mania à son tour la satire contre ce geste sans élégance : "Forain, par servilité, meurtrissant un maître entouré de respect ! Le croc-en-jambe est lugubre et lamentable. Vous m'objecterez que Forain est converti et qu'il s'agenouille devant le saint-sacrement à Lourdes. Je le sais, l'y ayant vu[15]..." On connaît également la toile de Forain du musée Faure d'Aix-les-Bains, *Le Choix du modèle*, montrant Rodin examinant un modèle nu agenouillé.

Quant à Caran d'Ache (Emmanuel Poiré), les rapports avec le sculpteur restèrent certainement très distants, à preuve l'unique billet que lui adressa le dessinateur : "Avec mes hommages respectueusement admiratifs. Caran d'Ache[16]." Comme de nombreux lecteurs du *Figaro* (*cf.* note 14) trouvant le journal trop favorable à Dreyfus, il rejoignit *L'Écho de Paris* avant de créer le *Psst...!* (fig. 51). Installé depuis 1883 à Montmartre, c'est dans ce fief des nouveaux petits théâtres-cabarets à la mode (*cf. infra*, "Sur les planches") et des feuilles satiriques qu'il rencontra Forain et Adolphe Willette. Cet illustrateur, connu surtout pour ses nombreux programmes et menus et comme le fondateur de la première république de Montmartre, entretint avec Rodin d'amicales relations. Cité par Georges Denoinville en 1901, le sculpteur semblait avoir oublié les dures et multiples charges dont il avait été victime moins de deux ans auparavant pour affirmer : "Des artistes comme Caran d'Ache, Forain, Willette sont la gloire de l'Art[17]."

Rodin et les caricaturistes

fig. 51
Caran d'Ache, Emmanuel Poiré,
dit (1859-1909)
"Devant la statue. Les efforts
d'intellectualité", *Psst...!*, n° 17,
28 mai 1898

fig. 52
Henriot, Henri Maigrot, *dit*
"La Statue de Balzac dans sa
forme définitive",
Le Journal amusant,
18 juin 1898

Si Léon Bloy donnait à Rodin, en 1893, un exemplaire de *Sueur de sang* avec l'envoi : "*À Auguste Rodin très fortement et très humblement*[18]", comme de nombreux amis du sculpteur il réagit durement, cinq ans plus tard, face au *Balzac*, "coup de folie inconcevable... la matière si monstrueusement violentée n'a pu retenir que des traces d'horreur[19]". Par ces mêmes mots les partisans de Rodin en ont fait l'éloge. Forte déception de la part de Bloy, pour qui cette effigie fut exécutée "comme une sonate" ! Mauclair parlait de symphonie. Où est ici la satire ? Plus clair – du moins si l'on en reste à la "musicalité" du *Balzac* – est le dessin d'Henriot dans *Le Journal amusant* du 18 juin 1898 (fig. 52) : à faire du bruit, autant prendre une grosse caisse !

Albert Guillaume, ennemi fidèle de Rodin, fut très assidu tant dans les charges que dans les satires les plus acerbes. Dans sa "Revue comique" du *Monde illustré* du 28 mai 1898 (fig. 53), il nous montre à quel point le sculpteur savait mener son monde, ou plutôt celui de la Société des gens de lettres, tel un berger, ou "menaçant" Zola de faire son buste ! Le musée Rodin conserve d'autre part une magnifique planche originale de trois dessins, datée de juillet 1900, dont le premier, *Rodin et la Goulue* (cat. 140), montre Rodin, dans une attitude souvent reprise par le dessinateur, taillant un énorme bloc de marbre à peine entamé ; il tourne ici le dos à un patient petit modèle nu, la légende jouant avec l'actualité et le passé récent resté gravé dans les mémoires : "Mlle La Goulue s'est offerte en *Vénus Populaire* au ciseau puissant de M. Rodin, mais la délicieuse artiste a pris froid en attendant que le maître eût mis la dernière main au monument de Balzac."

Dans l'autre registre, dual, du *Balzac* et de l'affaire Dreyfus, Adrien Barrère nous propose un "Petit divertissement intellectuel en un seul morceau, pour faire oublier un instant la boue dans laquelle l'anémie gouvernementale a laissé tomber l'idée de Patrie", c'est le *Zola* de Rodin, avec en nota bene : "La Statue dit 'Merdre !...'" (fig. 54).

fig. 53
Albert Guillaume (1873-1942)
"La Revue Comique :
Le Zola de la sculpture...",
Le Monde illustré,
28 mai 1898

fig. 54
Adrien Barrère
"Les Futiles dessins.
Le Zola de Rodin",
La Nouvelle Revue parisienne,
25 juin 1898

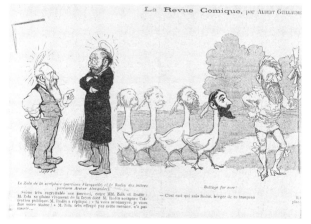

Les *Balzac*

La polémique et la satire trouvèrent un ressort idéal avec la nouvelle commande du *Balzac* à Falguière (*cf.* chap. III). Il est probable que sans le scandale suscité par celui de Rodin, il serait passé inaperçu, ou aurait tout au moins été considéré comme esthétiquement et "politiquement correct". En couverture du *Petit Illustré amusant* du 13 mai 1899 (fig. 55), Maurice Radiguet se montre assez sobre en présentant, dans un trait appuyé mais sans réelle caricature, nos deux statuaires tenant chacun son *Balzac*. Aucune concurrence dans ce double portrait qui illustre bien ce que Rodin a toujours affirmé de leur amitié née de cette ridicule affaire. On n'en finira plus de mettre en parallèle les deux monuments, ce qui permit à la presse, nous le disions, un perpétuel rebondissement.

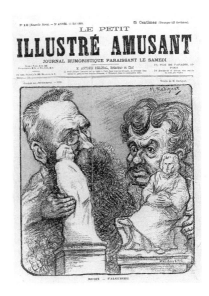

fig. 55
Maurice Radiguet
"Rodin – Falguière",
Le Petit Illustré amusant,
13 mai 1899

fig. 56
Doctoresse Yvonne
"Propos et croquis fantaisistes
– Balzac de Rodin, Salon 1898",
The French Magazine,
25 juin 1899, p. 65

Ainsi, Doctoresse Yvonne, dans la revue *The French Magazine* en 1899 (fig. 56), après avoir présenté - textes et caricatures - l'œuvre de Rodin dans un obélisque debout (qu'elle appelle pyramide), inscrit celles de Falguière et Marquet de Vasselot dans un obélisque couché et une chaudière ; au gré d'une légèreté un peu forcée du propos, elle a toutefois bien perçu la montée en puissance du modelé vers la tête de l'écrivain, concentrant l'expression de l'œuvre. C'est précisément ce qui gêne Henri Rochefort : "... c'est pousser un peu loin le spiritisme. Jamais on n'a eu l'idée d'extraire ainsi la cervelle d'un homme et de la lui appliquer sur la figure[20]."

Tandis que *Le Gaulois du dimanche* du 27 décembre 1902 fait parler la statue de Rodin : "Elle est bien bonne ! C'est moi qui ai attendu et c'est toi qui t'asseois !" (fig. 57). Enfin, dans *La Vie parisienne* du 3 juin 1899, Balzac lui-même, "embêté par les sculpteurs", une plume dans les cheveux et vêtu de sa sempiternelle robe de chambre, n'en peut plus : "Pourvu qu'ils ne me recommencent pas une troisième fois, Seigneur !" (fig. 58).

fig. 57
"Le Balzac de Rodin
à celui de Falguière…",
Le Gaulois du dimanche,
27 décembre 1902

fig. 58
Henry Gerbault
"Balzac embêté par les
sculpteurs",
La Vie parisienne, 3 juin 1899

La caricature sculptée

De par sa nature – et sa volonté – temporelle, son mode opératoire généralement instantané et sa réputation d'art mineur, par lesquels, entre autres, elle s'oppose au "portrait", la caricature, lorsqu'elle est sculptée, d'une part ne nous est livrée qu'en figurines, en esquisses de premier jet, donc souvent dans un matériau périssable, d'autre part et pour ces deux raisons, ne nous est que peu parvenue. On connaît le faible succès des petites charges sculptées offertes par *L'Assiette au beurre* à ses abonnés.

Cette nature instantanée de la caricature est démontrée par une statuette-charge du *Balzac*, œuvre du sculpteur Hans Lerche, *Un pas en avant* (cat. 141), que l'on trouvait répandue dès juillet 1898 : "Le joujou à la mode… C'est à Montmartre, le pays de la blague éternelle et de l'éternelle satire, que nous l'avons découvert ; il s'y étale dans une modeste boutique d'estampes… ; nous l'avons vu en bonne place dans le salon d'un membre de l'Institut, dans le hall d'un riche industriel, dans la galerie d'un des plus fameux collectionneurs parisiens !… petite charge amusante du fameux 'Balzac' dont on a tant parlé ! La parodie est drôle… C'est une sorte de petit phoque qui, la tête renversée en arrière, les deux petits bras collés au corps, déambule en avançant, tel un soulier à la poulaine, l'une de ses deux nageoires… ; petite blague éminemment 'parisienne' et dont M. Rodin a dû être le premier à rire[21]." Le musée Rodin conserve également une statuette de Charles Léandre, *Rodin-satyre*, de plus de 56 cm de haut.

Sur les planches

Les très bruyants débats de Rodin et de la Société des gens de lettres furent tels qu'on les porta sur les planches ; théâtres et cabarets à la mode faisaient recette, au détriment des théâtres réguliers, surtout sur la Butte. En 1894, dans la perspective de la grande soirée de fin d'année du journal *Le Passant*, Philippe Le Beau, après avoir détaillé les recherches infructueuses d'une salle, annonçait le choix des somptueux locaux du journal lui-même rue Taitbout et donnait le programme : avec un orchestre de femmes et, entre autres divertissements, des monologues de Coquelin Cadet, Rose Caron chantera *Le Retour de Zola* ; "Mme Sarah Bernhardt et M. [Lucien] Guitry, dans un à-propos en vers de Jean Aicard, *Rendez l'argent*. La grande tragédienne jouera le rôle de la *Société des Gens de Lettres* et M. Guitry celui de *Rodin*. Le rôle muet de l'ombre de *Balzac*, sera tenu par une personnalité mondaine qui désire garder l'incognito[22]."

Le mondain théâtre du Carillon, où se pressait la haute bourgeoisie, présenta en novembre 1896, dans la revue de Oudot et Gorsse, *Le Commandeur de la Statue* où le président du Comité venait à tout instant relancer, sous divers déguisements, le sculpteur "Rotin" que son petit modèle Carlotta détournait du travail[23]. Nous ne sommes pas loin d'une allusion aux rapports difficiles et quasi publics de Rodin et de Camille Claudel. On retrouvait ces deux auteurs interprétés en juin 1898 aux Variétés, dans une fantaisie musicale, *Le Tour du Bois*[24]. En cette époque féconde, les meilleurs chansonniers se produisaient au Tréteau de Tabarin[25] - élégant et demi-mondain où "l'élément israélite domine", lit-on parfois dans la presse -, sur *Le Balzac de Rodin* extrait des *Chansons rosses* de Fursy publiées l'année suivante (librairie P. Ollendorff, Paris).

Balzac et la caricature

Du vivant de Balzac, les caricaturistes trouvèrent essentiellement dans la robe de chambre, et souvent aussi dans la canne, l'accessoire, ou, mieux, l'attribut propre à l'écrivain (cat. 12 et 13). Outre la page d'Henry Gerbault (fig. 58), Lucien Métivet parvint à associer dans *Le Rire* en un seul petit dessin, la vie de Balzac, grand consommateur de café, un événement muséal (l'inauguration de la Maison de Balzac) et l'œuvre de Rodin : lors de cet événement, "on a servi le moka dans la cafetière du grand romancier" ; ce qui fait dire, grinçant, à Balzac lui-même, de son nuage : "C'coup-ci, je r'connais ma caf'tière ! Rodin n'en est pas" ! (fig. 59).

Au sein même de *La Comédie humaine*, sur une petite quarantaine de références à la caricature, une seule occupe une place considérable tant dans le texte que dans la signification : dans *Les Employés*[26], un complot socio-politique, visant à se débarrasser d'un réformiste, utilise les talents du caricaturiste Bixiou ; celui-ci dira dans *La Maison Nucingen* : "J'ai tué ce Rabourdin par une caricature[27]." Balzac éprouvait un sentiment partagé vis-à-vis de cet art, exprimé par un "admirable Bixiou" ou par un "infâme Gendrin[28]" (*César Birotteau*). Il voyait en Daumier le supplément (illustré), plutôt que le complément, idéal de son œuvre qui se suffit à lui-même. Rappelons également que Balzac collabora de nombreuses fois au journal satirique *La Caricature* entre 1830 et 1832, sous des pseudonymes divers. Dans une lettre à Mme Hanska du 20 janvier 1838, il donnait son sentiment sur la presse : "Je ne lis pas les journaux... je n'en ai guère le temps... je suis, vous le savez, aussi indifférent au blâme qu'à l'éloge des gens qui ne sont pas les élus de mon cœur et surtout à l'opinion du journalisme, et en général de ce qu'on appelle *le public*[29]."

fig. 59
Lucien Métivet
"L'inauguration du musée de Balzac", *Le Rire*, 30 juillet 1910

1. Victor Champier, "Caricature", *La Grande Encyclopédie*, M. Berthelot dir., H. Lamirault & Cie, [vers 1890], t. IX, pp. 404-415.
2. On parle aussi de la "pointe", outil commun de l'intellectuel et du sculpteur leur permettant de dégager par l'esprit ou la matière les traits les plus subtils de l'expression ; on lira sur le sujet Baltasar Gracián, *La Pointe ou l'Art du génie* (trad. Gendreau-Massaloux et Laurens), Paris, éd. l'Âge d'Homme, 1983.
3. *Cf.* Alain Beausire, "Éditorial", catalogue de l'exposition *Rodin et la caricature*, Paris, musée Rodin, 1990, p. 7.
4. Draner, *Le Charivari*, 8 mai 1881.
5. *Cf.* Claudie Judrin, "Les caricatures", cat. exp. *Vers L'Âge d'airain – Rodin en Belgique*, Paris, musée Rodin, 1997, pp. 225-232.
6. Accusé de surmoulage à Bruxelles en 1877. *Cf.* Antoinette Le Normand-Romain, "L'Âge d'airain", *ibid.*, pp. 245-267.
7. Rousseau, *Le Charivari*, 30 novembre 1913.
8. *Le Rire*, 7 mars 1931.
9. Sennep, *Le Nouveau Cri*, 22 août 1936.
10. Jacques Faizant, *Le Figaro*, 16 janvier 1987.
11. Paru du 5 février 1898 au 16 septembre 1899 en 85 livraisons hebdomadaires.
12. Jacques-Émile Blanche, "Jean-Louis Forain", *La Renaissance latine*, 15 mars 1905 ; Louis Gillet,

"Forain, son exposition aux Arts décoratifs", *La Revue hebdomadaire*, 25 janvier 1913.
13. Tableau ou dessin, non localisé, contre un petit torse. Forain à Rodin, Paris, 14 juin 1896 ; arch. musée Rodin.
14. Rappelons que *Le Figaro* s'engagea dans les rangs des dreyfusards pendant un petit trimestre (octobre-décembre 1897), mais dut y renoncer devant les protestations de ses lecteurs ; sa nouvelle attitude réservée ne fut pas plus appréciée.
15. Louis Vauxcelles, "Forain le Maronite", *Le Gil Blas*, 4 juin 1912.
16. Caran d'Ache à Rodin, s.l.n.d. ; arch. musée Rodin.
17. Georges Denoinville, *Lettres d'artistes – Salons de 1900*, Paris, Chamuel & Cie, 1901, pp. 10-11. Louis Vauxcelles adaptait les propos de Rodin dans son article sur Willette dans *Le Gil Blas* du 20 février 1906 : "Un homme comme Willette est la gloire de l'art contemporain." Il est utile de rappeler ici que Willette se présenta aux législatives de 1889 dans la circonscription de Montmartre sous l'étiquette "candidat antisémite".
18. Léon Bloy, *Sueur de Sang*, Paris, Dentu, 1893 (musée Rodin).
19. Léon Bloy, cité par Gustave Guiches, *La Nouvelle Revue*, 1er mars 1936.
20. Henri Rochefort, "Les Précieux ridicules", *L'Intransigeant*, 19 mai 1898.

21. Un domino, *Le Gaulois*, 31 juillet 1898.
22. Philippe Le Beau, "La Soirée du *Passant*", *Le Passant*, 20 décembre 1894.
23. *Cf.* E. D., "Les Théâtres – Au Carillon", *La France*, 6 novembre 1896.
24. *Cf.* Jean Gascogne, "Chronique dramatique", *La Libre Parole*, 4 juin 1898.
25. *Cf.* Capitaine Fracasse, *L'Écho de Paris*, 29 mai 1898.
26. Balzac, *La Comédie humaine*, *Les Employés*, P.-G. Castex dir., Paris, Gallimard, Pléiade, t. VII (1978), pp. 973 à 1105.
27. Balzac, *La Comédie humaine*, *La Maison Nucingen*, P.-G. Castex dir., Paris, Gallimard, Pléiade, t. VI (1977), p. 375.
28. Balzac, *La Comédie humaine*, *César Birotteau*, P.-G. Castex dir., Paris, Gallimard, Pléiade, t. VI (1977), p. 110.
29. *Œuvres complètes de H. de Balzac*, t. XXIV, *Correspondance 1819-1850*, Paris, Calmann-Lévy, 1876, p. 278.

IX

Frédérique Leseur

L'indignation

Le 9 mai 1898, alors qu'une partie de la critique commente avec ironie, colère ou indignation le *Monument à Balzac* de Rodin, la Société des gens de lettres annonce publiquement son refus d'une sculpture dans laquelle elle ne "reconnaît" pas le grand écrivain. Cependant, dès l'exposition du monument au Salon de la Nationale, Rodin a reçu les félicitations et encouragements de ses amis et admirateurs qui voient dans cette œuvre l'affirmation d'une esthétique nouvelle, dont ils sont pour la plupart les défenseurs[1].

La confusion s'introduit alors dans les esprits, nourrie par la rumeur d'un retrait de la sculpture du Salon[2].

Dans une longue lettre anonyme, un jeune artiste de vingt ans déclare à Rodin sa fougueuse admiration et le supplie de résister aux attaques. Ses exhortations sont chargées d'une conscience singulièrement visionnaire des nombreux enjeux que couvrira la polémique naissante.

"À Rodin

auteur de la statue de Balzac

Illustre maître,

Nous apprenons avec stupeur que tu veux retirer ton Balzac du Palais des Machines, que tu veux reprendre pour toi seul l'œuvre que nous considérons déjà un peu comme nôtre.

Quoi ! tu nous as laissé entrevoir le chef-d'œuvre le plus merveilleux qu'ait produit la statuaire moderne, et tu nous dis maintenant : 'Vous ne le verrez plus.' Quoi ! nous ne verrons plus se dresser cette forme débordante de vie ! nous ne verrons plus ce visage étonnant rayonner de force, d'intelligence, de pensée, de rêve incompris !

Ah ! non ! non ! cela est insensé ! c'est impossible ! c'est faux ! Nous nous révoltons de toute notre âme d'artiste. Du jour où tu l'as léguée à notre admiration cette œuvre ne t'appartient plus : elle est à toutes les âmes qu'elle a fait vibrer d'une émotion profonde et sincère ; elle est à nous tous ; et nous ne voulons pas la rendre.

Et tu parles de ta dignité. – Pour sauvegarder sa dignité Corneille aurait-il dû interdire le spectacle du Cid ? Et s'ils avaient pensé ainsi, c'est Delacroix, c'est Wagner, c'est Hugo que tu ne connaîtrais pas. Ta dignité ! n'est-elle pas, maître, dans l'acceptation de toutes les luttes, tellement au-dessus de vaines attaques et d'outrages passagers ? La foule ne t'a pas compris. Heureux mortel ! heureux celui qui naît incompris des foules ! N'est-ce pas la marque indéniable du génie ? Seuls, tu le sais bien, les médiocres et les nuls sont goûtés au premier jour des foules peu clairvoyantes. Comment la routine comprendrait-elle le génie créateur ?

Ici c'est l'indifférence qui cache son impuissance sous une grimace ; là c'est la jalousie qui rôde : hier elle conspuait Zola, aujourd'hui elle hue Rodin : partout où il passe, le génie lui porte ombrage.

Mais ne sens-tu pas à tes côtés une phalange d'admirateurs passionnés chercheurs comme toi d'émotions durables ?

N'as-tu pas la foi irréductible et immuable en toi-même, la foi qui fait les forts ?

Crois-tu donc que seule contre tous, ton œuvre n'est pas assez forte pour se dresser et pour vaincre ?

Maître, souviens-toi que seuls les impuissants ont le droit d'abandonner la lutte. Toi, tu resteras jusques au dernier jour ; ton Balzac, au fond de la vaste galerie, opposera à la calomnie sa fière statue et son regard immense, se livrant tout à l'enthousiasme de l'artiste épris d'idéal et de vérité.

Et il faut que tu fasses plus encore : comment ? je ne sais, mais tu le feras. Taillé dans le marbre, le monument s'érigera triomphal au milieu de Paris. Et contre son socle viendront se briser la sottise, l'erreur et la haine, jusqu'à l'hommage solennel que lui rendra la postérité.

Ce 12 Mai 1898.

Un artiste de 20 ans.

P.S. – Maître, puisque tu parles de demander un conseil à tes amis, permets-moi de te donner humblement celui-là. Pourquoi ces amis n'organiseraient-ils pas une souscription qui permettrait à tes admirateurs de faire élever publiquement ta statue en un lieu digne de toi et d'elle[3]."

Ce jeune homme n'est pas seul à considérer qu'il est essentiel de défendre le *Balzac* et d'imposer l'érection de cette sculpture dans Paris, comme il était convenu dans le contrat liant Rodin à la Société des gens de lettres.

Pour tenir tête au très officiel et puissant cénacle que constitue le Comité de la Société, principalement composé d'académiciens, les partisans d'un art nouveau s'organisent très rapidement.

Une protestation

Mathias Morhardt (fig. 60), journaliste et écrivain symboliste d'origine suisse qui a organisé en 1896, à Genève, l'exposition *Puvis de Chavannes - Rodin* au musée Rath, rapporte qu'il reçut, le 11 mai, cette lettre d'Eugène Carrière l'invitant à prendre la tête du mouvement de protestation[4] :

"Mon cher Morhardt,

la société des Gens de Lettres refuse le 'Balzac' de Rodin. Pouvons-nous laisser passer un outrage pareil à l'artiste dont s'honore notre pays, et auquel on doit tant d'émotions d'art ? Ne devons-nous pas protester contre ceux qui l'ignorent et n'ont aucune conscience de l'énormité de leur acte ?

Voyez, cher ami, vous qui êtes actif et vaillant. Vous avez déjà combattu pour Rodin. Nous serons à vos côtés si vous nous appelez. Il faut que quelqu'un prenne l'initiative. Et je ne vois guère que vous. Je vous écris avec l'indignation que me porte cette inconscience artistique.

De cœur à vous,

Eugène Carrière."

Morhardt répond à l'appel de Carrière et se lance dans la défense du *Balzac* avec une ardeur et une ténacité qui n'ont d'égal que son engagement aux côtés des dreyfusards de la Ligue des droits de l'homme, dont il sera secrétaire général de la fin de l'année 1898 à 1911. En 1934, il publie, dans *Mercure de France*, "La bataille du Balzac", long article très documenté qui reste aujourd'hui encore une source majeure sur l'épisode de la souscription de 1898.

"Aussitôt[5]", les "amis les plus intimes du maître" se réunissent à l'invitation de Morhardt dans l'un des ateliers de la rue de l'Université[6] et décident de "répondre à l'ordre du jour injurieux de la Société des Gens de Lettres [...] par une protestation dont la rédaction montre bien [le] désir de limiter la manifestation à un groupe assez étroitement circonscrit d'écrivains et d'artistes" :

"Les amis et admirateurs de Rodin, considérant que l'ordre du jour voté par le comité de la Société des Gens de Lettres est sans importance au point de vue artistique, encouragent de toute leur sympathie l'artiste à mener à bonne fin son œuvre sans s'arrêter aux circonstances actuelles, et expriment l'espoir que, dans un pays noble et raffiné comme la France, il ne cessera d'être de la part du public l'objet des égards et du respect auxquels lui donnent droit sa haute probité et son admirable carrière[7]."

Les termes de la circulaire, comme le choix volontairement restreint du milieu professionnel des signataires[8], marquent avec insistance le désir du comité de réunir des spécialistes des arts pour s'opposer à une décision entravant la démarche artistique de Rodin. Ce document imprimé fut adressé "aux personnalités qui paraissaient être sensibles à l'indigne offense [...] [faite] à l'indépendance d'un grand artiste."

Tant de précautions témoignent de la conscience qu'avaient les membres du comité protestataire d'un glissement éventuel vers une contestation plus large de l'autorité académique, voire de l'ordre établi, et l'allusion à la noblesse et au raffinement français nous rappelle que le patriotisme était une valeur commune à tous les Français du temps, y compris (et sans doute particulièrement) aux fervents républicains et aux défenseurs de la modernité.

fig. 60
Ferdinand Hodler (1853-1918)
Portrait de Mathias Morhardt
1913
Genève, musée d'Art
et d'Histoire, inv. n° 1913-74

fig. 61
Anonyme
Pierre Louÿs
Album Félix Potin,
collection particulière

La stratégie mise en œuvre par l'entourage de Rodin s'inscrit dans une attitude initiée depuis plus de dix ans par les écrivains qui tentent de s'ériger en contre-pouvoir en déniant aux pouvoirs publics le droit de limiter la liberté d'expression des auteurs[9].

Ainsi l'une des plus importantes protestations collectives fut suscitée par les menaces contre le roman de Lucien Descaves, *Sous-Offs*, en 1889. Cinquante-quatre écrivains avaient apposé leur signature à un texte dont les caractéristiques principales se retrouvent dans la protestation en faveur du *Balzac* : le principe de l'indépendance d'un artiste, une pétition professionnelle et un refus de se placer sur le terrain de l'adversaire en évacuant la question de fond (pour Descaves, le livre est-il ou non antimilitariste ? ; pour Rodin, reconnaît-on ou non un portrait de Balzac dans cette œuvre[10] ?).

En 1894, les théoriciens anarchistes et ceux qui se solidarisaient avec eux (Mirbeau, Reclus, Paul Adam, Bernard Lazare) étaient rendus responsables de la vague d'attentats qui secouait la France depuis deux ans. Suite à la parution de *La Société mourante et l'anarchie*, préfacée par Octave Mirbeau, Jean Grave fut emprisonné sous la double inculpation d'incitation à la révolte et d'association de malfaiteurs. Au moment de son procès, la fonction sociale des "intellectuels" constitua le cœur du débat et la pétition de soutien à cet auteur connut un retentissement considérable. Au nom du droit imprescriptible de penser et de s'exprimer librement, plus de 125 signatures furent réunies et, cette fois, les "solidarités transversales (liens d'amitiés, affinités esthétiques, sociabilité de revue, classe d'âge, opinions politiques) l'emportèrent sur les clivages sectoriels, les hiérarchies de prestige ou la notoriété individuelle[11]". On notera que parmi les participants au mouvement de soutien à *Balzac* recensés, 28 avaient signé pour Jean Grave[12].

Dans un combat beaucoup moins directement politique, les milieux artistiques avaient, eux aussi, eu recours à ce type de protestation. *Le Temps* du 14 février 1887 publia un manifeste hostile à l'érection de la tour Eiffel : il s'agissait alors de recueillir les signatures des "écrivains, peintres, sculpteurs, architectes et amateurs passionnés de la beauté jusqu'ici intacte de Paris".

Mais la pétition présente dans tous les esprits en mai 1898, c'est le court texte intitulé "Une protestation", paru dans *L'Aurore* du 14 janvier 1898 et rapidement connu sous le nom de *Manifeste des intellectuels*. Ce texte collectif, publié au lendemain du *J'accuse !* de Zola, marque l'avènement d'une ère nouvelle de l'histoire de l'engagement des clercs dans la vie politique. "La force de frappe des signatures apparut comme une arme nouvelle dans les arsenaux des affrontements franco-français. Certes la pétition ne fut pas alors le seul mode d'intervention de ces clercs [...] mais celui qui, semble-t-il, a frappé les contemporains et qu'a retenu la postérité[13]."

"Préparer le triomphe de la justice et de la beauté"

L'évidente nécessité d'un recours à ce nouveau mode d'expression collective apparaît dans quelques lettres que Rodin reçoit immédiatement après le refus de sa statue.

"En présence de ce qui se passe à la Société des gens de lettres, nous tenons mon mari et moi à être des premiers à vous exprimer notre stupéfaction. Il va sans dire que nous nous associerons d'enthousiasme à la protestation qui ne peut manquer de se produire. C'est un crime de ne supporter que le talent chez un artiste de génie[14]", écrit la femme du peintre Albert Besnard.

Pierre Louÿs (fig. 61), avant d'adresser sa protestation à Mathias Morhardt[15], envoie le billet suivant à Rodin : "J'apprends qu'on signe une protestation contre l'inqualifiable note des Gens de Lettres. J'en ai moi-même pris l'initiative dans le petit cercle d'artistes où je vis ; mais puisque j'ai été devancé, veuillez me permettre simplement de signer avec vos amis." Concise, cette lettre n'en est pas moins éloquente sur le fonctionnement des réseaux d'artistes. L'indignation provoquée par la décision des Gens de lettres gagne divers cercles intellectuels ou artistiques que Louÿs distingue nettement. Au "petit cercle d'artistes" dans lequel il "vit" (terme évocateur), Louÿs oppose les "amis" de Rodin, dont on perçoit la puissance symbolique (probablement plus nombreux, ils paraissent surtout plus influents)[16].

À l'appel de ces protestataires "autorisés" répondent évidemment leurs amis, infatigables défenseurs de la modernité artistique : "Peut-être mon nom ne vous est-il pas tout à fait inconnu ; peut-être vous est-il tout à fait inconnu. La chose importe peu.

J'ai lutté, vingt ans de ma vie, pour Berlioz et Wagner, et retrouve à propos de votre nom et de votre œuvre les mêmes haines indignes de notre pays, les mêmes sottises, hélas ! éternelles de la foule.

Je serais heureux de m'associer à tous les mouvements de protestation qui se produiront autour de votre Balzac.

J'ai déjà signé la protestation que m'a adressée mon ami Geffroy. Ne m'oubliez pas dans les autres occasions[17]."

Mais déjà perce, sous l'unanimité du soutien à Rodin, la diversité des motivations à signer. Certains semblent animés du seul désir de proclamer la force et la beauté d'une sculpture, de réconforter un artiste humilié[18]. D'autres y trouvent une occasion d'égratigner[19], voire d'injurier les membres de la Société des gens de lettres. Pour exemple, la verve de Lucien Guitry (fig. 62) : "Mon cher grand maître,

Puisque cela devient une gloire de n'être pas une brute et que la potée d'imbéciles obscurs qui s'intitule 'Comité de la statue du Balzac' fournit à ceux qui vous admirent et qui vous aiment l'occasion de vous le dire et de le crier bien haut, je le fais pour ma part, heureux de me sentir modifié en mieux par une œuvre admirable que j'ai la joie de sentir.

Oh les malheureuses bêtes qui ne sentent pas la honte en leur ânerie.

Toute l'admiration de votre affectionné Lucien Guitry[20]."

C'est une véritable stratégie que les proches de Rodin mettent en marche, avec le soutien de jeunes et courageux confrères. Tels des rabatteurs dévoués, ils partent en quête de signatures chez leurs amis, parmi leurs relations professionnelles et, pour certains, auprès de leurs lecteurs, afin de rendre compte au "cher Maître" de l'ampleur du soutien dont il jouit[21].

Judith Cladel évoque le succès de cette pétition : "aussitôt imprimée [...] elle provoque une magnifique explosion, un feu d'artifices d'adhésions, parmi lesquelles éclatent celles de Toulouse-Lautrec, Albert Besnard, Vincent d'Indy [fig. 63], Paul Adam, Henry Becque [fig. 64], Paul Signac, Maximilien Luce, Catulle Mendès [fig. 65], Courteline [fig. 66], Paul Fort, Alfred Valette, Aristide Maillol, Bourdelle, Georges Clemenceau, Henry Cros, Lucien Guitry, Claude Debussy, Camille Mauclair, Jules Renard [fig. 67], André Berthelot,

fig. 62
Marguerite Boyer
Lucien Guitry
Album Félix Potin,
collection particulière

fig. 63
Reutlinger
Vincent d'Indy
Album Félix Potin,
collection particulière

fig. 64
M. M. Benque
*Portrait d'Henry Becque,
bras croisés*
Papier albuminé
Musée Rodin, Ph. 1448

fig. 65
Reutlinger
Catulle Mendès
Album Félix Potin,
collection particulière

fig. 66
Bary
Georges Courteline
Album Félix Potin,
collection particulière

fig. 67
M. Manuel
Jules Renard
Album Félix Potin,
collection particulière

fig. 68
Sartony
Lugné-Poë
Album Félix Potin,
collection particulière

fig. 69
Nadar (1820-1910)
Georges Rodenbach
Album Félix Potin,
collection particulière

Claude Monet, Alfred Bruneau, Mme J.-B. Carpeaux, Lugné-Poë [fig. 68], Georges Rodenbach [fig. 69], J.-É. Blanche, Constantin Meunier, Jules Desbois, J. P. Toulet, Jean Moréas, Henri de Régnier, Frantz Jourdain, Séverine [fig. 70], Pierre Louÿs, Anatole France..."

Soucieuse de maintenir l'intérêt de son lecteur autant que fine hagiographe, Judith Cladel prend soin de ne retenir, dans la liste proposée par Morhardt[22], que les noms assurément connus des lecteurs de sa biographie en 1936. Par ses choix (elle n'en conserve guère plus du quart), elle réaffirme indirectement les intentions du comité de "limiter la manifestation à un groupe [...] d'écrivains et d'artistes".

Aux côtés des auteurs dramatiques, écrivains et poètes, peintres, sculpteurs et compositeurs, deux figures d'"intellectuels" se détachent. L'un est pleinement intégré aux milieux artistique et littéraire, l'époux de Rachilde, Alfred Valette, directeur de la revue *Mercure de France*. L'autre, Clemenceau, éditorialiste à *L'Aurore* est, malgré ses écrits et amitiés artistiques, avant tout perçu comme homme politique (dépourvu de mandat à cette date) et journaliste. Peut-être faut-il lire, à travers cette dernière évocation, l'indispensable hommage à une presse sans laquelle la protestation n'eût jamais atteint l'ampleur qui fut la sienne.

Pourtant, "il n'y a pas que des enthousiastes[23] !". Avant d'amuser son lecteur par quelques abstentions loufoques, Morhardt juge nécessaire de l'éclairer sur certaines attitudes tortueuses[24]. Les arguments esthétiques et civiques avancés par l'auteur dramatique François de Curel noient dans la confusion son refus : "je ne suis pas de ceux qui admirent la statue de Balzac [...] j'estime que le mérite de cette statue est [...] bien peu à la portée des foules, par conséquent bien assuré d'être incompris sur une place publique, où la foule est chez elle, et je suis convaincu que la gloire de Rodin ne gagnera rien à cette tentative".

Au contraire, l'écrivain Charles Maurras procède à une véritable analyse méthodique du texte de la protestation, ironisant point par point sur la terminologie de cet appel, avant de polémiquer sur les prétendues faiblesses de la rigueur morale des amis de Rodin[25]. Et si, malgré ses attaques virulentes, Maurras signe "*sous certaines réserves*", c'est d'abord parce qu'il condamne le comportement incohérent des membres de la Société des gens de lettres, c'est ensuite parce que la présence de Forain (fig. 71), parmi les signataires du groupe qu'il rejoint, est pour lui un gage de neutralité politique[26]. Le raisonnement de Rodin – qui intervint lors de la publication du texte pour réclamer l'ajout de la signature du caricaturiste – procédait de cette même logique : il espérait atténuer la coloration fortement dreyfusarde du comité de protestation en y associant le nom d'un antidreyfusard notoire, fondateur avec Caran d'Ache, du *Psst...!*

Rapidement, la protestation n'est plus dans l'esprit des organisateurs qu'une première étape : "le succès de la protestation [...] nous induisait à lui donner un caractère plus positif. Suffisait-il d'une affirmation de sympathie ? Même signée des noms qui comptaient le plus à cette date, elle n'était qu'une simple formalité sans portée et sans lendemain. Nous ne fûmes pas longtemps à chercher un moyen de frapper l'opinion avec plus de force."

Du 11 au 16 mai, *Le Temps* tient quotidiennement ses lecteurs informés des moindres décisions de Rodin et de son entourage dans une série d'articles intitulés "M. Rodin, Balzac et la Société des gens de lettres"[27].

Le 15 mai : "M. Rodin a reçu hier et ce matin, de nombreuses lettres de félicitations pour la statue de Balzac. La plupart de ses correspondants lui demandent de ne vendre son œuvre ni à M. Auguste Pellerin, ni à la Belgique. L'un d'eux, M. Quinton, lui dit que, si une souscription est ouverte pour ériger sa statue de Balzac à Paris, il s'inscrit sur la liste des souscripteurs pour une somme de mille francs. De son côté, M. Lucien Guitry, l'artiste dramatique bien connu, lui a déclaré qu'il s'inscrirait éventuellement pour une somme importante. Il est très probable, dans ces conditions, qu'une souscription sera ouverte et que les 30 000 francs nécessaires pour édifier à Paris le *Balzac* de Rodin seront vite réunis[28].

Quelques-uns de ses correspondants engagent, d'autre part, M. Rodin à poursuivre la Société des gens de lettres, en raison de la décision que son comité a prise et que celui-ci a livrée à la publicité. C'est sans droit, estiment-ils, que le comité s'est réuni pour juger de la valeur artistique de la statue de Balzac[29], dont il n'avait point à s'occuper puisqu'il s'en était par son traité entièrement remis à M. Rodin."

fig. 70
Gersonel
Séverine
Album Félix Potin,
collection particulière

Souscription et souscripteurs

Tel un combattant clandestin, le critique d'art, et ami de Rodin, Arsène Alexandre tient à rencontrer l'auteur du *Balzac*, seul, pour l'entretenir de l'idée qu'il a d'intervenir de nouveau dans le débat[30].

Pense-t-il à une souscription[31] ou à des stratégies plus insidieuses, comme celles proposées par Georges Lecomte, alors académicien royaliste ? "Les comités de la Société des gens de lettres se renouvellent tous les ans. Nous ferons tous une campagne si ardente que les nouveaux venus auront peur de paraître trop stupides, finiront par comprendre. Et si c'est nécessaire, nous entrerons en masse dans la Société des gens de lettres pour lui donner une autre direction[32]." Stratégie d'usure et noyautage ! Lecomte ne se paie pas ici de mots, il sera encore à la pointe du combat pour *Balzac* en 1936, au moment de l'installation du monument sur le boulevard Raspail[33].

Le post-scriptum de la lettre que le collectionneur Bigand-Kaire (fig. 72) adresse quelques jours plus tard à Rodin lors de l'appel à souscription relève exactement de la même tactique d'infiltration des milieux "hostiles" : "J'ai invité aussi le fils d'un de mes amis qui est le premier à l'école des Chartes, ce jeune homme fera un sujet très remarquable et comme il sera très flatté de vous voir il fera pénétrer en un milieu officiel qui vous est peut-être hostile un peu de la bonne graine qui germera plus tard. À mon sens, il ne faut rien négliger pour préparer le triomphe de la justice et de la beauté[34]."

Dès le 20 mai 1898, un appel à souscription est adressé à tous les signataires de la protestation. Rodin lui-même manifeste auprès du comité son désir de solliciter Mallarmé (fig. 73), lequel s'empressa de répondre : "Mon cher Morhardt, j'accepte de grand cœur, très touché que Rodin ait pensé à moi ; remerciez aussi mes amis du Comité. J'enverrai d'autre part mon humble souscription, le premier jour. L'honneur de la Ville demeure sauf, par vos soins et ceux de plusieurs, et le génie triomphera. À vous toujours, merci. Stéphane Mallarmé[35]."

fig. 71
Nadar (1820-1910)
Jean-Louis Forain
Album Félix Potin,
collection particulière

Le jour même, Rodin le remercie : "Vous êtes bon, cher ami, de penser à moi et de vous indigner contre ceux qui me font la guerre. Votre dévouement me fait plaisir et du bien. Merci, merci encore. Ne m'oubliez pas[36]."

La marche est ouverte : le long, prestigieux et parfois émouvant cortège des souscripteurs peut avancer !

"Rien ne sera plus touchant que la démarche de Mme J. B. Carpeaux", remarque, à juste titre, Mathias Morhardt. "Je tiens à votre disposition, pour la souscription Rodin, soit l'esquisse en plâtre du groupe d'Ugolin, grandeur demi-nature, soit un buste en terre cuite d'une des danseuses du groupe de l'Opéra.

Je vous laisse le choix entre ces deux œuvres de Carpeaux : l'une très artistique, l'autre très décorative, et j'attendrai vos indications pour vous envoyer celle que vous préférez[37]."

"Elle n'est pas riche. Mais elle a tenu à s'associer et à associer le nom de Carpeaux à la protestation que suscita l'inique outrage de la Société des gens de lettres. Qui donc, plus que Carpeaux, a connu les brimades, les injures et les violences de ceux qui disposent de la vie et de la mort des artistes ? [...] Son nom aura une haute et pleine signification sur la liste des souscripteurs du *Balzac*[38]."

Les sculpteurs vivants qui souscrivent[39] sont pour la plupart des intimes de Rodin : Bourdelle, Desbois, Huguet, Maillol, Natorp qui envoie sa souscription de Londres... L'un d'entre eux, Constantin Meunier, l'ami belge, exige de la revue *L'Art moderne* un rectificatif, après la publication le 29 mai de son ralliement à l'avis de la Société des gens de lettres, faisant de lui un fratricide[40].

Edmond Turquet, qui joua un rôle déterminant dans l'attribution à Rodin de la commande de *La Porte de l'enfer*, lui adresse cette lettre, datée du 1er juin : "Pardonnez-moi de vous envoyer si tardivement ma souscription pour l'achat de votre 'Balzac'. La lutte électorale m'a empêché de vous écrire plus tôt, mais comme j'ai été un de vos premiers admirateurs, on me pardonnera d'être un des derniers souscripteurs.

Vous êtes un courageux, un énergique ; continuez à suivre froidement votre route, et dédaignez les attaques de ceux qui jalousent votre talent." L'exhortation que cet "humble politicien" (c'est le mot de Morhardt) lance à Rodin est d'autant plus vibrante que Turquet se trouvait lui aussi, à ce moment-là, dans la tristesse d'une cuisante défaite au premier tour des élections législatives[41] : ami dévoué et délicat, il épargne ses soucis au sculpteur préoccupé.

fig. 72
Clément Maurice
*Bigand-Kaire coiffé
d'une toque*
Papier albuminé
Musée Rodin, Ph. 1449

fig. 73
Nadar (1820-1910)
*Portrait de Mallarmé assis
à sa table de travail*
Vers 1895, aristotype
au collodion mat
Musée Rodin, Ph. 2414

Quant aux admirateurs inconnus, aux lecteurs de la presse[42], ils s'adressent parfois directement à Rodin, regrettant le manque de clarté des informations diffusées au sujet de la souscription[43].

Certains témoignent d'un besoin de justifier leur contribution, parfois même de prendre leurs distances avec ceux qu'ils imaginent être les autres souscripteurs. Ainsi cet avocat nantais qui adresse au directeur de *La Plume*, Léon Deschamps, une lettre dans laquelle perce sa crainte d'un détournement de son indignation esthétique au profit de "professionnels de la pétition".

"Mes occupations m'empêchent, en ce moment, d'aller signer moi-même l'adresse dont, – ce qui vous honore grandement, – vous avez pris l'initiative.

Fanatique admirateur de l'œuvre de Rodin, et en particulier de son Balzac, je vous prie d'inscrire mon nom à la suite des noms d'Artistes et d''intellectuels' (combien vont encore se retrouver là !) qui ont déjà exprimé leur sympathie pour le *seul* statuaire de ce siècle[44]."

Les "amis de Rodin" mènent campagne, envoient quantité de lettres formulaires pour réunir les engagements[45]. En quelques jours à peine, Mirbeau a réussi à collecter 2 890 francs à lui seul et ajoute 500 francs de sa poche[46].

À travers les documents subsistants, on perçoit des sympathies personnelles, des affinités esthétiques ou politiques, des solidarités professionnelles, voire des réseaux[47] – ce que Christophe Charle appelle "solidarités transversales", à propos de la pétition pour Jean Grave.

Bigand-Kaire rassemble, entre autres, les signatures d'admirateurs marseillais de Rodin (Valère Bernard, Bérengier, Saint-Jacques) ; les affinités géographiques interviennent également.

Le poète André Fontainas est, selon Morhardt, "l'un des plus actifs". Il reçoit les souscriptions de compatriotes belges, mais également celles de plusieurs collaborateurs de *La Revue Blanche* (Hérold, Gide, Vielé-Griffin) qui, en publiant le 1er février 1898 une "Pétition solennelle" en faveur du capitaine et de ses défenseurs, était devenue un des quartiers généraux de l'état-major dreyfusard[48]. La revue des frères Natanson, elle-même, réunit la somme de 790 francs, comprenant la contribution de "François de Nion [fig. 74], membre du Comité de la Société des gens de lettres".

Les imbrications entre "avant-garde littéraire", "dreyfusards" et souscripteurs du *Balzac* sont nombreuses : parmi les collaborateurs de *La Revue Blanche* qui souscrivirent, notons que Francis Vielé-Griffin, Paul Adam et Henri de Régnier (fig. 75) avaient fondé, en 1892, les *Entretiens politiques et littéraires*, rapidement devenus la tribune favorite de Bernard Lazare, celui par qui le procès Dreyfus devint "l'Affaire"[49].

Si Gustave Geffroy, critique patenté du naturalisme et auteur d'une chaleureuse et admirative biographie de Blanqui (*L'Enfermé*, 1897), réunit de nombreuses contributions d'artistes en vue, il faut remarquer dans la collecte de ce dreyfusard convaincu des personnalités éminemment impliquées dans l'Affaire :

– Clemenceau, dont il fut le collaborateur et confident à *La Justice*, et Vaughan, directeur de *L'Aurore*, jugé et condamné en cour d'assises, au même titre que Zola pour diffamation ;

– Lucien Herr, le bibliothécaire de l'École normale supérieure, germaniste et philosophe brillant, militant socialiste et âme dreyfusarde de cette institution ;

– d'anciens journalistes devenus députés socialistes, mais dreyfusards modérés, comme Millerand et Viviani (fig. 76)[50] ;

– le couple Ménard-Dorian, dont le salon était, depuis le milieu des années 1880, un des lieux les plus fréquentés de la gauche politique et intellectuelle et où l'on a pu croiser Rodin, aux côtés de Carrière, Zola, Clemenceau, Ajalbert et bien d'autres[51]. Aline Ménard-Dorian adressa d'ailleurs à Rodin, au lendemain de sa visite du Salon, ces propos enthousiastes : "Je ne peux m'empêcher de vous dire mon admiration pour le sublime Balzac, je l'ai vu hier seulement, je le reverrai cent fois car il me hante et je me battrai bien pour lui – car on se bat – !"

Notons encore que c'est Geffroy qui se charge d'écrire à Jaurès, mais cette démarche semble n'avoir recueilli aucune réponse.

fig. 74
Anonyme
François de Nion
Album Félix Potin,
collection particulière

fig. 75
Anonyme
Henri de Régnier
Album Félix Potin,
collection particulière

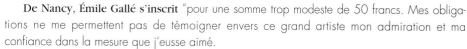

fig. 76
Anonyme
René Viviani
Album Félix Potin,
collection particulière

De Nancy, Émile Gallé s'inscrit "pour une somme trop modeste de 50 francs. Mes obligations ne me permettent pas de témoigner envers ce grand artiste mon admiration et ma confiance dans la mesure que j'eusse aimé.

Dans toutes les conceptions, et surtout dans cette dernière, quelque peu compréhensible évidemment soit-elle du plus grand nombre[52], Rodin a su synthétiser avec puissance un homme et son œuvre[53]."

Aux côtés de Roger Marx, dont les actions et écrits vont assurer la promotion de "l'art social" et de Victor Prouvé, troisième souscripteur nancéien, Gallé mène un combat au sein duquel se mêlent volonté d'action collective et de formation, développement d'une esthétique nouvelle et dreyfusisme militant ; ce combat connaîtra, trois ans plus tard, l'un de ses aboutissements avec la création de l'école de Nancy[54].

À l'opposé d'une telle conception de l'art, Puvis de Chavannes (fig. 77), peintre officiel couvert d'honneurs et de commandes d'État et partisan d'une absolue "neutralité politique" de l'art, s'était attiré, en dépit de ses opinions réactionnaires, les sympathies des intellectuels socialistes et des artistes d'avant-garde ! Rodin et Puvis se connaissaient bien et s'admiraient suffisamment pour que, le 16 janvier 1895, un grand banquet en hommage au peintre, organisé par Morhardt, fut présidé par Rodin lui-même.

Dès le 18 mai 1898, il avait exprimé au créateur du *Balzac* sa position : "Je vois par votre lettre que nous sommes dans les mêmes sentiments sur la neutralité de l'art et j'en suis heureux. Je déplorais la polémique engagée sur votre nom glorieux, car si l'indépendance de l'artiste créateur doit rester entière et sacrée, il doit en être de même pour le public au jugement duquel il se soumet en exposant son œuvre.

Il ne faut de violence d'aucun côté.

Comme vous aussi je trouve satisfaisante la solution intervenue[55], et je vous serre la main bien affectueusement.

De cœur à vous, P. Puvis."

Quelques jours après, Puvis opère un retournement spectaculaire, sans doute affolé à l'idée d'être assimilé aux dreyfusards, si nombreux parmi les souscripteurs. "Sollicité par M. Carrière [...], M. Puvis de Chavannes a refusé presque brutalement, protestant 'que l'art de M. Rodin ne l'intéressait nullement et que d'ailleurs c'était le syndicat[56] qui recommençait'[57]."

Autre artiste issue d'un milieu très catholique, Camille Claudel avait rallié le camp des antidreyfusards convaincus au point d'avoir interrompu, pendant l'Affaire, toute fréquentation avec Morhardt, pourtant si attentif à sa carrière. Bigand-Kaire confie en post-scriptum à Rodin : "J'ai vu Mlle C...I samedi soir, après l'envoi de mon petit bleu, elle admire, comme bien vous le supposez, votre 'Balzac' mais elle m'a dit, textuellement, 'La gloire de Mr. Rodin n'avait nullement besoin de souscription et son talent est au-dessus de tout ce tapage.' Naturellement, je n'ai pas pu autrement insister[58]."

Quel que soit le camp auquel ils appartiennent, de Maurras à Descaves, les souscripteurs proclament haut et fort que le débat autour du *Balzac* est de nature purement artistique. Et pourtant, l'engagement de chacun semble avoir été mesuré en fonction de la lecture politique qui serait faite de cette attitude : souscrire pour *Balzac*, c'était pour beaucoup rejoindre le camp dreyfusard.

Mathias Morhardt sollicita lui-même Raymond Poincaré, qui fut souvent dans sa carrière "l'avocat et l'ami des artistes[59]".

"J'aurais voulu aller porter moi-même à Rodin, avec mes explications détaillées, la réponse que je me crois forcé de faire à votre aimable appel. [...] Quelle que soit ma respectueuse admiration pour le génie de Rodin, et quelle que soit ma haute et affectueuse estime pour sa personne, je ne juge pas que j'aie le droit de prendre part à une souscription qui, dans les

fig. 77
Lemercier
Portrait de Pierre Puvis de Chavannes
1882, papier albuminé
Musée Rodin, Ph. 1454

conditions où elle se produit, peut, en dépit des intentions, prêter à des malentendus. Je suis tenu, par les fonctions même que j'ai exercées, à une réserve particulière, et j'ai pour règle absolue de ne m'associer à aucune manifestation."

Les conditions du moment, les intentions et les malentendus, "il n'en a pas parlé !", dirait Caran d'Ache. La réponse gênée du député de la Meuse appelle l'ironie de Morhardt : "Voilà bien des raisons diverses de s'abstenir ! Elles ne sont ni toutes du même ordre, ni toutes de même valeur. Peut-être une seule eût-elle suffi ?"

Autre signature plus attendue encore... celle de Zola (fig. 78), grand absent de tout cet épisode. Quand les amis de Rodin organisent la protestation, Zola peut difficilement prendre une position publique : condamné, il se prépare à l'exil. Peut-être a-t-il jugé que son soutien ne pouvait qu'aggraver la situation du sculpteur ? Peut-être est-il profondément déçu du comportement de Rodin[60], qui a refusé toute participation aux pétitions de soutien à l'auteur de *J'accuse !*. Peut-être Rodin lui-même avait-il émis un avis défavorable au sujet de cette signature[61] ?

Mais les amis artistes comme les amis en politique de Zola sont fortement représentés parmi les souscripteurs : les écrivains France, Mirbeau, Aicard et Toudouze (fig. 79), les peintres Monet, Pissarro, Raffaëlli (fig. 80), le compositeur Bruneau (fig. 81), Jourdain l'architecte et Clemenceau évidemment... si bien qu'il est aisé pour les adversaires de Rodin (et de Zola) de saisir une nouvelle occasion de dénoncer les agissements du "syndicat" à travers l'activité du comité de souscription.

L'un des dreyfusards les plus en vue, Francis de Pressensé[62], collaborateur à *L'Aurore* pendant l'Affaire et grand militant de la cause de Dreyfus, avait souscrit pour 500 francs auprès de son confrère et ami, Mathias Morhardt, qui avait "cru devoir faire figurer son nom parmi les quelques membres du comité [...] – tous dreyfusards d'ailleurs – [...]. Ce nom fut-il reproché à Rodin ? Il s'en montra très affecté. Il nous demanda d'en atténuer l'effet en choisissant un autre nom parmi ceux des adversaires. On décida de s'adjoindre J.-L. Forain, qui s'était montré parmi les plus ardents admirateurs du *Balzac*[63]."

Relatant cet incident, Judith Cladel précise que Rodin demanda également l'ajout de Rochefort (fig. 82). "Vaine précaution : Rochefort le traita comme on sait, Forain l'égratigna méchamment de la pointe de son crayon et, d'autre part, les défenseurs de Dreyfus s'irritèrent de ses scrupules : 'Mon cher confrère, écrivit à Morhardt, Georges Clemenceau, avec la brutalité de l'homme d'action, M. Rodin ayant exprimé à un rédacteur de *L'Aurore* sa crainte de voir un trop grand nombre d'amis de Zola souscrire pour la statue de Balzac, je vous prie de retirer mon nom de la liste qui est entre vos mains'[64]."

Cette lettre du 29 mai dut être accompagnée de billets similaires signés Ajalbert, Vaughan, Leyret et peut-être quelques autres... Dans son long et définitif article du 1er juin 1898, Lucien Descaves mentionne les démissions des collaborateurs de *L'Aurore* auxquels il s'associe, avant de justifier son attitude avec la plus grande véhémence[65].

Quelle fut la réaction de Rodin à la lecture de ce terrible article ? Il semble que les archives du musée Rodin ne conservent aucun document susceptible d'en témoigner. Descaves avait connu Rodin quelques années auparavant, par l'intermédiaire de Geffroy. Les deux hommes s'étaient liés d'amitié et, sur une carte de visite du *Journal*, Descaves déclarait au sculpteur : "Et n'oubliez pas que 'les Échos' du Journal, du moment que je les dirige, sont à votre disposition."

Bien plus tard, dans les *Souvenirs d'un ours*, il évoqua cet épisode : "La révision du procès avait déclenché les plus graves dissensions entre les meilleurs amis. Elle me coûta l'amitié de Rodin... Nous avions en effet commis la faute, grave aux yeux de ce bel artiste, d'être de fervents dreyfusards...

Renchérissant sur la diatribe de Jean Ajalbert qui n'avait pas hésité, dans son livre *Sous le Sabre*, de ranger Rodin parmi les hypocrites, les prudents et les lâches, dont la réserve calculée

fig. 78
Nadar (1820-1910)
Émile Zola
Album Félix Potin,
collection particulière

fig. 79
Pierre Petit
Gustave Toudouze
Album Félix Potin,
collection particulière

fig. 80
Benque
Jean-François Raffaëlli
Album Félix Potin,
collection particulière

était plus révoltante, à ses yeux et aux miens, qu'une sincère hostilité, je rappelais ces faits dans un article de *L'Aurore*." **Ne regrettant rien de ses propos, il en recopiait une longue citation et ajoutait** : "En revanche, nous avions eu la joie de compter parmi nous un écrivain dont l'œuvre jusqu'alors n'annonçait pas le polémiste que l'Affaire Dreyfus avait révélé : c'était Anatole France. [...] Si je fais aujourd'hui le bilan des profits que j'ai tiré de l'Affaire Dreyfus, je puis l'établir ainsi : mon amitié avec Rodin, mon entrée à *L'Aurore*[66]."

Paradoxe de la situation, l'Affaire qui avait permis à Lucien Descaves de rencontrer Rodin l'en avait également séparé définitivement.

La première semaine de juin fut donc un moment crucial de "l'aventure" de la souscription : financièrement, c'était une réussite[67] (les 30 000 francs étaient pratiquement réunis et l'industriel Maurice Fenaille, amateur d'art et admirateur de Rodin, se portait "fort pour la totalité de la somme si la souscription ne la donnait pas"), mais cependant la confusion était à son comble. Alors que des envois enthousiastes arrivaient encore, le comité éclatait et Rodin, plus que jamais désireux d'échapper à l'affaire, était fort tenté de céder son *Balzac* à Pellerin. "Comment voulez-vous que j'ajoute encore aux difficultés que j'éprouve ? La lutte pour la sculpture prend tout mon temps et toutes mes forces. Et je n'arrive même pas à triompher[68] !..."

En lui-même, Rodin avait déjà pris sa décision, quand il accepta d'écouter, une fois encore, les arguments des membres du comité de souscription réunis rue de l'Université. Cette dernière assemblée devait sceller le sort du *Balzac* : Rodin le retirait purement et simplement, il ne serait livré à personne et retrouverait l'intimité de l'atelier. Fidèles parmi les fidèles, Morhardt et Carrière, bien que très déçus, aidèrent Rodin à exprimer publiquement cette décision incompréhensible pour la plupart de ses admirateurs.

Au lendemain de cette réunion, le 4 juin 1898, Morhardt adresse à Rodin une très émouvante lettre[69], dont il ne souffle mot dans son article. Pourtant le lyrisme de sa longue et dernière plaidoirie n'aboutit qu'à ce brouillon de lettre de remerciements adressée aux souscripteurs éconduits, qu'il soumet à Rodin :

"Mes chers Amis

Votre manifestation me touche profondément. Elle me touche d'autant plus qu'elle a été toute spontanée et que vous avez, en quelques jours, réuni la somme qui vous semblait nécessaire pour ériger à Paris ma statue de Balzac.

Je n'ai pas besoin de vous dire que j'en suis fier et que je considère ce témoignage de sympathie comme la meilleure récompense qu'un artiste puisse ambitionner.

Mais (il ne convient pas, je crois, que,) dans les circonstances présentes, je doive continuer une pareille discussion, (au sujet de cette statue. Pénétré de l'idée du grand modèle qui m'a inspiré), je (souhaite) tiens à reprendre, dans le silence de l'atelier, mon travail que cette querelle a menacé d'interrompre un moment. Permettez-moi donc de décliner la généreuse proposition que vous m'avez faite.

La statue de Balzac est le développement logique de ma vie d'artiste. J'en prends la complète responsabilité. Et mon désir est d'en rester le seul possesseur.

Je vous remercie encore une fois, mes chers amis, de votre courageux dévouement. C'est avec une véritable émotion que je vous prie d'exprimer à ceux qui, sous des formes si vaillantes et si généreuses m'ont témoigné leur noble sympathie.

Votre bien affectionné
Rodin[70]."

Le 5 juin, Eugène Carrière adresse à Rodin une proposition très proche de celle de Mohrardt. "Voici une lettre qui, je pense, remplit le but que vous vous proposez. Examinez-la et demandez conseil autour de vous. Après une si hautaine affirmation de votre œuvre que je ne

fig. 81
Bary
Alfred Bruneau
Album Félix Potin,
collection particulière

puis voir sans émotion et à laquelle je pense avec le même sentiment. Il convient que vous ayez le caractère de votre puissance et que vous fassiez comprendre que vous en avez conscience. La bataille gagnée et les coups reçus, vous préférez en finir autrement, vous êtes gage de votre conduite et vos amis doivent s'incliner[71]. Mais il ne faut pas que vos ennemis y voient une défaite lorsque c'est un triomphe que l'avenir grandira. Je suis profondément convaincu que le jour n'est pas si éloigné où assez de gens seront raillés et que ce que nous voulions faire à quelques-uns sera demandé par tous.

De cœur à vous mon cher Rodin et dans une gratitude reconnaissante pour l'émotion généreuse que me donne votre œuvre."

Douloureux exercice pour ces hommes que d'enterrer leur propre projet, exceptionnel témoignage de fidélité qui les mène à s'abstraire entièrement de leurs engagements personnels pour ne plus écouter que leur fidélité amicale. Mirbeau (fig. 83), pourtant si proche de Zola, si personnellement impliqué dans l'Affaire n'a-t-il pas déclaré, selon Morhardt, au cours de l'ultime réunion dans l'atelier de la rue de l'Université : "Moi, je suis pour Rodin avant tout" ?

En rapportant ce simple propos, le journaliste du *Mercure* témoigne de l'infaillible fidélité de Mirbeau à Rodin, mais il peut également laisser supposer quelques divergences de vues au sein du comité. Une lettre adressée par l'auteur des *Mauvais Bergers* à Rodin, le 6 ou 7 juin, le confirme : "Envoyez promener Morhardt : soyez calme et ne vous inquiétez plus[72]." Ces tiraillements et ces blessures, Morhardt, militant généreux, les tait encore trente ans après les faits dans l'article du *Mercure de France*.

Rodin édulcore finalement le texte proposé pour diffuser dans la presse la dépêche suivante : "Mes chers amis,

J'ai le désir formel de rester seul possesseur de mon œuvre.

Mon travail interrompu, mes réflexions, tout l'exige maintenant.

Je ne demande à la souscription que les noms généreux qui y sont, en témoignage et récompense de mes efforts.

Et vous, plus enthousiastes encore, anciens amis, amis de tout temps à qui je dois peut-être la possibilité de faire de la sculpture, plein d'émotion, je vous dis merci.

A. Rodin."

fig. 82
Marguerite Boyer
Henri Rochefort
Album Félix Potin,
collection particulière

fig. 83
Henri Dornac
Portrait d'Octave Mirbeau
Papier albuminé
Musée Rodin, Ph. 1455

Les allusives "circonstances présentes", la "querelle", l'installation du monument dans Paris, l'affirmation du rôle décisif du *Balzac* dans l'évolution de la carrière de Rodin, mentionnées dans les propositions de Morhardt et de Carrière ont disparu. Avant d'évoquer les souscripteurs, Rodin s'affirme comme seul propriétaire de son œuvre ; le travail, les efforts et la possibilité de faire de la sculpture, voilà ce qu'il retient.

Il n'est pas d'existence autonome de l'œuvre, il n'est plus question de souscripteurs en tant qu'individus agissants, il ne reste qu'un album de noms. Et le remerciement adressé aux plus actifs vaut comme arrêt définitif de leur entreprise. En paraphrasant la formule prononcée par Méline à la Chambre, le 7 décembre 1897, on pourrait dire : "Il n'y a pas d'affaire *Balzac* !"

Cette lettre est donc envoyée le 9 juin aux souscripteurs et publiée le 10 juin dans la presse.

Épilogue

Face à un propos si laconique, certains journaux éprouvent la nécessité d'expliquer le comportement du statuaire.

Dans *Le Figaro*, Charles Chincholle analyse les sentiments de Rodin : "Le principal est un sentiment de délicatesse bien digne d'un artiste. Rodin ne veut pas que ceux qui l'aiment le mieux se démunissent de leur argent pour acheter une œuvre qu'on ne s'est pas contenté de discuter et dont la valeur est niée par la majorité du public.

Il est à cet égard particulièrement renseigné. Ce qu'on ne sait pas, c'est qu'il lui est souvent arrivé de circuler au milieu des groupes qui sont toujours très nombreux autour de son œuvre. Il a vu des sourires, entendu des propos qui ne l'ont pas attristé. Sachant ce qu'il a voulu, il a mis son âme au-dessus des jugements humains, mais il ne veut pas que ses amis, dont nous devions aujourd'hui même publier les 250 noms, soient blâmés, harcelés, ridiculisés à cause de lui."

Après l'explication psychologique, Chincholle envisage le choix stratégique : "Après le bruit fait, la pose du monument eût soulevé bruit, querelles, oppositions multiples. Peut-être aurait-on refusé la place demandée… On ne se bat pas contre tout le monde à la fois."

Le fidèle chroniqueur assure alors une défense de Rodin, qui n'est sûrement pas un éloge du monument lui-même : "M. Rodin a pris le bon parti. [...] L'Exposition terminée, il fera rentrer la statue dans son atelier. Il placera devant elle un grand rideau, et sera un an sans la regarder.

Nul homme ne corrige ses œuvres plus que lui. [...] Qui sait si, après le même soin donné [qu'au *Victor Hugo*], dans un an ou deux, à la statue de Balzac, elle ne deviendra pas l'œuvre qu'il a réellement rêvée[73] ?"

Plus politique, *Le Cri de Paris* interroge sans précaution : "Est-ce qu'on avait réuni trop de souscriptions *dreyfusardes*, ou tout simplement que M. Rodin redoute toute sorte de complications et de procès à soutenir et préfère travailler en paix [...] il lui suffit et même il lui convient mieux qu'elle [la liste des souscripteurs] garde un caractère tout platonique[74]."

Au lendemain de sa décision, Rodin a veillé à faire remercier chacun des souscripteurs. À Edmond Picard, à Bruxelles, il adresse ces mots : "Vous m'avez comblé de vos sympathies hautement exprimées. Votre souscription superbe redonnait plus de force à vos dires. Vraiment c'est une récompense, vaincu à la lettre, je suis grâce à vous et à quelques amis, vainqueur moralement. La fatalité des choses et leur justice est là. Découragé je rougirais de le dire, quand des hommes comme vous m'encouragent et me regardent. J'espère que vous serez content du sculpteur. Je n'abandonne rien.

Je vous demande seulement toujours vos sympathies.

Votre tout dévoué Aug. Rodin[75]."

Certains destinataires de ces remerciements, honorés ou touchés par la démarche du Maître, lui adressent, en retour, un courrier.

"Maître, puis-je vous dire combien votre simple mot de remerciements m'honore et me rend fier. Ma souscription n'était qu'un très humble hommage à votre audacieux génie et j'espérais que Paris allait enfin ériger au colosse qu'est Balzac, votre monument de gloire. Quelques cuistres n'ont pas voulu : votre haute fierté a repris son œuvre : je vous comprends.

Ce n'est pas à vous, Maître, de nous remercier. C'est aux admirateurs passionnés de beauté à vous crier leur éternelle admiration[76] !"

Une fois encore, Pierre Louÿs peut témoigner de son admiration : "Je suis tout honteux de vos remerciements et vous me faites grand honneur en distinguant mon jeune nom parmi les milliers qui ont rendu hommage au vôtre.

Vous m'appelez 'ami nouveau[77]' : permettez-moi de protester contre cette épithète.

Je vous admire depuis que je vous connais et il y a près de dix ans que j'ai vu pour la première fois vos fragments de Porte et vos Bourgeois de Calais à une exposition où Claude Monet vous encadrait. J'étais encore au lycée. Depuis ce jour-là, je sais qu'il y a un sculpteur en France et un seul, comme il y avait un seul poète du vivant de Victor Hugo.

Le Balzac m'a fait une impression que je n'oublierai jamais et qui dépasse certainement celles que la sculpture m'avaient données jusqu'ici. – D'ailleurs j'ai été rarement témoin d'une émotion plus générale.

Tout le monde, autour de moi, l'a ressentie, et bien sincèrement car le milieu où je vis n'est pas celui de vos camarades[78]. C'est celui de vos amis inconnus.

Veuillez croire, monsieur, à toute ma respectueuse admiration[79]."

Anatole France (fig. 84) adresse au sculpteur une belle lettre dans laquelle il déclare son admiration pour le *Balzac*. "Un tel Balzac, ce Balzac surhumain sorti de votre main prodigieuse sera un jour porté en triomphe sur une des places de Paris. Je souhaiterais que d'un point élevé, il regardât la ville, dressé sur un socle moderne et puissant comme lui[80]."

Mais la décision de Rodin n'est pas comprise de tous et Jean Aicard (fig. 85), qui a soutenu le sculpteur en démissionnant de la présidence de la Société des gens de lettres puis en souscrivant, avoue :

"Mon cher et grand Rodin,

merci pour votre mot affectueux.

Il y a des choses que je ne parviens pas à comprendre !

il ne pouvait y avoir là que des gens qui vous admirent et vous aiment – alors pourquoi protester contre un homme qui vous apporte l'expression de son amitié et de son admiration ? et cela en toute indépendance ?

Cruelle énigme

de tout cœur[81]."

Pendant le mois de juin, Rodin adresse ses remerciements aux souscripteurs et tente de reprendre force auprès de ses amis les plus chers. Auprès de Mirbeau à Carrière-sous-Poissy, par exemple : pendant toute l'affaire, ce dernier a toujours évité la moindre allusion à Zola, maintenant il évite toute rencontre inopportune. "Ne venez pas lundi, car nous avons ce jour-là les Zola pour toute la journée. Et je sais combien cela vous serait désagréable. [...] je voudrais vous avoir ici, au moins une dizaine de jours. [...] ce sera une joie immense pour nous, mon grand ami, que cette intimité de vous dans notre maison. Je vous embrasse[82]."

Le 7 juillet, Rodin écrit à Monet (fig. 86) : "Votre exposition victorieuse donne de la force aussi à tous les artistes persécutés comme je le suis maintenant."

Mais il n'est pas seul, toujours son entourage veille et le seconde. "Ayez la fierté de l'homme que vous êtes. Vous avez des amis qui ne vous abandonneront jamais. J'en suis[83]."

fig. 84
Reutlinger
Anatole France
Album Félix Potin,
collection particulière

fig. 85
Marguerite Boyer
Jean Aicard
Album Félix Potin,
collection particulière

fig. 86
Schaarwachter
Claude Monet
Album Félix Potin,
collection particulière

Cette fois, c'est Pierre Maël (fig. 87) qui, depuis Sanary, se propose comme secrétaire improvisé pour remercier les journalistes :

"Mon cher ami,

Envoyez-moi tous les articles. Je répondrai pour vous, trop heureux de vous rendre un petit service de ce genre.

Écrivez le mot ami sur les articles de ceux que vous voulez appeler 'mon cher ami'.

Enveloppez bien tout ce que vous m'envoyez et recommandez-le comme papiers d'affaires. Je vais me mettre tout de suite à la besogne.

Vous m'aviez dit, à Paris que vous viendriez dans le Midi. N'oubliez pas que vous devez venir passer quelques jours avec nous. [...] Nous verrons souvent Jean Aicard. je suis à dix-huit kilomètres de lui. Si vous vouliez passer un mois ici, pour vous reposer, rien ne serait plus facile et rien ne nous ferait aussi grande joie. Vous seriez reçu à bras et à cœur ouverts[84]."

Porter une amitié sincère à Rodin, c'est bien souvent aussi travailler pour sa postérité... Au-delà de la politesse des remerciements, il faut songer aux soutiens à venir. Le 27 juillet : "Je vous envoie les lettres, cartes et articles de journaux. Je me suis hâté le plus possible car il est grand temps de répondre. Il faut encourager ferme tous ceux qui vous défendent et vous aiment. Leur nombre ira s'augmentant : et un jour, vous triompherez. La Société des gens de lettres ne vous aura point nui. Au contraire. Vous êtes sortis de là grandi et votre attitude a été digne de votre fierté de grand artiste.

Reposez-vous et reprenez, ensuite, vos travaux[85]."

Reprendre son travail, voilà ce qui semble avoir été dans toute cette affaire le maître mot de Rodin. Pendant que ses amis s'indignent, débattent et s'organisent, militent même, Rodin est comme "absent". "Et viennent des admirateurs [...] qui le supplient de ne pas se tenir battu, de faire proclamer les droits de l'art [...].

– C'est que je voudrais tant travailler !, répond-il, les yeux baissés[86]."

Le lendemain : "Je voudrais faire autre chose. Je ne suis pas au milieu de tout cela[87]."

Pour Rodin, le seul intérêt réside dans le travail ; le seul courage dans l'invention et la création. Sa décision finale, peut-être l'eût-il donnée plus tôt, s'il avait su maîtriser ce mouvement dans lequel il se reconnut si peu. Le détachement avec lequel il évoque ces événements, quelques années plus tard, peut étonner. Rodin est-il réellement resté en dehors de tout cela ou les blessures reçues, lors de l'affaire *Balzac*, furent-elles si profondes qu'une indifférence feinte put seule les cicatriser ?

"'Autour de chaque forme vivante il y a un échange de l'air qui l'imprègne et de l'âme qu'elle restitue. Je cherche à traduire ça. Un jour, j'ai eu le courage d'enlever des détails dont j'étais content, d'aller plus loin que le morceau exact, enfin, d'avoir l'air 'pas fini'. Le fini, c'est un sophisme, l'exact et le vrai, c'est si différent... Peu de gens le savent. On arrivera peut-être à ne plus me comprendre du tout, et pourtant je serai en progrès. Quand j'ai montré mon Balzac, vous m'avez défendu partout, vous vous rappelez l'histoire. On me conseillait, on m'encombrait. 'Vous allez plaider et vous gagnerez, la Société des gens de lettres n'a pas le droit de vous refuser cette commande', et ci, et là... J'ai dit doucement : 'Rien du tout. Je retire mon Balzac, et qu'on me laisse tranquille.' Je sentais très bien que ces gens n'étaient pas forcés de me comprendre, ni moi d'en démordre, que Falguière leur ferait bien plus plaisir. Il était très gentil, Falguière, ça l'ennuyait de paraître me supplanter. Alors pour le rassurer, je lui ai fait son buste pendant qu'il faisait mon Balzac, et on a eu la paix tous les deux.'

La malice du regard de Rodin en me racontant cela, je ne la rendrai pas[88]", conclut Camille Mauclair.

fig. 87
Eugène Pirou
Pierre Maël
Album Félix Potin,
collection particulière

Mais cette malice et ce détachement face à l'agitation des hommes, cette distance au monde et cet ironique regard porté sur la comédie humaine, Rodin ne les a-t-il pas rendus, lui, dans son *Balzac* ? Son travail avait déplu aux membres du Comité de la Société des gens de lettres, lui-même avait profondément déçu quelques souscripteurs, mais, dans l'enthousiasme silencieux de l'atelier, il s'était véritablement pénétré du grand modèle qui l'avait inspiré. Ceux qui avaient compris l'œuvre comprirent l'homme et beaucoup de souscripteurs surmontèrent leur déception pour conserver à Rodin une indéfectible fidélité[89].

En 1904, Gabriel Mourey, directeur de la revue *Les Arts de la vie* organisa la souscription, présidée par Carrière et Besnard, qui offrit *Le Penseur* au Peuple de Paris. André Castagnou tenta, en 1908, d'en organiser une deuxième pour *Balzac* : bien qu'elle échouât, cette tentative était cependant parvenue à mobiliser, une fois encore, les engagements de prestigieux signataires.

En 1936 enfin, on retrouve parmi les souscripteurs du *Monument à Balzac* les noms des admirateurs de 1898 encore vivants : Morhardt, Lecomte (devenu dreyfusard au début du siècle et rédacteur à *L'Humanité* à partir de 1904), Fontainas ou Maillol, et parfois ceux de leurs descendants, comme Sacha Guitry ou Francis Jourdain.

1. "Votre mot est toujours le bienvenu, il est une force car vous êtes des quelqu'uns dans Paris qui décidez et êtes l'aréopage sans ces quelques uns, nous serions dans la dernière abjection. Je vous dis cela pour vous dire combien je suis heureux d'être toujours dans votre vivante sympathie. J'ai reçu un mot de la société des G. de Lettres qui me dit qu'elle ne voit pas ainsi le Balzac et refuse. J'envoi au cher grand poète à l'âme délicieuse des choses que vous portez en vous, mes respects, mon admiration et toute mon amitié" (Rodin à Stéphane Mallarmé, Paris, 10 mai 1898 ; Paris, bibliothèque Doucet). "Étranger, et dégagé de tout souci de pour ou contre dans la question de l'action de la société des gens de lettres, vous me permettrez de vous exprimer mon entière admiration pour votre Balzac. Ma première pensée au premier coup d'œil a été, voici une grande œuvre, un examen plus profond n'a fait qu'affirmer ma pensée. Vous avez exprimé l'angoisse de l'inspiration littéraire : il y a quelque chose comme le bruit de la mer

dans cet homme tourmenté par le vent de la pensée. Tandis que votre Victor Hugo était un demi-dieu, le Balzac est un colosse de sensualité et de génie lutteur, le tout couronné, par la souffrance qu'on voit dans le désir de l'idéal qui se dégage de la tête. Je cherche ces mots pour vous faire comprendre que mon admiration est réelle. Cette œuvre, cher sculpteur, vous gagnera les suffrages que vous désirez le plus. Peut-être devrez-vous être heureux d'être mal compris ; ça montre que vous êtes plus près des sommets où la plupart n'arrivera jamais. Peut-être dans très peu d'années on viendra vous demander ce qu'on refuse aujourd'hui. Avec les meilleurs souhaits d'un jeune, je suis votre très cordialement" (Henry Maugham à Rodin, Paris, 12 mai 1898 ; arch. musée Rodin). **2.** *L'Époque* du 13 mai diffuse cette information, alors que *Le Temps* du 14 mai commente : "L'incident de la statue de Balzac a le don d'exciter l'imagination d'un certain nombre de Lemice-Terrieux qui croient pouvoir user et abuser de la signature de M. Rodin. Mardi, c'était

Le Rappel qui recevait une lettre signée Aug. Rodin et qui d'ailleurs lui faisait tenir un langage quelque peu ridicule. Un des collaborateurs du *Rappel*, M. Charles Frémine qui est un des amis de Rodin, reconnut le faux ; la lettre ne fut pas insérée. L'Agence nationale a été, elle aussi, victime d'un faussaire. Elle a reçu, en effet, avant-hier un message téléphoné ainsi conçu : 'En présence de l'ordre du jour du comité de la Société des gens de lettres, et soucieux avant tout de la sauvegarde de ma dignité d'artiste, je vous prie de déclarer que je retire mon monument du Champ-de-Mars, lequel ne sera naturellement érigé nulle part. A. Rodin' De même que la lettre envoyée au *Rappel*, ce message est un faux. M. Rodin n'a fait aucune déclaration semblable. Une plainte va être déposée contre le ou les faussaires." **3.** Anonyme à Rodin, 12 mai 1898 ; arch. musée Rodin. **4.** Mathias Morhardt, 1934, p. 471. **5.** Morhardt ne date pas plus précisément cette réunion qui, selon ses propos, ne peut avoir eu lieu que le 12 mai. C'est au cours d'une seconde réunion rassemblant de nombreuses personnalités que la pétition semble avoir été lancée publiquement, en présence de la presse.

6. Déplorant de n'avoir conservé la liste exacte des participants à cette réunion, Mathias Morhardt indique cependant le nom de quelques présents : Octave Mirbeau, Gustave Geffroy, Eugène Carrière, Georges Lecomte, Arsène Alexandre, Charles Frémine. Faut-il accorder une signification particulière à l'ordre de cette énumération ?

7. Mathias Morhardt, 1934, p. 472.

8. Cette fois, Morhardt les nomme dans un ordre alphabétique : Arsène Alexandre, Eugène Carrière, Charles Frémine, Gustave Geffroy, Georges Lecomte, Octave Mirbeau, Mathias Morhardt et Francis de Pressensé. Il juge nécessaire de distinguer ces premiers signataires de J.-L. Forain, ajouté à la liste "sur la demande de Rodin", mais ne fournit aucune information sur l'apparition du nom de Francis de Pressensé, dont la participation à cette protestation semble avoir gêné ou déplu à Rodin (*cf.* infra).

9. *Cf.* Christophe Charle, *Naissance des intellectuels, 1880-1900*, Paris, Les Éditions de Minuit, 1990, p. 111.

10. Cet aspect de la protestation est évoqué dans une lettre ironique de Pierre Louÿs adressée à André Fontainas, le 15 mai 1898. La lettre a été intégralement publiée dans le *Bulletin des Amis de Pierre Louÿs*, Reims, n° 7, 1978. Je remercie vivement M. Laurent Houssais qui a bien voulu me communiquer ce renseignement.
"Mon cher Fontainas,
Vous m'adressez une double injure dont le duel sanglant ne sera jamais qu'une expiation dérisoire.
1/ il est insultant de supposer que je ne sois pas pour le Balzac de Rodin. 2/ comme la pétition ne souffle mot de la statue et pose simplement une question de convenance, je pourrais avoir les opinions les plus ridicules sur le Balzac et signer quand même, à moins d'être mufle ou idiot. Lequel des deux pensez-vous que je sois, Monsieur ? Je vous somme de vous expliquer. [...] Pierre Louÿs.
Je souscris pour un louis. C'est mince mais Bilitis se vend moins que ne se joue le Nouveau Jeu."
Comme quelques autres pétitionnaires ardents, Louÿs

aurait-il devancé l'appel officiel à souscription en annonçant déjà sa participation ? Le texte de Morhardt lui-même et quelques lettres laissent supposer que l'entourage de Rodin a probablement conçu simultanément les deux actions.

11. Christophe Charle, *op. cit.* note 9, pp. 126-132.

12. *Cf.* liste des souscripteurs, pp. 187-192.

13. Jean-François Sirinelli, *Intellectuels et Passions françaises, Manifestes et pétitions au xxe siècle*, Paris, Fayard, 1990, p. 25. Évoquant diverses pétitions qui suivirent "l'acte fondateur de la geste des clercs", *J'accuse !*, l'auteur qualifie la protestation en faveur du *Balzac* d'"autre occasion pour quelques clercs de monter en ligne". Il prend pour exemple Olivier Merson, critique d'art au *Monde illustré* (cité par Judith Cladel), qui attaquera ces "intellectuels" présentant une "nullité" comme une "merveille accomplie". Si la pétition en faveur du *Balzac* n'est évoquée qu'allusivement par Sirinelli, elle est cependant inscrite en filiation directe du *Manifeste des intellectuels* et se range ainsi, dans l'historiographie contemporaine, aux origines d'un mouvement général d'engagement des intellectuels.

14. Charlotte Besnard à Rodin, s.d. ; arch. musée Rodin. Charles Chincholle, dans *Le Figaro* du 12 mai 1898, précise que cette protestation fut particulièrement précieuse à Rodin. À ce moment, Besnard expose au Salon "un ravissant portrait de Réjane que la grande actrice devait refuser" (Judith Cladel, 1936, p. 203).

15. "Je signe avec empressement, en ajoutant que, parmi l'œuvre de Rodin, j'admire spécialement et surtout le *Balzac*, conception prodigieuse" (Pierre Louÿs, cité par Mathias Morhardt, 1934, p. 473).

16. On notera le ralliement à la protestation d'un autre réseau artistique, ayant pris spontanément l'initiative d'une défense du *Balzac* : quelques sculpteurs de la Société nationale des beaux-arts et de la Société des artistes français, qui s'étaient réunis le 14 mai au café de la Régence, décidèrent "en premier lieu de s'associer à l'adresse que quelques écrivains et artistes ont pris l'initiative d'envoyer à M. Rodin. Ils ont décidé, en second lieu,

d'offrir un déjeuner à M. Rodin" (*Le Temps*, 15 mai 1898). Avec le banquet, on retrouve un mode de protestation légal devenu familier des milieux contestataires depuis la fin du régime de Louis-Philippe.

17. Georges Street à Rodin, Paris, 14 mai 1898 ; arch. musée Rodin. Rodin fait noter sous ce texte pour la réponse : "remerciements, très flatté, sympathie".

18. "J'espère vous faire plaisir en vous adressant une page écrite au souvenir du Balzac. Daignez l'accepter comme un gage de ma sympathie et d'admiration très sincère. J'ai bataillé à l'heure de la lutte pour l'œuvre qui suscita le haro des snobs et des imbéciles. La gloire ne s'éclabousse pas de médiocrité. Soyez donc persuadé que ce feuillet est un gage d'enthousiasme et qui résume les pensées que j'ai un peu partout émises sur votre talent. Que mes idées vous soient une humble fleur jetée parmi la corbeille d'hommages et puisse-t-elle vous prouver que vous pouvez compter sur mon entier dévouement" (Jean-Louis Merlet à Rodin, Bordeaux, s.d. ; arch. musée Rodin).
"Un hommage très simplement pour l'œuvre superbe réalisée en votre merveilleuse statue de Balzac, que tant de malheureux conspuent. La Foi en votre génie, en sa force si miraculeusement grande, met l'Artiste que vous êtes au-dessus des clameurs de la foule aveugle, mais l'homme peut souffrir de cette incroyable injustice. C'est pourquoi je voudrais vous dire la profonde et belle impression d'art que vous m'avez donnée et vous en remercier avec mon cœur car des belles joies sont bien rares" (Mme Fr. M. Melchers à Rodin, Paris, 14 mai 1898 ; arch. musée Rodin). Ce rédacteur à *La France* envoie à Rodin deux articles dans lesquels il prend parti pour le *Balzac* ; le sculpteur note en marge "remercier chaudement".
"Éloquent, j'aurais voulu l'être, mais chaque fois qu'une expression ardente venait sous ma plume, je sentais se poser sur moi le regard de votre Balzac et je croyais l'entendre dire : 'tu ne m'égaleras jamais !'
Excusez donc la médiocre expression de mon sincère enthousiasme" (Paul Fournier à Rodin, Paris, 14 mai 1898 ; arch. musée Rodin).

Le Dr Édouard Julia, collaborateur du *Temps*, accompagne les 20 francs qu'il adresse à Rodin du témoignage suivant : "rien d'aussi beau, d'aussi sensible à l'intelligence n'est encore sorti de votre pensée. Vous nous donnez là l'homme de génie avec tout son mépris, sa force, sa souffrance tranquille, son regard révulsé... Ceux qui vous attaquent n'ont jamais vu la moindre photographie de Balzac, c'est évident" (*cf.* Mathias Morhardt, 1934, p. 483).

19. "Je m'associe de tout cœur à votre protestation en faveur de Rodin. Si, à certains points de vue, on peut critiquer sa dernière œuvre, il faut le faire avec la déférence due à son génie, admirable jusque dans ses écarts. Il est triste de penser que des gens comme M. Lavedan ont le droit de décourager un aussi fier artiste et de jeter ainsi leur dédain sur de hautes et nobles œuvres qu'ils ne peuvent comprendre" (Hugues Rebell à Morhardt ; *cf.* Mathias Morhardt, 1934, p. 474).

20. Lucien Guitry à Rodin, Paris, s.d. ; arch. musée Rodin.

21. "Mon cher maître, je vous envoie la liste protestataire suivante. J'ai recueilli des signatures sur ce texte n'ayant pas reçu à mon regret de protestation imprimée. Comme il est parfois difficile de déchiffrer des signatures manuscrites, je recopie tous les noms sur un papier à part. Je dis, dans le prochain numéro du *Mercure de France*, et à propos de votre Balzac, plusieurs choses qui je crois vous feront plaisir. Croyez, cher monsieur Rodin à ma haute sympathie artistique et à mon dévouement" (Yvanhoé Rambosson à Rodin, Paris, 20 mai 1898 ; arch. musée Rodin).

22. Liste elle-même incomplète, car Mathias Morhardt conclut son énumération d'un "etc.". Judith Cladel cite en note sa source et qualifie l'article du *Mercure de France* de "long et remarquable récit" (Cladel, 1936, p. 215).

23. Mathias Morhardt, 1934, pp. 474-479.

24. M. Pierre Carrier-Belleuse s'abstient car il est petit-neveu – par alliance ! – de Balzac ; M. Alidor Delzant engage Rodin à briser le *Balzac* "qui n'est pas de lui" ; enfin un anonyme répond : "Vous êtes des fumistes."

25. *Cf.* annexe 1, p. 183.

26. Morhardt conclut : "Les méticuleuses objections de M. Charles Maurras ne sont pas sans intérêt, et aujourd'hui encore on prendrait plaisir à les discuter. Mais à quoi bon ? Avec M. Charles Maurras on est sûr, sur quoi qu'on dise, d'être condamné." N'oublions pas que Morhardt n'est pas seulement critique d'art et que son texte date de 1934 !

27. Les chroniques de Charles Chincholle dans *Le Figaro* tiennent elles aussi le lecteur en haleine. Surtout quand les hésitations et silences de Rodin lui permettent d'user de vieilles ficelles journalistiques telles que : "d'après d'autres renseignements, que nous devons taire, il est très probable que lundi [...] M. Pellerin sera propriétaire du *Balzac*" (13 mai 1898) !

28. *Le Temps* du dimanche 22 mai annonce que la "souscription va être close. On n'attend plus que quelques réponses [...]. Il est désormais certain que la somme nécessaire – environ 30 000 fr. – sera réunie."

29. On retrouve là un argument de la pétition du 13 mai. La lutte juridique contre le commanditaire de l'œuvre devint le motif central du combat d'une fraction "jusqu'au-boutiste" de pétitionnaires (*cf.* annexe 2, pp. 184-185), alors que d'autres font de l'édification de la statue dans Paris leur priorité.

30. "Je vois dans *Le Temps* de ce soir l'indigne procédé et la basse vengeance de la Société des Gens de lettres à votre égard. Courage, Rodin, ne vous arrêtez pas à cela, ne vous en attristez pas, ne laissez pas entamer par de pareilles infamies une miette de votre énergie. Vous avez avec vous vos amis, l'avenir, le souvenir des maîtres qui avant vous ont été au moins aussi maltraités et méconnus. Pour moi, je ne puis rester sous le coup de la colère que me cause tout ceci, mais je veux tout en intervenant de nouveau dans le débat le faire avec le plus grand calme et le plus grand bon sens possible. Au *Figaro* j'ai fait tout ce que j'ai pu. Mais c'est une autre idée que j'ai eu en ce moment. Je viendrai vous en parler jeudi ou vendredi à l'heure du déjeuner pour être plus seuls. Mettez-moi de côté en attendant les coupures des journaux et une très bonne photographie. À bientôt cher et

grand ami. Nous ne nous laisserons pas avaler tout crus. Courage ! Amitié !" (Arsène Alexandre à Rodin, s.d. ; arch. musée Rodin).

31. Dès le 7 mai, un entrefilet de *Le Réveil libéral* de Châlons-sur-Marne annonçait un comité de souscription réunissant les 30 000 francs nécessaires pour reprendre à Rodin la statue refusée par la Société des gens de lettres.

32. Georges Lecomte à Rodin, s.d. ; arch. musée Rodin.

33. *Cf.* chap. XII.

34. Edmond Bigand-Kaire à Rodin, Asnières, 23 mai 1898 ; arch. musée Rodin.

35. Stéphane Mallarmé à Mathias Morhardt, 1934, p. 481.

36. Rodin à Stéphane Mallarmé, Paris, 20 mai 1898 ; bibliothèque littéraire Jacques Doucet.

37. Lettre reçue par Mathias Morhardt le 24 mai 98.

38. Mathias Morhardt, 1934, p. 484. Carpeaux est très souvent pris par la presse (un long paragraphe dans "*Ante Porcos*" d'Octave Mirbeau, *Le Journal*, 15 mai 1898), par les correspondants du sculpteur et par Rodin lui-même (*Le XIXe Siècle*, 6 mai 1898) comme figure emblématique de l'artiste persécuté.

39. Quinze d'entre eux ont été identifiés ; *cf.* liste des souscripteurs, pp. 187-192.

40. "À mon grand étonnement, je lis [...] que j'ai pris parti pour les gens de lettres dans leur conflit avec Rodin à propos du Balzac. C'est tellement peu vrai que, à deux reprises, j'ai prouvé ma sympathie en signant et en adhérant à une petite manifestation, un déjeuner à la campagne dont *L'Aurore* a publié un compte-rendu – la seconde fois en souscrivant pour une somme relativement importante [...] pour l'érection du Balzac. J'espère et j'en suis sûr, mon cher Picard, que tu vas sans tarder faire cette rectification en hâte" (lettre autographe de Constantin Meunier, reproduite *in* Sura Levine et Françoise Urban, *Hommage à Constantin Meunier 1831-1905*, Anvers, Galerie Tzwern-Pandora, 1998, p. 155). Cette lettre parut le 5 juin dans un article intitulé "Autour de la statue".

41. Le 8 mai 1898, Edmond Turquet, "ancien député, révisionniste chrétien", arriva troisième avec 2 265 voix, loin derrière Édouard Vaillant, "socialiste blanquiste", député sortant de la deuxième circonscription du

20ᵉ arrondissement, qui retrouva son siège au second tour.

42. Mathias Morhardt précise que plusieurs journaux ont recueilli des souscriptions. Il en nomme trois : *L'Aurore, Le Rappel* et *La Revue blanche*.

43. "Monsieur et cher Maître, mû par le besoin d'exprimer la profonde sympathie pour votre œuvre, je me décide à vous demander à qui je peux adresser la modeste somme que je peux souscrire pour l'acquisition de la statue" (Th. Botkine à Rodin, 6 juin 1898 ; arch. musée Rodin). "Ce 14 mai – Cher Maître et ami, je lis dans le <u>Temps</u> de ce soir que beaucoup de vos admirateurs vous demandent de ne vendre votre Balzac ni à M. Aug. Pellerin, ni à la Belgique : on ouvrirait une souscription pour l'ériger à Paris. Nul doute pour moi qu'elle réussisse. Cette solution me semble la mieux convenir tant à votre légitime orgueil d'artiste qu'au désir de vos amis de vous voir triompher du conflit avec la Société des Gens de Lettres. Veuillez m'inscrire pour <u>cent</u> francs" (Dr Gorodichze à Rodin, Paris, 14 mai 1898 ; arch. musée Rodin). Le 28 mai, le critique d'art à *La Revue des femmes françaises,* Paul Jedlinski, écrit à Rodin : "J'apprends, d'une façon pas très explicite d'ailleurs, par *Le Figaro,* qu'une souscription est ouverte pour l'achat de votre admirable statue de Balzac, exposée au Salon de cette année. Mais *Le Figaro,* dans son laconisme exagéré, ne dit pas à qui les fonds doivent être adressés, ni si la souscription est à l'heure actuelle complètement couverte, ce qui ne m'étonnerait nullement, étant données les très ardentes sympathies que votre statue, si remarquable, a éveillées dès son apparition. Quoiqu'il en soit, je désirerais très vivement ne pas rester étranger à cette souscription qui part d'un sentiment si profondément généreux, et je ne demande qu'à affirmer hautement ma très sincère admiration pour votre œuvre, toute de symboles et d'idéal, trop élevée dans sa conception, trop énergique et trop expressive dans sa facture pour que les bourgeois, déguisés en épiciers ou en littérateurs, puissent jamais la comprendre. Je vous serais seulement reconnaissant de m'indiquer ou de me faire dire – si vous ne pouvez le faire vous-même ce que je comprendrai aisément – où je pourrai envoyer la faible somme que je réserve à l'accomplissement de ce pieux devoir" (Paul Jedlinski à Rodin, Paris, 28 mai 1898 ; arch. musée Rodin).

44. Gaétan Rondeau à Léon Deschamps, Paris, 25 mai 1898 ; arch. musée Rodin.

45. Voici, pour exemple, la lettre que Mathias Morhardt adressa le 29 mai 1898 au vicomte de Lovenjoul, qui s'était déjà porté souscripteur lors de l'appel du Comité de la Société des gens de lettres en 1888 : "Au nom des amis et des admirateurs de Rodin, qui ont pris l'initiative d'ouvrir une souscription, afin d'ériger à Paris la statue de Balzac, refusée par la société des gens de Lettres, j'ai l'honneur de solliciter votre précieux concours. La somme qu'il est nécessaire de recueillir dans le plus bref délai possible, pour reprendre son œuvre à Rodin et pour l'ériger sur une place publique, est de 30 000 f. environ. Je vous serais infiniment reconnaissant de me dire, dans le cas où vous voudriez bien nous aider à réunir cette somme, pour quel chiffre je dois vous inscrire sur notre liste, qui va être publiée. Veuillez agréer, Monsieur, l'assurance de mes sentiments les plus distingués. Mathias Morhardt. P.S. Il ne sera pas publié qu'une seule liste de souscripteurs" (Mathias Morhardt à Lovenjoul, 29 mai 1898 ; Paris, Institut de France, fonds Spoelberch de Lovenjoul). On devine la mobilisation d'une véritable équipe à la lecture de ces formulaires manuscrits que les instigateurs connus du projet se contentaient de signer ; en témoigne la lettre adressée par Mathias Morhardt à Clément-Janin (bibliothèque d'Art et d'Archéologie, fondation Doucet, 58980, inv. 206). Cette lettre fut, selon *Le Petit Niçois* du 26 mai, également adressée à tous les artistes de la Société nationale des beaux-arts.

46. Pierre Michel et Jean-François Nivet, *Octave Mirbeau, L'imprécateur au cœur fidèle,* Paris, Séguier, 1990, p. 581.

47. *Cf.* liste des souscripteurs, pp. 187-192.

48. Pascal Ory, *La Revue blanche, Histoire, anthologie, portraits,* Paris, 10/18, pp. 19-22.

49. Pierre Aubery, "L'Anarchisme des littérateurs au temps du symbolisme", *Le Mouvement social,* n° 69, octobre-novembre 1969, p. 22.

50. C'est probablement à l'appel de ce petit groupe socialiste que l'on doit l'adhésion de Georges Renard, normalien, communard, fondateur du syndicat socialiste de journalistes et grand ami de Millerand.

51. Laure Rièse, *Les Salons littéraires parisiens du Second Empire à nos jours,* Toulouse, Privat, 1962, pp. 8-19 ; ainsi que Rose-Marie Martinez, 1993, pp. 86-90.

52. On retrouve ici, sous la plume d'un souscripteur, une remarque qui justifiait, aux yeux de François de Curel, le refus de la statue.

53. Mathias Morhardt, 1934, p. 482.

54. Madeleine Rebérioux, "De l'art industriel à l'art social : Jean Jaurès et Roger Marx", *Gazette des Beaux-Arts,* t. CXI, nᵒˢ 1428-1429, janvier-février 1988, p. 156.

55. Probablement Puvis de Chavannes pense-t-il à ce moment-là que Rodin va céder son monument à Auguste Pellerin.

56. Le "syndicat" est l'expression employée par les antisémites qui désignent ainsi un groupe imaginaire de riches juifs soupçonnés de financer la campagne dreyfusarde.

57. "Le Syndicat Rodin", *Le Cri,* 29 mai 1898.

58. Edmond Bigand-Kaire à Rodin, Asnières, 31 mai 1898 ; arch. musée Rodin.

59. Mathias Morhardt, 1934, pp. 474-475. Raymond Poincaré, "quoique ministre démissionnaire", avait officiellement assisté en 1895 au banquet présidé par Rodin en l'honneur de Puvis de Chavannes. Mais, en 1898, il se montra d'une extrême prudence : il observa la plus stricte neutralité dans l'Affaire jusqu'au 28 novembre, date à laquelle il rejoint le camp dreyfusard en déclarant à la Chambre : "Je suis heureux d'avoir saisi à cette tribune l'occasion trop longtemps attendue de soulager ma conscience" (*cf.* Maurice Agulhon, *La République 1880-1932,* Paris, Hachette, 1990, p. 199).

60. Autre ami déçu, Jules Dalou qui, au nom de cette amitié qui lia jadis les deux sculpteurs, refuse d'entraîner Rodin dans une nouvelle erreur (*cf.* Mathias Morhardt, 1934, p. 475).

61. Alors qu'il lance dans *La Plume,* une pétition de soutien à Rodin et à "son effort continu vers la Beauté dans la création d'un art nouveau", Léon Deschamps précise dans son article du 15 mai : "Il est juste aussi de déclarer à Rodin que Zola autant que Scholl est resté parmi ses amis et ses défenseurs, toujours et quoi que lui en disent certains."

62. Francis de Pressensé, fils d'Edmond de Hault de Pressensé (pasteur, homme de lettres, membre de l'Institut, député puis sénateur républicain) suivi de brillantes études avant de travailler dans la haute administration, puis dans la presse. Toujours engagé du côté des républicains, il démissionne du *Temps* pour mieux lutter contre les nationalistes et les antisémites. Au lendemain de la suspension de Zola comme officier de la Légion d'honneur, il donna publiquement sa démission de l'ordre et fut alors radié par mesure disciplinaire. Il fut – entre autres avec Mathias Morhardt, Jacques de Reinach et Thadée Natanson – présent le 16 mai 1898 à la première assemblée générale de la Ligue des droits de l'homme dont il devint président en 1904. En 1898, il consacra également un ouvrage au premier des révisionnistes, *Un héros, le colonel Picquart*. En 1899, il sillonna la France pour animer des conférences au cours desquelles il défendit la cause dreyfusarde. (*Cf.* André Encrevé, "La petite musique huguenote", *in* Pierre Birnbaum, *La France de l'affaire Dreyfus*, Paris, Gallimard, 1994, p. 499, note 143.)

63. Mathias Morhardt, 1934, p. 485. L'inconfort de la position de Morhardt, partagé entre son immense respect pour Rodin et la vive amitié qui l'unissait à Pressensé, perce dans ce passage. Le paradoxe de la souscription éclate ici : c'est la difficulté d'organiser un soutien public, ferme, en faveur d'un homme réservé et hésitant. On sent toute l'ambiguïté de la situation dans laquelle se trouve le comité : autonome, formé par cooptation, la validité de son action est mise en cause lorsqu'il ne reçoit plus l'approbation de Rodin.

64. Judith Cladel, 1936, p. 219.

65. *Cf.* annexe 2, pp. 184-185.

66. Lucien Descaves, *Souvenirs d'un ours*, Paris, Les Éditions de Paris, 1946, p. 212.

67. La "Revue de la Presse" du *Moniteur des arts* datée du 15 juillet 1898 relate les difficultés rencontrées par nombre de souscriptions pour l'édification de monuments en hommage aux écrivains et aux artistes... Le *Monument à Balzac* (30 000 francs) est, de loin, vainqueur au palmarès : il est suivi par celui de *Maupassant* qui ne réunit que 12 000 francs.

68. Judith Cladel, 1936, p. 218.

69. *Cf.* annexe 3, p. 186.

70. Arch. musée Rodin. Les termes entre parenthèses correspondent aux mots raturés.

71. "[Rodin] me disait : c'est curieux, j'ai l'art de me brouiller avec mes meilleurs amis ! Raison : il n'avait aucune idée de ce qu'était la dignité humaine chez les autres. Lui, qui après le Balzac avait par dignité refusé dans des conditions difficiles de vendre son Balzac à Pellerin par crainte de sembler profiter financièrement de la publicité faite autour de son œuvre, ne semblait pas concevoir que ceux qui l'entouraient travaillaient pour lui avec une entière dévotion" (René Chéruy, *Notes manuscrites*, non datées ; arch. musée Rodin).

72. Octave Mirbeau, *Correspondance avec Auguste Rodin*, Tusson, éd. du Lérot, 1988, p. 177.

73. Charles Chincholle, "La statue de Balzac", *Le Figaro*, 10 juin 1898.

74. "La souscription Rodin", *Le Cri de Paris*, 12 juin 1898.

75. Rodin à Edmond Picard, Paris, 11 juin 1898 ; arch. musée Rodin, L. 459 ; *cf.* Rodin, *Correspondance*, t. 1, 1985, p. 180.

76. H. Stroheker à Rodin, Paris, s.d. ; arch. musée Rodin.

77. Faut-il entendre cette formule comme un écho aux "anciens amis" de la lettre publique, c'est-à-dire les organisateurs de la pétition, ceux que Pierre Louÿs appelle "vos camarades" ?

78. Louÿs est un des rares souscripteurs qui, à la fin de l'année 1898, verseront leur obole auprès de *La Libre Parole* d'Édouard Drumont pour le *Monument Henry*, cette souscription devant permettre à "la veuve et l'orphelin du colonel Henry" de poursuivre en justice "le juif Reinach".

79. Pierre Louÿs à Rodin, s.d. ; arch. musée Rodin.

80. Anatole France à Rodin, s.d. ; arch. musée Rodin.

81. Jean Aicard à Rodin, 17 juin 1898 ; arch. musée Rodin.

82. Lettre datée entre le 20 et 25 juin 1898 ; *in* Octave Mirbeau, *Correspondance avec Auguste Rodin*, Tusson, éd. du Lérot, 1988, p. 178.

83. Pierre Maël à Rodin, Sanary, 29 juin 1898 ; arch. musée Rodin.

84. Pierre Maël à Rodin, Sanary, 12 juillet 1898 ; arch. musée Rodin.

85. Pierre Maël à Rodin, Sanary, 27 juillet 1898 ; arch. musée Rodin.

86. Charles Chincholle, *Le Figaro*, 12 mai 1898.

87. Charles Chincholle, *Le Figaro*, 13 mai 1898.

88. Camille Mauclair, *Servitude et Grandeur littéraires*, Paris, Ollendorf, 1922, p. 202.

89. Pour les trois souscriptions de 1904, 1908 et 1936, *cf.* liste des souscripteurs, pp. 187-192.

Affaire *Balzac*, affaire Dreyfus : une campagne de presse

X

Frédérique Leseur

Le coup porté par le *Balzac* de Rodin à une forme esthétique de conformisme fut si violent que la France réactionnaire se sentit menacée dans son ensemble. Déjà très ébranlés par le tournant décisif qu'avait pris l'affaire Dreyfus au début de l'année 1898, les milieux conservateurs analysèrent le mouvement de soutien au *Balzac* comme une nouvelle attaque portée à un édifice social fragilisé. La polémique engagée dans la presse autour de l'œuvre de Rodin rend bien compte de l'amplification politique donnée à ce qui n'était, à l'origine, qu'un temps fort d'une révolution esthétique[1].

"Un de nos confrères [*Le Gaulois*] [...] laisse entendre que si le Conseil et le ministère se laissaient par hasard fléchir par les amis du sculpteur, l'adverse partie n'hésiterait pas à recourir, en dernier ressort, à la Présidence. Or, comme on a remarqué que M. Félix Faure [fig. 88] n'a pas daigné s'arrêter devant le Balzac, on conclut qu'il se range dans le camp des mécontents [...]. L'affaire en est là qui fait du bruit dans Landerneau. Ce n'est plus seulement pure querelle artistique, mais débat où tout le public prend position[2]."

Si *Balzac* déclenche un tel ouragan, c'est qu'au moment du Salon la capitale est singulièrement agitée. "Nous vivons dans un Paris bien amusant, quoique trop énervé. Voici qu'on se passionne en ce moment pour la statue de Balzac ou contre elle, ce qui pourrait être un signe de la grande place prise par l'art dans les préoccupations du temps ; mais en même temps, on y apporte, tout de suite, une violence, une animosité réciproques qui prouvent un état bien agité de l'opinion.

Ce ne sont plus de courtois assauts à la ville entre gluckistes et piccinnistes. Aujourd'hui, il y a de la haine immédiate dans nos opinions contradictoires. Besoin maladif de ne pas être du même avis. Les anciens partis politiques étaient un dérivatif. Ils ont disparu presque. Et on se divise autrement, on se querelle pour le moindre prétexte[3]."

Cette animosité latente, ce besoin irrépressible d'en découdre quand les mots semblent trop faibles pour témoigner des convictions, Mathias Morhardt les a vécus au sein même de son journal. "Au *Temps*, la lutte est particulièrement violente. Le 'patron' [...] a beaucoup de peine à maintenir entre ses collaborateurs une harmonie que déchirent à chaque instant les éclats de la colère. Ne verra-t-on pas cette chose à peu près inouïe : deux camarades du même journal, allant sur le terrain où les appelle, paraît-il, le point d'honneur ! Ce duel – nous ne savions tenir une épée ni l'un ni l'autre – fut une aventure dont le souvenir remplissait mon vieil ami Jules Huret, qui fut mon témoin avec Francis de Pressensé, d'une hilarité qui le tordait jusque sur son lit de mort... Rodin était là ! Il m'avait rencontré dans l'escalier de ma maison, où il venait me voir, juste au moment où je partais furtivement avec mes deux grandes épées sous le bras... L'Affaire Dreyfus bouscula de fond en comble la souscription du *Balzac*[4]."

Le scandale du *Balzac* éclate à la veille des élections législatives ; nombre de candidats se gardent bien de prendre publiquement position sur l'Affaire et le monument scandaleux devient le lieu idéal d'une expression détournée de la déchirure de l'opinion publique. "Je constate, du reste, que jamais période électorale plus décisive en réalité ne fut, en apparence, plus calme. La fièvre agite sans doute quelques réunions publiques ; le pouls de Paris ne bat pas plus fort. On se passionne beaucoup plus pour ou contre le *Balzac* de Rodin que pour les députés du 8 mai, et cette statue vierge d'affiches provoque autour d'elle plus d'attroupements et de tumultes que celles où l'on a placardé des professions de foi. C'est même la grande polémique du moment. Avant peu, il faudra être pour ou contre Rodin, comme il a fallu être pour ou contre Esterhazy[5]."

Cette analyse de Jules Claretie (fig. 89) sera reprise quelques mois plus tard, dans "La Revue comique" du *Monde illustré*, par le dessinateur Albert Guillaume (fig. 90) qui pastiche la fameuse caricature de Caran d'Ache représentant un dîner au moment de l'Affaire.

fig. 88
Anonyme
Félix Faure
Album Félix Potin,
collection particulière

fig. 89
Nadar (1820-1910)
Jules Claretie
Album Félix Potin,
collection particulière

fig. 90
Albert Guillaume
"La Revue comique :
La nouvelle affaire.
Écho mondain. – On annonce
déjà que dans les réunions
mondaines de la saison
prochaine, on sera 'rodinard'
ou 'antirodinard'. Pauvres
maîtresses de maison !",
Le Monde illustré, 5 août 1898

L'agitation des esprits mène à une totale confusion et à des propos incohérents : "Quant au dessinateur Renouard, amené devant la statue par un camarade qui prétendait la lui faire admirer, il a fini par s'écrier, privé d'arguments et de démonstrations : 'Tenez il y a autant de chances pour que le Balzac de Rodin soit une belle chose, que pour que Dreyfus soit innocent[6]."

Sur un ton prophétique et avec beaucoup plus de sérieux, Jean Rameau (fig. 91), membre du Comité de la Société des gens de lettres[7], souhaite dans *Le Gaulois* voir ériger cette "statue mirobolante", "pour que les siècles futurs sachent à quel degré d'aberration mentale nous étions arrivés à la fin de ce siècle-ci".

Reprise dans *Le Messager de Toulouse* du 5 mai, cette longue déclaration aux accents savonaroliens connut donc une diffusion nationale. "Je demanderai seulement qu'on grave sur le socle de cette statue le nom des éminents confrères qui la louèrent. Ce serait leur châtiment et notre vengeance. [...] Un jour viendra où nous secouerons la terreur artistique et littéraire qui nous accable. [...] Il y a encore des cerveaux sains et des esprits lucides. Mais pourquoi si peu de nous osent-ils crier leurs pensées ?

Est-il donc si ridicule d'avoir du sens commun ? Est-il donc vrai que les minorités doivent toujours gouverner le monde ? Ils sont bien une douzaine à Paris, qui s'amusent à nous poser des grands hommes de carton et qui font des moulinets autour, pour empêcher les passants de les renverser ! Ah ! ce qu'on en culbuterait, si l'on s'y mettait un peu !

Mais on va s'y mettre, j'ai confiance. Les veuleries ont assez duré comme cela. Que M. Rodin soit béni ! Il va hâter l'heure de la délivrance. Et nous lui devrons une fière chandelle, en somme, si sa dernière œuvre fait pousser le holà aux honnêtes gens de notre pays, s'il encourage la foule à se retourner vers la véritable sculpture, vers la véritable littérature, vers l'art immortel et superbe qui apporte aux hommes un reflet de Dieu, au lieu de l'art de ces derniers temps, qui ne leur a guère apporté qu'une odeur de bête."

"Souhaitons que le vœu de M. Rameau se réalise", conclut sans frémir *Le Messager de Toulouse* !

Rameau rassemble en quelques lignes les éléments principaux du discours réactionnaire extrémiste : la fin des valeurs, une société perdue car laïcisée, terrorisée par les minorités (si l'article vise ici en premier lieu les minorités artistiques, juifs, protestants ou francs-maçons sont les cibles les plus fréquentes de ce genre de propos), appel au châtiment, à la vengeance et à la délivrance.

Pourtant, comparé aux articles farouchement antidreyfusards parus en 1898, ce texte n'est qu'un innocent divertissement.

Pour rendre compte du Salon et du *Balzac*, *La Revue du monde catholique* propose à ses lecteurs du 1er juillet 1898 un article symptomatique de la rhétorique antidreyfusarde virulente : une xénophobie engendrée par un nationalisme exacerbé, l'antirépublicanisme, la théorie du complot et l'existence d'organisations étrangères occultes qui sapent les fondements d'une société traditionnelle[8].

"L'Art nouveau – Salon de 1898

La Statue de Balzac

Un syndicat veut imposer aux Français le Messie cosmopolite de l'art nouveau : les quatre anabaptistes du compagnon Rodin veulent nous démontrer que la peinture consiste à n'avoir pas de couleur et la sculpture pas de forme.

Leurs violences sont extrêmes, ils veulent par l'injure, par les menaces, arriver à leur but, qui est de faire le krac de l'art comme d'autres ont cherché à faire le krac de la patrie, de la religion et de la famille : – classiques, traditions, maîtres d'antan sont vieux jeux, vieilles chansons.

L'administration des Beaux-Arts, les employés, les artistes tremblent devant *les violences de soi-disant maîtres* ; les sous-secrétaires d'État commandent les portes d'une maison qui n'existe pas[9], gâchent le marbre et le budget par centaines de mille francs, pour développer ce nouvel art, négation de notre vieille école française.

Ne croyez pas que l'affaire Rodin soit un simple fait divers, une actualité qui fournit de la copie aux crève-faim de la plume.

– Il y a autre chose, il y a un *avertissement*, un *enseignement*. Les arts et la littérature ont toujours exprimé l'état moral d'un peuple. Voyez Zola, voyez Rodin. Basse littérature, basse sculpture. Eux et les compagnons de cette bande veulent détruire l'esprit de la France. La chose semble invraisemblable et devient pourtant toute naturelle quand on sait que Rodin et Zola – pas plus l'un que l'autre – n'est d'origine française ! l'un et l'autre, en effet, ayant dans les veines un sang étranger[10], il est tout naturel qu'ils pensent autrement que nous. – La chose est intéressante surtout quand on constate que c'est précisément en dehors de la France qu'existent surtout les fidèles de MM. Zola et Rodin. Pour nous, bons patriotes, le nom de Zola est devenu maintenant odieux, c'est une injure qu'on nous adresse lorsqu'on nous parle de lui.

Quant à M. Rodin, il n'existe que pour les étrangers, belges ou allemands, et n'est défendu que par de faux parisiens[11].

Nous sommes des fous et nous ne voyons pas que tous ces gens-là, libéraux hypocrites, lâches patriotes, en acclamant les Zola, les Rodin, en chassant Dieu des écoles, ont détruit notre morale et nos finances, cherchant à salir l'armée, la magistrature, le clergé[12] qui déjà lui-même est atteint ; ils pensent bien qu'en détruisant les sources pures de l'art, ils détruiront l'art lui-même.

La statue de Balzac est pour l'art ce qu'est le procès de Zola pour la patrie. Ces deux débâcles, Dieu merci, n'atteindront pas notre belle France." L'argument de Jean Rameau est repris (les arts nouveaux témoignent de la déchéance mentale, morale d'une nation), il fera tristement fortune.

À la lecture de ce texte, on comprend aisément que les souscripteurs du *Balzac* (naturalistes, symbolistes, partisans de l'art social... ou simples admirateurs d'un artiste libre) aient pu passer pour des terroristes. "La Terreur blanche, celle organisée par le Syndicat de l'admiration quand même, ou de la provocation, autour du Rodin de Balzac, non du *Balzac* de Rodin, Rodin devenu le Michel-Ange du goître. Ce bloc enfariné ne me dit rien qui vaille, a beau dire le public inquiet et méfiant. Nul n'aura de talent que nous et nos amis, ripostent les Sibylles du Paris intellectuel : le sac de plâtre est un chef-d'œuvre. [...] Jamais plus acharnée et plus fiévreuse propagande ne fut menée, même au temps du boulangisme [...] C'est la plus violente campagne électorale qu'on ait encore vue depuis l'affaire Dreyfus [...]

fig. 91
Pierre Petit
Jean Rameau
Album Félix Potin,
collection particulière

ces messieurs du Syndicat sont tout cela à la fois ; c'est l'invective après l'injure, l'objurgation après l'insulte, l'insulte après l'appel aux armes[13]."

Les "intellectuels" sont bien l'articulation essentielle entre les deux affaires. Organisateurs du retour de la "Terreur" (autre thème réactionnaire récurrent), quand ils ne sont pas présentés comme des marionnettes manipulées par le Syndicat, ils seraient guidés par le seul souci de "lutter à contre-courant". "Transformer la laideur en beauté, et la laideur morale en vertu, quelle tâche séduisante, et bien faite pour horripiler les 'philistins' !

Apercevoir du génie dans une masse de plâtre où les visiteurs les plus intelligents ne croient voir qu'un tronc d'arbre rugueux ou un sac de châtaignes, quelle preuve de perspicacité !

Estimer, à l'encontre de trois jugements formels, que le bordereau est d'Esterhazy et non de Dreyfus, quel signe éclatant de supériorité ! [...]

L'essentiel en notre siècle de démocratie, n'est-il pas de se distinguer de la masse, et de l'écraser de son mépris ?

Un autre fait a mis en relief, chez tous ces pseudo-penseurs, le parti pris bien enraciné d'entrer en lice contre le sentiment populaire.

L'innocence de Dreyfus, c'est une autre statue de Balzac.

Comme on voulait nous faire avaler la beauté de celle-ci, on veut nous faire admettre, à toute force, l'innocence de celui-là[14]."

Les détracteurs du *Balzac* en appellent donc à l'affaire Dreyfus et recourent fréquemment à l'analogie pour mieux convaincre leurs lecteurs, souvent peu avertis, de la menace sociale contenue dans la sculpture. Symptôme d'une maladie qui aurait gagné le corps social, l'œuvre de Rodin est aussi dénoncée comme origine de ce mal par "ceux qui sont convaincus que le *Balzac* de M. Rodin est une chose très dangereuse pour la société, et que si on tolérait de pareilles œuvres sur la place publique, on cesserait de payer les impôts, la rente baisserait, et nous aurions la guerre[15]".

Quand les journalistes de *L'Aurore* quittent avec fracas la souscription, il ne lient pas davantage *Balzac* à Dreyfus ; au contraire, ils reprocheraient plutôt à Rodin d'être sensible aux sirènes "assimilationnistes" qui dénoncent dans un comité de soutien artistique les agissements du Syndicat. On sent bien, à la lecture de la dernière lettre de Mathias Morhardt proposant de retirer la signature de Pressensé[16], la souffrance d'un homme cédant à ce raisonnement pernicieux que Rodin avait adopté. Quand on mesure la vigueur de leur engagement aux côtés de Zola, on s'étonne même de la maîtrise dont firent preuve certains souscripteurs pour ne jamais mêler leurs deux combats. "Triomphe de la justice et de la beauté[17]" selon la formule de Bigand-Kaire, "triomphe de la justice et de la vérité" selon celle de Zola.

Quant aux partisans du *Balzac*, ils n'associent que très rarement les deux "affaires", trop respectueux de la neutralité politique de Rodin ou trop conscients des enjeux juridiques et politiques de l'affaire Dreyfus pour ne pas mêler sensibilité esthétique et principes éthiques. À l'opposé d'une confusion délibérément introduite dans le discours polémique, leur propos se limite à une mise en valeur de quelques similitudes précises entre les deux événements.

Un argument commun aux deux défenses (celle de Rodin et celle de Dreyfus) est allusivement évoqué dans la lettre accompagnant la souscription du graveur Focillon. "J'ai obéi à ma conscience d'artiste qui me poussait à protester contre un déni de justice fait à un homme de votre valeur et à propos d'une œuvre très belle malgré les attaques dont elle est l'objet." Si le propos est restrictif, c'est qu'il se veut indiscutable : contester la validité juridique de la décision de la Société des gens de lettres à l'endroit de Rodin, et non émettre une opinion sur la valeur de l'œuvre elle-même.

Mathias Morhardt, pour sa part, tente de convaincre Rodin en établissant un parallèle entre l'exigence morale qui guide la création du sculpteur et celle qui anime le combat de

Zola. "Je lui présentais en vain que toute sa vie, par son œuvre, il avait lutté pour la vérité et pour la justice."

Les combinaisons possibles entre les discours dreyfusards/antidreyfusards, partisans/détracteurs du monument et "assimilationnistes"/"antiassimilationnistes" rendent la situation confuse et expliquent l'extrême diversité des propos plus ou moins sérieux tenus dans la presse.

"Quand, au mois de mai, circulèrent des listes d'écrivains et d'artistes protestant contre l'injure faite à Auguste Rodin par la gendelettrerie, il partit des colonnes de *l'Intransigeant*, de *l'Autorité*, du *Gaulois*, etc., etc., cet unanime cri :

– Encore des listes d'intellectuels ! Ce sont les mêmes noms que pour les 'hommages à Zola !'

Ce n'était guère exact. Je connais des Zolistes qui ne furent pas des Rodinistes [Jaurès, par exemple, aux goûts artistiques plus classiques] ; et des Rodinistes qui ne furent pas Zolistes[18], au moins en la circonstance que l'on sait.

Il n'en est pas moins vrai que tout se tient !

La commande volée à Rodin a maintenant pour bénéficiaires deux sculpteurs, dont l'un Marquet de Vasselot possède en guise de talent d'étroites attaches avec le parti militariste et clérical[19].

Continuez !", déclare le quotidien socialiste *La Petite République*, le 18 septembre 1898.

Une semaine avant de publier "Les Preuves" de Jaurès, ce quotidien devenu nettement dreyfusard publiait un article de Camille de Sainte-Croix dans lequel Rodin était présenté comme un proscrit du régime. "La Légion d'honneur devient un vil insigne de servitude que l'on ne saurait plus infliger qu'aux bas domestiques de la cause gouvernementale. Il sert à les distinguer des libres citoyens.

On n'accepte pas la livrée d'une caste bourgeoise qui bannit Émile Zola, conspue Rodin et se prosterne devant Mossieur Nicolas[20]."

Tous les efforts de Rodin pour se démarquer des opinions politiques de ses "amis" semblent avoir été vains quand on lit la presse socialiste autant que les auteurs antidreyfusards.

En témoigne l'interrogation de Charles Maurras sur "l'avenir des conservateurs" au lendemain de la célébration du centenaire de la naissance de Balzac. "Pourquoi l'initiative de la commémoration de Balzac n'était pas venue de notre groupe littéraire et philosophique ; pourquoi nous avions abandonné à des socialistes et à des radicaux le souvenir de ce grand nom ; pourquoi, au lieu de M. Rodin et de son cortège anarchiste et dreyfusien, la présidence du pèlerinage des Jardies ne fût-elle point proposée à Paul Bourget, qui est royaliste et catholique exactement de la même manière que Balzac[21]."

Trois mois plus tard, *La Gazette de France* annonce la création à Montmartre d'un Collège d'esthétique, "Encore une fondation dreyfusarde ! [...] Les fondateurs veulent, 'par des conférences et par une propagande active, développer l'idée de beauté et réunir dans ce but tous les esprits soucieux de régénération sociale'. Parmi les fondateurs dudit 'Collège d'Esthétique', se trouve le dessus du panier de la pornographie contemporaine.

Le Siècle n'a pas manqué de faire remarquer que tout le dreyfusisme était là. 'Ils étaient avec nous dans l'affaire Dreyfus', dit-il triomphalement.

Un autre journal radical a tenu à accentuer la note, il a dit : 'Sous le patronage d'un Comité d'honneur dont le président est M. Émile Zola, et qui réunit les noms de littérateurs, d'artistes, de critiques et de savants très estimés, tels que Anatole France, Monet, Bruneau, Rodin, Gustave Charpentier, Clemenceau, Descaves, etc., des cours seront faits [...], des conférences seront données, au 'Collège d'Esthétique moderne', sur les sujets les plus divers (l'architecture, l'art et le socialisme, le théâtre populaire, les industries d'art, etc...) par des personnalités autorisées, entre autres Frantz Jourdain, Arsène Alexandre, Eugène Fournière, Henry Bauer'.

Tous dreyfusards !

On enseignera l'Art, mais surtout le Socialisme et le Dreyfusisme qui est l'art de servir les Juifs[22]."

Il est intéressant de noter le renversement opéré par *La Gazette de France* des propos empruntés au *Siècle*. Les accusations habituelles de la presse d'extrême-droite sont reprises (pornographie, complot socialiste au profit des juifs...) et adressées, à l'occasion de cette nouvelle fondation, à nombre de souscripteurs du *Balzac*, de nouveau réunis autour des maîtres mots "Beauté-Justice" qu'Henry Bauër (fig. 92) martèle dans son discours inaugural de janvier 1901[23].

Née d'un jeu de mot polémique dans la presse réactionnaire qui englobait, sous le même vocable soupçonneux d'"affaire", tout ce qui pouvait ébranler l'édifice social traditionnel, cette assimilation entre l'affaire Dreyfus et les vicissitudes du *Balzac* est devenue une véritable marque, souvent "infamante", pour Rodin au début du siècle.

En sollicitant l'ajout des noms de Forain et de Rochefort en mai 1898, il cherchait à imposer une neutralité politique à son comité de soutien, mais il adopta ensuite une série de positions publiques qui contribuèrent à aggraver la situation. Chacune de ses déclarations est alors analysée et souvent raillée.

À la fin du mois de juin 1900, plusieurs journaux ont reproduit (à quelques nuances près) un même article titré "Les Scrupules de M. Rodin ou Rodin et les Dreyfusards". "En dépit des efforts de son entourage, le grand sculpteur Rodin se refusa constamment, au cours de la sinistre Affaire, à se laisser embrigader dans le soi-disant parti 'de la justice et de la vérité'. En vain ses intimes qui 'marchaient' presque tous, essayèrent-ils de le circonvenir ; sourd aux arguments de M. Mirbeau et à l'éloquence de M. Descaves, l'illustre statuaire ne consentit jamais à faire figurer son nom à côté de leurs fameuses listes où se comptaient de prétendus 'intellectuels'. Cela lui valut même un jour, dans une feuille révisionniste, un éreintement perfide d'un des encenseurs ordinaires, qui, tout en l'enguirlandant de 'cher ami' et d'"illustre maître', laissait entendre que Rodin était bien près de n'avoir aucun talent, puisqu'il ne croyait pas à l'innocence de Dreyfus.

L'auteur des *Bourgeois de Calais* ne s'en émut pas et garda son opinion. Désespérant de le convaincre, ses amis s'abstinrent d'insister. Mais voici qu'aujourd'hui ils reviennent à la charge. Un banquet devait avoir lieu prochainement pour fêter le succès de la *Rodinière* du pont de l'Alma. Or le maître sculpteur vient de s'apercevoir que, parmi les organisateurs, ne figurent que des dreyfusards avérés et qu'on a écarté systématiquement, malgré le désir manifesté par lui, deux de ses amis, académiciens et membres de la Patrie française.

Cette fois encore, le grand artiste a refusé net de prêter son nom à une manifestation dreyfusiste. Et voilà pourquoi le banquet projeté n'aura pas lieu.

La gloire de Rodin n'y perdra rien[24] !"

La "prudence" de Rodin fait donc à nouveau le jeu des antidreyfusards qui métamorphosent l'amitié des plus fidèles en pur calcul, réinterprètent l'article de Descaves et proclament la gloire de Rodin (ce qui n'exclut pas l'ironie de la *"Rodinière"*) dont la grandeur réside surtout dans son antidreyfusisme !

Mirbeau ne disait-il pas à ce moment : "Il est douloureux de lire ce qu'écrivent, parfois, de M. Auguste Rodin et de son art, des gens qui prétendent le sentir le mieux, et le mieux admirer. À les en croire, M. Auguste Rodin serait tout [...] sauf l'étonnant et parfait statuaire qu'il est. On le loue pour toute sorte de vertus étranges qu'il se garderait bien d'avoir, afin de négliger celles qui ont fait l'artiste immense que nous vénérons[25]."

Peu après la mort de Zola, à l'automne 1902, la Ligue des droits de l'homme lance l'idée d'une souscription en vue d'ériger une statue en hommage à l'écrivain. On retrouve alors dans le commission chargée du projet : Mirbeau, Morhardt, Bruneau, Jourdain, Duret, Antoine, mais aussi Clemenceau, Vaughan, et encore Reinach, Jaurès, Labori, Picquart et Francis de Pressensé. Mirbeau pense évidemment à Rodin, mais celui-ci n'a pas pardonné à Zola son incompréhension à propos du *Balzac* et ne souhaite pas plus qu'en juin 1898 être associé aux dreyfusards[26]. On sollicite alors Maillol puis, à la suite de vives discussions,

fig. 92
Anonyme
Henry Bauër
Album Félix Potin,
collection particulière

Alexandre Charpentier associé à Constantin Meunier (deux souscripteurs du *Monument à Balzac*) sont finalement désignés pour réaliser le projet.

Cette attitude ne manqua pas d'échapper aux observateurs attentifs. Le 18 juin 1910, alors que l'on s'interroge sur l'installation sans cesse différée du monument, le chroniqueur des *Hommes du jour* en appelle aux "sculpteurs qui, non seulement ont du génie, mais de l'influence". "Si Auguste Rodin avait été dreyfusard, il aurait eu la commande et son Zola ferait pendant, certainement, à son Victor Hugo, dans les jardins du Palais-Royal. L'élite qui marcherait pour Rodin, voire pour Maillol, aurait eu raison depuis longtemps des conseillers municipaux réactionnaires." Conclusion quelque peu hâtive, quand on mesure les difficultés rencontrées au début du siècle par les différents partisans d'une édification du *Monument à Balzac* dans Paris.

En 1904, la souscription pour *Le Penseur* est menée à bien par Gabriel Mourey, que Rodin remercie en ces termes : "Vous avez composé un comité sans couleur politique, ce qui donne à ma sculpture une valeur véritable[27]." Ce que cette formule ne précise pas, c'est qu'à nouveau Rodin a sollicité l'inscription de deux antidreyfusards notoires à la liste des souscripteurs, Jules Lemaître et Henri Rochefort.

"L'affaire *Balzac*" est oubliée, mais "l'affaire Dreyfus" est toujours et pour quelques années encore d'une brûlante actualité. Le 19 janvier 1906, *Le Gil Blas* titre "L'absent".

"Nous recevons ce billet :

'17 janvier 1906

Monsieur le Directeur,

Je vous prie de vouloir faire effacer mon nom qui se trouve parmi les assistants de la réunion du *'J'accuse !'* et qui y était mis par erreur.

Avec mon salut, agréez, monsieur, tous mes remerciements. Auguste Rodin.'

M. Rodin a bien raison de nous signaler cette absence, qui, sans doute, était volontaire. On la regrettera, et non pas seulement pour la mémoire de Zola, qui n'en est point à un fidèle près."

Quelques jours plus tard, dans la revue *Arts et Lettres*, Adolphe Dervaux commente sur un ton qui rappelle la virulence de Descaves : "Rodin aurait pu se taire ; il proteste par lettre, sans d'ailleurs s'avouer plus qu'autrefois homme de parti. Non, Auguste Rodin n'était pas à la dernière soirée Zola ; il n'aurait même pas eu le droit de s'y trouver puisque, à l'occasion de l'*affaire* héroïque il ne sut qu'hésiter entre la défense d'une belle pensée et la conservation d'une belle clientèle. Quel dommage, ô Rodin, que l'âme ne soit pas trempée au même bain que le génie !"

La réhabilitation de Dreyfus intervint finalement en juillet 1906, mais l'antidreyfusisme se manifesta encore de la manière la plus brutale lors du transfert des cendres de Zola au Panthéon en 1908. Grégori, syndic de la presse militaire, tire deux coups de revolver sur Dreyfus. Les journaux, qui rendent abondamment compte de la cérémonie et de ce tragique incident, évoquent indirectement Rodin en mentionnant *Le Penseur* recouvert, pour la circonstance, d'un long crêpe noir. Cependant, aucun article ne s'interroge sur l'absence physique du sculpteur que la presse a si longtemps associé au romancier. Comme si la rupture définitive entre les deux hommes était une évidence pour tous.

Au contraire de cette volonté affichée de ne participer à aucune cérémonie dreyfusarde, Rodin intervient, de manière assez inattendue, dans quelques événements intimement liés au contexte politique. À nouveau, les journaux de tous bords ne manquèrent pas d'interpréter ces agissements.

Il ravit les nationalistes et les militaristes en participant à l'hommage rendu au colonel Marchand de retour de son expédition soudanaise, en juin 1899. Au moment où, dans les milieux "intellectuels" l'attitude de l'état-major et les décisions des tribunaux militaires font peser la menace d'un discrédit général sur l'armée, où la bataille des antidreyfusards (qui se définissent avant tout comme luttant contre les traîtres) est menée au nom du nationalisme, Rodin se range du côté de ceux qui pensent défendre la France en encourageant une politique militaire d'expansion coloniale. "On se souvient [...] qu'au moment où le colonel Marchand, au retour de Fachoda, débarquait à Marseille, la chambre de commerce de cette ville lui remit un album contenant des lettres, pensées ou poésies, toutes signées de noms connus et toutes exprimant l'enthousiasme provoqué par les hauts faits du jeune et vaillant officier. La *Revue illustrée* a eu la bonne fortune de pouvoir feuilleter cet album et d'en extraire quelques lignes curieuses. Il en est du sculpteur Rodin et du peintre Hébert, de M. Aurélien Scholl et de M. Larroumet, de M. Claretie, tous les genres comme on voit, et toutes les opinions[28]."

Ce geste, interprété comme un camouflet infligé aux dreyfusards par l'antisémite *Intransigeant* de Rochefort (le 29 mars 1900) amène les antidreyfusards haineux à ranger Rodin parmi les leurs. "Notre excellent confrère *L'Éclair* joue un assez bon tour à quelques dreyfusistes en publiant un choix de lettres cueillies dans le livre d'or de la mission Marchand. Ce livre parut au moment où le héros de Fachoda débarquait en France. [...] On retrouve naturellement dans ce registre les noms des nationalistes, de vaillants et courageux Français, comme Auguste Rodin, Jules Lemaître, Maurice Talmeyr, Maurice Barrès, Grébauval, etc., etc."

Les préoccupations militaires du sculpteur sont d'autant plus étonnantes qu'il s'est souvent montré effrayé par les combats, désolé des destructions causées par les conflits et peu enclin, au cours de la guerre de 1870, à combattre personnellement.

En mai 1901, Rodin accorde à *L'Éclair* une "extravagante interview" "touchant le dernier discours du général André". Ces faits sont relatés par Jules Rais dans *Le Siècle* qui trouve là une excellente occasion de ridiculiser, en un seul article, le "journal qui a falsifié la pièce *Ce canaille de D...*" et "M. Rodin, que nous avions toujours pris pour un homme intelligent" et qui "descend au-dessous d'un simple Rochefort".

Le sculpteur déclarait en effet : "J'aimerais mieux, avec le général André, que nous puissions encore dire comme le vieux Brennus : *Vœ Victis* et élever en France un monument portant la fière légende : *Gloria Victoribus*. Mais ce qui m'étonne, ce que je ne vous cache pas, c'est que ce soit de la bouche du général André que sortent ces paroles d'espérance." **L'œuvre du général André visait essentiellement à républicaniser l'armée[29].**

Rodin poursuit : "Ma foi, il est bien temps, quand on a, comme lui, désorganisé l'armée, défait et détruit de fond en comble nos institutions militaires, semé le découragement, le doute et la méfiance, il est bien temps de venir dire à des officiers : *Gloria Victoribus !*."

Toujours mordant, le journaliste du *Siècle* lance : "Pauvre Rodin ! Si on l'obligeait à développer ces dix lignes de bêtises, comme il se trouverait ennuyé."

Rodin, peut-être conscient de l'embarras dans lequel il se plonge lui-même, conclut : "la politique me fut toujours funeste".

Le commentaire acerbe ne se fait pas attendre : "C'est s'avouer trahi par les nationalistes, après trop de gages. Oui, funeste, et particulièrement et d'autre façon que le maître l'imagine. Qu'il s'agît des monuments de Claude Gelée, de Balzac, et dans un temps où il n'était pas sans danger d'y exposer sa plume, ou bien du pavillon de l'Alma, jamais nous n'avons cru devoir cesser de défendre, et de nous honorer à défendre l'œuvre admirable d'Auguste Rodin. D'où lui venaient ces sympathies empressées à former à son labeur une atmosphère d'amour ? De Mirbeau, de Geffroy, de Roger Marx, d'Alexandre, de Mauclair, de Morhardt, de Fontainas, de Maillard, ou des nationalistes auxquels on l'a vu sacrifier un peu de sa gloire et de lui-même ? À quoi bon rappeler tant d'incidents de statues et de banquets ? devant le marbre de Hugo aujourd'hui, devant la *Porte*, demain, et le *Monument du Travail*, s'il nous agrandit, s'il nous prolonge de cette œuvre, voyant qui l'entoure, – malgré tout – et qui ricane, M. Rodin éprouvera peut-être quelque incertitude morale parmi ses amis restés sûrs, et la tristesse d'avoir renié lui-même la vérité qu'ils aiment dans son génie, et la justice qu'ils veulent pour lui[30]."

Enfin, Rodin fut l'un des artistes éternellement cités dans les longues tirades d'Armand Charpentier, auteur prolifique dont les archives du musée Rodin ne conserve pas moins de vingt et un articles publiés entre 1903 et 1914. Cet homme de lettres collabora à de nombreux journaux, parmi lesquels on distingue *L'Action*, journal de combat anticlérical fondé en 1903, qui soutint le cabinet Combes, et *Les Annales de la Jeunesse laïque*, éditée à Poligny. À partir de 1910, il adjoint à sa signature un titre de "Vice-président de la Fédération radicale et radicale-socialiste de la Seine". Charpentier s'attacha à présenter Drumont comme le responsable principal de l'égarement de nombreux écrivains, artistes et d'une grande part de l'opinion publique dans l'Affaire. Ses articles, fort semblables, développent sur un même ton, et selon un même argumentaire, un propos qui l'amène systématiquement à citer Rodin parmi les "victimes" de Drumont.

L'un des plus imposants parut en août 1903 dans *La Bretagne nouvelle* : partiellement repris dans *L'Action*, il s'intitula alors "L'erreur de M. Édouard Drumont[31]". L'auteur de *La France juive* aurait convaincu les "intellectuels" – un peu trop simplistes, mais de bonne foi – de la culpabilité du capitaine : "ils se ressaisiront avec violence quand ils comprendront qu'ils ont été dupes". La liste des plus célèbres d'entre eux est sensiblement la même à chaque article, et jamais Rodin n'est omis !

"La vérité, dans l'affaire Dreyfus, est d'une simplicité enfantine. Malheureusement, depuis neuf ans, on l'a vêtue, déguisée, avec tant d'oripeaux (*Légendes, mensonges, faux*) que le public, d'esprit simpliste, ne peut plus l'apercevoir. Et comment pourrait-il voir cette vérité, quand des hommes qui, pour être des adversaires politiques, comme Charles Maurras et Maurice Barrès, n'en sont pas moins doués d'une intelligence incontestée, ne la voient pas ?... Comment les lecteurs du *Petit Journal* et de la *Patrie* seraient-ils dreyfusards, quand le noble sculpteur Rodin, le poète Léon Dierx, le philosophe Jules de Gautier, etc... n'ont pas encore pu percer l'énigme de l'État-major ?..."

"La vérité, c'est que, dès que l'on sait, dès que l'on comprend, on devient dreyfusard. Pourquoi vouloir que les militaires soient plus intelligents que MM. Maurice Barrès, Charles Maurras, J. Soury, Rodin, etc..., qui croient encore aveuglément à la culpabilité[32] ?"

Variant quelque peu l'attaque, le 1er octobre 1904, alors qu'il relate, dans *L'Action*, "Le Pèlerinage de Médan" organisé pour le second anniversaire de la mort de Zola, Charpentier énumère les absents excusés (le capitaine Dreyfus ou Mirbeau, très malades, Mme Toudouze retenue par son deuil récent...) et ajoute : "On attend, mais en vain, la lettre du grand sculpteur Rodin, dont Zola défendit avec tant de dévouement le Balzac devant la *Société des gens de lettres*."

Le 15 janvier 1905, il signe une délirante lettre du "commandant Esterhazy au général Florentin". Dans le tourbillon de personnages auxquels l'auteur apocryphe de cette lettre donne vie, on retrouve Rodin devenu, dans l'imagination quelque peu débridée de Charpentier, statuaire officiel de l'auteur du bordereau : "Rodin, l'auteur du *Penseur*, Rodin notre grand sculpteur national et nationaliste, n'attendait qu'un mot de cet infortuné Syveton pour commencer ma statue[33]."

Ainsi, jusqu'en 1914, la presse véhicula-t-elle, au-delà des comptes rendus de salons et d'expositions, une représentation politique de Rodin née de l'attitude du sculpteur au moment de la souscription de 1898 et intimement liée aux péripéties de l'affaire Dreyfus.

Dalou, lui, sut répondre à l'espoir, nourri par le comité de souscription au *Balzac*, d'un ralliement des forces populaires et républicaines autour d'un monument public. Le 19 novembre 1899, le journal *La Petite République* invita les Parisiens à se rendre à l'inauguration, place de la Nation, du *Triomphe de la République* en bronze. Un immense cortège rassemblant socialistes, francs-maçons, membres de la Ligue des droits de l'homme et représentants de tous les corps de métiers défila... Le passionnant reportage qu'en fit Charles Péguy évoque les cris "Vive Jaurès ! Vive Zola ! Vive Dreyfus !", puis la découverte du monument : "saisis devant la république de Dalou [...] nous crions comme eux : *Vive la République !*, spontanément jailli à l'aspect du monument [...]. La République triomphante, levée sur sa boule, s'isolait très bien de ses serviteurs et de ses servantes. Nous l'acclamions, nous la voyions seule et haute, et nous passions au pas accéléré, car il fallait que le fleuve de peuple coulât[34]."

S'il se démarquait d'un art monumental conventionnel, Jules Dalou, admirateur de la statuaire du Grand Siècle, n'en utilisa pas moins un langage plastique codifié de longue date, une allégorie didactique, autant de références à un mode de représentation connu d'un large public. Sculpteur "engagé", républicain et communard, Dalou, au contraire de Rodin, avait fait le choix de mettre une sculpture de conception profondément démocratique au service de ses convictions politiques et de développer une esthétique accessible au plus grand nombre.

L'image de Rodin façonnée par la presse fut donc double et contradictoire. Les journalistes ne cherchèrent que rarement à rendre compte d'un "vrai" Rodin ; ils brossèrent davantage un portrait qui confortait leur propre représentation de l'artiste dans la société, faisant du sculpteur un modèle ou un personnage scandaleux selon leurs affinités personnelles. Ainsi s'est probablement construite cette double représentation quasi mythique :

– celle d'un antidreyfusard intimement convaincu, peut-être même antisémite[35], soucieux de protéger son indépendance politique et sa liberté de travail, s'excluant de tout mouvement collectif ou prise de position publique ;

– celle d'un représentant de l'avant-garde esthétique, ayant su s'entourer d'"intellectuels" socialisants ou anarchisants et participant à la tentative de rapprochement, née de l'affaire Dreyfus, entre intellectuels et monde ouvrier qui ouvrit les voies à un socialisme d'éducation. Si les université populaires furent l'une des créations les plus marquantes[36] de ce mouvement, le projet de monument au travail auquel Rodin s'attela dès l'automne 1898 fait, lui aussi, écho à ces préoccupations. Hélas, cette *Tour du travail* qui devait rendre hommage à tous les métiers (du mineur[37] à l'artiste, au philosophe et au poète) resta dans l'atelier à l'état de maquette.

Cette double interprétation de l'artiste rappelle celle que l'on a pu faire de Balzac à la même époque. Si Charles Maurras définissait l'auteur de *La Comédie humaine* comme "royaliste et catholique[38]", d'autres lecteurs s'attachèrent à trouver dans son œuvre des signes avant-coureurs de l'analyse marxiste de la société. Rodin ne conservait-il pas dans sa bibliothèque un exemplaire dédicacé du *Balzac socialiste* de Robert Bernier (1892) ?

Cependant, ni l'une ni l'autre de ces lectures ne sont véritablement satisfaisantes[39] : le silence de Rodin, la fidélité incroyable de ceux qui avaient bien des raisons de l'abandonner, la maladresse de ses prises de position... sont autant d'éléments qui nous confirment l'impossibilité de le ranger dans un camp bien défini et qui laissent penser qu'il ne se sentit probablement jamais de "ce monde-là".

"L'affaire du *Balzac* de Rodin, comme l'affaire Dreyfus, révéla les fractures d'une société en cours de transformation. Les canons universels, moraux et esthétiques, des normes généralement admises subissaient les coups offensifs de forces nouvelles. Un procès d'atomisation affectait l'ensemble du corps social. Le monde intellectuel et artistique n'y échappait pas, plaçant en avant les valeurs du génie individuel au détriment des valeurs organicistes qui, encore insuffisamment ébranlées par la Révolution française, avaient présidé jusqu'alors[40]."

Aux côtés d'Ernest Lavisse et de Marcelin Berthelot, Pascal Ory[41] range Rodin. Ces trois figures emblématiques des Lettres, des Sciences et des Arts, refusant de choisir, prêchèrent jusqu'au bout "l'Union". Cette position minoritaire, qui ne leur valut que rebuffades des deux côtés, fut un échec. Les trois "patriarches" se "signalèrent en l'Affaire par leur silence assourdissant".

Le silence de Rodin, ses admirateurs tentèrent parfois de l'expliquer sans le trahir et, pour cela, racontèrent son œuvre. Stuart Merrill y découvrit même une philosophie : "Rodin est un grand poète de la douleur, non pas de la douleur résignée qui se plie en attitudes molles, mais de celle dont le front défie le ciel. [...] Parfois, plus redoutable, elle se concentre en le silence, et ne s'exprime que par la crispation intolérable des muscles[42]."

Et Eugène Carrière, dans un hommage rendu à son vieil ami, conclut : "L'esprit généralisateur de Rodin lui a imposé la solitude. Il n'a pu collaborer à la cathédrale absente ; mais son désir d'humanité le relie aux formes éternelles de la nature[43]."

L'ami fidèle, l'admirateur profond et délicat excuse ce que certains ont appelé désertion et invoque le sublime.

Pourtant le monde et la société sont bien là, mais Rodin sans les esquiver cherche réponse à d'autres questions. On pense à la fameuse formule de Zola s'adressant à Paul Alexis : "Eh bien, mon vieil ami, vous voilà donc lancé sur la mer orageuse de la politique... Qui aurait dit ça de nous, si dédaigneux de la rue sur notre roc littéraire[44] ?"

La réponse de Rodin, c'est celle de Balzac... du *Balzac*.

"Je ne me bats plus pour ma sculpture. Elle sait depuis longtemps se défendre par elle-même. [...] Je l'affirme donc très nettement : le *Balzac* fut pour moi un émouvant point de départ, et c'est parce que son action n'est pas limitée à ma personne, c'est parce qu'il constitue, en soi, un enseignement et un axiome que l'on se bat encore sur lui et qu'on se battra encore longtemps[45]."

1. Remarquant que la polémique autour d'une œuvre d'art ne reste jamais purement esthétique, Antoinette Ehrard compare les discours tenus à propos du *Balzac* et ceux relatifs à la création du musée Rodin (*cf.* Antoinette Ehrard, 1985, pp. 65-74).
2. "La question du Balzac", *Le Jour*, 3 mai 1898.
3. Georges Rodenbach, "Une statue", *Le Figaro*, 17 mai 1898.
4. Mathias Morhardt, 1934, p. 485.
5. Jules Claretie, "La vie à Paris", *Le Temps*, 5 mai 1898.
6. "Le Syndicat Rodin", *Le Cri*, 29 mai 1898.
7. Jean Rameau, poète et romancier prolifique, souvent ridiculisé par Octave Mirbeau, recevra en guise de réponse une citation dans le long article "*Ante Porcos*" (*Le Journal*, 15 mai 1898) : "'La statue ! la statue ! la statue !' crient, hurlent, tempêtent ces gloires considérables et bien françaises, qui répondent en bloc au nom de M. Jean Rameau... Est-ce que M. Jean Rameau est

troublé, lui, quand il écrit un livre – si j'ose m'exprimer ainsi – et des vers – si l'on peut dire !"
8. Notons l'absence d'un antisémitisme déclaré qui s'exprimait avec tant de vigueur dans le journal catholique *La Croix*, mais dont l'importance dans l'antidreyfusisme est relativisée par l'historiographie récente (*cf.* Philippe Levillain, "Les catholiques à l'épreuve : variations sur un verdict", *in* Pierre Birnbaum, *La France de l'affaire Dreyfus*, Paris, Gallimard, 1994, pp. 411-450).
9. Allusion à la commande de *La Porte de l'enfer* (en 1880) pour un futur musée des Arts décoratifs qui ne vit jamais le jour.
10. Une note de René Chéruy, secrétaire de Rodin, peut éclairer cette affirmation : "Rodin avait un nez assez proéminent – on en fit un juif – et comme certains avaient entendu dire qu'il avait résidé en Belgique, on en fit un juif belge – ce qui me fut personnellement dit" (*Notes manuscrites*, non datées ; arch. musée Rodin).

11. Ces allusions rappellent les insultes reprises par une certaine presse à l'issue du procès Zola : "le métèque", l'employé de Dreyfus, Labori "cet avocat d'origine germanique marié à une Juive anglaise", Picquart "divorcé dont les enfants sont élevés en Allemagne" (Jean-Denis Bredin, *L'Affaire*, Paris, Julliard, 1983, p. 252).
Quant aux insinuations portées sur l'entourage de Rodin, on devine facilement comment les nombreux amis belges du sculpteur (pour beaucoup, dreyfusards) purent être facilement pris pour cible, mais qui sont ces Allemands ? L'origine suisse de Mathias Morhardt pouvait-elle être travestie en une appartenance au peuple ennemi ?
12. Un des arguments les plus employés par les antidreyfusards était la nécessité de se préserver du doute pour assurer la sécurité de la France : "si on met en cause la justice militaire et l'armée, 'arche sainte' de la patrie, on affaiblit la cohésion nationale face

à l'étranger" (*cf.* Maurice Agulhon, *La République 1880-1932*, Paris, Hachette, 1990, p. 148).

13. "Pall-mall semaine", *Le Journal*, 30 mai 1898 par Raitif de la Bretonne, pseudonyme de Jean Lorrain, écrivain décadent et romancier mondain, antidreyfusard – cité par Anne Pingeot, "Rodin et Mirbeau", *Colloque Octave Mirbeau* (Crouttes), Paris, Demi-Cercle, 1994, p. 124.

14. G. d'Azambuja, "Balzac et Dreyfus", *L'Univers et le Monde*, 1er septembre 1898.

15. Arsène Alexandre, 1898, p. 21.

16. *Cf.* annexe 3, p. 186.

17. Edmond Bigand-Kaire à Rodin, 29 mai 1898 ; arch. musée Rodin.

18. *Cf.* liste des souscripteurs, pp. 187-192.

19. Le journaliste de *La Petite République* fait probablement allusion aux portraits que Marquet de Vasselot avait fait du pape.

20. Camille de Sainte-Croix, *La Petite République*, 3 août 1898.

21. Charles Maurras, "L'avenir des conservateurs", *Le Soleil*, 24 août 1900.

22. *La Gazette de France*, 27 novembre 1900.

23. *La Revue naturiste*, 28 janvier 1901 ; cité par Rose Marie Martinez, 1993, p. 120.

24. *Le Journal du Midi*, 27 juin 1900.

25. Octave Mirbeau, *La Plume*, 1er juin 1900.

26. Pierre Michel et Jean François Nivet, *Octave Mirbeau, L'imprécateur au cœur fidèle*, Paris, Séguier, 1990, pp. 406-408.

27. Rodin à Gabriel Mourey, 15 décembre 1904 ; arch. musée Rodin, L. 329 ; *cf.* Rodin, *Correspondance*, t. II, 1986, pp. 141-142.

28. Ch. Demailly, "Le livre d'or de la mission Marchand", *Le Gaulois*, 28 mars 1900.

29. "Son activisme qui devait un jour être fatal au gouvernement, partait du constat que l'esprit conservateur, religieux, souvent nostalgique d'autoritarisme, avait fait prime dans l'armée et brimé les officiers républicains, et qu'il y avait lieu d'y faire contrepoids. Aux anciens réseaux d'influence et d'information bien-pensants, il voulut donc opposer ou substituer ceux, autrement orientés, de la franc-maçonnerie, chose qui choquera à bon droit sous le 'nom d'affaire des fiches'"

(*cf.* Maurice Agulhon, *La République 1880-1932*, Paris, Hachette, 1990, pp. 172-173).

30. *Le Siècle*, 31 mai et 1er juin 1901.

31. Cet article valut à Charpentier une très longue réponse de Charles Maurras dans *La Gazette de France*, le 1er octobre 1903.

32. Armand Charpentier, "Pour la lumière", *L'Action*, 26 décembre 1903 ; et "Avec ou sans renvoi ?", *L'Action*, 9 décembre 1903.

33. Armand Charpentier, "Lettre d'Esterhazy au général Florentin", *L'Action*, 15 janvier 1905.

34. Charles Péguy, "Le Triomphe de la République", *Cahiers de la Quinzaine*, 1re série, Paris, Gallimard, Pléiade, t. I, 1959, pp. 299-318.

35. Dans sa biographie de Rodin, Frederic V. Grunfeld (1988, p. 416) signale l'existence du témoignage ("Rodins Balzac", *Verdens Gang*, Oslo, n° 177, 12 juillet 1898) du peintre norvégien Christian Krohg, ami intime de Fritz Thaulow. Il rencontra Rodin en 1898 et affirma qu'il était "antidreyfusard et antisémite à tout crin". Même après sa réhabilitation, le sculpteur aurait refusé d'admettre l'innocence de Dreyfus.

36. *Cf.* Madeleine Rebérioux, "De l'art industriel à l'art social : Jean Jaurès et Roger Marx", *Gazette des Beaux-Arts*, t. CXI, n°s 1428-1429, janvier-février 1988, pp. 155-158.

37. René Chéruy, secrétaire de Rodin, consigne ce propos du sculpteur : "Germinal – J'ai un jour visité une mine : je prétends que ces gens-là ont le droit de se permettre tout contre la société" (*Notes manuscrites*, non datées ; arch. musée Rodin).

38. Charles Maurras, "L'avenir des conservateurs", *Le Soleil*, 24 août 1900.

39. Pascal Ory rappelle qu'à cette époque, pas plus qu'à une autre, l'avant-garde esthétique ne se confondit avec l'avant-garde politique. Il prend pour exemple le monde musical : "Vers 1900 la modernité musicale se nomme Claude Debussy, mais l'engagement social Alfred Bruneau, compositeur attitré d'Émile Zola, alors au sommet du *cursus honorum* musical de l'époque" (Pascal Ory, "Modestes considérations sur l'engagement de la société culturelle dans l'Affaire Dreyfus",

in Michel Denis et al., *L'Affaire Dreyfus et l'opinion publique en France et à l'étranger*, Rennes, Presses universitaires de Rennes, 1995, p. 42). Il est intéressant de noter que ces deux compositeurs se retrouvent ensemble dans la souscription pour le *Monument à Balzac* : personnage contradictoire, Rodin réunit les contraires !

40. Christophe Prochasson, *Les Années électriques*, Paris, La Découverte, 1991, p. 38.

41. Pascal Ory, *op. cit.* note 37, p. 46.

42. Stuart Merrill, "La philosophie de Rodin", *Auguste Rodin et son œuvre*, Paris, éditions de "La Plume," 1900.

43. Eugène Carrière, *Les Maîtres Artistes*, 15 octobre 1903.

44. Émile Zola à Paul Alexis, 11 décembre 1898.

45. *Le Matin*, 13 juillet 1908.

Annexe 1

Lettre de Charles Maurras à Mathias Morhardt, 14 mai 1898 ; citée intégralement dans "La bataille du Balzac", *Mercure de France*, 1934, pp. 477-478.

Mon cher confrère,

J'approuve le principe d'une protestation, et je m'associerais volontiers à la vôtre, s'il m'était possible d'en nuancer les termes.

1° Je ne suis pas des "Amis de Rodin", et je n'ai même pas l'honneur d'être en relation avec lui. 2° Je ne peux non plus me ranger au nombre de ses "admirateurs" professionnels, bien que toutes ses œuvres ne m'aient pas laissé indifférent. 3° Il faut bien que l'ordre du jour de la Société des Gens de Lettres ne soit pas "sans importance", même "artistique", puisqu'il rend nécessaire une protestation. 4° Je doute qu'il y ait sujet d'"encourager" Rodin. Je ne suis pas bien sûr que son œuvre, son effort méritent de la "sympathie". La sympathie n'est d'ailleurs pas toujours un encouragement, étant quelquefois le contraire. — Considération, curiosité, impatience, et parfois même une admiration contrainte et consternée, voilà les sentiments que j'éprouve près de Rodin. Ce n'est point de ma faute s'ils ne ressemblent guère au religieux, au liturgique enthousiasme que vous formulez. Je n'en suis pas le maître.

5° Vous savez aussi bien que moi que Rodin "a cessé" (au moins cette année-ci) "d'être" (s'il l'a jamais été) "de la part du public l'objet des égards et du respect". Peu d'artistes ont été aussi discutés, contestés et *blagués,* comme on dit familièrement. Je ne qualifie pas cette attitude du public, je la constate. Pourquoi feindre de l'ignorer ? La plupart des rédacteurs ou des signataires de la formule que vous me proposez, mon cher confrère, n'ont pas toujours été aussi respectueux pour les autorités. Ont-ils le projet d'instituer en faveur de M. Rodin quelque privilège ? En ce cas, je m'étonne que des amants si scrupuleux de la vérité politique et judiciaire sacrifient si facilement la vérité historique à des convenances, — une vérité qui ne peut blesser que l'amour-propre de l'artiste ou les intérêts des marchands ; des convenances d'ordre absolument privé, sujettes elles-mêmes à toutes les contestations ; car n'oublions pas qu'il s'agit ici de sentiments et de goûts, c'est-à-dire de ce qu'il y a de plus libre, de moins certain, de plus abandonné au plaisir individuel.

6° Enfin, ceux qui tiennent (comme je le fais) l'œuvre entière de Rodin pour sujette à de justes critiques ne sont pas disposés à trouver purement "admirable" sa carrière. Quant à la "probité", si "haute" soit-elle, je ne m'en fais pas juge, et c'est un point de vue auquel je n'ai jamais rêvé de juger les artistes.

Moyennant ces observations, que vous pourriez résumer à la suite de ma signature en ces trois mots : *sous certaines réserves,* je ne demande pas mieux que de vous donner l'adhésion que vous me faites l'honneur de solliciter. Le nom de Forain m'est une garantie expresse que votre démarche ne sera pas interprétée hors de son sens.

La conduite de la Société des Gens de Lettres me paraît absurde. Ces messieurs procèdent comme ces amateurs badauds qui veulent honorer de leur protection l'originalité et l'excentricité dans les arts en donnant des commandes à tous les novateurs, mais sous la condition tacite que ceux-ci feront des chefs-d'œuvre académiques. Il était simple de ne rien commander à Rodin. Rodin, choisi, l'on devait en subir les conséquences et les risques.

Dira-t-on que le refus de la Société est motivé par des considérations d'ordre politique ? Je ne crois pas qu'on dise cela, mon cher confrère : mais on dit tant de sottises ! Eh bien, fût-elle authentique, l'excuse serait encore à repousser ! La division du travail et la distinction des pouvoirs sont trop nécessaires, l'immixtion des artistes dans l'ordre de la politique est un trop ridicule fléau pour qu'on souffre que la politique soit, à son tour, mêlée à ces débats de l'ordre purement artistique.

Cordialement à vous,
CHARLES MAURRAS

Lucien Descaves, "À Rodin", *L'Aurore*, 1er juin 1898, première page, colonnes 1 et 2.

Annexe 2

À Rodin

Mon cher Rodin,

Je veux vous dire pourquoi vous ne trouverez pas mon nom ni celui de quelques-uns de vos amis ou de vos admirateurs, comme Georges Clemenceau, Jean Ajalbert, Ernest Vaughan etc... sur la liste des souscripteurs dont l'hommage et le concours pécuniaire sont, en ce moment, sollicités tout ensemble pour venger votre œuvre du dédain de la Société des Gens de Lettres.

Si nous nous abstenons, c'est dans votre intérêt, croyez-le bien et pour déférer (avec quel regret !) au désir plein de circonspection que vous avez exprimé à différentes reprises, depuis l'ouverture de la souscription.

Cette souscription, aussi bien, vous devez vous rappeler que je n'en acceptai pas le principe sans résistance.

Je pensais, je pense encore que l'opinion dictée à M. Lavedan par ses compères n'ayant aucune autorité, vous deviez n'en pas tenir compte, et, au lieu de donner dans le panneau, mettre tout simplement la Société des gens de Lettres en demeure de remplir ses engagements.

Mais un procès, même gagné d'avance, vous effrayait, et avec un noble désintéressement, qui n'étonne personne, vous aimiez mieux perdre la légitime indemnité matérielle d'un long et consciencieux travail que d'être importuné, Dieu sait pendant combien de temps, par les suites d'un inconcevable litige.

Vos amis n'avaient qu'à s'incliner. Ils s'y résignèrent d'autant plus volontiers que l'idée d'une souscription de rechange ayant reçu votre assentiment leur fournit bientôt une occasion meilleure de s'employer pour vous et de vous renouveler le témoignage de leur zèle et de leur dévotion.

Laissez-moi vous dire, mon cher Rodin, qu'ils y avaient quelque mérite. En effet, les promoteurs de cette nouvelle souscription étant par hasard, des amis et des partisans de Zola, quelques imbéciles de mauvaise foi ne manquèrent pas de transformer en manœuvre du "Syndicat" une manifestation purement artistique.

Mais quoi ! Ne faut-il pas, en tout, faire la part de la sottise humaine ? Il n'y avait qu'à hausser les épaules et à sourire de pitié. Les plus stupides et les plus basses insinuations ne découragèrent donc aucun de ceux qui se trouvaient être à la fois vos admirateurs et les admirateurs de Zola. Je vous avouerais même qu'ils mirent une sorte de coquetterie à vous apporter leur souscription.

Dame ! ils n'oubliaient pas que vous avez, naguère, refusé de vous associer aux hommages provoqués par la courageuse attitude de Zola, de ce Zola qui, président de la Société des Gens de Lettres, intervint toujours, sur l'heure, pour obtenir du Comité qu'il vous laissât la paix.

Mais, après tout, votre conviction pouvait différer de la nôtre. Vous étiez libre.

Je viens de relire les terribles chapitres du livre intitulé "Sous le sabre", dans lequel Jean Ajalbert fustige, à tour de plume, les prudents, les hypocrites et les lâches, dont la réserve calculée est plus révoltante à ses yeux – et aux miens – qu'une sincère hostilité.

J'ai aperçu votre nom dans cette triste compagnie et je me suis hâté de tourner la page, reconnaissant à l'auteur de tant d'œuvres admirables, parmi lesquelles la Porte de l'Enfer, le droit de vivre au-dessus de ce temps et de rester étranger à ces turpitudes.

Certes, je souffrais qu'on attribuât votre indifférence au seul désir de conserver, au Dépôt des marbres, les deux ateliers dont l'État vous concède gratuitement la jouissance. Je sentais, à cette pensée, redoubler mon estime pour ces savants, les professeurs de l'Université[1], qui ne redoutaient pas, eux, en affichant leur préférences, les rancunes actives du pouvoir. Certains y jouaient plus que leur fortune, plus que leur avancement : leur pain[2].

Pourtant, ils n'hésitaient pas à l'ôter de leur bouche afin de mieux crier : Justice ! Vous n'en êtes pas là. Votre art, s'il ne vous a pas enrichi, ce qui, d'ailleurs, est parfait, vous a donné, du moins, l'indépendance, une place enviable sur les sommets inaccessibles aux petites vengeances et aux dommages mortels.

N'importe. Je le répète, en tournant la page du livre d'Ajalbert, il me semblait imiter le fils de Noé tirant la couverture sur la nudité de son père.

Mais vraiment, c'est là tout ce qu'on pouvait attendre de nous et l'offense d'un cœur pusillanime comble aujourd'hui la mesure.

Alors, c'est vrai, Rodin, vous craignez d'être compromis, classé, enrégimenté, par des signatures qui sont, hélas ! les mêmes sur vos listes de souscription que sur les protestations en faveur de Zola ! Vous croyez, âme naïve, que le légendaire syndicat prolonge son existence pour vous la consacrer. Vous tremblez que ses soins ne vous soient funestes, ne détournent de vous les offrandes ou n'en dénaturent la signification, à telles enseignes que vous demandiez, l'autre jour, à un rédacteur de l'Aurore, de ne pas rendre compte d'un banquet que les sculpteurs vous ont offert ! Rodin vous nous affligez ; Rodin, vos précautions sont amères comme la cendre !

Vous ont-elles procuré du moins les précieux auxiliaires dont vous vouliez vous ménager les bonnes grâces ? Parlons-en !

Rochefort, dont vous convoitiez la recommandation, s'est déclaré contre vous, et le vieux Puvis de Chavannes, lui-même, a décliné sèchement la présidence d'honneur que votre comité le pressait d'accepter.

Tant il est vrai qu'on ne gagne rien à finasser et que la franchise et la décision sont qualités à mille autres pareilles.

Soyez donc satisfaits, mon cher Rodin : notre nom suspect ne dépréciera pas votre liste de souscripteurs.

Mais on va la publier, paraît-il, et je ne suis pas, malgré tout, sans inquiétudes…

J'ai peur que trop d'amis de Zola n'encombrent encore cette liste, et que vous ne succombiez sous le nombre.

Cependant, réfléchissez. Si ceux-là ne vous défendaient pas, si ceux-là n'avaient pas pris, avec leur générosité coutumière, l'initiative de la souscription, ô Rodin, je vous le demande, par qui seriez-vous soutenu ?

Descendez en vous-même, songez aux dévouements dont vous êtes entouré, comme des boucliers parant les coups qui vous sont destinés. Tant mieux pour vous s'ils ont déjà servi : leur usage est une garantie.

Mais surtout ne reniez personne, sinon vous feriez croire qu'il est plus facile d'avoir du génie que d'avoir du caractère et d'être un grand artiste que d'être un homme.

Lucien Descaves

1. L'intervention des universitaires est ce qui a le plus frappé les contemporains, habitués depuis l'Empire au spectacle d'une corporation tenue en laisse par le pouvoir. Les révisionnistes encouraient de réelles sanctions (pressions, suspensions) dont la presse rendit compte (par exemple *L'Aurore*, à plusieurs reprises au cours du mois de janvier). *Cf.* Christophe Charle, *Naissance des intellectuels 1880-1900*, Paris, Les Éditions de Minuit, 1990, pp. 170-172.

2. Parmi les savants les plus connus, on peut citer Émile Duclaux, Charles Friedel et Édouard Grimaux qui, le 25 janvier 1898, fut mis en congé de l'École polytechnique jusqu'à sa retraite.

Lettre de Mathias Morhardt à Rodin, Paris, 4 juin 1898 ; arch. musée Rodin.

Annexe 3

Mon cher Ami,

Quelle que soit la décision que vous allez prendre, permettez-moi de vous recommander de ne pas la déclarer. Vous savez à qui vous avez affaire. Vous savez que le <u>Figaro</u> est tout prêt à recueillir les confidences de ces messieurs : je vous en supplie, dites-leur simplement que vous enverrez, par écrit, votre réponse, lundi ou mardi après avoir vu vos amis, M. Fenaille, par exemple, ou M. Peytel qui méritent bien, je pense, qu'on les consulte. Cela importe beaucoup, parce qu'une note maladroite des journaux peut, en ce moment, vous faire le plus grand tort et, aussi le plus grand chagrin. Et vous savez, ou, du moins, vous ne savez pas assez combien votre repos et votre tranquillité me sont plus précieux que tout au monde !

En rentrant, ce soir, à la maison, je trouve les souscriptions de Thaulow, de Lhermitte, d'Ernest Carrière, et de Mr Natorp. Ce dernier envoie 1 000 francs. Tous sont enthousiastes, tous me disent combien ils vous aiment, combien ils sont heureux de s'associer à cette manifestation. Ah ! mon cher, mon grand ami, quelle peine vous leur ferez – et quelle déception sera la leur quand ils apprendront que vous avez préféré garder votre Balzac plutôt que de leur céder !

Je ne puis m'empêcher d'insister. Au risque de vous importuner, je sens que je dois insister. Songez que votre décision a, en ce moment, une importance considérable. Songez que si vous découragez vos amis, c'est vos adversaires qui en profiteront. Songez que ce refus que vous nous opposez aura l'air, pour les esprits malintentionnés, de l'aveu que vous la jugez mauvaise. Songez, enfin, que la tranquillité que vous croyez trouver, vous ne l'aurez pas, parce que, dès que votre décision sera connue, tous vos adversaires vont triompher avec le plus d'éclat possible.

Au contraire, en nous cédant le Balzac, vous n'avez plus ni lutte, ni inquiétude. C'est le comité qui devient responsable de tout. C'est lui qui fait les démarches qui sont nécessaires, s'il y a des démarches à faire. On vous a dit qu'on vous refuserait un emplacement : c'est un mensonge. Je vous jure que nous l'aurons quand nous voudrons. Mais ne l'eût-on pas, cet emplacement, en quoi en souffriez-vous ? Souffrirez-vous plus de garder cinq, dix ou quinze ans, le Balzac chez vous, en bronze ou en marbre, que de l'y garder en plâtre ? Souffriez-vous plus de sentir derrière vous cette belle manifestation de sympathie, que de penser que vous-même vous avez découragé ceux qui vous défendaient le mieux ? Est-ce que le doute est possible en cette circonstance ? Et même au prix d'un ennui n'y aurait-il pas lieu de faire quelque sacrifice ?

Cependant, cet ennui, j'affirme que vous ne l'aurez pas. Il n'y a pas d'inconvénient possible à accepter notre combinaison. Vous avez entendu notre discussion. On n'a pas apporté un seul argument qui valut quelque chose. La souscription est parfaitement légitime. Elle est faisable. Elle est faite. Il y a, pour vous, pour votre œuvre, pour votre tranquillité même, le plus sérieux inconvénient, le plus grave danger à la refuser.

Il y a, je le sais bien, vos craintes au sujet de l'affaire Dreyfus. Que voulez-vous que je vous dise à ce sujet ? Désirez-vous que je retire la souscription de Francis de Pressensé ? Ce serait cruel, mais je le ferais. Mais en réalité, il n'y a plus aucune confusion possible. L'article de Descaves a justement eu ce résultat de séparer nettement la cause du Balzac de celle de Dreyfus. Et tous les partisans les plus violents de Dreyfus, MM. Clemenceau, Ajalbert, Vaughan, Leyret, etc. se sont retirés. Donc, ne parlons plus de l'affaire Dreyfus. Elle n'a aucun rapport et n'en saurait avoir aucun avec le Balzac.

Je vous supplie, mon cher et grand Ami, de songer encore à tout cela. Il ne faut prendre aucune décision définitive qu'avec la plus extrême prudence. J'ai été très frappé après y avoir longuement réfléchi, de l'attitude de Me Cheramy. Il y avait quelque chose qu'il n'a pas voulu dire et qui n'est pas clair. Je ne sais quoi. Mais il est bien certain que je vous donne le bon conseil, le bon et le brave conseil, le conseil le plus simple, en vous disant : "Laissez le Balzac à vos partisans, à vos amis et à vos frères, qui vous le demandent ! Votre refus les peinerait injustement puisqu'ils n'ont d'autre tort que de vous aimer et de vous admirer."

Je suis naturellement très anxieux de connaître votre décision. D'autre part si contre mon espérance vous laissez le Balzac à Mr Pellerin, il convient qu'une note très prudente soit envoyée aux journaux. Au risque de vous importuner doublement je me propose donc d'aller à Meudon demain vers trois heures. Si vous avez quelque objection à faire à ce propos, soyez assez bon pour me faire téléphoner par Janvier au <u>Temps</u>. Le <u>Temps</u> a le numéro 10307. J'y serai à partir de dix heures.

Votre bien cordialement dévoué,
Mathias Morhardt

Liste des souscripteurs de la pétition de 1898 nommés dans la presse et les correspondances conservées au musée Rodin (liste non exhaustive)

Dr	dreyfusard	MHenry	souscripteur au monument à Henry
MI	signataire des pétitions du *Manifeste des intellectuels*	LD	signataire du manifeste en faveur de Lucien Descaves (1889)
HZ	signataire de l'hommage des *Lettres françaises* à Zola	JG	signataire du manifeste en faveur de Jean Grave (1894)
HP	signataire des pétitions en hommage à Picquart (non exhaustif)	s	signature/souscription
ADr	antidreyfusard	†	décédé à cette date
Patr.F	membre de la Ligue de la Patrie française		

Nom prénom	dates	profession	1889	1894	pétition	souscript.	relais	1904	1908	1936
Adam Paul/*Entretiens pol. litt.*	1862-1920	h.lettres	Dr/MI/HZ	JG	s			comité		†
Aicard Jean	1848-1921	h.lettres				s		comité		†
Ajalbert Jean/*Gil Blas, L'Aurore*	1863-1947	avocat/journaliste	Dr/MI	LD	JG		s retirée	Geffroy		
Albert Henri		traducteur/h.lettres	MI		*La Plume*					
Alexandre Arsène	1859-1937	critique			comité			comité		
Alexis Paul	1847-1901	h.lettres	Dr/MI/HZ	LD	JG	s		†		
anonyme						100 F				
anonyme						200 F				
Antoine André/*Théâtre libre*	1858-1943	acteur/dir.théâtre	Dr			100 F	Mirbeau			
Bauër Henry	1851-1915	h.lettres	MI/HZ/HP	LD	JG	s				†
Becque Henry	1837-1899	auteur dramatique	LD		s	s		†		
Bérengier Théophile	1851-1923	peintre					Bigand-K.			†
Bergerat Émile	1845-1923	h.lettres/journaliste	LD	JG		20 F	Mirbeau			†
Bernard Valère	1860-1936	peintre/graveur/poète			*La Plume*		Bigand-K.			
Berthelot André	1862-1938				s			comité		
Besnard Albert	1849-1934	peintre			s	100 F	Mirbeau	comité	s	†
Bigand-Kaire Edmond	1847-1924	capitaine/collection.								†
Blanche Jacques-Émile	1861-1942	peintre			s				s	
Blunder André					s					†
Bourdelle Antoine	1861-1929	sculpteur			s			comité	s	†
Brissonneau Louis						s	Geffroy			
Bruneau Alfred	1857-1934	compositeur			s	s		comité		†
Caplain Pierre						s	Carrière			
Carabin Robert	1862-1932	sculpteur				s	Geffroy			†
Carpeaux Vve	1847-1908				s	œuvre Carpeaux				†
Carrière Ernest	1858-1908	peintre/sculpteur								†
Carrière Eugène	1849-1906	peintre	Dr		comité			comité	†	
Cazals F. A.	1865-1941	peintre		JG	*La Plume*					
Cézanne Paul	1839-1906	peintre				40 F	Geffroy		†	

Nom prénom	dates	profession		1889	1894	pétition	souscript.	relais	1904	1908	1936
Champsaur Félicien	1859-1934	h.lettres/journaliste			JG		s				†
Charles-Brun J.						*La Plume*					
Charpentier Alexandre	1856-1904	sculpteur	MI/HP				s			†	
Chausson Ernest	1855-1899	compositeur						Rodin	†		
Chéret Jules	1836-1932	peintre					s		comité		†
Clemenceau Georges/*L'Aurore*	1841-1929	h.politique/journaliste	Dr/HZ			s	s retirée	Geffroy			†
Clouet Maurice							s	Fontainas			
Colleville, vicomte de		h.lettres				*La Plume*					
Court Jean						*La Plume*					
Courteline Georges	1858-1929	auteur dramatique	MI/HP	LD		s					†
Cros Henry	1840-1907	sculpteur				s				†	
Curnonsky Maurice	1872-1956	h.lettres/journaliste				*La Plume*					
Danville Gaston							s	Fontainas			
Daudet Léon	1867-1942	h.lettres/journaliste	ADr				100 F	Mirbeau			
Davray Henry D.		h.lettres				*La Plume*					
Dayros Jean						*La Plume*					
Debussy Claude	1862-1918	compositeur				s				s	†
Delaigue Auguste						*La Plume*					
Desbois Jules	1851-1935	sculpteur	MI/HP			s	s		comité	s	†
Descaves Lucien	1861-1949	h.lettres/journaliste	Dr		JG		s retirée				
Deschamps Léon/*La Plume*	1864-1949	journaliste/rédac.chef				*La Plume*	s				
Dolent Jean	1835-1909	h.lettres/journaliste			JG		s	Carrière		s	†
Donnay Maurice	1859-1945	auteur dramatique					s				
Dubut de Laforest J. Louis	1853-1902	h.lettres					s		†		
Dufour J.						*La Plume*					
Dumur Louis	1860-1933	h.lettres/journaliste			JG	*La Plume*					†
Duret Théodore	1838-1927	critique					100 F	Mirbeau			†
Ernault Louis	1865-?	licencié droit/h.lettres					s				
Fargue Léon-Paul	1876-1947	artiste/poète			JG	*La Plume*					
Fasquelle G.							100 F	Mirbeau			
Fenaille Maurice	1855-1937	industriel/collection.					1 000 F	Mirbeau	s		
Flandrin Jules	1871-1947	artiste					s				
Floury H.		éditeur					s	Geffroy			
Focillon Victor	1849-1918	graveur/peintre	MI				s	Geffroy			†
Fontainas André	1865-1948	poète/journaliste					s				20 F
Forain Jean-Louis	1852-1931	caricaturiste/illustrat.	Patr.F			c/Rodin	50 F	Rodin			†
Fort Paul	1872-1960	poète	MI/HZ/HP	JG		s					

Nom prénom	dates	profession		1889	1894	pétition	souscript.	relais	1904	1908	1936
France Anatole	1844-1924	h.lettres	MI/HP			s	s			s	†
Frémine Charles	1841-1906	h.lettres/journaliste				comité				†	
Gallé Émile (Nancy)	1846-1904	verrier/ébéniste	Dr/MI				50 F	Mirbeau		†	
Geffroy Gustave/*L'Aurore*	1855-1926	h.lettres/journaliste	Dr/MI/HZ	LD	JG	comité	s		comité		†
Ghéon Henri	1875-1944	poète dramatique					s	Fontainas			
Gide André/*Revue blanche*	1869-1951	h.lettres	MI/HP				s	Fontainas			
Godet Robert							s				
Gorodichze Dr							100 F				
Groux Henry de					JG		s				
Guérin Charles	1875-1939	peintre				La Plume					
Guitry Lucien	1860-1925	acteur	Dr			s	500 F	Mirbeau			†
Haquette Maurice	1853-?	admin./photographe						Morhardt			
Harrison Th. Alexander (Long Island)	1853-1930	peintre/collection.					s				†
Hepp Alexandre	1857-1924	h.lettres/journaliste					s				†
Hérold Alph.-Ferdinand/*R.blanche*	1865-1940	h.lettres	MI/HZ/HP		JG		s	Fontainas			
Herr Lucien	1864-1926	Biblioth.ENS	Dr/MI/HP				s	Geffroy			†
Hollande Eugène	1866-1931	h.lettres					s				†
Holme Charles/*Studio*	1848-?	journaliste/prof.Bx-Arts						Mourey			
Huguet Almire		sculpteur									
Indy Vincent d'	1851-1931	compositeur	Patr.F			s					†
Jaubert Ernest	1856-1942	m.pédag/poète/libret.					s				
Jedlinski Paul		critique						Le Figaro			
Jourdain Frantz	1847-1935	architecte/h.lettres		LD		s	50 F	Mirbeau	comité	s	†
Journal (Le)							200 F	Mirbeau			
Julia Édouard Dr/*Le Temps*	1873-1933	journaliste					20 F				†
Karageorgévitch G., prince (Russie)							20 F				
Kleinmann Albert							s	Geffroy			
Lacour Léopold	1854-1939	h.lettres/journaliste	HZ				s				
La Jeunesse Ernest	1874-1917	h.lettres					20 F	Mirbeau			†
Léautaud Paul	1872-1956	h.lettres			JG	La Plume					
Lebasque Henri	1865-1937	peintre					s				
Lecomte Georges	1867-1958	h.lettres/critique	MI			comité	50 F		comité		1 000 F
Legros Alphonse	1837-1911	graveur/peintre					s				†
Lemonnier Camille (Belgique)	1844-1913	h.lettres	HZ				s	Fontainas	comité		†
Lenoir Marcel	1872-1931	peintre/fresq./graveur				La Plume					†
Lepelletier Edmond	1846-1913	h.lettres/journ./h.polit.					s				†
Lepère Auguste	1849-1918	peintre/graveur					s	Geffroy	comité		†

Nom prénom	dates	profession	1889	1894	pétition	souscript.	relais	1904	1908	1936
Leyret/*L'Aurore*		journaliste	Dr			s retirée				
Lhermitte Léon Augustin	1844-1925	peintre/graveur				s				†
Louis Désiré						s	Geffroy			
Louÿs Pierre	1870-1925	h.lettres/poète	MHenry		s	s			s	†
Luce Maximilien	1858-1941	peintre	HP	JG	s					20 F
Lugné-Poë	1869-1940	acteur	MI/HP		s	s				
Maël Pierre	1862-1905	h.lettres				s		comité	†	
Maeterlinck Maurice/ *La Plume* (Belgique)	1862-1949	avocat/h.lettres	HZ					comité		
Maillard Léon/ *Le Parisien de Paris* (dir.)		journaliste/critique			La Plume					
Maillol Aristide	1861-1944	sculpteur			s					1 000 F
Maison des Arts (Bruxelles)						s	Fontainas			
Mallarmé Stéphane/*R. blanche*	1842-1898	h.lettres	Dr			s		†		
Marthold Jules de					La Plume					
Marx Roger	1859-1913	h.lettres/critique	Dr			s				†
Masseau Fix	1863-1937	peintre/sculpteur				s				
Matout Paul					La Plume					
Mauclair Camille	1872-1945	critique	MI/HZ	JG	s					20 F
Maufra Maxime	1861-1918	peintre				s	Geffroy			†
Maurras Charles	1868-1952	h.lettres	MHenry		s					
Maus Octave (Belgique)	1856-1919	avocat/critique				s	Fontainas	comité		†
Meillet Antoine	1866-1936	linguiste/Coll.France				s				
Mellerio André						s				
Ménard-Dorian (M. &) Aline	1846-1907	salon	MI/HP			s	Geffroy		†	
Mendès Catulle	1841-1909	h.lettres		JG	s	100 F	Mirbeau			†
Meunier Constantin (Belgique)	1831-1905	sculpteur			s	50 F		comité	†	
Millandy Georges					La Plume					
Millerand Étienne Alexandre	1859-1943	h.politique				s	Geffroy			
Mirbeau Octave/*Revue blanche*	1848-1917	h.lettres/journaliste	Dr/MI/HZ/HP	JG	comité	500 F	Mirbeau			†
Monet Claude	1840-1926	peintre	Dr/MI			s	500 F	Mirbeau	comité	s	†
Montaland F. de					La Plume					
Montégut Maurice		h.lettres/journaliste	MI/HZ							
Montesquiou-Fezensac R., comte de	1855-1921	h.lettres				s		comité		†
Moréas Jean/*Mercure, La Plume*	1856-1910	poète			La Plume				s	†
Moreau-Nélaton Étienne	1859-1927	peintre/hist./collection.				s		comité		†
Morhardt Mathias	1862-1939	h.lettres/journaliste	MI/LDH/HP							

Nom prénom	dates	profession	1889	1894	pétition	souscript.	relais	1904	1908	1936
Morice Charles	1860-1919	h.lettres/critique		JG		s			s	†
Mouliérat Jean (Castelnau)		chanteur Opéra				s				
Mourey Gabriel	1865-1943	h.lettres/critique	MI	JG		s		comité	s	
Muhlfeld Lucien/*Revue blanche*	1870-1902	secr.rédac./critique	Dr			20 F	Lecomte	†		
Mullem Louis	1836-1908	h.lettres		LD		s	Cladel ?			†
Natorp Gustav (Londres)	1836-?	sculpteur				1 000 F				
Ner Henri		h.lettres			*La Plume*					
Niederhausern, Auguste *dit* **Rodo**	1863-1913	sculpteur			*La Plume*					†
Nion François de/*Revue blanche*		h.lettres		LD		s				
Pellerin Auguste						s				
Peltier Paul					*La Plume*					
Peytel Joanny	1844-1924	h.d'affaires				s ?				†
Picard Edmond (Belgique)	1836-1924	avocat/h.lettres/h.polit.				s	Fontainas			†
Pissarro Camille	1830-1903	peintre	Dr/MI			s	Geffroy	†		
Poetsch					*La Plume*					
Poilpot						50 F	Mirbeau			
Pressensé Francis de/*L'Aurore*	1853-1914	journaliste/h.politique	MI/HZ/LDH/HP		comité	s				†
Prouvé Victor (Nancy)	1858-1943	grav./sculpt./décor.	Dr			s				
Quinton René	1867-1925	prof.Coll.France				1000 F				†
Raffaëlli Jean-François	1850-1924	peintre				s	Geffroy			†
Rambosson Yvanhoé		critique			*La Plume*					
Rassenfosse Armand	1862-1934	peintre			*La Plume*					†
Raynaud Ernest					*La Plume*					
Rebell Hugues/*Revue blanche*		h.lettres				s				
Redonnel Paul/*La Plume*		secr.rédaction			*La Plume*					
Régnier Henri de	1864-1936	poète		JG	*La Plume*	s	Fontainas			
Remacle André						s				
Renard Georges/*La Petite République*	1847-1930	journal./syndical./prof.				s				†
Renard Jules/*Revue blanche*	1864-1910	h.lettres	MI/HP	JG	s					†
Renoir Pierre Auguste	1841-1919	peintre	ADr/Patr.F			100 F			s	†
Richardin Édouard						s	Geffroy			
Riotor Léon	1865-1946	h.lettres/h.polit.			*La Plume*					100 F
Rochefort Henri	1831-1913	journaliste	MHenry		c/Rodin			Rodin		†
Rodenbach Georges	1855-1898	h.lettres				s	†			
Roger-Milès Léon	1859-1928	journaliste/critique								†
Roll Alfred	1846-1919	peintre	Dr				Geffroy	comité		†

Nom prénom	dates	profession		1889	1894	pétition	souscript.	relais	1904	1908	1936
Rollinat Maurice	1846-1903	poète/musicien							†		
Romain Louis de, comte (Angers)		Comité Concerts pop.					s				
Rondeau Gaétan (Nantes)		avocat/h.lettres	MI			La Plume					
Rondel Auguste							100 F	Mirbeau			
Ronneil Nordia							s				
Rops Paul						La Plume					
Rosso Medardo (Italie)	1858-1928	sculpteur					s				†
Rousseil Mlles							s				
Saint-Jacques								Bigand-K.			
Saussay Victorien du		h.lettres				La Plume					
Segard Achille		journaliste/critique				La Plume					
Séverine/*L'Aurore*	1855-1929	f.lettres/journaliste	HZ/HP	LD			s		comité		†
Signac Paul	1863-1935	peintre	MI		JG		s				†
Sisley Alfred	1839-1899	peintre					s	Geffroy	†		
Socaud E.						La Plume					
Street Georges					JG			Geffroy			
Stroheker		ext.hôpitaux Paris	MI				s				
Surand Gustave	1860-1937	peintre									
Tailhade Laurent/ *La Plume, Mercure*	1854-1919	h.lettres	MI/HZ/HP		JG		s				†
Tailhède Raymond de la						La Plume					
Thaulow Fritz (Norvège)	1847-1906	peintre/graveur/h.lettres					s			†	
Thiercelin Jules		fac. Médecine	MI			La Plume					
Toudouze Gustave	1847-1904	h.lettres					s		comité	†	
Toulet Paul-Jean	1867-1920	h.lettres				La Plume					†
Toulouse-Lautrec Henri Marie de	1864-1901	peintre					s		†		
Turquet Edmond	1836-1914	h.politique/journaliste					s		comité		†
Valette Alfred/ *Mercure de France* (fondateur)		directeur presse			JG		s		comité		
Vallgren Ville (Finlande)	1855-1940	sculpteur					s				
Van Bever Adrien						La Plume					
Vaughan Ernest/*L'Aurore*	1841-1929	directeur presse	HZ/HP				s retirée	Geffroy			†
Verhaeren Émile (Belgique)	1855-1916	poète	HZ				s	Fontainas	comité		†
Vielé-Griffin Francis/ *Revue blanche, Entretiens pol. litt.*	1864-1937	poète	Dr				s	Fontainas			
Viviani René	1863-1925	h.politique					s	Geffroy			†
Waquez Dr							s	Carrière			
Xau F		journaliste					100 F	Mirbeau			

"Il est là, toujours, comme un fantôme"

XI

Hélène Pinet

Tout commence par une photographie en 1898. C'est dans les pages du journal de Milwaukee, qui comme la presse européenne développe la polémique opposant Rodin à la Société des gens de lettres, qu'Eduard Steichen, alors simple ouvrier lithographe, découvre l'objet du scandale. La photographie du *Balzac* provoque un choc si fort qu'elle lui paraît l'œuvre la plus extraordinaire qu'il ait jamais vu : "Ce n'était pas seulement la statue d'un homme ; c'était la véritable incarnation d'un hommage au génie. On aurait dit une montagne prenant vie. Il éveilla mon envie d'aller à Paris où des artistes de la stature de Rodin vivaient et travaillaient[1]", écrira-t-il quelques années plus tard.

La rencontre sera décisive ; dès lors, Steichen va parcourir au pas de charge le chemin qui mène de l'anonymat à la célébrité. En 1908, c'est à lui que Rodin s'adresse quand, après dix ans de silence, il décide de lancer une grande campagne photographique autour du *Balzac*. Le résultat dépasse de très loin le simple travail de commande. Rodin considérait le *Balzac* comme la résultante de toute sa vie, le pivot même de son esthétique[2]. Steichen avec l'interprétation exceptionnelle qu'il en donne atteint les sommets de la photographie pictorialiste et lie définitivement leurs trois noms.

Revenons à Milwaukee en 1898. Le jeune homme, après quatre ans d'apprentissage, vient d'entrer dans la vie professionnelle. Parallèlement à son travail de lithographe, il peint, photographie et dévore tout ce qui concerne l'art à la bibliothèque municipale[3]. Il se passionne plus particulièrement pour les revues de photographie où il trouve un écho à ses propres recherches artistiques. En effet, les années 1890 voient apparaître le premier mouvement esthétique en photographie : le pictorialisme qui, par sa façon d'exploiter diverses techniques pour retravailler l'image au développement, impose la photographie comme un art à part entière. Des associations fleurissent : le Linked Ring en Angleterre, Die Photographische Rundschau en Allemagne, le Photo-Club de Paris en France et la Photo-Sécession aux États-Unis. Si un même but les anime, deux conceptions les divisent, pour certains l'art photographique repose sur la spécificité du médium, pour les autres au contraire sur une exploitation plastique de l'image. Partout les photographes s'organisent comme les peintres et les sculpteurs l'avaient fait avant eux, et en 1898, le premier Salon d'art photographique de Philadelphie accueille les pictorialistes américains les plus avancés. Les photographies d'Alfred Stieglitz côtoient celles de Clarence H. White, Gertrude Käsebier, Fred Holland Day... en tout 259 photographies sont exposées. Steichen, qui travaille en amateur dans un laboratoire installé dans la maison familiale, voit dans cette manifestation une possibilité de présenter ses essais. Les tirages qu'il propose l'année suivante sont sélectionnés par le jury avec ceux d'artistes déjà confirmés.

Conforté par ce succès et animé depuis sa découverte du *Balzac* par le désir de traverser l'Atlantique, il abandonne en 1900 une situation devenue financièrement confortable pour réaliser son rêve. Un bref passage à New York avant de s'embarquer lui donne le temps de rencontrer Stieglitz, chef de file du mouvement pictorialiste, et de lui soumettre ses photographies et ses peintures. Séduit par l'enthousiasme et le travail du jeune homme, comme toutes les personnes qui vont le rencontrer, il l'encourage vivement. Cet appui n'est pas sans arrière-pensée : Stieglitz, qui a l'âme militante, ne perd pas de vue que le pictorialisme a besoin pour s'imposer de la caution d'artistes capables de s'exprimer dans ce double langage, photographie et peinture.

La première sortie parisienne de Steichen sera consacrée à l'exposition de Rodin, place de l'Alma, où il découvre ce qui l'avait attiré jusque-là comme un aimant : le *Balzac* en plâtre accueille les visiteurs au milieu de l'allée centrale du pavillon. Le sculpteur est là, dans un coin de la salle, mais il n'ose l'aborder. L'impatient jeune homme sait aussi attendre.

Installé, 83, boulevard Montparnasse, il mène de front une carrière de peintre et de photographe symbolisée par l'*Autoportrait avec brosse et palette* qui est une citation, reconnue et voulue, de l'*Homme au gant* du Titien[5]. Les deux médiums lui offrent une manière complémentaire de s'exprimer et il lui arrive de peindre et de photographier un même sujet. Il acquiert ainsi une position unique qui lui permet d'analyser les relations entre ces deux techniques. "J'ai quelque chose en tête que je dois formuler, avec votre aide, quelques pensées sur le Peintre et le photographe", écrit-il à Stieglitz[6]. À partir de 1901, il présente régulièrement ses tableaux au Salon de la Société nationale des beaux-arts, puis au Salon d'automne, et ses photographies au Salon de Chicago, à la Royal Photographic Society de Londres et à la galerie 291 à New York ; il arrive que peintures et photographies soient présentées en même temps[7]. Favorisant l'une plutôt que l'autre selon l'intérêt du moment, cette double activité se poursuivra jusqu'au début des années 1920.

C'est l'époque où Steichen entreprend la série de portraits qui va le faire connaître. Jusque-là il avait vécu sur ses modestes économies avec en tête l'idée de photographier quelques célébrités le jour où l'argent viendrait à manquer. Il reprend là une vieille recette qui avait fait ses preuves. Rodin avait dans ce même esprit fait les bustes de *Victor Hugo* et de *Rochefort*. Le photographe anglais Stephen Haweis écrit en 1903 au sculpteur : "étant donné le plaisir et la notoriété que nous trouvons dans l'exécution de vos travaux[8]". Steichen, si l'on se fie à ce qu'il écrit en 1901, est dès le début de sa carrière parfaitement conscient de sa qualité d'artiste : "Je sais parfaitement que tout ce que veulent ces gens photographiés c'est m'exploiter. Ça m'arrive tout le temps[9]." Cette année-là, il rencontre Rodin par l'intermédiaire du peintre norvégien Fritz Thaulow qui avait apprécié sa peinture[10]. Le sculpteur est à son tour séduit par la vitalité du jeune Américain et l'accepte pendant près d'un an dans son atelier où il réalise plusieurs portraits. Le journaliste Otto Grautoff est le premier a avoir saisi d'emblée ce qui plaisait à Rodin dans ces photographies : "Son œil est exercé aux charmes qu'éprouvait celui de son ami défunt Eugène Carrière dont il vénère l'art au plus haut point. Son jeune ami le peintre et photographe amateur E. Steichen l'a bien compris[11]."

"Peindre ou photographier, telle est la question[4]"

En 1902, Steichen retourne à New York où il ouvre un studio de portraits qui lui permet de vivre. Il trouve le temps de seconder Stieglitz à la galerie 291, qu'il souhaite ouvrir à toutes les formes d'art et plus seulement à la photographie. En 1906, il revient en France, cette fois avec femme et enfant[12]. "Je suis de plus en plus attaché à Paris. Il y a là plus de ressources, en dépit des habitants, que nous ne pourrions en trouver ailleurs[13]." Dès lors et jusqu'en 1914, Steichen vivra un pied sur chaque continent. Il se rendra chaque année à New York pour vendre, exposer, organiser les manifestations de la galerie 291 où il aimerait présenter les dessins de Rodin pour qui son admiration ne faiblit pas : "Je vous l'assure, il peut exprimer ses idées aussi bien en mots qu'en terre[14]." Kate Simpson, dont Rodin fait le buste en 1902, confirme cet attachement : "Il a pour vous (comme beaucoup d'autres personnes) une vraie idolâtrie[15]." Les deux artistes se voient régulièrement et quand une deuxième fille naît, tout naturellement Rodin est le parrain de la petite Kate Rodina, et Kate Simpson la marraine[16].

À l'automne 1908, Steichen reçoit un petit mot du sculpteur, ou de son secrétaire, le prévenant que le *Balzac* a été sorti et qu'il peut donc le photographier[17].

Paris – New York – Paris

Balzac

Rodin, qui depuis le début des années 1880 fait souvent photographier ses œuvres en cours d'exécution ou terminées, ne fait pas exception pour le *Balzac*.

La photographie commence par enrichir sa documentation sur l'homme de lettres : les reproductions de portraits peints ou gravés sont réalisés par des photographes restés anonymes (cat. 2, 5 et 7). Avec les tirages de Freuler nous avons l'impression d'entrer à l'improviste dans l'atelier et de pouvoir tourner autour de la robe de chambre de Balzac recouverte de plâtre (cat. 108 à 111). Enfin avec Druet, qui devient à la fin des années 1890 le photographe attitré de Rodin, les photographies prises au Dépôt des marbres et au Salon de 1898 expriment toute la puissance de l'homme de lettres (cat. 119, 134 et 135). À partir de cette date la photographie, et les photographes, vont être l'objet d'une grande attention de la part de Rodin, mais il semblerait que le *Balzac* ne soit plus un sujet prioritaire, au grand dam des journalistes et historiens qui souhaitent illustrer leurs articles. Par exemple, Bulloz, qui remplace Druet à partir de 1903, édite en 1904 un portfolio d'épreuves tirées au charbon inaltérable intitulé "L'œuvre de Rodin en 100 photographies", dans lequel le monument n'est représenté que par une *Tête de Balzac*.

Pourquoi une campagne photographique en 1908 ?

En 1908, le souvenir de "l'affaire" semble "tout juste assoupi[18]" dans l'esprit de Rodin. Que se passe-t-il pour qu'il déclenche, après dix années de rapport constant mais distant avec son œuvre, une grande campagne photographique du monument ?

La première inauguration, le 16 mai 1908[19], du musée Balzac est le début d'une série d'événements qui concourent sans doute à ce regain d'intérêt. À cette occasion, de nombreux articles paraissent dans la presse, tant au sujet de l'homme de lettres que de sa représentation par le sculpteur. Rodin, qui avait donné une maquette en plâtre du monument pour le musée, accorde une longue interview au *Matin* où il défend une nouvelle fois son travail[20].

Comme toutes les années, il participe au Salon de la Société nationale des beaux-arts. Les trois plâtres exposés – *Orphée*, *Triton et Néréide*, *La Muse Whistler* – font l'objet de violentes critiques dans la presse. Steichen, que l'on sent plein d'admiration, rapporte à Stieglitz : "Rodin a quelques grands plâtres épatants au Salon ! de vrais Rodin et la presse a réagi aussi violemment qu'il y a 10 ans[21]."

Il est probable que cette agitation incite Camille Lefèvre à proposer au sculpteur de présenter au Salon de 1909 non seulement le *Monument à Balzac*, mais toutes les étapes de sa réalisation[22]. Proposition qui restera sans suite.

Il faut ajouter une quatrième raison qu'il ne faut pas négliger : pendant des années, les journaux, les revues, et jusqu'aux ouvrages sont condamnés à publier les mêmes photographies puisque Rodin ne renouvelle pas l'iconographie concernant le *Balzac*. Les auteurs français et étrangers qui depuis la fin des années 1890 publient un très grand nombre d'articles et d'ouvrages, tous très illustrés, sur le sculpteur – Riciotto Canudo, Rainer Maria Rilke, Vittorio Pica, Paul Clemen, Otto Grautoff, pour n'en citer que quelques-uns –, sont tous à l'affût d'images différentes[23]. Il leur arrive de se plaindre de ne point trouver de photographies inédites et, surtout, de reproduction du monument entier[24].

Bulloz – Limet – Steichen

Pour ces multiples raisons Rodin convie tour à tour trois photographes, dans un ordre qui reste indéterminé. Un artiste déjà reconnu, Steichen, un professionnel de la reproduction d'œuvres d'art, Bulloz, et un amateur, le patineur de bronze Limet. Confronter son savoir-faire à une œuvre d'art scandaleuse est une sorte de défi que chacun va relever à sa manière.

À la lecture des différents témoignages il semble évident que le *Balzac* en plâtre n'était pas laissé en permanence à l'extérieur et que sa sortie était un événement : "Par une journée d'été claire et tiède, je montais la côte de Meudon et je me trouvais tout d'un coup au milieu d'une agitation générale. Rodin faisait sortir de son atelier de Meudon la statue imposante de *Balzac* pour la faire photographier par son ami le peintre Eduard Steichen. Une fois posée au bord de la colline, il me semble que la statue ne formait qu'une avec le sol. Elle se tenait là, enveloppée de cette atmosphère tiède, inondée de lumière comme le monument incarné du génie puissant et productif[25]."

Ce n'était pas la première fois que Rodin demandait à ses photographes de travailler en extérieur. Jacques-Ernest Bulloz avait photographié *Le Baiser* devant l'atelier du Dépôt des marbres et Haweis & Coles avaient réalisé une magnifique série de *La Méditation* dans l'allée de marronniers qui mène à la villa des Brillants[26].

Bulloz, sans doute après Steichen, réalise une série de prises de vue tournant autour du *Balzac* qu'il tire dans des tonalités différentes et, entre autres, dans un ton vert qu'il avait déjà utilisé pour d'autres œuvres de Rodin, mais qui, dans le cas du *Balzac*, évoque d'emblée le travail de Steichen (cat. 166 et 167). La référence est manifeste dans la mention inscrite dans un agenda de Rodin, au 24 octobre 1908 : "Bulloz photo. Envoie épr. Balzac au clair de lune à Lawton à Passy[27]." Il est difficile à la seule vue des images de savoir si le photographe de la rue Bonaparte a travaillé de nuit ou plutôt en fin de journée comme Haweis & Coles l'avaient déjà expérimenté. Ces deux artistes, qui appartiennent eux aussi à la sphère pictorialiste, affirmaient à Rodin : "c'est presque inutile pour nous de venir les matins ou les après-midis ce sont seulement les soirs qui donnent des résultats ronds[28]". Une autre fois ils suggéraient, dans un français maladroit : "Puisque les résultats sont mieux au coucher du soleil – nous préférions de travailler à cette heur[29]."

De la campagne de Jean-François Limet nous ne trouvons aucune trace dans la correspondance avec Rodin ou dans des notes d'archives. Ce patineur de bronze, qui travaille pour le maître à partir de 1900, fait des tirages à la gomme bichromatée (cat. 168 et 169). Cette technique remise à la mode par les pictorialistes permet d'intervenir sur l'image obtenue avec une liberté sans égale, elle donne un rôle important à la main qui peut estomper les contours et faire disparaître des pans entiers de l'image. Cet aspect manuel, la recherche de matière, de tonalités, évoquent les essais de patine qu'il devait faire dans son atelier[30]. En 1903, il écrit au sculpteur, qui semble apprécier le côté expérimental de la photographie : "Je vous ai laissé chez le concierge des épreuves photo épouvantables d'exécution mais vous m'avez dit que vous vouliez les voir toutes[31]."

Limet réalise une série de tirages dans de chaudes tonalités brunes sur un papier à grain, proches de ceux qu'il avait faits pour *Les Bourgeois de Calais*.

"Du coucher au lever du soleil"

Steichen va raconter de nombreuses fois, avec quelques variantes, cet épisode déterminant de sa carrière.

Depuis son installation en France en 1906, il est, a-t-on dit à juste titre, les yeux et les oreilles de Stieglitz en Europe. Les deux hommes s'écrivent régulièrement et les lettres que Steichen rédige souvent à chaud sont riches d'informations sur ses activités, ses rencontres et ses projets. Peu de temps après avoir travaillé à Meudon il écrit, enthousiaste comme toujours : "Ai photographié et peint le 'Balzac' de Rodin qu'il avait sorti en plein air et j'ai fait tout cela à la lumière de la lune – passant deux nuits entières du coucher au lever du soleil – c'était fabuleux. C'est une commande de sa part[32]." C'est la seule fois où il mentionnera deux nuits et la réalisation de tableaux.

Si l'on complète cette lettre au style télégraphique par deux autres textes rédigés beaucoup plus tard, son autobiographie et trois pages consacrées au *Balzac* qu'il a semble-t-il dictées à Grace Mayer, on obtient de façon assez précise le déroulement des opérations. Dans un premier temps il photographie le *Balzac* de jour. Mais Rodin, qui était "surpris lui-même de l'étrangeté de son œuvre[33]" la nuit, demande s'il ne serait pas possible de la photographier à la lumière nocturne. Le photographe a eu vent d'essais du même genre mais il avoue n'avoir jamais eu l'occasion d'en faire. L'idée le séduit d'autant plus qu'elle correspond à ses recherches picturales. Les titres de ses tableaux témoignent même d'une réelle obsession : *Autumn Night, Night Clouds, The Moon's Tinge, Yellow Moon*, etc. Déjà en 1901, il écrivait : "Quelle heure merveilleuse que le crépuscule quand les choses disparaissent et semblent se mêler les unes aux autres[34]." La critique ne manque pas d'ailleurs de faire des rapprochements entre sa production photographique et ses peintures, remarquant que le thème de la lumière nocturne sied parfaitement aux deux techniques.

Le jour dit, Rose, la compagne du sculpteur, leur prépare un délicieux repas et insiste pour que Rodin ouvre une bouteille de champagne. Il faut imaginer les deux hommes, Steichen a vingt-neuf ans, Rodin soixante-huit, aussi exaltés l'un que l'autre, attendant que l'obscurité tombe et que la lune se lève. Le photographe effectue une véritable danse autour de la sculpture pour trouver le bon point de vue, Rodin le suivant pas à pas[35]. S'inquiétant des temps de pose fort longs – entre une demi-heure et deux heures – que le photographe prévoit, Rodin fatigué finit par aller se coucher. Steichen reste seul, face à face avec la sculpture. Réaliser des prises de vue la nuit demande un certain savoir-faire et il est difficile d'imaginer qu'il se soit lancé dans une pareille aventure avec son appareil 6 x 8 sans avoir fait quelques essais au préalable. La mention de deux nuits de travail s'expliquerait ainsi : la première pour graduer les temps de pose, la seconde pour réaliser les clichés ; par la suite, seule cette dernière sera jugée digne d'être mentionnée[36].

Il œuvre toute la nuit, déplaçant son appareil selon la trajectoire de la lune. Enfin, les premières lueurs de l'aube venant, la statue se découpe "comme une silhouette devant la lune déclinante[37]". C'est la dernière pose et, curieusement, c'est la plus longue.

fig. 93
Liste des tirages du *Balzac* envoyés à New York pour l'exposition à la galerie 291, adressée par Eduard Steichen à Alfred Stieglitz en mars 1909 Yale University, Beinecke Library

Comme un scientifique qui enregistre les réactions d'une expérience à intervalles fixes, Steichen note le moment des prises de vue : elles s'échelonnent toutes les heures de 11 h du soir à 4 h du matin. L'exploit est tel qu'il intègre cette précision dans les titres qu'il donne aux trois tirages qui seront les plus souvent reproduits : *The Open Sky, 11. p.m.* (cat. 161), *Towards the Light, Midnight* (cat. 162), *The Silhouette, 4 a.m.* (cat. 165). Sur la liste qu'il envoie à Stieglitz, Steichen, pour éviter les confusions, indique la position de la sculpture : "Profile", "En face", l'heure de la prise de vue et parfois ajoute un petit croquis dans la marge (fig. 93)[38]. Malgré tout, il n'est pas aisé de déterminer avec certitude l'heure des autres tirages. Toujours d'après cette liste, la prise de vue de 1 h représente le *Balzac* devant les arbres, celle de 2 h est faite à l'aide d'un flash et sur celle de 3 h le *Balzac* est vu de face.

Après cette nuit blanche, Steichen s'endort jusqu'à 11 h du matin dans un pavillon qui jouxte l'atelier où un lit lui avait été préparé. À son réveil, il trouve sous la serviette de son petit déjeuner 1 000 francs que Rodin, déjà parti, lui a laissés pour honorer sa commande – et avant même de voir les résultats. À cette époque, Steichen vendait ses photographies 100 dollars et Rodin, un buste en bronze 2 500 francs[39].

Rodin attend beaucoup de ce travail et se montre sans doute impatient de voir le résultat puisque dès que les négatifs sont développés, Steichen lui envoie un télégramme laconique pour le rassurer : "Réussi." Les tirages sont plus difficiles à obtenir et presque deux semaines sont nécessaires pour trouver le pigment satisfaisant. Steichen est connu pour utiliser parfois deux techniques différentes sur un même tirage : platine et gomme bichromatée par exemple, comme cela semble le cas sur les épreuves qu'il a données au sculpteur[40]. Quand il écrit quelques années plus tard : "Je voulais rendre la lumière nocturne sur ces tirages[41]", il dit implicitement que l'effet de nuit ne pouvait pas être obtenu par de simples prises de vue et qu'il a dû exploiter toutes les possibilités offertes par les procédés de développement. C'est seulement ainsi qu'il a pu donner la sensation immédiate de photographies prises au clair de lune. Des traces de pinceau sec sont visibles, particulièrement sur l'épreuve intitulée *The Silhouette, 4 a.m.* (cat. 165), sans doute pour accentuer cet effet fantomatique que semble décrire Judith Cladel : "Les soirs de lune, surgissant, blanc et comme phosphorescent, du lac d'ombre épandu sur le sol, il tendait vers la zone de clarté son masque d'oiseau nocturne, tel un être venu du monde de l'occulte et qui va y retourner. Il semblait le double astral, rendu perceptible aux yeux profanes, de l'immortel écrivain. Il communiquait à l'âme ces frissons que propage le spectre du père d'Hamlet quand il paraît sur la falaise d'Elseneur[42]." On ne peut s'empêcher de penser que la première biographe de Rodin a écrit ces lignes en regardant les photographies de Steichen, et non pas la sculpture elle-même, tant elle traduit l'atmosphère qui émane de ces images.

Rodin, lui, ne peut cacher son émotion quand il découvre enfin la série étalée à ses pieds : "C'est le Christ marchant dans le désert", dit-il dans un premier temps, avant de poursuivre après un long silence, entourant les épaules de Steichen : "Vos photographies feront comprendre au monde mon Balzac[43]." Le photographe écrit à Stieglitz : "Je n'ai jamais vu un homme, si ce n'est vous, aussi impressionné par quelque chose, qu'il l'était par les tirages du *Balzac*[44]."

Quelques jours plus tard, Rodin lui fait porter une fonte magnifique de *L'Homme qui marche*, qui devait être pour le jeune Américain le symbole d'un homme allant toujours de l'avant[45].

Stieglitz, aussi impressionné que Rodin, décide de publier ses photographies dans la revue de prestige *Camera Work*, dont Steichen avait dessiné la couverture, et de les exposer dans les

"C'est le Christ marchant dans le désert"

Little Galleries de la Photo-Secession au printemps 1909. Rodin réclame lui aussi des tirages pour une exposition. Sans doute est-ce l'exposition organisée à la galerie Devambez, où il présente 2 sculptures, 140 dessins et 4 grandes photographies de *Balzac*[46]. Steichen doit faire deux jeux d'agrandissements pour l'occasion. Les manipulations nécessaires sont sensibles aux variations climatiques : *"J'essayerai de tirer les Balzac pour vous la semaine prochaine mais il fait un temps de chien et je n'ai pas eu de chance"*, écrit-il à Stieglitz pour justifier son retard[47].

Il faut savoir que, selon si elles sont vendues ou données, si leur destinataire est un ami ou une simple relation, si elles sont destinées à être exposées ou pas, les photographies seront de formats et de techniques différents.

En 1911, trois photographies (cat. 161, 162 et 165) sont publiées dans le numéro 34 de *Camera Work*, accompagnées d'un article de Charles H. Caffin[48]. Rodin est si enthousiaste qu'il fait écrire son secrétaire, l'helléniste Mario Meunier, pour en demander trente exemplaires[49]. Il n'en reste actuellement qu'un seul dans les collections du musée... le reste a été distribué, bien que d'après Judith Cladel il *"les montrait à ses amis avec une joie d'avare*[50]*"*.

fig. 94
Eduard Steichen
(1879-1973)
*Shrouded Figure
in Moonlight*
1905
University of Nebraska,
Sheldon Memorial
Art Gallery

Il ne reste malheureusement plus aucun tableau de ces fameuses nuits de Meudon. Seule une toile peinte en 1905, intitulée *Shrouded Figure in Moonlight*, peut nous en donner une idée (fig. 94)[51].

Il faut reconnaître que le succès de Steichen en tant que peintre de 1900 à 1910 reste modeste. Si ces - ou ce - tableaux n'étaient pas mentionnés par des critiques, on pourrait presque douter de leur existence. Heureusement, en 1911 Apollinaire fait le compte rendu d'une exposition "fort agréable à visiter organisée par un groupe d'artistes américains" à la galerie Devambez et il remarque que "M. Edward Steichen peint des cadres symboliques où l'on voit le *Balzac* de Rodin nimbé de clair de lune[52]". Henri Frantz n'est pas plus loquace : "M. Edward Steichen, dont certaines fleurs militent par une grande franchise de ton, expose un curieux *Balzac*, de Rodin, au clair de lune[53]." Rien de plus n'a pu être trouvé à leur propos.

En 1920, alors qu'il retourne à Voulangis, où depuis 1908 il s'installait avec sa famille aux beaux jours, Steichen trouve ses plaques de verre détruites par l'humidité. Une page est tournée. Son travail de photographe des armées pendant la Seconde Guerre mondiale change sa vision du monde et s'il opte définitivement pour la photographie - geste symbolique, il brûle tous ses tableaux -, c'est une photographie qui n'aura plus rien en commun avec le pictorialisme[54].

C'est le titre d'un article de *Life* en 1955. Après des années de succès dans la photographie de mode, Steichen est nommé en 1947 directeur des collections photographiques du Museum of Modern Art de New York. En 1955, il exécute un petit reportage photographique lors de l'installation du *Balzac* dans les jardins du musée. Si ces images ont le charme des instantanés - il est toujours amusant d'assister à la mise en place d'une sculpture -, elles ne peuvent que nous décevoir tant elles paraissent sans âme. Et quand Lotte Jacobi saisit le "Rodin de la photographie" au pied du *Balzac*, elle semble surprendre le face à face de deux inconnus[56] (*cf.* fig. 1).

"Un curieux *Balzac*"

"Retour à Rodin – Steichen repart en mission[55]"

Le titre de ce chapitre est une citation de Rodin (manuscrits et brouillons de Rodin, boîte VI, dossier C4, arch. musée Rodin).

1. *"It was not just a statue of a man ; it was the very embodiment of a tribute to genius. It looked like a mountain come to life. It stirred up my interest in going to Paris, where artists of Rodin's stature lived and worked"* (Steichen, 1963, n.p., chap. II).

2. *Cf.* Interview de Rodin, *Le Matin*, 13 juillet 1908, citée *in* Judith Cladel, *Rodin, sa vie glorieuse...*, 1936, p. 223.

3. *Cf.* Bowditch, 1994, pp. 188-195.

4. *"To paint or photograph that is the question"* (Sadakichi Hartmann, "A Monologue", *Camera Work*, n° 6, avril 1904).

5. Il en offre un tirage à Rodin (musée Rodin, Ph. 220).

6. *"I think I have something in mind I might put in words if you would care for it some thoughts on the Paintre and the photographer"* (Steichen à Stieglitz, 19 octobre 1900 ; Yale, Beinecke Library, ASA, box 46, fold. 1091).

7. Exposition de la Montross Gallery à New York, janvier-avril 1910, où Steichen présente 30 tableaux et 30 photographies.

8. Stephen Haweis à Rodin, Paris, 9 janvier 1904 ; arch. musée Rodin.

9. *"I know perfectly well that all they want is to use me these photographic people. I am use to it"* (Steichen à Stieglitz, 1901 ; Yale, Beinecke Library, ASA, box 46, fold. 1091). Il fait les portraits de Maurice Maeterlinck, Franz von Lenbach, J. P. Morgan, George F. Watts.

10. Steichen à Stieglitz, 1901 ; Yale, Beinecke Library, ASA, box 46, fold. 1091.

11. Otto Grautoff, "Auguste Rodin", *Monatshefte*, Berlin, novembre 1911.

12. Steichen se marie en octobre 1903 avec Clara Smith ; une petite fille, Mary, naît le 1er juillet 1904.

13. *"I'm getting more and more fond and appreciative of Paris. It certainly has more resources in spite of its natives that we can find any where else"* (Steichen à Stieglitz, 3 janvier 1908 ; Yale, Beinecke Library, ASA, box 46, fold. 1094).

14. *"I tell you he has got his ideas down to words as well as in clay"* (Steichen à Stieglitz, 3 janvier 1908 ;

Yale, Beinecke Library, ASA, box 46, fold. 1094).

15. Kate Simpson à Rodin, 2 février 1910 ; arch. musée Rodin. Steichen avait vendu deux tableaux aux Simpson en 1903 (*cf.* Penelope Niven, 1997, p. 170).

16. *Cf.* Kate Rodina Steichen à Grace Mayer, 29 avril 1971 ; New York, The Museum of Modern Art, ESA, box Steichen.

17. Il ne fait aucun doute que les photographies ont été réalisées en 1908. Steichen dans son autobiographie (*cf.* Steichen, 1963, chap. IV) parle de l'automne 1908 ; les photographies sont signées et datées 1908 et elles sont exposées au printemps 1909. Curieusement, la date de 1909 apparaît à plusieurs reprises comme si Steichen avait à nouveau fait des prises de vue ou des tableaux cette année-là. Dans un texte tapuscrit conservé dans les archives Steichen au Museum of Modern Art à New York, la date 1909 a été barrée et remplacée par 1908 par Grace Mayer. Le secrétaire de Rodin, Maurice Baud, écrit en juillet 1909 : "M. A. Rodin vous envoie ses salutations, et vous fait dire que si vous aviez le désir de photographier le *Balzac*, il est actuellement dehors, dans la prairie, à votre disposition" (Maurice Baud à Steichen, 4 juillet 1909, brouillon de lettre ; arch. musée Rodin, L. 435). Dans une lettre du 5 juillet 1909, Baud, qui vient d'être congédié par Rodin, écrit : "J'ai laissé sur le bureau les lettres à M. Steichen (*Balzac*)" ; il s'agit évidemment de la lettre précitée. On note, d'autre part, dans un agenda de Rodin, au 18 août 1909, la mention d'un courrier du sculpteur à Steichen "pour lui demander de bien vouloir faire photographies du *Balzac...*" ; et au 20 septembre, la mention : "pneumatique pour lui dire que Rodin est revenu et avec beau temps s'il veut faire quelque chose" (*cf.* Rodin, *Correspondance*, t. III, 1987, pp. 80-81).

18. Judith Cladel, *Rodin, sa vie glorieuse...*, 1936, p. 222.

19. L'ouverture est faite grâce à Louis Baudier de Royaumont qui crée en 1909 la Société des amis de Balzac pour réunir les fonds nécessaires à l'entretien et éventuellement au rachat de la maison de Passy. L'inauguration officielle a lieu le 16 juillet 1910.

20. *Le Matin*, 13 juillet 1908 (*cf.* Judith Cladel, *Rodin, sa vie glorieuse...*, 1936, p. 223).

21. *"Rodin has some corking big plaster at the salon ! – real Rodins and the press has gone up in the air again just as it did 10 years ago"* (Steichen à Stieglitz, mai 1908 ; Yale, Beinecke Library, ASA, box 46, fold. 1094).

22. Camille Lefèvre vient d'être nommé membre de la commission d'examen de la section sculpture du Salon de 1909 avec Bourdelle, Despiau, Halou et Gaston Schnegg, Rodin en étant, lui, le président (*cf.* Camille Lefèvre à Rodin, 17 août 1908 ; arch. musée Rodin ; *cf.* aussi cat. 117 et 118).

23. Otto Grautoff à Rodin, 8 août 1907 ; arch. musée Rodin : "J'ai déjà acheté 90 photographies de Mr. Druet et j'ai causé avec Mr Steichen, qui est parti en ce moment. En deux semaines il sera de retour et puis nous voudrions venir ensemble pour voir, parce que je voudrais que Mr. Steichen fasse encore 10 ou 20 nouvelles photographies." Autre exemple : Paul Clemen avait consacré deux numéros de la revue *Kunst für Alle* à Rodin en 1905 et en souhaite un troisième en 1908 accompagné d'un texte de Rilke à qui Rodin promet une trentaine de photographies inédites (Rodin à Rainer Maria Rilke, 19 septembre 1908 ; arch. musée Rodin, L. 427).

24. *Gazette de Voss*, Berlin, 8 juillet 1908 : "À ce premier tome de la Comédie humaine est annexée une photographie du monument de Rodin que les écrivains français ont refusé en qualité de commettants déçus. Malheureusement on n'y voit que la partie supérieure du sujet qui ne peut faire comprendre l'idée grandiose qui s'attache à l'ensemble."

25. Otto Grautoff, "La sculpture en plein air", *Der Wörwärts*, Berlin, 11 août 1909 (argus de la presse traduit par un secrétaire de Rodin ; arch. musée Rodin).

26. Stephen Haweis et Henry Coles travaillent pour Rodin en 1903-1904.

27. Agenda de Rodin, du 11 juin 1908 au 1er juillet 1909 ; arch. musée Rodin. Frederick L. Lawton a été secrétaire et traducteur de Rodin en 1905 et a écrit un ouvrage sur le sculpteur (*cf.* Lawton, 1906).

28. Stephen Haweis à Rodin, 1903 ; arch. musée Rodin.

29. Stephen Haweis à Rodin, 1903 ; arch. musée Rodin.

30. Le céramiste Jean Carriès (1855-1894), qui faisait des recherches sur la poterie émaillée, était voisin et ami des Limet, boulevard Arago.

31. Jean-François Limet à Rodin, 24 février 1903, arch. musée Rodin.

32. *"Been photographing & painting Rodins 'Balzac' he moved it out in the open air and I have been doing it by moonlight – spent two whole nights from sunset to sunrise – it was great. It is a commission from himself"* (Steichen à Stieglitz, septembre-octobre 1908 ; Yale, Beinecke Library, ASA, box 45, fold. 1094).

33. Judith Cladel, *Rodin, sa vie glorieuse...*, 1936, p. 222.

34. *"What a beautiful hour of the day is that of twilight when things disappear and seem to melt into each other"* (Steichen, "The American School", *The Photogram*, Londres, janvier 1901, n° 85, pp. 22-24).

35. *"I danced all around the figure to find the best spot."* La première fois qu'il rencontra Steichen, Rodin dit à Fritz Thaulow : "L'enthousiasme n'est pas mort", et Steichen à Stieglitz en 1910 : *"I saw Rodin on his 70th birthday he was wildly enthusiastic of over something he learned the day before !"* (Yale, Beinecke Library, ASA, box 46, fold. 1095).

36. Je remercie Sylvester Engbrox qui a trouvé cette explication, la plus probable.

37. *"The statue was silhouetted against the setting moon and with the longest exposure came the first hint of dawn"* (Steichen, texte dicté à Grace Mayer ; New York, The Museum of Modern Art, ESA, box Steichen).

38. Steichen à Stieglitz, mars 1909 ; Yale, Beinecke Library, ASA, box 46, fold. 1095.

39. *"The biggest prices I have received has been one hundred dollars"* (Steichen à Stieglitz, 1901-1902 ; Yale, Beinecke Library, ASA, box 46, fold. 1091).

40. Au dos des tirages donnés à Rodin il a indiqué, non pas les heures des prises de vue, mais la teinte voulue : *"grey blue"*.

41. *"I wanted the prints to look like moonlight"* (Steichen, *cf.* note 37).

42. Judith Cladel, *Rodin, sa vie glorieuse...*, 1936, p. 222.

43. *"It is the Christ in the wilderness" – "Your photographs will enable the world to understand my Balzac"* (Steichen, *cf.* note 37).

44. *"I never saw a man excepting yourself so hit by a thing as he was by the Balzac proofs"* (Steichen à Stieglitz, novembre 1908 ; Yale, Beinecke Library, ASA, box 46, fold. 1094).

45. *"Rodin gave me a beautiful cast the firts impression of his 'l'homme qui marche' about 3 feet high. It's a wonder – and he said that was to be a symbol for me and to keep on marching"* (Steichen à Stieglitz, 1908 ; Yale, Beinecke Library, box 46, fold. 1094). En 1963, Steichen prêtera sa sculpture pour une exposition organisée au Museum of Modern Art de New York. Actuellement dans la collection Myron Weiner, elle est promise aux collections du Museum of Modern Art de New York.

46. Exposition du 1er au 16 octobre 1909, galerie Devambez, Paris.

47. *"I'll try and get Balzacs off to you next week but the weather is hell and not having good luck"* (Steichen à Stieglitz, février 1909 ; Yale, Beinecke Library, ASA, box 46, fold. 1095). La série des *Balzac* est présentée à la galerie 291 à New York, du 21 avril au 7 mai 1909. À Paris, Steichen présente un tirage au Photo-Club, au Cercle Volney, en mai 1909.

48. *Cf.* Charles H. Caffin, 1909, pp. 484-486.

49. Mario Meunier à Stieglitz, juillet 1911 ; Yale, Beinecke Library, ASA, box 41, fold. 89.

50. Judith Cladel, *Rodin, sa vie glorieuse...*, 1936, p. 222. Par exemple, John Marshall écrit à Rodin : "les reproductions dans le *Camera Work* sont délicieuses" (John Marshall à Rodin, 22 mars 1915 ; arch. musée Rodin).

51. Je rends hommage à Paolo Constantini, décédé en 1997, qui m'avait mentionné l'existence de ce tableau au moment de ses recherches sur l'occultisme (*cf. Okkultismus und Avantgarde*, Francfort, Tertium, 1995).

52. Guillaume Apollinaire, 1981, p. 191. Le photographe avait aussi peint plusieurs tableaux dans le jardin de Meudon et dans l'atelier de Rodin.

53. Henri Frantz, *Excelsior*, 19 février 1911.

54. *"Photography was to be my medium"* (Steichen, 1963, n.p., chap. V).

55. "Return to a Rodin – Steichen takes up an old assignment", New York, *Life*, 9 mai 1955.

56. William I. Homer, "Eduard Steichen : The Painter as photographer, The Photographer as painter, 1897-1910", *The American Art Journal*, 2 novembre 1974.

XII

Stéphanie Le Follic

fig. 95
Balzac monumental en plâtre (plâtre, musée Rodin),
exposé au palais de Charlottenbourg à Copenhague en 1930
Musée Rodin

Décidément, jusqu'au bout, Rodin n'en fit qu'à sa tête avec son *Balzac*. Alors qu'en 1912 la Ville de Mannheim demandait à en acquérir un exemplaire en bronze pour son musée municipal, Rodin refusa ; l'humiliation avait été trop forte et, quoique comblé d'honneurs depuis, il entendait que justice lui soit rendue, un jour, et sur le terrain même des combats d'antan : à Paris. S'il devait y avoir une première épreuve en bronze de la statue, elle devait impérativement être réservée à la France.

Disparu, Rodin investissait les futurs conservateurs de son musée d'une tâche bien délicate. Le Maître s'en va et vous souhaite – à vous gardiens du temple – de mener à bien la lutte, de vaincre là où il échoua, et, sous le feu des polémiques, de trouver commanditaire, payeur et place pour le monument qu'il jugeait être la résultante de toute sa vie ! Et si Léonce Bénédite, premier conservateur du musée Rodin, n'y prêta jamais attention, considérant l'œuvre comme "une sorte de cauchemar", Georges Grappe, son successeur, rapidement pris entre l'obligation de respecter la mémoire du maître et le besoin, non moins impératif, de répandre sa gloire et de faire vivre le musée Rodin en vendant les éditions originales en bronze, tournait en rond cherchant solution...

Castor et Pollux, l'histoire de deux *Balzac*

En 1926 déjà, Grappe avait vaillamment défendu ses propositions budgétaires devant les membres du conseil d'administration[1]. Il demandait 500 000 francs au chapitre des dépenses à prévoir pour l'édition des bronzes, parmi lesquels le *Balzac* monumental d'un coût de fonte de 110 000 francs, qu'il comptait, bien sûr, exposer sur la terrasse du nouveau musée de Meudon, face à Paris, mais surtout vendre aux deux grands collectionneurs contemporains, Jules E. Mastbaum et Kojiro Matsukata, dont les gigantesques collections devaient aboutir quelques années plus tard à la création d'un musée Rodin à Philadelphie et à Tokyo : "Ni M. Matsukata, ni M. Mastbaum n'ont commandé de Balzac. Il est fort probable – escomptait très logiquement Georges Grappe – que lorsque le musée en possèdera une épreuve en bronze, ces messieurs se décideront à en commander un exemplaire pour leur musée." Pour des raisons inconnues ce souhait ne se réalisa pas. Il n'y eut ni fonte, ni achat.

Fin mai 1930, au terme des rétrospectives *Rodin* qui se tinrent en Belgique et aux Pays-Bas, le Koninklijk Museum d'Anvers annonçait son désir d'acquérir le *Balzac* monumental en bronze[2]. Ce projet fut présenté au conseil d'administration du musée Rodin le 6 juin 1930 et résumé de la manière suivante : "Monsieur Grappe lit au Conseil une lettre écrite en 1912 par Rodin où il refusait de vendre un grand Balzac à l'étranger tant que cette œuvre n'aurait pas été fondue pour la France ; comme le musée d'Anvers s'est rendu acquéreur d'un exemplaire, M. Grappe demande que sur les bénéfices de cette vente il soit coulé en premier, un exemplaire pour le musée de Meudon. La proposition est adoptée[3]." Sous couvert d'absolu respect de la volonté du maître, Georges Grappe interprétait. La lettre de Rodin, à laquelle il est fait allusion, et qui fut adressée à Rainer Maria Rilke le 12 octobre 1912, dit, sur le ton de l'humour tenace, ceci : "Mon cher ami, vous me demandez de la part du musée de Mannheim l'achat de mon Balzac. Je ne refuserais pas, si je l'avais déjà vendu à Paris. Vous comprenez que dans cette occurrence, je ne puis pas accepter une chose qui me ferai honte. Il faut donc que je vende mon Balzac à Paris, d'abord ; et il est possible que cette circonstance favorable se présente bientôt. En tout cas, je suis très touché de l'offre que vous me faites et aussitôt que les événements me le permettront, je ne manquerai pas de vous informer[4]." Rodin demandait que l'œuvre soit vendue à Paris, à la ville qui selon toute bonne logique aurait dû en hériter quatorze ans auparavant, avant de l'être à l'étranger, et non que le premier exemplaire fondu en bronze soit réservé à la France, et pire encore, à la succursale de son musée parisien, à Meudon, qui n'ouvrit ses portes au public qu'en 1946 ! Mais la situation semble avoir été plus complexe encore : le 6 juin 1930, Georges Grappe entendait initier deux fontes dès réception du paiement du musée d'Anvers[5], or le supposé premier tirage du *Balzac*, réservé au musée Rodin, s'il fut apparemment commandé à Eugène Rudier en 1930, ne fut en réalité fondu qu'en 1936 ainsi qu'en atteste le procès-verbal du conseil d'administration du 23 mai 1936, soit cinq ans après l'inauguration du supposé deuxième exemplaire d'Anvers qui intervint le dimanche 12 avril 1931 à 11 h du matin ! Jusqu'au dernier moment Georges Grappe resta fidèle à une seule et même version de l'histoire, celle visant à faire de l'exemplaire d'Anvers la deuxième fonte du *Monument à Balzac*, ainsi qu'en témoigne cet extrait du discours qu'il tint à ses auditeurs le jour de l'inauguration à Anvers : "cet exposé [...] comporte un épilogue et je me reprocherais, messieurs de le passer sous silence. Je me le reprocherais parce que, quand vous l'aurez connu, il ajoutera, j'en suis certain, à la fierté que vous éprouvez aujourd'hui de posséder cette œuvre essentielle de Rodin [...]. Messieurs, aujourd'hui le vœu du grand artiste est réalisé. Au sommet de la colline de Meudon, épaulant sa modeste villa sur un belvédère dominant la vallée de la Seine, bientôt devant le nouveau musée construit en ce lieu [...], se dressera le bronze exécuté un peu avant le vôtre [...]. C'est la réalisation de la volonté du maître [...] qui m'a permis [...] d'accéder au noble dessein formé par M. François Franck. C'est en effet pour cette raison que j'ai pu céder à votre incomparable palais de Rubens la première épreuve du Balzac susceptible d'être exposée hors de France[6]." L'ambiguïté attachée à l'existence de ces deux premiers exemplaires en bronze du *Balzac* se reflète également dans la presse. Compte tenu du flou artistique délibérément entretenu par Georges Grappe, comment pouvait-il en être autrement ? C'est ainsi que *La Métropole* écrivit le 13 avril 1931 : "Mais sur le désir exprimé de M. Franck, l'administration du musée Rodin a consenti à céder au musée d'Anvers la première épreuve du bronze fameux. C'est donc la seconde qui sera élevée à Meudon[7]." Des versions plus abracadabrantes encore s'échappent de la *Dernière Heure* de Bruxelles, où il est dit que "parce qu'elle sera bientôt placée au musée de Rouen [...] Anvers peut l'inaugurer aujourd'hui[8]" ! *Le Petit Parisien* du 17 avril 1936 parle de l'acquisition d'un plâtre du *Monument à Balzac* par la Ville d'Anvers[9] ! Tandis que dans la biographie qu'elle consacra à Rodin, Judith Cladel se rangeait à la version officielle des faits : "Il y a quelques années le conservateur du musée Rodin, M. Georges Grappe, reçut la même demande de la part du musée d'Anvers. Il fit alors fondre deux épreuves, la première destinée à rester en France et la seconde pour la grande ville belge[10]." Que d'échos contradictoires et fantaisistes ! Selon toute vraisemblance ces incertitudes répandues ne nuisirent pas à la politique louvoyante de Grappe. Quoi qu'il en soit, la Ville d'Anvers était heureuse en ce 12 avril 1931 ; notables et officiels vinrent massivement rendre un digne et bel hommage au monstre sacré de Rodin[11]. Le comte Peretti de la Rocca, ambassadeur de France, était là, accompagné du baron Holvoet, gouverneur, du bourgmestre Van Cauwelaert et de bien d'autres accueillis par un conservateur du musée d'Anvers, M. Mulls[12], et surtout par Georges Grappe qui, au cours de l'après-midi, présenta l'œuvre de Rodin au Cercle artistique d'Anvers, où étaient présentées cent aquarelles de Rodin. Les éditions originales en bronze n'étant à cette époque pas soumises à obligation de numérotation, il est aujourd'hui difficile de statuer sur cette question de la primogéniture des deux *Balzac*... Les livres de comptes eux-mêmes ne suffisent pas à être catégorique.

Le 23 novembre 1936, le *Balzac* monumental en bronze, fondu depuis quelques mois seulement et qu'il était question d'installer à Meudon depuis 1931, n'était toujours pas en place. Georges Grappe déclarait ce jour-là aux membres du conseil : "Pour le Balzac, vous savez que nous le placerons sur l'éperon qui se trouve en face du musée et qui fait face à Paris. 'À nous deux, maintenant, semblera-t-il dire comme Rastignac à la fin du Père Goriot'[13]."

M. Dastingue, l'architecte des Monuments historiques attaché au musée Rodin, avait fait un devis très raisonnable. Et comble du kitsch, il avait détourné à son profit l'imagerie de Steichen, *"avait eu une idée heureuse – s'exclamait encore Grappe – on fera la demi-lune, avec des mirobolants, et au milieu, le Balzac, sur un socle de pierre : le projet est à l'étude".* Le projet est surtout porté par les récentes velléités de farouches et anciens partisans du *Balzac* de Rodin recrutés parmi *"les plus grands de l'intellectualité française[14]"* et constitués en "Comité du *Balzac* de Rodin" au cours du mois d'avril 1936. L'heure de la réhabilitation semblait devoir sonner. Mobilisation et débats publics insufflèrent à la presse écrite des polémiques parfumées de nostalgie, tandis que la radio diffusait encore, sans contestation aucune, les annonces officielles, les vanités et les brèves promotionnelles. Georges Grappe entendait bien profiter de ce retour inopiné du *Balzac* sur l'avant-scène culturelle et médiatique, de ce coup d'éclat, pour saluer au grand jour la mémoire de Rodin, et appliquer au su de tous la volonté quasi testamentaire de l'artiste : la réhabilitation du *Balzac*, son acceptation par la Ville de Paris. Cette réparation admise, les éditions en bronze du *Balzac* monumental pouvaient se poursuivre, dans la transparence...

Front pop et intellectualité française se mobilisent

Printemps 1936 : la guerre d'Espagne ébranlait les consciences et la classe moyenne française saluait l'arrivée au pouvoir du Front populaire. L'équipe gouvernementale des Blum, Zay, Abraham, Cahen-Salvador, Moch devait bientôt servir d'appât aux haines antisémites. Et si les femmes portaient des robes un peu plus courtes qu'en 1932 - quoique sensiblement plus longues qu'en 1925 - et de petits chapeaux bizarres ; si, *via* la TSF, un jeune Corse, Tino Rossi, brisait les cœurs au gré de ses tendres romances et valses molles, la France n'en quêtait pas moins ses origines gallo-romaines, voire sa "gauloisité", n'en cherchait pas moins à débusquer les nez courbes... Et au cri d'*"un Juif vaut bien un Breton"* du ministre Max Dormoy, elle glissait inexorablement vers sa perte en négligeant ce qui faisait sa cohésion : sa différence[15]. On en était là quand, au cœur d'un microcosme comme retiré du flux de la vie, quelques artistes, académiciens et intellectuels s'acharnaient à sortir de l'ombre un mastodonte au profil antédiluvien, le *Balzac* de Rodin.

Il faut trouver l'origine de cette mobilisation dans la création, courant avril 1936, du "COMITÉ DU 'BALZAC' DE RODIN" dont les membres représentatifs, et actifs parfois, étaient les suivants :

Charles Despiau et Aristide Maillol[16] (présidents d'honneur), éminents sculpteurs du XXᵉ siècle, s'estimaient mutuellement peu, mais vouaient tous deux une grande admiration à leur défunt maître. Souvenons-nous qu'aux dires de Judith Cladel, Rodin avait, vers 1913, envisagé de confier la transcription du *Balzac* dans le granit noir à Charles Despiau, le dernier de ses praticiens, l'un des plus doués et des plus appréciés[17].

Georges Lecomte[18], de l'Académie française (président). Grand-croix de la Légion d'honneur en 1952, à plusieurs reprises président de la Société des gens de lettres dont il fut sociétaire dès 1900, puis pensionnaire à partir de 1927. Georges Lecomte a soixante-neuf ans, la petite barbe pointue et la silhouette haute et frêle, lorsqu'en 1936 il se relance l'âme ardente et doté de cet esprit farouchement indépendant qui le caractérise dans une lutte pour le moins familière. En 1898 déjà - et tandis que venant de publier *Les Valets*, on comparait volontiers son œuvre incisive au *Père Goriot* ! - il était de ces idéalistes proches de Rodin qui proclamait sa rouge colère envers la Société des gens de lettres, dont il condamnait *"les vilains procédés"* ; il criait sa foi en une prosternation collective devant un *Balzac* avant-gardiste : *"Les comités de la Société des gens de lettres se renouvellent tous les ans. Nous ferons tous une* campagne si ardente que les nouveaux venus auront peur de paraître stupides, finiront par comprendre. Et s'il est nécessaire, nous entrerons en masse dans la Société des gens de lettres pour lui donner une autre direction [...] Évidemment, il arriverait un jour où la statue serait élevée sur une place publique. Mais quand[19] ?" La question le tint en alerte quarante ans. Subrepticement, il œuvra pour la reconnaissance du chef-d'œuvre, en jalonna à plusieurs reprises le chemin qui devait y mener : en juillet 1909, il parvenait – à des fins de réconciliation – à décider la Société des gens de lettres à verser à Rodin 3 000 francs pour l'érection du *Monument à Barbey d'Aurevilly*, inauguré le 28 novembre suivant ; en 1926, il jouait de ses relations avec Edmond Cousturier, collectionneur en fin d'âge qui, quittant Paris, souhaitait se départir de certaines œuvres d'art, pour faire entrer dans les collections de la Société des gens de lettres une maquette en plâtre teinté du *Monument à Balzac* de Chapu (*cf.* cat. 17). Et, pour reprendre l'infatigable ironie dont sut faire preuve Clément Vautel tout au long de ces trois années d'ardente polémique, ne sait-on pas que "lorsque Georges Lecomte veut quelque chose, il finit toujours par l'obtenir" ? "Georges Lecomte a tellement d'influence", il "est le président-type, le président-né". Mais Georges Lecomte - bien que son charisme personnel et sa notoriété en fassent un vecteur essentiel de cette entreprise de réhabilitation - doit certainement son rôle de dirigeant dans la résurrection du combat de 1936 à la véhémence et à l'énergie dévouées de Judith Cladel (secrétaire général du Comité) qui, toujours, sut, dans l'ombre, dans la peau des éternels seconds rôles bourrés de talent, faire se conjuguer les espoirs diffus, les initiatives latentes et les rêves inaboutis. À force de luttes et douée d'une plume à tomber, elle parraina sans faille l'œuvre et la vie du maître, étant tour à tour homme de confiance, démarcheuse, orateur et confidente. Femme républicaine et anticléricale, curieuse des mouvements sociaux en marche, de l'émergence des syndicats, elle concevait l'action humaine, la mobilisation des gens pour leurs idées comme l'unique moyen de faire éclater la vérité au grand jour. La presse, au cours de ces années 1936-1939, n'en mentionne que le nom, jamais les actions, et reflète très injustement l'importance de son rôle. Pourtant, son article paru dans *La Revue de France* du 15 juin 1935 montre combien, dès cette date, elle tentait de mobiliser l'opinion, combien, soigneusement, elle plaçait les dés, travaillait au succès de ce projet : "L'affaire du Balzac n'est pas terminée. L'esprit change, admet ce qu'il a jadis repoussé ; il se plaît à réparer les erreurs des générations précédentes ; c'est ce qu'on nomme la justice. Ce changement est particulièrement devenu sensible à la Société des gens de lettres de France. Le comité vieillissant du temps de Rodin est remplacé aujourd'hui par des forces jeunes, des talents avertis des grandes expositions d'art. Une noble tâche est réservée à cette vaste association : il faut faire au bronze héroïque le sort qui lui fut primitivement départi. Il faut qu'un jour prochain la statue du Balzac se dresse au centre de Paris. Il faut que l'image du plus français des romanciers s'érige parmi la foule qu'il a passionnément fouillée et décrite. Il faut que ce phare, rayonnant la pensée et l'intelligence, la domine comme un exemple et comme une vigie. Le président de la Société des gens de lettres qui prendra une telle initiative, le ministre des Beaux-Arts qui donnera un tel ordre conquerront, du coup, la popularité auprès de ceux qui sont convaincus[20]." Son infini respect pour son père, Léon Cladel, l'incita à rester toujours l'interlocuteur de cette vieille génération. En 1936, il ne subsistait plus guère de témoins, mais elle sut les réunir, leur parler, les convaincre d'achever leur vie sur cette note glorieuse : l'érection du *Balzac* à Paris.

Mathias Morhardt, soixante-quatorze ans, ancien secrétaire général de la Ligue des droits de l'homme, très diminué physiquement, adhéra donc à la cause, la dernière : en mai 1935, il rendait visite à Georges Grappe pour lui présenter le projet[21], et donnant nom et soutien moral au Comité, il endossa avec le sculpteur Louis Dejean le difficile rôle de secrétaire du Comité. Son adhésion - qu'il convenait de présenter, au vu de son statut de vétéran, comme l'étincelle initiatrice du projet de comité - avait été saluée avec beaucoup d'éloquence par Georges Lecomte : "Vous, cher ami, qui fûtes à la tête de la plupart des grands mouvements artistiques de la fin de notre XIXe siècle, il faut que vous nous groupiez pour que nous obtenions la réparation due à la mémoire de Rodin [...]. Il faut que par l'effort commun, la statue de Balzac se dresse avant peu, sur une place de Paris, de préférence dans le quartier universitaire, parmi la jeunesse intellectuelle, et que, de ce fait, nous atteignions un double but : 1° rendre justice à notre grand sculpteur moderne ; 2° célébrer le centenaire de La Comédie Humaine dont le temps est arrivé. Organisez donc un comité, en faisant appel à tous ceux qui sont convaincus que les grandes questions d'art n'ont pas cessé d'occuper et d'intéresser la pensée française[22]." Et ces deux hommes, conclut Judith Cladel, non moins brûlants d'enthousiasme qu'aux années de leur combative jeunesse, ont agi sans délai.

Le Comité directeur avait aussi son versant institutionnel et comptait parmi ses membres la direction du musée Rodin - Pol Neveux, de l'académie Goncourt, président du conseil d'administration du musée Rodin et Georges Grappe, son conservateur - le président de la Société des gens de lettres - Gaston Rageot - ainsi qu'un représentant "acquis" au conseil municipal de la Ville de Paris - Léon Riotor, auteur de nombreux essais sur Rodin.

Un dernier acteur, l'indispensable trésorier, venait s'ajouter à ces figures de proue qui avaient pour dénominateur commun l'amour des arts et des lettres. E. Molinié, initialement choisi à ce poste, fut dès octobre 1936 remplacé par Louis Conard, un éditeur parisien, résidant au n° 6 de la place de la Madeleine, qui profita de sa présence au Comité pour mieux faire connaître et écouler ses rééditions de l'œuvre de Balzac, illustrées par le dessinateur Huard.

La simple lecture des noms constituant le bureau directeur du Comité détermine les acteurs qui ouvrirent le débat autour du *Balzac* de Rodin : fallait-il l'accepter ou non, lui attribuer un emplacement, lequel...? Société des gens de lettres et musée Rodin confièrent leurs pouvoirs au Comité. L'érection du *Balzac* devait donc résulter du compromis trouvé entre deux volontés - celle du Comité et celle de la Ville de Paris - et d'une donnée aléatoire : le financement, fruit d'une souscription publique lancée et gérée par le Comité.

Courant avril 1936, le Comité adressa une lettre type à plusieurs centaines de hauts-fonctionnaires, écrivains et artistes pour leur demander de bien vouloir rejoindre ce mouvement de "l'élite des Arts et des Lettres", d'agir au sein de la commission exécutive du Comité. Il fallait ensuite faire infléchir la Ville de Paris et lui faire accepter le don du *Balzac* monumental en bronze que le Comité s'était donné pour mission de faire fondre par Eugène Rudier dans cet unique but : "Nous voulons espérer, poursuit Georges Lecomte, que la ville de Paris, qui ne possède sur ses emplacements aucun monument signé du nom de Rodin, sinon le buste de Henry Becque - inauguré le 1er juin 1908 - accueillera favorablement notre projet : le Balzac de Rodin perpétuera la mémoire de deux des plus illustres Français du XIXe siècle[23]."

"Vous devinez les tempêtes d'ordre artistico-littéraire que nous allons ainsi déchaîner"

La présence de l'ancien vice-président du conseil municipal de Paris, Léon Riotor, au nombre des membres du Comité ne suffisait pas à éteindre les vives craintes manifestées par la Ville de Paris à l'idée d'assumer une affaire qui, sous couvert de soucis esthétiques, risquait de déchaîner des tempêtes plus politiques, menaçantes... C'est donc sans grand enthousiasme que, le 15 mai 1936, P. Darras, directeur des Beaux-Arts et des musées de la Ville de Paris rendit compte des requêtes du Comité du *Balzac* de Rodin au préfet de la Seine, Villey. Sa réponse ressemble à un réquisitoire, à une mise en garde envers un engrenage facilement inextricable : "La question du placement, dans Paris, de la statue de Balzac, par Rodin, est très délicate, pour plusieurs raisons :

"1° Cette œuvre de Rodin a été vivement critiquée lors de son apparition et il n'est nullement certain qu'il n'en soit pas de même à l'heure actuelle, malgré l'évolution du goût du public.

"2° La circulaire du Comité qui vient de se constituer n'indique, ni à qui appartient actuellement la statue, ni les moyens d'action du Comité, ni même ses intentions précises. Veut-il, en effet, déterminer simplement un mouvement d'opinions ou a-t-il en outre l'intention d'assumer les dépenses qu'entraînerait la réalisation de son projet ?

"3° Il existait déjà à Paris, avenue Friedland, une statue de Balzac, par Falguière. L'appel du Comité actuel, est un hommage non à Balzac, mais à Rodin. Les statues placées sur la voie publique ne sont déjà que trop nombreuses. Si, en dehors des monuments commémoratifs, on admet maintenant que chaque sculpteur jouissant, soit d'une grande célébrité comme Rodin, soit d'une certaine notoriété, doive avoir un monument sur la voie publique, cela peut mener très loin. Jusqu'ici on considérait que les grands sculpteurs devaient surtout être représentés dans les grands musées. Or, il existe tout un musée pour Rodin.

"4° Étant donné l'importance que le Comité attache à la réalisation de son projet, il ne se contenterait certainement pas d'un emplacement modeste.

"Pour toutes ces raisons il semble inopportun que Monsieur Villey donne actuellement son adhésion à un projet dont il va avoir à connaître administrativement en sa qualité de préfet de la Seine[24]." De toute évidence, P. Darras considérait "les convaincus" dont parlait Judith Cladel[25] trop peu nombreux pour lui permettre de conquérir une quelconque popularité utile, trop peu nombreux pour se compromettre. Non, vraiment, le jeu n'en valait pas la chandelle. Le préfet se conforma à ce jugement prudent et le 11 juin 1936 on décida, à la suite de la séance du conseil municipal du 9 juin 1936, que l'affaire du Comité du *Balzac* serait renvoyée à la 4e commission et à l'administration ; ensemble, les 3e et 4e commissions devaient déterminer l'intérêt que pouvait avoir la Ville de Paris à accepter cette proposition de don et, dans l'hypothèse d'une suite favorable, proposer un emplacement judicieux, en relation avec le Comité d'esthétique et les services de l'architecture et des promenades. Toutefois, et sur la proposition d'un "édile bien intentionné[26]", Georges Lemarchand, conseiller municipal, il semble qu'au cours de cette séance du 9 juin, la décision d'accepter le don du *Balzac* et d'accéder à la demande de placement dans un lieu public de Paris ait été prise ; au souhait formulé par Georges Lecomte au nom du Comité, "Nous voulons espérer que la ville de Paris [...] accueillera favorablement notre projet", le conseiller municipal, résolument conciliant et craintif, répond : "Cette requête ne saurait laisser le Conseil municipal indifférent. Voici donc la question Balzac-Rodin remise sur le plan de l'actualité. Va-t-elle susciter le réveil des objections et des controverses qu'elle provoqua autrefois ? [...] La période d'orageuses polémiques sur l'œuvre de Rodin est depuis longtemps close. Qui voudrait donc la rouvrir ? En tout cas pas nous. Notre seul devoir est de considérer qu'un hommage public et durable doit être rendu par la ville de Paris au prodigieux auteur de la Comédie Humaine [...]. Quant à la valeur artistique de la statue, il ne nous appartient pas d'en disserter ; nous ne sommes pas des orfèvres. [...] Où peut-on d'ores et déjà prévoir l'emplacement de la statue de Balzac ? [...] Le Conseil, sur la proposition de M. Georges Lemarchand, délibère : la statue de Balzac, œuvre du maître Rodin, sera érigée à Paris sur une place publique[27]."

P. Darras et le conseil municipal en étaient à ce point de réflexion quand le Comité, conscient de l'imprécision qui auréolait encore son projet à l'automne 1936, provoqua réunions et réunions plénières, dont la presse rendit très soigneusement compte. La première réunion des membres de la commission exécutive du Comité eut lieu le 19 octobre 1936 ; Georges Lecomte ouvrit la séance par une allocution fréquemment applaudie et déclara sa satisfaction de voir une assistance aussi nombreuse. Près de 500 personnalités du monde des lettres, des arts et des sciences - "500 comitards", comme les appelait Clément Vautel - s'étaient déclarées solidaires de l'action menée par

"Balzac n'a pas plus de jambes que de bras, mais il est en marche et rien ne l'arrêtera[28]"

le Comité et étaient venues débattre des objectifs fixés (financement et emplacement du *Balzac*). Qu'est-ce à dire, rétorquait le même Clément Vautel, fer de lance de l'opposition, "l'histoire des 500 personnalités ne m'émeut guère [...] sans d'ailleurs prétendre au titre de 'personnalité', il est certain qu'on pourrait trouver 500 autres personnalités qui n'admirent pas du tout le fier et beau chef-d'œuvre[29]". Cette première réunion fut suivie d'une séance plénière le 29 octobre, à 17 h dans la salle des fêtes du *Journal*, au cours de laquelle il fut débattu des moyens à mettre en œuvre pour populariser la cause du Comité et du calendrier des manifestations prévues pour collecter les fonds nécessaires à la fonte et à l'installation du *Balzac*.

À cette époque, le Comité bénéficiait des retombées de plusieurs actions déjà entreprises : le 29 avril 1936, J. Gandrey-Rety donnait à entendre une très belle causerie sur le *Balzac* de Rodin au Poste parisien ; il s'empressait de se faire l'écho de la très récente création du Comité et promettait avec ferveur : "Cette masse vivante se dressera un jour prochain sur quelque emplacement parisien, qu'il faudra judicieusement choisir car ses dimensions ne s'accommoderaient pas de n'importe quel cadre ni de n'importe quelle perspective. Et sa réplique en bronze, grâce à Monsieur Georges Grappe, s'élèvera à Meudon [...] et le Balzac en bronze de Meudon, surplombant la vallée de la Seine, au-dessus des ponts de Sèvres et de Saint-Cloud, au-dessus de Grenelle et de Javel, dominera Paris comme un bloc et comme une flamme." En juillet 1936, Judith Cladel avait fait paraître un livre intitulé *Rodin, sa vie glorieuse et inconnue*, très remarqué par la presse et qui venait à point nommé pour appuyer la campagne menée par le Comité. Georges Lecomte, lui-même, en fit l'éloge dans le journal *Algérie*, le 4 septembre 1936, et servit ainsi très naturellement sa cause : "Au moment où la plupart des écrivains et artistes français demandent à ce que la statue de Balzac par Rodin soit enfin érigée dans Paris, où elle devrait se dresser depuis quarante ans, paraît un important livre consacré à l'œuvre et à la vie du génial sculpteur." Parallèlement, le 26 octobre 1936, et sur l'initiative de Mlle Anne Fouqueray, était inaugurée à la galerie d'art du *Journal*, 93, avenue des Champs-Élysées, une exposition *Rodin*, bénéficiant du plein soutien du musée Rodin[30] et de son conservateur, Georges Grappe. Prêteur de plusieurs pièces au nombre desquelles figuraient une étude en bronze et une tête de *Balzac*, le musée Rodin ainsi que quelques autres collectionneurs privés – dont Judith Cladel – contribuèrent ainsi à lancer la rumeur *Balzac*, donnaient un exemple qui devait être suivi d'autres manifestations, au Salon d'automne de 1937 et plus modestement, mais d'une manière non moins intéressante, par des galeries provinciales. C'est ainsi que le *Balzac* fut mis à l'honneur au Salon des artistes normands de Rouen au cours du mois d'octobre 1937 : "Le Salon des Artistes normands [...] vient de s'enrichir d'une pièce capitale, le Balzac de Rodin [...]. La statue fut acquise par notre concitoyen, M. René Fauchois [...] un de nos amis qui a bien voulu prêter la fonte en bronze, patinée admirablement, d'une des esquisses du maître ; le gros homme est là, les bras croisés et contemple avec un terrible sourire les folies, les passions, les peines et les joies humaines. Au moment où le Comité des gens de lettres va enfin ériger sur une place de Paris le colossal Balzac, il serait opportun que la ville de Rouen puisse placer dans son musée une œuvre aussi puissante et aussi représentative que celle qui figure actuellement à l'exposition[31]." Du 23 au 28 novembre 1937, la galerie Chappe et fils (rue de la Pomme, à Toulouse) présentait un "ensemble d'œuvres de Rodin et notamment trois magnifiques études pour le fameux Balzac" provenant d'une collection privée ; "et cela juste au moment où cette statue si controversée, triomphait au Salon d'Automne[32]". L'effet escompté ne se fit pas attendre, la presse de gauche locale[33] rebondit sur cet événement pour réclamer une place publique en faveur du grand *Balzac* en bronze.

Le temps était venu où Balzac rimait avec argent. L'illustre auteur du XIXe siècle, demeuré injustement longtemps sous le coup d'une mésestime due à la vogue des Bourget, France, Loti et même Zola, sortait enfin de l'ombre, se reclassait bruyamment dans l'opinion littéraire ; presque mondain, soudain, il appâtait et les actions menées autour de la commémoration du centenaire de *La Comédie humaine* faisaient recette...! Raccroché à l'auteur, le Comité put ainsi bénéficier de la complicité du Salon d'automne, de la Comédie-Française et de celle d'orateurs talentueux pour sensibiliser l'opinion publique, la sensibiliser au point de la faire financièrement contribuer au projet. La souscription publique était lancée...

– Le Salon d'automne, installé sur l'esplanade des Invalides du 29 octobre au 28 novembre 1937, était disposé à verser au bénéfice de la souscription la recette de sa journée de vernissage (5 000 francs). Le Salon avait ceci d'exceptionnel qu'il exposait pour le première fois à Paris, et en avant-première, la fonte du *Balzac* monumental destiné à la Ville de Paris, au sein de la plus vaste rétrospective Rodin. Quoique majoritairement dédiée aux maquettes préparatoires au *Balzac*, celle-ci présentait aussi *L'Ombre* et *Adam*[34]. Des vitrines contenaient des documents manuscrits jugés curieux, lettre impatiente de Zola à Rodin, photographies du sosie "tourangeau" dont s'était servi Rodin pour mettre sur pied son *Balzac*. Paul Gsell exultait : "Coulée en bronze, presque noire, l'œuvre est d'une majesté superbe. Les essais qui l'entourent la font mieux apprécier. [...] Quand on se décidera enfin à ouvrir le Musée Rodin, à Meudon, [...] en entourant chaque œuvre par les maquettes qui l'ont précédée, rien ne vaudra pour les jeunes artistes la leçon que leur offriront les tâtonnements du génie. Ce qui prouve que mon conseil est bon, c'est qu'on l'a appliqué à la présentation du Balzac au Salon d'Automne et que l'impression produite est saisissante. Autour du Balzac sont groupées une étude du Balzac nu, une autre de Balzac habillé et quatre études de tête. Et l'on est stupéfait de constater comment, à travers ces différentes études, l'inspiration de Rodin s'est clarifiée, simplifiée jusqu'à un résultat tout à fait magistral. Je regrette d'ailleurs qu'on n'ait pas placé toutes les maquettes du Balzac. Car j'en connais encore au moins cinq qui sont absentes du Salon d'Automne et qui sont pourtant très significatives elles aussi[35]." **Force est de constater**, regrettait amèrement un journaliste, que "le temps n'est plus où Paris se passionnait pour une question d'esthétique, où l'on se battait pour une statue, ou un tableau. [...] Nous avons même vu quelque chose de très joli. Une vieille dame s'est avancée, elle a fait le tour du monument, cherchant la signature, et s'adressant à nous, elle nous a demandé : pardon, monsieur, pouvez-vous me dire quel est l'auteur de cette grande statue ? Où sont les injures et les polémiques d'antan[36] ?", s'interrogeait le journaliste. Mais si le *Balzac* de Rodin ne suscitait plus ni haine, ni vandalisme, il n'en demeurait pas moins d'une impressionnante et triomphante présence, dont le voisinage était bien dangereux pour les autres sculpteurs du Salon[37] !

– André Dauchez, président de la Société nationale des beaux-arts, promettait de demander à son comité de réserver, à la souscription, une partie des billets d'entrée au prochain salon[38].

– Paul Abram, directeur du théâtre de l'Odéon, acceptait de mettre sa salle à la disposition des admirateurs de Balzac et de Rodin pour une représentation de gala qui allait être bientôt organisée au bénéfice de la souscription[39]. Fin janvier 1937, l'Odéon donnait une *Eugénie Grandet* adaptée par Albert Arrault. La représentation devait être unique, sauf grand succès public. Il n'en fut rien.

– Le 28 octobre 1936, le Comité de la Comédie-Française décidait, à la demande de la Société des gens de lettres – en accord avec Émile Fabre qui faisait remise de ses droits d'auteur – que la recette de la deuxième représentation de *La Rabouilleuse*, après un prélèvement de 10 000 francs par la Comédie-Française, serait affectée au bénéfice de l'érection, sur une place publique de Paris, de la statue de Rodin[40]. Mais le vendredi 6 novembre 1936, jour de cette deuxième représentation, il s'avérait que la recette de *La Rabouilleuse* n'atteignait pas 10 000 francs : consternation ! La désastreuse information semble même avoir été cachée à la presse[41], qui déplorait que "Mme Marie Marquet [n'ait] pu se résigner à adopter le ton familier et commère de son personnage. Il est vrai qu'aucune actrice ne pouvait aujourd'hui l'incarner physiquement. Balzac l'a voulue superbe et bien nourrie. Il nous parle de 'ses beaux bras ronds' et de 'sa plénitude de formes'. Or, toutes nos actrices ne mangent que des ronds de tomate[42] !" Le Comité de la Comédie-Française jugea néanmoins devoir affecter une somme de 500 francs à l'érection du *Balzac* de Rodin, œuvre au bénéfice de laquelle la soirée était donnée[43]. Georges Lecomte adressa, malgré tout et comme il se doit, une lettre de remerciement le 21 novembre suivant. Sans plus de précisions, il semble, fait étrange, qu'une reproduction de la statue du *Balzac* ait été exposée au Foyer du public, et qu'à l'occasion de ce prêt Georges Lecomte ait prononcé une très belle allocution[44].

– Recherchant les moyens de réunir la somme nécessaire à la fonte de la statue de Rodin, il fut une proposition, fort originale, qui séduisit particulièrement les organisateurs : Sacha Guitry, proposait après entente avec M. Jardillier, ministre des PTT, de lancer un appel à la TSF et émettait le souhait de voir des écrivains éminents et volontaires venir lire au poste de radio quelques pages de Balzac[45]. Sacha Guitry, victime de sa mythomanie, apporta, toute sa vie, un soin méticuleux à se faire passer pour un ami de Rodin. Il fit spontanément très tôt partie du noyau dur du Comité pour l'érection du *Balzac*, poursuivant ainsi l'action de son père, Lucien Guitry, qui avait combattu auprès de Gustave Geffroy, Octave Mirbeau et une dizaine d'autres en 1898[46]. "On sait, nous apprend le journal *Aux Écoutes*[47], que Sacha Guitry s'est mis en tête de fondre le Balzac de Rodin, demeuré à l'état de plâtre. Il en coûtera la bagatelle de 100 000 francs, et comme on lui demandait où il les prendrait, il répondit d'un air méditatif : 'Il y aurait une solution, la plus simple et la plus rapide de toutes, ce serait de trouver quelqu'un qui donne les cent mille francs, et ce quelqu'un pourrait fort bien être moi. Seulement voilà, j'aurais l'air de me faire valoir, il me semble que ce serait indiscret. On pourrait aussi trouver dix personnes donnant chacune 10 000 francs. L'objection diminuerait de volume, mais elle ne disparaîtrait pas. Non, voilà ce que je me propose de faire : un appel par T.S.F. aux admirateurs de Balzac ou de Rodin, ou des deux, en leur demandant une souscription qui, en aucun cas, ne pourrait dépasser un franc. Ce serait l'affaire de huit jours...'" Cette causerie autour du *Balzac* eut lieu le 2 janvier 1937[48], en guise d'entracte à la radiodiffusion d'une de ses pièces, *Faisons un rêve*, et rapporta au Comité la coquette somme de 18 650 francs. Il achevait sa diatribe sur les mots suivants : "Ceux qui n'admireraient pas le Balzac de Rodin feront bien de ne pas s'en vanter. Cela leur ferait certainement du tort." "Autrement dit ce sont des idiots[49]", soulignait avec délectation le journal satirique *Le Rire*.

De Balzac ou de Rodin, à qui Guitry voulait-il donner la parole, quand il imagina de monter un film qui retracerait la vie de l'auteur du *Père Goriot*, ou bien une pièce de théâtre sur Balzac, en 1938, dont Raimu et lui-même devaient se partager la distribution ? Bruits de couloir, que Sacha avait l'habileté de laisser courir à la Comédie-Française, au théâtre de la Michodière et auprès des journalistes de tous bords. C'est pourtant Camille Marbo, présidente de la Société des gens de lettres, qui, en janvier 1938, divulgua cette information auprès du journaliste G. Charensol, en ces termes[50] : "Nous avons décidé de faire coïncider la cérémonie d'inauguration du *Balzac* avec notre centenaire qui s'ouvrira par une grande manifestation en présence de M. Albert Lebrun. Elle aura lieu au Grand Amphithéâtre de la Sorbonne dans l'après-midi du 31 mai 1938. Après l'inauguration de la statue de *Balzac*, une petite fête intime se déroulera ici-même, à l'Hôtel de Massa. Nous aurons ensuite la création du *Balzac* de Guitry. Celui-ci, qui est venu assister à une de nos réunions, écrit à l'occasion du centenaire une pièce en trois actes dont il sera le principal interprète. Les rôles secondaires seront tenus par des comédiens fameux tels Victor Boucher ou Raimu, et nous souhaitons vivement que ce gala ait lieu à la Comédie-Française[51] !"

René Benjamin et Sacha Guitry, tous deux animés par le désir de monter un *Balzac* à la Comédie-Française, sont mis par les journalistes en position de rivalité en ce tout début d'année 1938[52]. Guitry n'a cependant rien écrit, ni réalisé ; pire encore, il semble, après l'éclat tonitruant de 1936, progressivement s'être dissocié du bureau du Comité. Il n'est pas improbable que Georges Lecomte ait pris ombrage de l'aisance avec laquelle, toujours, Sacha Guitry sut tirer un profit très personnel d'une situation dont il n'était pas l'initiateur[53]. Son élection à l'académie Goncourt, en juin 1939, ne devait-elle d'ailleurs rien au tapage médiatique qui, au cours des trois années précédentes, l'avait très artificiellement mis en avant ?

D'octobre 1937 à août 1938, la presse se saisit de la question du financement ardu de la fonte et de l'érection de la statue de Rodin. Le Comité, harcelé, est amené à rendre des comptes à ses souscripteurs, non encore annoncés, et aux curieux. Le 27 octobre 1937, il adressait un nouvel appel pressant. Le 19 mai 1938, les souscriptions parvenues au trésorier Conard étaient insuffisantes. Le Comité attendait que la somme nécessaire soit atteinte pour publier la liste des souscripteurs et pressait tous ceux qui s'intéressaient aux arts et aux lettres et à la beauté de Paris d'apporter leur soutien. Le 3 juillet, une première liste annonçait un total provisoire de 47 322 francs, tandis qu'idéalement il en était attendu 100 000. Le 12 septembre 1938, la Société des gens de lettres, solidaire, malgré tout, et impatiente de voir ce trop long repentir prendre fin, se tourna vers ses sociétaires en faisant paraître un appel dans sa *Chronique* pour aider à couvrir les frais d'inauguration. Les vingt membres de son Comité s'étaient, ce jour-là, personnellement inscrits pour une somme totale de 2 400 francs[54]. Le 10 décembre 1938, après émission d'une seconde vague de demandes de souscriptions personnalisées, il ne manquait plus que 10 000 francs. L'ironie allait bon train : alors..., malgré les succès annoncés, malgré le panache de Guitry, on en était encore là... ! Décidément, "le fameux Balzac de Rodin aura moins fait couler d'argent, qu'il n'a fait couler d'encre[55] !" Décidément, "Les difficultés d'argent auront poursuivi Balzac au-delà de la tombe", susurre, moqueur, *Le Figaro*. Ou encore, "la souscription de la Société des gens de lettres, qui atteignait la somme de 2.970 francs, n'atteint que 3.390 francs le 5 juin 1939, ce qui revient à dire que les mois de mars et avril ont tout juste rapporté 420 francs, ce qui au poids du bronze, n'est vraiment pas lourd... À cette cadence là, on n'est pas près de ne plus parler du Balzac de Rodin[56]." Ou bien, peut-être, y échapperons-nous ? Ces impertinences se faisaient plus mordantes encore lorsqu'elles en venaient implicitement à juger des actions menées par le Comité, qui paraissaient, sinon vaines, du moins bien peu fructueuses, comparées au succès remporté par la souscription lancée parallèlement en faveur du *Buste de Baudelaire* pour le jardin du Luxembourg. Explications, justifications ? Le Comité du *Balzac* de Rodin persévéra et discrètement, presque honteusement, demandait, en janvier 1939, à chacun des membres de sa commission exécutive de bien vouloir verser 100 francs. Au mois de juin, la poste édita un timbre à l'effigie de Balzac coûtant deux sous et dont un pourcentage devait être reversé au Comité. Cette initiative se solda par une indifférence inquiétante. Toutefois, à force de ténacité et de manœuvres souterraines, il fut possible à la mi-juin 1939 d'envisager l'installation de la statue, la somme de 86 694 francs ayant été réunie au terme de la souscription, peu avant l'inauguration du 1er juillet 1939. Certains particuliers apportèrent une aide décisive : Gabriel Cognacq et David-Weill (tous deux membres du conseil d'administration du musée Rodin), 11 000 francs chacun, en deux fois dans les deux cas ! Aristide Maillol, 1 000 francs, Édouard Vuillard, 1 000 francs, Georges Lecomte, 1 000 francs, Louis Conard, 1 000 francs. À l'inverse on ne manque pas d'être surpris par le faible montant de la cotisation de Georges Grappe : 50 francs[57] !

"Rodin, voici Thorez !"

Mais le souscripteur le moins prévisible et le plus décrié fut le Parti communiste français qui, le 4 novembre 1936, et en la personne de Jacques Duclos, secrétaire général du parti agissant pour le compte du secrétariat, versait au Comité du *Balzac* de Rodin la somme de 500 francs. L'annonce fut faite par *L'Humanité* le jour même sous le titre "L'Hommage du Parti communiste au grand sculpteur français Rodin" et en ces termes : "On sait qu'un comité s'est constitué pour ériger sur une place de Paris, la statue de Balzac, œuvre du sculpteur Rodin, qui avait été autrefois refusée par la Société des gens de lettres. Le Secrétariat du Parti communiste français a adressé hier à M. Georges Lecomte, président du Comité Rodin, la lettre suivante : Monsieur, le parti communiste, soucieux de la défense des grandes traditions de l'art français, me charge de vous transmettre une somme de cinq-cents francs, don des ouvriers parisiens, pour aider à ce que soit, le plus rapidement possible, réparée l'injustice dont fut victime Rodin, en 1898. Nous estimons, avec vous, que votre Balzac doit, à l'occasion du centenaire de la Comédie Humaine, honorer une place de Paris. Ainsi seront associés deux noms et deux œuvres qui comptent parmi les plus caractéristiques et les plus hautes du génie de notre pays. Recevez, Monsieur, l'assurance de nos sentiments communistes. Pour le secrétariat du P.C.F., Jacques Duclos." Fidèle aux sentiments artistiques nationalistes qui l'animaient, le Parti communiste fut l'unique parti à prendre position dans le débat-combat du *Balzac* de Rodin. S'il respectait la tradition de l'art français, il entretenait aussi une scission politique devenue traditionnelle entre la gauche et la droite, rappelant celle qui opposait les dreyfusards aux antidreyfusards en 1898. L'offre était spontanée, imprévue, à la limite indésirable si l'on en croit les remerciements froids et anonymes que Georges Lecomte retourna à Jacques Duclos dès réception de la somme souscrite, le 10 novembre suivant : "Monsieur, au nom du Comité pour l'érection de la statue de Balzac par Rodin, ce chef-d'œuvre de vie et d'expression, je vous remercie de votre pensée et de votre généreux envoi. Il est nécessaire que, au moment du centenaire des plus beaux livres de La Comédie Humaine, hommage soit rendu à l'illustre père du roman moderne et en même temps à Rodin, l'un des trois plus grands sculpteurs du dix-neuvième siècle, dont le génie a évoqué magnifiquement celui de Balzac. Veuillez agréer, Monsieur, avec nos remerciements, l'assurance de nos sentiments distingués[58]." Lettre courtoise du président du Comité du *Balzac* à un individu indéterminé. La réponse, strictement vouée au culte des arts et des lettres, s'évertue à ne jamais citer les termes fâcheux de Parti communiste ou de PCF. Elle feint d'oublier soigneusement la connotation politique de l'envoi dont l'intérêt ne se situait pourtant nulle part ailleurs. On pouvait s'attendre à ce que d'autres partis surenchérissent, mais il n'en fut rien. Aux 500 francs versés par le Parti communiste, les opposants politiques répondirent par l'invective, l'ironie, l'humiliation et la bêtise. Bien souvent l'association ouvrier/art, jugée paradoxale, fait se gausser. Les ouvriers seraient ignorants des beautés, imperméables au bon goût, à la culture et à l'intelligence : "D'abord, cette générosité étonne. Puis à la réflexion, on trouve légitime l'hommage rendu par des gens qui veulent tout mettre en commun" ; "Rodin, voici Thorez ! [...] 500 francs, don des ouvriers parisiens. Avez-vous vu ce Balzac, affreusement, puissamment tourmenté ? Qu'est-ce que ces braves ouvriers, obligés à ce geste, vont gagner à l'érection de ce Rodin sur lequel la critique s'écharpe depuis des ans ? Ce que peut faire la discipline[59]." À quoi le Parti communiste répondit que représentant du "Peuple de France, il était le seul véritable défenseur de la culture française car ses adhérents savaient bien qu'un peuple cultivé est bien plus près d'être libre qu'un peuple ignorant[60]". Et si, comme ce fut le cas, on lui reprochait la naïveté dont il faisait soi-disant preuve lorsqu'il voyait en Balzac – l'auteur – non pas le "fameux réactionnaire" ou le potentiel membre de l'Action française, qu'il était aux dires de Léon Daudet, mais le promoteur de l'affranchissement des consciences populaires, il paraît important de noter qu'en aucun cas, le Parti communiste ne se positionna vis-à-vis du romancier. C'est à la réhabilitation du sculpteur qu'il s'attachait et à elle seule. Rodin, sans qu'il en soit clairement débattu, incarnerait des valeurs de beauté, de combativité, de résistance à l'imbécillité et aux préjugés sociaux... dignes des honneurs du Parti communiste.

Le lendemain de l'inauguration, le 2 juillet 1939, le Parti communiste réaffirma son contentement d'assister à la réhabilitation de Rodin et réaffirma les principes selon lesquels, toujours, il aurait pris part aux luttes menées en faveur des "Droits de l'Intelligence[61]".

Balzac : une erreur monumentale ?

La volonté d'ériger le *Balzac* relança la polémique éculée sur sa valeur plastique. "Chef-d'œuvre ou navet ?", questionnait la presse en novembre 1936. Alors qu'on croyait avoir vécu vingt mirifiques années d'abstraction et d'avant-garde, on se remettait soudain très doctement à parler ressemblance. Était-ce le retour à l'ordre qui frappait de plein fouet ? Alors que trois ans auparavant (1933) les surréalistes s'interrogeaient "sur certaines possibilités d'embellissement irrationnel d'une ville". Fracture des temps. Toujours est-il qu'on parlait beaucoup de statues. On voulait en élever de nouvelles et on aspirait à détruire celles qui avaient cessé de plaire. On en parlait d'autant plus que l'année 1937 saluait une exposition intitulée *Erreurs monumentales de Paris*, organisée par la Ligue française d'action d'art et fruit d'un concours lancé par la *Gazette des Beaux-Arts*. L'exposition, déterminée à statuer subjectivement, fatalement, sur ce que devait être ou ne pas être une œuvre digne d'envahir les rues parisiennes, dressait avec une délectation débridée le palmarès des œuvres nauséeuses à démettre de leur piédestal usurpé ! L'opinion selon laquelle Paris se mourait à petit feu des horreurs artistiques qui y stagnaient était répandue et partagée. Le *Gambetta* des Tuileries eut le premier prix, le *Clemenceau* des Champs-Élysées le second, le troisième alla à l'innocente *Sainte Geneviève* du pont de la Tournelle... À l'inverse, avoisinant ces "masses baroques de saindoux ou de savon noir", étaient exposés les exemples à suivre. Rodin, son *Penseur* au Panthéon et son *Balzac* appartenaient à cette dernière rubrique élogieuse. Quelques voix marginales, telles celles d'Aman-Jean[62] et de Pierre Lièvre, avaient déjà mis le feu aux poudres dès 1933-1934, regrettant que le *Balzac* de Rodin ne vînt pas, d'un magistral effet de manche, d'un regard hautain, balayer les "erreurs-horreurs" d'un Bartholomé ou d'un autre, trop confortablement installées en des lieux stratégiques de Paris. Déjà, ils arguaient pour qu'on reconnaisse à la statue de Rodin ce droit d'asile, au rond-point du Carrousel, ou bien à l'entrée du Cours-la-Reine, là où jadis avait été installé son pavillon de l'Alma[63]. Mais le fait de savoir qu'Arno Breker acquit un exemplaire en bronze d'une tête de *Balzac* en 1942 n'est guère de nature à nous rassurer...

Ce fut donc au beau milieu de ces querelles d'esthètes de quartier que le Comité du *Balzac* dut se démener pour obtenir gain de cause, pour qu'on lui cédât place où installer la statue.

Un placement difficile

Dès lors que le Comité fut constitué et la Ville de Paris sollicitée, la question du placement du *Balzac* se posait implicitement. Elle fut, à dire vrai, craintivement appréhendée par le directeur des Beaux-Arts et des musées de la Ville de Paris, Darras, qui soupçonnait dans son rapport au préfet du 15 mai 1936 qu'un Comité aussi déterminé "ne se contenterait certainement pas d'un emplacement modeste". De mai 1936 à mai 1938 – donc bien avant que Georges Lecomte n'ait officiellement sollicité un emplacement auprès du président du conseil municipal, Raymond Laurent (le 4 février 1937), et avant, surtout, que l'idée du don de la statue n'ait été entérinée par le conseil municipal (en mars 1937) – seule la question de son placement mobilisa l'énergie et les peurs de la Ville de Paris. Léon Riotor, ancien vice-président du conseil municipal, osait même émettre des réserves sur la capacité de la Ville à déterminer un emplacement : "C'est la troisième commission du Conseil municipal, déclara-t-il à la presse, qui s'occupe des emplacements. J'ai questionné à ce sujet, ce matin même, les conseillers qui appartiennent à cette commission. Les uns n'ont jamais entendu parler de Rodin. La plupart des autres ne connaissent de Balzac que son nom, quant au président, il m'a répondu d'un geste évasif, qui voulait dire : 'Je m'en f...'![64]" Persévérant, le Comité vint à bout des réticences, mais il est vrai que la correspondance entretenue durant ces deux années entre la Ville de Paris et le Comité ne débattit que des différentes propositions faites, tant par les membres du Comité que par le directeur du musée Rodin, les conseillers municipaux, la Société des gens de lettres et les porte-parole officiels du Service de l'architecture et des promenades... Tous pourtant ne sont pas obscurantistes, preuve en est des propos tenus par l'architecte chargé de la division des Promenades et Expositions, Azéma : "La statue de Balzac, d'esprit romantique, de ligne imprécise doit être vue de loin et se détachant sur un vide, comme en témoignent les photographies de l'œuvre faites du vivant de l'auteur et qui sont entre les mains de la Direction du Musée Rodin." Les journalistes suivaient l'affaire de près, de semaine en semaine, un peu perdus, cependant, par tant de projets énoncés, de perspectives tour à tour soulevées puis reniées. Il faut avouer que la question était d'importance, tant cette "apparition sur une place de Paris [menaçait d'être] désastreuse si elle n'[était] pas justifiée par une présentation digne d'elle. Ici, c'est le cadre qui [devait l'emporter][65]".

Le 9 juin 1936, Georges Lemarchand, conseiller municipal du 14e arrondissement de Paris, ouvrit les hostilités : la statue, fort encombrante, des deux pharmaciens Caventou et Pelletier, qui balaient de leur robe professorale le milieu du boulevard Saint-Michel, ne pourrait-elle céder son piédestal au glorieux écrivain[66] ? La proposition débrida la presse, et si on ne reconnaissait pas aux ouvriers le droit de s'intéresser aux choses de l'art, il ne semblait pas non plus que les conseillers municipaux y aient été admis. Quoi ! expulsez Caventou et Pelletier de leur piédestal et toute la Faculté aboiera après moi !, déclarait Max Frantel, jouant à être Balzac, dans *Comoedia*[67]. Cette hasardeuse proposition fut bien vite et unanimement délaissée et on n'entendit plus parler de Georges Lemarchand.

Le 29 octobre 1936, rue de Richelieu, à l'occasion de l'une des premières assemblées générales du Comité *Balzac*, Sacha Guitry eût plaisir à énoncer un vœu, celui de voir la statue de *Balzac* quai Conti, devant l'Institut, qui n'a pas pris Rodin, pas plus que l'Académie ne prit Balzac. Georges Lecomte partageait ce point de vue[68] ; l'eut-il même avant Guitry ? Difficile à dire. Toujours est-il qu'à cette date, et après que chacun y soit allé de sa conviction – place Edmond-Rostand, Champs-Élysées, carrefour Saint-Germain/rue du Bac, place Saint-Germain-des-Prés, jardins de la Muette et maints autres lieux... – cette proposition recueillit la majorité des voix des membres de la commission exécutive. Cela signifiait que Marianne[69] – déjà en place – voulût bien céder le pas à Honoré... et qu'il lui fût proposé un juste dédommagement : un asile plus Front populaire[70] ! Georges Lecomte, reconnaissant que la proposition revêtait des côtés frondeurs, était prêt à accepter n'importe quelle autre proposition de la Ville, pourvu qu'elle fût à la fois digne de Balzac et de Rodin.

Une autre idée fut émise, plus provocatrice encore : placer le *Balzac* dans le jardin de l'hôtel de Massa, sur les marches de la Société des gens de lettres. À cette nouvelle, la presse, assoiffée de polémiques, ruminait sa joie. Le temps passant, de moins en moins de journaux prenaient sérieusement en considération cette dernière épopée vécue par le *Balzac*. La plaisanterie était de rigueur. Le *Balzac* à l'hôtel de Massa : pour qui est la punition ?, se demandait-on. *La Croix* déclarait cette "proposition beaucoup plus démocratique qu'elle n'en [avait] l'air. Si les Gens de Lettres sont contents d'avoir leur Balzac pour eux, les gens étrangers aux lettres, bien plus nombreux, se trouveront plus satisfaits encore de ne pas se la voir imposer à la vue[71]." Étonnamment, il était un des vingt membres du Comité de la Société des gens de lettres, Georges Bourdon, qui exprimait aussi ce souhait. Déjà, il imaginait le mur longeant la rue du Faubourg-Saint-Jacques abattu et remplacé par une grille, afin que de la rue le public puisse voir la sculpture. En la circonstance, un retentissant *"mea-culpa"* de la Société des gens de lettres lui semblait devoir s'imposer. Jean Vignaud, alors président de la Société, et sous couvert de ne pas contrarier l'initiative de Georges Lecomte, opposa à Georges Bourdon une fin de non-recevoir, tandis que docilement les autres membres du Comité l'appuyaient[72].

Les membres du Comité directeur, eux-mêmes, ne parvenaient pas à se mettre d'accord. Si Lecomte, quoique ouvert, avait déclaré sa prédilection pour l'Institut, Léon Riotor lui préférait les hauteurs de Passy, là même où Balzac avait sa maison, tandis que Judith Cladel s'attachait à la place du Palais-Royal. Fort à propos, Pierre du Colombier déclarait d'ailleurs que, décidément "si l'on s'accroche à cette idée de réparation, le seul expédient serait de mettre le Balzac à la place de l'endroit prévu expressément par le maître : sur la place du Palais-Royal[73]". À défaut du Palais-Royal, Rodin avait envisagé la place de la Bourse. C'était, jadis, la volonté de Gustave Geffroy, celle aussi de Mario Meunier, respectivement ami et secrétaire de Rodin. Tous deux se souvenaient que le sculpteur "voyait bien son Balzac dominer, du haut de son regard et de sa masse orgueilleuse, le tumulte confus et les cris inhumains des damnés de l'argent[74]". Pourtant, à bien y penser, trente ans après la mort de Rodin, désormais que vrombissaient et grouillaient les automobiles, plus personne ne souhaitait réellement voir le *Balzac* luttant pour émerger de l'agitation de la ville. L'isolement lui serait de bonne compagnie, disait-on. "Sa vraie place est dans le coin ombragé, mystérieux de quelque square"... où le *Balzac* pourrait à satiété jouer au croque-mitaine, ironisait la voix du toujours récalcitrant témoin de son temps, Clément Vautel. À quoi bon sérieusement envisager le placement d'un Rodin quand

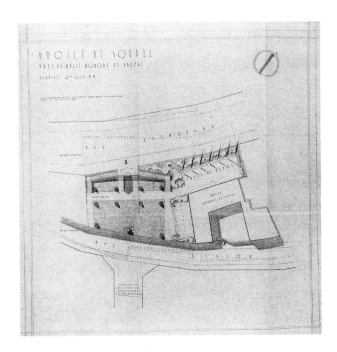

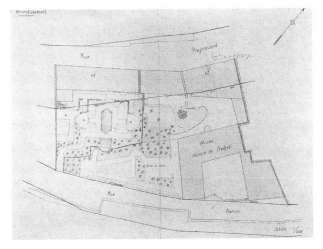

fig. 96 et 97
Deux plans réalisés en 1937 par les services d'architecture de la Ville de Paris : propositions de placement du *Balzac* aux abords de la Maison de Balzac
Paris, archives de la direction des Affaires culturelles de la Ville de Paris – Conservation des œuvres d'art religieuses et civiles

fig. 98
Photomontage réalisé en 1938 par les services d'architecture de la Ville de Paris : proposition de placement du *Balzac* sur la perspective des jardins du Luxembourg et de l'Observatoire
Paris, archives de la direction des Affaires culturelles de la Ville de Paris – Conservation des œuvres d'art religieuses et civiles

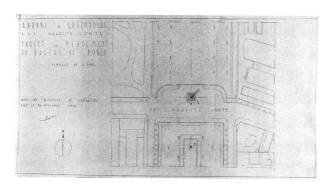

fig. 99 et 100
Plan et photomontage réalisés en 1938 par les services d'architecture
de la Ville de Paris : proposition de placement du *Balzac* aux abords
du jardin du Luxembourg, rue Auguste-Comte
Paris, archives de la direction des Affaires culturelles de la Ville de
Paris – Conservation des œuvres d'art religieuses et civiles

on pense que toutes les tentatives antérieures prirent tragi-
quement fin : "Le Penseur coliquart est allé se tortiller je ne sais
où ; qu'est devenu le Victor Hugo qui faisait du nudisme au
Palais-Royal ? Le Buste d'Henry Becque, avenue de Villiers, a
été victime aussi de la fatalité : un camion heurtant un piédestal
l'a projeté à vingt mètres, sur le pavé... Ce buste a été remis
en place. Tiendra-t-il ? Il y avait dans la cour du palais
Farnèse, à Rome, un Homme qui marche de Rodin. Il a été
enlevé aussi, mais non par une 'jolie femme', par un ambassadeur qui trouvait à cette 'statue un symbolisme gênant'[75]."

Un temps aussi, on envisagea de déboulonner le *Balzac* de
Falguière pour y installer celui de Rodin. Mais c'était remuer
des querelles ancestrales, dont personne ne souhaitait le
retour. S'appuyant sur cette "très belle phrase" de Paul Claudel
– l'ancien ambassadeur qui précisément habitait avenue de
Friedland, et dont le Comité avait sollicité le patronage pour
ce projet –, "Je ne veux pas qu'on vienne déshonorer mon
décor[76]", l'opinion mit vite un terme à cette éventualité.

Quelques propositions retinrent davantage l'attention de la
Ville de Paris : le 25 février 1937, la direction du Plan sugg é-
rait d'installer le *Balzac* de Rodin dans un square récemment
annexé à la Maison de Balzac, à la suite de la destruction
d'habitations mitoyennes[77]. L'idée, toujours d'actualité au
20 juillet 1937, fut confiée aux services d'architecture, division des promenades et expositions, chargés d'étudier la validité du projet. S'ensuivit la réalisation d'un certain nombre
de plans d'aménagement, positionnant la statue tantôt dans
l'alignement du bassin, sur la pelouse centrale, tantôt au
détour d'un souple jardin à l'anglaise (fig. 96 et 97). Cette
perspective ne devait pas séduire le Comité à qui avait été
promis un emplacement plus fréquenté ; on s'était entendu
sur les termes d'une "érection du Balzac sur une place
publique". À l'automne 1937, le Comité sollicitait une entrevue auprès des services d'architecture, auxquels il remit une
liste de propositions de placement, jugée insatisfaisante le
21 décembre 1937.

L'année 1938 fut celle des décisions. Dès janvier, les services
d'architecture de la Ville de Paris soumettaient l'idée d'im-
planter le *Balzac* autour du boulevard Raspail ; ce devait être
l'option définitivement retenue[78]. Mais où sur le boulevard
Raspail ? Côté rue Campagne-Première, côté jardins de
l'Observatoire, ou bien côté Montparnasse ? Le 14 janvier, les
architectes remirent plans et maquettes photographiques des
différentes possibilités offertes dans ce quadrillage géogra-
phique restreint, ainsi qu'en témoigne la magnifique série de
clichés et photomontages mettant illusoirement en place le

fig. 101
Photomontage réalisé début 1938 par les services
d'architecture de la Ville de paris : proposition de placement
du *Balzac* boulevard Raspail, à hauteur du n° 136
Paris, archives de la direction des Affaires culturelles de la
Ville de Paris – Conservation des œuvres d'art religieuses et
civiles

plâtre immaculé du *Balzac* aux quatre coins du 6ᵉ arrondisse-ment. Le 7 février 1938, la direction du Plan désapprouva le choix de la rue Campagne-Première. La solution du jardin de l'Observatoire, qui revêtait de plus grandes qualités, fut soi-gneusement étudiée : le *Balzac* pouvait, soit prendre place sur la perspective des *Général Ney* de Rude, *Quatre Parties du monde* de Carpeaux, *Garnier* de Puech et autres qui jalonnaient sans relâche la longue perspective des jardins de l'Observatoire (fig. 98), soit s'installer sur le terre-plein cen-tral, rue Auguste-Comte, qui liait solennellement les jardins du Luxembourg et de l'Observatoire (fig. 99 et 100). Cette dernière suggestion emportait la préférence du Comité, en raison des meilleures conditions d'éclairage offertes[79]. Il était difficile en effet de rester insensible à cette proposition qui possédait grâce et force, qui élevait, par-delà les grilles du Luxembourg, le monumental *Balzac*, le laissant osciller à souhait entre une perspective contenue (les allées boisées et le Sénat au fond) et le champ libre. Juste flottement, juste équilibre interactif de l'œuvre et de son réceptacle. C'était en tout cas le sentiment partagé par Grappe, conservateur du musée Rodin, et les sculpteurs Despiau, Maillol, Drivier, Poisson : "Il nous faut le Balzac en plein ciel [...]. Le carrefour de l'Observatoire est un espace libre, très découvert, qui rem-plit toutes les conditions souhaitables[80]." Belle idée, tristement abandonnée – sans plus d'explications[81] – au profit de celle du boulevard Raspail, côté Montparnasse. C'est à cette der-nière proposition que les services d'architecture de la ville de Paris travaillèrent assidûment de la fin janvier au mois de mai 1938. Après différentes tentatives restées infructueuses – placement de part et d'autre de la station de métro "Raspail" et à hauteur du n° 136 du boulevard Raspail (fig. 101) – il en fut une qui retint l'adhésion du conseil muni-cipal et du Comité, à la fin du mois de mai 1938 : le *Balzac* devait prendre place sur le premier terre-plein[82], celui posi-tionné au carrefour des boulevards Raspail et du Montparnasse (fig. 102, 103 et 104). Seul ennui, des dépenses d'aménagement étaient à prévoir, ne serait-ce que pour ôter les éclairages, les arbres et la colonne Morris qui obstruaient la placette. Le 29 avril, il avait été demandé aux services d'architecture de chiffrer le montant du coût d'ins-tallation de la statue et des travaux de jardinage : 4 500 francs[83] à régler par le Comité qui, d'ores et déjà étran-glé, fit pâle mine. Le Comité fut finalement exonéré de cette somme en octobre 1938, sur les instances répétées de Darras. La Ville de Paris assumait tous les frais d'installa-tion, y compris les frais de jardinage d'un montant de 500 francs. Se posait encore le problème du socle et de l'ins-cription qui devait y figurer. On se souvient que Rodin avait envisagé d'agrémenter le socle de son *Balzac* d'un bas-relief

fig. 102 et 103
Deux photomontages réalisés début 1938 par les services d'architecture de la Ville de Paris : propositions de placement du *Balzac* au carrefour des boulevards Raspail et du Montparnasse
Paris, archives de la direction des Affaires culturelles de la Ville de Paris – Conservation des œuvres d'art religieuses et civiles

allégorique représentant *La Comédie humaine*. À la fin des années 1930, il n'était plus du goût du jour d'opter pour des volumes ou décorations un peu compliqués. Le piédestal devait être haut, 2 mètres, mais simple : pans coupés à angle droit, sans moulure, sans fantaisie aucune. Suffisamment simple pour ne pas rivaliser avec l'œuvre, suffisamment simple pour la projeter d'un trait droit vers le ciel, par-delà les branchages ; il fut l'œuvre des architectes associés E. L. Viret et G. Marmorat. Un long débat eut encore lieu pour décider ce qui, de *"Balzac/ 1799 - 1850"*, *"Balzac par Rodin/Leurs admirateurs"*, ou plus simplement *"Balzac - Rodin/ Leurs admirateurs"*, figurerait sur le piédestal. Cette dernière proposition de Judith Cladel finit par s'imposer en dépit de l'opposition de plusieurs fonctionnaires de la Ville de Paris qui refusaient de commettre un précédent en mentionnant le nom du sculpteur, ce qui décidément était contraire à l'usage.

Au moment où le projet donnait au grand public l'impression de s'essouffler, il était vital, pour l'aboutissement de ces deux années de lutte, qu'un emplacement soit déterminé. Dès lors (automne 1938), les énergies pouvaient se concentrer sur la collecte des fonds. Du côté des partisans du Comité, une certaine insatisfaction régnait pourtant. À la question *"L'emplacement de la statue vous paraît-il heureux ?"*, posée par *Le Journal* en mai 1938, Georges Grappe observa la plus hermétique discrétion, mais un autre membre de la commission, retranché derrière l'anonymat, exprima sa plus vigoureuse indignation : *"l'emplacement est détestable, cette œuvre de génie n'est point faite pour être vue dans un cadre étriqué sur un fond d'immeubles gris*[84]*"*. Mais ne soyons pas aussi défaitistes. *"Si l'orientation du Boulevard Raspail est contraire à l'esthétique du monument"* – ce dont chacun au fond de lui-même semble convenir – *"on pourra toujours l'éclairer, le soir, à l'aide d'un projecteur habilement placé*[85]*"*... !

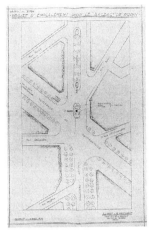

fig. 104
Plan réalisé en 1938 par les architectes du gouvernement E. L. Viret et G. Marmorat : proposition de placement du *Balzac* à l'angle des boulevards Raspail et du Montparnasse, sur le premier terre-plein. Projet adopté, correspondant à l'emplacement actuel

Dans une lettre du 27 mai 1938, Georges Lecomte avisait Darras de la présentation du plâtre prêté par le musée Rodin, arrêtée au 8 juin suivant, et pour laquelle il fallait déterminer une liste succincte d'invités obligés. Cette installation temporaire devait simplement permettre de juger de certains effets produits par le beau morceau de sculpture qui, ce jour-là, se profilait sur un ciel parisien d'une luminosité remarquable. L'essai fut concluant, satisfit les compétences réunies, Comité, architectes et hauts fonctionnaires des services d'architecture et d'esthétique. Une heure après qu'elle fut posée, la sculpture disparaissait sous le regard ébaubi des riverains croyant encore à des excentricités d'artistes.

L'inauguration du *Balzac* à l'angle des boulevards Raspail et du Montparnasse était alors, après deux ans et demi de lutte, raisonnablement prévue pour la seconde moitié du mois d'octobre 1938. Mais les problèmes financiers rencontrés et la santé défaillante de Georges Lecomte imposèrent un report d'une durée indéterminée. Et, malheureusement, il y avait à ce rendez-vous manqué plusieurs précédents : tandis que les préparatifs de l'Exposition Universelle de 1937 battaient leur plein et déployaient un climat d'intense activité culturelle, on avait pensé un temps raccrocher le wagon Rodin à cette prestigieuse locomotive au retentissement international. Rétrospectivement, cette pensée nous paraît teintée d'un optimisme gonflé au leurre, inconcevable. La deuxième occasion ratée est plus discutable encore. À en croire la presse et quelques interviews de Camille Marbo, présidente de la Société des gens de lettres en 1937-1938, il semblerait qu'il y ait eu un désir commun au Comité du *Balzac* et à la Société des gens de lettres d'organiser simultanément les fêtes célébrant le centenaire de la Société, celui de *La Comédie humaine* d'Honoré de Balzac et l'érection de la statue au cours de la première semaine de juin 1938. Or les procès-verbaux hebdomadaires des délibérations du Comité de la

fig. 105
"Aujourd'hui est inauguré le fameux monument d'Honoré de Balzac, par Rodin", *Paris Midi*, 1er juillet 1939

fig. 106
"L'inauguration du 'Balzac' de Rodin", *La France de Bordeaux*, 3 juillet 1939. Georges Lecomte, président du Comité, et Jean Zay, ministre de l'Éducation nationale, de part et d'autre du socle du *Balzac*

Société des gens de lettres ne font jamais état de ce projet, visiblement fomenté par l'imagination "happy ending" de quelques journalistes. Pas davantage Georges Lecomte, l'homme des deux camps, ne fit part de cette éventualité. Mais rappelons-nous les craintes exprimées par Darras dans sa lettre à Nastorg du 14 avril 1938, à l'idée de voir se conjuguer les inaugurations[86] ! Il y a fort à croire qu'en échange de certaines compensations, la municipalité ait fait pression sur les deux instigateurs de ces fêtes (Comité du *Balzac* et Société des gens de lettres) pour dissocier les événements. Plus étonnant encore, il semble que la Société des gens de lettres ait organisé les fêtes de son centenaire en grande pompe, mais surtout sans se soucier de célébrer le centenaire de *La Comédie humaine*[87], qui devint, implicitement, l'apanage du Comité du *Balzac*, qui se faisait d'ailleurs officiellement appeler "Comité du *Balzac* de Rodin et du centenaire de *La Comédie Humaine*". Georges Lecomte fut invité – au titre de représentant de l'Académie et non à celui de président du Comité du *Balzac* ! – à prendre la parole dans le grand amphithéâtre de la Sorbonne à l'occasion des fêtes du centenaire de la Société des gens de lettres dont il était familier, et, inversement, Gaston Rageot, Camille Marbo et Jean Vignaud étaient tous les trois présents à l'inauguration du *Balzac* boulevard Raspail, qui eût finalement lieu le 1er juillet 1939. Le 24 juin 1939, il y eut une ultime fausse alerte due à la mauvaise volonté de peintres indépendants réunis sous le nom de La Horde et qui, traditionnellement, installaient leurs baraquements précisément sur le plateau concédé par la Ville au *Balzac* de Rodin ! La presse s'en mêla, trouva ces altercations sans fin de plus en plus risibles, et chacun attendit que La Horde voulût bien quitter les lieux. Protestations bruyantes et nombreuses agitaient le quartier Vavin. Faute de pouvoir leur faire entendre raison, la Ville demanda à la police de bien vouloir intervenir. Le ménage fut fait et La Horde disparut, non sans revenir à pas feutrés, quelques heures après l'inauguration, déposer une gerbe tricolore aux pieds du *Balzac*...

L'inauguration eût lieu le 1er juillet 1939 à 15 h, à quelques jours de la déclaration de guerre, sous un ciel gris et au gré des averses, mais à la joie attendue se substituait déjà la crainte des jours mauvais. Si tout fut fait selon les normes, sans fausse note, l'impression rendue était cependant celle d'une cérémonie funèbre ; les protagonistes avaient le profil fatigué, anciens combattants peinant pour un Comité à bout de souffle : *"Ce fut une bien belle cérémonie, avec des discours, de la musique, bref tout ce qu'on pouvait rêver de mieux [...]. Un cordon de police préservait les personnalités du contact de la foule [fig. 107] ; il n'empêcha cependant pas la musique de l'infanterie coloniale de tonitruer des airs guerriers à cinq mètres de M. Georges Lecomte qui parlait au nom de l'Académie. M. Georges Lecomte parlait ; la musique jouait. C'était très bien. On n'était d'ailleurs pas venu là pour entendre des discours qui semblaient prononcés pour deux douzaines de privilégiés. La plupart étaient venus là pour voir[88]"*... pour assister au tomber du voile qui recouvrait la statue (fig. 105), auquel procédèrent les deux présidents d'honneur du Comité, Maillol et Despiau ; pour voir ceux qui prirent la parole (fig. 106), Georges Lecomte (Académie et Comité), Jean Vignaud (Société des gens de lettres), Jean Chiappe (conseiller municipal, député de Paris), Achille Villey (préfet de la Seine), Gabriel Boissière (vice-président du conseil municipal de Paris) et Jean Zay (ministre de l'Éducation nationale), enfin, qui, le teint hâlé par son voyage aux Amériques, conclua avec panache : *"Aujourd'hui, nous osons remettre en pleine lumière ce mystère farouche, lâcher le monstre au grand jour. Le voici dressé au cœur de ce Montparnasse qui est comme la capitale de l'art maudit et qui a vu passer tant de tragiques destins d'artistes[89]."*

Georges Lecomte, lorsqu'il s'ouvrit de ses souvenirs devant les micros de l'ORTF en 1950, racontait que depuis ce fameux soir de 1898 – où il faisait figure de cadet parmi les plus beaux esprits de cette fin du XIXe siècle réunis dans l'atelier de Rodin pour échafauder une contre-attaque au refus la Société des gens de lettres – il se sentait investi d'une mission : celle d'ériger le *Balzac* décrié sur une place publique de Paris. L'attente fut longue, trente-neuf ans ; le regain combatif plus difficile que prévu : trois ans.

La tâche n'était pas simple. Théoriquement soutenu par deux vénérables institutions, le musée Rodin et la Société des gens de lettres, qui avaient toutes deux intérêt à ce que l'action menée par Georges Lecomte et Judith Cladel aboutisse, le Comité du *Balzac* se retrouva bien vite abandonné de tous. L'investissement du musée Rodin et de la Société des gens de lettres fut minimal : souscripteurs et bonne conscience. La Ville de Paris, bénéficiaire un peu embarrassée par le "cadeau" trop connoté que lui offrait le Comité, manifesta une qualité de dialogue inattendue, en dépit de ses réticences initiales. Revenant sur ses pas, la Ville, même prudente, s'attacha à se montrer conciliante et facilita considérablement la tâche du Comité.

Le *Balzac* fut donc érigé le 1er juillet 1939, au tintamarre officiel de l'Infanterie coloniale, au son des discours, en présence de nombreux curieux. Le Comité (Despiau, Maillol, Lecomte, Cladel), usé et vieillissant, avait, en dépit de tout, des invectives, du manque d'argent, de la difficile mobilisation des esprits en ces temps menaçants, accompli la mission qu'il s'était imposée. Sa persévérance méritait effectivement d'être saluée.

Le *Balzac* n'était pourtant pas sorti d'affaire. Quelques mois après son inauguration, la Ville de Paris, menacée par les bombardements allemands, mit promptement ses chefs-d'œuvre à l'abri. C'est donc dans le vestibule de l'Observatoire, aux côtés du *Maréchal Ney* de Rude, que *Balzac* passa les quatre ans de guerre. Sa réinstallation, co-organisée par le maire du 6e arrondissement et le comité local de libération, intervint le 29 octobre 1945. Et depuis, sa patine "cirage noir" fut sans cesse contestée, depuis, son emplacement fut sans cesse remis en question... Chacun sait que cet emplacement ne répond pas entièrement aux nécessités plastiques imposées par le monument de Rodin. La tentation est grande de vouloir mêler sa voix aux protestations cacophoniques qui agitèrent l'opinion de 1950 à nos jours. Retenons-nous. Les nombreuses contestations émises sont de nature à faire craindre un déplacement plus inadéquat et plus irréversible encore. Rendons hommage aujourd'hui au *Balzac* de Rodin en même temps qu'aux personnes qui en ont permis l'installation, en respectant justement le lieu choisi ou attribué (fig. 108). Mémoire des actes...

fig. 107
"L'inauguration du 'Monument Balzac' à l'angle des boulevards Raspail et du Montparnasse, le 1er juillet 1939", *Paris-Soir*, 9 juillet 1939

fig. 108
Balzac, à l'angle des boulevards Raspail et du Montparnasse, aujourd'hui

1. Procès-verbal du conseil d'administration du 28 novembre 1926 ; arch. musée Rodin.
2. Cet exemplaire est aujourd'hui exposé dans le parc de sculptures de Middelheim à Anvers.
3. Procès-verbal du conseil d'administration du 6 juin 1930 ; arch. musée Rodin.
4. *Cf.* Rodin, *Correspondance*, t. III, 1987, p. 217.
5. Dès réception du paiement de l'État belge, Georges Grappe s'engageait aussi à rembourser Maurice Fenaille qui avait avancé l'argent nécessaire à la fonte (*cf.* Grappe à Fenaille, 15 avril 1931 ; arch. musée Rodin).
6. Georges Grappe, "Le Balzac de Rodin au musée d'Anvers", *Comoedia*, 13 avril 1931.
7. "Un événement au musée d'Anvers : Inauguration du Balzac de Rodin", *La Métropole*, 13 avril 1931.
8. "Le Balzac de Rodin à Anvers : la fameuse statue a été inaugurée aujourd'hui. Au musée des Beaux-Arts", *Dernière Heure*, Bruxelles, 13 avril 1931.
9. Maurice Bourdet, "Pour que le Balzac d'Auguste Rodin se dresse bientôt à Paris : un comité s'est constitué à cet effet", *Le Petit Parisien*, 17 avril 1936.
10. Judith Cladel, *Rodin, sa vie glorieuse...*, 1936, p. 226.
11. *Cf.* "Arts et Lettres : le Balzac de Rodin au musée Royal d'Anvers", *La Métropole*, 9 avril 1931 et *Comoedia*, 11 avril 1931 ; "Un événement artistique : inauguration d'une réplique en bronze du Balzac de Rodin au musée des Beaux-Arts, *Le Matin*, 13 avril 1931.
12. Il remplaçait M. Cornette, malade (cf. *La Nation Belge*, 12 avril 1931).
13. Maurice Bourdet, "Pour que le Balzac d'Auguste Rodin se dresse bientôt à Paris : un comité s'est constitué à cet effet", *Le Petit Parisien*, 17 avril 1936.
14. Georges Grappe, procès-verbal de la séance du conseil d'administration du 23 mai 1936 ; arch. musée Rodin. Georges Grappe lui-même en était, c'est touchant de modestie !
15. Tout un contexte subjectivement décrit dans Robert Brasillach, *Notre avant-guerre*, Paris, éd. Plon, 1941, pp. 185-192.
16. Dina Vierny ne possède aucun document attestant de cette

adhésion de Maillol au comité de soutien pour l'érection du *Balzac* ; les recherches sur Despiau se sont révélées aussi peu fructueuses (*cf.* la thèse d'Élisabeth Lebon sur Charles Despiau, Paris I – Panthéon Sorbonne, soutenue en 1996).
17. Judith Cladel, *Rodin, sa vie glorieuse...*, 1936, p. 226.
18. Né le 9 juillet 1867 à Mâcon. Décédé le 27 août 1958. Publie un *Rodin* aux éd. Librairie des publications artistiques et techniques. Est treize fois élu à la présidence de la Société des gens de lettres, la première en 1908, la dernière en 1945. Écrit pamphlets et articles sous le pseudonyme de Cormatin. Dès la querelle du *Balzac* de 1898, il devient un ami sincère de Rodin, qui le délaisse – et l'attriste – parfois un peu, l'importante correspondance archivée au musée Rodin en atteste. Et il est amusant de voir, par exemple, qu'en 1913 Rodin adresse d'affectueuses lettres au président de la Société des gens de lettres, Georges Lecomte : ironie de l'histoire...
19. Première lettre de Georges Lecomte à Rodin (1898) ; arch. musée Rodin (*cf.* chap. III). Cette lettre initie une longue correspondance – toujours assez officielle – entre les deux hommes, jusqu'à la mort de Rodin.
20. Judith Cladel, "Rodin, l'Affaire du Balzac", *La Revue de France*, 15 juin 1935.
21. Procès-verbal du conseil d'administration du musée Rodin du 31 mai 1935 : "[Grappe] Je crois vous avoir informé au dernier Conseil de la visite de M. Mathias Morhardt qui, avec Judith Cladel, désire ouvrir une souscription publique pour l'érection d'une statue de Balzac dans Paris. J'ai dit que nous étions très favorables au projet du Comité mais que nous ne donnerions le Balzac que lorsque les fonds seraient recueillis et que nous serions d'accord avec l'architecte pour le socle et avec la ville pour la place choisie. [Pol Neveux] – Alors, soyez tranquille, avant qu'on réunisse la somme, le temps passera ; ce n'est pas demain que le Comité aura les 150 000 francs nécessaires" !
22. Georges Lecomte, cité par Judith Cladel, "Le Balzac de Rodin et le Centenaire de la Comédie Humaine", *Mercure de France*, 1er novembre 1936.

23. Le Comité à P. Darras, directeur des Beaux-Arts et des musées de la Ville de Paris, 14 avril 1936 ; arch. de la Direction des Affaires culturelles de la Ville de Paris – Conservation des œuvres d'art religieuses et civiles (DAC-COARC). Don que refusa P. Darras le 1er mai 1936 : "je vais avoir sans aucun doute à m'occuper officiellement [...] du placement éventuel du monument à Paris. Vous comprendrez donc le scrupule qui m'empêche d'accepter votre aimable proposition."
24. P. Darras à Villey, 15 mai 1936 ; Paris, arch. DAC-COARC.
25. *Cf.* note 20.
26. Alain Reymond, "Lettres de Paris : Navets de bronze et de marbre", 25 avril 1936 ; coupure de presse sans référence.
27. Georges Lemarchand, 1936, p. 2.
28. Clément Vautel, "Balzac persécuté", *Le Soleil*, Marseille, 15 novembre 1936.
29. Clément Vautel, *ibid.*
30. L'hommage rendu était mis sous le signe de l'État ; Georges Huisman, directeur général des Beaux-Arts, procédait en effet à l'inauguration, avec Georges Grappe à ses côtés. Judith Cladel présentait plusieurs dessins et sculptures. Le vernissage eut lieu le 26 octobre 1936 à 15 h. L'exposition resta ouverte tous les jours de 11 h à 18 h 30 jusqu'au 16 novembre (*cf.* "Courrier des Arts : le Balzac de Rodin sur une place de Paris", *Le Journal*, 30 octobre 1936 ; Paul Prist, "Un bel Hommage à Rodin", *Province de Namur*, 2 novembre 1936).
31. A. R., "Beaux-Arts : le Balzac de Rodin au Salon des Artistes Normands", *Dépêche de Rouen*, 24 octobre 1937. F. G. "Au musée des Beaux-Arts, la XXIXe Exposition de la Société des Artistes Normands", *Journal de Rouen*, 22 novembre 1937. La sculpture acquise par René Fauchois – dont il n'y a nulle trace au musée Rodin – est une épreuve de l'*Étude de nu C* (cat. 36).
32. "Notes d'art : Rodin", *Express du Midi*, Toulouse, 24 novembre 1937 : "Les trois petites études exposées en ce moment à la galerie Chappe & fils sont des étapes de Rodin, pour sa fameuse statue. Elles n'ont point encore ce caractère de véhémence qu'a l'œuvre définitive, mais le pouce génial

de l'artiste leur a déjà imprimé une fière allure. À l'intérieur de la galerie, on pourra admirer trois études de mains, dont une est connue sous le nom : 'la main sortant de la tombe' [...]. Enfin, quelques dessins, rehaussés d'aquarelle, complètent ce précieux et rare ensemble, émanant d'une collection privée, dont les pièces principales ont d'ailleurs passé au musée Rodin".
33. "Rodin et Balzac", *L'Ami du Peuple*, 27 octobre 1936.
34. Reproduit pour la première fois dans l'article de Louis Vauxcelles, "Le Balzac de Rodin", *Le Monde illustré*, 23 octobre 1937.
35. Paul Gsell, "Lettres et Arts : Au Salon d'Automne", *Le Cri de Paris*, 5 novembre 1937.
36. André Warnod, "Au Salon d'Automne : le Balzac de Rodin n'éveille même plus les échos des batailles anciennes", *Le Figaro*, 30 octobre 1937.
37. Bernard Champigneulle, "Salon d'Automne", *Mercure de France*, 1er décembre 1937.
38. "Balzac et Rodin", *Le Jour*, 4 novembre 1936 et "Courrier des Lettres : Pour que le Balzac de Rodin soit érigé sur une place de Paris", *Le Figaro*, 4 novembre 1936.
39. "Le Balzac de Rodin serait érigé à Paris ?", *L'Ère nouvelle*, 20 octobre 1936.
40. La pièce en sept actes de René Benjamin, intitulée *Balzac*, avait été reçue au comité de lecture de la Comédie-Française le 9 novembre 1934, mais ce fut finalement, après trois ans d'attente, *La Rabouilleuse* d'Émile Fabre qui fut jouée à la Comédie-Française. René Benjamin entendait confier le rôle-titre à Léon Bernard, séduit par l'idée. *Balzac* était programmé pour le 20 décembre 1935, mais Léon Bernard décéda le 20 novembre. René Benjamin suggéra alors le nom de Harry Baur, vedette de cinéma dont les prétentions financières ne pouvaient être satisfaites par la Comédie-Française. Au comité du 28 mai 1936, la représentation du *Balzac* de René Benjamin fut à nouveau envisagée parmi les prochaines nouveautés, mais le 6 août, quelques mois à peine après la constitution du Comité pour l'érection du *Balzac*, les sociétaires prirent peur : ils craignirent – étant donné les conditions politiques et le climat

polémique renaissant – de susciter des manifestations préjudiciables dans la salle du théâtre. La représentation du *Balzac* de René Benjamin se vit, de ce fait, ajournée. Entre-temps, Émile Fabre, après plus de vingt ans d'administration, fut remplacé par Édouard Bourdet, et dès le 15 octobre 1936, alors que la pièce de Benjamin était complètement évincée, la représentation de la pièce d'Émile Fabre, *La Rabouilleuse*, adaptée du roman de Balzac, *Un ménage de garçons*, était annoncée en comité au titre des nouveautés.

41. "Lettres et Arts : le Balzac de Rodin", *Le Cri de Paris*, 13 novembre 1936 : "M. Bourdet a donné la seconde La Rabouilleuse [...] le succès a été éclatant."

42. "Bruits de Paris : l'Affaire du Balzac, La Rabouilleuse", *Journal de Rouen*, 24 novembre 1936.

43. *Cf.* comités de la Comédie-Française des 9 novembre 1934 ; 23 décembre 1935 ; 6 août, 16 septembre, 15 et 28 octobre et 14 novembre 1936 ; Paris, arch. de la Comédie-Française.

44. *Cf.* Édouard Champion, *La Comédie-Française*, Paris, éd. Stock, 1937.

45. "Nos Échos", *L'Intransigeant*, 1er novembre 1936.

46. *Cf.* Lucien Guitry, "Mémoires : Sardou", *Candide*, mars-juin 1924.

47. "Une autre histoire du même", *Aux Écoutes*, 19 juin 1937.

48. À en croire le livre de comptes du Comité, il y eut deux causeries radiophoniques de Sacha Guitry, mais les dates du deuxième passage sur les ondes nous sont inconnues.

49. "CIN du beau : Balzac, Rodin et Sacha Guitry...", *Le Rire*, 2 janvier 1937 : "Sacha Guitry, qui est maintenant tout à fait venu au cinéma, n'obtint qu'une voix, au Grand Prix du Cinéma français, pour son roman d'un tricheur. Autrement dit ce sont des idiots. Gageons que Sacha Guitry doit penser et dire la même chose de ceux qui n'ont pas jugé son Roman d'un Tricheur digne du grand prix du cinéma français."

50. Mais ces mêmes propos furent repris par Georges Lecomte, également en janvier 1938.

51. G. Charensol, "Une pièce de Théâtre, un film, une statue : projets de la Société des Gens de Lettres pour commémorer un centenaire", *L'Intransigeant*, 8 janvier 1938.

52. *Cf.* Henri Poulain, "Les Centenaires balzaciens de 1938 : M. Georges Lecomte", *Courrier de la Plata*, Buenos Aires, 23 janvier 1938.

53. "Autour du Balzac de Rodin", *Aux Écoutes*, 7 novembre 1936.

54. Procès-verbal du comité du 12 septembre 1938 ; Paris, arch. de la Société des gens de lettres : "Le président informe le Comité qu'une certaine somme est encore nécessaire pour couvrir les frais d'inauguration du Monument Balzac. Un appel sera fait dans la Chronique. Chacun des membres du Comité décide de souscrire pour une somme de 100 francs. Le Président pour 500 francs", et du 10 octobre 1938 : "Le Président donne lecture du texte d'un appel qui sera inséré dans la Chronique en faveur d'une souscription pour l'érection de la statue de Balzac par Rodin."

55. "Encore dix mille francs et vous verrez le Balzac", *Avenir du Plateau central*, Clermont-Ferrand, 24 novembre 1938.

56. M. R., "Hommes de bronze : le Balzac cherche encore ses souscripteurs", *Cinq heures*, 5 juin 1939.

57. L'équivalent de 50 francs aujourd'hui.

58. "À propos du Balzac de Rodin : Une lettre de Georges Lecomte au Parti Communiste", *L'Humanité*, 10 novembre 1936.

59. La Palette, "Rodin, voici Thorez", *L'Écho*, Oran, 15 novembre 1936.

60. "La Liberté de dire des sottises", *L'Humanité*, 5 novembre 1936.

61. "Comme le demandait le Parti communiste : le Balzac de Rodin se dresse depuis hier sur une place de Paris – Hier a été inauguré, à Paris, le Balzac de Rodin", *L'Humanité*, 2 juillet 1939.

62. Membre du conseil d'administration du musée Rodin.

63. "Un désir de M. Aman-Jean", *Nouvelles littéraires*, 5 août 1933 ; Pierre Lièvre, "La vie littéraire : les chances de Mme Hanska", *Le Jour*, 26 février 1934.

64. "Autour du Balzac de Rodin", *Aux Écoutes*, 7 novembre 1936.

65. "La Bataille pour le Balzac de Rodin", *Revue de l'art ancien et moderne*, janvier 1937.

66. Compte rendu de la séance du 9 juin 1936, p. 2027, art. 22, *Bulletin municipal officiel de la Ville de Paris* ; arch. musée Rodin.

67. Max Frantel, "Belles Lettres : lettre ouverte d'Honoré de Balzac à M. Georges Lemarchand, conseiller municipal", *Comoedia*, 13 juin 1936.

68. Procès-verbal du comité du 9 novembre 1936 ; Paris, arch. de la Société des gens de lettres.

69. Statue de *La République* par Jean-Baptiste Soitoux, installée devant l'Institut à la suite du concours de 1848.

70. *Cf.* J. J. Brousson, "La vie passe : Balzac à la recherche d'un socle", *France du Centre*, 29 novembre 1936 ; "Où caser le Balzac de Rodin ?", *Le Cri du jour*, 7 novembre 1936.

71. "Gazettes : l'indésirable monument", *La Croix*, 8-9 novembre 1936.

72. Procès-verbaux des comités des 9 et 16 novembre 1936 ; Paris, arch. de la Société des gens de lettres.

73. Pierre du Colombier, "Le Courrier des Arts : une statue d'un placement difficile : le Balzac de Rodin", *Candide*, 12 novembre 1936.

74. Gaston Gicard, "Revue de la Quinzaine", *Mercure de France*, 1er février 1937.

75. Clément Vautel, "Sept jours. Sept nuits : l'Homme sans tête", *Gringoire*, 22 janvier 1937.

76. "Consolation", *Le Nouveau Cri*, 2 mai 1936.

77. Ainsi, le 13 mai 1937, Darras envisageait sérieusement la possibilité de placer le *Balzac* au 49 de la rue Raynouard, la Maison de Balzac étant au 47 et l'immeuble du 49 devant être détruit. Le directeur du Plan de Paris, M. Doumerc, y paraissait très favorable et excluait de fait toute autre hypothèse, notamment celle de l'Observatoire (*cf.* procès-verbal de la 3e commission du conseil municipal du 5 avril 1938 ; Paris, arch. DAC-COARC).

78. Cette hypothèse circula officieusement dans la presse dès le mois d'octobre 1937.

79. *Cf.* note de Darras au directeur des services d'architecture et des promenades du 17 novembre 1937 ; Paris, arch. DAC-COARC.

80. S. Gille-Delafon, "Le Balzac de Rodin en quête d'une place publique", *Beaux-Arts, Le Journal des Arts*, 28 janvier 1938.

81. Note de Darras au directeur des services d'architecture et des promenades du 17 mai 1938 ;

Paris, arch. DAC-COARC : "pour Balzac, il ne s'agit plus, non plus de mettre la statue avenue de l'Observatoire, l'endroit ne remplissant pas les conditions requises, mais sur le petit plateau situé à l'angle du Boulevard Raspail et du Montparnasse."

82. Le 29 avril 1938, M. Pointel, président de la 3e commission, avait décidé le placement de la statue sur le terre-plein médian ; Paris, arch. DAC-COARC.

83. Somme initiale de 20 000 francs ramenée à 4 500 francs (*cf.* note de M. Azéma à l'architecte en chef de la Ville de Paris du 25 mai 1938 ; Paris, arch. DAC-COARC).

84. "Balzac et Rodin chez les Montparnos", *Le Journal*, 28 mai 1938.

85. Armory, "Chronique de Paris : le Balzac de Rodin", *Tribune des Nations*, 2 juin 1938.

86. P. Darras à Lionel Nastorg, 14 avril 1938 : "Or, voici où les choses se compliquent et deviennent dramatiques : la Société des gens de lettres a l'intention de célébrer son centenaire le 1er juin prochain et d'en profiter pour inaugurer solennellement le monument dont il s'agit (statue de *Balzac* par Rodin). Vous devinez les tempêtes d'ordre artistico-littéraire que nous allons ainsi déchaîner" (Paris, arch. DAC-COARC).

87. En novembre 1937, au moment où la Société des gens de lettres comptait encore sur les 100 000 francs promis par le ministère de l'Éducation nationale, il avait pourtant été question d'organiser une représentation au Trocadéro d'un sketch qui aurait fait défiler les principaux personnages de *La Comédie humaine* (*cf.* procès-verbal du comité du 29 novembre 1937 ; arch. de la Société des gens de lettres, T. 26).

88. Le grincheux jovial, "Les promenades du grincheux jovial : l'inauguration du Balzac de Rodin", *Beaux-Arts*, 7 juillet 1939.

89. *Chronique de la Société des Gens de Lettres*, 1er juillet 1939, p. 213.

XIII

Agnès Cascio

Dans le cadre de l'exposition sur le *Monument à Balzac*, une vaste campagne de restauration a été entreprise et s'est déroulée pendant plus de deux années[1]. Elle a été l'occasion d'une étude technologique exhaustive de l'ensemble des œuvres relatives à ce monument, principalement conservées à la villa des Brillants à Meudon.

Environ cent quinze pièces ont été examinées individuellement et un inventaire précis de toutes les traces laissées à la surface des œuvres par le travail du sculpteur ou des différents praticiens a été fait. La forme et le nombre des réseaux de couture, les traces d'outil, les traitements de surface tels que les traces des agents de démoulage (barbotine, gélatine, gomme laque), les patines, les restes de sable de fonderie ont été relevés de façon systématique. Le déchiffrage de ces indices techniques a conduit à identifier ou à distinguer plusieurs œuvres qui, de prime abord, pouvaient sembler identiques. Malgré la disparition d'un certain nombre de pièces, ces observations ont permis d'établir des filiations et de procéder à des regroupements qui constituent des séries. Peu à peu, les groupes ainsi formés ont pu être ordonnés, ce qui a conduit à l'établissement d'une chronologie (*cf.* arbre généalogique, p. 243). Cette démarche, appuyée par les recherches historiques et stylistiques menées parallèlement, apporte un regard nouveau sur la compréhension du processus de création de Rodin car elle permet de suivre l'évolution progressive d'une forme vers un modèle définitif (fig. 110). Mais le cheminement du sculpteur est loin d'être sans détours. Parfois Rodin est revenu tardivement sur ses premiers modèles pour les retravailler. Il a aussi exploité d'une manière très personnelle toutes les techniques de reproduction qui lui permettaient non seulement de garder un témoin de chaque étape de sa création mais aussi de démultiplier les exemplaires.

Les œuvres étudiées sont en terre cuite - modelées ou estampées - et, pour la plupart, en plâtre. Le plus souvent les pièces en plâtre sont renforcées par de la filasse et parfois par des tasseaux de bois ou des armatures métalliques quand leurs dimensions l'exigent. Il arrive que la terre cuite et le plâtre soient associés sur une même œuvre. On ne compte qu'une étude en plastiline (S. 265, cat. 100).

Selon le matériau et la technique employés, la destination de chaque œuvre se révèle différente. Certaines séries très complètes présentent un échantillonnage représentatif des différentes étapes et du rôle spécifique joué par chaque pièce dans l'évolution du travail de Rodin. Par exemple, la série des *Têtes au front dégagé* comporte un modelage original en terre (S. 1653, cat. 67), une épreuve en plâtre du modelage (S. 1577), un estampage retravaillé en terre (S. 1644, cat. 68), une épreuve retravaillée en plâtre (S. 1400, cat. 69) et enfin une épreuve à caractère exclusivement utilitaire (S. 2090) qui a été le support d'une fonte au sable. Dans d'autres séries, on remarque aussi des épreuves qui ont servi à l'agrandissement ou à la réduction, ou encore à la fonte à la cire. Naturellement ce dernier type d'épreuves n'entre pas directement dans le processus de création. Elles présentent cependant un intérêt dans la mesure où elles marquent une étape que Rodin a jugée suffisamment intéressante ou aboutie pour justifier la reproduction à une autre échelle ou pour donner lieu à un tirage en bronze. Mais il faut rappeler que presque tous les bronzes de *Balzac* ont été exécutés après la mort du sculpteur et ont fait l'objet d'un choix sur lequel il n'est pas intervenu.

Modelage

Rodin débute toujours l'élaboration d'une œuvre par un modelage en argile exécuté la plupart du temps d'après un modèle vivant, complété par une documentation graphique ou photographique. Les modelages sont montés à la boulette par ajouts successifs et sont travaillés à l'outil ou au doigt, comme le montrent de nombreuses empreintes digitales imprimées dans la terre. Les outils utilisés sont traditionnels : spatules pointues ou à dents fines. Mais on note aussi l'emploi d'autres instruments qui, détournés de leur usage habituel, ont

fig. 109
Tableau synoptique
des techniques utilisées,
d'après un modèle de principe

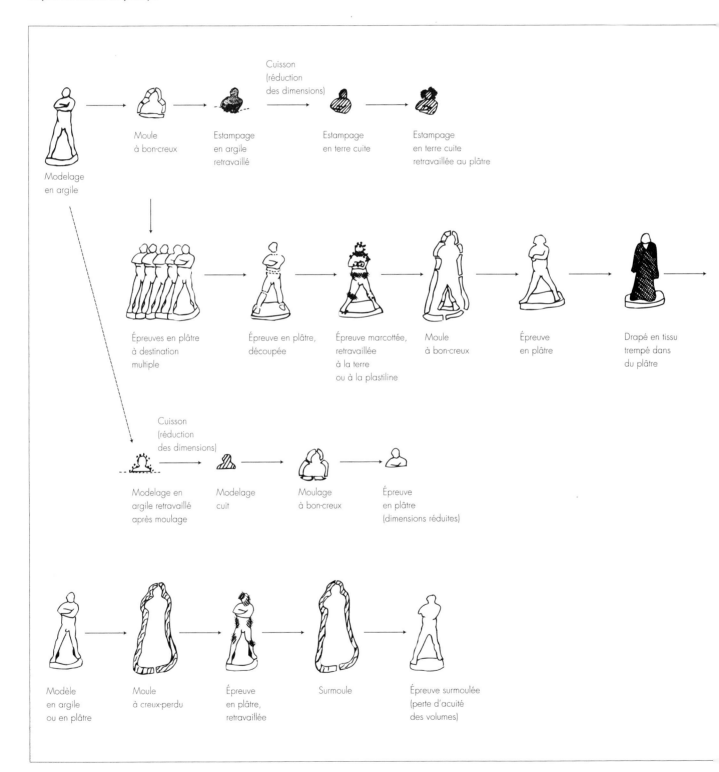

Modelage
en argile

Moule
à bon-creux

Estampage
en argile
retravaillé

Cuisson
(réduction
des dimensions)

Estampage
en terre cuite

Estampage
en terre cuite
retravaillée au plâtre

Épreuves en plâtre
à destination
multiple

Épreuve en plâtre,
découpée

Épreuve marcottée,
retravaillée
à la terre
ou à la plastiline

Moule
à bon-creux

Épreuve
en plâtre

Drapé en tissu
trempé dans
du plâtre

Cuisson
(réduction
des dimensions)

Modelage en
argile retravaillé
après moulage

Modelage
cuit

Moulage
à bon-creux

Épreuve
en plâtre
(dimensions réduites)

Modèle
en argile
ou en plâtre

Moule
à creux-perdu

Épreuve
en plâtre,
retravaillée

Surmoule

Épreuve surmoulée
(perte d'acuité
des volumes)

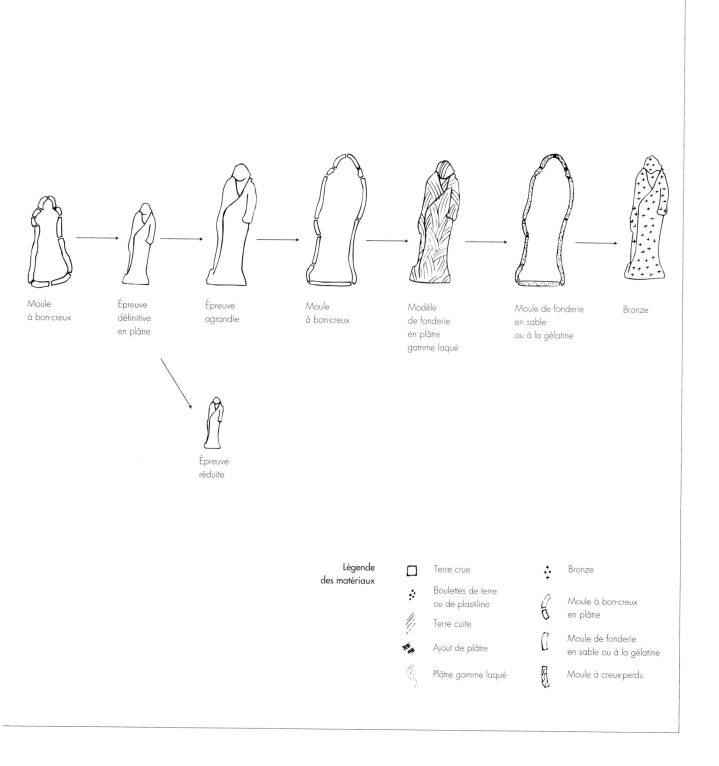

Moule
à bon-creux

Épreuve
définitive
en plâtre

Épreuve
agrandie

Moule
à bon-creux

Modèle
de fonderie
en plâtre
gomme laqué

Moule de fonderie
en sable
ou à la gélatine

Bronze

Épreuve
réduite

Légende
des matériaux

Terre crue

Boulettes de terre
ou de plastiline

Terre cuite

Ajout de plâtre

Plâtre gomme laqué

Bronze

Moule à bon-creux
en plâtre

Moule de fonderie
en sable ou à la gélatine

Moule à creux-perdu

permis d'obtenir une plus grande richesse d'effets de matière. Par exemple, on observe sur plusieurs modelages une sorte de piquetage laissé vraisemblablement par une râpe de plâtrier (fig. 110). Cet outil à grosses dents présente la particularité d'être percé de trous de façon à ne pas se saturer de plâtre. Il a été utilisé pour tasser les mottes ou boulettes d'argile et dresser les plans, et il permet d'obtenir un rendu de matière qui accroche bien la lumière et contribue à différencier certaines zones, comme les chevelures et les carnations.

Afin de conserver à la terre toute sa plasticité et lorsque l'artiste n'y travaillait pas, le modelage en terre devait être couvert de linges humides qui ont souvent laissé l'empreinte de leur trame en surface. Ces études en terre ne pouvaient être conservées très longtemps sans être cuites, elles devaient donc être moulées.

Rodin disposait de plusieurs méthodes pour en garder un témoignage "en dur". Traditionnellement, les modelages en argile encore fraîche étaient moulés à creux-perdu[2] afin d'obtenir un plâtre unique qui avait valeur d'original puisque cette technique implique la destruction de la terre et du moule. Or, Rodin, qui tenait à conserver ses modelages, n'a pratiquement jamais utilisé le creux-perdu pour les études du *Monument à Balzac*. Ainsi, presque tous les modelages dont nous disposons ont-ils été moulés par l'intermédiaire de moules à bon-creux[3], en plâtre, directement sur la terre fraîche. Ces opérations ont laissé des traces significatives à la surface : des incisions liées à l'utilisation par le mouleur d'un couteau lors du détourage des pièces.

Le choix du moule à bon-creux permettait donc à Rodin de récupérer sa terre et de la conserver de façon définitive en la faisant cuire. Cependant, son ouverture, plus au moins aisée, ne laissait pas toujours la terre intacte. Encore malléable, celle-ci était parfois déformée par les diverses manipulations qui entraînaient des écrasements. Quelques arrachements se sont parfois produits, surtout dans les zones présentant des contre-dépouilles importantes. Ces aléas, qui ont peut-être conduit Rodin à reprendre certains volumes ou détails, expliquent que les modelages peuvent légèrement différer des tirages en plâtre, bien qu'il s'agisse de façon certaine de la même œuvre.

Un autre facteur intervient dans la modification du modelage. En effet, pour pouvoir être cuite, la masse de terre doit impérativement être évidée sous peine d'éclater dans le four. À cette fin, il fallait procéder au découpage de certains volumes afin de pouvoir creuser l'intérieur de la terre. Puis les éléments découpés étaient remis en place plus au moins soigneusement par pression ou en les scellant à la barbotine. Des décalages ou des ruptures dans la continuité de certains volumes ou de certaines traces d'outils peuvent alors survenir bien que leur tracé d'origine soit intact sur le tirage en plâtre réalisé d'après la terre avant découpage.

La tête S. 1653 (cat. 67) est intéressante à plus d'un titre, car sa surface conserve les traces laissées par les phases successives du modelage, du moulage puis de la reprise de certaines formes avant la cuisson. En effet, l'opération de moulage a laissé la terre parcourue d'un réseau de sillons dont on retrouve l'exacte topographie, mais en relief, sur le tirage en plâtre (S. 1577) issu du moulage de la terre fraîche (fig. 111 et 111bis)[4]. Sur la mèche droite arrière (2), un décalage dans l'impression des traces de râpe témoigne du travail de découpage avant cuisson. Il en est de même pour la mèche droite avant (1). Et c'est probablement pour remédier à l'arrachement des sourcils et de l'arcade sourcilière lors de l'ouverture du moule que ceux-ci ont été repris. Enfin, la naissance d'une mèche et les grosses mèches de l'arrière de la tête qui avaient été découpées n'ont pas été réappliquées. Ces "accidents de parcours" ne semblaient pas gêner Rodin qui est allé jusqu'à les exploiter pour faire évoluer son travail.

Cuisson des modelages

fig. 110
Râpe de plâtrier, analogue à l'instrument utilisé par Rodin pour le modelage de l'argile. Cet outil laisse dans la terre un piquetage caractéristique

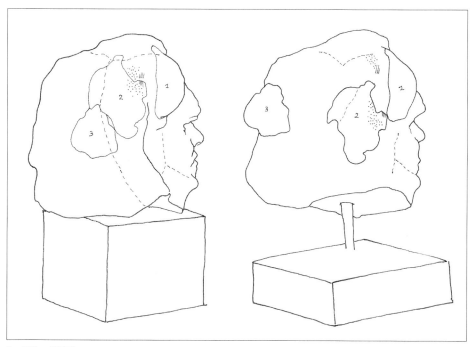

fig. 111 et 111bis

La comparaison des têtes S. 1577, en plâtre, et S. 1653 (cat. 67),
modelage cuit, à droite, livre de nombreuses informations : le réseau
de sillons creux visible sur la terre est reproduit en relief sur le plâtre.
Plusieurs mèches (1, 2, 3) ont été découpées afin de faciliter
l'évidement du modelage. La rupture dans la continuité de certaines
traces d'outil montre que les morceaux ont été déplacés puis écrasés
lors de leur repositionnement par pression.

Ainsi, les modifications qui apparaissent lors de la comparaison avec l'épreuve originale en plâtre résultent non seulement d'opérations techniques effectuées sur la terre, mais elles témoignent aussi du fait que Rodin, sachant qu'il disposait du plâtre d'une étape antérieure, a parfois poursuivi sa recherche sur le modelage avant cuisson, apportant des modifications de volumes (*cf.* cat. 25).

Enfin, le processus de la cuisson entraîne, outre une réduction des dimensions de l'œuvre, une déformation inégale selon les axes car le retrait ne se fait pas forcément de la même façon dans toutes les directions. La comparaison des têtes S. 1581 et S. 1656 (fig. 112 ; cat. 98 et 97) illustre bien ce phénomène.

À ce stade Rodin pouvait poursuivre son travail dans plusieurs sens en utilisant différents moyens.

fig. 112
L'épreuve en plâtre S. 1581 (cat. 98) a été obtenue par moulage de la terre S. 1656 (cat. 97), mais avant cuisson de celle-ci. Le plâtre offre donc des dimensions supérieures puisque la cuisson entraîne une réduction et une déformation des volumes.

Estampage

L'utilisation de moules à bon-creux (dits aussi à pièces) présentait l'intérêt pour Rodin d'éviter la destruction du modelage et lui permettait également de disposer d'une ou de plusieurs épreuves en plâtre, reproduisant l'aspect et les dimensions du modelage frais. Dans ce moule à bon-creux, il pouvait de plus tirer des estampages en terre sur lesquels il poussait alors plus loin son travail de modeleur. Cette pratique lui laissait la possibilité de se référer à loisir à ses recherches préliminaires grâce à l'épreuve en plâtre faite sur le modelage encore frais.

L'estampage consiste à presser des boulettes d'argile dans le creux d'un moule jusqu'à obtenir une paroi d'une épaisseur la plus régulière possible, de façon à éviter les accidents à la cuisson[5].

Des indices techniques différencient clairement les terres modelées des terres estampées. Par exemple, quand les boulettes d'argile n'ont pas été suffisamment écrasées contre la paroi du moule, leur contour apparaît à la surface de la terre sous forme de lignes très fines. De plus, l'épaisseur de terre est beaucoup plus régulière que celle obtenue par l'évidement d'un modelage. Enfin, de la même façon que pour les tirages en plâtre, le réseau de coutures qui apparaît en creux sur le modelage est reproduit en relief sur l'estampage. La tête modelée S. 1653 et l'estampage S. 1644 (cat. 67 et 68) sont très démonstratifs des spécificités d'aspect propres à la nature de chaque terre.

La tête S. 128 (cat. 88), également estampée, présente un intérêt d'autant plus grand que le modelage original a disparu. La comparaison avec le plâtre original S. 1652 (cat. 90) montre que les deux œuvres portent le même réseau de coutures et qu'elles proviennent donc du même moule. Cependant, Rodin a modifié l'estampage avant de le faire cuire. Il a comblé certains creux de la chevelure (mèche arrière, côté gauche) tandis qu'il remodelait d'autres mèches avec une terre dont la couleur, plus froide, se distingue de celle employée pour l'estampage. L'estampage S. 1656 (cat. 97) présente le même cas de figure puisque le modelage initial a également disparu.

Après avoir été retravaillés, les estampages devaient être cuits. Ils subissaient alors, comme les modelages, réduction et déformation.

Moulage de la terre cuite

Les modelages ou estampages en terre, une fois cuits, pouvaient à leur tour faire l'objet d'un moulage à bon-creux. Leurs surfaces portent alors, sous forme d'incisions peu profondes, le tracé des pièces du second moule. La série du *Masque souriant* illustre bien cette succession d'étapes puisque que l'on dispose du modelage original cuit (S. 1769, cat. 26), d'une épreuve en plâtre reproduisant la terre fraîche (S. 1650, cat. 27) et de huit tirages en plâtre (S. 1970, S. 1584, S. 5740, S. 1768, S. 1649, S. 1648, S. 1583, S. 1862, cat. 28) issus du second moule à pièces effectué sur le modelage cuit et donc aux mêmes dimensions que ce dernier.

La progression du travail de Rodin se poursuivait alors de plusieurs façons selon des pratiques qui lui sont très personnelles. Il a parfois utilisé les terres cuites estampées en les complétant directement avec du plâtre. Ou bien, plus conformément à ses pratiques habituelles, il a exploité les plâtres selon divers procédés par la réalisation de multiples variations d'après un même modèle.

Œuvres composites en terre cuite et en plâtre

Trois études de tête (S. 1770, cat. 30 ; S. 1788, cat. 31 et S. 1789, cat. 32) montrent que Rodin a utilisé pour le portrait de Balzac une technique qu'il a semble-t-il peu pratiquée par ailleurs. Pour ces œuvres, ce sont des estampages en terre cuite du masque S. 1769 (cat. 26) et de la face de la tête conservée au Metropolitan Museum de New York (*cf.* cat. 25) qui ont été complétés directement au plâtre frais. La teinte blanche du plâtre, qui aurait pu trancher vivement avec la couleur de la terre cuite, a été colorée par des pigments ocre rouge. Plusieurs gâchées ont parfois été nécessaires et la couleur du plâtre n'est pas toujours homogène. D'ailleurs, cet aspect disparate a vraisemblablement gêné Rodin qui a alors éprouvé le besoin de recouvrir la tête S. 1788 d'un lait de plâtre blanc afin d'unifier la surface et d'en favoriser la lecture. La tête S. 1789 est, quant à elle, entièrement recouverte d'un badigeon ocre.

Le travail direct au plâtre, forcément rapide, donne à ces études un caractère spontané très similaire à celui des esquisses. Il semble que Rodin a surtout cherché à fixer une idée, comme il l'a fait en annotant une photographie (cat. 29). Ce document montre la tête du Metropolitan Museum coiffée d'une abondante chevelure. Et c'est effectivement cette chevelure qui est mise en volume sur les masques estampés.

Il est difficile de situer chronologiquement ce travail. La chevelure très volumineuse tend à rattacher ces recherches à l'époque plus tardive où sont réalisés les modèles proches des têtes définitives. Et même si elles sont techniquement directement reliées par l'estampage aux masques modelés, elles peuvent avoir été réalisées plusieurs années après.

Rodin, s'il commençait toujours à travailler d'après un modèle vivant et avec de l'argile, exploitait aussi les épreuves en plâtre. Comme on l'a vu, le moule à bon-creux lui permettait de démultiplier les exemplaires sur lesquels il pouvait poursuivre ses recherches. Parfois, il intervenait en enlevant de la matière, à l'outil ou par simple sciage de volume. Plus souvent encore, il procédait par adjonction de terre, de plastiline ou de plâtre. Puis, une fois l'étude modifiée, il faisait de nouveau réaliser un moulage à bon-creux dont il faisait tirer encore une fois plusieurs exemplaires.

Cette métamorphose progressive est bien mise en lumière par l'examen de la série d'études où Balzac est représenté le ventre très proéminent. Ainsi, il est clair que le modèle de l'*Étude de nu C* S. 177 (cat. 36) est directement à l'origine du modèle de l'*Étude de nu au gros ventre* S. 147 (cat. 71) : le modelé des cuisses et des fesses qui ont échappé à toute modification ne laisse aucun doute quant à la filiation de ces deux études en plâtre. Pour progresser dans sa recherche, Rodin a vraisemblablement eu recours à des modelages intermédiaires en terre ou en plastiline qui sont autant de jalons manquants dans la série. Il a tronçonné le corps du modèle initial au niveau du nombril afin de modifier la cambrure et l'aplomb du personnage, en opérant un basculement du buste vers l'arrière et une rotation de celui-ci vers la gauche[6]. Il en résulte une réduction du tronc et un décalage important, non dissimulé, à hauteur de la taille. De plus, le tertre initial a été éliminé mais l'amorce de celui-ci est encore nettement visible entre les jambes de l'épreuve S. 147.

Mais Rodin ne s'est pas contenté de recomposer la figure par la suppression du tertre ou par le repositionnement de la masse du torse. Il a, dans un même temps, entièrement remodelé certaines parties, comme la jambe droite qui se trouve dès lors en hyperextension. Le sexe a également été mis en place. La modification du positionnement des bras et du dos s'est de plus accompagnée d'un remodelage de la musculature, apportant une bonne cohérence des formes dans cette partie du corps. La tête est, elle aussi, le fruit d'une modification de la tête de l'étude initiale S. 177 sur laquelle Rodin a travaillé en étoffant la chevelure, les sourcils, la moustache, en faisant saillir les pommettes, etc. Malgré l'absence de quelques jalons, la parenté est claire.

Le nouveau modèle ainsi obtenu a été l'objet d'un moule à bon-creux dont sont issus au moins cinq tirages.

Deux d'entre eux sont nus, S. 147 et S. 3305, tandis qu'un troisième, S. 148 (cat. 72), qui constitue en fait l'étape suivante, a été habillé. Rodin a grossièrement vêtu l'épreuve en plâtre à l'aide de grandes plaques de terre figurant un vêtement. Dans le même temps, toujours à l'argile, il a empâté le visage. Enfin, il a fait procéder à une nouvelle prise d'empreinte à bon-creux. La superposition de deux réseaux de coutures, dont le plus ancien est masqué aux endroits repris, confirme qu'à cette étape c'est une épreuve en plâtre qui a été remoulée après avoir été retravaillée à la terre.

La multiplicité des plâtres produits pour une même étude et le manque d'espace de stockage ont certainement conduit Rodin à éliminer les corps trop encombrants pour ne garder que les têtes ou certains éléments isolés comme les bras ou les mains. Ces fragments ont été découpés à l'aide d'un fil métallique ou à la scie. C'est ce qui explique que la filasse, qui armait à l'origine la totalité de l'œuvre, apparaît prise "en sandwich" sur la tranche affranchie du plâtre, ce qui ne serait pas le cas si les morceaux avaient été moulés séparément du corps.

Ainsi, deux bras droits (S. 6329, S. 6330, *cf.* cat. 71) et deux têtes (S. 1577, *cf.* cat. 67 et S. 1400, cat. 69), reproduisant le même réseau de coutures que les modèles en pied, montrent que cette série comptait encore au minimum deux exemplaires supplémentaires aujourd'hui disparus.

Transformation d'un modèle et moulages successifs

De même, il est vraisemblable que se sont des impératifs techniques qui ont contraint Rodin à ne conserver que la tête des modelages en terre. Il n'était bien sûr pas envisageable de cuire des corps entiers ou des morceaux tels que les bras ou les jambes, qui ne se prêtent pas à l'évidement à cause de leurs dimensions réduites et de leurs formes allongées. C'est pourquoi il faut considérer que la tête S. 1653 (cat. 67) est le seul témoin du modelage en pied qui a permis d'obtenir l'épreuve S. 147 (cat. 71). Et il en est certainement de même pour les autres têtes en terre.

Le grand nombre de têtes de *Balzac* conservées (cinquante-neuf pour seulement vingt-cinq corps) pourrait suggérer que Rodin a privilégié la recherche du portrait. Mais si l'on excepte les *Masques* qui ont été faits très précocement, il semble clair que Rodin a abordé la plupart du temps le *Monument à Balzac* dans sa globalité.

Assemblages, moulages à la gélatine

Une autre démarche a conduit Rodin à emprunter un corps réalisé pour un projet antérieur. Ainsi le corps de *Jean d'Aire* est-il le point de départ d'une recherche sur le corps de *Balzac* (S. 2260, cat. 85) : par des transformations successives, il a mené Rodin jusqu'au modèle du dernier *Nu en athlète* (S. 178, cat. 91) et donc à l'étude définitive.

Pour l'étude du *Torse de Balzac en robe de moine* (S. 2111, cat. 51), Rodin a eu recours à l'assemblage de morceaux, technique communément appelée marcottage[7] qui lui était très familière. En effet, pour cette œuvre, Rodin a découpé le buste d'une étude en pied (S. 179, cat. 49)[8] et a procédé à un remplacement de tête pur et simple. C'est ainsi que l'on retrouve une tête du type S. 1657, scellée de façon hâtive et fruste, sans aucun souci de cohérence anatomique, sur le haut de la robe de chambre. Ce montage qui a visiblement été modifié à deux reprises n'était vraisemblablement destiné qu'à matérialiser rapidement une idée telle que l'inclinaison de la tête et n'a jamais été poursuivi par un travail de modelage.

À l'inverse de ce que l'on observe pour le *Nu en athlète*, où les emprunts et assemblages successifs mènent à une œuvre très aboutie, Rodin ne semble jamais avoir eu l'intention de pousser très loin ses recherches pour cette étude. En effet, il n'a pas éprouvé le besoin de s'entourer de nombreux tirages susceptibles d'être retravaillés, comme à son habitude. Ceci est confirmé par les techniques utilisées : l'examen des épreuves conservées révèle qu'elles ont toutes été obtenues au moyen de moules en gélatine, très rapides à mettre en œuvre, mais dont le caractère fragile et éphémère n'autorise pas le tirage de multiples exemplaires[9]. Le réseau de coutures qui caractérise les épreuves issues de moules à pièces se résume ici à une seule et unique couture qui court sur le profil du buste ou des têtes.

Pour obtenir une épreuve supplémentaire, il fallait alors surmouler l'épreuve précédente, ce qui occasionnait une perte de l'acuité du modelé. Comme l'attestent plusieurs indices techniques, c'est ainsi que le *Torse de Balzac sur colonne à rinceaux* S. 183 (cat. 53) a été obtenu : l'épreuve S. 2111 (cat. 51), support du moulage, a été "beurrée", c'est-à-dire que les contre-dépouilles les plus profondes ont été comblées avec de la terre, qui est encore présente aujourd'hui sur le plâtre. Le "beurrage" s'imposait, car la gélatine qui offre une certaine souplesse peut malgré tout se déchirer quand elle est extraite de creux trop profonds. Or on constate justement que des fragments de la gélatine du moule sont restés prisonniers dans de petites anfractuosités. En outre, le modelé du surmoulage lui-même est amolli.

Le *Torse de Balzac sur socle à rinceaux* correspond en fait à une réflexion que Rodin a menée en marge de son projet pour le *Monument à Balzac*.

Rodin a fait appel à cette technique de moulage rapide pour fixer un autre aspect de ses recherches, qui consistait à utiliser des étoffes pour vêtir les corps nus de ses modèles. Il pouvait soit tremper le tissu dans un lait de plâtre et l'installer rapidement sur le modèle avant qu'il ne se solidifie, soit disposer le drapé et le badigeonner au pinceau avec ce même lait de plâtre. Dans les deux cas, le textile a une apparence mouillée qui lui est spécifique et qui le différencie nettement des drapés modelés. Mais la mince coquille de plâtre qui recouvre l'étoffe est très fragile et, pour conserver de manière durable sa composition, Rodin devait encore une fois en passer par le moulage. L'épreuve S. 2845 (cat. 87) du *Nu en athlète drapé* est le résultat d'un moulage de ce type, tandis que l'*Athlète drapé* S. 2844 (cat. 94), en très mauvais état, porte encore son tissu d'origine et n'a pas été moulé.

La *Robe de chambre* S. 146 (cat. 112) relève d'un exercice analogue. Mais le choix d'un vêtement de confection et l'épaisseur de celui-ci ont donné plus de tenue à la composition. Fait surprenant, les pieds qui supportent la robe de chambre sont empruntés au corps de *Jean d'Aire* et non pas à celui de l'*Athlète* comme on aurait pu s'y attendre. Il semble bien qu'au départ Rodin a disposé cette véritable robe de chambre sur le corps grandeur nature de *Jean d'Aire*, qui reste perceptible sous l'épaisseur du vêtement. Puis le tissu a été rigidifié avec un lait de plâtre, et recouvert d'un agent isolant afin de pouvoir être moulé. C'est un moule à creux-perdu qui a été utilisé, en raison de la grande fragilité du modèle qui n'aurait peut-être pas supporté le poids des pièces et des chapes d'un moule à bon-creux. Le moule à creux-perdu était composé de deux coques, ce dont témoigne l'unique couture localisée sur le profil de la robe de chambre. Les photographies de Freuler du moule en cours de réalisation (cat. 108 à 111) montrent qu'à cette étape le corps sous-jacent de *Jean d'Aire* a déjà été éliminé, à l'exception des pieds[10]. Il faut préciser que l'épreuve S. 146 n'est peut-être qu'un surmoulage, ce qui ne favorise pas la compréhension de toutes les astuces techniques qui ont dû être utilisées pour contourner les difficultés inhérentes à cette pièce.

La robe de chambre soulève également une question relative à la genèse de l'œuvre de Rodin. Il existe une petite terre cuite (S. 259, cat. 113), généralement considérée comme une ébauche préparatoire ; construite à la boulette, son caractère très enlevé est indéniable. Cependant elle reprend point par point tous les éléments spécifiques du modèle en plâtre, non seulement la même retombée de plis et la même disposition des manches, mais surtout l'absence de col du côté gauche. L'examen de la photo de Freuler, où l'on voit que le pan gauche du col de la robe de chambre en tissu n'a justement pas été moulé, semble attester l'antériorité du modèle grandeur nature.

Une autre pièce pose les mêmes questions et conduit aux mêmes hypothèses. Il s'agit d'une étude en plastiline de la tête définitive (S. 265, cat. 100). Celle-ci, bien que modelée avec beaucoup de spontanéité, semble être une reproduction fidèle du modèle en plâtre S. 1581 (cat. 98, fig. 112).

Quelle pouvait être la raison d'être de ces deux pièces, si l'on admet qu'elle ne s'inscrivent pas dans une approche préparatoire ? La dextérité dont elles font preuve révèle que Rodin maîtrisait parfaitement la forme à laquelle il voulait parvenir et qu'il était surtout préoccupé par la façon dont se mettaient en place les volumes sous le doigt, sensation étrangère au travail du plâtre. À l'inverse, les terres cuites S. 260, S. 263 et S. 6437 (cat. 101, 102 et 103), moins détaillées, ont un caractère d'investigation plus marqué. Aucun détail n'est précisé, même si l'on y reconnaît la silhouette générale du modèle définitif.

Réalisation des drapés

Petits modelages et esquisses préparatoires

Agrandissements et réductions

L'agrandissement et la réduction tiennent une place importante dans l'élaboration des formes, au même titre que les diverses opérations de moulage et d'estampage. La tête S. 1823 (fig. 113, *cf.* cat. 98) porte les stries caractéristiques laissées par l'aiguille du pantographe, qui a permis d'en obtenir la version agrandie S. 1771 (cat. 144). Une autre méthode était également employée, l'agrandissement aux trois compas, dont on peut voir les traces, sous la forme de petites croix parsemées, sur le corps du dernier *Nu en athlète* S. 178 (cat. 91). L'agrandissement obtenu n'est malheureusement pas conservé.

Le procédé de la réduction est illustré par la tête S. 1582 (*cf.* cat. 50 et 51) qui est le fruit d'une transformation du *Masque souriant*, pour laquelle les jalons intermédiaires ont disparu.

fig. 113
Plâtre, S. 1823 : de fines stries,
bien visibles dans le creux
de la mèche arrière, témoignent
du passage de l'aiguille du
pantographe lors de l'opération
d'agrandissement.

Modèles de fonderie

Les opérations d'agrandissement et de réduction pouvaient aussi être mises en œuvre en vue d'obtenir des modèles destinés à l'édition de bronzes. C'est ainsi qu'une tête du modèle S. 1582, après avoir été réduite et utilisée par Rodin dans ses compositions, a été l'objet d'un agrandissement (*cf.* cat. 55), qui a permis la réalisation d'un modèle de fonderie.

L'*Étude de nu C* S. 177 (cat. 36) est également un exemple très démonstratif d'une exploitation commerciale ayant donné lieu à la production d'au moins neuf modèles de fonderie. Cette étude a été réduite à une dimension inférieure et plusieurs épreuves, aux deux échelles, ont été tirées et découpées selon un profil différent, démultipliant du même coup les possibilités d'édition.

Par une opération de surmoulage, le fondeur réalise les modèles de fonderie et les prépare en vue de la fabrication du moule de fonderie, ce qui leur confère un aspect aisément reconnaissable. Les modèles destinés à l'élaboration d'un moule au sable reçoivent toujours un revêtement dont le rôle est de durcir la surface. Cette couche est le plus souvent de couleur ocre rouge ou jaune et d'aspect satiné[11]. Elle est presque toujours entaillée lors du façonnage au couteau des pièces en sable.

Il est fréquent que la fonte nécessite le découpage des modèles de grandes dimensions. Après la réalisation du moule en sable, le modèle de fonderie est remonté et les joints scellés au plâtre. Enfin, une couche colorée similaire à la couche protectrice vient masquer les traces de couteau et les joints d'assemblage.

Les modèles destinés à la fonte à la cire perdue se reconnaissent par la présence de clefs localisées sous la base. Leurs surfaces sont également recouvertes d'un revêtement généralement translucide[12].

Les modèles de fonderie, qu'ils soient destinés à la fonte au sable ou à la cire, présentent des coutures plus ou moins arasées. De plus, l'opération de surmoulage a souvent entraîné une perte d'acuité dans la définition du modelé.

Le projet du *Monument à Balzac* compte un nombre considérable de modèles de fonderie. Ils représentent plus d'un quart des œuvres conservées (trente-trois sur cent quinze) et ne doivent pas être pris en considération dans l'analyse du travail de création de Rodin. Mais les autres œuvres ne peuvent, à elles seules, rendre compte de la totalité des investigations qu'il a pu mener autour du monument. Il faut les appréhender comme n'étant que la partie visible d'un iceberg, la partie cachée étant constituée par l'ensemble des épreuves aujourd'hui disparues. Le nombre des jalons intermédiaires était très important. Pour nourrir sa réflexion, Rodin avait, semble-t-il, besoin de baigner dans un véritable foisonnement d'études.

Il est clair que l'approche de Rodin n'est jamais linéaire. Il procède à des retours en arrière, revenant à ses premières études, comme il a pu le faire avec les estampages des *Masques*. Il introduit également dans sa recherche sur Balzac un élément étranger, l'*Étude de nu avec la tête de Jean d'Aire*. Cette approche qu'il a largement exploitée dans l'élaboration d'autres projets n'est utilisée ici qu'une seule fois. Ayant mis de côté ses prospections antérieures, Rodin a trouvé, par le biais de cet emprunt, un nouveau départ qui l'a conduit au modèle définitif.

Ainsi, à partir de l'analyse technique de toutes les pièces exécutées en vue du *Monument à Balzac* saisit-on mieux l'élaboration d'un projet. L'établissement d'une chronologie a permis de retrouver le fil conducteur qui mène, par une lente métamorphose, des premiers modèles à l'œuvre définitive.

1. Elle a été menée avec Hervé Manis, Guylaine Mary et Juliette Levy.
2. *Cf.* Baudry, Bozo, 1978, p. 558.
3. *Cf.* Baudry, Bozo, 1978, p. 558.
4. Sur l'épreuve en plâtre, aux sillons correspondent des coutures en relief qui indiquent la jonction des pièces du moule, là où le plâtre liquide s'est infiltré. Ces coutures ne sont pas toujours arasées.
5. Ce procédé est également appelé façonnage à la balle, *cf.* Baudry,

Bozo, 1978, p. 558.
6. Il est malaisé de préciser si le tronçonnage a été obtenu par découpage d'une terre fraîche ou d'une épreuve en plâtre.
7. *Cf.* Baudry, Bozo, 1978, p. 549.
8. L'épreuve S. 179 présente un capuchon qui est absent de S. 2111 : c'est donc en réalité sur une épreuve antérieure à S. 179, aujourd'hui disparue, que Rodin a procédé au découpage du vêtement.
9. *Cf.* Baudry, Bozo, 1978, p. 563.

10. On remarque dans la partie médiane du revers de la robe de chambre que celle-ci a été fendue sur toute sa hauteur, sans doute pour permettre l'extraction du corps.
11. Il s'agit le plus souvent de gomme laque.
12. Huile siliconée ou cire.

Arbre généalogique de *Balzac*

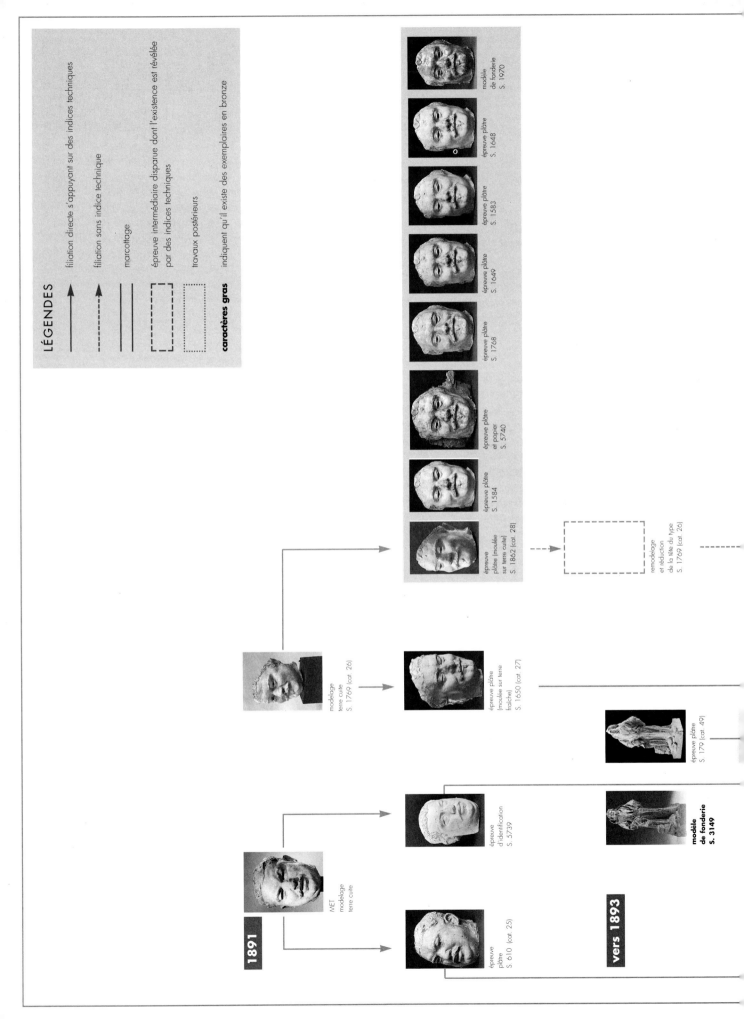

LÉGENDES

filiation directe s'appuyant sur des indices techniques

filiation sans indice technique

marcottage

épreuve intermédiaire disparue dont l'existence est révélée
par des indices techniques

travaux postérieurs

caractères gras indiquent qu'il existe des exemplaires en bronze

épreuve
plâtre (moulée
sur terre cuite)
S. 1862 (cat. 28)

épreuve plâtre
S. 1584

épreuve plâtre
et papier
S. 5740

épreuve plâtre
S. 1768

épreuve plâtre
S. 1649

épreuve plâtre
S. 1583

épreuve plâtre
S. 1648

modèle
de fonderie
S. 1970

remodelage
et réduction
de la tête du type
S. 1769 (cat. 26)

modelage
terre cuite
S. 1769 (cat. 26)

épreuve plâtre
(moulée sur terre
fraîche) S. 1650 (cat. 27)

épreuve plâtre
S. 179 (cat. 49)

1891

MET
modelage
terre cuite

épreuve
d'identification
S. 5739

**modèle
de fonderie
S. 3149**

épreuve plâtre
S. 610 (cat. 25)

vers 1893

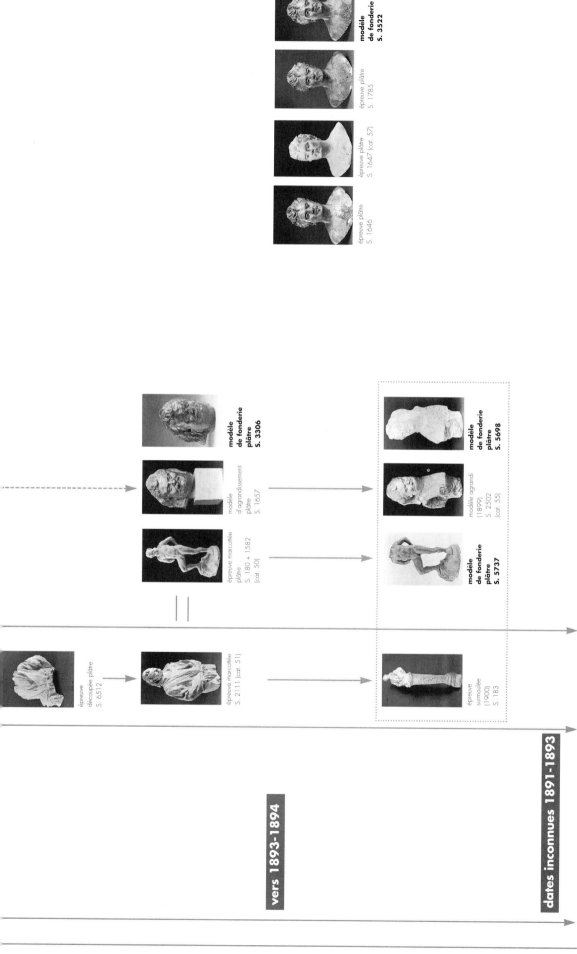

modèle
de fonderie
S. 3522

épreuve plâtre
S. 1785

épreuve plâtre
S. 1647 (cat. 57)

épreuve plâtre
S. 1646

modèle
de fonderie
plâtre
S. 3306

modèle
d'agrandissement
plâtre
S. 1657

épreuve marcottée
plâtre
S. 180 + 1582
(cat. 50)

modèle
de fonderie
plâtre
S. 5698

modèle agrandi
(1899)
S. 2502
(cat. 55)

**modèle
de fonderie
plâtre
S. 5737**

épreuve
découpée plâtre
S. 6512

épreuve marcottée
S. 2111 (cat. 51)

épreuve
surmoulée
(1900)
S. 183

terre cuite
estompée
et plâtre
S. 1789 (cat. 32)

vers 1893-1894

dates inconnues 1891-1893

terre cuite
estompée
et plâtre
S. 1770 (cat. 30)

terre cuite
estompée
et plâtre
S. 1788 (cat. 31)

1891

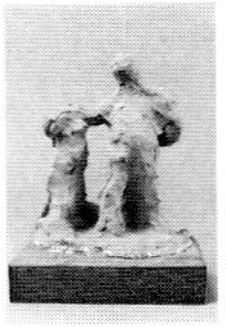
esquisse
terre cuite
S. 258 (cat. 20)

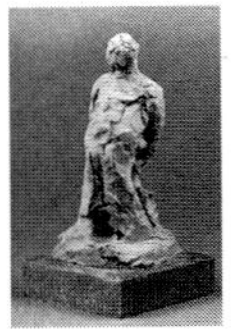
esquisse
terre cuite
S. 125 (cat. 18)

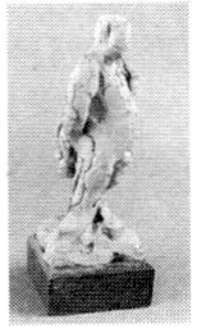
esquisse
terre cuite
S. 262 (cat. 19)

9 janvier 1892

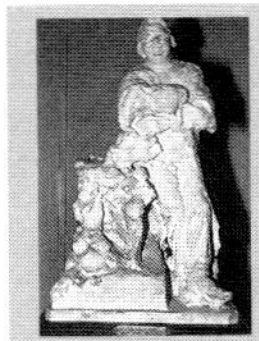
modèle du Caire
(*cf.* cat. 33)

modèle présenté
au comité
(disparu)

modèle *Balzac*
en robe de moine
bras croisés
(disparu)

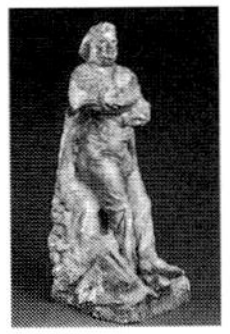
modèle
de fonderie
S. 2400

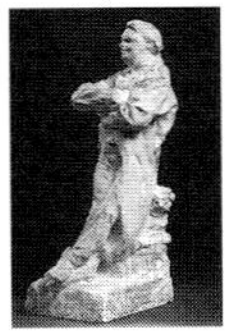
épreuve plâtre
S. 1964
(cat. 33)

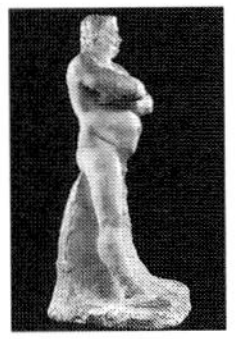
épreuve plâtre
S. 177
(cat. 36)

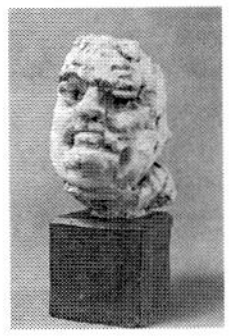
modelage
terre cuite
S. 3900
(cat. 35)

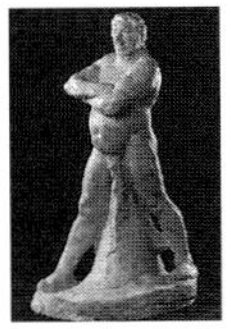
modèle de
fonderie plâtre
S. 3150
(cat. 37)

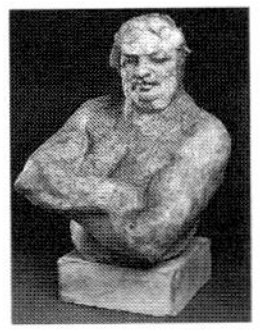
modèle
de fonderie
S. 1794
(cat. 41)

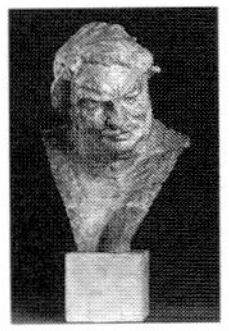
modèle
de fonderie
S. 1868
(cat. 46)

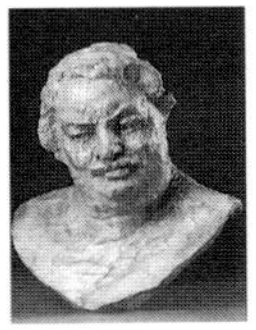
modèle
de fonderie
S. 2077
(cat. 43)

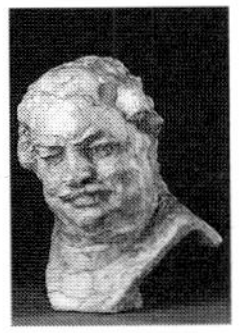
modèle
de fonderie
S. 1580
(cat. 47)

réduction

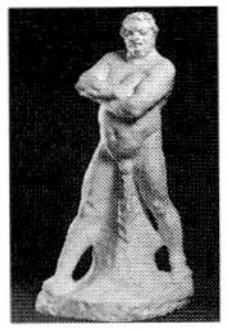
épreuve réduite
plâtre
S. 2261 (cat. 39)

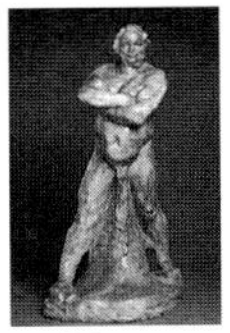
modèle
de fonderie
S. 2849

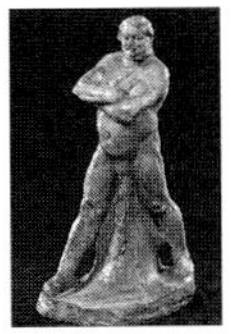
modèle
de fonderie
S. 2351

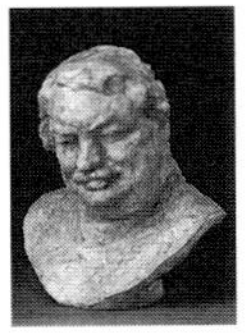
modèle
de fonderie
S. 3046 (cat. 44)

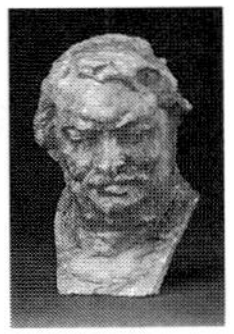
modèle
de fonderie
S. 1578 (cat. 48)

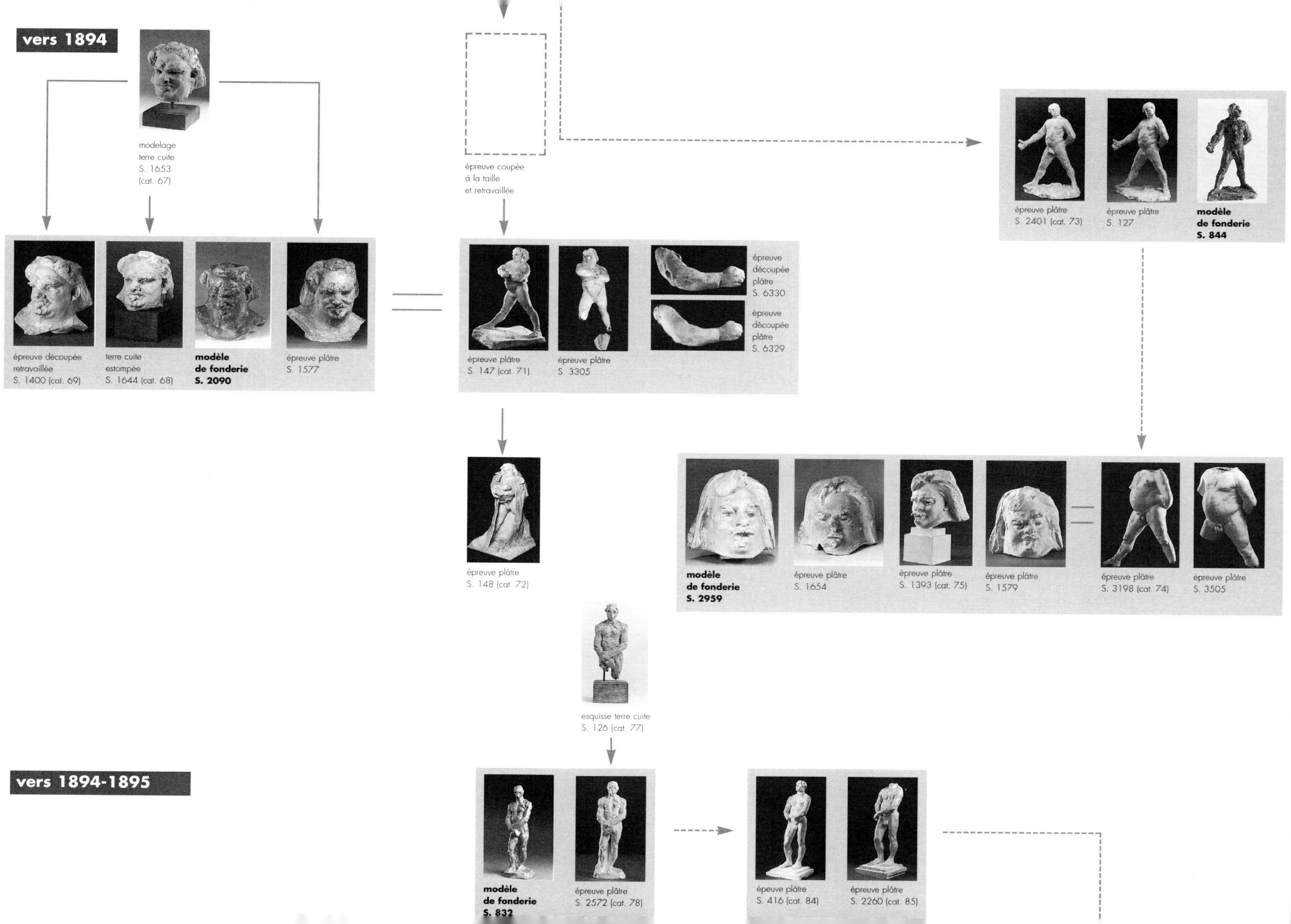

modelage
terre cuite
S. 1653
[cat. 67]

épreuve découpée
retravaillée
S. 1400 [cat. 69]

terre cuite
estompée
S. 1644 [cat. 68]

modèle
de fonderie
S. 2090

épreuve plâtre
S. 1577

épreuve coupée
à la taille
et retravaillée

épreuve plâtre
S. 147 [cat. 71]

épreuve plâtre
S. 3305

épreuve
découpée
plâtre
S. 6330

épreuve
découpée
plâtre
S. 6329

épreuve plâtre
S. 148 [cat. 72]

modèle
de fonderie
S. 832

épreuve plâtre
S. 2572 [cat. 78]

esquisse terre cuite
S. 126 [cat. 77]

modèle
de fonderie
S. 2959

épreuve plâtre
S. 1654

épreuve plâtre
S. 1393 [cat. 75]

épreuve plâtre
S. 1579

épreuve plâtre
S. 3198 [cat. 74]

épreuve plâtre
S. 3505

épreuve plâtre
S. 416 [cat. 84]

épreuve plâtre
S. 2260 [cat. 85]

épreuve plâtre
S. 2401 [cat. 73]

épreuve plâtre
S. 127

modèle
de fonderie
S. 844

vers 1896

vers 1897

modèle de fonderie **S. 1979**

modèle de fonderie **S. 1651**

épreuve plâtre S. 1485

modèle agrandissement S. 1823

épreuve plâtre S. 1581 (cat. 98)

terre cuite estompée S. 1656 (cat. 97)

modelage plastiline S. 265 (cat. 100)

modelage terre cuite S. 1645

moulage sur terre cuite

modelage

moulage sur terre fraîche

terre cuite estompée S. 128 (cat. 88)

modèle de fonderie **S. 1652 (cat. 90)**

modèle de fonderie **S. 1655**

terre cuite estompée retravaillée S. 1576 (cat. 95)

épreuve plâtre S. 2845 (cat. 87)

épreuve plâtre S. 178 (cat. 91)

épreuve plâtre S. 2274 (cat. 89)

épreuve découpée S. 5624

épreuve découpée S. 5759

modelage découpé terre cuite S. 6328

épreuve drapée plâtre et tissus S. 2844 (cat. 94)

modèle de fonderie **S. 2868**

épreuve découpée plâtre S. 2258 (cat. 86)

épreuve découpée plâtre S. 2259

épreuve découpée S. 5760

épreuve découpée S. 5761

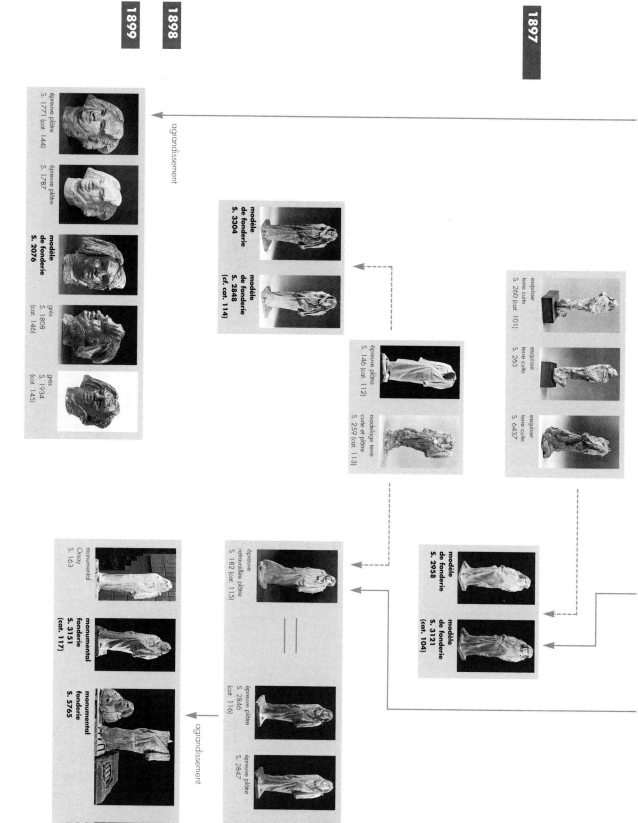

1897

1898

1899

esquisse
terre cuite
S. 260 (cat. 101)

esquisse
S. 263

esquisse
terre cuite
S. 6437

modèle
de fonderie
S. 3304

modèle
de fonderie
S. 2848
(cf. cat. 114)

épreuve plâtre
S. 146 (cat. 112)

modelage terre
cuite et plâtre
S. 259 (cat. 113)

modèle
de fonderie
S. 2958

modèle
de fonderie
S. 3121
(cat. 104)

agrandissement

épreuve plâtre
S. 1771 (cat. 144)

épreuve plâtre
S. 1787

modèle
de fonderie
S. 2076

grès
S. 1808
(cat. 146)

grès
S. 1934
(cat. 145)

monumental
Orsay
S. 163

monumental
fonderie
S. 3151
(cat. 117)

monumental
fonderie
S. 5765

monumental
mi-corps
S. 5766

épreuve
retravaillée plâtre
S. 182 (cat. 115)

épreuve plâtre
S. 2846
(cat. 116)

épreuve plâtre
S. 2847

modèle
de fonderie
S. 3148

agrandissement

Avertissement

La plupart des notices ont été rédigées à plusieurs mains
et ne sont donc pas signées ; cependant on peut considérer
que les textes sont dus principalement :
- pour les portraits de Balzac contemporains de celui-ci :
à Martine Contensou ;
- pour les sculptures : à Antoinette Le Normand-Romain,
assistée d'Hélène Marraud, Marie Lhébrard et, pour la partie
technique, d'Agnès Cascio, Hervé Manis et Guylaine Mary ;
- pour les dessins et les œuvres provenant de la collection
de Rodin : à Claudie Judrin, assistée de Christina Buley et,
pour le *Daruma* (cat. 171), de Bénédicte Garnier ;
- pour les photographies : à Hélène Pinet et Sylvester Engbrox.

En ce qui concerne les sculptures, sont seulement
mentionnées dans la rubrique "Autres exemplaires"
(qui devient "Œuvres en rapport" lorsque les sculptures
concernées ne sont pas absolument identiques) les œuvres
conservées dans des collections publiques. Une exception
a été faite toutefois pour celles qui, quoique en mains
privées, apportent un élément d'information particulier,
pour une raison ou une autre (date, appartenance à une
collection prestigieuse). Nous tenons cependant à rappeler
que la mention de ces œuvres ne signifie pas
obligatoirement qu'elles sont authentiques : en effet,
les informations que l'on possède sur la provenance
d'un certain nombre d'entre elles sont trop incomplètes
pour qu'on puisse l'affirmer.
La rubrique "Catalogues" correspond aux catalogues
de l'institution à laquelle appartient l'œuvre exposée.
Sauf indication contraire, les "Expositions" sont celles
où a figuré l'œuvre en question. En revanche,
la "Bibliographie" prend en compte les différents
exemplaires ou versions.
Les rubriques "Expositions" et "Bibliographie" renvoient
aux informations données en fin de volume dans
la bibliographie générale, classée chronologiquement, et
pour laquelle, en ce qui concerne la période antérieure à 1917,
nous avons pris le parti de séparer les articles des livres.
Dans la "Bibliographie" des notices, les renvois aux articles
correspondants comportent donc une date précise (jour, mois,
année), tandis que la référence des livres se limite à l'année.
Pour les "Expositions", la référence comporte en principe
la date, la ville, le lieu, de façon à éviter tout risque d'erreur.
Lorsque la même exposition a été présentée dans
plusieurs villes, les lieux sont supprimés. En revanche,
le titre de l'exposition est indiqué lorsqu'il y a un risque
de confusion.

1.

Louis BOULANGER

(Verceil, Piémont, 1806 –
Dijon, 1867)

Honoré de Balzac

vers 1829 ?

Lavis, sépia et mine de plomb sur
papier blanc collé sur carton.
H. 23,5 ; L. 17,7 cm.
Au dos : *Portrait de M. de Balzac
dessiné à la sépia par Louis
Boulanger son ami./Ce portrait
d'une ressemblance frappante
a été offert par Balzac à
Mme de V.../légué au baron Larrey
Vill.../qui l'a offert au musée
de Tours le 29 décembre 1886.*

Tours, musée des Beaux-Arts,
inv. 887-2. Legs du baron Larrey,
1887.

L'attribution à Boulanger repose sur le témoignage du baron Larrey, fils du chirurgien de la Grande Armée, qui, en offrant ce portrait au musée de Tours, déclarait avoir vu – vers 1829 – le peintre y travailler d'après le modèle. Cependant Balzac ne fait aucune allusion à ce portrait dans sa correspondance, ni en 1829 ni en 1836, lorsque Boulanger entreprend son portrait à l'huile (cat. 3).

Il ne semble donc pas impossible que ce lavis soit d'Achille Devéria : non seulement la technique est la même que celle qu'il a utilisée pour son *Portrait de Balzac jeune* (*cf.* fig. 38), mais la position frontale et la franchise du regard rappellent aussi ce portrait. Il pourrait alors faire partie de ces portraits confidentiels que l'écrivain faisait exécuter par des artistes amis pour les offrir à une femme aimée.

Ainsi écrit-il un jour, à une date indéterminée, à son ami Devéria : "Mon bon Achille, il me faut à l'instant un seppia de ma figoure je viens, donnez-moi trois heures de votre temps, ces trois heures sont un immense sacrifice, vu que je suis traqué par le travail, brûlez ce petit mot et dites *oui* ou *non*. Mille Gracieusetés."

Pour qui faut-il de toute urgence, et clandestinement, ce portrait ? Le fait qu'il ait appartenu au baron Larrey pourrait nous inciter à penser que Balzac le fit exécuter pour Hélène de Valette avec laquelle il eut une liaison dans les années 1830, et qui fut par la suite la maîtresse d'Hippolyte Larrey.

2.

ANONYME

*Balzac jeune,
d'après Émile Lassalle*

vers 1891

Épreuve sur papier albuminé.
H. 14,5 ; L. 10 cm.

Musée Rodin, Ph. 2905.
Collection d'Auguste Rodin,
donation Rodin, 1916.

Le portrait que reproduit cette photographie est peut-être celui que Charles Chincholle évoque dans *Le Figaro* du 25 novembre 1894 en parlant d'une "lithographie géniale de Devéria". En effet, d'une part Chincholle a pu ne pas distinguer la signature, et d'autre part il semble que Rodin ait vu, grâce à Lovenjoul, le portrait de Balzac jeune par Devéria (*cf.* cat. 58), mais qu'il se soit engagé à ne pas en parler. Or, cette image de Balzac le représentant à peu près au même âge et sous des traits assez proches, il est possible que Rodin ait laissé se répandre l'idée qu'il s'agissait là d'une lithographie de Devéria.

Le portrait est en réalité d'Émile Lassalle (1813-1871). La lithographie a paru en frontispice de la *Galerie des contemporains illustres par un homme de rien* [Louis de Loménie], ouvrage publié en 1841, sans nom d'auteur. Lassalle avait auparavant, en 1840, lithographié un autre portrait de Balzac, qui s'inspirait de celui qu'avait exécuté Bernard Julien en 1839 pour la *Galerie de la presse, de la littérature et des beaux-arts*, à la demande de son directeur Charles Philipon. En janvier 1838, celui-ci avait écrit à ce sujet à Balzac qu'il connaissait bien, pour avoir fait appel à lui dès la création de son journal *La Caricature* en 1830 : "Mon cher Marquis, Je suis chargé de faire dessiner un grand nombre d'hommes illustres parmi lesquels se trouve en première ligne l'auteur des premiers numéros de *La Caricature*. Ces portraits sont destinés à former les illustrations d'une galerie biographique des célébrités de la presse. Voulez-vous donner une heure de votre temps pour que ce portrait ne soit pas mauvais ? Je vous en prie car il m'en coûterait beaucoup de vous faire moins beau que vous n'êtes. Un mot de réponse s'il vous plaît. À vous de cœur."

Rien ne prouve que Balzac ait donné une heure de son temps à Julien, mais nous savons qu'il avait jugé "médiocre" un portrait que l'artiste avait fait de lui en 1836, publié dans *Le Voleur*. Il le rangeait parmi ces "faux portraits" qui le décidèrent à "[se] faire peindre" par Louis Boulanger.

M. DE BALZAC.

3.

Louis BOULANGER

(Verceil, Piémont, 1806 –
Dijon, 1867)

Honoré de Balzac

vers 1836-1837

Huile sur toile.
H. 61 ; L. 50,5 cm.
Signé en haut à droite :
Louis/Boulanger.

Historique

Coll. Alexandre Dumas fils jusqu'en
1936, puis Marcel Bouteron. Vente
M. Bouteron, 21 mars 1963, n° 12.

Tours, musée des Beaux-Arts,
inv. D. 63-2-1. Dépôt du musée
du Louvre, 1963.

Le 8 mars 1836, Balzac écrit à Mme Hanska : "Il arrive que l'on a fait, d'après la mauvaise charge de Dantan, une horrible lithographie de moi pour l'étranger, et que *Le Voleur* en a publié une aussi. Me voilà dans l'obligation de me faire peindre et de sortir de mes habitudes de modestie [...] j'ai élu Boulanger pour me pourtraire."

Un an après que la statuette-charge de Dantan a stigmatisé Balzac en dandy dodu et hilare, exhibant "cette fameuse canne à ébullition de turquoises à pomme d'or ciselée qui a eu plus de succès en France que toutes [ses] œuvres", comme il l'écrit à Mme Hanska le 30 mars 1835, une lithographie inspirée de la statuette mais tournant ses traits au sérieux donne de lui un portrait figé, qui lui convient d'autant moins qu'il est le premier qui soit gravé et publié. La crainte de voir une telle image se multiplier (elle est à peine apparue qu'elle a déjà donné lieu à une première copie dans *Le Voleur*) n'aurait peut-être pas suffi à décider Balzac à sortir de sa réserve et à sacrifier de longues heures de travail à des séances de pose. Mais en même temps qu'il demande à un artiste d'établir la vérité sur son image que de "faux portraits" ont contrefaite, Balzac demande à la justice de rétablir la vérité sur son œuvre qu'un éditeur indélicat a livrée aux lecteurs sans son autorisation. En effet, Buloz s'est livré à ce que l'écrivain considérait comme une contrefaçon, en communiquant à Bellizard des épreuves du *Lys dans la vallée* que Balzac n'avait pu corriger et qui seront publiées dans la *Revue étrangère* à la fin de l'année 1835. Balzac intentera à l'éditeur un procès qu'il finira par gagner.

Le portrait fut exposé, et très admiré, au Salon de 1837. Balzac l'avait promis à Mme Hanska. Il fut donc envoyé en Russie et est aujourd'hui perdu. L'exemplaire présenté ici, probablement l'esquisse, a été montré à l'Exposition Universelle de 1878 à Paris et de nombreuses fois depuis. C'est sans doute, avec le daguerréotype (*cf.* cat. 6), le portrait le plus célèbre de Balzac, mais il n'est pas absolument certain que Rodin en ait eu connaissance.

4.

Étienne NEURDEIN

(? – ?)

*Portrait
d'Honoré de Balzac*

vers 1891

Épreuve sur papier albuminé.
H. 8,8 ; L. 5,6 cm.

Musée Rodin, Ph. 1917.
Collection d'Auguste Rodin,
donation Rodin, 1916.

4

5

5.

ANONYME

*Portrait de Balzac
peint en 1841
par Jean-Alfred
Gérard-Seguin*
vers 1891

Épreuve sur papier albuminé.
H. 15,7 ; L. 11,3 cm.

Musée Rodin, Ph. 2903.
Collection d'Auguste Rodin,
donation Rodin, 1916.

Dans une lettre datée du 21 août 1891, Rodin fait part à Zola de ses découvertes iconographiques : "Il y a à la Bibliothèque de Paris 7 ou 8 lithographies de Balzac – elles sont petites j'ai fait photographier un très beau pastel (g. nature) de Court qui est au musée de Tours où il y a aussi un dessin de Boulanger" (Bibliothèque nationale de France, Mss, N. a. fr. 24523, f° 331).

Ce pastel (Tours, musée des Beaux-Arts) a été attribué par Spoelberch de Lovenjoul non pas à Antonin Court mais à Jean-Alfred Gérard-Seguin (1805-1875). Exposé au Salon de 1842 et offert plus tard par Balzac à la comtesse Guidoboni-Visconti, il devait être lithographié par Menut-Adolphe pour le premier volume de l'édition Furne des œuvres de Balzac (1842-1848), mais ne l'a pas été. Ce portrait semble en effet ne pas avoir plu à son modèle : "C'était une tentative pour avoir un portrait à graver en tête de *La Comédie humaine*, et cela n'a pas réussi, écrit Balzac à Mme Hanska le 12 janvier 1843. On n'a fait que l'homme extérieur ; c'est la bête sans aucune espèce de poésie, et, après l'avoir condamné, l'artiste a voulu l'exposer. C'était destiné à ma sœur qui n'en a pas voulu."

6.

NADAR

(Félix TOURNACHON, *dit*,
Paris, 1820 – Paris, 1910)

*"Balzac à la bretelle",
d'après un
daguerréotype réalisé
en mai 1842 par
Louis-Auguste Bisson*
vers 1892

Épreuve sur papier albuminé.
H. 14,7 ; L. 10,7 cm.

Musée Rodin, Ph. 2908.
Collection d'Auguste Rodin,
donation Rodin, 1916.

Selon Spoelberch de Lovenjoul (1891, pp. 120 et 122), Balzac avait commandé plusieurs daguerréotypes pour envoyer à Mme Hanska. Malheureusement tous ont disparu sauf le "Balzac à la bretelle" dont il existait une version à l'endroit et une à l'envers (Chotard, 1990, p. 66 ; exp. Paris, musée d'Orsay, 1994-1995, pp. 50-51). Balzac avait donné plusieurs de ses portraits daguerréotypés au caricaturiste Gavarni. Cet exemplaire, qui est la version à l'envers, fut ensuite donné par Gavarni fils au photographe Camille Silvy, installé à Londres, qui le donna à son tour à Nadar en 1863.

Le 18 septembre 1892, Rodin écrit à Nadar : "Maintenant quel remerciement je vous dois ! ce sera pour Balzac dont j'irai bientôt consulter l'admirable daguérreotype, puis pour Baudelaire que la longue intimité que vous avez eu avec lui va me rendre précieuse la conversation que vous me promettez si gentiment avec aussi les portraits" (Bibliothèque nationale de France, Mss, N.a.fr. 24284, ff° 459-460).

La reproduction d'un daguerréotype n'est pas chose facile, il faut saisir l'image qui se dérobe en inclinant la plaque de métal. Ce qui explique la mauvaise reproduction que Nadar a donnée à Rodin. Le sculpteur apprécia tout particulièrement ce document : "J'ai vu, consulté tous les portraits possibles de l'auteur de la Comédie Humaine ; après un laborieux examen, je me suis décidé à m'inspirer d'une plaque de daguerréotype de Balzac, exécutée en 1842 ; selon moi c'est la seule effigie fidèle et vraiment ressemblante de l'illustre écrivain. Cette plaque est la propriété de Nadar, il en a fait une photographie ; longuement j'ai étudié ce document, aujourd'hui je tiens, je connais Balzac, comme si j'avais vécu des années avec lui" (Ferry, novembre 1899, pp. 641 à 651). Les deux daguerréotypes actuellement connus sont de Bisson et sont conservés, l'un à la Maison de Balzac, l'autre à l'Institut (fonds Spoelberch de Lovenjoul).

7

7.

ANONYME

*Balzac, d'après
Gustave Lévy*

vers 1891

Épreuve sur papier albuminé.
H. 15,5 ; L. 11,1 cm.

Musée Rodin, Ph. 2906.
Collection d'Auguste Rodin,
donation Rodin, 1916.

En 1867, Adolf Bornemann avait donné une première traduction gravée du daguerréotype de Bisson, dans laquelle il avait
remplacé la chemise de Balzac par un habit. C'est cette interprétation que Gustave Lévy (1819-1894) reprit en 1876 dans la
gravure sur acier dont Rodin possédait une photographie.

Le portrait, sous lequel la signature de Balzac est reproduite
en fac-similé, figurait en frontispice du tome XXIV des *Œuvres
complètes* de Balzac publiées chez Calmann Lévy, qui contient
la correspondance de l'écrivain.

8

8.

Paul Rodolphe DUJARDIN

(Lille, 1843 – Paris, 1913)

*Portrait d'Honoré
de Balzac : fac-similé
d'un daguerréotype
de Louis Auguste
Bisson, appartenant
à M. Nadar*

Héliogravure du *Paris-Photographe*,
n° 1, 25 mai 1891.
H. 25,7 ; L. 19 cm.
Imp. Chardon-Wittman.

Monté sous verre avec
une photographie de Balzac.
Papier albuminé.
H. 10,7 ; L. 6,5 cm.

Musée Rodin, G. 8072.
Collection d'Auguste Rodin,
donation Rodin, 1916.

9.

DAVID D'ANGERS

(Pierre-Jean DAVID, *dit*,
Angers, 1788 – Paris, 1856)

Balzac de profil
1843

Mine de plomb sur papier.
H. 21 ; L. 16 cm.
Signé et dédicacé en bas à droite :
*À Madame de Surville,/ce croquis
fait d'après/son illustre frère
par David/1843.*

Paris, Maison de Balzac, inv. 98.
Don Gabriel Wells au musée
Carnavalet pour la Maison de
Balzac, 1930.

David d'Angers a exécuté deux médaillons de Balzac, l'un de face (dont une médiocre reproduction sur papier se trouve au musée Rodin), l'autre de profil, et un buste en marbre (*cf.* cat. 10). Cette étude pour le médaillon de profil est d'autant plus précieuse qu'elle a été offerte à la sœur de Balzac comme l'atteste la dédicace au bas du dessin. Le 1er février 1843, Balzac écrit en effet à Mme Hanska : "David a donné à ma sœur le profil qu'il a dessiné pour ma médaille. C'est un chef-d'œuvre."

En envoyant à David la dédicace autographe du *Curé de Tours* pour le remercier du médaillon exécuté à partir de ce dessin, Balzac évoque plaisamment le pouvoir du sculpteur : "vous gravez [mon nom] sur le bronze qui survit aux nations [...]. Ainsi les existences que vous perpétuez par-delà la vie des peuples pourront être quelque jour retrouvées dans les cendres de Paris par des numismates assez embarrassés de tant de rois sacrés dans vos ateliers."

Le dessin est resté longtemps dans la famille de la sœur de Balzac, Laure Surville, dont la petite-fille Thérèse Duhamel-Surville de Balzac avait épousé Pierre Carrier-Belleuse, un des fils du sculpteur. Acheté par un libraire new-yorkais, Gabriel Wells, à la famille Carrier-Belleuse, il fut ensuite généreusement offert à la France pour la Maison de Balzac, où il est conservé dans le cabinet de travail depuis 1930.

Nous pouvons supposer d'après une lettre de Rodin conservée à la Maison de Balzac, datée du 20 août 1896, que celui-ci tenait la reproduction qu'il avait de ce dessin des petits-neveux de Balzac, Laurent Duhamel-Surville ou sa sœur Thérèse Carrier-Belleuse. C'est dans cette lettre que Rodin confie sa préférence pour le dessin de David, qui "vaut peut-être mieux que le buste lui-même".

10.

DAVID D'ANGERS

(Pierre-Jean DAVID, *dit*,
Angers, 1788 – Paris, 1856)

Honoré de Balzac

1844

Plâtre patiné, réduction.
H. 25 ; L. 14,3 ; P. 12 cm.
Signé à la gauche du buste : *David
d'Angers 18(44).* Inscription devant :
DE BALZAC.

Musée Rodin, S. 6640.
Collection d'Auguste Rodin,
donation Rodin, 1916.

Après s'être fait prier pendant des années, Balzac accepta avec joie de laisser David faire son portrait : "Grande nouvelle ! J'ai dîné avec Victor Hugo qui me prévenait que le dîner était pour m'aboucher avec notre illustre sculpteur David qui veut faire mon buste colossal en marbre pour le joindre à ceux de Chateaubriand, de Victor Hugo, de Lamartine, de Goethe, de Cooper. Et cela, chère comtesse, console de bien des misères, car David pour cent mille francs ne ferait pas le buste d'un épicier ministre" (à Mme Hanska, 21 novembre 1842). Le modèle fut exécuté en 1843, à la satisfaction de Balzac qui fit savoir à son amie le 3 décembre 1843 : "Je ne vous dis rien de cette grande œuvre que David et qq. autres croient ce qu'il a fait de mieux, vu la beauté de l'original sous le rapport de l'expression et des qualités purement symptomatiques relatives à l'écrivain. [...] Vous serez stupéfaite en voyant la tête olympienne que David a su tirer de ma grosse face de bouledogue."

Le marbre original dédicacé, *"À son ami de Balzac P. J. David d'Angers 1844"* (*cf.* fig. 39), est présenté dans le cabinet de travail de la Maison de Balzac (dépôt du musée Carnavalet). À la fin du siècle dernier, il appartenait à un collectionneur privé, Parran, qui l'avait acquis à la vente de la collection de Mme de Balzac et chez lequel Lovenjoul recommanda à Rodin d'aller le voir. Celui-ci suivit-il ce conseil ? Avant d'avoir la commande du monument, il admirait le buste de David qu'il pensait devoir être le modèle obligatoire de toute statue, mais en 1892 il le déclarait "solennel et un peu froid" (*Le Temps*, 12 septembre 1892) et il utilisa plutôt le daguerréotype (*cf.* cat. 6) comme source de son travail.

Il existe plusieurs exemplaires de ce buste, une terre cuite qui porte la même inscription que le marbre (musée d'Angers), des plâtres anciens (Maison de Balzac, musée de Saumur...), le bronze placé sur la tombe de Balzac au cimetière du Père-Lachaise. Quant à la réduction, on ne sait ni à quelle date, ni dans quelles circonstances elle parvint entre les mains de Rodin.

11.

ANONYME

Main de Balzac

19 août 1850

Plâtre, moulage sur nature.
H. 5,4 ; L. 23, 2 ; P. 11 cm.
Non signé, non daté.

Historique

Donné à Rodin par Laurent
Duhamel-Surville, petit-neveu
de Balzac, en 1891
(*cf.* A. B. de Farges, "La statue de
Balzac. L'opinion de deux artistes",
La France, 15 juillet 1891).

Musée Rodin, S. 935.
Collection d'Auguste Rodin,
donation Rodin, 1916.

La Maison de Balzac possède également un moulage de la main droite de Balzac, exécuté le 19 août 1850 au lendemain de sa mort. Donné au musée Carnavalet en 1930 par le libraire new-yorkais Gabriel Wells, il est entré définitivement dans les collections de la Maison de Balzac en 1991.

Quand Louis Baudier de Royaumont parvint, en 1910, à faire de la maison de Balzac un musée privé (il deviendra musée de la Ville de Paris en 1949), il constitua une vitrine-reliquaire dans laquelle figurait un moulage de la main de Balzac qu'une étiquette manuscrite présentait ainsi : "La main qui a écrit *La Comédie humaine.*"

Un autre exemplaire est conservé à l'Institut de France dans le fonds Lovenjoul.

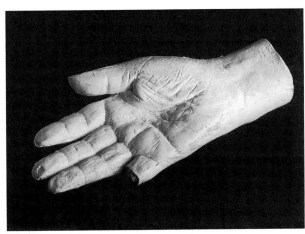

11

10

12.

Benjamin ROUBAUD

(Roquevaire, Bouches-
du-Rhône, 1811 –
Alger, 1847)

Honoré de Balzac

1842

Lithographie, tirage sur papier blanc,
second état.
H. 26 ; L. 21 cm.

Paris, Maison de Balzac, inv. 317.

On connaît mal la biographie de Benjamin Roubaud qui réalisa pour le journal *Le Charivari* une galerie de célébrités, sous forme d'une série de portraits-charges de romanciers, musiciens, journa-listes, acteurs, etc., publiés du 18 février 1838 au 6 juin 1842. À l'issue de cette publication parut chez Aubert l'album du *Panthéon Charivarique* qui regroupait l'ensemble de ces portraits carica-turaux. Cette caricature de Balzac en robe de moine, composée à partir du portrait de Louis Boulanger, en provient.

Roubaud fait partie de ces nombreux caricaturistes qui s'emparent du nouveau Balzac créé par Boulanger. Tous semblent illustrer l'adage selon lequel "l'habit ne fait pas le moine" en collant, sur la robe de chartreux dans laquelle Balzac avait choisi de poser, la face joviale et joufflue qu'avait immortalisée Dantan dans sa célèbre statuette-charge en 1835.

Dans le premier état de cette lithographie, parue dans *Le Charivari* le 12 octobre 1838, Balzac était défini comme "romancier". Dans le second état, présenté ici, il est caricaturé comme "auteur". Le quatrain composé en légende au bas de l'image n'est pas le même que dans la lithographie parue antérieurement dans le journal de Philipon. Il fait peut-être ici allusion à la lutte que Balzac mena contre les contrefaçons littéraires, en 1839, dans le cadre de la Société des gens de lettres : "Certain que les succès l'engraissent dans sa lutte/Et désirant fort s'amincir/Balzac de tems en tems se permet une chute/Mais de nouveaux succès l'empêchent de maigrir."

13.

BERTALL

(Charles-Albert d'ARNOUX, *dit*,
Paris, 1820 – Paris, 1883)

*"V", lettrine avec
portrait satirique
de Balzac*

1846

Gravure sur bois.
H. 6 ; L. 7,5 cm.

Paris, Maison de Balzac, inv. 219.

Ce portrait-charge de Balzac en robe de moine fut réalisé pour le prospectus des *Petites misères de la vie conjugale*.

Après la représentation des *Burgraves* de Victor Hugo, Charles-Albert d'Arnoux publia en col-laboration avec Félix Rousset un volume illustré, *Les Buses graves*. Rousset signa alors "Léfix" (pour Félix) et D'Arnoux "Bertal" (pour Albert). Sur les conseils de Balzac, il ajouta un second *l* à son nom. En 1843, c'est également Balzac qui le présenta au libraire Chlendowski pour l'illustra-tion des *Petites misères de la vie conjugale*. Cet ouvrage, qui réunit des textes de Balzac d'origine diverse, parut en livraisons à partir de 1845 et en volume en 1846. Bertall fut aussi l'un des illustra-teurs de l'édition Furne de *La Comédie humaine* (1842-1846), pour laquelle il donna le plus grand nombre d'illustrations. Quand l'édition sera reprise par Houssiaux après la mort de Balzac, Bertall fournira un portrait, majestueux cette fois, de l'écrivain auquel il vouait une grande admira-tion. Ce portrait figurera en frontispice du premier volume de *La Comédie humaine* en 1855.

Un exemplaire de cette gravure, en médiocre état, fait partie de la documentation rassemblée par Rodin pour *Balzac*.

14.

Paul GAVARNI

(Hippolyte CHEVALIER, *dit*,
Paris, 1804 – Paris, 1866)

*Balzac en robe
de moine*

1856

Eau-forte originale.
H. 18,8 ; L. 21,2 cm.

Paris, Maison de Balzac, inv. 94-02.

Ce portrait de Balzac est l'une des rares eaux-fortes de Gavarni. Edmond et Jules de Goncourt le commentent dans l'étude qu'ils consacrent à l'artiste en 1872-1873, *Gavarni, l'homme et l'œuvre* : "Dans le mois de décembre de l'année précédente [en 1856] il s'était épris d'un vrai goût pour la pure eau-forte et il avait commencé une série de petits portraits en pied d'illustrations contem-poraines. Nous avons encore sous les yeux un Balzac qui, sur le cuivre, était un chef-d'œuvre de finesse, d'esprit."

L'eau-forte a été exécutée d'après des dessins à la plume et au lavis faits par Gavarni vers 1840 (l'un d'entre eux est conservé à la Maison de Balzac), à une époque où les liens d'amitié entre Balzac et Gavarni sont particulièrement étroits. Les deux hommes, qui se connaissent depuis 1831, se sont rendus ensemble à Bourg pour tenter de sauver le notaire Peytel. Cette intimité explique sans doute la qualité des dessins qui donnent vie à l'image devenue classique du "forçat littéraire" cloué à sa table de travail.

12

13

14

Il est probable que Rodin a eu connaissance de ce portrait par Edmond de Goncourt, avec lequel Zola et lui étaient liés. C'est sans doute de l'ouvrage des frères Goncourt mentionné ci-dessus que provient la gravure exécutée par Benjamin Vigourol d'après Gavarni, dont le musée Rodin possède un exemplaire. Sans avoir la qualité de l'eau-forte, celle-ci aura sans doute joué un rôle important dans la recherche de Rodin par la représentation qu'elle propose du créateur, campé dans la tenue familière qu'il porte pour travailler. Si la tête n'est pas rejetée en arrière comme dans le *Balzac* de Rodin, le regard est cependant tourné vers la droite, sombre et concentré. Si la main gauche est apparente, simplement suspendue à la ceinture, le bras est dans une position proche de celle que choisira Rodin. Quant à la main droite, elle est déjà chez Gavarni presque enfouie dans la robe de chambre.

15.

Anatole MARQUET de VASSELOT

(Paris, 1840 –
Neuilly-sur-Seine, 1904)

Honoré de Balzac

1873

Buste, bronze.
H. 57 ; L. 46 ; P. 33 cm.
Signé et dédicacé au revers de
l'épaule gauche : *à de balzac, buste
fait pour la Comédie française par
a. de vasselot 1873* ; au revers de
l'épaule droite : *Fond par Bingen.*

Bibliographie

1896, 22 mai-1er juin, Marquet
de Vasselot, Anatole, p. 517 ;
1898, 28 mai, Hutin, Marcel ;
1899, novembre, Ferry, Gabriel,
pp. 646 à 649 ; 1964, Caso,
Jacques de, p. 280 ; 1981-1982,
exp. Washington, The National
Gallery of Art, p. 308 ; 1983,
Carnot, Radegonde, pp. 251, 252,
263, 264, 265 ; 1988,
Montagne, Édouard, pp. 364,
366 ; 1997, Stasi, Laure, t. I,
p. 55.

Autre exemplaire

Plâtre exposé à la Bruton Gallery
de Londres du 14 novembre 1981
au 2 janvier 1982.

Paris, hôtel de Massa, Société
des gens de lettres.
Don de l'artiste (comité
du 11 janvier 1886).

"Mon cher Maître, écrit Marquet de Vasselot à Gonzalès le 7 janvier 1886, J'apprends à l'instant par la liberté, que vous allez avoir à la société des Gens de lettres le buste de Balzac… Lequel ? Je veux et je tiens que ce soit le mien, je l'offre à la société de tout mon cœur et ce serait mal, très mal, d'en prendre un autre lorsque j'espère être bientôt des vôtres" (Paris, Maison de Balzac, 105 C 3b).

Marquet de Vasselot cherchait en effet à s'imposer comme le sculpteur de Balzac et, en 1898, il pouvait dire à Marcel Hutin "sans craindre le moindre démenti [qu'il était] le seul artiste vivant qui se soit occupé de Balzac, bien avant Chapu, bien avant Rodin" : dès 1868, il avait exposé au Salon (n° 3872) un buste de Balzac en terre cuite (Paris, Maison de Balzac). Celui-ci fut suivi d'un bronze au Salon de 1870 (le même ? ou peut-être celui qui appartenait en 1887 au roi de Suède ?), d'un premier marbre (torse nu, la poitrine découpée en carré) au Salon de 1875 (n° 3426), acquis par l'État et placé à la Comédie-Française, grâce à l'instigation de l'acteur Got, puis d'un autre marbre (vêtu d'une robe à capuchon boutonnée sous le cou), signé et daté 1876, donné par l'artiste au musée des Beaux-Arts de Tours en 1881, déposé à Saché, musée Balzac. Un dernier marbre, daté 1897, est conservé à la Fondation nationale des arts graphiques et plastiques qui occupe l'hôtel S. de Rothschild, construit sur l'emplacement de l'hôtel où mourut Balzac. Tous ces portraits sont issus du buste de 1868 : ils présentent le même visage et diffèrent seulement par la découpe de la poitrine, le buste de Tours ayant en outre la particularité d'être habillé. Selon le sculpteur il y eut cependant deux modèles successifs, le second (connu seulement par une photographie ancienne reproduite par Carnot, 1983, p. 250), qui représentait Balzac âgé de trente ans, ayant été réalisé sous la direction de Mme Duhamel-Surville, petite-nièce du romancier : "Dès 1868, écrit Marquet de Vasselot à Gonzalès, au début de 1886 sans doute, je commençai cette campagne en faveur de Balzac. J'ai fait mon premier buste avec Bertall et J. Gigoux" ; puis il évoque "le magnifique bronze à cire perdue [qu'il a] fait d'après les indications de la propre nièce de Balzac ; Mme Duhamel, née de Surville, morte il y a trois ans, a bien voulu m'aider de ses précieux conseils" (cité par Montagne, 1988, p. 364). L'année suivante, dans une lettre à Gonzalès du 16 mai 1887 (Paris, Maison de Balzac, 105 C 3d), puis en 1896, il confirme : "Mon premier buste fut donc celui de Balzac, celui qui est à la Comédie française. Il a été fait en 1868 et commandé en 1871 par M. Charles Blanc. […] Un exemplaire de ce même buste, mais en bronze fut offert à Sa Majesté le roi de Suède après la guerre. Plus tard ayant fait la connaissance de la nièce de Balzac, Mme Duhamel née de Surville, j'exécutai sur ses indications très précises un autre buste. C'était en 1880" (mai-juin 1896, p. 517). D'après la lettre de 1887, le buste fait selon les indications de Mme Duhamel aurait été fondu par Barbedienne en 1882.

Les bustes qui sont parvenus jusqu'à nous, y compris celui de la Société des gens de lettres, appartiennent tous au même type, celui qui fut apprécié au Salon de 1875 pour ses qualités de ressemblance au modèle et qui est manifestement inspiré du buste de David. Marquet de Vasselot n'avait pas eu accès à la documentation rassemblée par Lovenjoul, étant entré tardivement en contact avec lui (la lettre où il lui dit son désir de le rencontrer est datée du 8 décembre 1887, Paris, Institut de France, fonds Spoelberch de Lovenjoul, G. 1185), cependant le buste reproduisait "sans vulgarité, la grosse tête et les cheveux plats du modèle" (A. de Montaiglon, "Le Salon de 1875", *Gazette des Beaux-Arts*, 1875, II, p. 122). Si l'exécution en marbre en avait été commandée par l'État, le 27 juillet 1872, pour 2 400 francs, c'était toutefois pour une autre raison, semble-t-il : "Ce buste a de la vie et de l'accent. L'auteur mérite d'ailleurs d'être encouragé pour sa belle conduite pendant le siège", inscrivit Charles Blanc, alors directeur des Beaux-Arts, sur la photographie du plâtre, le 11 juin 1872 (Arch. nat. F/21 258).

"L'appartement de la Chaussée d'Antin [où était installée la Société des gens de lettres] présentant cet avantage sur ceux qui l'avaient précédé de contenir de grandes et belles pièces, de larges parties de murailles pouvant être utilement décorées" (Montagne, 1988, p. 358), le Comité décida, le 23 novembre 1885, de tenter d'obtenir des bustes de Hugo, Balzac, Dumas, Alfred de Musset, Eugène Sue et George Sand. Marquet de Vasselot s'empressa de proposer un plâtre de son *Balzac* qu'il jugea ensuite préférable de remplacer par un bronze dont la seule différence avec le buste de la Comédie-Française est la découpe de la poitrine, de forme arrondie et non rectangulaire.

15

"C'est de tout cœur, **écrit-il alors à Gonzalès,** que j'offre ce buste, qui a fait l'admiration de Charles Blanc en 1872 lorsqu'il me le commanda pour le Théâtre-Français. La seule prière que j'adresse à Messieurs les membres de la Société des gens de lettres, c'est de m'appuyer pour l'exécution que je désire faire de la statue de Balzac. [...] Je suis artiste parisien, je ferai tous les sacrifices pour que cette statue soit faite par moi qui, toujours, ai été un des grands admirateurs de Balzac" **(cité par Montagne, 1988, p. 364).**

16

16.

Anatole MARQUET de VASSELOT

(Paris, 1840 –
Neuilly-sur-Seine, 1904)

Monument à Balzac

1888

Esquisse, terre cuite. Des coutures
très effacées, mais cependant
visibles, montrent qu'il s'agit d'une
épreuve issue d'un moule à pièces.
H. 62,5 ; L. 30 ; P. 20 cm.
Non signé, non daté.

Exposition
Peut-être 1893, Paris, Salon de
la Rose+Croix, n° 259, "Balzac
(esquisse pour un monument du
Palais Royal, 1887)".

Bibliographie
1964, Caso, Jacques de, p. 282 ;
1983, Carnot, Radegonde, p. 252 ;
1997, Stasi, Laure, t. I, pp. 55, 56.

Autres exemplaires
– Deux autres exemplaires ont été
repérés dans le commerce parisien.
L'un d'eux est signé et daté *1888* et
porte l'inscription *À mon ami Detaille
souvenirs affectueux* (exp. *Dessins
anciens et modernes*, Paris, galerie
Correspondances, Anne de Bayser et
Alexandre Lacroix, mars 1996, n° 41).
– Une autre esquisse pour le
monument, plus ancienne semble-t-il,
fut présentée au Salon de la Rose+
Croix de 1895, n° 260, "Balzac
(esquisse pour un monument du
Palais-Royal, 1871)". Elle n'est pas
localisée aujourd'hui, mais correspond
sans doute à la seconde maquette
évoquée par Diguet au comité
de la Société des gens de lettres,
le 12 novembre 1888.

Paris, Maison de Balzac, inv. 880.

Gonzalès avait, le premier, pensé à Marquet de Vasselot pour la
réalisation du monument à Balzac, et il semble que l'artiste ait
cru alors à un engagement officieux. Mais lorsqu'elle reprit la
charge du monument, la Société des gens de lettres considéra
qu'il n'en était rien et, quoique Marquet de Vasselot ait tout fait
pour obtenir ses bonnes grâces, elle choisit Chapu, puis Rodin.
Néanmoins Marquet de Vasselot avait réalisé deux maquettes
dont l'existence fut rappelée par Diguet au comité du
12 novembre 1888 : l'une d'entre elles est sans doute celle qui
est présentée ici et l'on peut imaginer que des tirages furent
donnés par l'artiste à ceux qui l'avaient fidèlement soutenu.

Par la suite, il fut question à plusieurs reprises de cette
maquette : au moment de la crise de 1894, Louis Gaillard accusa
Rodin d'avoir plagié Marquet de Vasselot ("La statue de Balzac.
Comédie humaine !", *Le Gil Blas*, 7 décembre 1894). En 1896, à
un moment où encore une fois était mise en doute la capacité de
Rodin de venir à bout de la statue, Marquet de Vasselot exposa
son *Projet de monument pour le centenaire du grand écrivain
français, Balzac-sphinx* (*cf.* fig. 21). Pour le sculpteur, cette
composition ésotérique devait permettre de rendre les contradic-
tions et les incertitudes de la personnalité de Balzac, mais elle fut
peu appréciée du public et la presse évoqua de nouveau alors
l'ancien projet montrant Balzac "debout, vêtu de sa fameuse robe
de dominicain, ouverte en haut et découvrant une poitrine de mâle,
toute velue", ce projet que l'artiste aurait voulu voir tailler en her-
sauton, un granit breton d'une teinte bleu-noir (A. B. de Farges,
"La statue de Balzac. L'opinion de deux artistes", *La France*,
15 juillet 1891) : telle qu'elle est décrite, cette maquette semble
bien correspondre à celle qui est présentée ici.

17.

Henri CHAPU

(Le Mée-sur-Seine, Seine-et-Marne, 1833 – Paris, 1891)

Monument à Balzac

1890

Esquisse, terre cuite.
H. 24 ; L. 12,6 ; P. 12,8 cm.
Non signé, non daté.
Inscription devant : *Honoré Balzac*.

Exposition

1991-1992, Le Mée-sur-Seine,
Melun, n° 64.

Bibliographie

1894, Fidière, Octave, p. 165 ;
1899, novembre, Ferry, Gabriel,
pp. 648, 651 ; 1979, Pingeot,
Anne, pp. 41, 42 ; 1986, Pingeot,
Anne, Le Normand-Romain, Antoinette
et Margerie, Laure de, p. 96 ; 1995,
Pingeot, Anne, p. 84 (Scala) ; 1997,
Le Normand-Romain, Antoinette,
p. 100 (Flammarion).

Œuvres en rapport

– Nombreux dessins, Louvre/Orsay,

département des Arts graphiques,
et Melun, musée.
– Un plâtre, très proche de la terre
cuite, mais avec un enfant placé en
bas et à droite du socle, H. 59,5 ;
L. 28 ; P. 30,5 cm. Paris, Maison
de Balzac, inv. 879, provenant
d'Édouard Montagne (mort en
1899), délégué de la Société
des gens de lettres.
– Un autre plâtre (à moins qu'il ne
s'agisse du même que le précédent)
appartenait en 1926, "depuis une
trentaine d'années", à Edmond
Cousturier et fut donné alors à la
Société des gens de lettres par
l'intermédiaire de Georges Lecomte
(Lecomte à "mon cher ami", 30 juin
1926 et Gaston Rageot à Cousturier,
15 juillet 1926 ; Paris, arch. de la
Société des gens de lettres,
Arch. nat., A.P. 244). Il semble
probable que cette "esquisse [...]
ni très haute ni très large" qu'il fallait
"repeindre en des tons de terre cuite"
et qui n'a pas été retrouvée à l'hôtel
de Massa, est celle qui se trouve
aujourd'hui à la Maison de Balzac.

Paris, musée d'Orsay, RF 1764.
Acq. de Mme L. S. Berryer, 1922.

Berryer étant l'avocat qui régla la succession de Chapu et négocia en particulier l'abandon des droits de Mme Chapu sur la statue de Balzac, on comprend que celle-ci lui ait donné, ou cédé en paiement de ses honoraires, cette belle esquisse, vigoureusement modelée, qui montre probablement, à peu de choses près, l'idée à laquelle s'était arrêté le sculpteur. En effet, d'après *L'Artiste* (septembre 1891), le monument devait comporter deux figures allégoriques dont la seconde pourrait être le putto présent dans la maquette conservée à la Maison de Balzac.

À sa mort, en avril 1891, Chapu n'avait pas commencé l'exécution du modèle : cela permit à Zola dans un premier temps de changer l'emplacement auquel la statue était destinée et, dans un second, de transférer la commande à Rodin.

17

18

18.

Auguste RODIN

Balzac en redingote, d'après Gavarni ?
1891

Esquisse, terre cuite rouge brique
sur socle en bois.
H. 18 (avec socle H. 25) ; L. 10,5 ;
P. 11 cm.
Signé sur le rebord de la terrasse :
R D.

Bibliographie
1967, Descharnes, Robert et
Chabrun, Jean-François, p. 168 ;
1967, Spear, Athena T., pp. 16,
17 (fig. 29a), 92 ; 1973, Elsen,
Albert E., pp. 19, 40 ; 1976,
Tancock, John L., pp. 432, 457 ;
1985, Goldscheider, Cécile,
p. 5 ; 1986, Pingeot, Anne,
p. 104 ; 1990, Borel, France,
pp. 152, 153, 198 ; 1993,
Jarrassé, Dominique, pp. 166-167.

Musée Rodin, S. 125.
Donation Rodin, 1916.

19

19.

Auguste RODIN

Balzac en redingote, mains derrière le dos, d'après Gavarni ?
1891

Esquisse, terre cuite rouge brique,
sur socle en bois.
H. 19,6 (avec socle H. 23,5) ;
L. 8,2 ; P. 8,5 cm.
Signé sur le rebord de la terrasse :
R D.

Expositions
Sans doute cette esquisse : 1950,
Paris, musée Rodin, n° 22 ;
1962-1963, Paris, musée du
Louvre, n° 22 ; 1973, Saché,
musée Balzac, n° 16.

Bibliographie
1964, Goldscheider, Cécile,
pl. 9 ; 1967, Spear, Athena T.,
pp. 16 (fig. 29), 92 ; 1973, Elsen,
Albert E., pp. 19, 40 ; 1976,
Tancock, John L., pp. 432, 457 ;
1985, Goldscheider, Cécile, p. 5.

Musée Rodin, S. 262.
Donation Rodin, 1916.

20.

Auguste RODIN

*Balzac en redingote,
appuyé à un support,
d'après Dantan ?*
1891

Esquisse, terre cuite rouge brique,
sur socle en bois.
H. 14,8 (avec socle H. 22) ;
L. 15 ; P. 9,7 cm.
Signé devant et derrière : *R D.*

Exposition
1950, Paris, musée Rodin, n° 21.

Bibliographie
1967, Spear, Athena T., pp. 16,
92 ; 1976, Tancock, John L.,
pp. 432, 457 ; 1985,
Goldscheider, Cécile, p. 5.

Musée Rodin, S. 258.
Donation Rodin, 1916.

20

Modelées très vivement du bout des doigts, à partir de boulettes d'argile rouge sombre sur lesquelles on distingue des empreintes digitales, ces trois esquisses se placent sans doute au tout début des recherches de Rodin. On imagine volontiers qu'ayant rassemblé une première documentation, il ait voulu donner corps, très vite, à l'idée qu'il se faisait de la silhouette de Balzac. Ces esquisses paraissent en effet inspirées dans un cas par le portrait-charge de Jean-Pierre Dantan (1835), dans l'autre par une boutade de Gavarni. Dantan a montré Balzac les jambes largement ouvertes, s'appuyant sur la fameuse canne à ébullition de turquoises aujourd'hui conservée à la Maison de Balzac (*cf.* exp. *Dantan jeune. Caricatures et portraits de la société romantique*, Paris, Maison de Balzac, 1989, n° 148) ; or, l'esquisse S. 258 offre une silhouette qui est à peu de choses près la même. Quant aux deux autres terres cuites, vues de profil, elles évoquent la description que donnait Gavarni de Balzac, et dont Rodin dut avoir connaissance par Edmond de Goncourt : "Gavarni disait que du derrière de la tête aux talons de Balzac, il y avait une ligne droite, pourtant avec un ressaut aux mollets ; et que, devant c'était un véritable as de pique. Et il se mit même à découper une carte pour nous montrer l'exacte silhouette de son corps" (Goncourt, "Gavarniana", mars 1855, *Journal*, 1989). Il faut également noter que ces trois terres présentent Balzac en redingote : or, même s'il garda longtemps l'idée du gros ventre, Rodin ne continua pas dans cette direction puisque la Société des gens de lettres opta le 9 janvier 1892 pour un Balzac en robe de moine.

21

22

21.

ANONYME

*Estager, "conducteur
de Tours", modèle
de Balzac*

1891

Épreuve sur papier albuminé.
H. 14,4 ; L. 11,2 cm.

Expositions
1986, Esslingen, Galerie der Stadt,
Villa Merkel ; 1986-1987, Brême,
Kunsthalle ; 1990, Paris, musée
Rodin, n° 65.

Bibliographie
1985, Pinet, Hélène, p. XVII ;
1990, exp. Paris, musée Rodin,
pp. 47, 50, 51, 107.

Musée Rodin, Ph. 1216.
Donation Rodin, 1916.

22.

ANONYME

*Estager, "conducteur
de Tours", modèle
de Balzac*

1891

Épreuve sur papier albuminé.
H. 14,4 ; L. 11,1 cm.

Exposition
1990, Paris, musée Rodin, n° 63.

Bibliographie
1990, exp. Paris, musée Rodin,
pp. 47, 50, 51, 107.

Musée Rodin, Ph. 1217.
Donation Rodin, 1916.

23

24

23.

ANONYME

Estager, "conducteur de Tours", modèle de Balzac

1891

Épreuve sur papier albuminé.
H. 14,5 ; L. 11,2 cm.

Exposition
1990, Paris, musée Rodin, n° 66.

Bibliographie
1990, exp. Paris, musée Rodin,
pp. 47, 50, 51, 107.

Musée Rodin, Ph. 1218.
Donation Rodin, 1916.

24.

ANONYME

Estager, "conducteur de Tours", modèle de Balzac

1891

Épreuve sur papier albuminé.
H. 14,2 ; L. 11,2 cm.

Exposition
1990, Paris, musée Rodin, n° 64.

Bibliographie
1990, exp. Paris, musée Rodin,
pp. 47, 50, 51, 107.

Musée Rodin, Ph. 1219.
Donation Rodin, 1916.

25.

Auguste RODIN

Balzac, masque dit du "conducteur de Tours"

1891

Plâtre. Épreuve issue d'un moule à pièces. le réseau de coutures qui est très apparent et correspond exactement à celui que présente, en creux, la terre cuite conservée à New York (fig. 114), ainsi que certains détails, tels que la petite excroissance entre le nez et l'oreille droite, ou l'ajout de matière sur la joue droite, confirment qu'il s'agit bien d'une épreuve issue du moule pris sur cette terre. Celle-ci correspond à l'état définitif d'une œuvre qui avait été moulée une première fois, alors qu'elle offrait un aspect assez différent (*cf.* S. 5739, fig. 115). Après le premier moulage, les coutures (en creux) furent soigneusement effacées, les yeux creusés et les volumes retravaillés par ajout de boulettes (en particulier les pommettes, la mèche de cheveux devant, et la moustache) : tandis que les accents avaient d'abord été donnés par des incisions dans la terre, le second état présente un travail de modelage plus poussé. Ce plâtre semble légèrement plus grand que la terre cuite, ce qui est normal puisque le moulage a été réalisé avant cuisson.

H. 24 ; L. 21 ; P. 17 cm.
Non signé, non daté, anciennes inscriptions : *Épreuve type* et *Modèle*.

Expositions

1950, Paris, musée Rodin, n° 4 ; 1979, Berlin, National Galerie, n° 44.

Bibliographie

1912, mai, Breck, Joseph, pp. 9, 14, 16 ; 1939, Hoffman, Malvina, p. 140, pl. 107 ; 1949, Jourdain, Francis, pl. 36 ; 1952, Goldscheider, Cécile, pp. 39, 40, pl. 3 ; 1963, Grand, P. M., pp. 24, 28 ; 1967, Descharnes, Robert et Chabrun, Jean-François, p. 166 ; 1967, Spear, Athena T., pp. 10 (fig. 16), 11, 35, 91 ; 1973, Elsen, Albert E., pp. 18, 20 (fig. 7), 39, 40 ; 1976, Tancock, John L., pp. 432, 436, 447, 454 ; 1981, Vincent, Clare, p. 18 ; 1988, Beausire, Alain, p. 231 ; 1990, Pinet, Hélène, pp. 47, 50, 51, 107.

Œuvres en rapport

– Masque, plâtre (S. 5739, H. 25,7 ; L. 19,5 ; P. 12, 2 cm ; fig. 115), sans doute l'épreuve d'identification fixée à l'origine sur le moule n° 1003 (musée Rodin) qui correspond à la tête entière (fig. 116) et porte l'inscription *moulé sur terre* : le modèle en est très probablement le premier état de la terre cuite aujourd'hui au Metropolitan Museum.
– Terre cuite originale : New York, The Metropolitan Museum of Art (inv. 12. 11. 11 ; H. 23,7 ; L. 18 ; P. 18,5 cm ; signé derrière l'oreille droite : *A. Rodin* ; fig. 114). Elle a été évidée pour la cuisson, comme le montrent des trous au sommet et à l'arrière du crâne formant évents et un réseau de coutures en creux apparaissant très nettement. Cette tête fut exposée à Prague en 1902 (n° 23/24) ; elle figure, sous le titre "Étude pour la tête de Balzac sur un homme de Tours", sur une liste d'acquisitions envisagées par Thomas Ryan pour le Metropolitan Museum le 22 juillet 1910, mais fut en fin de compte acquise directement par le musée en 1912, grâce à la fondation Rogers. À partir de cette terre fut réalisé le moule dont est issu le masque présenté ici.
– Terre cuite avec cheveux (S. 1770, cat. 30), issue du même moule que le plâtre S. 5739.
– Terre cuite avec cheveux (S. 1788, cat. 31), issue du même moule que le plâtre S. 610.

Musée Rodin, S. 610.
Donation Rodin, 1916.

C'est sur la photographie de ce masque, ou d'un exemplaire identique (Ph. 1211, cat. 29), que Rodin a esquissé à l'encre la chevelure, et indiqué qu'il s'agissait de ce "conducteur de Tours", Estager, dont le musée possède une série de photographies (cat. 21 à 24). Il le préférait sans doute au *Masque souriant* (cat. 26), même s'il a fait tirer un nombre d'épreuves particulièrement important à partir de celui-ci, car c'est encore lui que l'on reconnaît sur la photographie présentant une composition de trois têtes de Balzac (Ph. 1213, cat. 96).

fig. 114
Auguste Rodin
Balzac, masque dit du "conducteur de Tours"
1891, terre cuite
New York, The Metropolitan Museum of Art

fig. 115
Auguste Rodin
Balzac, masque dit du "conducteur de Tours"
1891, plâtre
Musée Rodin, S. 5739

fig. 116
Auguste Rodin
Balzac, tête dite du "conducteur de Tours"
Plastiline, épreuve d'identification réalisée en 1998 dans le moule n° 1003, non conservée

25

26

26.

Auguste RODIN

Balzac, masque souriant

1891

Terre cuite ocre sur socle en bois teinté. Il s'agit d'un modelage direct à partir de boulettes ; les moustaches et les cheveux sont indiqués au moyen d'une spatule, des empreintes digitales sont visibles. Avant cuisson un premier moule a été réalisé : les incisions délimitant les différentes pièces ne sont qu'en partie visibles (joue droite et arête du nez) mais elles correspondent au réseau de coutures apparent sur le plâtre S. 1650 (cat. 27). La tête a été ensuite légèrement retravaillée, notamment dans la chevelure au-dessus de l'oreille droite. Après cuisson elle a été de nouveau moulée et a donné naissance à une seconde série de plâtres.
H. 19,5 (avec socle H. 28,9) ; L. 15,5 ; P. 14,5 cm.
Signé sur la tranche, au-dessous de l'oreille gauche : *A. RODIN.*

Exposition
1950, Paris, musée Rodin, n° 2.

Autres exemplaires
Plâtres et terres cuites : *cf.* S. 1650 (cat. 27), S. 1862 (cat. 28) et, avec cheveux, S. 1789 (cat. 32).

Musée Rodin, S. 1769.
Donation Rodin, 1916.

27.

Auguste RODIN

Balzac, masque souriant

1891

Plâtre. Épreuve issue d'un moule à pièces réalisé sur la terre S. 1769 (cat. 26), avant cuisson, ce qui explique la différence de taille. Le réseau de coutures, très apparent, est plus large que sur l'autre série de masques. La chevelure est légèrement différente de celle de la terre cuite : elle ne comporte pas d'incisions sur le pourtour du visage. La moustache présente encore le fragment qui a disparu de la terre cuite et des autres tirages (il a sans doute été arraché de la terre au moment du décochage) ; en revanche il manque une partie de l'oreille droite, également absente de la terre cuite, mais pas des autres plâtres.
H. 24,5 ; L. 19 ; P. 18 cm.
Non signé, non daté.

Musée Rodin, S. 1650.
Donation Rodin, 1916.

27

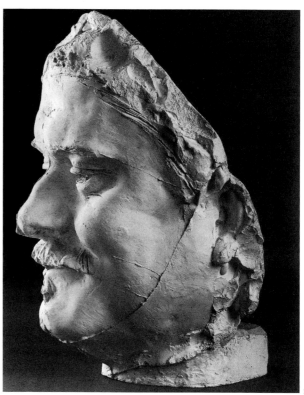

27

28

28

28.

Auguste RODIN

Balzac, masque souriant

1891

Plâtre. Épreuve issue d'un moule à pièces réalisé sur la terre S. 1769 (cat. 26) après cuisson : elle a donc les mêmes dimensions. Le réseau de coutures est différent de celui de S. 1650 (cat. 27), mais identique à celui de toutes les épreuves issues de la terre cuite et, comme celles-ci (à l'exception du plâtre S. 1584 qui est probablement le premier à avoir été tiré, dans un moule encore intact), il présente un point en relief sur le front produit par un défaut du moule.
H. 20 ; L. 16,5 ; P. 14,5 cm.
Non signé, non daté.

Bibliographie

1952, Goldscheider, Cécile, p. 38 ; 1967, Descharnes, Robert et Chabrun, Jean-François, p. 167 ; 1967, Spear, Athena T., pp. 10 (fig. 14 et 15), 11, 91 ; 1973, Elsen, Albert E., pp. 17, 18, 39, 68 ; 1976, Tancock, John L., pp. 432, 454 ; 1985, Goldscheider, Cécile, p. 6.

Autres exemplaires

– Série de plâtres, musée Rodin : S. 1584 (H. 20 ; L. 16,5 ; P. 14,5 cm), le seul à ne pas présenter de défaut de moulage

au-dessus de l'oreille droite, et de point en relief sur le front, ce qui permet de penser que cette épreuve est la première de la série. S. 1583 (H. 20 ; L. 16,5 ; P. 14,5 cm). S. 1648 (H. 20 ; L. 16,5 ; P. 14 cm). S. 1649 (H. 20 ; L. 16,5 ; P. 14 cm, 5 gravé à l'intérieur). S. 1768 (H. 20 ; L. 16,5 ; P. 14,5 cm). S. 1970 (H. 20 ; L. 16,5 ; P. 14,5 cm), épreuve dont les coutures, sauf une au-dessus du nez, ont été éliminées et qui a été utilisée comme point de départ pour une fonte au sable, ainsi qu'en témoignent des incisions au couteau et une couche d'agent démoulant. S. 5740 (H. 19,9 ; L. 24,8 ; P. 16,5 cm) au revers duquel deux bandes de plâtre et de filasse semblent indiquer qu'il s'agit d'une épreuve d'identification trouvée sur le moule correspondant.
– Bronzes, fonte Georges Rudier, édition par le musée Rodin de douze exemplaires entre 1969 et 1980, en plus du n° 0, fondu en 1969 pour les collections du musée (S. 475, H. 20 ; L. 16,5 ; P. 14,5 cm ; fig. 117) ; 1/12, © 1970, New York, The Museum of Modern Art (inv. 432-75, don Cantor Fitzgerald, 1975) ; 3/12, © 1972, Stanford University Museum of Art (inv. 1974. 90, don de la fondation B. Gerald Cantor, 1974).

Musée Rodin, S. 1862.
Donation Rodin, 1916.

fig. 117
Auguste Rodin
Masque souriant
Bronze
Musée Rodin, S. 475

29.

ANONYME

Masque dit du "conducteur de Tours"
vers 1891 ?

Aristotype.
H. 16,5 ; L. 10 cm.
Annotation de Rodin à l'encre :
Étude pour Balzac conducteur de Tours, et chevelure dessinée à l'encre.

Expositions
1990, Paris, musée Rodin, *Rodin et ses modèles*, n° 68 ; 1997, Charleroi, palais des Beaux-Arts, n° VII-13.

Musée Rodin, Ph. 1211.
Donation Rodin, 1916.

De nombreuses photographies ont été retouchées ou annotées par Rodin dès les années 1880.

29

30

30.

Auguste RODIN

Balzac, étude pour la tête, d'après Roubaud ?
1891-1892 ?

Terre cuite ocre pour le visage,
plâtre teinté pour la chevelure,
sur socle en bois. Cette tête a été
réalisée en deux étapes successives :
ayant retravaillé un estampage en
terre de la tête du Metropolitan
Museum (*cf.* cat. 25), Rodin lui
a ajouté, après cuisson, en s'inspirant
des caricatures de Roubaud et
de Bertall (cat. 12 et 13), la masse
de la chevelure, en plâtre teinté
à l'imitation de la terre, et a modifié
le visage : c'est alors que sont
apparus les sourcils épais et la
grosse moustache, et que les joues
ont pris plus de volume. Ce travail
a été réalisé au plâtre frais, parfois
même assez liquide. Enfin, la
chevelure a été reprise à l'outil,
ciseau et râpe, dans le plâtre durci,
puis retravaillée une fois encore avec
du plâtre frais, très chargé en ocre
rouge : c'est ce qui explique l'aspect
hétérogène de la surface sur laquelle
on distingue la terre cuite et au
moins trois reprises au plâtre dont
la couleur ocre-rose va d'une nuance
claire à une teinte plus foncée.
H. 28 (avec socle H. 38,5) ; L. 27 ;
P. 25,2 cm.
Non signé, non daté.

Exposition
1962-1963, Paris, musée
du Louvre, n° 218.

Bibliographie
1967, Descharnes, Robert et
Chabrun, Jean-François, p. 165 ;
1967, Spear, Athena T., pp. 12
(fig. 21), 91 ; 1973, Elsen,
Albert E., pp. 28 (fig. 18), 42 ;
1976, Tancock, John L., p. 456.

Musée Rodin, S. 1770.
Donation Rodin, 1916.

31.

Auguste RODIN

*Balzac, étude
pour la tête, d'après
Roubaud ?*
1891-1892 ?

Terre cuite rouge pour le visage,
plâtre pour la chevelure, socle
en bois, l'ensemble étant couvert
d'un lait de plâtre. Cette tête est
le résultat d'un travail en plusieurs
temps. Rodin a d'abord réalisé
un estampage en terre de la tête
du Metropolitan Museum, ou tout
au moins du visage, dans le même
moule que celui dont est issu
le masque S. 610 (cat. 25), et il a
modifié la terre fraîche, comme en
témoignent des traces de spatule
à dent, engraissant les joues,
allongeant le nez. Après cuisson, il a
rapporté la chevelure en plâtre teinté
pour imiter la couleur de la terre,
et ajouté les sourcils, la moustache,
la mouche sous la lèvre inférieure.
Ce travail a été effectué au plâtre
direct, assez liquide. Une fois le
plâtre durci, le dessus et le côté droit
de la tête ont été repris à l'outil, puis
modifiés de nouveau avec du plâtre
frais. Enfin, pour uniformiser la terre
et les reprises successives au plâtre,
une couche de badigeon blanc a
été passée sur l'ensemble, y compris
sur le socle. On ne peut affirmer
toutefois que cette dernière opération
a été voulue par Rodin.
H. 28 (avec socle H. 38) ; L. 32,7 ;
P. 26,9 cm.
Non signé, non daté.

Bibliographie
1967, Spear, Athena T., pp. 13,
91 ; 1973, Elsen, Albert E., pp. 10
(fig. 9), 42 ; 1976, Tancock,
John L., pp. 432, 454, 455 ;
1993, Jarrassé, Dominique, p. 158.

Musée Rodin, S. 1788.
Donation Rodin, 1916.

32.

Auguste RODIN

*Balzac, étude
pour la tête, d'après
Roubaud ?*
1891-1892 ?

Terre cuite rose pour le visage,
plâtre teinté pour la chevelure, socle
en bois. Cette tête a été réalisée
également en deux étapes : dans
un premier temps, Rodin a utilisé
un estampage du masque S. 1769
(cat. 26), tiré dans le même moule
que le plâtre S. 1650 (cat. 27) qui
présente une couture identique sur
le front. Les dimensions sont toutefois
légèrement différentes à cause
du retrait de la terre lors de la cuisson.
Après la cuisson, Rodin a rapporté
toute la masse de la chevelure, en
plâtre teinté pour imiter la couleur
de la terre. Les sourcils épais,
la grosse moustache, les paupières
inférieures ont été ajoutées alors,
tandis que les pommettes, les joues
et le menton étaient engraissés.
Ce travail a été réalisé au plâtre
direct. Enfin, une fois le plâtre durci,
la chevelure a été reprise à l'outil.
H. 26 (avec socle H. 34,5) ;
L. 25,4 ; P. 19,4 cm.
Non signé, non daté.

Exposition
1950, Paris, musée Rodin, n° 5.

Bibliographie
1952, Goldscheider, Cécile,
pp. 39, 40 ; 1967, Descharnes,
Robert et Chabrun, Jean-François,
p. 167 ; 1967, Spear, Athena T.,
pp. 11 (fig. 17), 13, 91 ; 1973,
Elsen, Albert E., pp. 10 (fig. 9), 42 ;
1976, Tancock, John L., pp. 432,
454 ; 1985, Goldscheider, Cécile,
p. 7 ; 1993, Jarrassé, Dominique,
p. 160.

Musée Rodin, S. 1789.
Donation Rodin, 1916.

31

32

33.

Auguste RODIN

Balzac en redingote

1891

Plâtre. Épreuve obtenue d'un seul tenant par l'intermédiaire d'un moule à bon-creux dont le réseau de coutures est très visible. Le modèle d'origine était sans doute en terre, avec peut-être quelques éléments en plâtre comme la tête assemblée rapidement, à la terre ou au plâtre : le décalage qui subsiste montre en effet qu'il ne s'agit pas d'une pièce conçue de façon homogène.
Cette épreuve a elle-même servi à la réalisation d'un moule, sans doute en vue d'une fonte : on remarque en surface les entailles caractéristiques laissées par le couteau lors du façonnage des pièces ; de plus elle est enduite d'une matière jaune grisâtre, vraisemblablement un agent démoulant.
H. 60 ; L. 25,5 ; P. 30,2 cm.
Non signé, non daté.

Exposition

1950, Paris, musée Rodin, n° 28.

Bibliographie

1892, 12 janvier, Javel, Firmin ; 1892, 30 janvier, Monroy, Richard de ; 1899, novembre, Ferry, Gabriel, pp. 649, 650 ; 1921, Alexandre, Arsène, pp. 53, 54 ; 1952, Goldscheider, Cécile, pp. 41, 42 ; 1967, Descharnes, Robert et Chabrun, Jean-François, p. 170 ; 1967, Spear, Athena T., pp. 16, 17 (fig. 30), 92 ; 1973, Elsen, Albert E., pp. 21, 40, 68 ; 1976, Tancock, John L., pp. 425, 426, 432, 453 ; 1983, Schmoll, J. A. gen. Eisenwerth, *Rodin. Studien*, pp. 128 (fig. 83), 129 ; 1985, Goldscheider, Cécile, p. 9 ; 1993, Butler, Ruth, p. 255 ; 1994, Levkoff, Mary L., pp. 104, 108, cat. n° 31 ; 1994-1995, exp. Paris, musée d'Orsay, n° 103.

Œuvres en rapport

– Plâtre présentant l'adjonction d'un fauteuil de style Louis XV à la droite de Balzac (H. 53,7 ; L. 31 ; P. 24,5 cm ; signé et dédicacé sur la base à droite : *1ère épreuve. À mon ami de Braisne. Rodin*), Le Caire, musée Mahmoud Khalil (inv. 33 S, legs Mohamed Mahmoud Khalil à l'État égyptien, 1960 ; fig. 118). Ce plâtre correspond sans doute à la maquette de janvier 1892. En 1921 (*cf.* Alexandre), il appartenait à la galerie Georges Petit.
– Plâtres : un exemplaire, signé *A. Rodin* sur la base à gauche, donné par Rodin à la Maison de Balzac lors de l'ouverture du musée en 1909, exposé à la Panama Pacific International Exposition à San Francisco en 1915 dans la section "La Maison et le Musée de Balzac", brisé au retour et sans doute détruit. Philadelphie, Rodin Museum. Paris, musée Rodin, S. 2400, épreuve réalisée pour l'édition (H. 60 ; L. 25,4 ; P. 30,2 cm ; inscription au crayon devant : *A. Rodin/N°* ; et derrière : *E. Godard/Fond.* et ©).
– Bronzes, édition de douze exemplaires par le musée Rodin, fondus par Susse de 1969 à 1978 puis par Émile Godard de 1979 à 1981 (n°s 9 à 12), en plus du n° 0 réalisé en 1969 pour les collections du musée (S. 966, H. 59,5 ; L. 25 ; P. 29,5 cm ; fig. 119). Fonte Susse : 3/12, New York, The Museum of Modern Art (inv. 636-73, don Cantor Fitzgerald, 1973) ; 4/12, © 1972, Stanford University Museum of Art (inv. 1974-91, don de la fondation B. Gerald Cantor, 1974). Fonte É. Godard : 11/12, © 1980, Los Angeles County Museum of Art (inv. M.86.171, don de la fondation B. Gerald Cantor). Un bronze sur lequel on n'a pas d'information à Sapporo, Museum of Contemporary Art.

Musée Rodin, S. 1964.
Donation Rodin, 1916.

fig. 118
Auguste Rodin
*Balzac en redingote appuyé
à un fauteuil Louis XV*
1891-1892, plâtre
Le Caire, musée Mahmoud Khalil

fig. 119
Auguste Rodin
Balzac en redingote
Bronze
Musée Rodin, S. 966

Le 9 janvier 1892, la commission du monument se rendit dans l'atelier de Rodin pour examiner les trois maquettes que celui-ci proposait à son choix. "Dans la seconde, rapporte Monroy dans *L'Univers illustré* en 1892, on voit Balzac accoudé sur le dos d'un fauteuil et souriant (!) dédaigneusement" : il s'agit probablement de l'état initial de cette maquette, tel que nous l'a transmis le plâtre conservé au Caire et dédicacé à Henry de Braisne qui était membre du Comité des gens de lettres et démissionna à la suite d'Aicard, le 26 novembre 1894. Ce serait donc la seule des trois maquettes de 1891 qui soit parvenue jusqu'à nous. Il faut noter cependant que Rodin ne conserva pas le premier état mais un second : à une date inconnue en effet, il supprima le fauteuil et apporta un certain nombre de modifications (côté droit du personnage ; ajout de livres à l'arrière).

33

33

34.

Auguste RODIN

Étude pour Balzac
mars 1892

Fusain et estompe sur papier beige.
H. 35,7 ; L. 24,9 cm.

Catalogue
1984-1992, Judrin, Claudie, t. II
(1986), repr.

Expositions
1937, Paris, Pavillon des Salons,
n° 1919 ; 1976, Paris, musée
Rodin, n° 10 ; 1978, Saintes ;
Bordeaux, n° 37 ; 1979, Takaoka ;
Fukui ; Tokyo ; Yamanashi ;
Asahikawa ; Iwaki ; Nagasaki,
n° 87 ; 1984, Martigny, fondation
Pierre Gianadda, n° 112.

Bibliographie
1984, Güse, Ernst-Gerhardt,
p. 218, n° 23, repr.

Musée Rodin, D. 1780.
Donation Rodin, 1916.

34

35.

Auguste RODIN

Balzac, étude de tête

1891 ?

Terre ocre cuite avec socle en bois.
Modelée très vivement, à partir
de boulettes qui restent apparentes,
cette tête présente un visage assez
rond, un nez épaté et des pommettes
très saillantes qui peuvent annoncer
l'*Étude C*.
H. 15,4 (avec socle H. 23,9) ;
L. 9,6 ; P. 14,4 cm.
Non signé, non daté.

Exposition
1997, Charleroi, palais
des Beaux-Arts, n° VII-5.

Bibliographie
1967, Spear, Athena T., pp. 26,
92 ; 1973, Elsen, Albert E., p. 31 ;
1976, Tancock, John L., p. 456 ;
1993, Jarrassé, Dominique, p. 158.

Musée Rodin, S. 3900.
Donation Rodin 1916.

35

36

36.

Auguste RODIN

Balzac, étude de nu C
1892

Plâtre. Le réseau de coutures,
assez simple, et l'acuité des traces
d'outil visibles sur la surface
permettent de penser que cette
épreuve est issue du moule réalisé
directement sur la terre.
Coupé en travers du torse,
ce nu a donné naissance, après
repositionnement des morceaux,
à l'*Étude de nu au gros ventre*
S. 147 (cat. 71).
H. 128,5 ; L. 52 ; P. 62 cm.
Signé sur la terrasse, devant le pied
gauche : *Rodin*. Inscription
au-dessous, sur la tranche : *Original*.

Expositions
1950, Paris, musée Rodin, n° 24 ;
1953, Yverdon, Hôtel de Ville,
n° 93.

Autres exemplaires
– Plâtres : musée Rodin, S. 3150
(cat. 37). Saché, musée Balzac,
provenant de Danthon (inv. 136).
Un plâtre (de ce type) est décrit
chez Lucie Delarue-Mardrus en
1912 : "les murs de la vaste pièce
– au milieu de laquelle un Balzac
de Rodin, bras croisés, fier, affirme
sa puissance – lui renvoient sans
cesse son image..." ("Au jour
le jour. Mme Delarue-Mardrus décrit
les noces et fêtes arabes",
Le Temps, 1er décembre 1912 ;
cf. aussi Alexandre, Arsène, 1921,
p. 55).
– Édition : *cf.* cat. 38.
– Réduction : *cf.* cat. 39.

Musée Rodin, S. 177.
Donation Rodin 1916.

37.

Auguste RODIN

Balzac, étude de nu C

Plâtre, modèle de fonderie. Enduite
d'un agent démoulant de couleur
beige-jaune, cette épreuve porte
un double réseau de coutures.
L'un correspond à celui du plâtre
S. 177 (cat. 36), tandis que l'autre,
plus fin, témoigne d'un second
moule réalisé sur un modèle disparu,
vraisemblablement une épreuve
à l'origine identique à S. 177
puis légèrement modifiée. Le plâtre
S. 3150 a servi à la réalisation
d'un moule de fonderie,
comme le montrent les traces du couteau
qui a entaillé la surface lors
de la découpe des pièces pour
la fonte au sable.
H. 128,5 ; L. 52 ; P. 66 cm.
Signé sur la terrasse, devant le pied
gauche : *Rodin.* Inscription
au-dessous, sur la tranche : *898*
et *Original.*

Historique

Cette épreuve a sans doute été
réalisée, avec l'accord de Bénédite,
en vue de l'édition en bronze
de ce modèle par Gustave Danthon
qui en avait obtenu les droits
d'édition (*cf.* S. 1074, cat. 38).
Avant la vente de la collection
de Mme Danthon (Paris, hôtel
Drouot, Me Bellier, 24 et 25 mai
1933), Georges Grappe réussit
à négocier le rachat du plâtre qui
figurait au catalogue (n° 62) avec
la précision : "Cette maquette
est vendue avec tous les droits de
reproduction". La *Gazette de l'hôtel
Drouot* du 25 mai 1933 confirme :
"Non vendu. Acquis à l'amiable
par le musée Rodin", tandis
que l'on sait par le procès-verbal
du conseil d'administration du
15 juin 1933 que le plâtre revint
au musée Rodin "pour une somme
de 100 000 francs ; valeur en
bronzes au prix de vente".
Cet accord incluait sans doute,
même si elle n'est pas mentionnée,
la réduction de la même figure
(S. 2849, *cf.* cat. 39).

Musée Rodin, S. 3150.
Acquis en 1933.

37

38

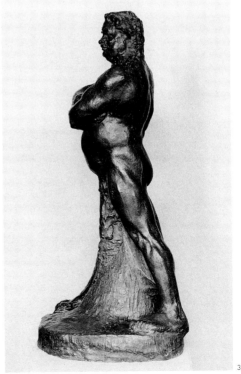
38

38.

Auguste RODIN

Balzac, étude de nu C

Bronze. Le double réseau de
coutures identique à celui du plâtre
S. 3150 (cat. 37) montre que c'est
à partir de celui-ci que fut réalisée
l'édition en bronze.
H. 127,3 ; L. 50,5 ; P. 61 cm.
Signé sur la terrasse, devant
le pied gauche : *Rodin*. Inscription
au-dessous, sur la tranche : *Original*.
À l'arrière : *.Alexis. RUDIER./
.Fondeur. Paris.*

Catalogues

1926, Bénédite, Léonce, n° 175
(déjà ce bronze, ou le plâtre S. 177,
cat. 36 ?) ; 1929, Grappe,
Georges, n° 220 ; 1931, Grappe,
Georges, n° 295 ; 1938, Grappe,
Georges, n° 232bis ; 1944,
Grappe, Georges, n° 267.

Expositions

1950, Paris, musée Rodin, n° 27 ;
1996, Paris, Espace Electra, sans n°,
rep. p. 56.

Autres exemplaires

– Bronzes, fonte Alexis Rudier.
Si l'on en croit Grappe, "Danthon
possédait [...] un Balzac dont il avait
fait des reproductions à perte de
vue, autorisé qu'il avait été par
M. Bénédite dont des
correspondances attestaient
la permission donnée" (procès-verbal
du conseil d'administration du
15 juin 1933). Le catalogue de la
vente Danthon (Paris, hôtel Drouot,
Me Bellier, 24 et 25 mai 1933,
n° 51), incite à nuancer cette
affirmation : "Il n'a été tiré jusqu'à
ce jour, y lit-on, que trois épreuves
en bronze. L'une est au musée
Rodin." La seconde, celle qui figurait
dans la vente Danthon et qui fut
acquise par M. Le Sidaner pour
11 000 francs au lieu des
30 000 francs prévus (*Gazette
de l'hôtel Drouot*, 25 mai 1933),
est aujourd'hui conservée à
Chicago, Art Institute (inv. 57529,
don Sylvain et Arma Wyler).
La troisième est probablement celle
qui appartient aux collections de
la Rhode Island School of Design
à Providence (inv. 66. 057,

Museum Associates and Donations
from Museum Members ; provenant
de la galerie Beyeler de Bâle, puis
coll. G. David Thompson, vente
New York, Parke Bennet Galleries,
23 et 24 mars 1966, n° 18).
Notons que les bronzes de Chicago
et de Providence portent l'inscription
Original comme le bronze et
les deux plâtres du musée Rodin.
Une autre fonte Alexis Rudier se
trouve en prêt permanent
à Jérusalem, Israël Museum
(coll. Billy Rose).
– Bronzes, fonte Georges Rudier :
dix exemplaires édités par
le musée Rodin entre 1957
et 1976 : n° 3/12, fondu en
1957, Baltimore, Museum
of Art (inv. BMA. 1966.55.26,
acquis en 1966 ; provenant de
la coll. Alan et Janet Wurtzburger) ;
n° 4/12, fondu en 1967,
Los Angeles County Museum of Art
(inv. M. 67. 59, don de
la fondation B. Gerald Cantor) ;
n° 5/12, © 1968, Stanford
University Museum of Art (inv. 1974.
89, don de la fondation B. Gerald
Cantor, 1974) ; n° 9/12, © 1972,
Brooklyn Museum (inv. 85. 198,
don de la fondation B. Gerald
Cantor).

Musée Rodin, S. 1074.
Acquis de la galerie Gustave
Danthon en 1926, Georges Grappe
ayant négocié l'échange d'une
grande *Ombre* contre "cinquante
mille francs espèces et la grande
épreuve en bronze de mon Balzac"
ainsi que s'exprime Danthon
(procès-verbal du conseil
d'administration du 18 novembre
1926).

38

39

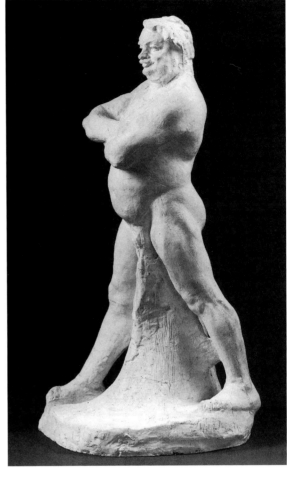

39

39.

Auguste RODIN

Balzac, étude de nu C
Réduction

Plâtre, enduit d'agent démoulant
de couleur beige-jaune. Il s'agit
d'une réduction du plâtre S. 177
(cat. 36), des traces d'outil
similaires apparaissant sur l'un et
l'autre, plus lisibles évidemment sur
le grand modèle. C'est une épreuve
soignée, dont certaines coutures ont
été éliminées, tandis qu'un lait
de plâtre contribue à les masquer,
ce qui peut laisser supposer qu'elle
était destinée à la confection d'un
moule. La surface garde d'ailleurs
quelques traces d'agent démoulant.

H. 76,5 ; L. 32 ; P. 34,3 cm.
Signé devant le pied gauche :
Rodin. Inscription au-dessus du
pectoral droit, au crayon : *II*.

Autres exemplaires

– Plâtres : deux autres plâtres sont
conservés au musée Rodin, S. 2351
(H. 76,5 ; L. 29,6 ; P. 35,1 cm)
et S. 2849 (H. 75,4 ; L. 28,6 ;
P. 38,5 cm). Tous trois sont issus
du même moule, mais on note que
l'acuité du modelé va en
s'amollissant : moins précis que
S. 2261, S. 2849 l'est cependant
plus que S. 2351. Les plâtres
S. 2351 et S. 2849 ont servi
à la fabrication de moules de
fonderie (ils sont enduits d'agent
démoulant, et leur surface présente

les traces du couteau qui a servi
à délimiter les pièces du moule).
L'une de ces épreuves, sans doute
la S. 2849, est entrée au musée
en 1933 au moment de la vente
de la collection de Mme Danthon
(Paris, hôtel Drouot, Me Bellier,
24 et 25 mai 1933, n° 63) :
cf. cat. 37, historique. Cependant
le musée en possédait déjà, outre
le plâtre de la donation Rodin,
une autre épreuve, qui avait été l'un
des éléments de l'échange organisé
en 1926 entre Danthon et le musée
Rodin (*cf.* cat. 40) : est-ce le plâtre
S. 2351 ? Il ne semble pas que
ce soit possible car celui-ci est très
visiblement un plâtre de fonderie,
peut-être celui qui servit pour les
fontes Georges Rudier. Un quatrième

plâtre est conservé au Rodin
Museum de Philadelphie (don Mr
et Mrs Sheldon M. Gordon,
Mr Gerson Bakar et Mrs Norman
Pelmutter, 1971). Un autre encore
aurait appartenu à Judith Cladel et
est passé de nombreuses fois
(lui-même ou ses surmoulages)
en vente publique.
– Édition : *cf.* cat. 40.

Musée Rodin, S. 2261.
Donation Rodin, 1916.

40

40

40.

Auguste RODIN

Balzac, étude de nu C
Réduction

Bronze.
H. 77 ; L. 32 ; P. 40 cm.
Signé sur la terrasse, devant le pied
gauche : *A. Rodin.* Marque en relief
à l'intérieur : *A. Rodin* ; et à
l'arrière : *ALEXIS
RUDIER./FONDEUR. PARIS.*

Catalogues
1927, Grappe, Georges, n° 189 ;
1929, Grappe, Georges, n° 219 ;
1931, Grappe, Georges, n° 294 ;
1938, Grappe, Georges, n° 232 ;
1944, Grappe, Georges, n° 266.

Expositions
1950, Paris, musée Rodin, n° 26 ;
1970, Londres, Hayward Gallery,
n° 55 ; 1979, Milan, Palazzo
della Permanente, n° 186 ; 1980,
Vienne, Orangerie-Galerie. Palais
Auersperg, n° 26 ; 1989, Paris,
musée Rodin, sans catalogue ;
1993, Pékin, Shanghaï, n° 61.

Autres exemplaires
– Bronzes, fonte Alexis Rudier :
le catalogue de la vente Danthon
(Paris, hôtel Drouot, Me Bellier, 24,
25 mai 1933, n° 52), incluant une
épreuve en bronze, précisait qu'il
n'avait été "tiré de ce modèle, à ce
jour, que trois exemplaires en bronze
dont l'un appartient au Musée
Rodin" (celui qui est présenté ici).

D'autres épreuves portant la marque
Alexis Rudier ont été repérées : l'une
se trouve à Des Moines (États-Unis),
Art Center ; une autre au musée
Rodin (S. 473, don de Mme Eugène
Rudier, 1957, portant les mêmes
marques et inscriptions que S. 790).
– Bronzes, fonte Georges Rudier,
neuf exemplaires édités par le musée
Rodin entre 1958 et 1973 : n° 8,
fondu en 1966, ne portant pas
la marque du fondeur, New York,
The Museum of Modern Art
(inv. 637-73, don de la fondation
B. Gerald Cantor, 1973).

Musée Rodin, S. 790.
Acquis de la galerie Gustave
Danthon en 1927, Grappe ayant
négocié le retour au musée de deux

maquettes (*La Chute des anges*
et *Les Mauvais Génies*) avec leurs
droits de reproduction, "plus un
petit Balzac en bronze, une tête
de Balzac en bronze, et l'épreuve
en plâtre d'une étude de Balzac nu",
en échange d'"une Méditation en
bronze taille moyenne n° 3/12,
un Penseur petit modèle en bronze
et une épreuve en bronze des cinq
Bourgeois de Calais".
Cette opération paraissait
"nettement avantageuse car, si
elle représente pour M. Danthon
une valeur de 250 000 francs,
elle ne nous revient à nous,
au prix de la fonte, qu'à
21 000 francs" (procès-verbal
du conseil d'administration du
18 novembre 1926).

41

41.

Auguste RODIN

*Balzac, buste
de l'étude de nu C
avec bras*

Plâtre, épreuve réalisée pour
l'édition par Danthon. Le double
réseau de coutures montre qu'il s'agit
du surmoulage d'une première
épreuve elle-même tirée dans
un moule à bon-creux. Ces coutures
sont identiques à celles de l'*Étude
de nu C* S. 3150 (cat. 37), ce
qui peut laisser supposer qu'il s'agit
d'un plâtre réalisé en découpant
une épreuve entière issue du même
moule que le grand nu.
H. 48,2 ; L. 38,3 ; P. 33 cm.
Non signé, non daté.

Autres exemplaires
Bronzes : *cf.* cat. 42.

Musée Rodin, S. 1794.
Provenance indéterminée.

42.

Auguste RODIN

Balzac, buste de l'étude de nu C avec bras

Bronze. Cette épreuve, d'une
grande qualité de fonte, présente
le même double réseau de coutures
que le plâtre S. 1794 (cat. 41).
H. 47 ; L. 37 ; P. 33,5 cm. Socle
en pierre, H. 3,5 ; L. 25 ; P. 21 cm.
Signé à la coupe du buste, à sa
gauche : A. Rodin. Marque en relief
à l'intérieur : A. Rodin. Inscription
à la base, au dos : .Alexis RUDIER.
Fondeur. .PARIS.

Historique
Collection Danthon. Vente
Mme Danthon, Paris, hôtel Drouot,
Me Bellier, 24 et 25 mai 1933,
n° 53. Acquis par M. Marchand
au prix de 9 200 francs (Gazette
de l'hôtel Drouot, 25 mai 1933).

Bibliographie
1934, Morhardt, Mathias, p. 466 ;
1967, Spear, Athena T., pp. 112,
136 ; 1998, Le Normand-Romain,
Antoinette, p. 94.

Autres exemplaires
– Bronzes, fonte Alexis Rudier :
Cleveland Museum of Art
(inv. 72. 277, legs Edgar H. Hahn) ;
Washington, Hirshhorn Museum and
Sculpture Garden (inv. 66.4335,
don Joseph H. Hirshhorn, 1966).
– Réductions offrant une découpe
légèrement différente de celle
du grand modèle : fonte Alexis
Rudier, H. 39 et 29 cm.

Musée Rodin, S. 6685.
Acquis avec la participation de
la Société Rodin, par l'intermédiaire
de Sotheby's, 1997.

42

43

44

43.

Auguste RODIN

*Balzac, buste
de l'étude de nu C,
avec épaules
et découpe arrondie
de la poitrine*

Plâtre patiné. Cette épreuve
(réalisée pour l'édition par Gustave
Danthon ?), enduite d'un agent
démoulant de couleur gris-jaune,
a visiblement servi à la fabrication
d'un moule de fonderie : en
témoignent les coutures estompées,
des restes de sable à l'intérieur et,
sur la surface, des entailles dues
au couteau qui a servi à la fabrication
des pièces du moule. Ces entailles
sont en partie dissimulées par une
patine ocre passée par-dessus
l'agent de démoulage.
H. 31,8 ; L. 28,6 ; P. 20,8 cm.
Signé sur l'épaule gauche :
A. RODIN.

Musée Rodin, S. 2077.
Provenance indéterminée.

44.

Auguste RODIN

*Balzac, buste
de l'étude de nu C,
avec épaules
et découpe arrondie
de la poitrine*
Réduction

Plâtre enduit d'un agent
de démoulage de teinte beige. Cette
épreuve (réalisée pour l'édition par
Gustave Danthon ?) a été obtenue
par moulage de la réduction du buste
S. 2077 (cat. 43) comme l'indiquent
les détails (coups d'outil, trame
du tissu), moins précis que sur
ce dernier. Elle a servi à l'élaboration
d'un moule au sable en vue d'une
fonte : des restes de sable
sont encore visibles à l'intérieur tandis
que la surface, entaillée de coups
de couteau au moment du façonnage
des pièces du moule, a été patinée
par la suite et agrémentée alors
de légères touches blanc verdâtre qui
peuvent être considérées comme des
essais de patine.
H. 18,4 ; L. 15,5 ; P. 12,2 cm.
Non signé, non daté.

Musée Rodin, S. 3046.
Provenance indéterminée.

45.

Auguste RODIN

*Balzac, buste
de l'étude de nu C,
avec épaules
et découpe arrondie
de la poitrine*
Variante

Bronze. Piédouche en marbre.
H. 27,3 (avec piédouche,
H. 37,3) ; L. 29,2 ; P. 18,1 cm.
Signé à l'arrière de l'épaule
gauche : *A. Rodin*. Marque en relief
à l'intérieur : *A. Rodin* ; et à l'arrière
de l'épaule droite : *.Alexis RUDIER./
.Fondeur. PARIS*.

Expositions
1950, Paris, musée Rodin, n° 11 ;
1987, Rome, Palazzo Venezia,
n° 188.

Autres exemplaires
Bronzes, fonte Alexis Rudier : Saché,
musée Balzac (acquis en 1930) ;
plusieurs épreuves passées en ventes
publiques.

Musée Rodin, S. 1079.
Provenance indéterminée.

46.

Auguste RODIN

*Balzac, buste
de l'étude de nu C,
avec découpe de
la poitrine en pointe*

Plâtre enduit d'un agent démoulant
beige-marron. Épreuve réalisée pour
l'édition (par Gustave Danthon ?).
Le double réseau de coutures est
identique à celui de l'*Étude de nu C*
S. 3150 (cat. 37), ce qui permet de
penser qu'il s'agit d'un plâtre réalisé
en découpant une épreuve entière
issue du même moule que le grand
nu. Mais l'épreuve d'origine a été
tirée dans un moule usé : une
boursouflure sur la joue gauche,
à l'angle de deux coutures, montre
que le coin des pièces était cassé.
À l'origine, la découpe du dos
devait être identique à celle du buste
S. 1580 (cat. 47), mais elle a
été élargie, par deux fois : sans
doute au moment de la réalisation
d'un moule de fonderie dont
témoignent des restes de sable
à l'intérieur, deux petits trous sur les
joues qui correspondent à la marque
des clous qui fixaient les pièces et,
à deux endroits, la marque du
couteau qui a servi au façonnage
des pièces.
H. 35,1 ; L. 21,5 ; P. 24,5 cm.
Non signé, non daté.

Musée Rodin, S. 1868.
Provenance indéterminée.

45

46

47

48

47.

Auguste RODIN

Balzac, buste
de l'étude de nu C,
avec découpe de
la poitrine en pointe

Plâtre, épreuve réalisée pour l'édition
(par Gustave Danthon ?). Enduite
d'un agent démoulant de teinte beige,
cette épreuve, dont le double réseau
de coutures est très net, a visiblement
servi à la fabrication d'un moule au
sable : en témoignent des restes de
sable à l'intérieur et, sur la surface, des
entailles dues au couteau qui a permis
le façonnage des pièces du moule.
Le réseau de coutures, identique à celui
de l'*Étude de nu C* S. 3150 (cat. 37),
permet de penser qu'il s'agit d'un plâtre
réalisé en découpant une épreuve
entière issue du même moule que
le grand nu.
H. 28 ; L. 18,5 ; P. 20 cm.
Non signé, non daté. Inscription
à l'intérieur : *A*.

Musée Rodin, S. 1580.
Provenance indéterminée.

48.

Auguste RODIN

Balzac, buste
de l'étude de nu C,
avec découpe de
la poitrine en pointe
Réduction

Plâtre enduit d'un agent démoulant
de couleur beige-jaune. Cette épreuve
réalisée pour l'édition (par Gustave
Danthon ?) est proche de S. 3046
(cat. 44) même si l'encolure est modifiée.
Elle a été obtenue par moulage de
la réduction du buste S. 1580 (cat. 47).
Mais les détails sont moins précis que
sur le modèle initial, et l'amorce du dos
et de l'épaule gauche offre une
découpe différente. Elle a servi à la
fabrication d'un moule au sable ainsi
que l'indiquent des restes de sable
à l'intérieur et des coups de couteau qui
ont entaillé la surface au moment
du façonnage des pièces du moule.
H. 16 ; L. 9,5 ; P. 11,5 cm.
Non signé, non daté.

Musée Rodin, S. 1578.
Provenance indéterminée.

Bibliographie

Étude de nu C

1894, 11 novembre, Alexandre, Arsène ; 1894, 12 novembre, Stiegler, Gaston ; 1894, 13 novembre, R. G. ; 1894, 25 novembre, Chincholle, Charles ; 1894, 27 novembre, Séverine ; 1918, Cladel, Judith, p. 11 ; 1921, Alexandre, Arsène, p. 55 ; 1931, Jourdain, Frantz, p. 57 ; 1936, Cladel, Judith, *Rodin, sa vie glorieuse...*, pp. 189, 191 ; 1939, Grappe, Georges, n° 82 ; 1947, Martinie, Henri, pl. 12 ; 1949, Jourdain, Francis, p. 38 ; 1952, Goldscheider, Cécile, p. 42 ; 1966, Caso, Jacques de ; 1967, Descharnes, Robert et Chabrun, Jean-François, p. 169 ; 1967, Spear, Athena T., pp. 18, 20, 21 ; 1973, Elsen, Albert E., pp. 30, 43 à 52 ; 1976, Tancock, John L., pp. 425, 427, 433, 437, 453 ; 1985, Goldscheider, Cécile, p. 8 ; 1986, Lampert, Catherine, pp. 126, 127 ; 1988, Beausire, *cf.* index ; 1993, Butler, Ruth, pp. 289, 290 ; 1993, Jarrassé, Dominique, pp. 50, 156, 157 ; 1994, Levkoff, Mary L., p. 110 ; 1994, Néret, Gilles, p. 71 ; 1996, Vilain, Jacques, dir., p. 65.

Buste de l'étude de nu C

1939, Hoffman, Malvina, p. 140 ; 1949, Jourdain, Francis, pl. 37 ; 1952, Goldscheider, Cécile, p. 40 ; 1967, Descharnes, Robert et Chabrun, Jean-François, p. 167 ; 1967, Spear, Athena T., p. 20 ; 1973, Elsen, Albert E., p. 30 ; 1974, Spear, Athena T., pp. 112 à 116 ; 1976, Tancock, John L., pp. 425, 429, 433, 437 ; 1985, Goldscheider, Cécile, pp. 7, 8.

Variantes et autres exemplaires du *Buste de l'étude de nu C*

1. Taille originale

– Tête, cire, H. 20 cm : coll. part. (vente Mme Danthon, Paris, hôtel Drouot, Me Bellier, 24 et 25 mai 1933, n° 64, "épreuve unique").
– Bustes, bronze, fonte Alexis Rudier, avec différentes découpes des épaules et de la poitrine, nombreux exemplaires : Londres, Tate Gallery (H. sans la base 27 ; L. 33,5 ; P. 24 cm ; don Sir Michael Sadler en mémoire de Lady Sadler, 1931 ; fig. 120). Albi, musée Toulouse-Lautrec (inv. MTL 379, H. 30, avec base 40,5 ; L. 28 ; P. 19,5 cm ; don Eugène Rudier, 1939). Troyes, musée d'Art moderne (H. 32 ; L. 28 ; P. 21,5 cm ; don Pierre Lévy, ancienne coll. Yves Lyon). L'exemplaire de la vente Danthon (24 et 25 mai 1933, n° 54) avait des épaules plus larges encore (H. 30 ; L. 35 cm) tandis qu'une épreuve signalée en 1991 (H. 33 ; L. 36 cm) présente une poitrine plus importante. Le bronze du musée Rodin (*cf.* S. 1079, cat. 45), comme celui de la Fondation Kasser, à Montclair, New Jersey (qui semble identique y compris en ce qui concerne le piédouche), a à la fois plus d'épaules et moins de poitrine (H. 27,3 ; L. 29,2 ; P. 18,1 cm). La découpe, au niveau de la poitrine, des bronzes conservés dans la collection Burrell (Glasgow Museums, acq. par Sir William Burrell chez Brown et Philips en juillet 1920 ; H. 28,7 ; L. 20,4 ; P. 22,8 cm ; fig. 121) et au musée Balzac de Saché (acq. 1930) est au contraire plus étroite et semble correspondre au plâtre S. 1580 (cat. 47).
D'autres épreuves sont signalées à : Baltimore, Museum of Art (H. 28 cm ; inv. BMA. 1953.149 ; don Mr et Mrs Sidney Lansburgh, 1953) ; New Orléans (coll. Mrs Hunt Henderson) ; New York (coll. Bella et Sol Fishko) ; Williamstown, Mass., Williams College Museum of Art. Une autre a appartenu à Arno Breker (H. 41 avec piédouche ; L. 32 ; P. 20 cm).
– Une épreuve, dont on ne sait rien, est signalée à Kiev, State Museum of Western and Oriental Art.
– Bronzes, fonte Georges Rudier : huit exemplaires édités par le musée Rodin entre 1955 et 1967.

2. Réduction

– Tête et partie supérieure du torse coupé horizontalement sous les épaules, plâtre (H. 16 ; L. 21 ; P. 11,5 cm) : Philadelphie, Rodin Museum (inv. F. 29-7-84, don Jules Mastbaum, 1929 ; fig. 122).
Un bronze, fonte Alexis Rudier, (H. 24 cm avec socle) a été vendu à Paris, palais Galliera, 12 juin 1975, cat. E.
– Bustes, bronze, fonte Alexis Rudier : un certain nombre de bronzes d'après la réduction du buste de l'*Étude de nu C* ont été repérés. Ils diffèrent par la découpe de la poitrine. Une épreuve unique "en vieil argent" (H. 15 ; L. 8 cm ; fondue par Alexis Rudier et signée à droite) figure dans le catalogue de la vente Danthon (Paris, hôtel Drouot, Me Bellier, 24 et 25 mai 1933, n° 56) : elle offre une découpe intermédiaire entre les deux plâtres conservés au musée Rodin, S. 3046 et S. 1578 (cat. 44 et 48). Le modèle le plus courant toutefois correspond au plâtre S. 1578 : une épreuve en bronze, sans doute celle qui fit partie de l'échange organisé en 1926 entre Danthon et le musée Rodin (*cf.* cat. 40), mais non localisée aujourd'hui, figure dans les catalogues de Georges Grappe (1927, n° 188 ; 1929, n° 218 ; 1931, n° 293 ; 1938, n° 231 ; 1944, n° 265) et il en existe de nombreux exemplaires, dont Mexico, Museo Soumaya.
– Bronzes, fonte Georges Rudier (H. 17,1 ; L. 15,6 ; P. 9,5 cm) : douze exemplaires ont été édités par le musée Rodin entre 1953 et 1961 : n° 2 ou 3, © 1958, Atlanta, High Museum of Art.

fig. 120
Auguste Rodin
Balzac, buste de l'étude de nu C
Bronze
Londres, Tate Gallery

fig. 121
Auguste Rodin
Balzac, buste de l'étude de nu C
Bronze
Glasgow Museums,
The Burrell Collection

fig. 122
Auguste Rodin
Balzac, buste de l'étude de nu C,
réduction
Plâtre
Philadelphie, Rodin Museum,
don Jules Mastbaum

L'étude pour *Balzac*, dite *Étude de nu C*, correspond à la première phase des recherches de Rodin dont le principal souci est alors de s'approcher le plus possible d'un portrait réaliste, par l'intermédiaire d'un modèle vivant : c'est un portrait conforme à l'idée que les naturalistes se faisaient de Balzac, un Balzac faisant face au monde dans toute sa diversité, et l'analysant.

Ce nu peut être daté de 1892. En janvier 1892, Rodin présenta en effet trois maquettes au Comité des gens de lettres. La troisième montrait "Balzac debout, les mains croisées sur la poitrine, dans l'attitude de la méditation. Il est vêtu de la fameuse robe monacale. À ses pieds, des manuscrits et des livres [...]. Ici encore Balzac relève la tête et semble observer l'humanité qui passe. C'est cette maquette-là que la Commission a définitivement acceptée et Rodin va se mettre immédiatement à l'œuvre" (Monroy, 1892). Selon son habitude, il déshabilla ensuite la figure pour étudier le nu, avec une grande précision, d'après un modèle.

"Sous peine de ne dresser qu'une enveloppe vide, ce nu, tout heurté qu'il soit, il faut qu'on le sente présent sous les plis de l'étoffe, présent et palpitant des émois du grand cœur malade.

Comme il a fait pour *Les Bourgeois de Calais*, pour le *Victor Hugo*, d'après un robuste modèle, Rodin construit un nu. Il le campe, un pied en avant, dans le mouvement du lutteur qui marche au combat. Il n'est pas satisfait : cet être débordant de vie physique n'évoque point le grand penseur muré dans la méditation, immobilisé dans le travail. Il cherche encore" (Cladel, 1936, p. 189).

À ce stade, on a surtout le sentiment d'une volonté de ressemblance, autant en ce qui concerne la stature et la corpulence que le visage de Balzac : encadré de cheveux courts, celui-ci est proche de portraits exécutés vers 1840, qu'il s'agisse du daguerréotype (cat. 6) ou du portrait de Boulanger (cat. 3). Cependant Elsen a tenté de montrer qu'il s'agissait aussi d'une reconstruction intellectuelle d'éléments divers pour obtenir une métaphore de l'esprit de création ; pour lui, cette œuvre est l'une de celles qui permettent de mettre Rodin au rang des "visionnaires". Elsen souligne le dynamisme de l'attitude, analyse longuement les diverses parties de la figure, suggère un rapprochement possible entre les jambes largement écartées et celles de *L'Homme qui marche* qui devaient se trouver dans un recoin de l'atelier, même si, à cette date, elles n'étaient pas assemblées au torse. Quant au bloc pyramidal qui soutient la figure, il fait remarquer justement que Rodin était très capable de construire une figure sans support, mais que dans ce cas précis, cela ne l'intéressait pas, la figure devant être drapée (1973, pp. 46, 48).

Si certains de ceux qui furent admis à voir cette première figure l'admirèrent, d'autres furent déroutés par ce "Balzac étrange ayant l'attitude d'un lutteur, semblant défier le monde [...], choquant, difforme" (Charles Chincholle, *Le Figaro*, 25 novembre 1894), et c'est sans doute ce qui incita Rodin à s'orienter dans une nouvelle direction, vers un Balzac plus jeune et plus mince (*Balzac en robe de moine*, cat. 49). Toutefois l'étude avait été très poussée, et il en fit faire une réduction.

Il faut également souligner que l'*Étude C* présente un cas d'édition particulièrement intéressant : l'examen des plâtres, en particulier des différents modèles de bustes, montre qu'ils sont tous issus d'épreuves identiques à l'origine au plâtre S. 3150 (cat. 37) : ils présentent en particulier le même double réseau de coutures, mais furent découpés de façon différente. Il ne semble pas qu'aucun de ces différents modèles ait été fondu à l'initiative de Rodin lui-même, mais plutôt que l'édition en fut entreprise, à la suite d'un accord négocié entre Léonce Bénédite, le premier conservateur du musée Rodin, et Gustave Danthon, directeur de la galerie Haussmann, rue La Boétie à Paris : celui-ci commanda des fontes en assez grand nombre et organisa une exposition rétrospective de l'œuvre de Rodin, dite "Préface à l'ouverture, retardée par la guerre, du musée Rodin", qui ouvrit le 6 novembre 1917 (51 sculptures, 32 dessins et aquarelles). Danthon disposait en particulier des plâtres, grand et petit modèle, de l'*Étude C* (que le musée récupéra en 1933 seulement, S. 3150, cat. 37 et S. 2849, *cf*. cat. 39) et il édita en bronze les deux nus entiers, mais également les bustes sous différentes formes, la découpe de la poitrine variant. Il semble bien d'ailleurs que l'existence même des bustes soit due à son initiative, aucun d'entre eux n'étant attesté du vivant de Rodin : les modèles furent probablement réalisés à partir d'épreuves en pied, découpées, entre 1917 et la mort de Bénédite en 1925. En 1926, le musée Rodin acquit de Danthon un exemplaire en bronze du grand *Balzac C* (cat. 38), et en 1927 une épreuve du petit (cat. 40) ; mais il ne semble guère s'être soucié des bustes dont il existe pourtant de nombreux exemplaires : c'est la raison pour laquelle il a paru judicieux d'acquérir, tout récemment, le *Buste avec bras* (cat. 42) qui provenait de la collection de Mme Danthon. De grande qualité, cette fonte reproduit très précisément aussi bien le jeu des coutures que les nombreuses marques d'outil.

49.

Auguste RODIN

Balzac en robe de moine

vers 1893

Plâtre, épreuve obtenue d'un seul
tenant par l'intermédiaire d'un moule
à creux-perdu, lui-même réalisé sur
un modèle composite : un plâtre
(perdu) qui comprenait au moins un
torse identique à S. 2111 (cat. 51)
et une tête, et avait été modifié par
adjonction de terre, comme on
le voit très bien dans la zone du col
et toute la partie inférieure.
Cette épreuve a été moulée ainsi
qu'en témoignent les incisions au
couteau qui délimitent les pièces.
H. 107,5 ; L. 53 ; P. 39 cm.
Non signé, non daté.

Exposition

1950, Paris, musée Rodin, n° 32 ;
1973, Saché, musée Balzac, n° 18.

Bibliographie

1918, Cladel, Judith, p. 11 ;
1952, Goldscheider, Cécile,
p. 43 ; 1967, Descharnes, Robert
et Chabrun, Jean-François, p. 170 ;
1967, Spear, Athena T., pp. 18,
19, 92 ; 1973, Elsen, Albert E.,
pp. 24, 41, 68 ; 1976, Tancock,
John L., pp. 432, 438, 457 ; 1985,
Goldscheider, Cécile, p. 9 ; 1986,
Pingeot, Anne, p. 104 (Skira) ;
1988, Grunfeld, Frederic V.,
p. 342 ; 1990, Borel, France,
p. 153 ; 1993, Jarrassé,
Dominique, pp. 164, 165 ; 1994,
Levkoff, Mary L., p. 109 ; 1994,
exp. Paris, hôtel Turgot, p. 200 ;
1996, Vilain, Jacques, dir., p. 64.

Autres exemplaires

– Plâtres : musée Rodin, S. 3149
(H. 106,5 ; L. 52 ; P. 39 cm),
épreuve obtenue à partir du moule
réalisé sur le plâtre S. 179, et ayant
servi à son tour à la fabrication
d'un moule au sable comme
en témoignent les entailles laissées
par le couteau lors de la fabrication
des pièces, et l'épaisse couche
d'agent démoulant, de couleur ocre,
qui le couvre. Un autre plâtre
(coll. part., d'origine inconnue)
a été exposé à la Kunsthalle de
Recklinghausen en 1962, n° 51 E.
– Bronzes, fonte Georges Rudier,
édition de douze exemplaires par le
musée Rodin entre 1971 et 1982,
en sus du n° 0 fondu en 1971 pour
les collections du musée (S. 1076,
H. 106,5 ; L. 50,3 ; P. 37,5 cm ;
fig. 123) ; 1/10, © 1971, Brooklyn
Museum (inv. 84. 75. 22, don de la
fondation B. Gerald Cantor, 1984) ;
I/II, © 1982, Los Angeles County
Museum of Art (inv. 1992. 248. 1,
don Iris et B. Gerald Cantor, 1992).

Musée Rodin, S. 179. Donation
Rodin, 1916.

fig. 123
Auguste Rodin
Balzac en robe de moine
Bronze
Musée Rodin, S. 1076

49

50.

Auguste RODIN

*Balzac, étude de nu,
jambe droite pliée,
bras gauche derrière
le dos, dite étude
de nu G, avec visage
souriant*

vers 1893

Plâtre. Épreuve vraisemblablement
moulée à creux-perdu, puis
retravaillée directement au plâtre
après moulage : les traces de
couture ont alors disparu,
à l'exception d'une seule que l'on
devine sur les épaules et le bras
gauche. La tête S. 1582 présente
la même technique de moulage :
elle faisait en effet partie de l'œuvre
à l'origine et grâce au plan de
cassure, parfaitement net, il a été
possible de la remettre en place.
Cette tête, dont l'acuité de détails est
bonne, a été moulée à creux-perdu
(une seule couture latérale est visible)
sur un plâtre retravaillé à la terre
(joue gauche graissée, chevelure
modifiée). Celui-ci avait été monté
sur un corps peut-être entièrement en
terre et l'ensemble a été moulé,
le moulage ayant gardé la trace des
marques d'assemblage. Par la suite,
la tête a été séparée du corps,
volontairement ou par accident,
puis rescellée, sur le même corps,
mais dans une position un peu
différente. De la seconde opération
témoignent des restes de plâtre
de scellement, et les repères, deux
incisions parallèles passant sur
la couture des chapes de moulage.
On observe sur la surface du plâtre
des entailles dues à la fabrication
d'un moule. C'est peut-être aussi lors

de cette opération que les bras ont
été coupés. Mais il est plus probable
qu'ils l'ont été lors du tirage de
la première épreuve.
H. 83,8 ; L. 54,7 ; P. 36,7 cm.
Tête : H. 20 ; L. 13,5 ; P. 13 cm.
Non signé, non daté.

Expositions
1970, Londres, Hayward Gallery,
n° 57 ; 1962-1963, Paris, musée
du Louvre, n° 224.
Bibliographie
1967, Spear, Athena T., pp. 20
(fig. 33), 92 ; 1973, Elsen,
Albert E., pp. 26, 41, 68 ; 1976,
Tancock, John L., pp. 457, 458 ;
1985, Goldscheider, Cécile, p. 8.

Autres exemplaires
– Plâtre, musée Rodin, S. 5737
(H. 83,6 ; L. 54,7 ; P. 36,7 cm ;
inscription à l'avant du socle :
A. RODIN N°, épreuve de fonderie,
réalisée pour la fonte par Georges
Rudier.
– Bronzes acéphales, édition par
le musée Rodin, à partir de 1971,
de douze exemplaires en sus
du n° 0 réalisé pour les collections
du musée en 1971 (S. 1081 ;
H. 82,5 ; L. 54,5 ; P. 34 cm ;
fig. 124). Fonte Georges Rudier,
puis Émile Godard à partir du n° 5
fondu en 1986 : n° 1, © 1971,
New York, The Museum of Modern
Art (inv. 433-75, don Cantor
Fitzgerald, 1975) ; n° 2, © 1972,
Stanford Univeristy Museum of Art
(inv. 1992. 166, don B. Gerald
Cantor, 1992). Ces bronzes sont
dépourvus de la tête qui n'a été
identifiée qu'à l'occasion de cette
exposition.

Musée Rodin, S. 180 (corps)
et S. 1582 (tête).
Donation Rodin, 1916.

fig. 124
Auguste Rodin
Balzac, étude de nu G
Bronze
Musée Rodin, S. 1081

Cette étude est à mettre en relations avec *Balzac en robe de
moine* (cat. 49) ainsi qu'avec le *Torse en robe de moine*
(cat. 51). Par la suite, Rodin reprit l'idée du bras plié derrière le
dos dans l'*Étude de nu A* (cat. 73) et dans l'une des *Études de
nu au gros ventre* (cat. 74).

51.

Auguste RODIN

Balzac, torse en robe de moine, avec visage souriant

vers 1893

Plâtre. Épreuve obtenue par
l'intermédiaire d'un moule
à creux-perdu : une seule couture
latérale est en effet visible. Le moule
a été pris sur un plâtre (non conservé)
qui offrait au-dessus du torse en robe
de moine une tête identique à celle
du plâtre S. 179, *Balzac en robe
de moine* (cat. 49). La nouvelle
épreuve a été modifiée à son tour :
elle a été sciée sous la taille, ce qui
signifie qu'elle avait été conçue avec
une plus grande hauteur, peut-être
en pied. Le capuchon a été supprimé
tandis que la tête d'origine, tirée d'un
seul tenant avec le corps, était coupée
et remplacée par le masque souriant
actuel (également utilisé pour l'*Étude G*
(S. 180, cat. 50), celui-ci ayant été
obtenu par réduction au pantographe
d'une épreuve légèrement modifiée
du masque d'origine (cat. 26 à 28).
L'épreuve modifiée et le masque réduit
ont disparu.
Cette épreuve a ensuite servi à la
réalisation du moule (à la gélatine ? :
deux coutures latérales seulement
sont visibles) dans lequel a été tiré
le plâtre S. 183 (cat. 53), qui
présente en effet des coutures en
relief correspondant à celles que l'on
voit ici en creux. Un autre réseau
de coutures, en creux, est visible
à l'arrière et se retrouve aussi sur
le plâtre S. 183, ce qui montre qu'il
existait déjà quand le moule a été
réalisé ; mais il ne correspond
à aucun moule ni à aucune épreuve
repérés à ce jour.
La partie supérieure de l'épreuve
(visage et col) a servi de point de
départ à un agrandissement
(S. 2502, cat. 55) : des rajouts
directs au plâtre que l'on peut
observer sur le visage sont
exactement reproduits sur le grand
modèle.
La démarche de Rodin semble
pouvoir être décrite ainsi : ayant
abandonné l'*Étude C* (cat. 36),
il s'oriente vers un Balzac plus svelte.

Il découpe un modèle identique
à S. 179 (cat. 49) pour n'en garder
que le torse (*cf.* fragment S. 6512),
auquel il donne une nouvelle tête
dont le modèle d'origine est le
masque souriant. Parallèlement il
travaille sur un nu, le *Nu G* (cat. 50),
qui reçoit la nouvelle tête. Satisfait
de cet assemblage, il fait mouler le
montage du torse et de la tête. Mais
il découvre alors que la position de
la tête ne convient pas, et il scie
celle-ci pour la replacer plus inclinée
à droite et plus en avant par rapport
au buste. Les têtes S. 1657 et S. 1582
(cat. 50) montrent que plusieurs essais
de montage ont été faits, mais un seul
subsiste : c'est ce plâtre S. 2111,
puisque le buste sur colonne est en fait
un surmoulage de celui-ci.
H. 55,5 ; L. 40,2 ; P. 26,2 cm.
Non signé, non daté.

Exposition
(un exemplaire de ce type)
1899, Bruxelles ; Rotterdam ;
Amsterdam ; La Haye, n° 9

Bibliographie
1967, Spear, Athena T., pp. 11
(fig. 18, tête seule), 12 (fig. 20, torse),
13, 91 ; 1973, Elsen, Albert E.,
pp. 23, 68 ; 1976, Tancock,
John L., pp. 432, 435 (tête seule),
455 ; 1988, Beausire, Alain,
pp. 151, 156.

Autres exemplaires
– Fragment de torse (partie
antérieure), identique à S. 179
(cat. 49), sans doute découpé dans
un modèle complet du type
S. 2111 : plâtre, musée Rodin,
S. 6512 (H. 35,5 ; L. 36,7 ;
P. 14 cm) ; c'est le seul élément
commun aux deux études pour
Balzac en robe de moine, celui
qui permet de les relier directement.
– Torse, plâtre : Saché, musée
Balzac, provenant de la Chambre
de commerce de Tours.
– Tête seule, dite *Tête I*, plâtre :
musée Rodin, S. 1582 ; refixée sur
l'*Étude de nu G* (S. 180, cat. 50),
à l'occasion de l'exposition. S. 1657
(H. 27,5 avec base ; L. 17,5 ;
P. 15,5 cm), également positionnée
deux fois, a été détachée du corps,
volontairement ou par accident,
et a servi à l'exécution d'un moule

qui a permis d'obtenir le modèle de
fonderie : des entailles au couteau
et les restes d'un agent démoulant
indiquent bien le contour et la
disposition des pièces du moule.
S. 3306 (H. 17,6 ; L. 14,7 ;
P. 15,6 cm), épreuve obtenue
à partir d'un moule à pièces réalisé
sur le plâtre S. 1657, a servi
à l'exécution d'un moule au sable,
sans doute pour les fontes Georges
Rudier, comme en témoignent les
entailles laissées par le couteau lors
de la fabrication des pièces, et
l'épaisse couche d'agent démoulant,
de couleur ocre, qui le couvre.
– Tête seule, bronzes, fonte Georges
Rudier, édition de douze
exemplaires par le musée Rodin
entre 1970 et 1982, en sus du n° 0
fondu pour les collections du musée
en 1971 (S. 764, H. 17,3 ;
L. 14,4 ; P. 15,3 cm ; fig. 125) ;
n° 1, © 1971, New York,
The Museum of Modern Art
(inv. 432-75, don Cantor Fitzgerald,
1975) ; n° 2, © 1972, Stanford
University Museum of Art
(inv. 1974. 93, don de la fondation
B. Gerald Cantor, 1974) ; 4/12,
© 1973, Saché, musée Balzac ;
10/12, © 1980, Brooklyn Museum
(inv. 85. 119, don de la fondation
B. Gerald Cantor, 1985).
– Torse sur colonne, *cf.* cat. 53.

Musée Rodin, S. 2111.
Donation Rodin, 1916.

fig. 125
Auguste Rodin
Balzac, tête souriante, dite tête I
Bronze
Musée Rodin, S. 764

51

51

52

52.

ANONYME

Balzac, torse en robe de moine, avec visage souriant
vers 1893

Épreuve sur papier albuminé.
H. 15,2 ; L. 9,5 cm.

Musée Rodin, Ph. 2134.
Donation Rodin, 1916.

53.

Auguste RODIN

*Balzac, torse en robe
de moine, avec visage
souriant, sur colonne
à rinceaux*

1900

Plâtre. Épreuve obtenue d'après
un moule réalisé à partir de
S. 2111 (cat. 51), puis retravaillée
directement (robe, tête) et scellée
sur une colonne. La technique
de moulage reste inconnue : on
n'observe en effet que deux coutures
latérales, ce qui laisse supposer que
le moule a été fabriqué avec un
matériau souple, type gélatine, très
inhabituel chez Rodin.
Le montage du torse sur la colonne
a probablement été réalisé pour
l'Exposition de 1900.
H. 167 (avec colonne) ; L. 41,5 ;
P. 27,2 cm.
Non signé, non daté.

Expositions

1900, Paris, pavillon de l'Alma,
n° 69 ; 1950, Paris, musée Rodin,
n° 10 ; 1996, Paris, musée Rodin,
n° 14.

Bibliographie

1903, 15 février, Scheffer,
Robert, p. 256 ; 1988, Beausire,
Alain, p. 186 ; 1996,
Le Normand-Romain, Antoinette
et Marraud, Hélène, p. 94 ; 1997,
Le Normand-Romain, Antoinette,
p. 101 (Flammarion).

Musée Rodin, S. 183.
Donation Rodin, 1916.

53

54

54.

Jean-François LIMET
(1855-1941)

*Balzac, torse en robe
de moine, avec visage
souriant*
1900

Aristotype.
H. 18 ; L. 12,1 cm.

Musée Rodin, Ph. 1188.
Donation Rodin, 1916.

En 1900, Rodin, alors fâché
avec Eugène Druet qui était
son photographe attitré, sollicite Limet, patineur de bronze
et photographe amateur, pour
réaliser les illustrations de son
catalogue de l'exposition du
pavillon de l'Alma. Limet ins-
talle son appareil dans l'atelier
de la villa des Brillants pour
faire la série demandée.

55.

Auguste RODIN

Balzac, buste souriant
Agrandissement
1899 ?

Plâtre. Cette épreuve, obtenue
par l'agrandissement au
pantographe de la partie
supérieure du plâtre S. 2111
(cat. 51), a servi à la fabrication
d'un moule. Les traces de
ce travail (entailles dues au
couteau qui a découpé les pièces)
ont été éliminées, comme celles
de l'aiguille du pantographe,
à l'aide d'un rifloir à très fines
dents. La correspondance avec
Lebossé ne comporte qu'une seule
mention d'agrandissement d'un
"buste de Balzac", livré le
14 novembre 1899 : il semble
qu'il s'agisse plutôt de ce buste
que de la *Tête monumentale*
S. 1771 (cat. 144).
H. 73,6 ; L. 32 ; P. 39,5 cm.
Non signé, non daté.

55

56

Bibliographie
1967, Descharnes, Robert et Chabrun, Jean-François, p. 166 ; 1967, Spear, Athena T., pp. 12 (fig. 19), 13, 91 ; 1973, Elsen, Albert E., p. 23 (fig. 12) ; 1976, Tancock, John L., pp. 432, 455.

Autres exemplaires
– Plâtre, épreuve réalisée par Noguès en 1987, pour l'édition : musée Rodin, S. 5698.
– Bronzes, fonte Émile Godard, édition par le musée Rodin commencée en 1988 : n° I/IV, © 1988, musée Rodin, S. 5770 (H. 73,3 ; L. 31,8 ; P. 38,5 cm ; fig. 126) ; II/IV, © 1988, Stanford University Museum of Art (dépôt de la fondation Iris et B. Gerald Cantor).

Musée Rodin, S. 2502.
Donation Rodin, 1916.

fig. 126
Auguste Rodin
Balzac, buste souriant, agrandissement
Bronze
Musée Rodin, S. 5770

56.

ANONYME

Balzac, buste souriant

Épreuve sur papier albuminé.
H. 15,1 ; L. 9,2 cm.

Musée Rodin, Ph. 2133.
Donation Rodin, 1916.

57

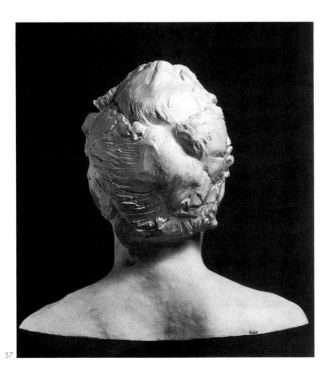

57

57.

Auguste RODIN

*Balzac, buste
d'après Devéria*
1893 ?

Plâtre.
H. 43,5 ; L. 40,6 ; P. 25,1 cm.
Non signé, non daté.

Exposition
1950, Paris, musée Rodin, n° 1.

Bibliographie
1952, Goldscheider, Cécile,
pp. 37, 40 ; 1967, Descharnes,
Robert et Chabrun, Jean-François,
p. 166 ; 1967, Spear, Athena T.,
pp. 10 (fig. 13), 11, 91 ; 1973,
Elsen, Albert E., pp. 17, 39, 40,
68 ; 1976, Tancock, John L.,
pp. 432, 436, 454 ; 1985,
Goldscheider, Cécile, pp. 6, 7 ;
1996, Vilain, Jacques, dir., p. 65.

Autres exemplaires
– Plusieurs plâtres au musée Rodin :
S. 1646 (H. 43,5 ; L. 40,5 ;
P. 24,6 cm) ; S. 1785 (H. 42,3 ;
L. 40,5 ; P. 27,6 cm) ; S. 3522
(H. 43,5 ; L. 40,5 ; P. 24,7 cm ;
signé en rouge à l'avant sur l'épaule
gauche : *A. Rodin*) : épreuve ayant
servi pour les fontes.
– Bronze, fonte Alexis Rudier,
Londres, Tate Gallery (inv. 6055,
don de Rodin au Victoria and Albert
Museum, 1914 ; transféré
à la Tate Gallery en 1937).
– Bronzes, fonte Georges Rudier
(n°ˢ 0 à 4) puis Émile Godard, édition
du musée Rodin, à partir de 1971 :
n° 0, réalisé pour les collections
du musée en 1971 (S. 1082,
H. 43,3 ; L. 40,3 ; P. 23,2 cm ;
fig. 127) ; n° 2, New York,
The Museum of Modern Art
(inv. 430-75, don Cantor Fitzgerald,
1975).

Musée Rodin, S. 1647.
Donation Rodin, 1916.

fig. 127
Aguste Rodin
Balzac, buste d'après Devéria
Bronze
Musée Rodin, S. 1082

58.

ANONYME

Balzac, buste
d'après Devéria

Épreuve sur papier albuminé.
H. 15,1 ; L. 9,4 cm.

Musée Rodin, Ph. 1051.
Donation Rodin, 1916.

58

Cécile Goldscheider a proposé la première de voir la source de ce buste dans le portrait de Balzac par Achille Devéria, exécuté vers 1825 et aujourd'hui dans la collection Lovenjoul à l'Institut de France. Ce portrait avait été donné à Laure de Berny par Balzac et porte une dédicace de la main de celui-ci, *"Et nunc et semper"* ; il appartint ensuite au fils de *"la Dilecta"*, Alexandre, qui reprit la fabrique de caractères qui avait appartenu à Balzac ; puis il passa au fils adoptif d'Alexandre, Charles Tuleu, entre les mains duquel il se trouvait à la fin du XIXe siècle. Mais celui-ci ne le montrait à personne, en raison des sentiments très intimes qu'il évoquait, et il demeura inconnu jusqu'à ce qu'il soit gravé par Auguste Lepère pour illustrer l'ouvrage de G. Hanotaux et G. Vicaire, *La Jeunesse de Balzac. Balzac imprimeur*, paru en 1903 (*cf.* fig. 36). Il nous a donc paru impossible dans un premier temps, malgré la ressemblance indéniable entre le buste et le portrait, que Rodin ait pu avoir accès à celui-ci. Mais, dans une lettre du 17 mai 1893, Lovenjoul évoque un portrait de Balzac qu'il tenait à garder secret : "Je vous recommande toujours de ne montrer à personne le portrait de Balzac que je vous ai confié", insiste-t-il (arch. musée Rodin) ; à quoi Rodin répond le 23 mai : "Le Balzac que vous m'avez prêté n'a pas sorti de mon carton" (Paris, Institut de France, fonds Spoelberch de Lovenjoul, G. 1193). La piste de Tuleu n'étant pas très difficile à trouver pour Lovenjoul qui consacra sa vie à chercher des documents sur Balzac, ne peut-on imaginer qu'il connaissait le portrait de Devéria et en prêta la photographie à Rodin ? Cette hypothèse est confirmée par la présence dans le fonds Lovenjoul non seulement de l'original, donné par Tuleu, mais également d'une photographie ancienne du portrait (fig. 128).

Du point de vue stylistique, ce *Balzac* (cat. 57) se situe dans le prolongement des œuvres des années 1880 : comme le *Dalou* (1886), il s'agit d'un buste au modelé précis, coupé sous les épaules, regardant le spectateur de face, dont le rapprochement avec des œuvres de la Renaissance florentine est encore plus apparent lorsqu'il est drapé (cat. 58). Il se met alors à ressembler aussi au buste de *Jeune Romain* ou *Mon frère à seize ans* par Camille Claudel (1884).

Il faut également noter que c'est certainement une œuvre à laquelle Rodin était attaché : un bronze au moins fut fondu de son vivant et fit partie de l'important ensemble exposé à Londres en 1914, donné ensuite par l'artiste au Victoria and Albert Museum.

fig. 128
D'après Achille Devéria
Balzac vers 1825
Photographie ancienne
Paris, Institut de France,
fonds Spoelberch de Lovenjoul

59

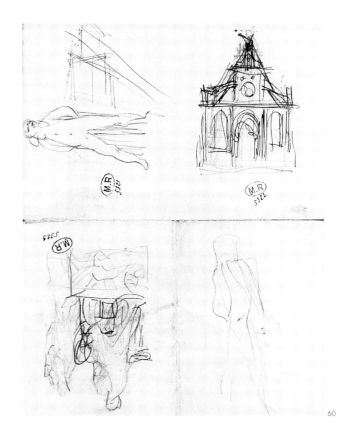

60

59.

Auguste RODIN

*Étude pour Balzac nu
et cathédrale gothique*

entre 1891 et 1898

Mine de plomb sur papier crème.
H. 18 ; L. 11,5 cm.
Annoté à la mine de plomb, en haut
à droite : *cathédrale gothique.*
Au verso, frottis à la mine de plomb.

Catalogue
1984-1992, Judrin, Claudie, t. IV
(1984), repr.

Expositions
1976, Paris, musée Rodin, n° 5 ;
1986-1987, Londres, Hayward
Gallery, n° 137, p. 219, repr.

Musée Rodin, D. 5318 et D. 5319.
Donation Rodin, 1916.

60.

Auguste RODIN

Études pour Balzac nu

entre 1891 et 1898

Plume et encre brune sur papier
crème filigrané.
H. 23 ; L. 18 cm.
En haut à droite, façade de l'église
Saint-Jacques-et-Saint-Christophe
de Houdan. Au verso, à la mine
de plomb, quatre esquisses
pour *Balzac* et façade de l'église
Saint-Jacques-et-Saint-Christophe
de Houdan.

Catalogue
1984-1992, Judrin, Claudie, t. IV
(1984), repr.

Expositions
1976, Paris, musée Rodin, n° 4 ;
1978, Saintes ; Bordeaux, n° 36 ;

1979, Berlin, Nationalgalerie
der Staatlischen Museen, n° 92 ;
1984-1985, Münster ; Munich,
n° 99.

Musée Rodin, D. 5321-22-23,
D. 5324-25 au verso.
Donation Rodin, 1916.

60

61

61.

Auguste RODIN

Étude pour Balzac ?
entre 1891 et 1895 ?

Mine de plomb sur papier crème.
H. 17,9 ; L. 11,3 cm.
Annoté à la mine de plomb : *Aller chez Hecq. balzac* ; à la plume et encre brune : *M.Cladel.*

Catalogue
1984-1992, Judrin, Claudie, t. V (1992), repr.

Musée Rodin, D. 6092.
Donation Rodin, 1916.

62

63

62.

Auguste RODIN

Feuille de croquis

vers 1894

Mine de plomb, plume et encre
brune sur papier crème.
H. 13,7 ; L. 21,5 cm.
Annoté à la mine de plomb, de haut
en bas et de gauche à droite : *Très
beau Balzac... Crête du nez suivant
avec les... sourcilles... plu noir que
les cheveux* [barré] *yeux... à voir
le buste de Me Russell... à indiquer
dans le buste de Peter les crêtes
du nez avec les sourcilles... Buste
de Rose ou de Camile... tête romaine.*
Au verso, annoté sur papier à en-tête
de l'hôtel Monnet Trillat Suc[r]
à Grenoble, en début de lettre :
*Cher Monsieur Laurent/Soyez assez
bon,* et divers croquis dont un vase
et quatre esquisses d'une tête posée
sur un socle. Également annoté
*saillant... Vase de Sèvres...
gaudrons... lumière... création.*

Catalogue
1984-1992, Judrin, Claudie, t. IV
(1984), repr.

Expositions
1976, Paris, musée Rodin, n° 7 ;
1982, Mexico, Museo del Palacio
de Bellas Artes, n° 113.

Bibliographie
1984, Güse, Ernst-Gerhardt,
p. 216, n° 19, repr.

Musée Rodin, D. 5320.
Donation Rodin, 1916.

63.

Auguste RODIN

Feuille de croquis

**Cinq silhouettes
pour *Balzac* et pour
Les Bourgeois de Calais.
Lionne couchée de profil,
sur la droite**

vers 1894 ?

Mine de plomb sur papier.
H. 13,8 ; L. 21,7 cm.

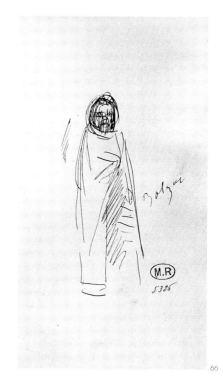

64

65

66

Annoté à la mine de plomb, de
haut en bas et de gauche à droite :
*Grandir. Geffroy. Cadet. Gros
Claude. Dewavrin. 28 juillet 1894.
Au dos d'une lettre du maire
de Calais. Morlon. figure. faune
faire sans trou ? laisser fig…
.conten… Leveillé. mettre sur les
plâtres des manequins. Balzac.
comme de dos.*

Catalogue
1984-1992, Judrin, Claudie, t. III
(1985), repr.

Exposition
1977, Calais ; Paris, n° 116,
p. 246.

Musée Rodin, D. 3542.
Donation Rodin, 1916.

64.

Auguste RODIN

*Personnage vu
de dos, les mains
aux hanches*
Deux silhouettes en travers
entre 1891 et 1898 ?

Mine de plomb au revers d'une
carte de visite.
H. 8,7 ; L. 4,8 cm.
Au verso, annoté à la mine de
plomb sur la carte imprimée
au nom de *A. Rodin, 182, rue de
l'Université : Séverine. Vivier. Peter.
Hallowell. Baron Vitta. baleyer.*
Sur le côté gauche, dessin d'un
balayeur.

Catalogue
1984-1992, Judrin, Claudie, t. IV
(1984), repr.

Musée Rodin, D. 5316.
Donation Rodin, 1916.

65.

Auguste RODIN

Étude pour Balzac ?
Personnage drapé vu de dos
entre 1891 et 1898 ?

Mine de plomb au revers d'une
carte de visite.
H. 7,9 ; L. 4 cm.
Au verso, imprimé : *A. Rodin,
182, rue de l'Université,* avec,
à la mine de plomb, deux silhouettes
drapées.

Catalogue
1984-1992, Judrin, Claudie, t. IV
(1984), repr.

Musée Rodin, D. 5317.
Donation Rodin, 1916.

66.

Auguste RODIN

Étude pour Balzac
Personnage drapé
entre 1891 et 1898

Plume et encre brune sur papier
crème filigrané.
H. 17,5 ; L. 11,4 cm.
Annoté à la plume et encre brune
sur la droite : *Balzac.*

Catalogue
1984-1992, Judrin, Claudie, t. IV
(1984), repr.

Expositions
1976, Paris, musée Rodin, n° 8 ;
1996, Vienne, palais Harrach,
n° 71, p. 242, repr.

Bibliographie
1984, Güse, Ernst-Gerhardt, p. 218,
n° 22, repr.

Musée Rodin, D. 5326.
Donation Rodin, 1916.

67

67.

Auguste RODIN

Balzac, tête au front dégagé et au menton fendu, dite tête H
vers 1894

Terre cuite originale, ocre-rose,
sur socle de bois. Elle porte les
marques d'une râpe ayant servi
à tasser et à mettre en place
les mottes d'argile. On distingue
aussi des traces de lissage au doigt
et d'un outil laissant de fines stries.
Dans un premier temps, cette tête
a servi à la réalisation du moule
dont sont issues les têtes S. 1644
(cat. 68), S. 1577, S. 2090
et S. 1400 (cat. 69) : les incisions
en creux laissées par le couteau
qui a façonné les pièces se trouvent
exactement aux mêmes endroits
que les coutures visibles sur les
épreuves.
Rodin a ensuite procédé au
découpage et au repositionnement
de certains éléments pour modifier
les volumes : des détails
d'impression sur la mèche droite,
écrasés au moment où elle a été
réappliquée, montrent qu'elle a été
détachée et remise en place ; des
boulettes de terre ont été ajoutées sur
les sourcils, les arcades sourcilières
et le dessus de la tête en particulier,
tandis que d'autres éléments étaient
supprimés, tels que la naissance
d'une mèche sur le front à droite
et de grosses mèches à l'arrière.
Lors de ces opérations les entailles
délimitant les pièces du moule
ont été en partie effacées. Des coups
d'ongle (que l'on ne retrouve pas sur
les autres pièces de la série) ont
en revanche laissé leur marque.
Enfin, la tête a été évidée par
le cou pour être cuite, les oreilles
percées comme pour servir d'évents
à la cuisson n'étant pas rebouchées,
tandis que le cou a été fermé
au plâtre, peut-être au moment où
il fut fixé sur une base en bois.
La tête ne semble pas avoir été
de nouveau moulée après avoir subi
toutes ces transformations.
H. 21 (avec socle H. 29,5) ;
L. 19,5 ; P. 22,5 cm.
Non signé, non daté.

Bibliographie
1964, Goldscheider, Cécile, p. 8 ;
1967, Spear, Athena T., pp. 12,
23 ; 1973, Elsen, Albert E., fig. 20,
p. 42 ; 1976, Tancock, John L.,
p. 456.

Œuvres en rapport
– Plâtres : musée Rodin, S. 1577
(H. 31 ; L. 29 ; P. 22,5 cm ;
fig. 129), épreuve issue du moule
fabriqué sur la terre S. 1653 avant
cuisson (elle est donc plus grande)
et comportant un début d'épaules.
Deux repères de positionnement
visibles dans le dos indiquent
qu'elle a pu être fixée sur un corps.
S. 2090 (H. 31,5 ; L. 30,1 ;
P. 24,6 cm), réalisé sans doute
d'après S. 1577 pour l'édition :
cette épreuve a en effet servi
à la fabrication d'un moule de
fonderie comme en témoignent des
restes de sable à l'intérieur, l'épaisse
couche de gomme laque et de talc
qui la recouvre, et les nombreuses
entailles dues au façonnage des
pièces du moule.
– Terres cuites : cf. cat. 68 et 69.
– Bronzes : cf. cat. 70.

Musée Rodin, S. 1653.
Donation Rodin, 1916.

fig. 129
Auguste Rodin
*Balzac, tête au front dégagé,
dite tête H*
Plâtre
Musée Rodin, S. 1577

68.

Auguste RODIN

Balzac, tête au front dégagé et au menton fendu, dite tête H
vers 1894

Terre cuite ocre sur socle de bois.
Issue du moule fabriqué sur la terre
S. 1653 avant cuisson (cat. 67),
cette épreuve présente des coutures
qui correspondent exactement aux
traces de couteau en creux visibles
sur celle-ci. Elle offre également
les mêmes traces d'outils, celles-ci
ayant toutefois perdu un peu de leur
acuité.
Cette tête a été réalisée par
estampage, assez rapidement,
et les boulettes de terre n'ayant pas
toujours été suffisamment écrasées
contre la paroi du moule, leur contour
a donné naissance à un réseau de
fines lignes, particulièrement visible
sur le côté droit du front ou dans
la chevelure et le cou à droite et
à gauche. Le moule était constitué
de deux coques principales qui furent
garnies de terre séparément puis
réunies et colmatées par une couche
de barbotine mais, lors de la cuisson,
une fissure (que l'on n'observe pas
ailleurs) est apparue à la jonction.
Avant cuisson, Rodin avait éliminé
la mèche gauche arrière. Des
écrasements ayant laissé des
marques sur le sourcil et la mèche
latérale gauche, il y a remédié par
l'adjonction de quelques boulettes
de terre. Après cuisson, l'ouverture
du cou a été bouchée au plâtre
et la tête montée sur un socle en bois.
Cette tête est plus petite que les
épreuves en plâtre, ce qui s'explique
par le retrait de la terre à la cuisson.
Il ne semble pas qu'elle ait été moulée.
H. 20,5 (avec socle H. 29,5) ;
L. 19 ; P. 21,5 cm.
Non signé, non daté.

Bibliographie
1967, Spear, Athena T., pp. 13,
23 ; 1973, Elsen, Albert E., fig. 21,
p. 42 ; 1976, Tancock, John L.,
p. 456.

Musée Rodin, S. 1644.
Donation Rodin, 1916.

68

69.

Auguste RODIN

Balzac, tête au front dégagé et au menton fendu, dite tête H
vers 1894

Plâtre. Issue du moule fabriqué
sur la terre S. 1653 (cat. 67),
cette épreuve (plus grande car elle
offre les dimensions du modèle
avant cuisson) comporte un début
d'épaules moins large toutefois que
le plâtre S. 1577. Les traces
d'outils ont perdu toute leur acuité ;
en revanche, les coutures
apparaissent nettement.
Cette épreuve a été modifiée par
adjonction directe de plâtre,
en particulier sur la mèche droite
et sur le front. Le plâtre ajouté est plus
gris, surtout quand il s'agit
d'éclaboussures moins épaisses.
Des traits de crayon graphite
sur le cou, devant, semblent indiquer
un endroit à reprendre.
H. 28 ; L. 23,8 ; P. 25 cm.
Non signé, non daté.

Musée Rodin, S. 1400.
Donation Rodin, 1916.

69

70.

Auguste RODIN

Balzac, tête au front dégagé et au menton fendu, dite tête H
vers 1894

Bronze.
H. 28,7 ; L. 30,5 ; P. 27,1 cm.
Signé et numéroté à la base du cou
à droite : *A. Rodin/N° 0* ; marque
en relief à l'intérieur : *A. Rodin* ;
au-dessus de l'omoplate gauche :
.Georges Rudier./.Fondeur. Paris. ;
et à la coupe de l'épaule gauche :
© by musée Rodin 1970.

Expositions
1982, Mexico, Museo
del Palacio de Bellas Artes, n° 51 ;
1982-1983, New Delhi ; Bombay ;
Calcutta, n° 56 ; 1992-1993,
Paris, musée Rodin, n° 135.

Bibliographie
1973, Elsen, Albert E., fig. 22,
p. 42 ; 1976, Tancock, John L.,
p. 455.

Autres exemplaires
– Plâtres : musée Rodin, S. 1577
et S. 1653, *cf.* cat. 67.
– Bronzes, fonte Georges Rudier :
douze exemplaires édités
par le musée Rodin entre 1971
et 1981, en sus de celui-ci. N° 1,
© 1971, New York, The Museum
of Modern Art (inv. 434-75, don
Cantor Fitzgerald, 1975) ; n° 2,
© 1972, Stanford University
Museum of Art (inv. 1974. 96, don
de la fondation B. Gerald Cantor,
1974).

Musée Rodin, S. 965.
Fonte réalisée en 1970 pour les
collections du musée.

70

70

71.

Auguste RODIN

Balzac, étude de nu au gros ventre, bras croisés devant

vers 1894

Plâtre. Épreuve avec des coutures en relief très visibles qui montrent qu'elle a été produite d'un seul tenant dans un moule à bon-creux. Seule la main droite a été tirée à part, puis assemblée au plâtre. Le modèle original (disparu) a été réalisé à partir d'une épreuve de l'*Étude de nu C* (S. 177, cat. 36) dont on reconnaît bien le modelé au niveau des fesses et des cuisses : Rodin l'a tronçonnée au niveau du ventre puis a modifié la position du corps en basculant le buste vers l'arrière et en le tournant vers la gauche. Cette opération a entraîné une réduction importante de la partie supérieure du torse, ce qui explique la solution de continuité entre ses deux parties. La jambe droite a également été transformée par une découpe sous le genou, et une réorientation ; le pied gauche a été mis un peu plus à plat et son talon amenuisé ; le dos a été retravaillé. Mais on observe entre les jambes l'amorce d'un volume correspondant au tertre qui soutient l'*Étude C*, ce qui confirme bien la filiation entre les deux nus. Quant à la tête, elle appartient à la série issue de la terre cuite S. 1653 (cat. 67) et est donc très proche des épreuves S. 1577 et S. 1400 (cat. 69) qui ont peut-être été découpées sur un modèle complet, comme les bras S. 6329 et S. 6330. Sous l'action de l'humidité constante à laquelle a été soumis ce plâtre, l'armature intérieure, sans doute en bois, a provoqué des fissures (dans les jambes en particulier et autour des pieds) qui fragilisent le plâtre. Aussi a-t-il paru nécessaire, à une date inconnue, de les consolider par un ajout de plâtre qui apparaît aujourd'hui plus blanc. D'autres altérations ont été reprises elles-aussi (épaules, sexe), ce qui a eu pour effet de faire disparaître les coutures à ces emplacements.

H. 134 ; L. 75 ; P. 81 cm.
Non signé, non daté.

Bibliographie

1923, Gsell, Paul, p. 463 ; 1967, Descharnes, Robert et Chabrun, Jean-François, p. 169 ; 1967, Spear, Athena T., pp. 12, 13, 22 (fig. 35), 23, 92 ; 1972, Steinberg, Leo, pp. 349, 395, 397 ; 1973, Elsen, Albert E., pp. 29 (fig. 23), 42 ; 1976, Tancock, John L., pp. 434, 436, 437, 458 ; 1985, Goldscheider, Cécile, p. 8 ; 1986, Pingeot, Anne, p. 104 (Skira) ; 1988, Grunfeld, Frederic V., pp. 343, 344 ; 1990, Borel, France, pp. 152, 153, 198 ; 1993, Jarrassé, Dominique, pp. 10, 11, 166.

Œuvres en rapport

– Plâtre fragmentaire : musée Rodin, S. 3305 (H. 128,5 ; L. 51,5 ; P. 42 cm).
– Bras droit, plâtre : musée Rodin, S. 6329 (H. 52,8 ; L. 19,5 ; P. 15,3 cm) et S. 6330 (H. 51,2 ; L. 21 ; P. 18 cm ; fig. 130), fragments issus d'un moule à bon-creux dont les coutures sont très visibles, vraisemblablement découpés à la scie sur des épreuves complètes. Le premier semble avoir été repositionné et scellé au plâtre sur une épreuve aujourd'hui disparue (le plâtre de scellement passe en effet sur une tranche qui porte des marques de scie), puis retravaillé directement à la râpe : malgré l'usure de la surface, des coups d'outil sont visibles, en particulier sur les bords, là où devait se faire la jonction avec le corps. Le second n'a pas été repositionné ; ses coutures sont moins précises que sur l'autre bras, ce qui laisse supposer qu'il s'agit d'un tirage postérieur : certains angles de coutures, plus épais, montrent d'ailleurs que les pièces du moule étaient abîmées après avoir servi plusieurs fois.

Musée Rodin, S. 147.
Donation Rodin, 1916.

Il est tentant d'identifier ce modèle à celui que décrit Séverine : "Je dénichai derrière un paravent, dans l'angle, un 'bonhomme' en glaise, furieusement martelé de coups de pouce, et campé de si glorieuse manière que mon admiration tomba en arrêt. À cela près, il était fort vilain, la peau comme excoriée, le masque à peine indiqué – tout nu, l'horreur ! Mais les bras se croisaient de telle sorte sur les pectoraux puissants ; mais l'espacement des jambes, dans le sens de la marche, l'avancée conquérante du pas, indiquaient si magnifiquement la prise de possession du sol, les pieds comme soudés de racines à la terre natale ; mais, de cette face informe, trouée d'orbites, au rictus pareil à une balafre, le nez en 'chose' d'oiseau, les maxillaires anthropophagesques, le front bossué sous l'hirsutisme d'une tignasse d'oseraie, une telle souveraineté se dégageait, impérieuse, quasi surhumaine, que l'austère frisson, connu des intellectuels, vous passait sur la nuque" (*Le Journal*, 27 novembre 1894).

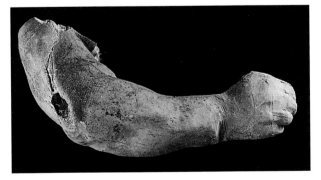

fig. 130
Auguste Rodin
Balzac, étude de nu au gros ventre, bras droit
vers 1894, plâtre
Musée Rodin, S. 6330

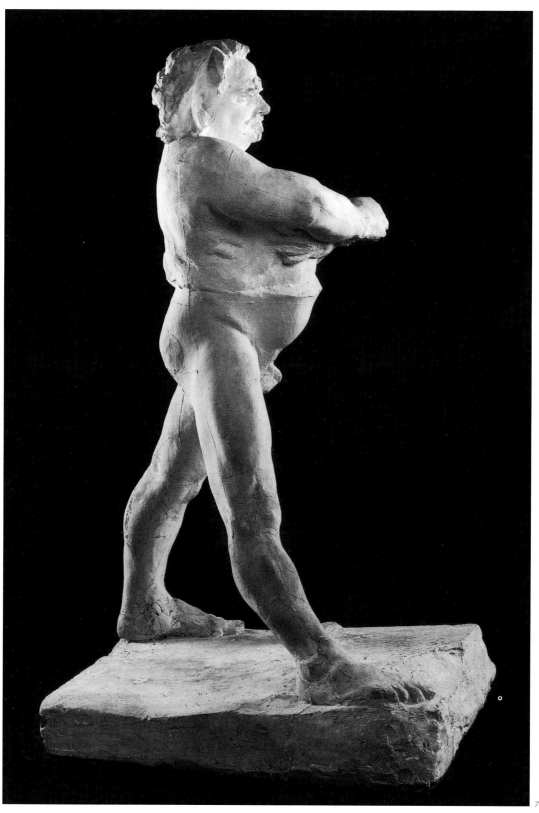

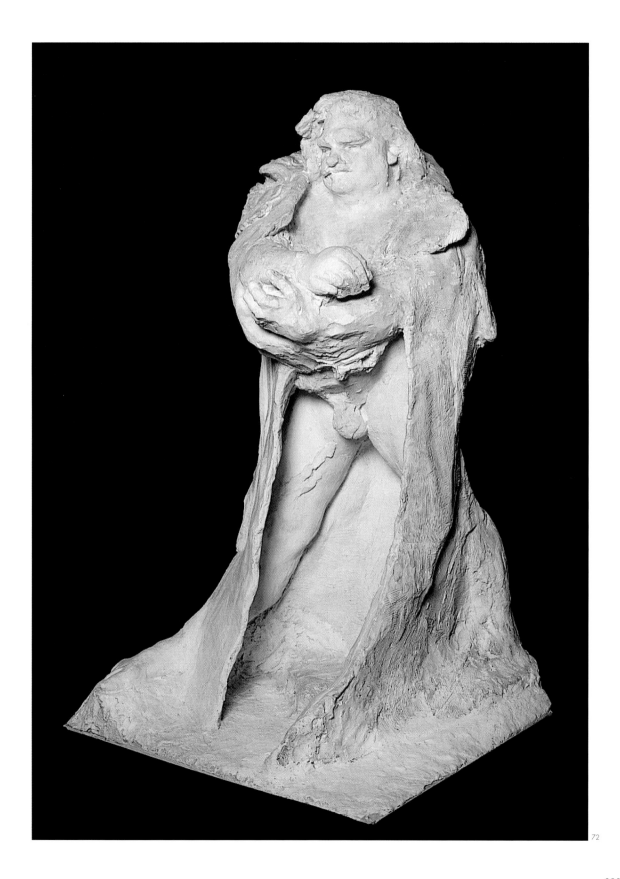

72.

Auguste RODIN

*Balzac, étude de nu
au gros ventre, bras
croisés devant, dite
au manteau ouvert*

vers 1894

Plâtre. Épreuve réalisée à partir
d'un plâtre similaire à S. 147 (cat. 71)
sur lequel il semble que Rodin ait
directement façonné le manteau en
terre, après avoir scié et repositionné
l'avant-bras droit et éliminé la partie
supérieure de ce bras. La main
gauche a été rajoutée, le visage
complètement repris. On observe
en surface des traces d'outils
caractéristiques du travail de la terre,
tels que la spatule à dents.
Au moment du moulage, certaines
parties ont pu être découpées
comme cela semble être le cas pour
le pan inférieur gauche du manteau.
Ces abattis ont été ensuite scellés
au plâtre sur le modèle qui nous
est parvenu. Des coutures, qui
se superposent à un premier réseau
identique à celui que présente
le plâtre S. 147, témoignent de
ce moulage. Elles sont très visibles,
sur les jambes en particulier.
On remarque en plusieurs endroits
(terrasse, pan inférieur droit
du manteau et, plus ponctuellement,
volumes saillants comme les doigts
de la main droite, la pointe gauche
du col ou certaines mèches de
cheveux) des reprises directes
au plâtre : il s'agit probablement
d'une restauration tardive, intervenue
après des dégradations importantes.
La terrasse, très mince, est posée sur
une base en bois qui semble
contemporaine de cette restauration.
H. 137 ; L. 80 ; P. 77 cm.
Non signé, non daté.

Exposition
1950, Paris, musée Rodin, n° 25.

Bibliographie
1952, Goldscheider, Cécile,
pp. 41 (fig. 10), 42 ; 1967,
Descharnes, Robert et Chabrun,
Jean-François, p. 168 ; 1967,
Spear, Athena T., pp. 22 (fig. 36),
23, 92 ; 1973, Elsen, Albert E.,
p. 29 (fig. 24) ; 1976,
Tancock, John L., pp. 434, 458 ;
1993, Jarrassé, Dominique, pp. 8,
9 ; 1996, Le Normand-Romain,
Antoinette et Marraud, Hélène,
p. 95 ; 1997, Le Normand-Romain,
Antoinette, p. 101 (Flammarion).

Musée Rodin, S. 148.
Donation Rodin, 1916.

73.

Auguste RODIN

*Balzac, étude de nu
au gros ventre, le bras
droit tendu, le bras
gauche plié derrière
le dos, dite étude
de nu A*

vers 1894

Esquisse, plâtre. Épreuve obtenue
d'un seul tenant par l'intermédiaire
d'un moule à bon-creux dont
le réseau de coutures offre une
grande acuité. Le modèle d'origine
est vraisemblablement un modelage
en terre ou en plastiline comme
le montrent la facture des volumes
et les traces d'outil reproduites
par le plâtre (écrasement de
boulettes d'une matière malléable
et sillons de spatule à dents).
Cette esquisse a sans doute été
modelée par Rodin comme guide
dans la réalisation d'un modèle
à plus grande échelle (S. 3198,
cat. 74).
H. 41 ; L. 26,5 ; P. 15 cm.
Non signé, non daté.

Bibliographie
1923, Gsell, Paul, p. 463 ;
1962-1963, exp. Paris, musée
du Louvre, n° 220 (bronze) ;
1964, Goldscheider, Cécile,
pl. 10 ; 1966, Caso, Jacques de,
p. 9 ; 1967, Spear, Athena T.,
pp. 20, 21 (fig. 33a), 92 ; 1972,
Steinberg, Leo, pp. 349, 395,
396 ; 1973, Elsen, Albert E.,
pp. 27 (fig. 17), 41, 42, 68 ;
1976, Tancock, John L., p. 458 ;
1985, Goldscheider, Cécile, p. 8.

Autres exemplaires
– Deux autres plâtres au musée
Rodin, issus du même moule :
S. 127 (H. 40,6 ; L. 23,9 ;
P. 17,3 cm), enduit d'un produit
jaunâtre, sans doute un agent
de démoulage, et S. 844 (H. 41,5 ;
L. 28,3 ; P. 18,6 cm), qui est
un modèle de fonderie : il est enduit
d'un agent de démoulage de teinte
brune et sa surface porte des
entailles correspondant à
la découpe des pièces du moule.
– Bronzes, fonte Georges Rudier,
édition de douze exemplaires
par le musée Rodin, entre 1949
et 1963 en sus du n° 0 réalisé pour
les collections du musée en 1972
(S. 585, H. 40 ; L. 28 ; P. 19 cm ;
fig. 131) : n° 2, Leicester Museum
and Art Gallery, acquis en 1953 ;
n° 11, © 1962, Stanford University
Museum of Art (inv. 1977. 18,
don B. Gerald Cantor, 1977) ;
Rochester, Memorial Art Gallery
of the University of Rochester.

Musée Rodin, S. 2401.
Donation Rodin, 1916.

fig. 131
Auguste Rodin
Balzac, étude de nu A
Bronze
Musée Rodin, S. 585

73

74.

Auguste RODIN

Balzac, étude de nu au gros ventre, sans tête, le bras gauche plié derrière le dos

vers 1894

Plâtre. Épreuve obtenue d'un seul tenant par l'intermédiaire d'un moule à bon-creux. Les coutures en relief sont très visibles. La figure ayant été fracturée au niveau de la cheville gauche, le pied gauche a été perdu ainsi qu'une partie du pied droit. Le bras droit, qui devait être tendu sur la droite, manque. La surface présente des pulvérulences et des désquamations qui sont probablement la conséquence d'une mauvaise préparation du plâtre plutôt que de l'humidité. La figure est maculée de projections qui ressemblent à de la potée de fonderie.
H. 129 ; L. 60,5 ; P. 38,8 cm.
Non signé, non daté.

Autre exemplaire

– Plâtre fragmentaire : musée Rodin, S. 3505 (H. 102,5 ; L. 59 ; P. 46,5 cm ; fig. 132), épreuve issue du même moule que S. 3198, ainsi qu'en témoigne le réseau de coutures identique. Elle a été fracturée au niveau du mollet gauche (et l'extrémité de la jambe est perdue) tandis que la jambe droite a été sciée au milieu de la cuisse.

Musée Rodin, S. 3198.
Donation Rodin, 1916.

fig. 132
Auguste Rodin
Balzac, étude de nu au gros ventre
vers 1894, plâtre fragmentaire
Musée Rodin, S. 3505

75.

Auguste RODIN

Balzac, étude pour la tête avec la mèche retombant à droite

vers 1894

Plâtre. Cette épreuve, issue d'un moule à bon-creux, a été placée, bien après la mort de Rodin sans doute, sur un socle de plâtre fait de deux éléments superposés. La tête d'origine est probablement celle qui appartenait à l'étude de nu précédente : en effet, la découpe de l'encolure correspond parfaitement, mais le cou a été raccourci, ce qui rend impossible la reconstitution du montage.
H. 27,1 (avec socle H. 41,9) ; L. 27,3 ; P. 25 cm.
Non signé, non daté

Exposition
1950, Paris, musée Rodin, n° 14.

Bibliographie
1967, Descharnes, Robert et Chabrun, Jean-François, p. 167 ; 1967, Spear, Athena T., pp. 12, 23 ; 1973, Elsen, Albert E., fig. 19 et p. 42 ; 1976, Tancock, John L., p. 456.

Autres exemplaires
– Trois autres plâtres au musée Rodin : S. 1579 (H. 24,5 ; L. 24,5 ; P. 25,5 cm) et S. 1654, issus du même moule que le plâtre présenté ici, et enfin S. 2959 (H. 26,3 ; L. 27,2 ; P. 25 cm ; inscriptions sous l'oreille gauche : *A. Rodin/N°* ; à l'arrière sous la chevelure : *E. GODARD* et © *BY MUSÉE Rodin*), qui est l'épreuve qui a servi aux fontes Godard.
– Bronzes, fonte Émile Godard, douze exemplaires édités par le musée Rodin entre 1985 et 1997 : n° I/IV, © 1985, musée Rodin (S. 2003, H. 25,4 ; L. 26 ; P. 25 cm ; fig. 133) ; n° 2/8, © 1985, Niigata City Art Museum (acquis en 1989).

Musée Rodin, S. 1393.
Donation Rodin, 1916.

fig. 133
Auguste Rodin
Balzac, étude pour la tête avec la mèche retombant à droite
Bronze
Musée Rodin, S. 2003

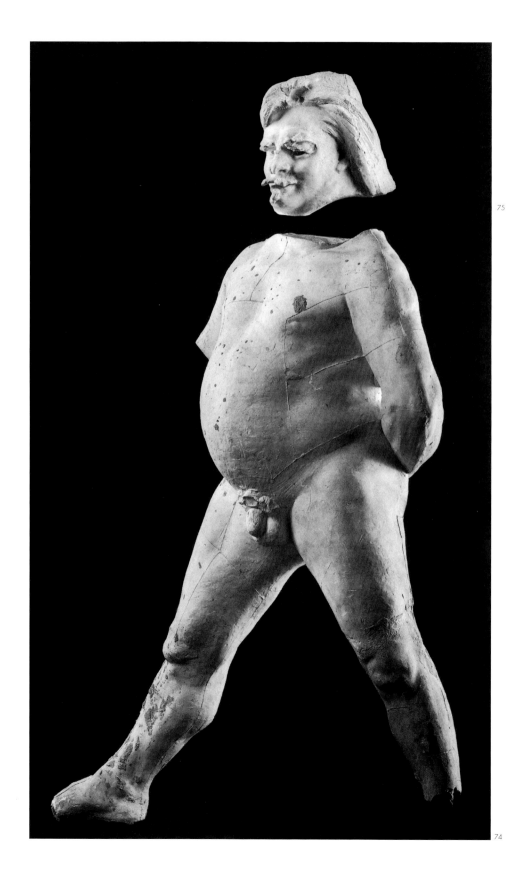

74

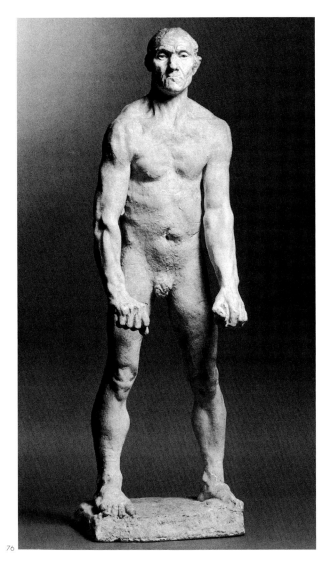

76

77

76.

Auguste RODIN

*Jean d'Aire, étude
de nu pour
le Monument aux
Bourgeois de Calais*
1886

Plâtre.
H. 104 ; L. 34 ; P. 32,5 cm.
Non signé, non daté.

Musée Rodin, S. 414.
Donation Rodin, 1916.

77.

Auguste RODIN

*Balzac/Jean d'Aire,
étude de nu B avec
la tête de Jean d'Aire*
vers 1894-1895

Esquisse. Terre cuite ocre-rose,
cassée aux genoux, socle en bois.
H. 17,2 (avec socle H. 24) ;
L. 7,9 ; P. 6,5 cm.
Non signé, non daté.

Exposition
1992-1993, Paris, musée Rodin, n° 82.

Bibliographie
1967, Descharnes, Robert et
Chabrun, Jean-François, pp. 241,
242 ; 1967, Spear, Athena T.,
p. 92 ; 1976, Tancock, John L.,
pp. 440, 458.

Musée Rodin, S. 126.
Donation Rodin, 1916.

fig. 134
Auguste Rodin
Étude de nu B
Bronze
Musée Rodin, S. 264

fig. 135
Auguste Rodin
Assemblage de deux nus B
Plâtre
Musée Rodin, S. 3769

78.

Auguste RODIN

***Balzac/Jean d'Aire,
étude de nu B avec
la tête de Jean d'Aire***
vers 1894-1895

Esquisse, plâtre.
H. 28,2 ; L. 9,2 ; P. 10,5 cm.
Non signé, non daté.

Bibliographie
1967, Spear, Athena T.,
pp. 23, 24, 37, 92 ; 1973,
Elsen, Albert E., pp. 31, 52, 53,
69 ; 1976, Tancock, John L.,
pp. 440, 458.

Autres exemplaires
– Plâtre patiné : musée Rodin,
S. 832 (H. 29,1 ; L. 9,2 ;
P. 10,9 cm).
– Bronzes : fonte Georges Rudier,
édition de douze exemplaires
par le musée Rodin entre 1951
et 1964, en sus du n° 0 réalisé
pour les collections du musée en
1972 (S. 264, H. 28,5 ; L. 8,9 ;
P. 9,4 cm ; fig. 134) ; n° 12,
© 1965, New York, The Museum
of Modern Art (inv. 435-75,
don Cantor Fitzgerald, 1975).

Musée Rodin, S. 2572.
Donation Rodin, 1916.

Rodin a sans doute trouvé
son esquisse suffisamment
bonne puisqu'il l'a reprise
par la suite, remplaçant la
tête par celle dite de *Femme
slave* (cat. 82). Il a également
été tenté par le multiple : le
plâtre S. 3769 offre deux
exemplaires du *Nu B*, associés sur une base unique
(fig. 135).

78

79

80

79.

ANONYME

*Balzac/Jean d'Aire,
étude de nu B avec
la tête de Jean d'Aire*

Épreuve sur papier argentique.
H. 18 ; L. 13 cm.

Musée Rodin, Ph. 2130.
Donation Rodin, 1916.

80.

Stephen HAWEIS

(Londres, 1878 –
Dominique, 1969)

& Henry COLES

(Tunbridge, 1875-?)

*Balzac/Jean d'Aire,
étude de nu B avec
la tête de Jean d'Aire*
1903-1904

Épreuve au charbon.
H. 16,9 ; L. 11,5 cm.

Exposition
1997, Charleroi, palais des
Beaux-Arts, n° VII. 15.

Bibliographie
1985, Pinet, Hélène, p. 93.

Musée Rodin, Ph. 1337.
Donation Rodin, 1916.

81.

Stephen HAWEIS

(Londres, 1878 –
Dominique, 1969)

& Henry COLES

(Tunbridge, 1875 – ?)

*Balzac/Jean d'Aire,
étude de nu B avec
la tête de Jean d'Aire*
1903-1904

Épreuve au charbon.
H. 16 ; L. 11,9 cm.

Expositions
1985, Genève, musée d'Art
et d'Histoire, n° 115 ; 1986,
Chalon-sur-Saône, musée Nicéphore
Niepce ; 1997, Charleroi, palais
des Beaux-Arts, n° VII. 16.

Bibliographie
1985, Pinet, Hélène, p. 92.

Musée Rodin, Ph. 1425.
Donation Rodin, 1916.

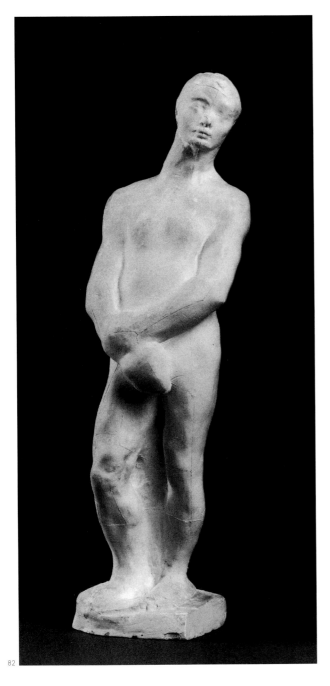

82.

Auguste RODIN

*Nu masculin (nu B)
à tête de Femme slave*

Plâtre.
H. 29,5 ; L. 8,3 ; P. 7,6 cm.
Non signé, non daté.

Exposition
1992-1993, Paris, musée Rodin,
n° 85.

Autre exemplaire
Plâtre : musée Rodin, S. 3379.

Musée Rodin, S. 3378.
Donation Rodin, 1916.

Sous cette nouvelle forme, le *Nu B* plut aussi à Rodin qui l'utilisa dans plusieurs assemblages : tantôt il l'associe à deux autres figures dont l'une est couchée sur le dos, jambes en l'air (*Le Bon Conseil*, S. 941), tantôt il le complète d'un autre nu féminin et il hésite à intituler la composition ainsi réalisée *La Muse et le Sculpteur* ou *La Belgique et son roi* (S. 3369, fig. 136). Le portrait dit de la *Femme slave* est certainement l'un de ceux dont Rodin a été le plus satisfait, étant donné le nombre d'exemplaires qui sont parvenus jusqu'à nous. Quant à sa date, il est difficile de l'établir : avant 1906 en tout cas, date à laquelle fut exécuté le marbre du musée Rodin (S. 1036).

fig. 136
Auguste Rodin
La Muse et le Sculpteur
Plâtre
Musée Rodin, S. 3369

83.

ANONYME

Nu masculin (nu B)
à tête de Femme slave

Épreuve sur papier argentique.
H. 18 ; L. 13 cm.

Musée Rodin, Ph. 2129.
Donation Rodin, 1916.

83

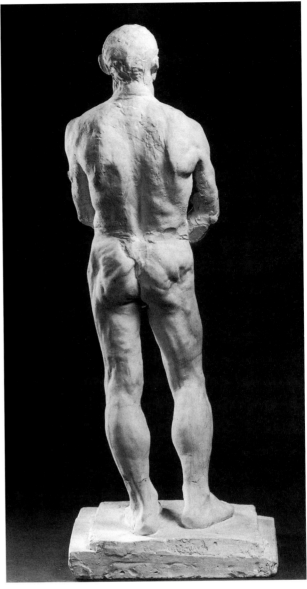

84

84

84.

Auguste RODIN

*Balzac/Jean d'Aire,
étude de nu avec
la tête de Jean d'Aire*
vers 1894-1895

Plâtre. Épreuve sur l'origine
de laquelle on peut formuler deux
hypothèses : s'agit-il d'une étude

pour *Jean d'Aire*, antérieure au
plâtre S. 414 (cat. 76), ou bien
de la reprise du torse de celui-ci,
scié au niveau du bassin et complété
par de nouvelles jambes ?
La seconde possibilité semble devoir
être préférée, dans la mesure
où le personnage de Jean d'Aire,
jambes écartées, bras raidis par
le poids des clefs qu'il porte, paraît
défini dans l'esprit de Rodin dès
la deuxième maquette du *Monument*

aux Bourgeois de Calais (1885).
Dans ce cas, il faudrait admettre
qu'au moment où il se remit
à travailler à Balzac, Rodin, lassé
par des mois de recherches
infructueuses, eût l'idée de faire
partiellement usage d'une œuvre
qui existait déjà.
La première opération consista à
supprimer la tête (S. 2260, cat. 85).
H. 95,5 ; L. 28 ; P. 21,3 cm.
Non signé, non daté.

Exposition
1977-1978, Calais ; Paris, n° 75.

Musée Rodin, S. 416.
Donation Rodin, 1916.

85.

Auguste RODIN

*Balzac/Jean d'Aire,
étude de nu sans
la tête de Jean d'Aire*
vers 1894-1895

Plâtre. Épreuve portant un double
réseau de coutures, ce qui montre
qu'un plâtre intermédiaire (disparu)
la sépare du modèle d'origine
(également disparu). Le torse a été
assemblé directement sur les jambes
par un scellement au plâtre. Quant
à la tête, sciée et rescellée,
elle a disparu. Une semelle surélevée
du côté droit a changé l'aplomb
de la figure, la redressant.
Ce modèle a servi à l'élaboration
du corps de l'*Étude F, dite en athlète*,
mais il est légèrement plus petit que
les deux épreuves qui suivent,
S. 2258 et S. 2845 (cat. 86 et 87).
On a fixé au poignet la main
gauche S. 5671 qui n'avait jamais
été montée, mais qui s'adapte
parfaitement.
H. 91,2 ; L. 40,8 ; P. 32 cm.
Non signé, non daté.

Musée Rodin, S. 2260.
Donation Rodin, 1916.

85

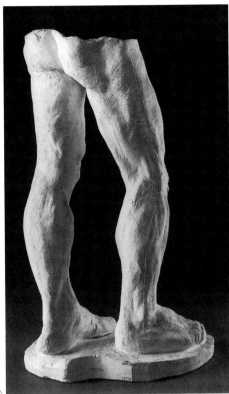

86

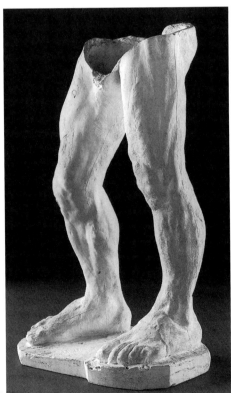

86

86.

Auguste RODIN

Balzac, jambes de l'étude de nu F, dite en athlète

vers 1895-1896

Plâtre. Épreuve obtenue par l'intermédiaire d'un moule à pièces sur un modèle légèrement plus grand que celui dont sont issus les plâtres S. 416 et S. 2260 (cat. 84 et 85). Le modelé est extrêmement soigné. La surface a été entièrement retravaillée, les traces d'outil montrant que ce travail a été effectué sur le plâtre plutôt que sur la terre avant moulage. Plusieurs abattis sont visibles (sous les mollets, sous le genou gauche, sur le coup de pied gauche) : ils ont été faits soit lors de la transformation des jambes de S. 2260, soit pour faciliter le moulage, mais en tout cas avant celui-ci car les coutures passent sur les traces d'outil. En revanche, c'est après le moulage sans doute que la base a été découpée pour être intégrée dans une nouvelle terrasse. H. 55,4 ; L. 33,3 ; P. 21,4 cm. Non signé, non daté.

Exposition
1997, Charleroi, palais des Beaux-Arts, n° VII-3.

Autre exemplaire
– Plâtre : musée Rodin, S. 2259 (H. 56 ; L. 33,3 ; P. 20,4 cm).

Musée Rodin, S. 2258.
Donation Rodin, 1916.

87.

Auguste RODIN

Balzac, étude de nu F, dite en athlète, drapée

vers 1895-1896

Plâtre. Épreuve issue d'un moule à pièces. Le modèle (disparu) était constitué du *Nu en athlète* (l'un des premiers états, de même dimension que les jambes S. 2258, cat. 86), doté d'une tête qui ne se rattache à aucune des séries connues, et drapé d'un tissu trempé dans du plâtre. Ce drapé évoque une séance de travail à laquelle assista Morhardt, mais les six nus, identiques il le précise, qui serviront alors de point de départ doivent correspondre plutôt au dernier état du nu (S. 178, cat. 91). Le plâtre dont il est question ici apparaît donc comme une tentative antérieure. Le revers présente certaines parties reprises directement au plâtre. H. 104 ; L. 39,8 ; P. 37,6 cm. Non signé, non daté.

Exposition
1950, Paris, musée Rodin, n° 31.

Bibliographie
1923, Gsell, Paul, p. 463 ; 1934, Morhardt, Mathias, p. 467 ; 1967, Spear, Athena T., pp. 24 à 26, 37, 92 ; 1973, Elsen, Albert E., pp. 32, 52, 53 ; 1976, Tancock, John L., pp. 438 à 441, 458.

Musée Rodin, S. 2845.
Donation Rodin, 1916.

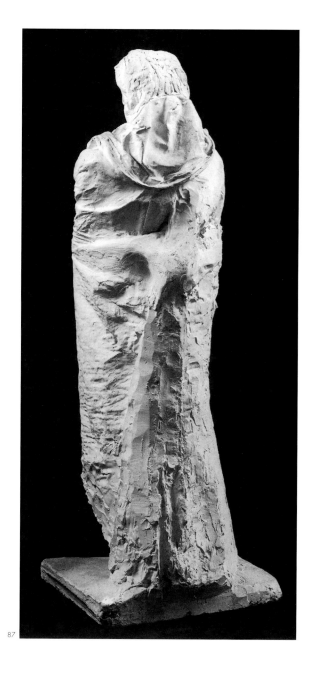

87

87

88

88.

Auguste RODIN

Balzac, avant-dernière étude pour la tête
vers 1895-1896

Terre cuite ocre-rose sur socle
en bois. Il s'agit d'une épreuve
obtenue par estampage (celui-ci
se décèle à la présence de joints
très fins entre les boulettes qui n'ont
pas été parfaitement écrasées)
dans le même moule que le plâtre
S. 1652 (cat. 90) : bien
qu'estompées ici, les coutures sont
identiques, de même que certains
détails (traitement des sourcils).
Cependant la terre a été
retravaillée avant cuisson,
en particulier dans la chevelure :
certains creux ont été bouchés
(à l'arrière, à gauche) tandis
que d'autres mèches ont été
ajoutées. Celles-ci sont modelées
dans une terre de couleur légèrement
plus froide que celle de
l'estampage. La cuisson de la terre,
qui a provoqué de nombreuses
fissures et des éclatements,
a entraîné une diminution des
dimensions d'environ 15 % et
une déformation des volumes qui se
manifeste par l'étroitesse du visage
et la perte de l'acuité de certains
détails (trame du tissu grossier sur
la joue et la mèche gauche).
C'est un modèle de ce type qui a
servi à l'élaboration de la tête
définitive car on trouve ici pour
la première fois la verrue sur l'arcade
sourcilière gauche et des "repères"
gravés à la base du cou, mais pas
ce modèle précis car certains détails
seront encore modifiés, comme
par exemple l'entaille du milieu
des lèvres, visible seulement sur la
dernière étude (S. 1581, cat. 98).
H. 17,6 (avec socle H. 29) ;
L. 16,7 ; P. 16,8 cm.
Non signé, non daté.

Bibliographie
1967, Spear, Athena T., pp. 13,
20 ; 1973, Elsen, Albert E., fig. 33,
p. 53 ; 1976, Tancock, John L.,
p. 456.

Musée Rodin, S. 128.
Donation Rodin, 1916.

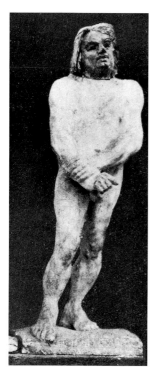

fig. 137
Auguste Rodin
*Balzac, première étude de nu
en athlète avec sa tête,
à Meudon en 1923*
(photographie publiée
par Paul Gsell, 1923, p. 463)

fig. 138
Auguste Rodin
*Balzac, première étude de nu
en athlète, main droite*
vers 1895-1896, plâtre
Musée Rodin, S. 5761

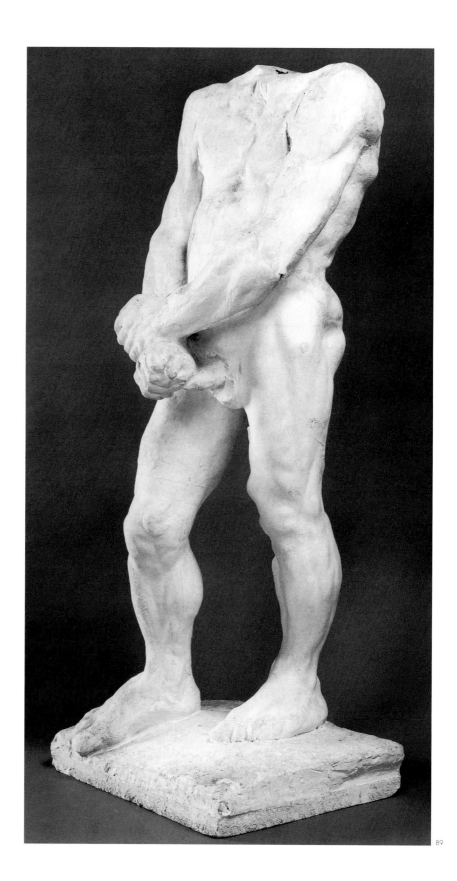

89

89.

Auguste RODIN

Balzac, première étude de nu F, dite en athlète

vers 1895-1896

Plâtre. Le modèle original a été obtenu à la suite de la transformation d'un nu comportant des jambes type S. 2258 (cat. 86), d'une échelle légèrement inférieure toutefois. En effet, on distingue clairement sur le plâtre S. 2274 l'application d'un matériau plastique (terre ou plastiline) qui a été utilisé pour modifier les volumes. De plus, ces jambes ont été basculées vers l'avant, changeant l'aplomb du personnage, tandis que l'inclinaison du pied droit était modifiée : l'angle entre le tibia et le coup de pied est plus ouvert. Cette épreuve est issue d'un moule à bon-creux, en plusieurs parties, les jambes, le torse et au moins la main droite ayant fait l'objet de scellements au plâtre direct. La tête associée à l'origine à ce nu a pu être identifiée grâce à la découpe caractéristique de l'encolure : il s'agit d'une épreuve identique à S. 1652 (cat. 90) qui présente des traces d'outil et des repères en parfaite continuité avec le torse, passant donc sur la tranche du cou. La tête d'origine a dû être coupée pour être moulée et fondue, et elle a sans doute été cassée à ce moment-là. Elle fut alors remplacée par l'épreuve S. 1652, fixée de façon précaire puisque ce montage n'a pas tenu. Toutefois c'est bien ce plâtre S. 1652 que l'on voit sur la reproduction donnée par Gsell en 1923 (fig. 137) : la tête est d'une couleur grise, différente de celle du corps qui est plus blanc, comme il l'est toujours aujourd'hui. Deux *Mains droites*, isolées, en plâtre, se rattachent à ce modèle et montrent qu'il y a eu au moins deux autres épreuves du nu : S. 5760 (H. 7,1 ; L. 7,4 ; P. 11,1 cm), dont la tranche présente un guillochage qui indique qu'elle était destinée à être assemblée à un poignet ; cependant le montage n'a pas été réalisé, aucune trace de scellement n'étant visible ; et S. 5761 (H. 10,2 ;

L. 9,7 ; P. 7,1 cm ; fig. 138) qui, elle, avait été positionnée, puis a été cassée. Le modèle d'origine de ces mains est la terre cuite S. 6328 avant qu'elle n'ait été modifiée pour être positionnée sur le modèle de l'autre étude d'athlète (cf. cat. 91).
H. 93,3 ; L. 42 ; P. 34,5 cm.
Non signé, non daté.

Expositions

1950, Paris, musée Rodin, n° 29, repr. pl. V ; 1953, Yverdon, Hôtel de Ville, n° 94 ; 1973, Saché, musée Balzac, n° 15.

Bibliographie

1903, Cladel, Judith, p. 47 ; 1923, Gsell, Paul, p. 463 (repr. avec la tête) ; 1934, Morhardt, Mathias, p. 467 ; 1967, Descharnes, Robert et Chabrun, Jean-François, p. 168 ; 1967, Spear, Athena T., pp. 24 (fig. 38), 92.

Musée Rodin, S. 2274.
Donation Rodin, 1916.

90.

Auguste RODIN

Balzac, avant-dernière étude pour la tête

vers 1895-1896

Plâtre patiné. Issue du même moule que la terre cuite S. 128 (cat. 88), mais plus proche encore de la terre originale car de même dimension, cette épreuve est identique à celle qui a été découpée sur le plâtre S. 2274, *Balzac en athlète* (cat. 89), car les repères et les plans de coupe correspondent parfaitement, mais ce n'est pas la même : elle a en effet été fermée au niveau du cou, dès le tirage, ce qui ne serait pas le cas d'un plâtre découpé. Cependant, la tête d'origine ayant sans doute été cassée, cette épreuve la remplaça pendant une durée indéterminée (cf. Gsell, 1923 ; cf. aussi cat. 89, fig. 137). Elle

a été de nouveau fixée sur le corps S. 2274 pour l'exposition, après avoir été nettoyée, mais de façon légère afin de ne pas effacer les traces de l'agent démoulant dont elle avait été enduite au moment de la réalisation de bronzes. Entre-temps elle avait servi à l'élaboration du plâtre S. 1655 (retravaillé après avoir été enduit de gomme laque). Une autre épreuve identique a été assemblée à une épreuve du *Balzac en athlète* pour donner naissance au plâtre S. 2844 (cat. 94).
H. 19,5 ; L. 17,5 ; P. 18,5 cm.
Non signé, non daté.

Bibliographie

1903, Cladel, Judith, p. 47 ; 1911, Rodin, Auguste, p. 246 ; 1923, Gsell, Paul, p. 463 ; 1967, Spear, Athena T., fig. 28, pp. 23, 92 ; 1972, Steinberg, Leo, fig. 270 ; 1976, Tancock, John L., p. 457 ; 1977, Caso, Jacques de et Sanders, Patricia, pp. 237 à 241 ; 1993, Butler, Ruth, p. 302 ; 1993, Jarrassé, Dominique, pp. 160, 161.

Autres exemplaires

– Plâtres : Musée Rodin, S. 1655 (H. 19 ; L. 16 ; P. 18 cm), de dimensions inférieures car issu d'un moule réalisé après cuisson du modèle en terre, puis retravaillé après avoir été enduit de gomme laque, en très mauvais état. Buenos Aires, musée des Beaux-Arts (inv. 8560, don Antonio Santamarina, 1975) ; San Francisco, California Palace of the Legion of Honor (H. 18,1 ; L. 17,5 ; P. 17,3 cm ; signé *R* sur le côté gauche ; inv. 1933. 12. 17, donné en 1933) : ces deux derniers plâtres présentent une mèche de cheveux plus importante en arrière.
– Bronzes, présentant eux-aussi une mèche plus importante, recourbée en avant, derrière l'oreille gauche, fonte Perzinka : Detroit, Art Institute (H. 25 cm avec la base en marbre jaune, inv. 1994. 30, acq. grâce à la fondation Robert Tannahill) ; peut-être s'agit-il de l'une des trois fontes de la "tête Balzac" facturées par Léon Perzinka le 24 juin 1899, la première à 110 francs, les deux autres à 100 francs

(arch. musée Rodin). Fonte Alexis Rudier : Stockholm, National Museum (inv. 2231, H. 19 cm, don des Amis du musée, 1976, ancienne coll. du roi Gustave VI ; cette tête peut-elle être mise en rapport avec l'exemplaire dont Carl Millès demanda le prix à Rodin le 9 septembre 1906 pour le musée de Stockholm ?). Sans marque : Chapel Hill, University of North Carolina, The Ackland Art Museum (H. 17,8 ; L. 17,2 cm ; fig. 139, proviendrait de la coll. Henri Duhem : dans une lettre non datée à Rodin, celui-ci mentionne en effet "la tête de Balzac [...] que je détiens" ; arch. musée Rodin). Un autre bronze sans marque, et sur l'origine duquel on ne sait rien, se trouve à Oxford, Pembroke College (donné en 1996). Des exemplaires ont appartenu à Mme Ménard-Dorian (vente Paris, hôtel Drouot, Me Baudoin, 2 décembre 1929, n° 23) et à Sacha Guitry (vente Paris, Palais d'Orsay, Mes Ader, Picard, Tajan, 9 décembre 1977, cat. T).

Musée Rodin, S. 1652.
Donation Rodin, 1916.

fig. 139
Auguste Rodin
Balzac, avant-dernière étude pour la tête
Bronze
Chapel Hill, University of North Carolina, The Ackland Art Museum

90

91.

Auguste RODIN

Balzac, deuxième étude de nu F, dite en athlète

1896

Plâtre. Épreuve issue d'un moule à pièces, le bassin ayant été scellé directement au plâtre sur les jambes. Le modèle a été obtenu par transformation d'une épreuve du type S. 2274 (cat. 89) dont le torse a été considérablement modifié, avant moulage, au niveau des pectoraux et de l'abdomen en particulier, tandis que toute la figure était penchée sur sa gauche jusqu'au point de rupture d'équilibre. Pour compenser, le socle dut être légèrement rehaussé du côté de la jambe gauche. La main droite a également été avancée, ce qui a obligé Rodin à prolonger le sexe sur lequel elle repose. Après moulage, la partie supérieure, épaules et naissance du cou, a été reprise directement au plâtre, tandis que les pieds étaient repositionnés sur une nouvelle terrasse : le plâtre des éléments repris est très blanc et contraste avec la couleur grise des parties moulées. La tranche du cou, fermée au plâtre, présente une découpe différente de S. 2274. Des petites croix parsemées sur le corps montrent que l'épreuve a été utilisée pour un agrandissement dont on ne conserve aucune trace. L'attitude de l'athlète fut modifiée encore une fois lors des toutes dernières études pour la statue (*cf.* cat. 114) : il fut coupé au niveau de la taille de façon à ce que le haut du corps soit rejeté en arrière, en un mouvement dont *Balzac/Jean d'Aire* (cat. 84 et 85) avait donné l'indication. Mais c'est bien le modelé très contrasté du dernier *Nu en athlète* que l'on distingue dans l'échancrure de la robe de chambre. Trois *Mains droites* se rattachent à ce nu : une terre cuite (S. 6328, H. 6,6 ; L. 6,5 ; P. 12,8 cm ; fig. 140), exécutée par modelage direct pour le premier athlète (elle a alors donné naissance aux plâtres S. 5760 et 5761, *cf.* cat. 89), puis

modifiée pour le second. On distingue sur la surface des traces d'outil à dents ainsi que des sillons, correspondant à des coutures, par exemple sur les jointures des deuxième et troisième doigts, ce qui montre qu'elle a servi avant cuisson à l'exécution d'un moule à pièces. Deux plâtres sont issus de ce moule (S. 5624, H. 8,2 ; L. 7,6 ; P. 7,4 cm ; et S. 5759, H. 7,8 ; L. 11,4 ; P. 9 cm, qui est probablement un surmoulage d'une épreuve identique à la précédente). Ces fragments faisaient vraisemblablement partie à l'origine d'épreuves complètes dont l'une est celle qui figure sur la photographie Ph. 1212 (cat. 92), avec des coutures plus marquées et une terrasse différente du plâtre parvenu jusqu'à nous. C'est une autre, sans doute, qui fut photographiée par Druet à la Folie Payen (Ph. 1549, cat. 93). Elle diffère en effet de l'épreuve conservée par la présence très visible de deux joints d'assemblage dans la jambe droite.
H. 95,5 ; L. 45,5 ; P. 36,5 cm.
Non signé, non daté.

Expositions

1977-1978, Calais ; Paris, n° 74 ; 1995, Venise, Palazzo Grassi, n° II. 43.

Bibliographie

1900, octobre, Geffroy, Gustave, p. 108 (plâtre) ; 1904, mars, Alexandre, Arsène, p. 8 (plâtre) ; 1952, exp. Paris, repr. (n.p.) ; 1963, Elsen, Albert E., pp. 94, 96, 97, 105 ; 1967, Spear, Athena T., pp. 23, 24 (fig. 38), 92 ; 1972, Steinberg, Leo, pp. 380, 395, 396 (fig. 268). ; 1973, Elsen, Albert E., pp. 32 (fig. 31), 52 à 54, 69 ; 1976, Tancock, John L., pp. 436, 437, 440, 458 ; 1980, Elsen, Albert E., fig. 111, p. 182 ; 1985, Goldscheider, Cécile, p. 9 ; 1986, Lampert, Catherine, pp. 127, 128, 219, cat. n° 136 ; 1986, Pingeot, Anne, p. 104 (plâtre) (Skira) ; 1991, Danto, Ginger, pp. 202, 203 ; 1991-1992, exp. Brême, Dusseldorf, pl. 9, pp. 185, 248, n° 10 ; 1992, Celant, Germano, pp. 12 à 15 ; 1992, Laurent, Monique, pp. 72 à 74 ; 1997, Bond, Anthony, pp. 36, 39.

Autes exemplaires

– Plâtre : musée Rodin, S. 2868 (H. 95 ; L. 42 ; P. 37 cm).
– Bronzes, fonte Georges Rudier puis Émile Godard, édition de douze exemplaires par le musée Rodin à partir de 1967, en plus du n° 0 fondu en 1969 pour les collections du musée (S. 1080, H. 93,1 ; L. 43,5 ; P. 35 cm ; fig. 141) : fontes Georges Rudier, n° 1, © 1967, Stanford University Museum of Art (inv. 1974. 90, don de la fondation B. Gerald Cantor, 1974) ; n° 2, © 1970, New York, Museum of Modern Art (inv. 436.75, don Fitzgerald Cantor, 1975) ; 7/12, © 1979, Brooklyn Museum (inv. 84.77.10, don Iris et B. Gerald Cantor) ; 8/8, © 1981, Newcastle Region Art Gallery (don William Bowmore 1991). Fontes Émile Godard, II/IV, © 1987, Shizuoka Prefectural Museum of Art (acq., 1993).

Musée Rodin, S. 178.
Donation Rodin, 1916.

fig. 140
Auguste Rodin
Balzac, deuxième étude de nu en athlète, main droite
vers 1896, terre cuite
Musée Rodin, S. 6328

fig. 141
Auguste Rodin
Balzac, deuxième étude de nu en athlète
Bronze
Musée Rodin, S. 1080

91

91

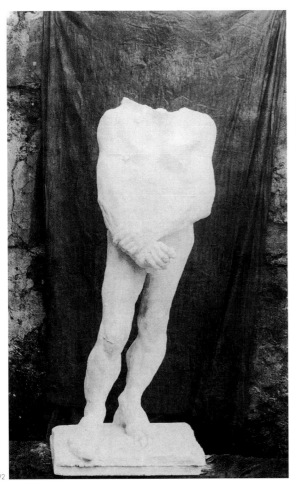

92.

ANONYME

*Étude de nu F, dite
en athlète*

vers 1896 ?

Épreuve sur papier albuminé.
H. 15,2 ; L. 9,5 cm.

Musée Rodin, Ph. 1212.
Donation Rodin, 1916.

93.

Eugène DRUET

(Paris, 1868 – Paris, 1916)

*Étude de nu F, dite en
athlète, à la Folie Payen*

vers 1896 ?

Épreuve sur papier albuminé.
H. 16,8 ; L. 11,9 cm.

Musée Rodin, Ph. 1549.
Donation Rodin, 1916.

94   94

94.

Auguste RODIN

Balzac, étude de nu F, dite en athlète, drapée
vers 1896-1897

Plâtre et textile. Sur un nu type S. 178
(cat. 91) a été disposé un drapé
constitué d'une véritable toile trempée
dans du plâtre. Ce serait le seul
témoignage conservé de la séance
de travail à laquelle assista Morhardt,
et au cours de laquelle, ayant

découpé en six morceaux une pièce
de toile, Rodin essaya des drapés
différents sur six plâtres identiques.
La tête est la même que celle de la
première étude conservée du *Nu en
athlète* (cat. 90) mais, à la différence
de celle-ci, l'assemblage avec le cou
a été modifié, le menton semblant
plus dégagé grâce à un creusement.
H. 107,5 ; L. 43 ; P. 36 cm.
Non signé, non daté.

Exposition
1950, Paris, musée Rodin, n° 34.

Bibliographie
1903, Cladel, Judith, p. 47 ;
1923, Gsell, Paul, p. 463 ;
1934, Morhardt, Mathias, p. 467 ;
1952, Goldscheider, Cécile,
pp. 42, 43, 44 ; 1963, Grand,
P. M., pp. 25, 28 ; 1967, Spear,
Athena T., pp. 24, 26, 37, 92 ;
1973, Elsen, Albert E., pp. 32, 33,
53 ; 1976, Tancock, John L.,
pp. 438 à 441.

Musée Rodin, S. 2844.
Donation Rodin, 1916.

95.

95.

Auguste RODIN

**Balzac, avant-dernière
étude pour la tête**
Variante

vers 1896-1897

Terre cuite ocre sur socle en
chêne teinté. Même si le visage
est plus large (ce qui s'explique par
les déformations de la terre lors
de la cuisson), cette tête a sans
doute été estampée à partir d'un
modèle du type S. 1652 (cat. 90),
comme le montrent les marques
d'outil sur la mèche qui tombe
au-dessus de l'œil gauche, puis
modifiée par adjonction de plaques
et de boulettes de terre, les raccords
ayant été plus ou moins lissés.
Sur le visage la surface a été
tendue avec un ébauchoir
métallique à dents très fines, puis
lissée au doigt tandis que le dos,

qui offre un élément de col plus
important, porte de nombreuses
marques de spatule à dents larges.
On remarque également les traces
d'une autre spatule, plus pointue,
qui a accentué le mouvement de
la chevelure et souligné le front,
à droite, de deux traits parallèles.
H. 18 (avec socle H. 34) ; L. 24 ;
P. 20 cm.
Non signé, non daté.

Exposition
1950, Paris, musée Rodin, n° 19.

Bibliographie
1903, Cladel, Judith, p. 47 ;
1965, exp. Beyrouth ; 1967,
Spear, Athena T., fig. 28a, p. 92 ;
1973, Elsen, Albert E., fig. 37,
p. 53 ; 1976, Tancock, John L.,
p. 441, 457.

Musée Rodin, S. 1576.
Donation Rodin, 1916.

En 1965, lors de l'exposition à Beyrouth, il a été suggéré que
cette tête ait été réalisée d'après la gravure de Hédouin, qui
figura en frontispice de l'ouvrage de Théophile Gautier, *Honoré
de Balzac* (Paris, Poulet-Malassis et de Broise, 1859). Ce portrait
était apprécié des balzaciens : "Edmond Hédouin, dessinateur et
aquafortiste de grand talent, avait connu Balzac. Son eau-forte
est impressionnante ; elle montre le visage de l'auteur de
La Comédie humaine éclairé, animé par un sourire sardonique
qui lui était familier" (Gabriel Ferry, novembre 1899, p. 647). En
réalité, le rapport entre les deux visages n'est pas manifeste, si ce
n'est peut-être dans le nez qui semble assez long chez Hédouin
tandis que Rodin lui donne des proportions démesurées.

Il serait donc tentant de rapprocher cette étude, à laquelle
Rodin tenait puisqu'il la fit photographier avec les masques du
"Conducteur de Tours", d'une réflexion de Balzac rapportée par
Armand Silvestre : "On raconte que quand il posait devant David
d'Angers, qui en a laissé une image, il ne cessait de lui répéter :
Surtout étudiez mon nez ! Mon nez est tout un monde ! Cyrano
de Bergerac n'aurait pas dit autrement" ("Notes d'art. L'image de
Balzac", *La Petite Gironde*, 6 mai 1898).

96

96.

ANONYME

*Trois études de têtes
pour Balzac*

Épreuve sur papier albuminé.
H. 9,5 ; L. 15,1 cm.

Expositions
1986-1987, Esslingen ; Brême ;
1990, Paris, musée Rodin, *Rodin
et ses modèles*, n° 67 ; 1997,
Charleroi, palais des Beaux-Arts,
n° VII. 14.

Bibliographie
1985, Pinet, Hélène, p. XVII.

Musée Rodin, Ph. 1213.
Donation Rodin, 1916.

On reconnaît sur cette photographie les deux masques
d'après Estager (*cf.* cat. 25),
ainsi qu'une variante de
l'*Avant-dernière étude pour
la tête* (cat. 95).

97

97.
Auguste RODIN

Balzac, avant-dernière étude pour la tête
Variante

vers 1896-1897

Terre cuite ocre clair. Réalisée
par estampage (des traces
d'écrasement au doigt sont visibles
à l'intérieur de la tête), cette tête
est issue d'un modèle non conservé,
identique à l'origine à S. 1655
(*cf*. cat. 90), puis retravaillé :
la mèche de cheveux qui retombe
derrière l'oreille gauche a été
repoussée en arrière, le col modifié,
et il faut noter la présence de la
verrue au-dessus du sourcil gauche.

La cuisson de la terre a entraîné une
réduction notable des dimensions
par rapport au plâtre S. 1655 et
une déformation des volumes qui se
manifeste par l'étirement en longueur
du visage.
H. 15,5 ; L. 15 ; P. 17 cm.
RODIN gravé en creux sur le plan de
coupe du cou, sous la joue gauche.

Exposition
1950, Paris, musée Rodin, n° 18.

Bibliographie
1903, Cladel, Judith, p. 47 ; 1967,
Spear, Athena T., pp. 26, 92 ;
1976, Tancock, John L., p. 456.

Musée Rodin, S. 1656.
Donation Rodin, 1916.

fig. 142
Auguste Rodin
*Balzac, étude définitive
pour la tête*
Plâtre ayant servi
à l'agrandissement, 1898 ?
Musée Rodin, S. 1823

98

98.

Auguste RODIN

Balzac, étude définitive pour la tête
vers 1897

Plâtre. Cette épreuve est issue d'un modèle provenant lui-même d'un moule pris sur S. 1656 (cat. 97), puis retravaillé : la lèvre supérieure est fendue, l'oreille est différente, moins naturelle, enfin l'arrière de la tête a été creusé. Le modèle intermédiaire (non conservé) avait sans doute été réalisé en terre, par estampage, ce qui explique que le visage soit plus étroit. À l'exception du creux encore présent à l'arrière dans la chevelure, cette tête est proche de celle de la variante

de la maquette définitive (S. 182, cat. 115), celle-ci différant à son tour de la tête définitive par le traitement de la chevelure dont les plans furent simplifiés tandis que le cou était plus dégagé. On note pourtant sous la joue gauche une amorce de col qui ne correspond à aucune des maquettes connues, ce qui montre que ce modèle vient d'une figure entière, non conservée.
C'est cependant à partir d'un plâtre identique à celui-ci (S. 1823) que fut réalisé l'agrandissement (cat. 144).
H. 18 ; L. 20 ; P. 18 cm.
Non signé, non daté.

Autres exemplaires
– Plusieurs plâtres proches au musée Rodin : S. 1823 (H. 23 ; L. 16,1 ;

P. 19,3 cm ; non signé, non daté, mais portant l'inscription en noir sous la chevelure, au-dessous de l'oreille droite : *modèle* ;
fig. 142) : c'est l'épreuve qui a servi à l'agrandissement, ainsi que l'indiquent les fines stries parallèles, laissées par l'aiguille du pantographe, qui parcourent la surface. Elle a été fixée, sans doute à cette occasion, sur un plot de plâtre dit "poupée", destiné à la maintenir. S. 1979 (H. 18,2 ; L. 20,1 ; P. 17 cm), épreuve ayant servi à la fabrication d'un moule de fonderie et enduite d'une épaisse couche de gomme laque. S. 1651 (H. 18,2 ; L. 19 ; P. 16,5 cm), épreuve fragmentaire ayant servi à la fabrication d'un moule

de fonderie. S. 1485 (H. 18,8 ; L. 20,7 ; P. 16,5 cm ; inscription gravée après le moulage à l'arrière de la tête : *A. Rodin*), qui est probablement le plâtre donné par Rudier le 23 novembre 1949.
Une autre épreuve identique à S. 1485, à la Maison de Balzac (signée, inv. 89-97, don Charles Reith, 1989).
– Une terre cuite, musée Rodin, S. 1645 (H. 22 ; L. 18 ; P. 15 cm) semble inspirée de ce type mais elle ne s'intègre pas véritablement dans la série, et son côté hésitant évoque un travail de copie un peu maladroit.
– Bronzes : *cf.* cat. 99.

Musée Rodin, S. 1581.
Donation Rodin, 1916.

99

99.

Auguste RODIN

Balzac, étude définitive pour la tête
1897

Bronze avec socle en marbre noir.
H. 18,4 (avec socle H. 28,4) ;
L. 19,4 ; P. 15,6 cm.
Signé à l'arrière de la chevelure,
derrière l'oreille gauche : *A. Rodin* ;
inscription au-dessous : © *by musée
Rodin 1963* ; à gauche, marque :
.Georges Rudier./.Fondeur. Paris.
et en relief à l'intérieur : *A. Rodin.*

Expositions
1973, Saché, musée Balzac, n° 8 ;
1997, Bruxelles, musée Charlier,
n° 39.

Bibliographie
1902, décembre, Salda, F. X.,
p. 198 ; 1903, 15 janvier, Stiti,
Louis, p. 83 ; 1905, Mauclair,
Camille, face p. 110 ; 1906,
Lawton, Frederick, face p. 175 ;
1918, Mauclair, Camille, p. 48 ;
1967, Spear, Athena T., fig. 28,
pp. 26, 91, 92 ; 1972, Steinberg,
Leo, fig. 270 ; 1976, Tancock,
John L., pp. 437, 441, 457 ; 1977,
Caso, Jacques de et Sanders,
Patricia, pp. 237 à 241 ; 1988,
Beausire, Alain, pp. 218, 219, 235,
242, 245 ; 1988, Mareuil, André,
p. 91 ; 1993, Butler, Ruth, p. 303 ;
à paraître, Butler, Ruth, catalogue
des sculptures de la National Gallery
of Art de Washington.

Autres exemplaires
Cette tête a été diffusée très vite.
Il en existe de très nombreux
exemplaires qui diffèrent par
de minimes modifications dans
la découpe du cou, par la nervosité
du modelé, et surtout par l'inclinaison
de la tête et le fait que celle-ci soit
tantôt exhaussée (comme c'est le cas
pour beaucoup des fontes Alexis
Rudier) tantôt placée directement sur
le socle. Elle correspond très
probablement au modèle dont les
archives du musée Rodin attestent de
nombreuses fontes à partir de 1898
(mais il s'y mêle certainement des
exemplaires de l'avant-dernière
étude, S. 1652, cat. 90) : Griffoul

facture deux exemplaires à Rodin, les 22 et le 29 octobre 1898, à 125 puis 115 francs, et encore deux le 31 janvier suivant à 100 francs. Rodin s'adresse ensuite à Perzinka (un exemplaire facturé le 24 juin 1899 à 110 francs et deux à 100 francs), puis à François Rudier (factures, toutes au prix de 120 francs, des 18 et 30 octobre, 8 novembre 1900, 8 et 27 février, 16 mars, 1er et 10 juillet, 22 octobre et 4 novembre 1901, 20 mai 1903, cet exemplaire étant acquis par le comte Kessler) et enfin à Alexis Rudier (un exemplaire facturé le 24 juin 1899 au prix de 100 francs, deux facturés le 20 juin 1902 à 135 francs chacun, trois le 11 avril 1904 à 100 francs chacun, deux le 27 février 1909 à 155 francs chacun, un le 24 janvier 1914, à 195 francs, destiné à Gustave Coquiot).
– Bronzes sans marque, pouvant présenter de petites différences, et correspondant sans doute aux fontes indiquées ci-dessus : Cleveland, The Cleveland Museum of Art (inv. 48. 117, acquis de Rodin par John K. Sanders le 18 juin 1901 ; donné par Mrs Franklyn B. Sanders) ; Helsinki, Ateneum Taidemuseo (inv. B. 189, acquis lors de l'*Exposition française des Beaux-Arts* à Helsinki en 1901) ; Laren, Singer Museum (inv. 56-1-415, don Mme A. Singer-Brugh) ; New York, The Museum of Modern Art (inv. 437-75, don Cantor Fitzgerald, 1975) ; Oxford, The Ashmolean Museum (H. 17,9 cm, monté sur un piédouche en onyx de H. 15,3 cm, legs lady Theobald, 1938) ; Washington, The National Gallery of Art (inv. 1942. 5. 14 ; H. 16,5 ; L. 20,9 ; P. 18,1 cm ; don de Mrs Simpson en 1942, qui l'avait acquis avant 1908). Un exemplaire monté sur une haute base irrégulière, en porphyre, signé et dédicacé *À mon ami Alexandre*, H. totale 32 cm, vente Paris, galerie Charpentier, Me E. Ader, 1er et 2 avril 1954, n° 80.
– Bronzes, fonte Alexis Rudier : musée Rodin, S. 4019 (H. 17,8 ; L. 21,5 ; P. 15,2 cm ; signé dans les cheveux derrière l'oreille gauche : *A. Rodin* ; cession de

la direction générale des Douanes, 1983) ; Oslo, Nationalgalleriet (inv. 1006, don des Amis du musée, 1918) ; San Francisco, The Fine Arts Museums, coll. Spreckels : exemplaire également monté sur une haute base de marbre, de forme irrégulière (inv. 1941. 34. 5, acquis par Mrs Spreckels, de Loïe Fuller, en 1915, fig. 143) ; Washington, The Kruger Museum (inv. 1971-10, H. 28 ; L. 19 ; P. 15,2 cm ; acquis chez Sotheby's Londres le 1er décembre 1971, n° 3).
– Bronzes, fonte Alexis puis Georges Rudier, édition du musée Rodin, dix exemplaires supplémentaires fondus entre 1944 et 1959 : un exemplaire Alexis Rudier, acquis en 1946 pour le musée de Tours (RF 2588), a été déposé à Saché, musée Balzac, en 1951 et y a été volé en septembre 1982.

Musée Rodin, S. 765.
Fonte réalisée en 1963 pour les collections du musée.

fig. 143
Rodin
Balzac, étude définitive pour la tête
Bronze et marbre
San Francisco, The Fine Arts Museums, coll. Spreckels

La tête définitive, aux cheveux mi-longs, est caractérisée par un contraste entre le front dégagé à droite, les cheveux étant repoussés en arrière, et une mèche qui retombe sur le sourcil gauche. Cette disposition apparaît dès l'*Étude en robe de moine* (cat. 49) dont la bouche et les yeux annoncent ceux du modèle définitif.

Le point de départ en est un modèle non conservé, sur lequel fut pris un moule dont sont issus à la fois la terre cuite S. 128 (cat. 88) et le plâtre S. 1652 (cat. 90) qui présentent des coutures identiques. Un modèle semblable (disparu), en terre, a servi à son tour après cuisson à la réalisation du moule dans lequel fut tiré S. 1655 (*cf.* cat. 90) ; un autre (également disparu), sur lequel furent portées de nouvelles modifications (chevelure, découpe du cou), a ensuite donné naissance à la terre S. 1656 (cat. 97).

C'est de celle-ci que découle, par l'intermédiaire d'un modèle disparu, le plâtre S. 1581 (cat. 98) considéré comme l'étude définitive. On constate cependant qu'elle est légèrement différente de la tête du dernier modèle d'ensemble dont le cou est plus dégagé du côté gauche alors que dans la tête isolée une sorte de col arrive au bas des joues : cela permet de penser que dans la série des modèles à demie grandeur il nous manque une étape dont seule la tête est parvenue jusqu'à nous.

Dans sa taille d'origine, la tête connut très vite le succès : "Ce que j'ai vendu plusieurs fois c'est 'cette petite chose là'. Le maître va chercher alors dans un coin de l'atelier un masque en bronze de Balzac où, sous une chevelure massée puissamment, s'enlève avec vigueur le visage expressif du génial créateur" ("Chez Rodin", *Le Petit Bleu de Paris*, 23 novembre 1902). On la reconnaît en effet sur "l'étagère" de Van de Velde, de même que comme décor de "l'aménagement de bureau" proposé par Abel Landry (reproduits l'un et l'autre dans *Documents sur l'art industriel au xxe siècle*, Paris, éditions de la Maison moderne, 1901, pp. 3 et 10), tandis que des bronzes en étaient présentés au début du siècle dans différentes expositions : à Helsinki en 1901 (n° 247) et 1902 (n° 726), à Prague en 1902 (n° 78/19), à New York en 1903, à Turku, en Finlande, en 1904 (n° 403). Rodin lui-même en donna des exemplaires : ainsi Yveling Rambaud le remercie-t-il chaleureusement, le 12 décembre 1898, d'avoir fait cadeau au quotidien *Le Journal* dont il était l'un des rédacteurs et qui avait en effet toujours soutenu Rodin dans l'affaire du *Balzac*, d'une "tête de Balzac fondue en bronze" (arch. musée Rodin) ; en mars 1901 c'est au tour de Camille Mauclair de recevoir ce "masque extraordinaire, rocher animé, synthèse d'expression, vrai de la vraie vérité, celle de l'âme, celle de significations intérieures. [...] Ce petit bronze se laisse mieux apprécier encore que votre statue. La hauteur, et la blancheur du plâtre, dont chaque saillie, vue de bas en haut, renvoyait un reflet à la saillie supérieure, permettait moins d'apprécier certains détails inouïs. Et la jouissance du toucher est grande aussi en palpant de tels reliefs. L'obsession de cette face, élémentale plutôt qu'humaine, est inoubliable" (**Mauclair à Rodin, en** réponse à une lettre de Rodin du 19 mars 1901 lui annonçant l'envoi d'une "tête de Balzac qui a été longue à patiner" ; arch. musée Rodin). D'autres bronzes furent acquis par des collectionneurs ou des amis de Rodin, le comte Kessler, Mariana Russell qui voulait en faire cadeau au pianiste Otto Friedrichs en reconnaissance de l'aide qu'il avait apportée à la carrière musicale de sa fille Jeanne (Mrs Russell à Rodin, 27 septembre et 26 octobre 1906 et Friedrichs à Rodin, 25 avril 1910 ; arch. musée Rodin). En ce qui concerne le grand modèle, en revanche, un bronze aurait été exposé à Prague en 1902 (Beausire, 1988, p. 235) mais il semble que, du vivant de Rodin, il fut surtout reproduit en grès (cat. 145 et 146).

Notons enfin que dans le portrait-statuette de Rodin qu'il exécuta vers 1920 (plâtre, Paris, musée Bouchard ; bronze, musée Rodin), c'est cette tête (en dimension monumentale) qu'Henri Bouchard choisit pour évoquer l'œuvre de l'artiste.

100.

Auguste RODIN

Balzac, étude définitive pour la tête
Variante

vers 1897

Plastiline de couleur ocre emmanchée sur un bâton, lui-même fixé sur un socle de bois. La tête a été modelée à partir de petites boulettes travaillées avec les doigts (front, chevelure) puis plus finement, sur le visage, à la spatule. Il ne s'agit pas d'une esquisse, comme son aspect spontané le donnerait à croire, mais elle a vraisemblablement été exécutée d'après une tête du type S. 1581 (cat. 98) déjà réalisée en plâtre, car elle comporte une amorce de col visiblement obtenue par modelage pour imiter le modèle qui, lui, avait été découpé dans une épreuve complète.
H. 14,7 ; L. 13,5 ; P. 11,9 cm.
Avec montage : H. 23,5 ; L. 13,5 ; P. 18,5 cm.
Non signé, non daté.

Musée Rodin, S. 265.
Donation Rodin, 1916.

100

101.

Auguste RODIN

Balzac

vers 1897

Esquisse. Terre cuite ocre-rose
sur socle en bois.
H. 18,3 (avec socle H. 21,5) ;
L. 7,5 ; P. 7,9 cm.
Signé sur le côté à droite : *Rodin.*

Bibliographie
1985, Goldscheider, Cécile, p. 5.

Musée Rodin, S. 260.
Donation Rodin, 1916.

102.

Auguste RODIN

Balzac

vers 1897

Esquisse. Terre cuite ocre avec
socle en bois.
H. 17 (avec socle H. 20,2) ;
L. 4,5 ; P. 6 cm.
Signé au dos, à mi-hauteur : *RODIN.*

Exposition
1962-1963, Paris, musée
du Louvre, n° 223.

Bibliographie
1967, Spear, Athena T., pp. 25
(fig. 39), 92 ; 1973, Elsen, Albert E.,
pp. 31 (fig. 29), 53 ; 1976,
Tancock, John L., p. 458 ; 1985,
Goldscheider, Cécile, p. 5.

Musée Rodin, S. 263.
Donation Rodin, 1916.

103.

Auguste RODIN

Balzac

vers 1897

Esquisse. Terre cuite ocre.
Cette esquisse avait à l'origine
une tête, formée d'une boule,
qui s'est sans doute détachée
et a été perdue, ou s'est cassée.
H. 16,4 ; L. 7 ; P. 9,4 cm.
Signé à l'arrière : *RODIN.*

Musée Rodin, S. 6437.
Donation Rodin, 1916.

Modelées très vivement, ces trois terres cuites ont l'apparence d'esquisses. Toutefois il ne faut pas les situer avant les différents modèles en plâtre, mais plutôt parallèlement : Rodin travaille en dimension demi-grandeur nature, d'après le modèle vivant mais, de temps en temps, il utilise l'argile pour préciser une direction de recherches.

104.

Auguste RODIN

Balzac, étude drapée avec un capuchon et un jabot de dentelle
1897

Plâtre. Épreuve issue d'un moule à pièces et recouverte, après démoulage, d'une couche de plâtre passée au pinceau. Cette opération a été effectuée avant que la figure ne soit de nouveau moulée et serve de point de départ à l'épreuve S. 2958.
Le corps correspond au *Nu en athlète* (cat. 91) à la jambe gauche très en arrière ; cependant la main gauche a été modifiée : elle s'appuie toujours sur le bras droit, mais un peu plus haut, et émerge du drapé comme pour retenir celui-ci. Ce modèle, caractérisé par une certaine abondance de détails (nœud sur la pantoufle, mouche au menton, volants de la chemise…) et un traitement très sculptural du dos qui n'est pas sans évoquer le travail d'Auguste Préault (plis nombreux et profondément creusés de la robe), est sans doute l'aboutissement de l'un des six plâtres drapés sous les yeux de Morhardt (1934, p. 467). H. 113 ; L. 45,5 ; P. 42,6 cm. Non signé, non daté.

Exposition
1950, Paris, musée Rodin, n° 33.

Bibliographie
1952, Goldscheider, Cécile, pp. 43, 44 ; 1967, Spear, Athena T., pp. 26, 27, 92 ; 1973, Elsen, Albert E., pp. 32, 34 (fig. 35), 53 ; 1976, Tancock, John L., pp. 441, 459 ; 1985, Goldscheider, Cécile, p. 9 ; 1993, Butler, Ruth, p. 293.

Autres exemplaires
– Plâtre : musée Rodin, S. 2958 (H. 113 ; L. 45,5 ; P. 42,5 cm ; avec les inscriptions au crayon sur la base : *Rodin n°* et *E. Godard*), épreuve de fonderie, ayant servi à l'exécution des fontes par Godard.
– Bronzes, fonte Émile Godard, édition de douze exemplaires par le musée Rodin entre 1983 et 1985 : I/IV, © 1983, Paris, musée Rodin, S. 1369 (H. 111,5 ; L. 44,5 ; P. 41,5 cm, fig. 144) ; III/IV, © 1985, Séoul, Ho-Ham Museum ; IV/IV, © 1985, Tours, musée des Beaux-Arts ; 3/8, © 1983, Hokkaido, Hakodate Prefectoral Museum of Art ; 5/8, © 1984, Newcastle, Australie, Region Art Gallery (don William Bowmore, 1991).

Musée Rodin, S. 3121.
Donation Rodin, 1916.

104

fig. 144
Auguste Rodin
Balzac, étude drapée avec un capuchon et un jabot de dentelle
Bronze
Musée Rodin, S. 1369

104

104

105.

ANONYME

*Balzac, étude drapée
avec un capuchon
et un jabot de dentelle*
1897

Épreuve sur papier albuminé.
H. 15,1 ; L. 9,4 cm.

Musée Rodin, Ph. 2136.
Donation Rodin, 1916.

106.

ANONYME

*Balzac, étude drapée
avec un capuchon
et un jabot de dentelle*
1897

Épreuve sur papier albuminé.
H. 15,1 ; L. 9,5 cm.

Musée Rodin, Ph. 2131.
Donation Rodin, 1916.

105

107.

ANONYME

*Balzac, étude drapée
avec un capuchon
et un jabot de dentelle*
1897

Épreuve sur papier albuminé.
H. 15,1 ; L. 9,4 cm.

Musée Rodin, Ph. 2132.
Donation Rodin, 1916.

106

107

108.

D. FREULER

(actif à Paris entre 1884 et 1897)

*La robe de chambre
de Balzac en cours
de moulage*

1897

Épreuve sur papier salé.
H. 20,3 ; L. 12,9 cm.

Musée Rodin, Ph. 1209.
Donation Rodin, 1916.

109.

D. FREULER

(actif à Paris entre 1884 et 1897)

*La robe de chambre
de Balzac en cours
de moulage*

1897

Épreuve sur papier salé.
H. 20,3 ; L. 13,1 cm.

Musée Rodin, Ph. 1210.
Donation Rodin, 1916.

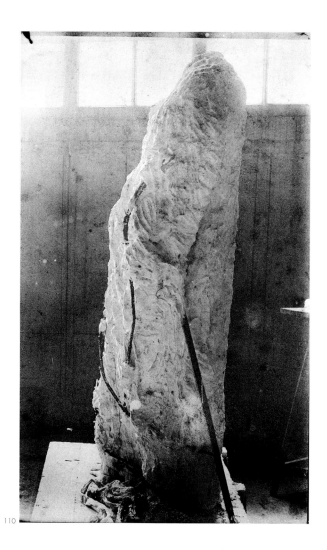

110.

D. FREULER

(actif à Paris entre 1884 et 1897)

*La robe de chambre
de Balzac en cours
de moulage*

1897

Épreuve sur papier salé.
H. 20,4 ; L. 12,7 cm.

Musée Rodin, Ph. 1111.
Donation Rodin, 1916.

111.

D. FREULER

(actif à Paris entre 1884 et 1897)

*La robe de chambre
de Balzac en cours
de moulage*

1897

Épreuve sur papier salé.
H. 25,1 ; L. 18 cm.

Musée Rodin, Ph. 266.
Donation Rodin, 1916.

112.

Auguste RODIN

Balzac, robe de chambre
1897

Plâtre. Épreuve issue d'un moule
à creux-perdu comme l'indique
la couture unique visible tout le long
du profil. Techniquement ce moulage
est assez énigmatique : Rodin a dû
installer une véritable robe de chambre
sur un corps qui faisait office
de portemanteau car il n'aurait
pu donner autrement le volume du dos,
des mollets, du bras et de la main
gauche sous-jacents. Le corps est
celui du *Balzac/Jean d'Aire* S. 416
(cat. 84), comme le montrent
la position des pieds, l'orientation
des épaules, le dessin du dos et
l'attitude générale. Il semble
cependant que le bras gauche est
plus plié, ce qui fait remonter
les mains sous la robe de chambre,
la main droite ayant d'ailleurs été
supprimée. Le volume du genou droit
a été également diminué.
Après avoir été mise en place
sur le corps, la robe de chambre
a été rigidifiée et isolée pour ne pas
accrocher dans le moule. Puis
le corps du modèle a été éliminé,
à l'exception des pieds. Ceux-ci
peuvent paraître trop gros
proportionnellement, mais ils ont
été recouverts de plusieurs couches
de plâtre lors des opérations de
moulage et de stabilisation. La robe
de chambre actuelle n'est sans doute
pas issue de ce premier moule,
car elle n'en présente aucun indice
(tel que des fils du tissu d'origine,
ou des restes du corps à l'intérieur),
mais plutôt d'un surmoulage de
la première épreuve.
Une série de photographies
(cat. 108 à 111) présente le moule
en cours de réalisation : on
remarque une découpe, au dos,
au travers de laquelle on voit
la continuation du rideau qui sert
de fond. Cette découpe correspond
sur le plâtre à une zone où il n'y a
pas eu de prise d'empreinte et
où la trame du tissu n'est donc pas
reproduite. Elle a servi sans doute au
moment de la réalisation du moule.
La photographie montre également

que le pan gauche du col n'a pas
été moulé, et on note à cet endroit
sur le plâtre une découpe
approximative.
Le tirage a été fait d'un seul tenant
pour la face. Le revers, en revanche,
a été partiellement découpé,
peut-être pour permettre le
positionnement de l'armature
intérieure en bois. L'ensemble a été
fixé ensuite sur un plateau boisé,
fabriqué préalablement.
H. 148 ; L. 57,5 ; P. 42 cm.
Non signé, non daté.

Exposition
1950, Paris, musée Rodin, n° 35.

Bibliographie
1901, 31 décembre, Frollo, Jean ;
1903, Cladel, Judith, p. 94 ; 1952,
Goldscheider, Cécile, pp. 43, 44 ;
1963, Grand, P. M., pp. 25,
28 ; 1967, Descharnes, Robert
et Chabrun, Jean-François, p. 171 ;
1967, Spear, Athena T., pp. 26,
28, 92 ; 1973, Elsen, Albert E.,
pp. 33, 53 ; 1976, Tancock,
John L., pp. 441, 459 ; 1985,
Goldscheider, Cécile, p. 8 ; 1988,
Grunfeld, Frederic V., p. 404 ;
1989, Hargrove, June, p. 238 ;
1993, Butler, Ruth, p. 302 ; 1993,
Jarrassé, Dominique, pp. 154,
155 ; 1993, Néret, Gilles, p. 68 ;
1997, Le Normand-Romain,
Antoinette, p. 102 (Flammarion).

Musée Rodin, S. 146.
Donation Rodin, 1916.

112

113.

Auguste RODIN

Balzac, robe de chambre
1897

Esquisse, terre cuite ocre, reprise
au plâtre et recouverte d'un badigeon
rouge. Certains détails, tels que
le pan du col droit, ou la retombée
des plis et des manches, sont
si proches de la robe de chambre
grandeur nature qu'il semble difficile
de croire qu'elle a été réalisée
avant celle-ci. La robe de chambre,
dont la réalisation n'a pu
qu'avoir été très compliquée,
devait apparaître comme un objet
particulièrement précieux aux yeux
de Rodin qui prit soin de faire
aussi photographier le moule :
on peut imaginer que, pour cette
raison, il en modela l'esquisse dans
un second temps, comme il devait
d'ailleurs le faire pour l'une des
dernières études de la tête
(cat. 100). Peut-être aussi cette terre
lui servit-elle de guide lors de
la réalisation des derniers modèles
pour lesquels il lui fut nécessaire de
passer encore par des étapes
de modelage.
H. 30,2 ; L. 12,5 ; P. 11,5 cm.
Non signé, non daté.

Exposition
1962-1963, Paris, musée du
Louvre, n° 229.

Bibliographie
1963, Elsen, Albert E., p. 96 ;
1967, Spear, Athena T., pp. 26,
27, 92 ; 1973, Elsen, Albert E.,
pp. 34, 53 ; 1976, Tancock,
John L., pp. 441, 459 ; 1985,
Goldscheider, Cécile, p. 9.

Musée Rodin, S. 259.
Donation Rodin, 1916.

113

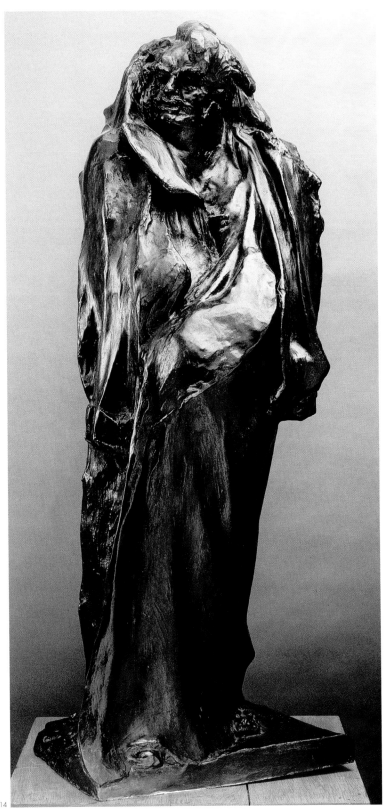

114

114.

Auguste RODIN

Balzac, avant-dernière étude, avec un large revers au bord de la robe de chambre

1897

Bronze. Ce modèle est le résultat d'un travail dont on a peine à imaginer les étapes, mais au cours duquel le *Nu en athlète* (cat. 91 ; on en reconnaît le mouvement des épaules et l'écartement des pieds) fut basculé en arrière pour s'adapter à la robe de chambre qui, elle, avait été réalisée à partir du *Balzac/Jean d'Aire* (cat. 85) : l'aplomb de la figure et la construction des plis correspondent bien en effet au plâtre S. 146 (cat. 112). Cette étude se caractérise par un large revers au bord de la robe de chambre,

un col très important et une manche gauche en haut de laquelle on sent une ampleur de tissu qui disparaîtra par la suite. À la différence de la *Robe de chambre* en plâtre qui tombe droit, un pan de tissu avançant devant le pied droit semble indiquer un mouvement de marche, tandis que la manche droite se fond dans l'ampleur du vêtement.
H. 110,5 ; L. 49,5 ; P. 43,5 cm.
Signé sur la gauche de la base : *A. Rodin*. Inscription : *Alexis RUDIER/Fondeur. PARIS.*

Catalogues

1938, Grappe, Georges, n° 244 ; 1944, Grappe, Georges, n° 279.

Expositions

1950, Paris, musée Rodin, n° 36 ; 1950, Orléans, musée, n° 6 (bronze qui, malgré la reproduction pl. 1, ne peut être l'*Étude finale* car celle-ci n'a été fondue qu'en 1972) ; 1967, Rome, Académie de France, n° 62 ; 1970, Londres, Hayward Gallery, n° 58 ; 1979, Milan, Palazzo della Permanente, n° 187 ; 1994, Dijon, musée Magnin, n° 25 ; 1996, Paris, Espace Électra, p. 181.

Bibliographie

1964, Goldscheider, Cécile, pl. 11 ; 1967, Spear, Athena T., pp. 26, 28, 92, 93 ; 1973, Elsen, Albert E., pp. 35, 53 ; 1976, Tancock, John L., pp. 425, 430, 441, 453, 454 ; 1985, Goldscheider, Cécile, p. 9 ; 1992, Laurent, Monique, p. 74.

Autres exemplaires

– Plâtres : musée Rodin, S. 2848 (H. 110,9 ; L. 49,5 ; P. 45,5 cm ; fig. 145), patiné ocre-rouge (gomme laque ?), peut-être original car on ne décèle aucune trace de couture et le détail des volumes est incisif. Ce plâtre a sans doute servi de modèle pour l'épreuve S. 3304 et il semble qu'il ait été également utilisé pour des fontes (sable de fonderie dans les creux et à l'intérieur). S. 3304 (H. 110,5 ; L. 49,5 ; P. 45,5 cm), enduit de gomme laque de teinte

ocre-rouge : modèle de fonderie ayant servi aux fontes Georges Rudier : deux abattis réalisés sur les bords de la robe de chambre sont en effet emballés dans un journal daté du 20 mars 1962, ce qui correspond à la date des dernières fontes.
– Bronzes, fonte Alexis Rudier : Philadelphie, Rodin Museum (4e commande de Jules Mastbaum, novembre 1925, livré en 1926) ; Zurich, Kunsthaus (inv. 1968/60, donné en 1968 par Werner et Nelly Bär qui l'avaient acquis en 1948).
– Bronzes, fonte Georges Rudier, édition de dix exemplaires par le musée Rodin entre 1950 et 1961 : n° 5/12, © 1955, Stellenbosch, Peter Stuyvesant Foundation ; n° 6/12, © 1956, Gelsenkirchen, Städt Kunstsammlung ; n° 8/12, © 1958, Göteborg, Göteborgs Konstmuseum (inv. SK 477) ; n° 10/12, © 1961, Tokyo, musée national d'Art occidental (inv. S-62-1) ; n° 11/12, © 1961, Cologne, Wallraf Richartz Museum (inv. SK 229, acquis en 1962 de la galerie Anne Abels de Cologne) ; n° 12/12, fondu en 1962, Edmonton Art Gallery, Canada (inv. 78. 7. 1, don de Westburne International Industries, 1978, provenant de la Dominion Gallery de Montréal).

Musée Rodin, S. 1072.
Sans doute fondu pour les collections du musée vers 1925.

fig. 145
Auguste Rodin
Balzac, avant-dernière étude avec un large revers au bord de la robe de chambre
1897, plâtre
Musée Rodin, S. 2848

115.

Auguste RODIN

Balzac, variante de l'étude finale, avec cravate et amorce de capuchon sur l'épaule gauche

1897

Modèle original. Plâtre. Il s'agit d'une épreuve d'une grande acuité, issue d'un moule à pièces (les coutures sont visibles sur la face et autour des mains ; ailleurs elles ont été effacées) puis retravaillée : pour la première fois est comblé le creux à l'arrière de la tête. Le revers de la robe de chambre, devant, a été supprimé, de même que le grand col à droite ; la manche gauche a été aplatie et le bas du vêtement repris, ainsi que la terrasse dont la forme a été modifiée. Elle a été moulée pour servir de point de départ à S. 2846 (cat. 116), puis de nouveau retravaillée (élargissement de la partie inférieure du manteau, ajout d'une partie de col – amorce de capuchon ? – sur l'épaule gauche).
H. 109,5 ; L. 47,1 ; P. 37 cm.
Non signé, non daté.

Expositions

1933, Paris, musée du Louvre, pavillon de Marsan, n° 925 ; 1950, Paris, musée Rodin, n° 37.

Bibliographie

1967, Spear, Athena T., fig. 45a, p. 93 : 1976, Tancock, John L., pp. 441, 459.

Musée Rodin, S. 182.
Donation Rodin, 1916.

115

116.

Auguste RODIN

Balzac, étude finale
1897

Plâtre couvert d'un agent démoulant
qui a plus ou moins imprégné
la surface et permet donc de
reconstituer le jeu des pièces :
cette épreuve a en effet servi à la
fabrication du moule dont sont issus
les plâtres S. 2847 et S. 3148,
celui-ci étant probablement le modèle
de fonderie à partir duquel ont été
réalisées les fontes Georges Rudier.
Première épreuve à offrir l'aspect
définitif de la figure, elle porte des
coups de crayon correspondant sans
doute à des repères de mouleur
et a été "beurrée" avant le moulage
de façon à faciliter celui-ci ou peut-être
dans le souci de gommer des détails
jugés superflus.
Par rapport au plâtre précédent
S. 182, les différences les plus
importantes consistent dans l'absence
de la cravate et d'une partie de col
supplémentaire sur l'épaule gauche
(le reste du capuchon ?), tandis que
la liaison se fait mieux entre le bas
de la manche droite et le corps
du vêtement. Le bas de la robe de
chambre, qui était animé d'un
mouvement dissymétrique, à vrai dire
gratuit, qui le déportait sur la droite
de la figure dans S. 182, a retrouvé
ce qui était probablement sa forme
d'origine, plus simple, et la base a été
ramenée au carré (traces de râpe
visibles sur les trois plâtres du musée
Rodin). Enfin, la chevelure a pris plus
d'importance, en particulier derrière
l'oreille gauche et à l'arrière, les plans
eux-mêmes étant cependant simplifiés.
H. 109 ; L. 44 ; P. 39 cm.
Non signé, non daté.

Bibliographie

1904, Alexandre, Arsène, p. 8 ;
1923, Gsell, Paul, p. 463 ; 1949,
Jourdain, Francis, pl. 39 ; 1950, exp.
Paris, musée Rodin, n° 38 (plâtre) ;
1964, Goldscheider, Cécile, pl. 12 ;
1967, Spear, Athena T., p. 93 ;
1973, Elsen, Albert E., pp. 56, 57,
cat. 44 ; 1976, exp. Paris, musée
Rodin, n° 3 ; 1976, Tancock, John L.,
pp. 441, 459 ; 1981-1982,
Jamison, Rosalyn F., p. 113 ; 1988,
Py, Geneviève, pp. 170, 310 à 312.

Autres exemplaires

– Deux autres plâtres au musée Rodin :
S. 3148 (H. 109 ; L. 44 ; P. 39 cm),
enduit de gomme laque et entaillé
par le couteau qui a délimité les
pièces du moule au sable : modèle
de fonderie. Et S. 2847 (H. 109 ;
L. 44 ; P. 39 cm) qui offre des coutures
correspondant à ce que l'on devine,
grâce aux différences de couleur,
de la forme des pièces sur S. 2846.
Il s'agit probablement d'un tirage
récent. Un quatrième plâtre se trouve
à l'hôtel de Massa (Société des gens
de lettres) à Paris. Il porte l'inscription
*Le musée Rodin a offert à la Société
des Gens de Lettres cette œuvre
de Rodin en souvenir du centenaire de
la mort de Balzac. 1950* (cf. Py,
1988).
– Bronzes, fonte Georges Rudier,
édition par le musée Rodin
de douze exemplaires, entre 1972
et 1976, en plus du n° 0 fondu
pour les collections du musée en
1972 (S. 474, H. 108,5 ; L. 43 ;
P. 38 cm ; fig. 146) : n° 1, © 1972,
New York, The Metropolitan Museum
of Art (inv. 1984.364.15, don Iris
et B. Gerald Cantor Art Foundation,
1984).

Musée Rodin, S. 2846.
Donation Rodin, 1916.

fig. 146
Auguste Rodin
Balzac, étude finale
Bronze
Musée Rodin, S. 474

116

117.

Auguste RODIN

Balzac monumental
1898

Plâtre patiné issu d'un moule
à pièces. Le tirage a été réalisé
en trois parties que des clefs
d'emboîtement permettent
d'assembler. Les coutures, sans
doute arasées, sont peu visibles.
Des traces de découpe apparentes
sur la surface montrent que ce plâtre
a servi à réaliser un moule, point
de départ d'une fonte, ce que vient
confirmer la présence de sable
dans plusieurs cavités, notamment
à l'arrière de la partie centrale.
H. 277,5 ; L. 116,2 ; P. 125,5 cm.
Non signé, non daté

Catalogues
1919, Bénédite, Léonce, n° 260 ;
1921, Bénédite, Léonce, n° 260 ;
1922, Bénédite, Léonce, n° 260 ;
1924, Bénédite, Léonce, n° 260 ;
1926, Bénédite, Léonce, n° 174 ;
1927, Grappe, Georges, n° 205 ;
1929, Grappe, Georges, n° 236 ;
1931, Grappe, Georges, n° 316 ;
1938, Grappe, Georges, n° 254 ;
1944, Grappe, Georges, n° 289.

Expositions
(plâtre, exemplaire indéterminé)
1898, Paris, Société nationale
des beaux-arts, n° 150 ; 1900,
Paris, pavillon de l'Alma, n° 90 ;
1901, Vienne, IXe Sécession
(hors catalogue) ; 1904, Düsseldorf,
Städtischen Kunstpalast, n° 1758
(s'agit-il du grand modèle ?) ; 1918,
Bâle ; Zurich ; Genève, n° 17 ; 1919,
Paris, Salon d'automne, n° 2706 ;
1924, Anvers, Salle des fêtes, n° 47 ;
1928, Paris, Salon d'automne, n°
2362 ; 1930, Bruxelles ; Amsterdam ;
La Haye, n° 58 ; Copenhague,
n° 78 ; 1950, Paris, musée
Rodin, n° 39.

Musée Rodin, S. 3151.
Donation Rodin, 1916.

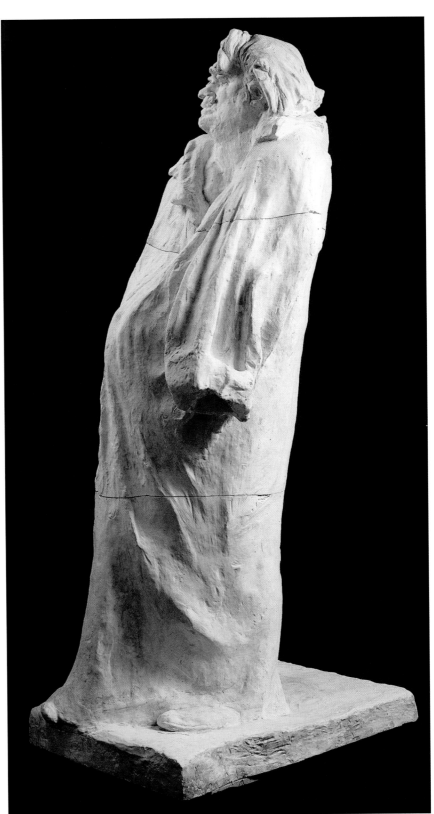

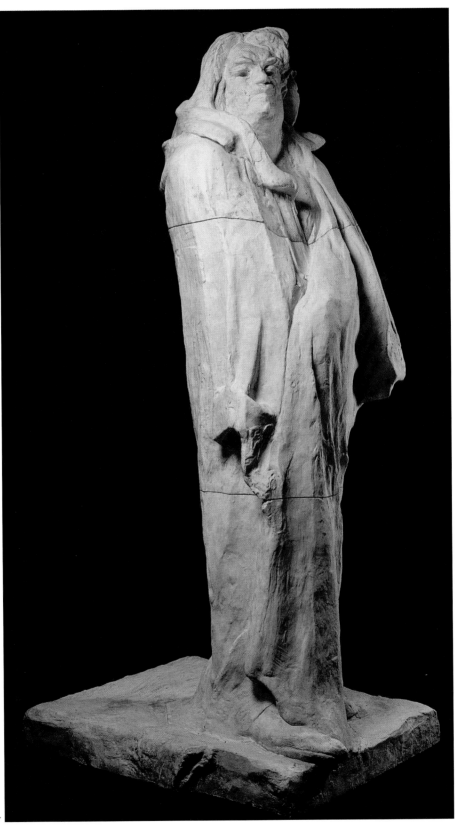

117

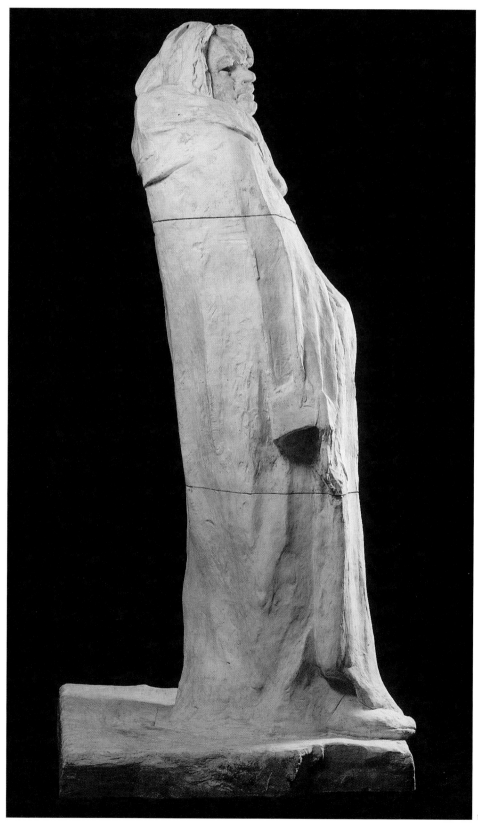

118

118.

Auguste RODIN

Balzac monumental
1898

Bronze.
H. 270 ; L. 120,5 ; P. 128 cm.
Signé à l'arrière de la terrasse :
A. Rodin.
Inscription à l'arrière : *Alexis Rudier/
Fondeur Paris.*

Catalogues
1948, Aubert, Marcel, pp. 12
(n° 28), 15 ; 1948, Aubert, Marcel
et Goldscheider, Cécile, p. 17 ;
1956, Aubert, Marcel et
Goldscheider, Cécile, p. 53.

Expositions
1953, Yverdon, Hôtel de Ville,
n° 97 ; 1960-1961, Paris, musée
national d'Art moderne, n° 592 ;
1961, Munich, Städtische Galerie,
n° 50 ; 1962-1963,
Paris, musée du Louvre, n° 230 ;
1967, Montréal ; 1970, Londres,
Hayward Gallery, n° 60.

Musée Rodin, S. 1296.
Fondu pour les collections du musée
probablement en 1935.

Bibliographie essentielle
(pour la bibliographie générale,
se reporter en fin d'ouvrage)

1898, 1er janvier, Mauclair,
Camille, pp. 22, 23 ; 1898,
19 mars, Chincholle, Charles ;
1898, 30 avril, Chincholle,
Charles ; 1898, 30 avril, Geffroy,
Gustave ; 1898, 1er mai, Geffroy,
Gustave ; 1898, 5 mai, Fontainas,
André ; 1898, 10 juin, Chincholle,
Gustave ; 1898, Alexandre,
Arsène ; 1898, Maillard, Léon,
pp. 4, 6, 7, 14 à 16, 71 à 74,
142, 156 ; 1899, 15 octobre,
Mourey, Gabriel ; 1899,
Rodenbach, Georges, p. 290 ;
1911, Rodin, Auguste, p. 235 ;
1918, Bénédite, Léonce, pp. 19,
22 ; 1918, Mauclair, Camille,
pp. 43 à 49 ; 1934,
15 décembre, Morhardt, Mathias,
pp. 463, 464, 467, 487 à 489 ;
1935, 15 juin, Cladel, Judith,
pp. 714 à 718, 721 ; 1952,
Brancusi, Constantin ; 1964, Caso,
Jacques de, pp. 278, 279 ; 1966,
Caso, Jacques de ; 1967,
Descharnes, Robert et Chabrun,
Jean-François, pp. 171, 175 ;
1967, Spear, Athena T., pp. 26,
29, 30, 93 ; 1973, Elsen,
Albert E. ; 1976, Tancock,
John L., pp. 425 à 459 ; 1977,
Caso, Jacques de et Sanders,
Patricia B., pp. 19 à 21, 231
à 236 ; 1980, Elsen, Albert E.,
pp. 10, 12, 14, 16, 25, 32,
fig. 110, 114 à 117 ; 1983,
Schmoll, gen. Eisenwerth, pp. 128,
129 ; 1986, Le Normand-Romain,
Antoinette, p. 381 (symbolisme) ;
1986, Pingeot, Anne, pp. 105,
106 (Skira) ; 1986, Pingeot, Anne,
Le Normand-Romain, Antoinette
et Margerie, Laure de, p. 238 ;
1988, Beausire, Alain, cf. index ;
1989, Hargrove, June, pp. 159,
160, 238, 239 ; 1990,
Pingeot, Anne, p. 229 (Citadelles) ;
1992, Martinez, Rose-Marie,
pp. 81, 82, 85 ; 1993, Butler,
Ruth, cf. index ; 1994, Levkoff,
Mary L., p. 111 ; 1995, Pingeot,
Anne, p. 85 (Scala) ; 1996, Vilain,
Jacques, dir., pp. 62 à 65 ; 1997,
Le Normand-Romain, Antoinette,
pp. 100 à 103 (Flammarion).

Autres exemplaires

1. Plâtres

– Deux plâtres au musée Rodin :
S. 163, déposé au musée d'Orsay
en 1986 (D. 1986-2, H. 275 ;
L. 121,5 ; P. 132 cm). Cet
exemplaire, issu d'un moule
à pièces, présente un aspect satiné
dû à la présence d'agents de
démoulage. Aucune trace de coutures
n'est visible, celles-ci ayant sans
doute été arasées. Des démarcations
horizontales, que l'on retrouve sur
l'exemplaire de Meudon (cat. 117),
partagent la figure en trois parties.
Des raccords de plâtre couvrant
partiellement ces démarcations ont
permis de sceller les trois morceaux.
On note par ailleurs de nombreuses
traces en creux, composant une sorte
de réseau qui parcourt la figure,
plus serré en bas et s'élargissant vers
le haut. Ce réseau, qui a dû servir
à l'élaboration d'un moule, n'apparaît
pas sur les autres exemplaires.
Et S. 5765, plâtre patiné, épreuve
de fonderie en trois morceaux.
– Un autre plâtre, offert par Rodin
à la Ville de Prague après l'exposition
de 1902, se trouvait à la Narodni
Galerie jusqu'en 1935, date à
laquelle il fut acquis par l'Association
des amis de la Galerie nationale
(inv. NG DP 1194). Ce plâtre
a servi à la réalisation exceptionnelle
d'un bronze.
– Partie supérieure, plâtre teinté,
musée Rodin, S. 5766 (H. 117,2 ;
L. 88,8 ; P. 82,2 cm ; fig. 147).
Il est peu probable que cette pièce
ait été conçue ainsi. Elle provient
sans doute d'une figure
monumentale, endommagée,
dont on n'aurait gardé que la partie
supérieure : la finesse du plâtre,
la coupe laissée brute, l'absence
de clefs permettant le remontage,
les nombreuses altérations
(enfoncements) qui laissent apparaître
par endroits la filasse vont dans
ce sens. Elle est couverte de deux
badigeons, le plus ancien composé
d'un liant huileux, proche d'un vernis
qui aurait pu être apposé pour
protéger la pièce lors d'expositions,
voire en extérieur. Le second, plus
récent, gris verdâtre, a sans doute
été appliqué pour masquer
les imperfections de la sculpture :
une couche de saletés sépare

en effet les deux badigeons. Mais
il peut s'agir aussi d'un
agrandissement raté de la figure
monumentale, que Rodin aurait
repris à sa guise, obtenant
une nouvelle œuvre en isolant
ce visage puissant.
Quoiqu'il en soit, et comme
pour *Les Bourgeois de Calais* réduits
à mi-corps, exposés en 1899, il
donna à ce fragment valeur d'œuvre
à part entière : une photographie
d'Eugène Druet, retouchée par
lui (cat. 119) et portant leurs deux
signatures, montre le buste sur une
selle de travail. On constate
cependant une légère différence
entre cet exemplaire et la figure
monumentale : la petite patte
qui vient fermer le haut du vêtement
se prolonge, sur l'exemplaire
reproduit, par une sorte de feuille
à trois lobes qui n'apparaît pas
sur les autres modèles.
Bien qu'un moule de cette pièce
(toujours conservé à Meudon)
ait été réalisé, aucun exemplaire
similaire n'est localisé. Georges
Grappe, conservateur du musée,
vit cependant en 1933, chez
un particulier, "un Balzac coupé
à mi-corps plâtre acquis d'un
M. Dupont de St Quentin : vendu
à un allemand qui durant la crise
du mark le revendit à ce M. Dupont"
(note d'un secrétaire, 1933 ;
correspondance Lebossé,
arch. musée Rodin). Ce plâtre
provenait, pensait-il, de Lebossé.

2. Bronzes

– Deux bronzes, fonte Alexis
Rudier : première fonte, Anvers,
musée d'Art en plein air
de Middelheim (inv. 2196, bronze
terminé le 24 janvier 1931,
inauguré le 12 avril de la même
année au musée royal
des Beaux-Arts, et déposé au musée
d'Art en plein air de Middelheim
en 1950) ; deuxième fonte, Paris,
angle des boulevards Raspail
et du Montparnasse (fondu au début
de 1936 ; inauguré le 1er juillet
1939, par Jean Zay, ministre
de l'Éducation nationale ; cf. chap. XII).
– Cinq bronzes, fonte Georges Rudier :
4/12, fondu en 1954, New York,
The Museum of Modern Art (offert
en mémoire de Curt Valentin par ses
amis, 1954) ; 6/12, fondu en

1966, Washington DC, Hirshhorn
Museum and Sculpture Garden
(Inv. 66. 4344, don de Joseph H.
Hirshhorn, 1966) ; 8/12, fondu
en 1966, Pasadena (Californie),
Norton Simon Inc. Museum of Art ;
10/12, © 1970, Hakone,
The Open-Air Museum (acquis en
1970) ; 11/12, © 1971, ancienne
coll. Kodak, Hemel Hampstead
(Grande-Bretagne), vente Sotheby's
New York, 13 mai 1998, n° 8.
– Cinq bronzes, fonte Susse : 5/12,
© 1965, Gemeente Eindoven,
Dienst MCZ/Afdeling (KC, inv. G 21,
acquis en 1965) ; 6/12, © 1967,
Melbourne, National Gallery of
Victoria (legs Felton, 1968) ; 9/12,
© 1967, Los Angeles County
Museum of Art (inv. 85. 267, don
de la fondation B. Gerald Cantor,
1973) ; 12/12, © 1970, Caracas,
Centre culturel Consolidado (acquis
en 1991). Une autre fonte se
trouve au Fort Worth Art Center.
– Un bronze supplémentaire,
fonte LII Franta Bartak Praha,
à Prague, Galerie nationale
(inv. NG P 5962) : fondu en 1970
à partir du plâtre monumental donné
par Rodin à la Ville de Prague
en 1902, avec l'accord du musée
Rodin qui avait posé deux
conditions : "qu'il soit gravé sur
le socle une inscription rappelant le
caractère exceptionnel
de l'autorisation et que l'épreuve
soit examinée par Mme Goldscheider
au moment de sa réception"
(conseil d'administration du musée
Rodin, 22 octobre 1968).

Après son refus par la Société des gens de lettres, le grand plâtre trouva refuge à Meudon : une photographie publiée en 1899 le montre dans l'atelier de la villa, puis au cœur de l'œuvre, dans le pavillon de l'Alma que Rodin avait fait reconstruire à Meudon en 1901 après la fermeture de l'exposition. Il l'en fit sortir à la fin de l'été 1908 pour être photographié par Eduard Steichen (cat. 158 à 165) : "Au milieu d'un vaste enclos [qui] jouxte la villa des Brillants et son jardin trop resserré [...] le *Balzac* se dressait en plein air, sur un socle improvisé. En cet isolement, sa beauté insolite prenait un caractère effrayant, je ne sais quoi qui poignait et troublait le cœur, quelque chose qui n'appartenait pas à la terre" (Cladel, 1935, 15 juin, p. 717). Il semble qu'il le laissa ensuite à l'extérieur, dans ce cadre naturel qu'il aimait tant. Le 4 juillet 1909, Maurice Baud, secrétaire de Rodin, écrivait en effet à Eduard Steichen : "si vous aviez le désir de photographier le *Balzac*, il est actuellement dehors, dans la prairie, à votre disposition" (arch. musée Rodin). Et en 1910, alors que Scholl se rendait à Versailles par le train, "quelle ne fut pas [sa] surprise en découvrant sur cette colline dénudée [où s'élève la villa de Rodin] la statue imposante du *Balzac*, le regard tourné vers Paris" (Aurélien Scholl, *La Flamme*, 20 juin 1910).

Pendant toute cette période, le plâtre ne fut exposé avec certitude qu'une seule fois : en 1900. Rodin refusa en effet de l'envoyer au Salon de la Libre Esthétique de 1899 à Bruxelles (Rodin à Constantin Meunier, septembre 1898 ; arch. musée Rodin) ; en 1899, il le présenta par l'intermédiaire d'une photographie (cat. 134) dans l'exposition itinérante organisée en Belgique et aux Pays-Bas. Sans doute lui fallait-il un réel courage pour oser montrer de nouveau cette œuvre qui avait été cause d'un tel scandale. L'exposition au pavillon de l'Alma en 1900 en fut pour lui l'occasion : *Balzac* s'y dressait sur un socle, dans la perspective même de l'entrée. On ne pouvait l'ignorer, il semblait attendre et guetter le public. Par la suite, le plâtre fut sans doute présenté à Vienne, en 1901, dans le cadre de la Sécession, bien qu'il n'apparaisse sur aucune des photographies prises alors. La même année Rodin renonça à l'exposer à la Biennale de Venise, considérant qu'il serait mal compris par les Italiens, et il ne montra qu'une tête (*cf.* cat. 144). *Balzac* n'était pas davantage présent à Prague en 1902, alors qu'il était reproduit sur l'affiche. En revanche on le vit peut-être à Düsseldorf en 1904 et il fut encore question, mais sans succès, de le montrer au Salon d'automne de 1908 : Camille Lefèvre, responsable de l'organisation du Salon, avait proposé de l'entourer "de toutes les tentatives, essais, études préliminaires qui vous ont conduit à la création de la statue définitive. Ne pensez-vous pas qu'il y aurait là une leçon admirable donnée au public intelligent (et même aux artistes) ceci est le point important" (17 août 1908 ; arch. musée Rodin).

Il fallut donc attendre la première grande rétrospective consacrée à Rodin, à Bâle, en 1918, pour le voir à nouveau. Il figura ensuite aux Salons d'automne de 1919, 1928 et enfin de 1937 où il apparut en bronze. C'est le bronze qui fut érigé, deux ans plus tard, à l'angle des boulevards Raspail et du Montparnasse.

En 1919, année de l'ouverture du musée Rodin, deux exemplaires en plâtre étaient exposés à l'hôtel Biron, l'un dans le jardin, l'autre dans la chapelle qui faisait office de musée monumental et regroupait alors les grandes figures et monuments en plâtre : *Balzac* y prit place à côté de *La Porte de l'enfer*, des *Bourgeois de Calais* ou d'*Ugolin*, s'érigeant "fantomatique, dans une petite chapelle dont la voûte trouée lui verse un jour mystérieux" (Gustave Babin, 1919, p. 119), tandis que demeuraient à Meudon les esquisses et études préparatoires, ainsi que les petites œuvres nées des recherches plus intimes du sculpteur. En 1921, un seul exemplaire, en plâtre, était mentionné à Paris, un autre à Meudon.

Les années 1920 virent se préciser les projets de fonte. La fonte du *Balzac* représentait un enjeu important : c'était donner une forme définitive à l'œuvre refusée et tellement raillée ; c'était, pour Rodin, l'occasion d'être enfin reconnu. En 1898, il avait rejeté plusieurs propositions, voulant rester maître de son œuvre (*cf.* chap. III, IX et X). En 1905, Hébrard avait évoqué la possibilité d'une fonte : "Si vous donniez suite à l'idée que vous aviez l'autre jour de fondre le 'Balzac' et si vous vouliez le voir au Salon prochain, il serait bon de commencer le plus tôt possible" (A. A. Hébrard à Rodin, 18 novembre 1905 ; arch. musée Rodin) ; mais ce projet n'aboutit pas davantage que la souscription envisagée en novembre 1908 : André Castagnou avait demandé à Rodin, "maintenant que le comité est constitué qu'une grande revue s'occupe des souscriptions [...] de bien vouloir m'indiquer le prix auquel vous céderiez le Balzac. Je crois d'après ce que l'on m'a dit qu'il serait bien difficile

fig. 147
Auguste Rodin
*Balzac monumental,
partie supérieure*
Plâtre
Musée Rodin, S. 5766

de dépasser 6 ou 7 000 f" (arch. musée Rodin). "Nous aurons à reparler de toute cette affaire qui demande réflexion. Je vous demande un nouveau délai", répondit Rodin le 12 novembre (*cf.* Rodin, *Correspondance*, t. III, 1987, n° 52). La question se posa de nouveau en 1912, la Ville de Mannheim ayant voulu acquérir un bronze pour le musée municipal : dans sa réponse à Rilke, qui lui avait transmis la demande du directeur du musée, le Dr Wickert, Rodin réaffirma très clairement ne pas vouloir vendre le grand *Balzac* à l'étranger tant que celui-ci ne serait pas reconnu en France : "Il faut donc que je vende mon Balzac à Paris, d'abord ; et il est possible que cette circonstance favorable se présente bientôt" (12 octobre 1912 ; *cf.* Rodin, *Correspondance*, t. III, 1987, p. 217). Il serait tentant de rapprocher cette "circonstance favorable" d'une lettre de Gustave Geffroy à Rodin simplement datée du 10 juillet : "J'écris à tous ceux qui pourront peut-être intervenir pour vous, à la Ville. J'ai vu M. Georges Leygues. Très bien disposé, complètement acquis à vous. que faudrait-il faire à votre avis ? Si vous êtes repoussé, ne pourrait-on réunir des amateurs, constituer un fonds de garantie, louer un terrain, construire un baraquement ? vous rentreriez sûrement dans vos débours" (arch. musée Rodin). Mais, une fois encore, rien ne se fit.

Après la mort de Rodin, le musée entreprit de faire fondre un certain nombre de grands modèles qui ne l'avaient pas encore été. Dès 1926, il fut question de réaliser un bronze du *Balzac*, et de l'installer à Meudon, devant le musée qui devait remplacer l'ancien pavillon de l'Alma, "sur une grande terrasse regardant la Seine" (conseil d'administration, 8 juillet 1926). Cependant, en 1928 se constituait un "groupe d'hommes de lettres" soucieux de doter enfin Paris du *Balzac*. Ce projet, transmis au musée par la Société des gens de lettres, resta sans suite. Mais deux ans plus tard, avant même que le projet de Meudon n'ait abouti, le musée royal d'Anvers se montra désireux d'acquérir un exemplaire du *Balzac*, et c'est alors qu'en dépit de la lettre de Rodin à Rilke de 1912 fut réalisé le premier exemplaire. Si, au lendemain du Salon de 1898, Edmond Picard avait essayé en vain d'obtenir que *Balzac* prît place à Bruxelles, c'est bien la Belgique, pays cher à Rodin, qui reconnut la première la valeur de cette œuvre que l'artiste considérait comme "le résultat de toute [sa] vie".

En 1935, lorsqu'un nouveau projet de souscription pour l'érection du *Balzac* à Paris fut présenté au musée par Georges Lecomte, Mathias Morhardt et Judith Cladel (*cf.* chap. XII), le bronze destiné à Meudon n'était toujours pas fondu. Le deuxième bronze ne devait l'être en effet qu'à la fin de l'année ou au début de l'année suivante : "Le conseil d'administration a fait fondre pour le musée 'une Porte de l'Enfer' et un 'Balzac', les deux chefs-d'œuvre du maître devaient être exécutés en matière définitive" (rapport présenté par le conseil d'administration au ministre des Finances, en réponse aux notes des 10 janvier et 15 février 1936). C'est sans doute cet exemplaire qui fut exposé au Salon d'automne de 1937, puis placé au carrefour Vavin deux ans plus tard. Le troisième bronze, celui du musée, fut probablement réalisé peu après, en 1936. Et quoiqu'il n'apparaisse que tardivement dans les catalogues du musée Rodin, et qu'en 1941 Georges Grappe ait encore rappelé son désir de voir installer à Meudon, "en dépit des circonstances", le *Balzac* "qu'il a depuis si longtemps déjà fait couler dans ce dessein" (conseil d'administration du 20 juin 1941), il ne semble pas avoir jamais pris place à Meudon.

"Le *Balzac* est si grand qu'il ne peut passer aucun seuil, Rodin seul a pu le recueillir" (discours de Bourdelle à l'occasion du banquet Carrière en 1904 ; *cf.* Bourdelle, 1937, p. 203). Bourdelle, comme Soudbinine (fig. 148), avait en effet senti très tôt l'importance de cette œuvre dans l'évolution de la sculpture au XXe siècle. De cette importance ont témoigné à leur tour les panoramas de la sculpture contemporaine offerts par le parc de sculptures de Hakone au Japon, ou l'exposition *Les Champs de la sculpture*, à Paris, en 1996 : *Balzac* y est apparu comme le principe générateur des réalisations de Brancusi, César, Calder ou Giacometti. Brancusi, qui est l'un de ceux qui subirent profondément l'influence de Rodin, tout en ayant absolument voulu lui échapper, le reconnut explicitement dans son "Hommage à Rodin" (*Quatrième Salon de la Jeune Sculpture*, Paris, 1952) en affirmant que *Balzac* "reste le point de départ incontestable de la sculpture moderne". Mais, ajouta-t-il, alors qu'il venait de le terminer, Rodin déclara : "C'est maintenant que je voudrais commencer à travailler." Brancusi soulignait ainsi, comme Rilke, "cette jeunesse, ce don d'avoir sans cesse autre chose, sans cesse mieux à dire [qui sont] sans équivalent dans l'histoire humaine" (*cf.* Rilke à sa femme, 2 septembre 1902) : ce qui est peut-être le plus bel hommage qu'un artiste puisse rendre à un autre artiste.

fig. 148
Séraphin Soudbinine
(1849-1917)
Rodin taillant le Balzac
(plâtre exposé au Salon de la
Société nationale des beaux-arts
de 1910, publiée dans *Pall Mall
Gazette*, 27 avril 1910)

118

119

119.
Eugène DRUET
(Paris, 1868 – Paris, 1916)

*Balzac dans l'atelier
du Dépôt des marbres*
vers 1898

Épreuve sur papier argentique.
H. 39,5 ; L. 29,8 cm.

Expositions
1996-1997, Saragosse ; Palma,
n° 55.

Bibliographie
1980, Elsen, Albert E., p. 131.

Musée Rodin, Ph. 378.
Donation Rodin, 1916.

120.

Auguste RODIN

Étude d'après Balzac
Homme drapé dans
sa robe de chambre
après 1898

Plume et encre brune sur papier
crème.
H. 27,2 ; L. 16,7 cm.

Catalogue
1984-1992, Judrin, Claudie, t. IV
(1984), repr.

Expositions
1930, Bruxelles, palais
des Beaux-Arts ; La Haye, Gemeente
Museum voor Moderne Kunst,
n° 116 ; 1937, Paris, pavillon
des Salons, n° 1918 ; 1940,
Paris, musée de l'Orangerie,
n° 93 ; 1948, Bâle, Kunsthalle,
ill. couverture ; 1976, Paris, musée
Rodin, n° 11 ; 1980, Vienne,
Orangerie-Galerie. Palais
Auersperg, n° 27 ; 1984-1985,
Münster ; Munich, n° 100 ; 1994,
Dijon, musée Magnin, n° 26.

Bibliographie
1950, Goldsheider, Cécile,
in exp. Paris, musée Rodin,
ill. couverture ; 1980,
Champigneulle, Bernard, p. 186,
repr. ; 1988, Laurent, Monique,
p. 114, repr.

Musée Rodin, D. 5329.
Donation Rodin, 1916.

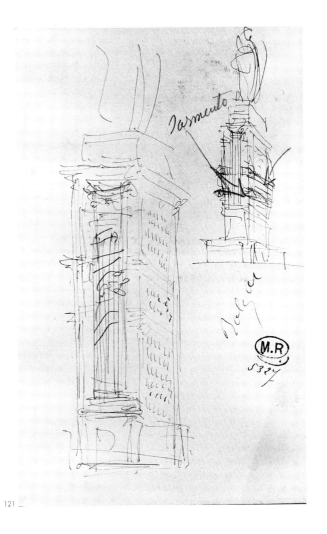

121

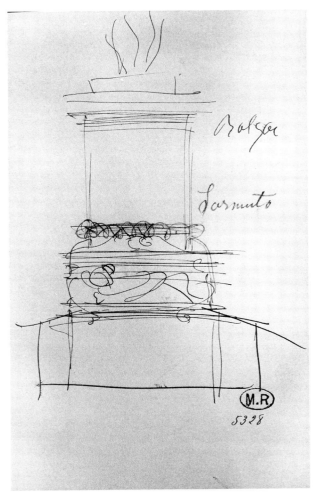

122

121.

Auguste RODIN

Deux projets de piédestal pour Balzac et pour le Monument à Sarmiento

entre 1894 et 1898

Mine de plomb, plume, et encre brune sur papier crème filigrané.
H. 17,7 ; L. 11,4 cm.
Annoté à la mine de plomb et à la plume, sur la droite : *Sarmiento. Balzac.*

Catalogue
1984-1992, Judrin, Claudie, t. IV (1984), repr.

Expositions
1976, Paris, musée Rodin, n° 9 ;
1989, Buenos Aires, Fundacion San Telmo, n° 17.

Musée Rodin, D. 5327.
Donation Rodin, 1916.

122.

Auguste RODIN

Projets de piédestal pour Balzac et pour le Monument à Sarmiento

entre 1894 et 1898

Mine de plomb, plume et encre brune sur papier crème filigrané.
H. 17,5 ; L. 11,5 cm.
Annoté à la mine de plomb et à la plume, sur la droite : *Balzac. Sarmiento.*

Catalogue
1984-1992, Judrin, Claudie, t. IV (1984), repr.

Exposition
1989, Buenos Aires, Fundacion San Telmo, n° 18.

Bibliographie
1984, Güse, Ernst-Gerhardt, p. 218, n° 24, repr.

Musée Rodin, D. 5328.
Donation Rodin, 1916.

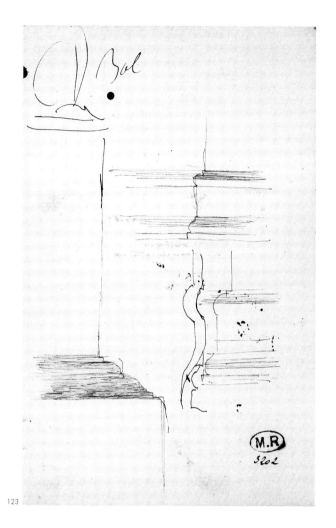

123

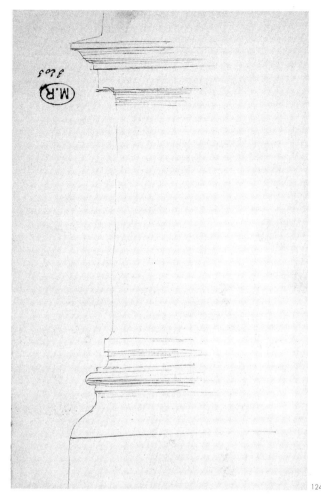

124

123.

Auguste RODIN

*Projet de piédestal
pour Balzac*

entre 1894 et 1898 ?

Plume et encre brune sur papier
crème.
H. 17,7 ; L. 11,6 cm.
Annoté à la plume et encre brune,
en haut à gauche : *Bal.*

Catalogue
1984-1992, Judrin, Claudie, t. III
(1985), repr.

Musée Rodin, D. 3202.
Donation Rodin, 1916.

124.

Auguste RODIN

*Projet de piédestal
pour Balzac ?*

entre 1894 et 1898 ?

Plume et encre brune sur papier
crème.
H. 17,7 ; L. 11,4 cm.

Catalogue
1984-1992, Judrin, Claudie, t. III
(1985), repr.

Musée Rodin, D. 3203.
Donation Rodin, 1916.

125.

Auguste RODIN

Moulure d'un socle
pour Balzac ?

entre 1894 et 1898 ?

Plume et encre brune sur papier
crème filigrané.
H. 17,7 ; L. 11,7 cm.
Annoté à la plume, vers le haut : *B.*

Catalogue
1984-1992, Judrin, Claudie, t. III
(1985), repr.

Musée Rodin, D. 3 227.
Donation Rodin, 1916.

126.

Auguste RODIN

Deux projets de
piédestal pour Balzac

entre 1894 et 1898 ?

Plume et encre brune sur papier
crème filigrané.
H. 17,7 ; L. 23 cm.
Annoté à la mine de plomb, en haut
et au centre : *Balzac. très beau.*

Catalogue
1984-1992, Judrin, Claudie, t. III
(1985), repr.

Musée Rodin, D. 3255.
Donation Rodin, 1916.

127.

Auguste RODIN

Moulures de socle
pour Balzac ?

entre 1894 et 1898 ?

Plume et encre brune sur papier
crème filigrané.
H. 17,8 ; L. 11,4 cm.

Catalogue
1984-1992, Judrin, Claudie, t. III
(1985), repr.

Musée Rodin, D. 3226.
Donation Rodin, 1916.

128.

Auguste RODIN

Moulures de socle
pour Balzac

entre 1894 et 1898 ?

Mine de plomb et encre brune
sur papier crème filigrané.
H. 17,6 ; L. 20,4 cm.
Annoté à la plume et encre brune,
sur la droite : *Balzac. base.*
Au verso, à la plume et encre brune,
profils de moulures.

Catalogue
1984-1992, Judrin, Claudie, t. III
(1985), repr.

Musée Rodin, D. 3356.
Donation Rodin, 1916.

129.

Auguste RODIN

Études de socle
pour Balzac

vers 1897-1898 ?

Mine de plomb sur papier crème.
H. 17,5 ; L. 21,2 cm.
Annoté à la mine de plomb,
à gauche : *bon.*
Au verso, à la mine de plomb, projet
pour un monument, et, à la plume,
lettre du 22 janvier 1897 signée
Auguste (Beuret à son père Auguste
Rodin) :
Caen le 22.01.97/Rend moi
réponse le plus tos possible je t'en
serait reconnaissant/Cher Père/
Je t'écris ces quelques lignes pour
te demander encore un service jusqu'à
mon renvoi qui s'effectuera samedi
comme nous sommes en manœuvres
j'aurai encore besoin si toutefois
tu le peut de m'envoyer une pièce
de 5 fr. pour finir./Je t'en serai très
reconnaissant à la vie car je voudrais
rapporter quelque chose de la Ville
de Caen./J'espère que Maman Rose
va bien et toi aussi en attendant la
bonne réponse/Je te suis ton dévoué
à la vie/à samedi
en 8/Auguste/236 de ligne
18e section/Usine Tappé/Rue de la
Délivrande à Caen Calvados.

Catalogue
1984-1992, Judrin, Claudie, t. V
(1992), repr.

Musée Rodin, D. 7678.
Donation Rodin, 1916.

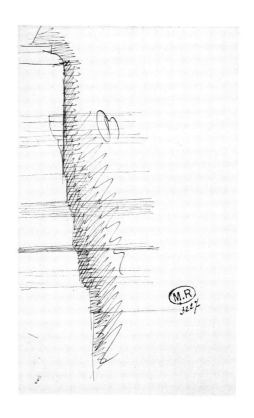

125

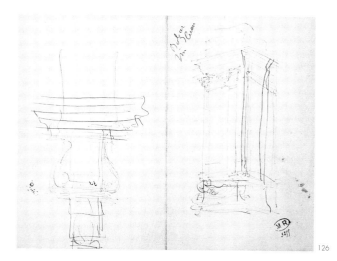

126

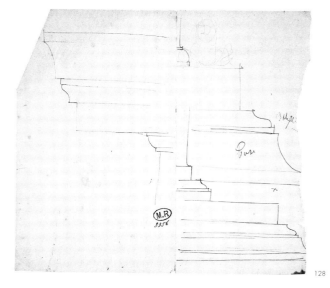

128

127

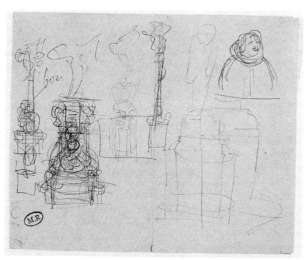

129

130

130.

Frantz JOURDAIN

(Anvers, 1847 – Paris, 1935)

Projet d'élévation du monument à Balzac

vers 1897 ?

Plume, encre de Chine et lavis gris
sur papier calque.
H. 32,7 ; L. 29 cm.
Annoté à la plume et encre
de Chine, sur le piédestal : *Honoré de Balzac.*

Bibliographie
1988, Beausire, Alain, p. 145, repr.

Musée Rodin, D. 9361.
Donation Rodin, 1916.

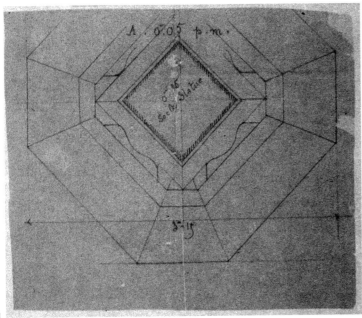

131

131.

Frantz JOURDAIN

(Anvers, 1847 – Paris, 1935)

Projet de coupe du socle du monument à Balzac

vers 1897 ?

Plume et encre de Chine
sur papier calque.
H. 14,5 ; L. 17,7 cm.

Bibliographie
1988, Beausire, Alain, p. 145,
repr.

Musée Rodin, D. 9363.
Donation Rodin, 1916.

132.

Eugène DRUET

(Paris, 1868 – Paris, 1916)

Balzac

vers 1898

Épreuve sur papier argentique.
H. 34,3 ; L. 18,2 cm.

Expositions
1986, Paris, musée Rodin,
n° 20 ; 1986-1987, Esslingen ;
Brême ; 1992-1993, Prague,
galerie de la Ville.

Bibliographie
1985, Pinet, Hélène, p. 42.

Musée Rodin, Ph. 1577.
Donation Rodin, 1916.

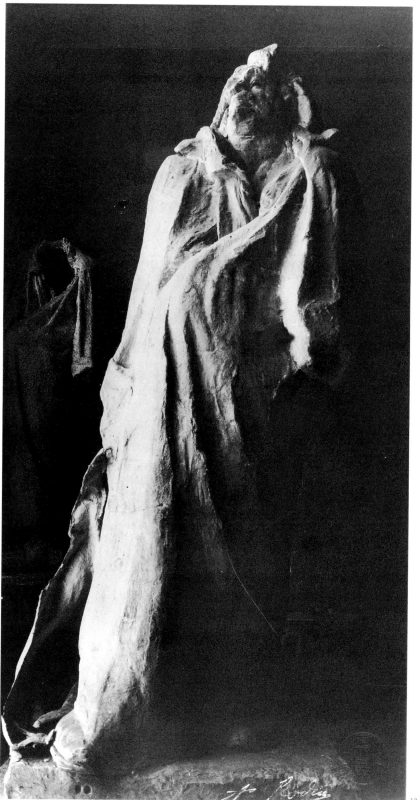

132

133.
Eugène DRUET
(Paris, 1868 – Paris, 1916)

Balzac
vers 1898

Épreuve sur papier argentique.
H. 39,9 ; L. 30 cm.

Exposition
1996, Avignon, palais des Papes,
cat. p. 117.

Musée Rodin, Ph. 3136.
Donation Rodin, 1916.

133

134.

Eugène DRUET

(Paris, 1868 – Paris, 1916)

*Balzac au Salon
de la Société
nationale
des beaux-arts*

1898

Épreuve sur papier argentique.
H. 39,5 ; L. 30 cm.

Expositions
1899, Bruxelles ; Rotterdam ;
Amsterdam ; La Haye, n° 67 ;
1986, Paris, musée Rodin, n° 59.

Musée Rodin, Ph. 1199.
Donation Rodin, 1916.

134

135.

Eugène DRUET

(Paris, 1868 – Paris, 1916)

*Balzac au Salon
de la Société
nationale
des beaux-arts*

1898

Épreuve sur papier argentique.
H. 39 ; L. 29,5 cm.

Expositions
1990, Sapporo, Museum
of Contemporary Art, n° 25,
cat. p. 113 ; 1995, Laren,
Singer Museum.

Musée Rodin, Ph. 677.
Donation Rodin, 1916.

135

136

136.

ANONYME

*Vue stéréoscopique
du Balzac au
Salon de la Société
nationale
des beaux-arts*
30 mai 1898

Aristotype.
H. 4,2 ; L. 12,3 cm.

Exposition
1988-1989, Paris, musée Rodin,
n° 20, cat. p. 37.

Musée Rodin, Ph. 267.
Donation Rodin, 1916.

137

137.

ANONYME

*Vue stéréoscopique
du Balzac
dans l'atelier*
23 octobre 1898

Épreuve sur papier albuminé.
H. 15,2 ; L. 16,3 cm.

Musée Rodin, Ph. 2256.
Donation Rodin, 1916.

138.

Eugène DRUET

(Paris, 1868 – Paris, 1916)

*Rodin dans son
atelier de Meudon*

1902

Épreuve sur papier argentique.
H. 25,3 ; L. 25 cm.

Exposition
1990, Paris, musée d'Orsay,
n° 265.

Musée Rodin, Ph. 203.
Donation Rodin, 1916.

138

139.

ANONYME

*Rodin dans son
atelier*

1899

Aristotype.
H. 16 ; L. 11,8 cm.

Musée Rodin, Ph. 708.
Donation Rodin, 1916.

139

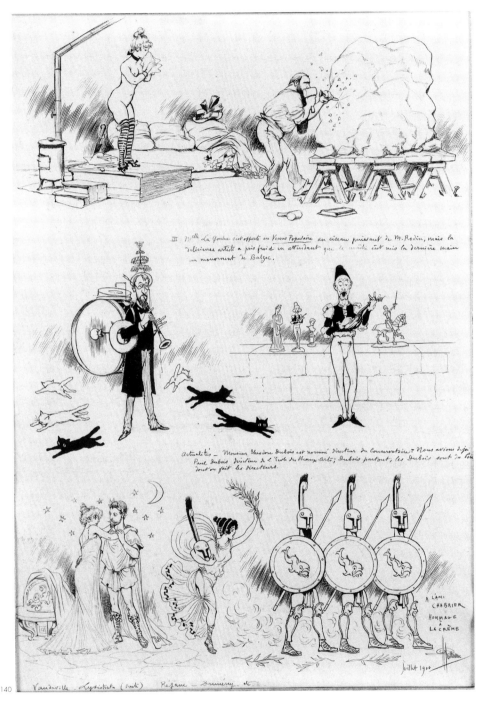

140

140.

Albert GUILLAUME

(Paris, 1873 – Faux, Dordogne,
1942)

Rodin et La Goulue

juillet 1900

Trois dessins superposés.
Plume et encre sur papier crème.
H. 39 ; L. 27,5 cm.
Signé, daté et dédicacé, en bas
à droite : *À l'ami Chabrier hommage
à la crème. A. Guillaume. juillet,
1900.*
Légende du premier dessin :
*Mlle La Goulue s'est offerte en
Vénus Populaire au ciseau puissant
de M. Rodin, mais la délicieuse
artiste a pris froid en attendant que
le maître eût mis la dernière main
au monument de Balzac.*

Musée Rodin, D. 7752.
Acquis à l'hôtel Drouot, salle 2,
n° 40, le 10 février 1992.

141.

Hans LERCHE

(Düsseldorf, 1867 –
Rome, 1920)

Un pas en avant

Plâtre patiné.
H. 22,1 ; L. 9,3 ; P. 10,1 cm.
Signé à l'arrière : *Hans Lerche* ;
non daté. Inscription sur le côté droit :
Un pas en avant.

Exposition
1990, Paris, musée Rodin, *Rodin
et la caricature*, n° 21.

Bibliographie
1898, 31 juillet, Un Domino,
Le Gaulois ; 1898, août, *Nouvelliste
de Rouen* ; 1967, Descharnes,
Robert et Chabrun, Jean-François,
p. 172 ; 1973, McGough,
Stephen, *in* Elsen, Albert E., pp. 60,

61 ; 1988, Grunfeld, Frederic V.,
pp. 406 à 409 ; 1992, Quesada,
Mario, *in L'Arte del Vetro*, pp. 185
à 193.

Autre exemplaire
– Plâtre patiné, Paris, Maison
de Balzac.

Musée Rodin, S. 6070.
Collection d'Auguste Rodin,
donation Rodin, 1916 ?

141

Fils de Vincent Stoltenberg Lerche, peintre norvégien établi en
Allemagne, Hans Lerche commence sa carrière comme apprenti
dans un atelier de céramique à Düsseldorf. En 1886, il part en Italie
pour y apprendre l'art de la sculpture qui le fascine mais il restera
malgré cela surtout célèbre pour ses objets d'art en céramique et
en verre qui feront de lui l'un des tenants de l'Art nouveau.

La présence de Lerche à Paris est attestée de 1890 (date à
laquelle il devient l'élève d'Eugène Carrière) à 1900, avant son
installation définitive à Rome. Il se fait connaître de la critique
parisienne en exposant trois sculptures et un vase au Salon de
1895. En 1898, l'année du *Balzac*, Lerche est représenté par
une vitrine de poteries et faïences.

Le modèle de cette statuette humoristique, qui se vendait
dans les rues de Montmartre, a vraisemblablement été exécuté
entre mai et août 1898, au moment de l'effervescence provoquée par l'affaire du *Balzac*, et il fut salué par la critique
comme étant "une petite blague éminemment parisienne", fine et
pleine d'esprit. Lerche exagère encore les caractéristiques physiques sur lesquelles Rodin avait lui-même insisté, jusqu'à obtenir le portrait d'un phoque en pied dont les nageoires, se
détachant à peine du corps, et les petits yeux creux trahissent
parfaitement la cible que l'auteur voulait atteindre.

La nature des relations entre Lerche et Rodin est encore obs-
cure, mais nous savons que Lerche, en tant que collectionneur
d'artistes de son temps (Max Liebermann, Albert Besnard, Kees
Van Dongen, etc.), possédait plusieurs œuvres de Rodin. *Un pas
en avant* a vraisemblablement été offert à Rodin par son auteur.

142.

Auguste-Hilaire LÉVEILLÉ

(Joué-du-Bois, Orne, 1840 –
Paris, 1900)

*Le Monument
à Balzac de Rodin*

1898

Gravure sur bois sur japon.
H. 49,4 ; L. 31,3 cm.

Bibliographie
1987, Grunfeld, Frederic V.,
p. 398, repr. hors texte.

Musée Rodin, G. 8274.
Collection d'Auguste Rodin,
donation Rodin, 1916.

142

143.

**François-Alexandre
DUCHEMIN**

(Paris, 1859 ? – ?)

*Le Monument
à Balzac de Rodin*

1898

Eau-forte sur papier crème.
H. 61,3 ; L. 44,4 cm.
Signé en bas à gauche dans
la planche : A. D .
Signé en bas à gauche hors
de la planche : A. Rodin .
Signé et daté au crayon, à droite
de la remarque : A. Duchemin 98.

Expositions
1899, Paris, Salon des artistes
français, n° 4543 ; 1980,
Vendôme, musée, n° 233.

Musée Rodin, G. 7607.
Collection d'Auguste Rodin,
donation Rodin, 1916.

143

144.

Auguste RODIN

Balzac, tête monumentale

1898 ?

Plâtre. Agrandissement réalisé à partir du plâtre S. 1823 (*cf.* cat. 98, fig. 142, modèle qui ne correspond pas à la tête définitive, mais à la dernière étude (avec un creux dans la chevelure, à l'arrière de la tête, et une amorce de col sous la joue gauche). On a pu se demander si c'est cet agrandissement ou celui du *Buste souriant* (cat. 55) que livra Lebossé le 14 novembre 1899 (relevé de compte 1899-1900, établi le 17 décembre 1900), mais il est plus probable qu'il s'agit du second puisqu'un document semble permettre de dater les premiers grès (*cf.* cat. 145 et 146) de l'été 1899. Cette épreuve est enduite d'un agent démoulant qui a plus ou moins imprégné les pièces du moule et permet donc, par les différences de couleur, d'en reconstituer l'agencement. Des traces de couture en relief correspondent d'ailleurs au tracé de ces différentes pièces, tandis que des entailles montrent que ce plâtre a fait l'objet à son tour d'une prise d'empreinte, le nouveau moule étant destiné à la réalisation des grès (cat. 145 et 146). À la suite de cette opération, le modèle était un peu abîmé (sourcil, nez, menton) : il a été restauré au plâtre liquide passé au pinceau, puis a fait l'objet d'une tentative de fonte qui s'est révélée infructueuse, sans doute à cause de sa trop grande fragilité. Un nouveau moule à pièces a donc été réalisé afin d'obtenir une épreuve plus solide, apte à supporter la fabrication d'un moule au sable :

l'agent démoulant (mélange d'huile et de savon mou), qui a laissé des traces jaunes, irrégulières, a alors pénétré dans les entailles dues au premier moule et recouvert des petits accidents comme l'éclat du sourcil droit. Les épreuves issues de ce moule (S. 1787 et S. 2076) reproduisent fidèlement ces opérations successives, ainsi que les accidents.
On a jugé préférable de ne pas nettoyer la surface afin de conserver les traces de l'agent démoulant qui ont permis de reconstituer l'histoire de ce plâtre.
H. 51,7 ; L. 47,8 ; P. 40,5 cm.
Non signé, non daté.

Expositions

(exemplaires indéterminés)
1901, Vienne, IXe Sécession, n° 40 ; 1901, Berlin, galerie Keller et Reiner ; 1901, Venise, Palazzo dell'Esposizione, n° 4.

Bibliographie

1901 (articles) Bahr, Hermann, p. 76 ; 1918, Cladel, Judith, p. 11 ; 1988, Beausire, Alain, pp. 208, 210, 215 ; 1992, Martinez, Rose-Marie, p. 84.

Autres exemplaires

– Plâtres : musée Rodin, S. 1787 (H. 51,2 ; L. 46,3 ; P. 40,4 cm) et S. 2076 (H. 50,5 ; L. 46,6 ; P. 42,5 cm ; celui-ci, couvert d'un agent démoulant de teinte brun foncé, ayant servi à une fonte) ; l'un de ces deux plâtres est sans doute celui qui fut acquis de Mme veuve Laurent par arrêté du 25 janvier 1961.
– Grès : *cf.* cat. 145 et 146.
– Bronzes : *cf.* cat. 147.

Musée Rodin, S. 1771.
Donation Rodin, 1916.

145.

Auguste RODIN et Paul JEANNENEY

(Paul LOEWENGUT, *dit*, Strasbourg, 1861 – Saint-Amand-en-Puisaye, Nièvre, 1920)

Balzac, tête monumentale

1899 ?

Grès émaillé de couleur brune avec des zones plus claires approchant du beige-jaune, en particulier sur le front et le nez. Cette pièce a été réalisée par estampage dans le premier moule fabriqué à partir du plâtre S. 1771 (cat. 144). Elle est plus petite en raison du retrait de la terre lors de la cuisson. Les coutures ont été effacées, et la signature gravée profondément dans la terre fraîche avant le passage de l'émail.
H. 47,5 ; L. 44,6 ; P. 38,2 cm.
Signé sur le côté gauche du cou : *RODIN* ; et à l'arrière : *Jeanneney*.

Expositions

1963, Londres, Roland, Browse et Delbanco, n° 27 ; 1986-1987, Londres, Hayward Gallery, n° 138 ; 1995-1996, La Haye ; Laren, n° 92 ; 1996-1997, Amsterdam ; Leeds, n° 79 ; 1997, Charleroi, palais des Beaux-Arts, n° VII-7.

Musée Rodin, S. 1934.
Donation Rodin, 1916.

146.

Auguste RODIN et Paul JEANNENEY

(Paul LOEWENGUT, *dit*, Strasbourg, 1861 – Saint-Amand-en-Puisaye, Nièvre, 1920)

Balzac, tête monumentale

1899 ?

Grès émaillé de couleur gris-vert-jaune clair, réalisé comme le précédent à partir du plâtre S. 1771. Le nez s'est détaché à la suite d'un éclatement à la cuisson.
H. 47,5 ; L. 43,2 ; P. 38,4 cm.
Signé sur le col à droite : *RODIN* ; et à l'arrière : *Jeanneney*.

Musée Rodin, S. 1808.
Donation Rodin, 1916.

145

146

Bibliographie

1971, *L'Art de la poterie en France*, p. 52 ; 1971, exp. Paris, musée Bourdelle, cat. n° 143 ; 1976, Tancock, John L., p. 457 ; 1982, Préaud, Tamara et Gauthier, Serge, p. 80 ; 1988, Beausire, Alain, p. 250 ; 1988, Laurent, Monique, p. 114 ; 1993, Jarrassé, Dominique, p. 163 ; 1997, Lajoix, Anne, pp. 83, 84.

Autres exemplaires

– Avec coulées d'émail brun-rouge et bleu soutenu sur fond ocre : Paris, musée du Petit Palais (inv. P.P.S. 1145, don Paul Jeanneney, 1919, entré en 1920 ; *cf.* Gronkowski, Camille, 1927, n° 331).
– Tacheté de brun sur fond vert pâle : Paris, musée d'Orsay (don des héritiers Paul Jeanneney au Conservatoire national des arts et métiers, 1921, inv. 16243 ; déposé au musée d'Orsay en 1986) : est-ce l'exemplaire qui figure dans le *Catalogue d'une importante collection d'objets d'art et grès flammés provenant de la collection du maître potier Paul Jeanneney de Saint-Amand-en-Puisaye*, vente Paris, hôtel Drouot, 28 et 29 juin 1921, n° 570, sans précision de couleur ?
– Avec une patine vert et or, qualifié d'"unique en cette patine" : catalogue de la collection de Mme Danthon (vente Paris, hôtel Drouot, Me Bellier, 24 et 25 mai 1933, n° 68).
– Avec touches vertes, bleues et marron sur fond beige : Jérusalem, Israël Museum (don de la fondation B. Gerald Cantor à l'American Israël Cultural Foundation, 1972).
– Tacheté de vert foncé sur fond vert pâle, avec les inscriptions *Rodin* sur le cou à gauche et *1902 Jeanneney* : Canada, coll. part. (acq. en vente publique à Montréal en 1995), exp. *Rodin à Québec*, Québec, 1998, n° 69.
– Un exemplaire à patine indéterminée : Milwaukee Art Museum (inv. MI 1981. 74, don de la Mc Crory Corporation, New York).
– Un autre exemplaire à patine indéterminée, qui proviendrait de la coll. Sacha Guitry, a été vendu à Saint-Germain-en-Laye, pavillon Henri IV, Mes Loiseau, Schmitz, Digard, 19 juin 1994.

Rodin qui, au début de sa carrière, avait été employé par la Manufacture de Sèvres, garda toujours un intérêt pour la céramique. Il collabora avec plusieurs céramistes, Ernest Chaplet, Edmond Lachenal et enfin Paul Jeanneney : comme Jean-François Limet auquel il faisait appel pour patiner ses bronzes, celui-ci avait fait partie de l'entourage de Jean Carriès (1855-1894) avec lequel Rodin avait lui-même été en relation.

Collectionneur de céramiques d'Extrême-Orient et doué d'une grande habileté dans le domaine de l'émail, Jeanneney réalisa surtout des vases : le catalogue de la vente de sa collection, les 28 et 29 juin 1921, en comporte presque deux cents, pour seulement deux sculptures (la tête de *Balzac* et un buste de *Bourgeois de Calais*, n°s 570 et 571). On sait qu'il exécuta également pour Rodin un grand *Jean d'Aire* en pied (Meudon, musée Rodin) qu'il présenta hors catalogue à l'Exposition Universelle de Saint-Louis, en 1904, de même qu'une tête de *Balzac* "à émail blanc jaunâtre, bien réussi" (Jeanneney à Rodin, 25 février 1904 ; arch. musée Rodin) qui serait celle qui est aujourd'hui visible au musée d'Orsay. Cette date de 1904 était jusqu'à présent le seul élément dont on disposait pour dater les têtes de *Balzac*, mais les recherches menées pour la préparation de l'exposition *Rodin à Québec* ont permis à nos collègues canadiens d'en repérer un exemplaire daté de 1902. Il semble cependant que l'on puisse encore avancer à 1899 la date de réalisation des premières têtes émaillées, et donc de l'agrandissement de l'étude définitive (cat. 98). Cela les situerait au cœur d'une période de grande activité dans la carrière de Jeanneney : il présenta en effet une vitrine de trente-neuf objets en grès émaillé au grand feu au Salon de la Nationale de 1897 (n° 285) et obtint une médaille d'or à l'Exposition Universelle de 1900. Les couleurs qu'il affectionnait sont alors décrites comme "le vert-bronze, un gris verdâtre, un gris bleu et un riche brun rouge", ce qui correspond tout à fait aux têtes de *Balzac*.

On n'a guère d'informations sur la façon dont se passait la collaboration entre Jeanneney et Rodin. On ne sait pas lequel des deux en prit l'initiative, ni si la tête de *Balzac* fut agrandie dans ce but précis. Jeanneney avait suivi Carriès à Saint-Amand-en-Puisaye lorsque celui-ci s'y était installé en 1888 ; cependant en 1897 il avait encore une adresse à Paris, 65, boulevard Arago, qui était toujours la même en 1904 alors qu'il venait de "défourner" six bustes de *Jean d'Aire*. Mais s'il se dit alors très désireux d'avoir l'avis de Rodin sur ces bustes, il est peu explicite sur les moyens mis en œuvre pour les réaliser, et en particulier sur la cuisson : avait-il à Paris un four suffisant ? Devait-il les confier à un tiers ? Dans ce cas, il serait possible que ce soit aux têtes émaillées de *Balzac* que se rapporte un reçu d'E. Wiriot (arch. musée Rodin), qui dirigeait une fabrique de poterie 29, boulevard Saint-Jacques, pour cuire six têtes de *Balzac* à 3 [ou 5 ?], 60 francs l'une, "sans garantie de casse" ? Comme on peut cuire les grès en deux fois, ce qui donne plus de sécurité quant au résultat, le nombre permet de penser qu'il s'agit d'une première cuisson des têtes par Wiriot, avant leur émaillage par Jeanneney (ou même de leur cuisson définitive ?), aucune autre série n'étant assez importante pour pouvoir être concernée par ce document. Cela voudrait alors dire, d'une part, que la participation de Jeanneney se limitait au travail de surface, car le reçu de Wiriot est établi au nom de Rodin qui prenait donc en charge la préparation de la terre ; d'autre part, que l'agrandissement livré par Lebossé le 14 novembre 1899 est celui du *Buste souriant* (cat. 55), les six têtes étant "livrables le 10 août 1899" d'après le reçu. Mais dans l'état actuel des recherches sur Jeanneney, il est présomptueux d'être trop affirmatif, d'autant qu'il paraît étonnant qu'aucune mention de ces œuvres ne soit faite avant l'exposition de l'une d'entre elles à Saint-Louis en 1904.

Une chose est certaine en revanche : Rodin restait maître des grès. Lui faisant part de son désir d'en présenter à Saint-Louis en 1904, Jeanneney l'assura en effet que s'il réalisait des ventes, ce serait en son nom à lui. "Je ne veux, dit-il, rien vendre de vos œuvres pour mon compte, ni en donner, ni maintenant ni jamais. Je m'estime déjà trop heureux que vous m'en laissiez faire un ou deux exemplaires pour moi" (Jeanneney à Rodin, 25 février 1904). Ayant donc "promis à Rodin de ne disposer sous quelque forme que ce soit d'aucune des œuvres qui sont restées dans son atelier", cet homme scrupuleux tint à ce que Henry Lapauze fasse ratifier par le musée Rodin le don de l'une d'entre elles au palais des Beaux-Arts de la Ville de Paris (Petit Palais) dont il était le premier conservateur (Lapauze à Bénédite, 23 septembre 1919 ; arch. musée Rodin).

147

147.

Auguste RODIN

Balzac, tête monumentale

1898 ?

Bronze.
H. 49 ; L. 45 ; P. 40 cm.
Signé et numéroté à droite :
A. Rodin/N° 0 ; marque en relief
à l'intérieur : *A. Rodin* ; inscription
à l'arrière : *.Georges Rudier./
.Fondeur. Paris.* ; et sur le côté droit :
© by musée Rodin 1970.

Expositions

1902, Prague, pavillon Manès,
n° 78 (grand modèle, exemplaire
indéterminé, 700 ou 800 francs) ;
1904, Düsseldorf, Städtischen
Kunstpalast, n° 1730 (exemplaire
indéterminé, 1500 francs) ; 1913,
Rome, Sécession, n° 1, salle 17
(exemplaire indéterminé,
3000 francs) ; 1979, Takaoka ;
Fukui ; Tokyo ; Yamanashi ;
Asahikawa ; Iwaki ; Nagasaki,
n° 46 ; 1980, Vienne, Orangerie-
Galerie. Palais Auersperg, n° 31 ;
1982, Mexico, Museo del Palacio
de Bellas Artes, n° 53 ; 1982-1983,
New Delhi ; Bombay ; Calcutta,
n° 58 ; 1984, Martigny, fondation
Pierre Gianadda, n° 57 ; 1985,
Séoul, musée national d'Art moderne,
n° 39 ; 1985-1986, Nagoya ;
Himeji ; Kure ; Tokyo ; Kagoshima...,
n° 45 ; 1987, Barcelone, Museu
d'Art Modern, n° 50 ; 1995-1996,
La Haye ; Laren, n° 91.

Bibliographie

1973, Elsen, Albert E., pp. 44, 53,
cat. n° 43 ; 1976, Tancock, John L.,
pp. 425, 431, 441, 454 ; 1988,
Beausire, Alain, pp. 235, 253,
343 ; 1993, Butler, Ruth, p. 303.

Autres exemplaires

– Bronzes, fonte Alexis Rudier,
sans doute tous postérieurs
à la mort de Rodin : Philadelphie,
Rodin Museum (2e commande
de Jules Mastbaum, 1925) ;
Buenos Aires, Museo Nacional
de Bellas Artes (inv. 7036,
don Mercedes Santamarina 1960).
– Bronzes, fonte Georges Rudier :
après le n° 0 fondu en 1970 pour

ses propres collections, le musée
Rodin édita douze exemplaires
entre 1971 et 1982 : n° 2/11,
© 1971, Stanford University
Museum of Art (inv. 1974. 95, don
de la fondation B. Gerald Cantor,
1974) ; n° 5/11, © 1974,
Hiroshima Museum of Art ;
n° 6/11, © 1979, Brooklyn
Museum (inv. 84.75.23, don
de la fondation B. Gerald Cantor) ;
n° I/I, © 1982, Shizuoka Prefectural
Museum of Art (acquis en 1990).

Musée Rodin, S. 601.
Fonte réalisée en 1970 pour
les collections du musée.

148

149

148.

ANONYME

Tête de Balzac
vers 1898

Aristotype.
H. 16,7 ; L. 11,8 cm.

Musée Rodin, Ph. 1260.
Donation Rodin, 1916.

149.

ANONYME

Tête de Balzac
vers 1898

Aristotype.
H. 18,1 ; L. 13 cm.

Musée Rodin, Ph. 3163.
Rodin, 1916.

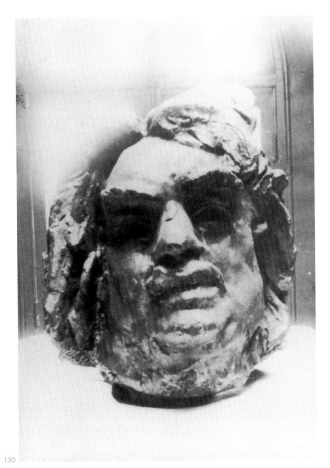

150

151

150.

Eugène DRUET

(Paris, 1868 – Paris, 1916)

Tête de Balzac

1898 ?

Épreuve sur papier argentique.
H. 39,9 ; L. 29,8 cm.

Musée Rodin, Ph. 3154.
Donation Rodin, 1916.

151.

Eugène DRUET

(Paris, 1868 – Paris, 1916)

Tête de Balzac

1898 ?

Épreuve sur papier argentique.
H. 39,8 ; L. 29,7 cm.

Musée Rodin, Ph. 3137.
Donation Rodin, 1916.

152.

Stephen HAWEIS

(Londres, 1878 –
Dominique, 1969)

& Henry COLES

(Tunbridge, 1875 – ?)

Tête de Balzac

1903-1904

Tirage au charbon.
H. 18 ; L. 16,8 cm.

Exposition

1995, Rio de Janeiro ; São Paulo,
n° 56 ; Mexico, cat. p. 100.

Musée Rodin, Ph. 3141.
Donation Rodin, 1916.

152

153.

Albert HARLINGUE

(1879-1963 ou 1964)

Tête de Balzac

entre 1908 et 1912

Épreuve sur papier argentique.
H. 18 ; L. 12,9 cm.

Musée Rodin, Ph. 3166.
Donation Rodin, 1916.

153

154.

Eugène DRUET
(Paris, 1868 – Paris, 1916)

Balzac

1900

Épreuve sur papier argentique.
H. 26 ; L. 20,5 cm.

Musée Rodin, Ph. 1457.
Donation Rodin, 1916.

155.

M. BAUCHE
(actif à Paris en 1900)

*Vue intérieure
du pavillon de l'Alma*
hiver 1900-1901

Aristotype.
H. 8,1 ; L. 11,1 cm.

Exposition
1988-1989, Paris, musée
Jacquemart-André.

Musée Rodin, Ph. 1933.
Donation Rodin, 1916.

156.

Alexandre FALGUIÈRE

(Toulouse, 1831 – Paris, 1900)

Balzac en robe de moine, debout

1898

Plâtre. Épreuve issue d'un moule à creux-perdu comme l'indique la présence d'une seule couture qui fait le tour de la pièce.
H. 95,3 ; L. 40,7 ; P. 42 cm.
Signé à l'arrière du socle, à gauche :
A. Rodin.

Historique
Vente atelier Falguière, 27 octobre 1922, n° 9.

Expositions
1902, Paris, école des Beaux-Arts, sans doute une des quatre esquisses n°s 92 à 95 ; 1950, Paris, musée Rodin, n° 30 ; 1973, Saché, musée Balzac, n° 19.

Bibliographie
1967, Descharnes, Robert et Chabrun, Jean-François, p. 170 ; 1967, Spear, Athena T., pp. 18, 19, 92 ; 1973, Elsen, Albert E., pp. 22, 40 ; 1976, Tancock, John L., pp. 432, 457.

Musée Rodin, S. 181.
Don Eugène Rudier, 1949.

fig. 149
Alexandre Falguière
(1831-1900)
Monument à Balzac
1902, marbre
Paris, avenue de Friedland

157.

Alexandre FALGUIÈRE

(Toulouse, 1831 – Paris, 1900)

Balzac assis

1898

Plâtre.
H. 85 ; L. 67 ; P. 55 cm.

Historique
Vente atelier Falguière, 27 octobre 1922, n° 8.

Expositions
1898, Paris, Nouveau-Cirque, n° 1 ; 1902, Paris, école des Beaux-Arts, sans doute une des quatre esquisses n°s 92 à 95.

Bibliographie
1991, Meyer-Petit, Judith et Panchout, Anne, p. 36 ; 1992, Meyer-Petit, Judith, *Revue du Louvre*, n° 5/6, rubrique "Acquisitions", p. 106.

Paris, Maison de Balzac, inv. 92-17.
Acquis en 1992.

Œuvres en rapport
– Trois esquisses, deux pour la statue (P.P.S. 873, H. 16 ; L. 13,5 ; P. 7 cm et P.P.S. 841, H. 29 ; L. 26 ; P. 19 cm) et une pour le visage (P.P.S. 877, H. 30 ; L. 19 ; P. 11,5 cm) ; terre cuite, Paris, musée du Petit Palais (*cf.* Gronkowski, Camille, 1927, n°s 247, 248, 249).
– Plâtre, représentant Balzac assis, exécuté à la demande d'Osiris en 1888, reproduit dans *Le Monde illustré* le 26 novembre 1898.
– Plâtre, H. 90 cm, vente Mme Falguière, 14 et 15 mai 1907, n° 1.
– Statue en marbre, commandée par la Société des gens de lettres en juillet 1898 et inaugurée le 22 octobre 1902 avenue de Friedland à Paris (fig. 149). Le grand modèle fut exposé au Salon des artistes français de 1899 (n° 3443), et le marbre terminé après la mort de Falguière sous la direction de Paul Dubois.
– Réduction, bronze : Toulouse, musée des Augustins (inv. 7511, H. 25 ; L. 11,7 ; P. 15 cm, acquis en 1965).

– Petits bustes d'édition : nombreux exemplaires en marbre (Paris, Maison de Balzac ; Évreux, musée municipal ; Los Angeles, Los Angeles County Museum of Art, *cf.* Levkoff, Mary L.,1994, p. 160) ou bronze, fonte Goldscheider (musée d'Orsay, RF 4195, acq. 1987, H. 55 dont socle 14 ; L. 36 ; P. 24 cm, donné par Falguière au sculpteur Henri Varenne).

La première de ces deux maquettes a beau être signée *Rodin* et avoir été donnée au musée Rodin en tant qu'œuvre de Rodin, il semble bien qu'il s'agisse d'une œuvre de Falguière : son traitement, en longues stries verticales dans lesquelles on sent le mouvement du pouce, ne s'apparente pas au travail de Rodin qui procède par boulettes écrasées. La comparaison avec la maquette conservée à la Maison de Balzac vient en revanche renforcer l'attribution à Falguière : ces deux plâtres sont proches autant par les visages et les mains que par le travail de la terre, reproduit fidèlement par le moulage.

On sait par ailleurs que les esquisses de Falguière furent nombreuses : lors de l'exposition rétrospective de 1902 étaient en effet présentés quatre plâtres (sans doute le plâtre exécuté à la demande d'Osiris, celui qui a figuré dans la vente de Mme Falguière en 1907, et les deux passés en vente en 1922, l'un debout, l'autre assis, qui doivent correspondre aux deux plâtres présentés ici), ainsi que des esquisses en terre cuite (aujourd'hui au musée du Petit Palais ?). La plupart de ces esquisses et maquettes, y compris la première de toutes, celle d'Osiris, qui remonte à 1888 (car il faut reconnaître que Falguière avait eu l'idée de son *Balzac* bien avant qu'il ne fut question de celui de Rodin), montrent l'écrivain en robe de moine, assis ; cependant on sait que Falguière avait également envisagé un Balzac debout : "Il m'a été permis, lit-on dans *La Libre Parole* du 12 octobre 1898 ("Les deux Balzac"), de voir dans l'atelier du Maître, quelques-unes des ébauches préparatoires. Il semble que M. Falguière veuille revêtir son Balzac de la robe de chambre dont l'avait habillé Rodin, et déjà réapparaît l'encolure puissante du grand romancier. Mais M. Falguière n'a pas encore adopté l'attitude qu'il donnera à sa statue. Sera-t-elle assise, tenant, transparent symbole, une plume et un papier, comme semble l'indiquer certain essai ? Sera-t-elle debout, drapée dans la fameuse robe de chambre ? La silhouette en plâtre que j'ai pu voir, de cette dernière pose, rappelle singulièrement la conception de Rodin."

Pour Falguière, la maquette exposée en 1898 et reproduite le 26 novembre dans *Le Monde illustré*, ce qui permet d'affirmer que c'est celle qui se trouve aujourd'hui à la Maison de Balzac, devait "demeurer définitive et l'éminent artiste s'était mis dernièrement, **nous apprend *Le Petit Temps* du 18 janvier 1899**, à l'exécution du modèle qui devait la reproduire pour les praticiens ou le fondeur.

156

157

Mais ce serait mal connaître Falguière que de supposer qu'il peut reprendre une œuvre sans la retoucher, sans la parfaire." En effet, dans les mois suivants, il modifia la figure, donnant à la robe de moine un aspect plus enveloppant, et croisant les mains sous le genou alors qu'auparavant elles reposaient sur la cuisse. Cependant il ne la changea pas profondément ce qui lui valut de sévères critiques dès 1898 : "Visiblement hanté par le souvenir de son prédécesseur, il n'a pas osé s'en écarter trop. Son Balzac est, à peu de choses près, le Balzac de Rodin, mais assis sur un banc, le crayon à la main. Le peignoir dont il est vêtu est le même, c'est le même cou puissant, c'est presque le même visage, ce sont les mêmes yeux. Eh bien ! on peut le dire franchement, nous attendions autre chose de Falguière [... qu']une œuvre fausse et bâtarde qui n'est ni du Rodin, ni du Falguière" ("Le Balzac de Falguière", *La France*, 8 décembre 1898 ; le même texte parut le même jour ou le lendemain dans de nombreux journaux). Ce thème fut repris à satiété en 1899, les pires critiques étant ceux qui n'attaquaient pas Falguière de front, tels Louis Chassevent (1899, p. 8), implorant la Société des gens de lettres de ne pas "garder rancune à Falguière d'être resté trop fidèle au souvenir de son monstrueux camarade Rodin", ou Gabriel Mourey (15 octobre 1899, p. 6), qui découvrit, en visitant le Salon, qu'"une œuvre s'impose, sinon à l'admiration, tout au moins à l'attention : c'est le *Balzac* de M. Falguière. Il faut louer cet artiste d'avoir réalisé avec autant d'empressement son œuvre et de nous l'avoir montrée cette année, alors que le *Balzac* de Rodin demeure encore dans toutes les mémoires et obsède tous les yeux."

158.

Eduard J. STEICHEN

(Luxembourg, 1879 – West
Redding, Connecticut, 1973)

Balzac
1908

Épreuve à la gomme bichromatée
sur platinotype.
H. 26 ; L. 23 cm.

Expositions
1981-1982, Washington,
The National Gallery of Art,
n° 208 ; 1993, Paris,
musée Rodin, cat. p. 151.

Musée Rodin, Ph. 222.
Donation Rodin, 1916.

158

159.

Eduard J. STEICHEN
(Luxembourg, 1879 – West
Redding, Connecticut, 1973)

Balzac

1908

Épreuve à la gomme bichromatée
sur platinotype.
H. 22,5 ; L. 17,5 cm.

Expositions
1981-1982, Washington,
The National Gallery of Art, n° 206 ;
1986, Paris, musée Rodin, n° 52 ;
1997-1998, Duisburg, Wilhelm
Lehmbruck Museum, n° 218.

Bibliographie
1986-1987, Esslingen ; Brême.

Musée Rodin, Ph. 223.
Donation Rodin, 1916

159

160

160.

Eduard J. STEICHEN

(Luxembourg, 1879 – West
Redding, Connecticut, 1973)

Balzac

1908

Épreuve à la gomme bichromatée
sur platinotype.
H. 18,5 ; L. 23,7 cm.

Musée Rodin, Ph. 225.
Donation Rodin, 1916.

161.

Eduard J. STEICHEN

(Luxembourg, 1879 – West
Redding, Connecticut, 1973)

*The Open Sky, 11 p.m.,
Rodin's Balzac.
Meudon*

1908

Épreuve à la gomme bichromatée
sur platinotype.
H. 25,2 ; L. 22 cm.

Expositions
1980, Paris, musée Bourdelle ;
1981-1982, Washington,
The National Gallery of Art,
n° 207 ; 1985, Genève,
musée d'Art et d'Histoire, n° 117 ;
1986, Paris, musée Rodin, n° 49 ;
1986-1987, Esslingen ; Brême ;
1991-1992, Paris, palais
de Tokyo ; 1995, Francfort,
Schirn Kunsthalle.

Bibliographie
1911, *Camera Work*, n° 34-35 ;
1985, Pinet, Hélène, p. 135.

Musée Rodin, Ph. 235.
Donation Rodin, 1916.

162.

Eduard J. STEICHEN

(Luxembourg, 1879 – West
Redding, Connecticut, 1973)

*Towards the Light,
Midnight*

1908

Épreuve à la gomme bichromatée
sur platinotype.
H. 19,3 ; L. 21,2 cm.

Expositions
1981-1982, Washington,
The National Gallery of Art,
n° 203 ; 1985, Genève,
musée d'Art et d'Histoire, n° 118 ;
1986, Paris, musée Rodin, n° 55 ;
1986-1987, Esslingen ; Brême ;
1993, Paris, musée Rodin,
cat. p. 151.

Bibliographie
1911, *Camera Work*, n° 34-35 ;
1985, Pinet, Hélène, p. 130 ;
1996, Vilain, Jacques, dir., p. 115 ;
1997, Le Normand-Romain,
Antoinette, p. 103 (Flammarion) ;
1997, exp. Marseille, musée
des Beaux-Arts, p. 49.

Musée Rodin, Ph. 226.
Donation Rodin, 1916.

161

162

163

163.

Eduard J. STEICHEN

(Luxembourg, 1879 – West
Redding, Connecticut, 1973)

*Midnight –
Rodin's Balzac.
Meudon*

1908

Épreuve à la gomme bichromatée
sur platinotype.
H. 26 ; L. 21,5 cm.

Expositions

1986, Paris, musée Rodin, n° 54 ;
1994, Arles, Espace Van Gogh ;
1997-1998, Duisburg, Wilhelm
Lehmbruck Museum, n° 217.

Bibliographie

1985, Pinet, Hélène, p. 131.

Musée Rodin, Ph. 227.
Donation Rodin, 1916.

164.

Eduard J. STEICHEN

(Luxembourg, 1879 – West
Redding, Connecticut, 1973)

Rodin's Balzac.
Meudon

1908

Épreuve à la gomme bichromatée
sur platinotype.
H. 15,6 ; L. 19 cm.

Expositions

1980, Paris, musée Bourdelle ;
1981-1982, Washington,
The National Gallery of Art, n° 205 ;
1986, Paris, musée Rodin, n° 53 ;
1991-1992, Paris, palais de Tokyo.

Bibliographie

1980, Elsen, Albert E., p. 135.

Musée Rodin, Ph. 255.
Donation Rodin, 1916.

165.

Eduard J. STEICHEN

(Luxembourg, 1879 – West
Redding, Connecticut, 1973)

The Silhouette, 4 a.m.

1908

Épreuve à la gomme bichromatée
sur platinotype.
H. 16,8 ; L. 22 cm.

Expositions

1981-1982, Washington,
The National Gallery of Art, n° 204 ;
1986, Paris, musée Rodin, n° 51 ;
1986-1987, Esslingen ; Brême ;
1991-1992, Paris, palais
de Tokyo ; 1993, Paris, musée
Rodin, p. 150 ; 1995, Montréal,
musée des Beaux-Arts.

Bibliographie

1911, *Camera Work*, n° 34-35 ;
1985, Pinet, Hélène, pp. 132-133.

Musée Rodin, Ph. 224.
Donation Rodin, 1916.

164

165

166.

Jacques-Ernest BULLOZ

(Paris, 1858 – Paris, 1942)

Balzac au clair de lune

1908

Épreuve sur papier argentique.
H. 38,1 ; L. 28,4 cm.

Expositions
1996-1997, Saragosse,
cat. p. 65 ; Palma, n° 56.

Musée Rodin, Ph. 1507.
Donation Rodin, 1916.

166

Dans un agenda de Rodin est mentionné au 24 octobre 1908 : "Bulloz photo. Envoie épr. Balzac au clair de lune à Lawton à Passy." **Effectivement, le 6 novembre, Frederick Lawton, qui avait été secrétaire de Rodin en 1905 avant d'écrire un livre sur lui en 1906, écrit :** "Je viens de recevoir de chez Bulloz la photographie de votre Balzac que je trouve superbe" **(Frederick Lawton à Rodin, 6 novembre 1908 ; arch. musée Rodin ; *cf.* aussi Lawton, 1906).**

167.

Jacques-Ernest BULLOZ

(Paris, 1858 – Paris, 1942)

*Balzac au clair
de lune*

1908

Épreuve au charbon.
H. 35,5 ; L. 25,3 cm.

Exposition
1981-1982, Washington,
The National Gallery of Art, n° 193.

Musée Rodin, Ph. 2699.
Donation Rodin, 1916.

167

168.

Jean-François LIMET
(1855-1941)

Balzac

1908 ?

Épreuve à la gomme bichromatée.
H. 38 ; L. 25,5 cm.

Expositions
1981-1982, Washington,
The National Gallery of Art, n° 221 ;
1986, Paris, musée Rodin, n° 44 ;
1986-1987, Esslingen ; Brême,
hors catalogue ; 1992, Prague,
galerie de la Ville.

Bibliographie
1986, exp. Paris, musée Rodin,
p. 58.

Musée Rodin, Ph. 983.
Donation Rodin, 1916.

Curieusement, le patineur de
bronze, Limet, qui photographie les œuvres de Rodin
depuis 1900, n'évoque à
aucun moment les prises de
vue du *Balzac* à Meudon, qui
ont dû être faites à la même
période que celles de Bulloz
et de Steichen.

168

169

169.

Jean-François LIMET

(1855-1941)

Balzac

1908 ?

Épreuve à la gomme bichromatée.
H. 38,3 ; L. 28 cm.

Exposition
1981-1982, Washington,
The National Gallery of Art, n° 223.

Musée Rodin, Ph. 982.
Donation Rodin, 1916.

170.

Eugène DRUET

(Paris, 1868 – Paris, 1916)

***Portrait de Rodin
en Balzac***

février 1914

Épreuve sur papier argentique.
H. 27,4 ; L. 16,5 cm.

Musée Rodin, Ph. 881.
Donation Rodin, 1916.

170

171.

Japon, XIXᵉ siècle

Daruma

Grès à couverte craquelée avec
coulures bleuâtres.
H. 31,3 ; L. 14,5 ; P. 12,5 cm.

Expositions
1967-1968, Paris, musée Rodin,
non mentionné au catalogue ;
1979, Paris, musée Rodin, n° 88,
pp. 64-65, repr.

Bibliographie
1928, Grappe, Georges,
pp. 8, 11, repr. p. 9 ; 1950,
exp. Paris, musée Rodin, p. 10 ;
1952, Golscheider, Cécile,
p. 44, fig. 16 ; 1967, Descharnes,
Robert et Chabrun, Jean-François,
p. 172, repr.

Musée Rodin, Co. 142.
Collection d'Auguste Rodin,
donation Rodin, 1916.

La statuette est l'illustration d'un épisode de l'histoire de Daruma, version japonaise de Bodhidharma, moine bouddhiste du VIᵉ siècle, fondateur de l'école zen, également vénéré de l'école chan. Selon la légende, le personnage semi-mythique aurait introduit en Chine les techniques indiennes de méditation du Dyâna. Il fut souvent représenté vêtu d'une robe rouge, traversant la mer sur un roseau. L'image de Daruma à la sandale est une allusion à la rencontre qu'il fit, trois ans après sa mort, avec le moine d'Asie centrale, Sung-yun dans le désert de Pamir. Daruma portait à la main une de ses sandales de paille, l'autre fut retrouvée à l'entrée de son tombeau.

Au Japon, Daruma est l'objet d'un culte extrêmement populaire et ses effigies sont légion. De la statue monumentale au jouet en papier mâché, il fait figure de porte-bonheur dans les maisons. Il symbolise la stabilité dans la foi qu'aucune force ne peut abattre. Son visage, aux yeux globuleux, aux sourcils froncés, exprime la concentration absolue de la méditation.

Ce type d'objet en céramique fut produit en abondance dans les fabriques du sud du Japon, dans la province de Satsuma tout particulièrement, vers le milieu du XIXᵉ siècle.

Objet d'art de second ordre au regard de la production des siècles passés, la céramique exposée ici est, en dépit de sa masse monolithe, d'un style graphique et précieux d'orfèvre dans le traitement des plis du vêtement et de la barbe. La forme tubulaire du manteau, s'évasant en ondes pour former une corolle sur le sol, n'a pu laisser insensible les amateurs et les artistes de l'Art nouveau.

Des statuettes de *Daruma* se répandirent ainsi dans tout le pays, puis inondèrent le marché occidental dans le troisième tiers du siècle, prisées des collectionneurs d'art d'Extrême-Orient, entre japonisme et japonaiserie. Le culte du Japon s'épanouissait alors à Paris comme à Londres. Les frères Goncourt, Gonze, Taigny et Gilot en étaient les promoteurs, achetant auprès des marchands Bing et Hayashi, ou dans les nombreuses ventes publiques, un certain art nippon. Rodin fut, avec un peu de retard, dans les premières années du XXᵉ siècle, un de ces collectionneurs.

Présentée en point d'orgue au sein de l'exposition, la statuette de *Daruma* apparaît, dès le premier regard, comme un "Rodin japonais". L'analogie est évidente et la présence d'une telle œuvre dans la collection du sculpteur est source de multiples questions.

L'expression "Rodin japonais" fut "inventée" par un journaliste de *L'Illustration* en 1909 pour qualifier une céramique analogue, récemment acquise par Marius de C., et qu'il compara immédiatement au *Balzac* de Rodin : "C'est une statuette d'environ 40 centimètres de hauteur, [...] en porcelaine d'un bleu pâle et fané, toute striée de fines craquelures. L'usure a noirci légèrement certaines parties de la tête et du visage [...]. Ce japonais a le crâne, et les cheveux, et la moustache de Balzac ! Et il a aussi semble-t-il, la robe de chambre de Balzac ! Et le sculpteur ne l'en

fig. 150
E. B., "Un 'Rodin' japonais",
L'Illustration, 17 juillet 1909

a-t-il pas enveloppé de la même façon, ou bien peu s'en faut, que Rodin enveloppa son Balzac à lui ! […] Et tout y est ! ou presque tout : l'attitude un peu penchée, le port de la tête, la façon de rapprocher les mains croisées sous le tube épais des manches…" (**fig. 150**). La coupure de presse figurait dans les archives personnelles d'Auguste Rodin.

Un seul témoignage contemporain de l'artiste, celui de René Chéruy, associe, comme une évidence, le *Daruma* appartenant au sculpteur à la statue de *Balzac* : "L'atellane japonais et le Balzac/acheté après le Balzac./je ris quand je revois ce 1er Balzac inédit." "Balzac/Petite statue japonaise acquise après" (*Notes manuscrites*, non datées, arch. musée Rodin ; Chéruy fut le secrétaire de Rodin du 1er décembre 1902 à fin mars 1905, en mai 1906 puis du 10 décembre 1906 au 3 mai 1908).

Georges Grappe, conservateur du musée Rodin, reprit la comparaison en 1928 : "Il existe ainsi dans les collections du Musée, tel petit brûle-parfum japonais en craquelé datant du XVIème siècle et représentant un moine ressemblant par la pose au Balzac du grand maître. Qui sait si cette œuvre acquise aux jours pénibles et sans doute pour un prix important ne détermina pas dans l'esprit de Rodin la forme définitive qu'il donna à la statue de l'auteur de la Comédie humaine, suscitant ainsi un des plus étonnants chefs-d'œuvre de l'artiste ? Quiconque peut être admis à contempler ce très beau spécimen de l'art nippon est inéluctablement amené à se poser la question et à répondre par l'affirmative." Cette réponse péremptoire et séduisante permet d'évoquer le lien réel qui unit les deux œuvres, la place qu'occupa la statuette de *Daruma* dans la vie de Rodin et son rapport à la statue de *Balzac*.

Une version quelque peu différente de l'histoire fut recueillie de la bouche même du conservateur par Jean-Paul Hippeau, archiviste du musée Rodin. Lors d'une conversation qu'il eut avec le sculpteur John Tweed (1869-1933) à Londres en 1931, ce dernier lui aurait confié avoir lui-même offert la statuette à Rodin, après le scandale du *Balzac* (arch. musée Rodin). Cette information n'a pu être vérifiée ni à la lecture de la correspondance Tweed, conservée au musée Rodin et au Museum Service de Reading, ni à celle de l'ouvrage de Lendal Tweed et Francis Watson, *John Tweed – Sculptor, a Memoir*, paru à Londres en 1936. Toutefois, le sculpteur anglais, disciple de Rodin, fut un ardent défenseur du *Balzac* et de l'ensemble de l'œuvre de l'artiste en Angleterre. Il le reçut à Londres et fut son invité à maintes reprises après 1898 à Meudon, où il y eut même un atelier portant son nom à partir de 1902. Rodin n'eut en retour de cesse d'aider le jeune sculpteur. Il n'est donc pas incongru de penser que Tweed offrit la statuette, sans formalité, à l'occasion d'une de leurs multiples rencontres.

En 1952, Cécile Goldscheider affirmait par ailleurs que la statuette fut offerte à Rodin par un "ami anglais".

À la lecture de ces différentes sources, l'hypothèse du modèle s'estompe.

Vraisemblablement achetée ou offerte après 1898, la statuette de *Daruma* a dû apparaître à son acquéreur comme un clin d'œil du destin, une justification *a posteriori* du *Balzac*.

Peu avant sa mort, en janvier 1917, le sculpteur fit l'acquisition d'un autre "*Balzac*", cette fois-ci gothique : un *Pleurant* provenant du tombeau de Jean de Berry à la Sainte-Chapelle de Bourges (xvᵉ siècle), personnage vertical au corps camouflé, au large dos massif et presque lisse, barré sur les épaules par la ligne horizontale du capuchon, et dont le devant évoque en outre, par son strict plissé tombant, l'architecture d'un *Bourgeois de Calais*.

Ces deux "*Balzac*" tirés du passé furent une réponse cinglante de Rodin à ses détracteurs. Dans les années 1903-1904, après des décennies de résistance à l'avis de la critique officielle, il commença à construire ce qu'on peut appeler une "collection-miroir". À chaque statue du maître, son reflet antique, médiéval ou oriental vint rendre justice. Ainsi, la sauvagerie de *L'Homme qui marche* fût associée par Rodin lui-même à la force de l'*Hercule acéphale* antique. Une telle confrontation des arts l'avait enthousiasmé lors de sa visite à l'Albertinum de Dresde en 1902. Là-bas, sous l'impulsion du conservateur visionnaire Georg Treu, il avait vu ses sculptures en plâtre admises à côtoyer, sur un terrain d'égalité, les moulages des chefs-d'œuvre de la sculpture antique. Il recréa ce dialogue constant dans ses ateliers et ses maisons jusqu'à fondre les deux matériaux follement accumulés dans un même creuset, d'où naquirent de nouvelles sculptures.

Bibliographies et expositions

Avertissement

La bibliographie est classée chronologiquement, de façon
à refléter l'intérêt qu'a suscité *Balzac* depuis son apparition.
Elle est composée de deux parties :
- La première, antérieure à la mort de Rodin (1917),
se veut aussi complète que possible. Elle est subdivisée
en "Ouvrages" et en "Coupures de presse". Rodin était
abonné à l'argus de la presse et les archives du musée
conservent donc des centaines de coupures, dont
les références ne sont malheureusement pas toujours
complètes. Un certain nombre d'entre elles ont été vérifiées,
mais il n'est pas exclu qu'il demeure des erreurs ou des
imprécisions. Le recensement des coupures de presse
concernant le *Monument à Balzac* conservées au musée
Rodin a été complété par des recherches faites à la Maison
de Balzac.
- La seconde, couvrant la période qui va de 1918 à nos
jours, est sélective, dans la mesure où *Balzac* est toujours
cité dès qu'il est question de Rodin. Articles et ouvrages
sont confondus, le classement se faisant alphabétiquement
à l'intérieur de chaque année.
En ce qui concerne les republications partielles, complètes
ou augmentées :
- *repris* ou *repris en partie* : la référence qui suit est
postérieure, complète ou partielle, à celle qui précède ;
- *repris de* ou *repris en partie de* : la référence qui suit
est antérieure à celle qui précède ;
- *rééd.* : réédition ;
- *même article* : publication d'un même article dans
différents quotidiens.

Bibliographie jusqu'en 1917

Ouvrages

1858
• Gautier, Théophile,
"Galerie du XIXᵉ siècle. Honoré
de Balzac", *L'Artiste*, 1858,
pp. 189-193, 205-208, 226-230,
257-261, 273-275, 285-290.
Rééd : *cf.* Gautier, 1874.

1859
• Werdet, Edmond, *Portrait
intime de Balzac. Sa vie, son
humeur et son caractère*, Paris,
E. Dentu libraire-éditeur, 1859.

1862
• Gozlan, Léon, *Balzac
chez lui. Souvenirs des Jardies*,
Paris, Michel Lévy frères,
libraires-éditeurs, 1862.

1866
• Fiorentino, P.-A, *Comédiens
et Comédiennes. Feuilletons*,
Paris, Michel Lévy frères,
libraires-éditeurs, 1866.
• Lamartine, Alphonse de,
Balzac et ses œuvres, Paris,
Michel Lévy frères, 1866.

1874
• Gautier, Théophile, *Portraits
contemporains. Littérateurs,
peintres, sculpteurs,
artistes dramatiques*, Paris,
Charpentier éditeur, 1874.
1ʳᵉ éd. : *cf.* Gautier, 1858.

1876
• Surville, Laure, "Balzac,
sa vie et ses œuvres
d'après sa correspondance",
in Balzac, Honoré de, *Œuvres
complètes de Balzac. XXIV.
Correspondance 1819-1850*,
Paris, Calmann Lévy éditeur,
1876, pp. I-LXXIX.

1887
• Morhardt, Mathias,
*Balzac. Conférence faite à
Angers le 2 mars 1887*, Angers,
imprimerie typographique
L. Hudon, 1887.

• *Statue de Balzac à Tours
sa ville natale. Souscription
nationale ouverte par
la municipalité*, Paris,
imprimerie de l'Art E. Ménard
et J. Augry, 1887.

1888
• Zola, Émile, *Une campagne,
1880-1881*, Paris,
G. Charpentier et Cie, éditeurs,
1888. Repris en partie de :
Zola, "Une statue pour Balzac",
Le Figaro, 6 décembre 1880.

1891
• *Conseil municipal de Paris.
Année 1891. Procès-verbaux.
Premier semestre*, Paris,
Imprimerie municipale, 1891.

1893
• Geffroy, Gustave, *La Vie
artistique*, 2ᵉ série, Paris,
E. Dentu éditeur, 1893.
Repris en partie : Geffroy,
"L'imaginaire", *Le Figaro*,
29 août 1898 ; "Auguste
Rodin", *La Plume*, n° 268
(n° exceptionnel "Rodin",
IIIᵉ fascicule), 15 juin 1900,
pp. 369-382 ; et *Auguste Rodin
et son œuvre*, Paris, éditions
de "La Plume", 1900, pp. 33-46.

1894
• Fidière, Octave, *Chapu,
sa vie et son œuvre*, Paris, Plon,
1894.

1898
• Alexandre, Arsène,
Le Balzac de Rodin, Paris,
H. Floury éditeur, 1898.
• Chassevent, Louis,
À propos d'elle, Meudon,
imprimerie C. Dillet, 1898.
• "Comité. Compte rendu
sommaire des séances.
Exercice 1898-1899",
*Chronique de la Société des
gens de lettres*, septembre 1898.
• Plouchart, Eugène,
*Psychologiquement sur
le Balzac de M. Rodin*, Paris,
Chamuel éditeur, 1898.

1899
• Chassevent, Louis,
À propos de l'autre, Meudon,
imprimerie C. Dillet, 1899.
• Maillard, Léon, *Études sur
quelques artistes originaux.
Auguste Rodin statuaire*,
Paris, H. Floury librairie-
éditeur, 1899.

1900
• *Auguste Rodin et son œuvre*,
n° spécial, Paris, éditions de
"La Plume", 1900. Repris de :
Mauclair, "La technique de
Rodin", *La Plume*, n° 266,
15 mai 1900, pp. 307-315 ;
Merrill, "La philosophie de
Rodin", *La Plume*, n° 266,
15 mai 1900, pp. 305-307 ;
Morice, "Rodin", *La Plume*,
n° 266, pp. 319-320 ; Mirbeau,
"Préface", *La Plume*, n° 267,
1ᵉʳ juin 1900, pp. 337-340 ;
Mockel, "Le 'Balzac' et le
'Baiser' de Rodin", *La Plume*,
n° 267, 1ᵉʳ juin 1900,
pp. 346-352 ; Geffroy,
"Auguste Rodin", *La Plume*,
n° 268, 15 juin 1900,
pp. 369-382 ; Harris, "Un chef
d'œuvre de l'art moderne",
La Plume, n° 269, 1ᵉʳ juillet
1900, pp. 406-408 ;
Rambosson, "Le modelé et le
mouvement dans les œuvres
de Rodin", *La Plume*, n° 269,
1ᵉʳ juillet 1900, pp. 422-425.
• Geffroy, Gustave, *La Vie
artistique*, 6ᵉ série, Paris,
H. Floury éditeur, 1900.
Repris en partie de : Geffroy,
Le Journal, 30 avril 1898,
1ᵉʳ mai 1898, 20 novembre
1898 et 30 avril 1899.
• Mauclair, Camille, *Auguste
Rodin*, Paris, éditions de
"La Plume", 1900. Conférence
prononcée le 31 juillet 1900
au musée Rodin. Rééd. : Paris,
musée Rodin, 1992.
• Morice, Charles, *Rodin*, Paris,
H. Floury éditeur, 1900.
Repris en partie : Morice,
"Rodin", *La Plume*, n° 266
(n° exceptionnel "Rodin",

Ier fascicule), 15 mai 1900, pp. 319-320 ; et *Auguste Rodin et son œuvre*, Paris, éditions de "La Plume", 1900, pp. 31-32.

1901
• Brisson, Adolphe, *Portraits intimes*, Paris, A. Colin, 1901.
• Brownel, W. C., *French Art*, New York, Charles Scribner's Sons, 1901. Repris en partie : Brownel, "Auguste Rodin", *Scribner's Magazine*, janvier 1901, pp. 88-101.
• Duhem, Henri, *Auguste Rodin*, Paris, bibliothèque de l'Association, 1901.
• Geffroy, Gustave, *La Vie artistique*, 7e série, Paris, H. Floury éditeur, 1901. Repris en partie de : Geffroy, "Rodin", *Art et Décoration*, n° 10, octobre 1900, pp. 97-110 ; Geffroy, "L'œuvre de Rodin à l'exposition de 1900", *Les Arts français*, n° 14 (n° spécial "A. Rodin 1840-1917"), février 1918, pp. 24-29.

1902
• Claris, Edmond, *De l'impressionnisme en sculpture. Auguste Rodin et Medardo Rosso*, Paris, éditions de "La Nouvelle Revue", 1902. Repris en partie de : Claris, *La Nouvelle Revue*, 1er juin 1901, pp. 321-326.

1903
• Cladel, Judith, *Le Sculpteur Auguste Rodin pris sur la vie*, Paris, éditions de "La Plume", 1903.
• Geffroy, Gustave, *La Vie artistique*, 8e et dernière série, Paris, H. Floury éditeur, 1903. Repris en partie de : Geffroy, "Alexandre Falguière", *Gazette des beaux-arts*, 1er mai 1900, pp. 397-406.
• Hermant, Abel, *Discours prononcés par M. Abel Hermant, président de la Société des gens de lettres (1902-1903)*, Paris, Société d'éditions littéraires et artistiques, librairie

Paul Ollendorff, 1903. Repris en partie : Hermant, *Essais critiques*, Paris, Bernard Grasset éditeur, 1912.
• Rilke, Rainer Maria, *Auguste Rodin*, Berlin, Julius Bard Verlag, 1903. Rééd. : *cf.* Rilke, 1913, pp. 7-73. Éd. française : Rilke, *Auguste Rodin*, Paris, éditions Émile-Paul Frères, 1928, pp. 9-127 (trad. par Maurice Betz).

1904
• Mauclair, Camille, *La Ville lumière*, Paris, Société d'éditions littéraires et artistiques, librairie Paul Ollendorff, 1904 (2e édition).

1905
• Mauclair, Camille, *Auguste Rodin, the Man, his Ideas, his Works*, Londres, Duckworth and Co, 1905 (trad. anglaise par Clementina Black). Rééd. : *cf.* Mauclair, 1909. Éd. française augmentée : *Auguste Rodin. L'homme et l'œuvre*, Paris, La Renaissance du Livre, 1918.

1906
• Kahn, Gustave, *Auguste Rodin. Cinquante-quatre illustrations teintées et deux gravures*, Paris, imprimerie de la Librairie artistique et littéraire, 1906. Repris : Kahn, "Auguste Rodin", *L'Art et le Beau*, n° 12 ("Numéro consacré à Auguste Rodin"), décembre 1906, pp. 101 (237)-135 (271) ; Kahn, *L'Art et le Beau*, n° 2 (n° exceptionnel "Auguste Rodin"), 1906.
• Lawton, Frederick, *The Life and Work of Auguste Rodin*, Londres, T. Fisher Unwin, 1906. Éd. américaine : *cf.* Lawton, 1907.

1907
• Lawton, Frederick, *The Life and Work of Auguste Rodin*, New York, Mitchell Kennerley, 1907. Éd. anglaise : *cf.* Lawton, 1906.

• Rilke, Rainer Maria, "Auguste Rodin", *Kunst und Künstler*, Ier fascicule, octobre 1907, pp. 28-39.

1908
• Cladel, Judith, *Auguste Rodin, l'œuvre et l'homme*, Bruxelles, G. Van Oest & Cie, 1908, préface par Camille Lemonnier. Éd. américaine : *cf.* Cladel, 1917.
• Lawton, Frederick, *François-Auguste Rodin*, New York, Mitchell Kennerley, 1908.

1909
• Mauclair, Camille, *Auguste Rodin, the Man, his Ideas, his Works*, Londres, Duckworth and Co, 1909 (trad. anglaise par Clementina Black). 1re éd. : *cf.* Mauclair, 1905. Éd. française : *Auguste Rodin. L'homme et l'œuvre*, Paris, La Renaissance du Livre, 1918.

1911
• Rodin, Auguste, *L'Art*, Paris, Bernard Grasset éditeur, 1911 (entretiens réunis par Paul Gsell). Rééd. : Paris, Gallimard, coll. "Idées/Art", 1967 ; et Paris, Bernard Grasset, 1986. Éd. anglaise : *cf.* Rodin, 1912.

1912
• Breck, Joseph, *The Collection of Sculptures by Auguste Rodin*, New York, The Metropolitan Museum of Art, 1912.
• Ciolkowska, Muriel, *Rodin*, Londres, Methuen & Co. Ltd., 1912.
• Hermant, Abel, *Essais critiques*, Paris, Bernard Grasset éditeur, 1912. 1re éd. : *cf.* Hermant, 1903.
• Rodin, Auguste, *Art*, Boston, Small, Maynard & Company, 1912 (traduction par Paul Gsell et Romilly Fedden). Éd. française : *cf.* Rodin, 1911.

1913
• Coquiot, Gustave, *Le Vrai Rodin*, Paris, éditions Jules Tallandier, 1913.
• Dujardin-Beaumetz, François, *Entretiens avec Rodin*, Paris, imprimerie Paul Dupont, 1913. Rééd. : Paris, musée Rodin, 1992.
• Rilke, Rainer Maria, *Auguste Rodin*, Leipzig, Insel-Verlag, 1913. *Cf.* Rilke, 1903. Éd. française : Rilke, *Auguste Rodin*, Paris, éditions Émile-Paul Frères, 1928 (trad. par Maurice Betz).

1914
• Rodin, Auguste, *Les Cathédrales de France*, Paris, librairie Armand Colin, 1914, introduction par Charles Morice.

1915
• Coquiot, Gustave, *Rodin*, Paris, Bernheim-Jeune, 1915. Rééd. : Paris, Albin Michel, 1925.

1917
• Cladel, Judith, *Rodin. The Man and his Art, with Leaves from his Note-Book*, New York, The Century Co, 1917, introduction par James Huneker (trad. par S. K. Star). Éd. belge : *cf.* Cladel, 1908.
• Coquiot, Gustave, *Rodin à l'hôtel Biron et à Meudon*, Paris, librairie Ollendorff, 1917.

Coupures de presse, périodiques

1853
décembre
• Dumas, Alex. [Alexandre], "Causerie avec mes lecteurs", *Le Mousquetaire*, n° 41, 30 décembre 1853, p. 161.
• Dumas, Alexandre, "Causerie avec mes lecteurs", *Le Mousquetaire*, n° 42, 31 décembre 1853, p. 165.

1854
janvier
• Dumas, Alex. [Alexandre], "Causerie avec mes lecteurs", *Le Mousquetaire*, n° 44, 2 et 3 janvier 1854, p. 173.
• Dumas, Alex. [Alexandre], "À Madame de Balzac", *Le Mousquetaire*, n° 116, 17 mars 1854, n.p.
• Dumas, Alexandre, "Causerie avec mes lecteurs", *Le Mousquetaire*, n° 133, 5 avril 1854, n.p.
• Dumas, Alex. [Alexandre], "Concert Soulié et Balzac", *Le Mousquetaire*, n° 155, 26 avril 1854, n.p.
• *Le Mousquetaire*, n° 161, 2 mai 1854, n.p.
• Dumas, Alex. [Alexandre], "Causerie avec mes lecteurs", *Le Mousquetaire*, n° 162, 3 mai 1854, n.p.
• Dumas, Alex. [Alexandre], *Le Mousquetaire*, n° 163, 4 mai 1854, n.p.
• Dumas, Alex. [Alexandre], "Causerie avec mes lecteurs", *Le Mousquetaire*, n° 169, 10 mai 1854, n.p.
• Bocace, Paul, "Concert pour les monuments Balzac et Soulié", *Le Mousquetaire*, n° 174, 15 mai 1854, n.p.

1880
décembre
• Zola, Émile, "Une statue pour Balzac", *Le Figaro*, 6 décembre 1880. Repris :

Zola, *Une campagne, 1880-1881*, Paris, G. Charpentier et Cie, éditeurs, 1888, pp. 85-95.

1883
novembre
• "La statue de Balzac", *La Liberté*, 15 novembre 1883.
• Nivelle, Jean de [Charles Canivet, *dit*], "La statue de Balzac", *Le Soleil*, 24 novembre 1883.

1884
janvier
• *Le Livre*, 10 janvier 1884.

février
• "M. E. de Goncourt et la statue de Balzac", *Le Livre*, 10 février 1884.

1885
novembre
• Mirbeau, Octave, "Les comités", *Le Matin*, 27 novembre 1885.

1887
mai
• Laurent, Albert, "La statue de Balzac", *L'Estafette*, 15 mai 1887.

juillet
• Fouquier, Henri, "Statue de Balzac", *Le Figaro*, 1er juillet 1887.

1888
juin
• Javel, Firmin, "L'art partout", *Gil Blas*, 28 juin 1888.
• Chincholle, Charles, "Balzac", *Le Figaro*, 29 juin 1888.

juillet
• Maurras, Charles, "... du Père Lachaise", *La Gazette de France*, 17 juillet 1888.

août
• "Chronique", *L'Artiste*, août 1888, pp. 143-145.

septembre
• "Au jour le jour. La statue de Balzac", *Le Temps*, 12 septembre 1888.

octobre
• *L'Événement*, 29 octobre 1888.

novembre
• "La statue de Balzac", *Gil Blas*, 14 novembre 1888.

décembre
• Jourdain, Frantz, "La statue de Balzac", *La Vie artistique*, 2 décembre 1888.
• "La statue de Balzac", *L'Architecture*, n° 49, 8 décembre 1888, p. 587.

1889
janvier
• "Chronique", *L'Artiste*, janvier 1889, pp. 52-68.

novembre
• Un Charpentier, "Conseil municipal de Tours. Séance du 18 novembre", *La Touraine républicaine*, 20 novembre 1889.
• Un Abonné, "La statue de Balzac. Son emplacement", *La Touraine républicaine*, 21 novembre 1889.
• Fournier, "La statue de Balzac", *La Touraine républicaine*, 22 novembre 1889.
• Fournier, "La statue de Balzac", *La Touraine républicaine*, 24 novembre 1889.
• V. R., "La statue de Balzac", *Gil Blas*, 26 novembre 1889.

1891
avril
• De Lovenjoul, comte de Spoelberch [Charles], "Un portrait d'Honoré de Balzac", *Paris-Photographe*, n° 1, vol. 1, 15 avril 1891, pp. 120-122.

mai
• Gille, Philippe, *Le Figaro*, 15 mai 1891.

juin
• *L'Événement*, 21 juin 1891.
• Révillon, Tony, "La statue de Balzac", *Le Radical*, 21 juin 1891.
• Javel, Firmin, "Le monument de Balzac", *Gil Blas*, 22 juin 1891.
• Sphinx, Le [G. Blavet, *dit*], *L'Événement*, 23 juin 1891.

juillet
• A. A. [Alexandre, Arsène], "La statue de Balzac", *Paris*, 9 juillet 1891.
• *La République française*, 9 juillet 1891.
• *L'Estafette*, 10 juillet 1891.
• *Le Monde*, 10 juillet 1891.
• *L'Observateur français*, 10 juillet 1891.
• *La Paix*, 10 juillet 1891.
• *Parti national*, 10 juillet 1891.
• *Le Rappel*, 10 juillet 1891.
• "La statue de Balzac. Le monument confié à Rodin", *La Lanterne*, 10 juillet 1891.
• "La statue de Balzac par M. Rodin", *Paris-Journal*, 10 juillet 1891.
• "La statue de Balzac par M. Rodin", *Le Petit Moniteur universel*, 10 juillet 1891.
• "Chez Auguste Rodin", *La Presse*, 11 juillet 1891.
• *Le Radical*, 11 juillet 1891.
• "La statue de Balzac : la vérité sur le monument", *La France*, 11 juillet 1891.
• "La statue de Balzac. Chez M. A. Rodin. Les projets du statuaire. Entrevue souhaitée avec M. Émile Zola", *L'Éclair*, 11 juillet 1891.
• *Le Monde Artiste*, 12 juillet 1891.
• "La statue de Balzac", *L'Éclair*, 13 juillet 1891.
• *Le Constitutionnel*, 14 juillet 1891.
• *Parti national*, 14 juillet 1891.
• Farges, A. B. de, "La statue de Balzac. L'opinion de deux artistes", *La France*, 15 juillet 1891.

• *La France nouvelle*,
17 juillet 1891.
• *La Patrie*, 17 juillet 1891.
• "Échos artistiques.
Le monument de Balzac",
La Justice, 18 juillet 1891.
• "Le monument de Balzac",
Le Temps, 18 juillet 1891.
• *Le Monde*, 19 juillet 1891.
• *Public*, 19 juillet 1891.
• Caribert [Octave Lebesgue,
dit], "À travers Paris.
Beaumarchais nourrice",
Paris, 20 juillet 1891.
• "Le monument de Balzac
à Paris", *La Touraine
républicaine*, 22 juillet 1891.
• *Journal des beaux-arts*,
24 juillet 1891.
• "Le monument de Balzac",
Le Moniteur des arts,
24 juillet 1891.
• Ulrich, Jules, "La statue
de Balzac", *Journal
des beaux-arts*, 26 juillet 1891.

août
• Ernst, Alfred, "Auguste
Rodin", *L'Art moderne*, n° 31,
2 août 1891, pp. 248-249.
• Case, Jules, "Chronique
du bronze S. V. P.", *L'Estafette*,
14 août 1891.
• *L'Estafette*, 14 août 1891,
p. 2.

septembre
• M. M., "L'iconographie
d'Honoré de Balzac",
Le Magasin pittoresque,
15 septembre 1891,
pp. 277-278.
• "Chronique", *L'Artiste*,
septembre 1891, pp. 222-223.

novembre
• Alexandre, Arsène, "Portraits
contemporains. Auguste Rodin",
La Vie populaire, n° 91,
12 novembre 1891, pp. 201-202.

décembre
• Toudouze, Gustave, "Auguste
Rodin", *La Petite Revue*, n° 186,
12 décembre 1891,
pp. 369-371.

1892
janvier
• "Beaux-Arts", *Le Soir*,
11 janvier 1892. Même article :
Petit Nord, 11 janvier 1892 ;
"La statue de Balzac", *Petit
Républicain*, 11 janvier 1892 ;
"La statue de Balzac", *Le Petit
Parisien*, 11 janvier 1892 ;
Le Phare de la Loire,
12 janvier 1892 ; Énigme,
La Paix, 12 janvier 1892 ;
"La statue de Balzac",
Le Petit Caporal, 12 janvier
1892 ; *L'Estafette*, 12 janvier
1892 ; *Parti national*,
12 janvier 1892 ; *Le Progrès*,
13 janvier 1892 ; *Le Réveil*,
17-24 janvier 1892.
• "Le monument de Balzac",
L'Éclair, 11 janvier 1892. Même
article : "La statue de Balzac",
La Presse, 11 janvier 1892 ;
Le Patriote/Le Ralliement,
12 janvier 1892.
• Sosie, *Paris*, 11 janvier 1892.
Même article : *Le Petit
Clermontois*, 14 janvier 1892.
• "La statue de Balzac",
Le Salut public, 11 janvier 1892.
Même article : *Le Progrès*,
12 janvier 1892.
• *Le Temps*, 11 janvier 1892.
Même article : *Public*,
12 janvier 1892 ; *La Petite
Presse*, 13 janvier 1892 ;
La Gazette de l'hôtel Drouot,
14 janvier 1892 ; *Le Progrès
artistique*, 16 janvier 1892 ;
"La statue de Balzac", *La Petite
République*, 17 janvier 1892.
• Énigme, *La Paix*,
12 janvier 1892. Cf. *Le Soir*,
11 janvier 1892.
• Javel, Firmin, "Nouvelles
artistiques. La statue
de Balzac", *Gil Blas*,
12 janvier 1892.
• *Le Phare de la Loire*,
12 janvier 1892. Cf. *Le Soir*,
11 janvier 1892.
• *Le Progrès*, 12 janvier 1892.
Cf. *Le Salut public*,
11 janvier 1892.
• *Public*, 12 janvier 1892.
Cf. *Le Temps*, 11 janvier 1892.

• "La statue de Balzac",
Le Patriote/Le Ralliement,
12 janvier 1892. Cf. *L'Éclair*,
11 janvier 1892.
• "La statue de Balzac", *Le Petit
Caporal*, 12 janvier 1892.
Cf. *Le Soir*, 11 janvier 1892.
• *Sud-Ouest*, 12 janvier 1892.
• *La Petite Presse*, 13 janvier
1892. Cf. *Le Temps*, 11 janvier
1892.
• *Le Progrès*, 13 janvier 1892.
• "La statue de Balzac",
La Sentinelle du Jura, 13 janvier
1892.
• *La Gazette de l'hôtel Drouot*,
14 janvier 1892. Cf. *Le Temps*,
11 janvier 1892.
• *Le Petit Clermontois*,
14 janvier 1892. *Cf.* Sosie,
11 janvier 1892.
• *Le Progrès artistique*,
16 janvier 1892. Cf. *Le Temps*,
11 janvier 1892.
• *Le Réveil*, 17-24 janvier 1892.
Cf. *Le Soir*, 11 janvier 1892.
• "La statue de Balzac",
La Petite République,
17 janvier 1892.
• Hirsch, Charles-Henry,
"Auguste Rodin", *La Bataille*,
19 janvier 1892.
• "Deux monuments. Balzac
et Victor Hugo par Auguste
Rodin", *L'Éclair*, 20 janvier 1892.
• "M. Rodin", *Le Progrès
de l'Est*, 22 janvier 1892.
• O'Monroy, Richard, *L'Univers
illustré*, 30 janvier 1892.
• W. Antony, "L'architecture
au jour le jour", *La Semaine
des constructeurs*, n° 32,
30 janvier 1892, pp. 369-370.

février
• "Chez M. Rodin", *Le Progrès
de l'Est*, 11 février 1892.
• Passant, Le [Ernest d'Hervilly,
dit], *Le Rappel*, 11 février 1892.
• "La statue de Balzac", *Journal
des débats*, 20 février 1892.
• Marx, Roger, "Balzac et
Rodin", *Le Voltaire*, 23 février
1892. Repris en partie : Marx,
"Balzac et Rodin", *Le Voltaire*,
5 février 1896.

mars
• "Prochaines statues.
À travers les ateliers",
L'Éclair, 8 mars 1892.
• Cerfberr, Anatole,
"Le monument de Balzac.
Détails souhaités",
L'Événement, 19 mars 1892.

avril
• Un Domino,
"Interview-express", *Le Gaulois*,
16 avril 1892.
• Fuster, Ch., "Une statue
qui manque", *Le Semeur*, n° 10,
25 avril 1892, p. 290.

mai
• *La Paix*, 13 mai 1892.
• *Le Soir*, 13 mai 1892.

juin
• *L'Entr'acte*, 7 juin 1892.
Même article : *L'Événement*,
8 juin 1892.
• *L'Événement*, 8 juin 1892.
Cf. *L'Entr'acte*, 7 juin 1892.
• Frémine, Charles, *Le Rappel*,
12 juin 1892.

août
• Nemo [Louis Macon, *dit*],
Le Parisien, 16 août 1892.

décembre
• Audebrand, Philibert, "Scènes
de la vie artiste. La statue
d'Honoré de Balzac", *L'Art*,
vol. LIII, t. II, décembre 1892,
pp. 253-257.

1893
janvier
• Javel, Firmin, "Nouvelles
artistiques. La statue de Balzac",
Gil Blas, 12 janvier 1893.

avril
• Audebrand, Philibert,
"H. de Balzac, épicier",
L'Événement, 8 avril 1893.

juin
• Geffroy, Gustave, "Chronique
littéraire. La statue de Balzac",
La Justice, 19 juin 1893.

- *L'Estafette*, 27 juin 1893.
- *Petit Républicain*, 27 juin 1893.
- *Le Journal*, 29 juin 1893.

juillet
- "France and Germany", *Sun*, 1er juillet 1893.
- Ernst, Alfred, "Chez Rodin", *Le Siècle*, 10 juillet 1893.
- *La République française*, 30 juillet 1893. Même article : *Le Constitutionnel*, 3 août ; *Le Petit Caporal*, 4 août 1893.
- "Ça et là", *Le Républicain de la Loire*, 31 juillet 1893.
- *Le Parisien*, 31 juillet 1893. Même article : *L'Art moderne*, n° 33, 13 août 1893 ; *Journal des artistes*, 20 août 1893.

août
- *Le Constitutionnel*, 3 août 1893. Cf. *La République française*, 30 juillet 1893.
- Détang, Louis, "Cladel et Balzac", *Gil Blas*, 4 août 1893.
- *Le Petit Caporal*, 4 août 1893. Cf. *La République française*, 30 juillet 1893.
- *L'Art moderne*, n° 33, 13 août 1893. Cf. *Le Parisien*, 31 juillet 1893.
- "La Société des Gens de lettres", *Journal des artistes*, 20 août 1893. Cf. *Le Parisien*, 31 juillet 1893.
- Geffroy, Gustave, "L'imaginaire", *Le Figaro*, 29 août 1893.

septembre
- *Le Journal de Saint-Quentin*, 5 septembre 1893.
- "La statue de Balzac", *La France*, 13 septembre 1893.

octobre
- Passe Partout, *La Presse*, 20 octobre 1893.
- Sosie, *Paris*, 20 octobre 1893.
- *L'Univers*, 20 octobre 1893.
- *Paris*, 22 octobre 1893.
- *La Patrie*, 22 octobre 1893.
- *Le Petit Caporal*, 22 octobre 1893. Même article : *L'Ordre*, 25 octobre 1893.

- *Journal des débats*, 25 octobre 1893.
- Lector, "La statue de Balzac", *L'Écho de Paris*, 25 octobre 1893. Même article : *L'Intérêt public*, 25 octobre 1893 ; *Petit Républicain*, 26 octobre 1893.
- Zola, Émile, "La statue de Balzac (de la petite République française)", *La Nation*, 25 octobre 1893.
- "La statue de Balzac", *Petit Républicain*, 26 octobre 1893. Cf. Lector, 25 octobre 1893.
- "La statue de Rodin", *La Bataille*, 26 octobre 1893.
- André, Édouard, "Chronique", *La Petite Presse*, 28 octobre 1893.
- Audebrand, Philibert, "La statue de Balzac", *L'Événement*, 28 octobre 1893.
- *L'Ordre*, 29 octobre 1893. Cf. *Le Petit Caporal*, 22 octobre 1893.
- "La statue de Balzac", *La Petite République*, 29 octobre 1893.

novembre
- "Le pantalon de Balzac", *Le Messager de Toulouse*, 6 novembre 1893. Même article : *Le Télégraphe*, 6 novembre 1893.
- "Le tailleur de Balzac", *Le Messager d'Indre-et-Loire*, 6 novembre 1893.
- Audebrand, Philibert, "La statue d'H. de Balzac", *L'Écho de la semaine*, 12 novembre 1893.

décembre
- *Le Petit Quotidien*, 13 décembre 1893.
- Gavault, Paul, "Sous la coupole", *Le Voltaire*, 17 décembre 1893.

1894
20 janvier
- "The Grafton gallery", *Daily Graphic*, 20 janvier 1894.

1er avril
- Le Laitier, "Réveil-matin", *Le Rapide*, 1er avril 1894.

2 juin
- Tout-Paris, "Bloc-notes parisien. La statue de Balzac", *Le Gaulois*, 2 juin 1894.

12 septembre
- Morice, Charles, "Les passants. Auguste Rodin", *Le Soir*, 12 septembre 1894.

9 octobre
- Morice, Charles, "La statue de Balzac", *Le Soir*, 9 octobre 1894.

10 octobre
- *L'Écho de Paris*, 10 octobre 1894.

8 novembre
- "La statue de Balzac", *Le Matin*, 8 novembre 1894.

9 novembre
- "Le conflit Rodin-Balzac", *L'Éclair*, 9 novembre 1894. Même article : *Le Signal*, 9 novembre ; "La statue de Balzac à Paris", *La Touraine républicaine*, 9 novembre 1894 ; "La statue de Balzac", *L'Union libérale*, 15 novembre 1894.
- Morice, Charles, "Rodin et la Société des Gens de lettres", *Le Soir*, 9 novembre 1894.
- *La République française*, 9 novembre 1894. Même article (en partie) : *L'Éclair*, 9 novembre 1894.
- "La statue de Balzac à Paris", *La Touraine républicaine*, 9 novembre 1894. Cf. *L'Éclair*, 9 novembre 1894.
- *Le Signal*, 9 novembre 1894. Cf. *L'Éclair*, 9 novembre 1894.
- "La statue de Balzac à Paris", *La Touraine républicaine*, 9 novembre 1894. Cf. *L'Éclair*, 9 novembre 1894.

10 novembre
- "Conflits artistiques", *Le Siècle*, 10 novembre 1894.
- Formentin, Ch., "Statues promises", *Le Jour*, 10 novembre 1894.

- "Interview du sculpteur Rodin", *La Patrie*, 10 novembre 1894. Même article : "La statue de Balzac", *La Presse*, 10 novembre 1894.
- Nivelle, Jean de [Ch. Canivet, dit], "Balzac et Maupassant", *Le Soleil*, 10 novembre 1894.
- Séverine [Caroline Rémy, dite], "Auguste Rodin", *Le Journal*, 10 novembre 1894.
- "La statue de Balzac", *La Presse*, 10 novembre 1894. Cf. *La Patrie*, 10 novembre 1894.

11 novembre
- Alexandre, Arsène, "Le Balzac de Rodin", *L'Éclair*, 11 novembre 1894.
- "Nouvelles diverses", *Le Progrès artistique*, 11 novembre 1894.

12 novembre
- Clemenceau, Georges, "Balzac et Rodin", *La Justice*, 12 novembre 1894.
- *L'Express*, 12 novembre 1894.
- Stiegler, Gaston, "Rodin et Balzac", *L'Écho de Paris*, 12 novembre 1894. Même article : *La Bataille*, 13 novembre 1894.

13 novembre
- Ajalbert, Jean, "Rodin à l'heure", *Gil Blas*, 13 novembre 1894.
- Un Domino, *Le Gaulois*, 13 novembre 1894. Même article : *Journal des débats*, 13 novembre 1894.
- *L'Éclair*, 13 novembre 1894.
- *Journal des débats*, 13 novembre 1894. Cf. *Le Gaulois*, 13 novembre 1894.
- R. G., "Lettres parisiennes," *Le Journal de Bruxelles*, 13 novembre 1894.
- Stiegler, Gaston, "Rodin et Balzac", *La Bataille*, 13 novembre 1894. Cf. Stiegler, 12 novembre 1894.
- XXX, "L'affaire Rodin-Balzac", *Le Journal*, 13 novembre 1894. Même article, même titre :

Le Parisien, 13 novembre 1894 ;
L'Éclair, 14 novembre 1894 ;
Journal des artistes,
18 novembre 1894.

14 novembre
• "L'affaire Rodin-Balzac",
L'Éclair, 14 novembre 1894.
Cf. XXX, 13 novembre 1894.
• Alexandre, Arsène,
"Chroniques d'aujourd'hui.
Le comité gaffeur", *Paris*,
14 novembre 1894.
• G. G., "Balzac et ses statues",
Le Messager d'Indre-et-Loire,
14 novembre 1894.
• "La statue de Balzac à Paris",
La Touraine républicaine,
14 novembre 1894.

15 novembre
• "Chronique", *La Revue
des livres et du théatre*,
15 novembre 1894.
• *Le Rappel*, 15 novembre
1894. Même article :
La Revue des beaux-arts,
18 novembre 1894.
• "La statue de Balzac",
L'Union libérale, 15 novembre
1894. *Cf.* "Le conflit
Rodin-Balzac", *L'Éclair*,
9 novembre 1894.

16 novembre
• Berthelot, Paul, "Chronique
dramatique", *La Gironde*,
16 novembre 1894.

17 novembre
• "La statue de Balzac",
Journal des débats,
17 novembre 1894.
• Rastignac, "Courrier
de Paris", *L'Illustration*,
n° 2699, 17 novembre 1894,
pp. 398-399.
• "Trois monuments.
Le monument de Balzac", *L'Art
français*, 17 novembre 1894.

18 novembre
• "L'affaire Rodin-Balzac",
Journal des artistes,
18 novembre 1894. *Cf.* XXX,
Le Journal, 13 novembre 1894.

• "À propos de la statue
de Balzac", *La Revue des
beaux-arts*, 18 novembre 1894.
Cf. Le Rappel, 15 novembre
1894.
• Bonhomme, Paul, *Le Soleil du
dimanche*, 18 novembre 1894.
• Faure, Auguste, "Chronique
parisienne. Lenteurs d'artiste",
Chronique populaire,
18 novembre 1894.
• Frémine, Charles, "La statue
de Balzac", *Le Rappel*,
18 novembre 1894.
• Sandoz, Pierre [Jules Decloux,
dit], "La semaine artistique
(Lettres et Beaux-Arts)",
Le Monde artiste, 18 novembre
1894, pp. 638-639.

19 novembre
• Thiébault-Sisson, François,
"Au jour le jour. Les
entrepreneurs de statues",
Le Temps, 19 novembre 1894.

20 novembre
• Alexandre, Arsène, "Opinions.
La Société des 'chands de lettres",
L'Éclair, 20 novembre 1894.
• Cerfberr, Anatole, "Miettes
d'actualités. Encore la statue
de Balzac !", *L'Événement*,
20 novembre 1894.

21 novembre
• "Le monument de Balzac",
Le Progrès de l'Est,
21 novembre 1894.

23 novembre
• Masque de fer, Le
[Émile Blavet, *dit*], "Nouvelles
à la main", *Le Figaro*,
23 novembre 1894.

24 novembre
• Véron, Pierre, *Le Monde
illustré*, n° 1965, 24 novembre
1894, pp. 326-327.

25 novembre
• Caliban [Émile Bergerat, *dit*],
"Chroniques de Caliban.
L'avance à valoir", *L'Écho
de Paris*, 25 novembre 1894.

• Chincholle, Charles,
"Balzac et Rodin", *Le Figaro*,
25 novembre 1894.
• Goncourt, Edmond de,
Journal de la vie littéraire,
25 novembre 1894.

27 novembre
• "Affaire Rodin-Balzac", *L'Éclair/
Le Jour*, 27 novembre 1894.
• "Affaire Rodin-Balzac.
Nouvelle discussion du comité
de la Société des Gens de
lettres", *L'Éclair*, 27 novembre
1894.
• "L'affaire Rodin-Balzac.
Une tempête dans... un comité.
Séance scandaleuse", *La Patrie*,
27 novembre 1894.
• Chincholle, Charles, "À la
Société des Gens de lettres",
Le Figaro, 27 novembre 1894.
• "Le différend Rodin-Balzac.
Démission de M. Aicard",
La Presse, 27 novembre 1894.
• *Le Figaro*, 27 novembre 1894.
Même article : *Journal des
débats*, 28 novembre 1894.
• *Le Petit Journal*, 27 novembre
1894.
• "Une révolution à la Société
des Gens de lettres", *Le Soir*,
27 novembre 1894.
• Séverine [Caroline Rémy, *dite*],
"Les dix mille francs de Rodin",
Le Journal, 27 novembre 1894.
• "La statue de Balzac", *Journal
des débats*, 27 novembre 1894.

28 novembre
• A. B., "Les chands de lettres",
La France, 28 novembre 1894.
• "L'actualité. L'affaire
Rodin-Balzac à la Société
des Gens de lettres", *L'Éclair*,
28 novembre 1894.
• "L'affaire Rodin-Balzac",
La Justice, 28 novembre. Même
article, même titre : *Le Jour*,
28 novembre 1894.
• Brisson, Adolphe, "Autour
d'une statue", *La République
française*, 28 novembre 1894.
• Canivet, Charles,
"La question Balzac-Rodin",
Le Soleil, 28 novembre 1894.

• C. C. [Charles Chincholle],
"L'incident Rodin", *Le Figaro*,
28 novembre 1894.
• "Le différend Rodin-Balzac.
Une séance mouvementée.
Nombreuses démissions",
La Patrie, 28 novembre 1894.
• *L'Estafette*, 28 novembre 1894.
• Formentin, Ch., "Artistes
et gens de lettres", *Le Jour*,
28 novembre 1894.
• Français, Maurice,
"Paris-propos. Chez les gens
de lettres", *Le Rapide*,
28 novembre. Même article,
même titre : *Le National*,
28 novembre 1894.
• *Gil Blas*, 28 novembre 1894.
• "L'incident Rodin-Balzac.
Discorde à la Société des
Gens de lettres", *Le XIXe Siècle*,
28 novembre 1894.
• *Journal des débats*,
28 novembre 1894.
• M. G., "L'affaire Rodin-
Balzac", *La Libre Parole*,
28 novembre 1894.
• *Paris*, 28 novembre 1894
• R. J., "M. Rodin et la Société
des Gens de lettres", *L'Écho
de Paris*, 28 novembre 1894.
• "La Société des Gens
de lettres et M. Rodin",
Le Temps, 28 novembre 1894.
• "La statue de Balzac",
Journal des débats,
28 novembre 1894.
• "La statue de Balzac", *La
Lanterne*, 28 novembre 1894.
• "The story of a statue.
Concerning the Balzac memorial
for Paris", *The Pall Mall Gazette*,
28 novembre 1894.
• Voland, Jacques, "Chez
les Gens dits de lettres",
La France, 28 novembre 1894.

29 novembre
• "L'affaire Rodin", *Le Jour*,
29 novembre 1894.
• "À la Société des Gens
de lettres", *Le Ralliement*,
29 novembre 1894.
• "À la Société des Gens
de lettres", *Le Temps*,
29 novembre 1894.

• Brisson, Adolphe, "Autour d'une statue", *Petit Républicain*, 29 novembre 1894.
• Ch. C. [Charles Chincholle], "L'incident Rodin-Balzac", *Le Soleil*, 29 novembre 1894.
• *Correspondance Havas*, 29 novembre 1894.
• Jean de Montmartre [Ed. Lepelletier, *dit*], "Homme et chose. Autour d'une statue", *Le Radical*, 29 novembre 1894.
• "Journaux de ce matin", *Gil Blas*, 29 novembre 1894.
• "Lettre de Paris. Pour un mot", *Le Nord Maritime*, 29 novembre 1894.
• "Une petite révolution à la 'Société des Gens de lettres'", *Genevois*, 29 novembre 1894.
• "La statue de Balzac", *Le Moniteur de Meurthe*, 29 novembre 1894.
• Vacquerie, Auguste, "La statue de Balzac", *Le Rappel*, 29 novembre 1894.
• Voland, Jacques, "Les 'chands de lettres", *La France*, 29 novembre 1894.

30 novembre
• "À la Société des Gens de lettres. L'élection du président", *Le Gaulois*, 30 novembre 1894.
• "Au jour le jour. À la Société des Gens de lettres", *Le Temps*, 30 novembre 1894.
• "Chez les 'Gendelettres'. M. Aurélien Scholl, président. Fin de l'incident Rodin", *Le Matin*, 30 novembre 1894.
• "Chez les gens de lettres", *Le Parisien*, 30 novembre 1894.
• "Chez les gens de lettres", *Le Soir*, 30 novembre 1894. Même article (en partie) : *Le Journal/Le Soleil*, 30 novembre 1894.
• Chincholle, Charles, "Le nouveau président de la Société des Gens de lettres", *Le Figaro*, 30 novembre 1894.
• "Informations", *Le Soleil*, 30 novembre 1894. *Cf.* P. M., *Le Journal*, 30 novembre 1894 ; *Le Soir*, 30 novembre 1894.

• "Le différend Rodin", *La Presse*, 30 novembre 1894.
• "Duquet et Rodin", *La Justice*, 30 novembre 1894.
• *L'Écho de Paris*, 30 novembre 1894.
• *Le Journal de Genève*, 30 novembre 1894.
• *Le Petit Journal*, 30 novembre 1894.
• Perry, Jean, "La statue de Balzac et la Société des Gens de lettres", *L'Événement*, 30 novembre 1894.
• P. M., "L'incident Rodin", *Le Journal*, 30 novembre 1894. Même article : *Le Soleil*, 30 novembre 1894. *Cf. Le Soir*, 30 novembre 1894.
• P. O., "À la Société des Gens de lettres", *La Libre Parole*, 30 novembre 1894.
• *Le Progrès de la Somme*, 30 novembre 1894.
• *Le Républicain lorrain*, 30 novembre 1894.
• *L'Univers*, 30 novembre 1894.

1ᵉʳ décembre
• "À la Société des Gens de lettres", *La Petite République*, 1ᵉʳ décembre 1894.
• "À la Société des Gens de lettres", *Le Temps*, 1ᵉʳ décembre 1894.
• "À la Société des Gens de lettres", *Le XIXᵉ Siècle*, 1ᵉʳ décembre 1894.
• "À la Société des Gens de lettres. Une vieille querelle", *La Justice*, 1ᵉʳ décembre 1894.
• "Chez les gens de lettres", *Le Jour*, 1ᵉʳ décembre 1894. Même article, même titre : *Le Courrier du Soir/L'Écho de Paris*, 1ᵉʳ décembre 1894.
• Clemenceau, Georges, "Tartempion", *La Justice*, 1ᵉʳ décembre 1894.
• Français, Maurice, "Paris-propos. Balzac et Maupassant", *Le Voltaire*, 1ᵉʳ décembre 1894.
• *La Gazette de France*, 1ᵉʳ décembre 1894.
• *Gil Blas*, 1ᵉʳ décembre 1894. Même article (en partie) :

"Informations et nouvelles", *La Lanterne*, 1ᵉʳ décembre 1894.
• "Informations et nouvelles", *La Lanterne*, 1ᵉʳ décembre 1894. *Cf. Gil Blas*, 1ᵉʳ décembre 1894.
• Jacques [Edmond Bazire, *dit*], "Gendelettres", *Le Parisien*, 1ᵉʳ décembre 1894. Même article : *La Petite Presse*, 2 décembre 1894.
• Perry, Jean, "La crise de la Société des Gens de lettres", *L'Événement*, 1ᵉʳ décembre 1894.
• P. J. [Perry, Jean], "Le conflit Rodin-Balzac", *Le Temps*, 1ᵉʳ décembre 1894.
• *La République française*, 1ᵉʳ décembre, 1894.
• "La Société des Gens de lettres", *L'Éclair*, 1ᵉʳ décembre 1894.

2 décembre
• "À la Société des Gens de lettres", *La Justice*, 2 décembre 1894.
• "Chronique", *La Semaine*, 2 décembre 1894.
• "Courrier de l'étranger. France. Notes du jour", *L'Indépendance belge*, 2 décembre 1894.
• *La Gironde*, 2 décembre 1894.
• Hamel, Henry, "La Société des Gens de lettres et le sculpteur Rodin", *La Revue des beaux-arts*, 2 décembre 1894.
• Jacques [Edmond Bazire, *dit*], *La Petite Presse*, 2 décembre 1894. *Cf.* Jacques, 1ᵉʳ décembre 1894.
• *Le Journal de Genève*, 2 décembre 1894.
• Lacour, Léopold, "L'art et l'argent. Pour Rodin", *L'Événement*, 2 décembre 1894.
• "La malchance de Balzac", *Le Gaulois*, 2 décembre 1894.
• L. E., "À propos d'une statue", *Le Temps*, 2 décembre 1894.
• Prévost, Gabriel, "De tout un peu", *Le Plébiscite*, 2 décembre 1894.
• Savey, Charles, "Chronique", *Le Courrier du Soir*, 2 décembre 1894.

3 décembre
• Aicard, Jean, "L'art au-dessus de l'argent", *Le Figaro*, 3 décembre 1894.
• "Au jour le jour. L'art sur commande", *Journal des débats*, 3 décembre 1894.
• "L'incident Rodin-Balzac", *Le Parisien*, 3 décembre 1894.
• "Les journaux de ce matin. L'incident Rodin-Balzac", *Le Matin*, 3 décembre 1894.
• "Sensations d'un grincheux", *Le Petit National*, 3 décembre 1894.
• Vacquerie, Auguste, "La statue de Balzac", *Le Journal de Rouen*, 3 décembre 1894.

4 décembre
• "L'affaire Rodin-Balzac", *Le Jour*, 4 décembre 1894.
• Ajalbert, Jean, "Tripot de lettres", *Gil Blas*, 4 décembre 1894.
• La Deûle, O. de, "Par-ci, par-là. Petite chronique de la semaine", *Le Nouvelliste de Lille*, 4 décembre 1894.
• *Le Réveil du Dauphiné*, 4 décembre 1894.
• "Tripot de lettres", *Le Progrès de la Somme*, 4 décembre 1894.
• *L'Univers*, 4 décembre 1894.

5 décembre
• "À travers Paris", *Le Figaro*, 5 décembre 1894.
• "The Balzac statue", *New York Herald*, 5 décembre 1894.
• "Les explications de M. Aicard. L'incident Rodin-Balzac", *La Patrie*, 5 décembre 1894.
• G. A., "La malchance de Balzac", *Le Gaulois*, 5 décembre 1894.
• *Gil Blas*, 5 décembre 1894.
• "L'incident Rodin-Balzac", *La Justice*, 5 décembre 1894. Même article, même titre : *Le National/Le Voltaire*, 5 décembre 1894.

• *Le Journal de Rouen*,
5 décembre 1894. Même
article : *L'Indépendant rémois*,
10 décembre 1894.

6 décembre
• *Le Courrier du Soir*,
6 décembre 1894. Même
article : "L'incident
Rodin-Balzac", *Le Progrès de
la Somme*, 6 décembre 1894 ;
L'Indépendant rémois,
7 décembre 1894.
• *Le Journal*, 6 décembre 1894.

7 décembre
• Gaillard, Louis, "La statue
de Balzac. Comédie
humaine !", *Gil Blas*,
7 décembre 1894.
• "Revue des journaux",
La Démocratie,
7 décembre 1894.

8 décembre
• *Le Journal des arts*,
8 décembre 1894.
• R. Y. [Rambosson, Yvanhoé],
"Épilogue de l'incident Rodin",
La Terre de France, 8 décembre
1894.
• *La Tribune*, 8 décembre 1894.

9 décembre
• Sarcey, Francisque,
"Notes de la semaine. Statues
et bustes", *Annales politiques
et littéraires*, 9 décembre 1894.
• *Le Soir*, 9 décembre 1894.
• *The Times*, 9 décembre 1894.

10 décembre
• "Chez Rodin. Une visite à
l'atelier du dépôt des marbres",
Le Matin, 10 décembre 1894.
• *L'Indépendant rémois*,
10 décembre 1894.
Cf. *Le Journal de Rouen*,
5 décembre 1894.
• Robert, "Lettre de Paris",
L'Express, 10 décembre 1894.

11 décembre
• "Le dîner de la Société
des Gens de lettres", *Journal
des débats*, 11 décembre 1894.

Même article : *Le Jour/
L'Intérêt public/La Gironde*,
12 décembre 1894.
• *La Gironde/Le Journal*,
11 décembre 1894. Même
article (en partie) : *Le Matin*,
11 décembre 1894.
• "Les journaux de ce matin.
L'incident Rodin-Balzac",
Le Matin, 11 décembre 1894.
Même article : "L'incident
Rodin-Balzac", *Mémorial*,
12 décembre ; *L'Anjou/
L'Aveyron Républicain/
Le Journal commercial
maritime/Le Journal de Maine-
et-Loire/Le Journal de Roubaix/
Le Journal de la Vendée/
Le Petit Patriote de l'Ouest*,
13 décembre 1894 ; "Revue
des journaux", *Bordeaux
Journal*, 14 décembre 1894 ;
L'Indépendant,
15 décembre 1894.
• "Revue de la presse", *Journal
des débats*, 11 décembre 1894.

12 décembre
• "À la Société des Gens
de lettres", *Le Temps*,
12 décembre 1894.
• "Chez M. Rodin. Conversation
avec le sculpteur", *La Patrie*,
12 décembre 1894. Même
article : "Nos informations.
Chez M. Rodin", *La Presse*,
12 décembre 1894.
• "Dîner de la Société des
Gens de lettres", *La Gironde*,
12 décembre 1894. Même
article : *L'Intérêt public*,
12 décembre 1894 ; *Le Jour*,
12 décembre 1894.
Cf. "Le dîner de la Société
des Gens de lettres", *Journal
des débats*, 11 décembre 1894.
• "L'incident Rodin-Balzac",
Mémorial, 12 décembre 1894.
Cf. Le Journal,
11 décembre 1894.
• "Une lettre d'Émile Zola",
L'Éclair, 12 décembre 1894.
Cf. Le Journal,
11 décembre 1894.
• *Le Sémaphore*,
12 décembre 1894.

• "La statue de Balzac",
Le Phare des Charentes,
12 décembre 1894.
• *L'Univers*, 12 décembre 1894.
• Zola Émile, "Le petit guignol.
Émile Zola à Rodin", *Le Soir*,
12 décembre 1894

13 décembre
• *Le Courrier des Ardennes*,
13 décembre 1894.

14 décembre
• Géo [Jean Geoffroy, *dit*],
Le Messager d'Indre-et-Loire,
14 décembre 1894.
• "Jean Gigoux. Mort du célèbre
peintre et collectionneur",
L'Éclair, 14 décembre 1894.
• "Lettres parisiennes du jeudi",
Nord maritime, 14 décembre
1894.
• "Un monument en détresse",
Bataille/Le Mot d'Ordre,
14 décembre 1894.
• "Revue des journaux",
Bordeaux Journal,
14 décembre 1894.

15 décembre
• *L'Indépendant*,
15 décembre 1894.
Cf. *Le Journal*,
11 décembre 1894.

16 décembre
• Braisne, Henry de,
"Chez Jean Gigoux", *Gil Blas*,
16 décembre 1894.

17 décembre
• "Jean Gigoux", *Franche-
Comté*, 17 décembre 1894.

30 décembre
• "Talk of the Parisians.
Aurélien Scholl the last
boulevardier of the century",
The New York Times,
30 décembre 1894.

1895 ─────────
janvier
• Morice, Charles, "Génie
et méthode", *L'Idée libre*, n° 1,
janvier 1895, pp. 23-28.

• "Journaux et revues",
Mercure de France, n° 61,
t. XIII, janvier 1895,
pp. 112-113.

mars
• *L'Univers*, 16 mars 1895.
• C., "Le salon de la
Rose+Croix", *L'Écho de Paris*,
21 mars 1895.

avril
• Hamoise, Henri, "Chez
les gens de lettres", *Le Figaro*,
1er avril 1895.
• "À la Société des Gens de
lettres", *Le Temps*, 2 avril 1895.
• "M. Émile Zola, président de
la Société des Gens de lettres",
Le Petit Temps, 2 avril 1895.
• T. A., "Chez les 'gens
de lettres'", *La République
française*, 2 avril 1895.
• Un Bourgeois de Paris
[Jean-Bernard Passerieu, *dit*],
"Coins et recoins. Chez les
gens de lettres", *L'Événement*,
2 avril 1895.
• "À la Société des gens de
lettres", *L'Éclair*, 3 avril 1895.
• Jacques, Jean, *Gil Blas*,
3 avril 1895.
• *Le Charivari*, n° 2027,
14 avril 1895.

juin
• M. Ch. [Charles Morice],
"L'art et les lettres. Les salons",
L'Idée libre, n° 6, juin 1895,
pp. 259-269.

septembre
• C. L. S., "Au jour le jour.
La statue de Balzac", *Le Siècle*,
1er septembre 1895.

octobre
• Millot, Léon, "Menus propos.
La statue de Balzac", *La Justice*,
26 octobre 1895.
• "Au jour le jour", *Le Journal
de Rouen*, 28 octobre 1895.
• "Celui de Balzac", *La Tribune
à Lausanne*, 29 octobre 1895.
• *La République française*,
29 octobre 1895.

novembre

• "Beaux-Arts. Balzac et Rodin", *L'Événement*, 3 novembre 1895.
• "Rodin in search of a model", *The Times*, 17 novembre 1895.

1896

janvier

• Lapauze, Henry, "Rodin abandonnerait-il Balzac ?", *Le Gaulois*, 20 janvier 1896.
• "Le Gaulois", *Le Figaro*, 26 janvier 1896.
• "Balzac's statue", *New York Herald*, 27 janvier 1896.
• *La République française*, 27 janvier 1896.
• F., "Au jour le jour. Chez le sculpteur Rodin", *Le Soleil*, 28 janvier 1896.
• *La République française*, 28 janvier 1896. Même article : *Le Parisien*, 29 janvier 1896.
• "M. Rodin working hard", *New York Herald*, 28 janvier 1896.
• Conte, Édouard, "Chronique. Rodin et la Société des Gens de lettres", *Le Voltaire*, 29 janvier 1896.
• "Lettres parisiennes", *La Gironde*, 29 janvier 1896.
• Un Domino, "Le monde des arts", *Le Gaulois*, 29 janvier 1896.
• *Le Figaro*, 30 janvier 1896.
• Hepp, Alexandre [de Langenhagen, *dit*], "Notes quotidiennes. L'impossible statue", *Le Soir*, 30 janvier 1896.
• "Chronique. Rodin et la Société des Gens de lettres", *L'Estafette*, 31 janvier 1896.
• *L'Écho de Paris*, 31 janvier 1896.
• "La statue de Balzac", *Petit Méridional*, 31 janvier 1896.

février

• "La question Balzac-Rodin", *L'Art international*, 1er février 1896.
• Véron, Pierre, "Courrier de Paris", *Le Monde illustré*, n° 2027, 1er février 1896, pp. 82-83.
• "Chronique", *La République libérale*, 3 février 1896.

• Hepp, Alexandre [de Langenhagen, *dit*], "Notes quotidiennes. L'impossible statue", *Le Soir*, 3 février 1896.
• *Gil Blas*, 4 février 1896.
• "Lettres, sciences et arts", *Journal des débats*, 5 février 1896.
• Marx, Roger, "Balzac et Rodin", *Le Voltaire*, 5 février 1896. Repris en partie de : Marx, *Le Voltaire*, 23 février 1892.
• "La quinzaine", *L'Œuvre d'art*, 5 février 1896.
• Le Senne, Camille, "Au jour le jour. La statue de Jean-Jacques", *Le Siècle*, 6 février 1896.
• *Gil Blas*, 7 février 1896.
• *Münchner neueste Nachrichten*, 7 février 1896.
• Memor [Émile Blavet, *dit*], "Notes et souvenirs", *Le Charivari*, 10 février 1896.
• Meurillion, "Le monument de Balzac", *Le Courrier du Havre*, 15 février 1896.

mars

• Jourdain, Frantz, "Notes d'art. Petits salons", *La Patrie*, 19 mars 1896.
• Rip, Georges, "Chez les gens de lettres", *Le Figaro*, 30 mars 1896.

mai

• *Le Ménestrel*, 17 mai 1896.
• Marquet de Vasselot, Anatole, "Libres critiques. À propos du monument de Balzac", *Nouvelle Revue internationale*, nos 9-10, 22 mai-1er juin 1896, pp. 511-517.

juin

• "Lettres, sciences et arts", *Journal des débats*, 15 juin 1896.

juillet

• Marquet de Vasselot, Anatole, "Libres critiques. À propos du monument de Balzac", *Nouvelle Revue internationale*, n° 11, 15 juillet 1896, pp. 58-66.
• *Le Figaro*, 25 juillet 1896.

août

• Masque de fer, Le [Émile Blavet, *dit*], *Le Figaro*, 18 août 1896. Même article : *Journal des débats*, 19 août 1896.
• "Au jour le jour. La statue de Balzac", *Le Temps*, 19 août 1896.
• B. H., *La Libre parole*, 19 août 1894.
• Bridau, Joseph, "La statue de Balzac", *Gil Blas*, 19 août 1896.
• *The Daily Telegraph*, 19 août 1896.
• Formentin, Ch., "Le Boulevard. Statues en l'air", *La Presse*, 19 août 1896.
• *Journal des débats*, 19 août 1896. *Cf.* Masque de fer, Le, 18 août 1896.
• "M. Rodin's statue of Balzac", *New York Herald*, 19 août 1896.
• "Pêle-mêle actualité. La statue de Balzac", *Le Soir*, 19 août 1896.
• *La République française*, 19 août 1896.
• "La statue de Balzac", *La Gazette de France*, 19 août 1896.
• "La statue de Balzac. À la Société des Gens de lettres", *La Patrie*, 19 août 1896. Même article : B. H., *La Libre Parole*, 19 août 1896.
• "L'actualité", *L'Éclair*, 20 août 1896.
• "Das Balzac-Denkmal in Paris", *Frankfurter Zeitung*, 20 août 1896.
• Dollfus, Paul, *L'Événement*, 20 août 1896.
• *L'Intransigeant*, 20 août 1896.
• *Journal des débats*, 20 août 1896.
• *Le Patriote de Normandie*, 20 août 1896.
• "Sainte-Beuve and Balzac", *The Globe*, 20 août 1896.
• "Das Balzac-Denkmal", *Berliner Tageblatt*, 21 août 1896.
• C. E., "La statue de Balzac", *Moniteur des Arts*, 21 août 1896.
• *L'Express*, 21 août 1896.

• Fridolin [Ed. Neukomm, *dit*], "Chronique", *Le Courrier du Soir*, 21 août 1896.
• *Le Journal de Genève*, 21 août 1896.
• Larcher, Jacques, "Statues en souffrance", *Petit Méridional*, 21 août 1896.
• "Lettres, sciences, arts, curiosités", *Le Courrier du Soir*, 21 août 1896.
• "La statue de Balzac", *La Gazette de France*, 21 août 1896.
• Schmitt, Jean E., "Balzac et Rodin", *Le Siècle*, 21 août 1896.
• Le Glaneur, *Le Courrier du Soir*, 22 août 1896.
• *Hamburger Nachrichten*, 22 août 1896.
• "Hier und dort", *Berliner Börsen Courier*, 22 août 1896.
• "Lettre de Paris", *Le Courrier de l'Aisne*, 22 août 1896.
• "Das Standbild Balzacs", *Münchener neueste Nachrichten*, 22 août 1896.
• *Le Gaulois*, 24 août 1896.
• Hepp, Alexandre [de Langenhagen, *dit*], "Notes quotidiennes. L'intérêt de la gloire", *Le Soir*, 25 août 1896.
• Rodenbach, Georges, "Encore la statue de Balzac", *Le Figaro*, 25 août 1896.
• Chincholle, Charles, "Question enterrée", *Le Figaro*, 26 août 1896.
• *The Daily Mail*, 27 août 1896.
• R. L., "Encore la statue de Balzac", *Le Progrès artistique*, 27 août 1896.
• Lafond, Paul, "Iconographie d'H. de Balzac", *La Touraine républicaine*, 28 août 1896.
• Scholl, Aurélien, "Courrier de Paris," *L'Écho de Paris*, 28 août 1896.
• "À propos d'une statue", *Le Petit Parisien*, 29 août 1896.
• Drumont, Édouard, "La statue de Balzac", *La Libre Parole*, 29 août 1896.
• "Autour d'une statue", *Le Journal de Marseille*, 30 août 1896.

• La Beaune, Jean de, *Le Progrès*, 30 août 1896.
• *La République française*, 30 août 1896.
• Tribaldy, Jean, *Le Progrès de la Somme*, 30 août 1896.
• Alexandre, Arsène, "Au jour le jour. Les sculpteurs persécutés", *Le Figaro*, 31 août 1896.
• Cloutier, Daniel, *La Patrie*, 31 août 1896.
• *La Vérité*, 31 août 1896.

septembre
• Ajalbert, Jean, "Chronique. Rodin et Balzac", *La Lanterne*, 1er septembre 1896.
• *The Sketch*, 2 septembre 1896.
• Céard, Henry, "Tribune littéraire. Le menhir de Balzac", *Paris*, 3 septembre 1896.
• *Sémaphore*, 3 septembre 1896.
• R. G., "Les sculpteurs persécutés", *L'Avenir*, 4 septembre 1896.
• Thauriès, Victor de, *Le Montpellier*, 6 septembre 1896.
• "Balzac et Rodin", *Dépêche de Tours*, 7 septembre 1896.
• Dorian, "Notes sur l'art", *La Vie marseillaise*, 12 septembre 1896.
• Doumic, René, "Les statues de Paris", *La Revue des deux mondes*, 15 septembre 1896, pp. 443-454.
• Le Fustec, Jean, "Causerie artistique. Autour du projet de monument à Balzac", *Le Nord*, 18 septembre 1896.
• Champsaur, Félicien, "Un raté de génie", *Gil Blas*, 30 septembre 1896.

décembre
• Scholl, Aurélien, "Chronique parisienne", *Gil Blas*, 25 décembre 1896.

1897
mars
• *Le Journal des arts*, 20 mars 1897.

avril
• *Le Gaulois*, 5 avril 1897.

• *Le Nord*, 6 avril 1897.
• Santillane [Ch. Bert et R. d'Archer, *dits*], "La vie parisienne. Le tourangeau", *Gil Blas*, 6 avril 1897.
• F., "Au jour le jour. Chez le sculpteur Rodin", *Le Soleil*, 7 avril 1897.
• "Les arts et la curiosité", *La Gazette de France*, 18 avril 1897.
• *Le Jour*, 18 avril 1897. Même article : *Journal des artistes*, 25 avril 1897.
• *Journal des artistes*, 25 avril 1897. Cf. *Le Jour*, 18 avril 1897.

juin
• *Le Figaro*, 14 juin 1897. Même article : *Le Patriote de Normandie*, 15 juin 1897 ; "La statue de Balzac", *L'Éclair*, 15 juin 1897 ; *Le Moniteur des arts*, 18 juin 1897 ; *La Famille*, 4 juillet 1897.
• *Le Patriote de Normandie*, 15 juin 1897. Cf. *Le Figaro*, 14 juin 1897.
• *Le Petit Parisien*, 15 juin 1897. Même article : *Pyrénées/ L'Union républicaine*, 16 juin 1897 ; *La Petite République*, 17 juin 1897.
• "La statue de Balzac", *L'Éclair*, 15 juin 1897. Cf. *Le Figaro*, 14 juin 1897.
• "Le monument de Balzac", *Pyrénées*, 16 juin 1897. Cf. *Le Petit Parisien*, 15 juin 1897.
• "Les échos de partout", *La Petite République*, 17 juin 1897. Cf. *Le Petit Parisien*, 15 juin 1897.
• "La statue de Balzac", *Le Moniteur des arts*, 18 juin 1897. Cf. *Le Figaro*, 14 juin 1897.
• La Rue, Jean de, "Beaux-Arts. Étude sur les symptômes de la décadence", *Bordeaux Journal*, 25 juin 1897.
• Ruelle, Angelin, "L'inachevable", *La Silhouette*, 27 juin 1897.

juillet
• *La Famille*, 4 juillet 1897. Cf. *Le Figaro*, 14 juin 1897.
• Boiseguin, "Chronique. Les portraits de Balzac", *La République française*, 21 juillet 1897.
• "Petite chronique, la statue de Balzac", *L'Art moderne*, n° 30, 25 juillet 1897, p. 243.

septembre
• Mirbeau, Octave, "Préface aux dessins d'Auguste Rodin", *Le Journal*, 12 septembre 1897. Repris : Mirbeau, 1924, pp. 31-38 ; et 1995, pp. 19-29.
• Doumic, René, "Revue littéraire. Les statues de Paris," *La Revue des deux mondes*, t. CXXXVII, pp. 443-454.

octobre
• Sphinx, Le [G. Blavet, *dit*], "Arts et lettres", *L'Événement*, 28 octobre 1897.

novembre
• Dacy [Paul Desachy, *dit*], "Statues dans la coulisse", *Le Rappel/Le XIXᵉ Siècle*, 6 novembre 1897.
• *Le Figaro*, 25 novembre 1897.

décembre
• *Le Moniteur des Arts*, 3 décembre 1897.
• Scholl, Aurélien, "Racontars de la quinzaine", *L'Écho de Paris*, 3 décembre 1897.

1898
1er janvier
• Mauclair, Camille, "La technique de Rodin", *La Revue des beaux-arts et des lettres*, n° 14, 1er janvier 1898, pp. 20-23. Repris : "L'art de M. Auguste Rodin", *La Revue des revues*, 15 juin 1898, pp. 591-610 ; "La technique de Rodin", *La Plume*, n° 266 (n° exceptionnel "Rodin", Iᵉʳ fascicule), 15 mai 1900, pp. 307-315 ; *Auguste Rodin et son œuvre*, Paris, éditions de "La Plume", 1900, pp. 19-27.

10 janvier
• Lapauze, Henry, *Le Gaulois*, 10 janvier 1898.

13 janvier
• "Monuments", *La Presse*, 13 janvier 1898.
• *La Presse*, 13 janvier 1898.
• *Le Progrès artistique*, 13 janvier 1898.

14 janvier
• Cardon, Émile, *Le Moniteur des arts*, 14 janvier 1898.

28 janvier
• "Le sosie de Balzac", *Le Journal de l'Indre-et-Loire*, 28 janvier 1898.

15 février
• Argenay, Paul d', "Échos et nouvelles. L'exposition de 1900", *La Revue internationale des expositions*, 15 février 1898.

6 mars
• "Chronique. Le Balzac d'Auguste Rodin", *Journal des architectes*, 6 mars 1898.

19 mars
• Chincholle, Charles, "La statue de Balzac", *Le Figaro*, 19 mars 1898.

20 mars
• Demaison, Maurice, "Au jour le jour. La statue de Balzac", *Journal des débats*, 20 mars 1898.

24 mars
• "Un Balzac inconnu", *Le Matin*, 24 mars 1898.
• *The Globe*, 24 mars 1898.

25 mars
• *Architect*, 25 mars 1898.
• *Le Siècle*, 25 mars 1898.
• "Une statue de Balzac", *Journal des débats*, 25 mars 1898.

26 mars
• Céard, Henry, "Les deux Balzac", *L'Événement*, 26 mars 1898.

• "Cosas del mundo", *El Globo*, 26 mars 1898.
• Whip, "Pendant la semaine", *La Vie parisienne*, 26 mars 1898.

27 mars
• Claretie, Léo, "Entretiens. Le Balzac de Falguière", *Journal des débats*, 27 mars 1898.
• *L'Écho de la semaine*, 27 mars 1898.

28 mars
• "Revue de presse", *Le Patriote de Normandie*, 28 mars 1898.

30 mars
• "Rodin's Balzac", *Item*, 30 mars 1898.

31 mars
• *Le Bulletin de la presse*, 31 mars 1898.
• Charles, Étienne, "La vie de Paris", *Le Salut public*, 31 mars 1898.

9 avril
• *La Liberté*, 9 avril 1898.

10 avril
• Tramar, comtesse de [marquise d'Izarn de Villefort, *dite*], "Bloc notes", *Le Gil Blas*, 10 avril 1898.
• "Œuvre achevée. M. Rodin et la statue de Balzac", *L'Éclair*, 10 avril 1898.

20 avril
• *La Nation*, 20 avril 1898.

23 avril
• *Builder*, 23 avril 1898.

24 avril
• "Rodin's statue of Balzac", *The Journal*, 24 avril 1898.

28 avril
• P. G., "Envois aux salons. Société nationale des Beaux-Arts", *Le Gaulois*, 28 avril 1898.

30 avril
• Alexandre, Arsène, "Les salons de 1898", *Supplément exceptionnel du vernissage du Figaro*, 30 avril 1898.
• Chincholle, Charles, "Le Président de la République aux deux salons des Beaux-Arts", *Le Figaro*, 30 avril 1898.
• Darzens, Rodolphe, *Le Gil-Blas*, 30 avril 1898.
• *Evening Dispatch*, 30 avril 1898.
• Geffroy, Gustave, "Le Salon de 1898", *Le Journal*, 30 avril 1898. Repris : Geffroy, *La Vie artistique*, Paris, H. Floury éditeur, 1900, pp. 317-323.
• Lecomte, Georges, *Les Droits de l'homme*, 30 avril 1898.
• "Société des Artistes français", *The Daily Messenger*, 30 avril 1898.
• "Le vernissage", *La Liberté*, 30 avril 1898.

mai
• Denoinville, Georges [Georges Besnus, *dit*], "Les salons de 1898", *La Revue de France*, n° 18, mai 1898, pp. 1462-1466.
• Fontainas, André, "La statue de Balzac", *Mercure de France*, t. XXVI, n° 101, mai 1898, pp. 378-389.
• Riquat, Alcide, "Impression d'art", *La Revue de France*, n° 18, mai 1898, pp. 1469-1470.

1er mai
• Frémine, Charles, *Le Rappel*, 1er mai 1898. Même article : *Le XIXe Siècle*, 1er mai 1898.
• Geffroy, Gustave, "À la Société nationale des Beaux-Arts. Le 'Balzac' de Rodin", *Le Journal*, 1er mai 1898. Repris : Geffroy, *La Vie artistique*, Paris, H. Floury éditeur, 1900, pp. 321-327.
• Lecomte, Georges, "Aux salons de 1898 (suite). M. Rodin", *Les Droits de l'homme*, 1er mai 1898.

• Leroux, Gaston, "À Paris. Le vernissage", *Le Matin*, 1er mai 1898.
• Lhermitte, G., "Le vernissage", *L'Aurore*, 1er mai 1898.
• *The Star*, 1er mai 1898.
• "Le vernissage", *La Patrie*, 1er mai 1898.
• "Le vernissage", *Le Soissonnais*, 1er mai 1898.
• Villemer, Jean, "Au jour le jour. Le vernissage", *Le Figaro*, 1er mai 1898.

2 mai
• Cladel, Judith, "Ceux que j'ai vus. Rodin", *La Fronde*, 2 mai 1898.
• *Hamburger Nachrichten*, 2 mai 1898.
• Maurey, Max, "Gil Blas-Revue", *Gil Blas*, 2 mai 1898.
• Rochefort, Henri, *New York Herald*, 2 mai 1898.
• "Le vernissage", *Le Petit Caporal*, 2 mai 1898.
• Viator [A. D'Allemagne, *dit*], *Le Siècle*, 2 mai 1898.
• "Le vernissage", *Le Journal du Maine-et-Loire*, 2-8 mai 1898.

3 mai
• "Le Balzac de Rodin", *Les Droits de l'homme*, 3 mai 1898.
• "Lettre de Paris", *Le National suisse*, 3 mai 1898.
• Michel, André, "Promenades au salon", *Feuilleton du Journal des débats*, 3 mai 1898.
• Un Modeste Rapin, "Vernissage", *La Vérité*, 3 mai 1898.
• *Nazionaler Zeitung*, Berlin, 3 mai 1898.
• "L'œuvre de Rodin", *L'Est républicain*, 3 mai 1898.
• "La question du 'Balzac'", *Le Jour*, 3 mai 1898.
• Pérée, Paul, "Chronique parisienne", *L'Éclair*, 3 mai 1898.
• Rameau, Jean [L. Labaigt, *dit*], "La victoire de M. Rodin", *Le Gaulois*, 3 mai 1898. Repris

en partie : *Les Arts français*, n° 14 (n° spécial "A. Rodin 1840-1917"), février 1918, p. 38.
• Sainte-Croix, Camille de, "Bataille artistique et littéraire", *La Petite République*, 3 mai 1898.
• "Le Salon", *Neuerste Nachrichten*, 3 mai 1898.
• *Strassburger Post*, 3 mai 1898.
• Von Zagow, Eugen, "Pariser Wanderbrief", *Hamburger Fremdenblatt*, 3 mai 1898.
• Ln., *Boersen Courier*, 3 mai 1898.

4 mai
• Fournier, Paul, "Le Salon (3e article)", *La France*, 4 mai 1898.
• "M. Rodin's Balzac", *The Pall Mall Gazette*, 4 mai 1898.
• "Der Salon", *Bund*, 4 mai 1898.
• "Zwei Pariser 'Salons'", *Rheinisch Westfählische Zeitung*, 4 mai 1898.

5 mai
• "Le 'Balzac' de Rodin", *Le Progrès de la Somme*, 5 mai 1898.
• Claretie, Jules, "La vie à Paris", *Le Temps*, 5 mai 1898.
• *Heraldo de Madrid*, 5 mai 1898.
• Jean-Bernard [Jean-Bernard Passerieu, *dit*], "Le salon parisien", *L'Indépendance belge*, 5 mai 1898.
• Jean-Bernard [Jean-Bernard Passerieu, *dit*], *La Tribune de l'Aisne*, 5 mai 1898.
• *Le Messager de Toulouse*, 5 mai 1898.
• Rochefort, Henri, "The sculpture garde. M. Rodin's new method", *Herald*, 5 mai 1898.
• Saint-Thuron, "Les deux Balzac", *Le Petit Caporal*, 5 mai 1898.
• *La Stampa*, 5 mai 1898.
• Un Parisien [Jules Lermina, *dit*], "Bavardage", *Le Radical*, 5 mai 1898.

6 mai

• "Le Balzac de Rodin", *Les Droits de l'homme*, 6 mai 1898.

• Bertol-Graivil, E. [Eugène-Édouard Domicent, *dit*], "Courrier de la semaine", *Le Bulletin des Halles*, 6 mai 1898.

• Candide [Jules Claretie, *dit*], "Le fait du jour. La statue du Balzac", *Le Voltaire*, 6 mai 1898.

• Constant, Benjamin, "Promenade de peintre aux salons de 1898", *Le Figaro*, 6 mai 1898. Repris en partie : "Notes sur Rodin", *Les Arts français*, n° 14, février 1918, pp. 37-38.

• Diavolo [Paul Lordon, *dit*], "Le tout-Paris. Rodin et Balzac", *Le Siècle*, 6 mai 1898.

• "Joli mois de mai", *L'Événement*, 6 mai 1898.

• Lesueur, Daniel [Mme Henry Lapauze, *dite*], "Le krach de l'imagination", *La Fronde*, 6 mai 1898.

• "La statue de Balzac", *L'Éclair*, 6 mai 1898.

• "La statue de Balzac. Une visite à Auguste Rodin", *Le Rappel*, 6 mai 1898. Même article, même titre: *Le XIXᵉ Siècle*, 6 mai 1898.

• "The Paris salon", *The Liverpool Post*, 6 mai 1898.

• Silvestre, Armand, "Notes d'art. L'image de Balzac", *La Petite Gironde*, 6 mai 1898.

7 mai

• "Billet du soir", *Gil Blas*, 7 mai 1898.

• *Builder*, 7 mai 1898.

• Clayeures [René-Marc Ferry, *dit*], "Chronique", *La Revue hebdomadaire*, 7 mai 1898.

• Fourcaud, L[ouis] de, "Une heure aux deux salons", *Le Gaulois*, 7 mai 1898.

• *Le Journal d'Alsace*, 7 mai 1898.

• "M. Rodin's Balzac", *The English and American Gazette*, 7 mai 1898.

• Rastignac, "Courrier de Paris", *L'Illustration*, n° 2880, 7 mai 1898, p. 334.

• *Le Reveil libéral*, 7 mai 1898.

8 mai

• "About the boulevards. A crowd indifferent to art", *Sunday Chronicle*, 8 mai 1898.

• "Intermezzi e resti", *Il Resto del Carlino*, 8 mai 1898.

• "Latin quarter notes", *The Daily Messenger*, 8 mai 1898.

• Maillard, Léon, "Le Balzac de Rodin", *Le Parisien de Paris*, 8 mai 1898.

• Pléé, Léon, "Les salons de 1898", *Annales politiques et littéraires*, 8 mai 1898.

• Ponchon, Raoul, "La Gazette rimée", *Le Courrier français*, 8 mai 1898.

• "La question de Rodin", *Le Cri de Paris*, 8 mai 1898.

• *The Times*, 8 mai 1898.

9 mai

• Clément-Janin, "Le nez au vent. Balzac et Rodin", *L'Estafette*, 9 mai 1898.

10 mai

• B. A., *Le Bien public*, 10 mai 1898.

• *Magdeburger Zeitung*, 10 mai 1898.

• Tout-Paris, "Bloc-notes. L'élégance d'après Balzac", *Le Gaulois*, 10 mai 1898.

11 mai

• *Glasgow Herald*, 11 mai 1898.

• *Journal des débats*, 11 mai 1898.

12 mai

• Almeras, Henri d', "Interviews approximatives. Le génie méconnu", *La Presse*, 12 mai 1898.

• Blosseville, Auguste, "Chez Rodin", *Les Droits de l'homme*, 12 mai 1898.

• Brisson, Adolphe, "Plumes et ciseaux", *La République française*, 12 mai 1898.

• Chincholle, Charles, "La vente de la statue de Balzac", *Le Figaro*, 12 mai 1898.

• Cléon, "La question Rodin à la Société des Gens de lettres", *L'Écho de Paris*, 12 mai 1898.

• *The Daily Messenger*, 12 mai 1898.

• Dubois, Philippe, "Chez Rodin", *L'Aurore*, 12 mai 1898.

• "Échos de Paris", *Le Gaulois*, 12 mai 1898.

• *Journal de l'Oise*, 12 mai 1898.

• Lecomte, Georges, "Le Balzac de Rodin. Gens de lettres et sculpteur", *Les Droits de l'homme*, 12 mai 1898.

• Malpy, Philippe, "Promenades sentimentales à travers le Salon", *Le Progrès artistique*, n° 1035, 12 mai 1898, pp. 145-146.

• "M. Rodin's Balzac", *New York Herald*, 12 mai 1898.

• "Les on-dit. Chez nous", *Le XIXᵉ Siècle*, 12 mai 1898.

• Possien, Adolphe, "Le 'Balzac' de Rodin", *Le Jour*, 12 mai 1898.

• "Rodin et les gens de lettres", *La Cloche*, 12 mai 1898.

• "Rodin et les gens de lettres. À propos de l'ordre du jour. Deux cloches et deux sons", *Le Matin*, 12 mai 1898.

• Théo, "Notes d'art", *La Liberté*, 12 mai 1898.

• *La Vérité*, 12 mai 1898.

• X, "M. Rodin et la Société des Gens de lettres", *Le Journal*, 12 mai 1898.

13 mai

• *L'Art et la mode*, 13 mai 1898.

• "Le Balzac de M. Rodin", *Le Journal du Havre*, 13 mai 1898.

• "Le 'Balzac' de M. Rodin", *Le Nouvelliste*, 13 mai 1898.

• "Le Balzac de Rodin", *La Gazette de France*, 13 mai 1898.

• "Le Balzac de Rodin", *L'Express du midi*, 13 mai 1898.

• Case, Jules, "Devant Balzac", *Le Gaulois*, 13 mai 1898.

• Chincholle, Charles, "Me Chéramy chez Rodin", *Le Figaro*, 13 mai 1898.

• "Chronique", *La Vérité*, 13 mai 1898.

• *La Cocarde*, 13 mai 1898.

• Conte, Édouard, "Le Balzac de Rodin", *L'Écho de Paris*, 13 mai 1898.

• *The Daily Messenger*, 13 mai 1898.

• Duval, Georges, "Rodin et le Comité des gens de lettres", *L'Événement* 13 mai 1898.

• Elwall, Georges, "Le salon", *Paris qui passe*, 13 mai 1898.

• *L'Époque*, 13 mai 1898.

• *L'Est républicain*, 13 mai 1898.

• "Exposition des Beaux-Arts à la galerie des machines à Paris", *Journal de Saint-Pétersbourg*, 13 mai 1898.

• Fournier, Paul, "La Société des Chands d'lettres", *La France*, 13 mai 1898.

• *Le Gaulois*, 13 mai 1898.

• Hallays, André, "Au jour le jour. La statue de Balzac", *Journal des débats*, 13 mai 1898.

• *L'Italie*, 13 mai 1898.

• L. H., "La statue de Balzac", *La Petite République*, 13 mai 1898.

• Néron, Marie-Louise [Mme Passerieu, *dite*] "Autour de la statue de Balzac. Chez Rodin", *La Fronde*, 13 mai 1898.

• "The Paris salons", *The Scotsman*, 13 mai 1898.

• Rambaud, Yveling, "Silhouettes d'artistes. Auguste Rodin", *Le Journal*, 13 mai 1898.

• Robert, Albert, *La Petite Gironde*, 13 mai 1898.

• "The Rodin-Balzac case", *New York Herald*, 13 mai 1898.

• "Rodin et les gens de lettres", *La Nation*, 13 mai 1898.

• Ryp, "La question Rodin-Balzac", *La République française*, 13 mai 1898.

• "La Société des Chands d'lettres", *La France*, 13 mai 1898.

• "La statue de Balzac", *Le Journal du Centre*, 13 mai 1898.

- "La statue de Balzac", *Le Journal du Havre*, 13 mai 1898.
- "La statue de Balzac et la décision de M. Rodin", *L'Éclair*, 13 mai 1898.
- "La statue de Balzac. M. Rodin et la Société des Gens de lettres", *Le Radical*, 13 mai 1898.
- *Le Soleil*, 13 mai 1898.
- Théo, "Notes d'art", *La Liberté*, 13 mai 1898.
- X, "M. Rodin et la Société des Gens de lettres", *Le Journal*, 13 mai 1898.
- "Informations", *L'Indépendant*, 13-14 mai 1898.

14 mai
- A. J., "Chands de lettres", *Les Droits de l'homme*, 14 mai 1898.
- "Au jour le jour. M. Rodin, Balzac et la Société des Gens de lettres", *Le Temps*, 14 mai 1898.
- *L'Aurore*, 14 mai 1898.
- "Le Balzac de M. Rodin", *Le Corrézien*, 14 mai 1898.
- "Le 'Balzac' de M. Rodin", *L'Étoile belge*, 14 mai 1898.
- "Le 'Balzac' de Rodin", *L'Indépendance belge*, 14 mai 1898.
- Beaunier, André, "Au jour le jour. Le snobisme obligatoire", *Journal des débats*, 14 mai 1898.
- Bergerat, Émile, "Opinions. Une bonne affaire", *L'Éclair*, 14 mai 1898.
- Bienne, Claude, "Exposition des Beaux-Arts. La sculpture à la Société nationale des Beaux-Arts. I – M. Rodin", *La Revue hebdomadaire*, 14 mai 1898, pp. 264-269.
- Bonafoux, Luis, "De Paris. El acaparador y el artista", *Heraldo de Madrid*, 14 mai 1898.
- Céard, Henry, "Le Balzac de Rodin", *La Réforme*, 14 mai 1898.
- "Chronique", *La Vérité*, 14 mai 1898.
- Clessy, de, *France chevaline*, 14 mai 1898.

- "Courrier de Paris", *L'Univers illustré*, 14 mai 1898.
- *The Critic*, 14 mai 1898.
- Diavolo [Paul Lordon, *dit*], "Le tout-Paris. Rodin jugé par Pellerin", *Le Siècle*, 14 mai 1898.
- "Échos", *La Gazette de France*, 14 mai 1898.
- "Échos de Paris", *Le Gaulois*, 14 mai 1898.
- "Encore Rodin", *L'Estafette*, 14 mai 1898.
- Fournier, Paul, "Le Salon. M. Joseph Bail", *La France*, 14 mai 1898.
- Graindorge [Alf. Capus, *dit*], "Ingénieuse idée du sculpteur", *L'Écho de Paris*, 14 mai 1898.
- "L'incident Rodin-Balzac", *L'Éclair*, 14 mai 1898. Même article : *Le Courrier du Soir*, 14 mai 1898.
- Lostalot, Alfred de, "Les sculptures de M. Rodin au salon", *L'Illustration*, n° 2881, 14 mai 1898, p. 351.
- "Pages d'agenda", *L'Écho de Paris*, 14 mai 1898.
- *Paris*, 14 mai 1898.
- Rameau, Jean [L. Labaigt, *dit*], "Les trompettes", *Le Gaulois*, 14 mai 1898.
- Remacle, Adrien, "Les salons de peinture de 1898. Société nationale des Beaux-Arts", *La Mode pratique*, 14 mai 1898.
- "Rendez l'argent", *L'Aurore*, 14 mai 1898.
- "Les salons de 1898", *Le Journal de l'Orne*, 14 mai 1898.
- "La statue de Balzac", *Public*, 14 mai 1898.
- "La statue de Balzac. La Société des Gens de lettres", *Le Radical*, 14 mai 1898.
- Un Parisien [Jules Lermina, *dit*], "Bavardage", *Le Radical*, 14 mai 1898.
- V. P., "Notes de carnet", *L'Art et la Mode*, 14 mai 1898.
- Xavier, "Billet parisien", *Lyon républicain*, 14 mai 1898.

15 mai
- "Le Balzac de Rodin", *Le Petit Journal*, 15 mai 1898.

- "Le Balzac de Rodin", *La Revue idéaliste*, 15 mai 1898.
- B. B., "The art world. The Paris salons (second notice). Société nationale des Beaux-Arts", *The Weekly Sun*, 15 mai 1898.
- "'Book-larnin' versus genius", *The Daily Messenger*, 15 mai 1898.
- "Bruits de Paris", *Le Parisien de Paris*, n° 71, 15 mai 1898, p. 307.
- Carrasco, Samson, "Samson Carrasco à Don Quichotte de la Manche", *La Presse*, 15 mai 1898.
- Claretie, Léo, *Journal de Saint-Pétersbourg*, 15 mai 1898.
- Claretie, Léo, "Lettres à Madame. À propos d'une statue", *La Liberté*, 15 mai 1898.
- Contamine de Latour, Patrice, "Société nationale des Beaux-Arts", *La Revue des beaux-arts et des lettres*, 15 mai 1898, pp. 297-300.
- Comtesse Laétitia, *Simple Revue*, 15 mai 1898.
- Deschamps, Léon, "Le Balzac d'Auguste Rodin", *La Plume*, n° 218, 15 mai 1898, pp. 306-307.
- Duhem, Henri, "Le Balzac de Rodin", *Écho douaisien*, 15 mai 1898.
- Eliacin [Paul Hervieu, *dit*], "Rodin des bois", *Tam-Tam*, 15 mai 1898.
- Elwall, George, *Paris qui passe*, 15 mai 1898.
- F., "Au jour le jour. Leader", *Le Soleil*, 15 mai 1898.
- Flament, Albert, "Les 'Riches amateurs'", *La Presse*, 15 mai 1898.
- Geffroy, Gustave, "Autour du Balzac de Rodin", *Revue illustrée*, n° 11, vol. XXV, 15 mai 1898.
- H. Ad., "Propos du jour. Le Balzac de Rodin", *Le Glaneur savenaisien*, 15 mai 1898.
- Hallays, André, "À tort et à travers. La statue de Balzac", *Le Travailleur normand*, 15 mai 1898.

- Heylli, Georges d' [Poinsot, *dit*], "La quinzaine", *La Gazette anecdotique*, n° 9, 15 mai 1898, pp. 257-272.
- Hubert, Édouard, "La question Rodin-Balzac", *La République française*, 15 mai 1898.
- Jean-Bernard [Jean-Bernard Passerieu, *dit*], "Lettre parisienne", *Le Courrier de Saumur*, 15 mai 1898.
- Le Cholleux, R., *La Revue septentrionale*, 15 mai 1898.
- "Lettre de Paris. Balzac et Rodin. Un bloc laissé pour compte. Comédie humaine", *Le National*, 15 mai 1898.
- Malet, George, *La Gazette de France*, 15 mai 1898.
- Mirbeau, Octave, "*Ante porcos*", *Le Journal*, 15 mai 1898. Repris : Mirbeau, 1924, pp. 46-53 ; et 1995, pp. 7-18.
- "M. Rodin et la Société des Gens de lettres", *La Cloche*, 15 mai 1898. Même article : *La France/Le Soir*, 15 mai 1898 ; (en partie) *Le Journal*, 15 mai 1898.
- "M. Rodin's Balzac", *New York Herald*, 15 mai 1898.
- Natanson, Thadée, *La Revue blanche*, 15 mai 1898.
- Picard, Edmond, "Le Balzac de Rodin", *L'Art moderne*, n° 20, 15 mai 1898, pp. 155-157.
- Raitif de la Bretonne [Jean Lorrain, *dit*], "Pall-mall semaine", *Le Journal*, 15 mai 1898.
- Sphinx, Le [G. Blavet, *dit*], "Arts et lettres", *L'Événement*, 15 mai 1898.
- "La statue de Balzac", *L'Aurore*, 15 mai 1898.
- "La statue de Balzac", *Le Matin*, 15 mai 1898.
- "La statue de Balzac. Une consultation", *Le Radical*, 15 mai 1898.
- "La statue de Balzac et le sculpteur Rodin", *La Paix*, 15 mai 1898.
- "La statue de Balzac et le sculpteur Rodin. Une adresse à M. Rodin", *Le Constitutionnel*, 15 mai 1898.

• Wisner, René, "Une muflerie",
La France, 15 mai 1898.

16 mai
• "Art dispute in Paris. Over a
statue of Balzac throws the war
into the shade", *The Morning
Leader*, 16 mai 1898.
• "Le Balzac de Rodin",
Les Droits de l'homme,
16 mai 1898.
• Bauër, Henry, "Chronique.
La statue de Balzac", *L'Écho
de Paris*, 16 mai 1898.
• Charles, Étienne, "La vie
de Paris", *Le Salut public*,
16 mai 1898.
• Curieux, Jacques,
"Rodin-Balzac", *Le Nouvelliste
de Bordeaux*, 16 mai 1898.
• F., "Au jour le jour. Leader",
Le Soleil, 16 mai 1898.
• Frémine, Charles, *Le Rappel*,
16 mai 1898.
• "French tendencies.
The significance of recent
elections", *New York
Commercial*, 16 mai 1898.
• *Le Gaulois*, 16 mai 1898.
• *The Lancashire Express*,
16 mai 1898.
• "Lettres, sciences et arts",
Journal des débats, 16 mai 1898.
• *La Loire républicaine*,
16 mai 1898.
• Mauclair, Camille, "Les deux
lions", *L'Aurore*, 16 mai 1898.
• "The Paris Salons",
The Liverpool Post, 16 mai 1898.
• *Le Peuple français*,
16 mai 1898.
• *La République française*,
16 mai 1898.
• "La statue de Balzac",
Le Radical, 16 mai 1898.
• "La statue de Balzac",
Le Télégramme, 16 mai 1898.

17 mai
• A. H., *Hamburger
Correspondent*, 17 mai 1898.
• "Belle véhémence",
La Chronique, 17 mai 1898.
• Chincholle, Charles,
"L'incident Rodin-Balzac",
Le Figaro, 17 mai 1898.

• D. Ch., "La question Rodin",
Le Gaulois, 17 mai 1898.
• "Échos de partout",
La République française,
17 mai 1898.
• *L'Époque*, 17 mai 1898.
• E. M. L., "Notes et sensations.
Opinion", *La Paix*, 17 mai 1898.
• F. B., *Le Nouvelliste de
Rouen*, 17 mai 1898.
• *Le Havre*, 17 mai 1898.
• Malet, George, *La Gazette
de France*, 17 mai 1898.
• "M. Rodin's Balzac",
New York Herald, 17 mai 1898.
• "L'œuvre de Rodin",
Le Télégramme, 17 mai 1898.
• Rodenbach, Georges, "Une
statue", *Le Figaro*, 17 mai 1898.
• "Une statue", *L'Époque*,
17 mai 1898.
• "La statue de Balzac",
Le Salut public, 17 mai 1898.
• "Toujours Balzac", *Les Droits
de l'homme*, 17 mai 1898.
• V. M., "La statue de Balzac",
La Fronde, 17 mai 1898.

18 mai
• "Au jour le jour. M. Rodin,
Balzac et la Société des
Gens de lettres", *Le Temps*,
18 mai 1898.
• "Le 'Balzac' de Rodin",
L'Aveyron républicain, 18 mai
1898. Même article : *La France
du Nord*, 18 mai 1898.
• "Le 'Balzac' de Rodin",
Le Journal, 18 mai 1898.
• "Le Balzac de Rodin",
La Lanterne, 18 mai 1898.
• "Le 'Balzac' de Rodin",
Le Populaire, 18 mai 1898.
• Camelot, Le, "Articles
de Paris. Au salon",
La France, 18 mai 1898.
• Case, Jules, "Devant Balzac",
Le Gaulois, 18 mai 1898.
• *The Daily Messenger*,
18 mai 1898.
• "De l'Intransigeant",
La Fronde, 18 mai 1898. Même
article (en partie) : Rochefort,
La Libre Parole, 18 mai 1898 ;
L'Intransigeant, 19 mai 1898 ;
La Cloche illustrée, 21 mai 1898.

• "Échos et nouvelles. Paris
et la province", *Le Matin
charentais*, 18 mai 1898.
• Elwall, Georges, "Sculpture",
Paris qui passe, 18 mai 1898.
• "Encore le 'Balzac'",
Le Courrier de la Champagne,
18 mai 1898.
• *L'Estafette*, 18 mai 1898.
• *Le Figaro*, 18 mai 1898.
• Gille, Philippe, "Balzac
et M. Rodin", *Le Figaro*,
18 mai 1898.
• Goullé, Albert, "Sa majesté
l'art", *L'Aurore*, 18 mai 1898.
• *L'Indépendance belge*, 18 mai
1898.
• *Le Journal*, 18 mai 1898.
• *La Lanterne*, 18 mai 1898.
• "Lettre parisienne",
La Tribune, 18 mai 1898.
• *Le Matin*, 18 mai 1898.
Même article (en partie) :
Rochefort, 18 mai 1898.
• Pascal, Paul, "Notes
littéraires. Esthètes et épiciers",
La Revue mauve, 18 mai 1898.
• *Le Parisien*, 18 mai 1898.
• "Un portrait de Balzac à
Besançon sur son lit de mort",
Le Petit Comtois, 18 mai 1898.
• Riche, Daniel, "La vie
à Paris", *Le Petit Niçois*,
18 mai 1898.
• Robbe, Pierre, "Carnet du
jour. Le Rodinisme", *Le Vélo*,
18 mai 1898.
• Rochefort, Henri,
"Les précieux ridicules",
La Libre Parole, 18 mai 1898.
Même article : Rochefort,
L'Intransigeant, 19 mai 1898 ;
Rochefort, *La Cloche illustrée*,
21 mai 1898.
• "The Rodin-Balzac case",
New York Herald,
18 mai 1898.
• "La statue de Balzac",
Le Patriote républicain,
18 mai 1898.
• "La statue de Balzac",
Le Petit Provençal,
18 mai 1898.
• Willy [Henry Gauthier-Villars,
dit], "La prochaine guerre",
L'Écho de Paris, 18 mai 1898.

19 mai
• "Le 'Balzac' de Rodin",
Le Patriote, 19 mai 1898.
Même article : *Le Républicain
orléanais*, 19 mai 1898.
• Carré, Fabrice, "Chronique
de la semaine", *La Liberté*,
19 mai 1898.
• *Le Courrier de l'Eure*,
19 mai 1898. Même article :
Le Courrier du Soir,
19-20 mai 1898.
• Didacus, "Tra piume e
strascichi. Storia di una statua",
Il Chisciotte di Roma,
19 mai 1898.
• Dollfus, Paul, "Courrier
de Paris", *L'Événement*,
19 mai 1898.
• *Le Figaro*, 19 mai 1898.
• "L'incident du Balzac",
Le Petit Centre, 19 mai 1898.
• *Le Nouvelliste de Rouen*,
19 mai 1898.
• "Le portrait de Balzac",
L'Aurore, 19 mai 1898.
• Rochefort, Henri,
"Les précieux ridicules",
L'Intransigeant, 19 mai 1898.
Cf. Rochefort, 18 mai 1898 ;
Rochefort, *La Cloche illustrée*,
21 mai 1898. Repris en partie :
Les Arts français, n° 14
(n° spécial "A. Rodin 1840-
1917"), février 1918, p. 36.
• Séverine [Caroline Rémy,
dite], "Le Balzac de Rodin",
L'Éclair, 19 mai 1898.
• Séverine [Caroline Rémy,
dite], "Opinions. Le 'monstre'",
L'Éclair, 19 mai 1898.
• "Corriere parigino",
Il Corriere della Sera, 19-20 mai
1898.

20 mai
• "Échos", *Le Siècle*,
20 mai 1898.
• Nordau, Max, "Auguste
Rodin's Glück und Ende",
Neue freie Presse, n° 12128,
20 mai 1898, pp. 17-18.
• "Pas de bronze",
Le Gaulois, 20 mai 1898.
• *Le Petit National*,
20 mai 1898.

• "Les revues", *La Fronde*,
20 mai 1898.
• Scholl, Aurélien, "Courrier
de Paris", *L'Écho de Paris*,
20 mai 1898.
• Chasles, Émile, "Chronique.
Anachronisme", *Le Petit Centre*,
20-21 mai 1898. Même article :
Le Mémorial d'Amiens, 21 mai
1898 ; *Le Soir*, 26 mai 1898.
• "Le doigt divin de l'art",
Le XXᵉ Siècle, 20-21 mai 1898.

21 mai
• Aphrodite, "Paris fancies
and fashions", *Gentleman's
Magazine*, 21 mai 1898.
• Berr, Émile, "Les gens
de lettres de la statue",
La Revue bleue, 21 mai 1898.
• Chasles, Émile,
"Anachronisme", *Le Mémorial
d'Amiens*, 21 mai 1898.
Cf. Chasles, *Le Petit Centre*,
20-21 mai 1898 ; *Le Soir*,
26 mai 1898.
• Claretie, Léo, *L'Événement*,
21 mai 1898.
• "Comment on fait une statue",
Le Radical, 21 mai 1898.
• "Courrier de Paris",
L'Illustration, 21 mai 1898.
• Fortunio [Maurice Millot, *dit*],
"Balzac au salon", *Presse libre*,
21 mai 1898.
• *Le Journal amusant*,
21 mai 1898.
• "Lettre parisienne", *Le Réveil
du Dauphiné*, 21 mai 1898.
• Mair, Francis, "À propos du
Balzac de M. Rodin", *La Revue
populaire des beaux-arts*, n° 31,
21 mai 1898.
• Maizeroy, René [Bᵒⁿ Toussaint,
dit], "Devant la statue",
Le Journal, 21 mai 1898.
• *Le Matin*, 21 mai 1898.
• *Le Petit Journal*, 21 mai 1898.
• "Le portrait de Balzac",
La Lanterne, 21 mai 1898.
• "Una questione artistica.
Il 'Balzac' di Rodin", *La Gazzetta
di Venezia*, 21 mai 1898.
• Ricaudy, A. de, "Précis
de la semaine du jeudi
12 au mercredi 18 mai 1898.

Coup d'œil d'ensemble",
L'Écho du Public, 21 mai 1898.
Même article : *L'Écho du
Public*, 28 mai 1898.
• Rochefort, Henri,
"La question Rodin.
Les précieux ridicules",
La Cloche illustrée, 21 mai 1898.
Cf. Rochefort, 18 mai 1898.
• *Saint Paul's*, 21 mai 1898.
• Schambion, commandant,
"M. de Balzac et Mme Dupont",
Le Granvillais, 21 mai 1898.
Même article : *Le Messager
de la Marne*, 21 mai 1898.
• "The statue of Balzac.
The pros and cons of the art
dispute in Paris", *The Morning
Leader*, 21 mai 1898.

22 mai
• *L'Actualité*, 22 mai 1898.
• *Annales politiques
et littéraires*, 22 mai 1898.
• "Au jour le jour. M. Rodin.
Balzac et la Société des
Gens de lettres", *Le Temps*,
22 mai 1898.
• "Le Balzac de Rodin",
L'Éclair, 22 mai 1898.
• *Don Juan*, 22 mai 1898.
• "Échos de Paris", *Le Gaulois*,
22 mai 1898.
• "Informations à Paris.
L'affaire Zola. Conférence de
Me Ployer. La décision prise",
Le Matin, 22 mai 1898.
• Jean de Montmartre
[Ed. Lepelletier, *dit*], "Hommes
et choses. La statuomanie",
Le Radical, 22 mai 1898.
• Jean de Montmartre
[Ed. Lepelletier, *dit*], "Le modèle",
L'Écho de Paris, 22 mai 1898.
• Lepelletier, E., "Le modèle",
L'Écho de Paris, 22 mai 1898.
• "M. Rodin et son 'Balzac'",
Le Matin, 22 mai 1898.
• "M. Rodin's Balzac",
New York Herald, 22 mai 1898.
• "Notes d'art", *Don Juan*,
22 mai 1898.
• Perrier, Arthur, "Salon",
Triboulet, 22 mai 1898.
• *Le Petit Moniteur universel*,
22 mai 1898.

• Ponchon, Raoul, "Gazette
rimée. À Hugues Delorme.
La culture de l'as", *Le Courrier
français*, 22 mai 1898.
• Rodenbach, Georges,
"La statue de Balzac",
Le Patriote, 22 mai 1898.
• *La Semaine parisienne*,
22 mai 1898.
• Sphinx, Le [G. Blavet, *dit*],
"Arts et lettres", *L'Événement*,
22 mai 1898.
• "La statue de Balzac. Chez
M. Rodin", *La Paix*, 22 mai 1898.
• *Le Vélo*, 22 mai 1898.
• La Peyrelle, Jacques,
"Au salon. L'homme de neige",
Le Passant, 22-29 mai 1898.

23 mai
• "L'actualité. La famille du
romancier Honoré de Balzac",
L'Éclair, 23 mai 1898.
• "Bulletin de santé", *Les Droits
de l'homme*, 23 mai 1898.
• "Chronique", *La Gazette
de France*, 23 mai 1898.
• Croze, Austin de, "Iconoclastes
béotiens et mécènes",
Le National, 23 mai 1898.
• Formont, Maxime,
"La vertu de Célimène",
Le Gil-Blas, 23 mai 1898.
• *Kölnische Volkszeitung*,
23 mai 1898.
• "Lettre parisienne", *Le Phare
de la Loire*, 23 mai 1898.
• "Pictures in the Paris salons",
Western Press, 23 mai 1898.
• *La Réforme*, 23 mai 1898.
• Riche, Daniel, "Paris qui
passe", *Le Littoral*, 23 mai 1898.
• "La statue de Balzac. Chez
M. Rodin", *Le Petit Caporal*,
23 mai 1898.
• Vignes, Jean des, "Ça et là.
Le champ-des-navets",
La Dépêche, 23 mai 1898.

24 mai
• "Chronique parisienne",
L'Éclair, 24 mai 1898.
• Duquesnel, Félix,
"À propos de la statue
de Balzac", *Le Petit Journal*,
24 mai 1898.

• "Échos et nouvelles",
Le Salut public, 24 mai 1898.
• *The Glasgow Evening News*,
24 mai 1898.

25 mai
• Beaupré, *L'Appel au Peuple*,
25 mai 1898.
• *The Globe*, 25 mai 1898.
• Hubert, Édouard, "Salle 22",
La République française,
25 mai 1898.
• Sarcey, Francisque,
"Le jargon", *Le Matin*,
25 mai 1898.
• "La statue de Balzac",
Le Journal de Saint-Quentin,
25 mai 1898.

26 mai
• Chasles, Émile, "Chronique
parisienne", *Le Soir*,
26 mai 1898. *Cf.* Chasles,
Le Petit Centre, 20-21 mai
1898 ; *Le Mémorial d'Amiens*,
21 mai 1898.
• Haymé, "Potins artistiques.
La statue de Balzac", *Le Petit
Niçois*, 26 mai 1898.
• "Rodin's statue of Balzac",
Evening Item, 26 mai 1898.

27 mai
• "Le Balzac de Rodin",
La Correspondance Havas,
27 mai 1898.
• Cagoule, La [Octave Uzanne,
dit], "Visions de notre heure.
Choses et gens qui passent",
L'Écho de Paris, 27 mai 1898.
• *Le Moniteur des Arts*,
27 mai 1898.
• Stuart, Ch., "An artist
sensation", *Ledger*,
27 mai 1898.

28 mai
• *The American Register*,
28 mai 1898.
• "Art notes. Rodin's statue
of Balzac has caused a big row
at Paris", *The New York
Evening Sun*, 28 mai 1898.
• Céard, Henry, "Bélisaire",
L'Événement, 28 mai 1898.
• *The Critic*, 28 mai 1898.

• "Exposition des Beaux-Arts de 1898", *L'Instantané*, 28 mai 1898.

• F., "Chronique", *La Politique coloniale*, 28 mai 1898.

• "Hier und dort", *Berliner Boersen Courier*, 28 mai 1898.

• Hutin, Marcel [Marcel Hirsch, dit], "Entre artistes. Le Balzac de M. Rodin et le Balzac de M. Marquet de Vasselot", *Le Gaulois*, 28 mai 1898.

• *Madame*, 28 mai 1898.

• "M. Rodin's Balzac", *New York Herald*, 28 mai 1898.

• "Notes d'art", *Bordeaux Journal*, 28 mai 1898.

• *Le Petit Parisien*, 28 mai 1898.

• "La 'Revue bleue' et Balzac", *Paris*, 28 mai 1898.

• Schmitt, Jean-P., "Le Balzac de Rodin", *Angers-Artiste*, n° 1 (n° exceptionnel), 28 mai 1898, pp. 12-14.

• *L'Univers illustré*, n° 2253, 28 mai 1898, p. 341.

29 mai

• "Le Balzac de Rodin", *L'Art moderne*, n° 22, 29 mai 1898, p. 175.

• C. D., "Chronique artistique. Sculpture. Quelques œuvres", *Le Patriote*, 29 mai 1898.

• "Convincing and beautiful", *Daily Mail*, 29 mai 1898.

• "Chronique parisienne", *Le Soleil du dimanche*, 29 mai 1898.

• "Deux portraits de Balzac par Lamartine", *Le Parisien de Paris*, n° 73, 29 mai 1898, pp. 345-346.

• Un Domino, *Le Gaulois*, 29 mai 1898.

• "L'Écho de Paris", *L'Union républicaine*, 29 mai 1898.

• Gille, Philippe, "Balzac et Rodin", *L'Écho de la semaine*, 29 mai 1898.

• H. N., "Le pour et le contre", *Le Parisien de Paris*, n° 73, 29 mai 1898, pp. 340-341.

• *Inter-Ocean*, 29 mai 1898.

• Levral, Simon, "La semaine", *Le Petit Journal*, 29 mai 1898.

• Maillard, Léon, "Sur les marches de l'Institut", *Le Parisien de Paris*, n° 73, 29 mai 1898, pp. 338-339.

• Mockel, Albert, "Courrier de Paris", *La Réforme*, n° 137, 29 mai 1898.

• Monin, H., "Les portraits de Balzac par Louis Boulanger", *Le Parisien de Paris*, n° 73, 29 mai 1898, pp. 343-345.

• Saunier, Charles, "Des extraits de 'la Recherche de l'Absolu'", *Le Parisien de Paris*, n° 73, 29 mai 1898, p. 340.

• "Le syndicat Rodin", *Le Cri de Paris*, 29 mai 1898.

• "Rodin's Balzac", *Home Journal*, 29 mai 1898.

• Valensol, "Balzac à Passy", *Le Petit Parisien*, 29 mai 1898.

• "L'influence de Balzac", *L'Avenir*, 29-30 mai 1898.

30 mai

• *Bazaar*, 30 mai 1898.

• *The Commercial Advertiser*, 30 mai 1898.

• "Portraits de Balzac", *L'Aurore*, 30 mai 1898.

• Raitif de la Bretonne [Jean Lorrain, dit], "Pall-mall semaine", *Le Journal*, 30 mai 1898.

• Robert, Albert, *La Petite Gironde*, 30 mai 1898.

• "Rodin's Balzac", *The Stern*, 30 mai 1898.

juin

• Duchemin, Alexandre, "Balzac et Rodin", *L'Amateur d'estampes*, n° 2, juin 1898.

• Basset, Serge, "Autour du Balzac de Rodin", *Matines*, juin 1898, pp. 535-536.

• Clayeures [René-Marc Ferry, dit], "Chroniques", *La Revue hebdomadaire*, juin 1898, pp. 141-144.

• Jourdain, Frantz, "Notes d'art", *Le Jour*, juin 1898.

• La Rue, Jean de, "Notes d'art. Le cas de M. Rodin", *Le Journal de Bordeaux*, juin 1898.

• *The National Review*, juin 1898.

1er juin

• Dayot, Armand, "À la galerie des machines. Le salon de la Société nationale des Beaux-Arts", *La Nouvelle Revue*, 1er juin 1898, pp. 513-521.

• Descaves, Lucien, "A. Rodin", *L'Aurore*, 1er juin 1898.

• Flandrin, Louis, "Les deux salons de 1898", *La Quinzaine*, 1er juin 1898, pp. 381-382.

• *Home Journal*, 1er juin 1898.

• Jouin, Henry, "Balzac et son sculpteur", *La Nouvelle Revue*, 1er juin 1898, pp. 589-594.

• La Sizeranne, Robert de, "Les portraits d'hommes aux salons de 1898", *La Revue des deux mondes*, 1er juin 1898, pp. 661-639.

• Petit, Eugène, "La statue de Balzac", *Le Guetteur*, 1er juin 1898.

• Sesmaisons, comtesse de, "Pages courtes. Ce qui se dit à Paris", *La Nouvelle Revue*, 1er juin 1898, pp. 533-536.

2 juin

• "Art topics in Paris. Rodin's statue of Balzac starts a breeze", *Eagle*, 2 juin 1898.

• Nain Jaune, Le, *L'Écho de Paris*, 2 juin 1898.

3 juin

• "The talk of Paris. Salon discussions. Rodin's Balzac. Dagnan-Bouveret's Christ at Emmaus. An Afro-American's virgin", *The New York Evening Post*, 3 juin 1898.

4 juin

• "Foreign letters. France. Balzac's statue", *Literature*, 4 juin 1898.

• Franklin, Laurence, "Degeneracy of the Paris salon. It has become a Picture market where commercial crowds art. The work of Rodin and his successor, Falguière", *Commercial Tribune*, 4 juin 1898.

• *Gentleman's Magazine*, 4 juin 1898.

• *Gentlewoman and Modern Life*, 4 juin 1898.

• Guédy, Henry, "La vie artistique", *Le National*, 4 juin 1898. Même article : *La Réforme*, 5 juin 1898.

• *Le Rire*, n° 187, 4 juin 1898.

• *La Semaine littéraire*, 4 juin 1898.

5 juin

• "Autour de la statue", *L'Art moderne*, 5 juin 1898.

• *Le Charivari*, 5 juin 1898.

• Ducovich, S., "Rodin e Balzac", *Il Marzocco*, 5 juin 1898.

• *Le Journal d'Asnières*, 5 juin 1898.

• La Rue, Jean de, "Notes d'art. Le cas Rodin", *Bordeaux Journal*, 5 juin 1898.

• Lavedan, Henri, "L'œuvre", *La Gazette*, 5 juin 1898.

• Malet, George, "Balzac et le merveilleux", *La Franche Comté*, 5 juin 1898.

6 juin

• "The 'Figaro's' le monde et la ville", *New York Herald*, 6 juin 1898.

• *Gil Blas*, 6 juin 1898.

• *Le Journal*, 6 juin 1898.

• Lepelletier, Edmond, "Autour d'une statue", *Lyon républicain*, 6 juin 1898.

7 juin

• "La estatua de Balzac", *Diaro de Cadiz*, 7 juin 1898.

• Fronsac [Adolphe Tavernier, dit], *L'Écho de Paris*, 7 juin 1898.

• Peltier, Paul, "Balzac. Sa vie, son œuvre", *La Touraine républicaine*, 7 juin 1898.

• "The Rodin 'Balzac'", *The Evening Stern*, 7 juin 1898.

8 juin

• Frémine, Charles, *Le XIXe Siècle*, 8 juin 1898.

• Gélis, Georges, "Cyrano et Coquelin", *L'Événement*, 8 juin 1898.

9 juin
- "Balzac-Gavarni-Rodin", *La Cloche*, 9 juin 1898.
- Chincholle, Charles, "La statue de Balzac", *Le Figaro*, 9 juin 1898.
- *La France*, 9 juin 1898.
- Furster, Charles, "Les Salons de 1898. Société nationale des Beaux-Arts. La sculpture", *Le Moniteur universel*, 9 juin 1898.

10 juin
- "Au jour le jour. La statue de Balzac", *Le Temps*, 10 juin 1898.
- "Le 'Balzac' de Rodin", *Le Journal*, 10 juin 1898.
- Chincholle, Charles, "La statue de Balzac", *Le Figaro*, 10 juin 1898.
- *The Daily Messenger*, 10 juin 1898.
- *Le Gaulois*, 10 juin 1898.
- Gille, Philippe, *Figaro-Salon*, 10 juin 1898.
- *La Libre Parole*, 10 juin 1898.
- *Le Petit Journal*, 10 juin 1898.
- Silvestre, Armand, "À bâtons rompus", *La Petite Gironde*, 10 juin 1898.
- "Spectacles divers. La soirée parisienne", *Le Gaulois*, 10 juin 1898.
- "La statue de Balzac", *Gil Blas*, 10 juin 1898.
- "The statue of Balzac", *New York Herald*, 10 juin 1898.
- "La statue de Balzac", *La Petite Gironde*, 10 juin 1898.
- *Le Vélo*, 10 juin 1898.

11 juin
- "Beaux-Arts", *L'Intransigeant*, 11 juin 1898.
- *Builder*, 11 juin 1898.
- Fierens-Gevaert, H., "Les salons parisiens. Le Balzac de Rodin", *Le Journal de Bruxelles*, 11 juin 1898.
- "The French salons. II. The new salons", *Black and White*, 11 juin 1898.
- "Hommage à Auguste Rodin", *La Plume*, n° 219, 11 juin 1898, p. 418.

- *Journal des débats*, 11 juin 1898.
- Konody, P. G., *London Review*, 11 juin 1898.
- O'Monroy, Richard, *L'Univers illustré*, n° 1923, 11 juin 1898, pp. 50-51.
- "La statue de Balzac", *Le Petit Caporal*, 11 juin 1898.
- Charles-Albert, "Le point de vue anarchiste. À propos de Rodin", *Les Temps nouveaux*, 11-17 juin 1898.

12 juin
- Friend, Ethelyn, "Art war in Paris. Is Rodin the Wagner of sculpture ?", *The Herald*, 12 juin 1898.
- Guillemot, Maurice, "À travers la ville", *Gil Blas*, 12 juin 1898.
- *Le Nord*, 12 juin 1898.
- "La souscription Rodin", *Le Cri de Paris*, 12 juin 1898.
- *L'Univers illustré*, 12 juin 1898, p. 380.

13 juin
- *Il Corriere di Napoli*, 13 juin 1898.
- "The Fine Arts. Rodin's statue of Balzac", *The Boston Evening Transcript*, 13 juin 1898.
- "The Gladstone statue", *Saint Wales Daily News*, 13 juin 1898.

14 juin
- *Journal de Saint-Pétersbourg*, 14 juin 1898.
- Le Cholleux, R., *L'Écho du Nord*, 14 juin 1898.
- *The Morning Leader*, 14 juin 1898.
- "Paris will honor Balzac", *The Evening Journal*, 14 juin 1898.

15 juin
- Billaz, Olivier, "Les revues", *La Revue idéaliste*, 15 juin 1898, pp. 257-259.
- Contamine de Latour, Patrice, "Le Salon. Société nationale des Beaux-Arts (suite)", *La Revue des beaux-arts et des lettres*, 15 juin 1898, p. 358.

- "Échos et nouvelles", *Le Petit Parisien*, 15 juin 1898.
- *Le Figaro*, 15 juin 1898.
- Fridolin [Ed. Neukomm, *dit*], "Chronique", *Le Parisien*, 15 juin 1898.
- "Jeudi 9", *La Revue médicale*, 15 juin 1898.
- Hamel, Maurice, "Les salons de 1898", *La Revue de Paris*, n° 12, 15 juin 1898, pp. 871-898. Repris en partie : Hamel, *Les Arts français*, n° 14, février 1918, p. 40.
- Mauclair, Camille, "L'art de M. Auguste Rodin", *La Revue des revues*, 15 juin 1898, pp. 591-610. Repris : Mauclair, *La Plume*, n° 266, 15 mai 1900.
- "La statue de Balzac", *Le Temps*, 15 juin 1898.
- "Three persons much talked about just now in Europe", *The Evening Journal*, 15 juin 1898.
- *The World*, 15 juin 1898.

16 juin
- *Le Figaro*, 16 juin 1898.

17 juin
- *The Architect and Contract Reporter*, 17 juin 1898.
- *Heraldo de Madrid*, 17 juin 1898.

18 juin
- Maillet, Pierre, *La Revue des femmes françaises*, 18 juin 1898.
- "Notes de voyage", *Le Tout Bordeaux*, 18 juin 1898.
- *La Presse libre*, 18 juin 1898.
- Quentin, "Chronique Saint-Quentoise. Promenade au salon", *Le Journal de Saint-Quentin*, 18 juin 1898.
- Schopfer, Jean, *La Gazette de Lausanne*, 18 juin 1898.
- "La statue de Balzac", *Le Temps*, 18 juin 1898.

19 juin
- Le Cholleux, R., *Le Grand Écho*, 19 juin 1898.

25 juin
- Clavie, Marcel, "Notes d'art. Salon de 1898-1899. Le 'Balzac' de Rodin", *Le Petit Poète*, 25 juin 1898.
- *Libération*, 25 juin 1898.
- *Literature*, 25 juin 1898.
- *Madame*, 25 juin 1898.

29 juin
- "Paris Letter. Mlle d'Houssonville's death. Rodin's statue of Balzac", *The New York Times*, 29 juin 1898.

30 juin
- *The Morning Post*, 30 juin 1898.

juillet
- *The Architectural Review : a Magazine of Architecture and Decoration*, juillet 1898.
- F. H., "A walk through the salons", *The Artist*, n° 223, juillet 1898, pp. 127-132.
- Gide, André, "Lettres à Angèle", *L'Ermitage*, n° 7, juillet 1898, pp. 53-59.
- Prévost, Ernest, "Causerie artistique. Après les polémiques : une opinion", *La Revue des poètes*, juillet 1898, pp. 29-30.
- Quentin, Charles, "Rodin", *The Art Journal*, juillet 1898, pp. 193-196.
- R. C., "O 'Balzac' de Rodin", *Revista Moderna*, juillet 1898.

1er juillet
- "L'art nouveau. Salon de 1898. La statue de Balzac", *La Revue du monde catholique*, 1er juillet 1898.
- Bénédite, Léonce, "Les salons de 1898. (Troisième article)", *La Gazette des beaux-arts*, t. XX, 3e période, 1er juillet 1898, pp. 55-76.
- *Chap. Book*, 1er juillet 1898.
- Silvestre, Armand, "Notes d'art. Le salon des fleurs", *La Petite Gironde*, 1er juillet 1898.

2 juillet

• Fran., *La Vie parisienne*, 2 juillet 1898.

• Harris, Frank, "A masterpiece of modern art", *The Saturday Review*, 2 juillet 1898. Repris : Harris, 1er juillet 1900, pp. 406-408 ; et *Auguste Rodin et son œuvre*, Paris, éditions de "La Plume", 1900, pp. 54-56.

• Lucas, Justin, "Le salon des salons (1898). Art et critique", *La Revue encyclopédique*, n° 252, t. VIII, 2 juillet 1898, pp. 585-604.

3 juillet

• Cladel, Judith, "La sculpture au salon de Paris", *L'Art moderne*, n° 27, 3 juillet 1898, pp. 211-213.

• Gausseron, B. H., *L'Écho de la semaine*, 3 juillet 1898.

• Marthold, Jules de, "Dévernissage", *Le Progressiste*, 3 juillet 1898.

• "Salon de 1898. XVI et dernier article. Société nationale de Beaux-Arts", *Le Progressiste*, 3 juillet 1898.

4 juillet

• Masque de fer, Le [Émile Blavet, *dit*], *Le Figaro*, 4 juillet 1898.

5 juillet

• "Après le salon", *Dépêche républicaine*, 5 juillet 1898.

• "Le Balzac de Rodin", *La Gazette de France*, 5 juillet 1898.

• "Dans l'atelier de Rodin", *L'Éclair*, 5 juillet 1898.

• "Épilogue", *Les Droits de l'homme*, 5 juillet 1898.

• *El Heraldo de Cochabamba*, 5 juillet 1898.

• Le Goffic, Charles, "L'anarchie musicale", *Le Grand Écho*, 5 juillet 1898.

• "Les journaux", *Le Moniteur universel*, 5 juillet 1898.

6 juillet

• *Le Voltaire*, 6 juillet 1898.

9 juillet

• "Chronique", *Le Boulevardier*, 9 juillet 1898.

• *The Daily Chronicle*, 9 juillet 1898.

• "Petite chronique", *L'Art moderne*, n° 27, 9 juillet 1898, p. 217.

10 juillet

• Maillard, Léon, "Bruits de Paris", *Le Parisien de Paris*, n° 79, 10 juillet 1898.

12 juillet

• *The Evening News*, 12 juillet 1898.

14 juillet

• Silvestre, Armand, "La sculpture aux salons de 1898", *Istamboul*, 14 juillet 1898.

15 juillet

• Apremont, G. d', "Revue de la presse", *Le Moniteur des arts*, 15 juillet 1898.

• *The Chicago Evening Post*, 15 juillet 1898.

• M. G. [Mourey, Georges ?], "Rodin's Balzac. Another word on Rodin, with especial reference to the Balzac monument", *The Studio. An Illustrated Magazine of Fine and Applied Art*, XIV, n° 64, 15 juillet 1898, pp. 107-108.

16 juillet

• "Parisian gossip", *Le Figaro in London*, 16 juillet 1898.

• R. I. P., "Parisian gossip", *Le Figaro*, 16 juillet 1898.

• Talmeyr, Maurice [Maurice Coste, *dit*], "Billets de quinzaine", *La Revue hebdomadaire*, 16 juillet 1898.

17 juillet

• *The Daily Record Union*, 17 juillet 1898.

• Goudeau, Émile, "Chronique. Mastic", *La France*, 17 juillet 1898.

• "Rodin's statue of Balzac. The work that has excited bitter discussion in Paris.

The artist's idea", *The Sun*, 17 juillet 1898.

• *Le Nord*, 17-18 juillet 1898. Même article : *Le Voltaire*, 19 juillet 1898.

19 juillet

• "Lettres et arts", *Le Journal de Monaco*, 19 juillet 1898.

• "Rodin's 'Balzac'. How the abused statue looks. 'The ugly snow man'. It was guarded during the exhibition", *The Evening Stern*, 19 juillet 1898.

• *Le Voltaire*, 19 juillet 1898. Cf. *Le Nord*, 17-18 juillet 1898.

22 juillet

• *The Daily Messenger*, Paris, 22 juillet 1898.

23 juillet

• "Le Balzac de Rodin", *Paris Sport*, 23 juillet 1898.

• "Balzac's monument", *New York Herald*, 23 juillet 1898.

• Bouyer, Raymond, "Les salons de 1898. La Société nationale des Beaux-Arts. La gravure, la sculpture et les objets d'art", *La Revue populaire des beaux-arts*, n° 40, t. II, 23 juillet 1898, pp. 113-123.

• *The Evening Telegram*, 23 juillet 1898.

27 juillet

• Audebrand, Philibert, "La statue de Balzac", *L'Événement*, 27 juillet 1898.

• Lemoisne, Roger, "L'or de Toulouse", *Le Patriote de l'Ouest*, 27 juillet 1898.

30 juillet

• Quinel, Charles, "Les gaîtés du mois", *L'Art et la Mode*, 30 juillet 1898, pp. 614-615.

31 juillet

• De Kay, Charles, "An open-air impression of Balzac", *The New York Times*, vol. XLVII, n° 15, 31 juillet 1898, p. 4.

juillet-août

• *The Critic*, juillet-août 1898.

août

• The Editor [William Ernest Henley], "The Paris salons", *The Magazine of Art*, août 1898, pp. 535-540.

1er août

• Bénédite, Léonce, "Les salons de 1898. (Quatrième et dernier article.) La sculpture", *La Gazette des beaux-arts*, 1er août 1898, t. XX, 3e période, pp. 129-148.

• Candide [Jules Claretie, *dit*], "Le fait du jour", *Le Voltaire*, 1er août 1898.

• *Le Nouvelliste de Rouen*, 1er août 1898.

3 août

• *Musical Courier*, 3 août 1898.

6 août

• *Madame*, 6 août 1898.

• "Mots d'artistes", *Le Cri de Paris*, 6 août 1898.

8 août

• Parker, H. T., *The Commercial Advertiser*, 8 août 1898.

11 août

• "Hope and pessimism in France. Youthful ambitions of great men", *The Pall Mall Gazette*, 11 août 1898.

• "Impressionistic sculpture", *The Public Opinion*, 11 août 1898.

13 août

• *The Ladies' Home*, 13 août 1898.

• *The Times*, 13 août 1898.

• "Les salons de 1898", *La Revue populaire des beaux-arts*, 13 août 1898.

17 août

• *Home Journal*, 17 août 1898.

• *Musical Courier*, 17 août 1898.

19 août
- *Record*, 19 août 1898.
- "Rodin's Balzac", *Courant*, 19 août 1898.

21 août
- "A famous freak statue", *The New York Journal*, 21 août 1898.
- "Rodin's celebrated statue of Balzac", *The New York Journal*, 21 août 1898.

24 août
- "Lettres, sciences et arts", *L'Univers et le Monde*, 24 août 1898.

25 août
- Rodenbach, Georges, "Encore la statue de Balzac", *Le Figaro*, 25 août 1898.

28 août
- "Sculpture at Paris", *Journal*, 28 août 1898.

septembre
- Frantz, Henri, "The art movement. Rodin's statue of Balzac", *The Magazine of Art*, septembre 1898, pp. 617-618.
- Rambosson, Yvanhoé, "Publications d'art", *Mercure de France*, n° 105, septembre 1898, pp. 846-850.

1er septembre
- Azambuja, G. d', "Balzac et Dreyfus", *L'Univers et le Monde*, 1er septembre 1898.

4 septembre
- *Vaugirard Grenelle*, 4 septembre 1898.

8 septembre
- Santillane [Ch. Bert et R. d'Archer, *dits*], "La vie parisienne. Une statue", *Le Gil-Blas*, 8 septembre 1898.

13 septembre
- *La Petite République*, 13 septembre 1898.

25 septembre
- Picard, Edmond, "La grotte des Pins à Fontainebleau", *L'Art moderne*, n° 39, 25 septembre 1898.

octobre
- B. G. [Bans, Georges ?], "Chronique de l'art décoratif", *L'Art décoratif*, n° 1, octobre 1898, pp. 46-48.

1er octobre
- *The New York Evening Post*, 1er octobre 1898.

6 octobre
- "La statue de Balzac", *La Petite Correspondance française*, 6 octobre 1898.

10 octobre
- *Le Matin*, 10 octobre 1898.

11 octobre
- "Le 'Balzac' de Falguière", *La Lanterne*, 11 octobre 1898.

12 octobre
- "Les deux 'Balzac'", *La Libre Parole*, 12 octobre 1898. Même article : *L'Éclair*, 13 octobre 1898.

14 octobre
- De Waleffe, Maurice, "Croquis parisiens", *L'Indépendance belge*, 14 octobre 1898.

15 octobre
- "Il maintiendra", *L'Aurore*, 15 octobre 1898.

16 octobre
- *Le Petit Var*, 16 octobre 1898.

19 octobre
- "La vie de Paris. Le 'Balzac' de Rodin", *Le Salut public*, 19 octobre 1898.

21 octobre
- *The Academy*, 21 octobre 1898.

22 octobre
- *The Academy*, 22 octobre 1898.

29 octobre
- Audebrand, Philibert, "La statue d'H. de Balzac", *L'Événement*, 29 octobre 1898.

30 octobre
- Jérôme, F., "Chronique artistique. Une statue de Rodin", *Voix de la France*, 30 octobre 1898.

2 novembre
- "One way to the statues", *New York Herald*, 2 novembre 1898.

7 novembre
- Caujolle, Jean, "Chez Rodin. Balzac et Baudelaire", *La Lanterne*, 7 novembre 1898.

8 novembre
- Chincholle, Charles, "Le nouveau Balzac", *Le Figaro*, 8 novembre 1898.

9 novembre
- *The Daily Telegraph*, 9 novembre 1898.
- S. G., "Exposition des œuvres de Falguière", *Le Petit Bleu de Paris*, 9 novembre 1898.

11 novembre
- Espéron, Paul, "Les dessous de la statue", *La Volonté*, 11 novembre 1898.

15 novembre
- Sainte-Croix, Camille de, "Bataille artistique et littéraire", *La Petite République*, 15 novembre 1898.
- "Toujours Balzac !", *La Gironde*, 15 novembre 1898. Même article : *Le Petit Orléanais*, 17 novembre 1898.

16 novembre
- *Ledger*, 16 novembre 1898.

17 novembre
- *Le Petit Orléanais*, 17 novembre 1898. Cf. *La Gironde*, 15 novembre 1898.

- "Statue of Balzac. Rodin's work adversely criticised and refused by the society that ordered it", *New York Herald*, 17 novembre 1898.

18 novembre
- *The Architect*, 18 novembre 1898.

19 novembre
- Brémontier, Jeanne, "L'exposition Falguière", *La Fronde*, 19 novembre 1898.
- *Madame*, 19 novembre 1898.

20 novembre
- Geffroy, Georges, "L'art aujourd'hui. Falguière, Chauvel, Gauguin", *Le Journal*, 20 novembre 1898. Repris en partie : Geffroy, *La Vie artistique*, 6e série, Paris, H. Floury éditeur, 1900, pp. 249-254.

21 novembre
- Duquesnel, Félix, "La nouvelle statue de Balzac", *Le Petit Journal*, 21 novembre 1898.

22 novembre
- Lecomte, Georges, "La vie artistique. Maquettes de Falguière au Nouveau-Cirque", *Les Droits de l'homme*, 22 novembre 1898.

25 novembre
- Hallays, André, *Journal des débats*, 25 novembre 1898.

26 novembre
- Montarlot, Léon de, "Le Balzac de Falguière", *Le Monde illustré*, 26 novembre 1898.

28 novembre
- Silvestre, Armand, "Chronique. Au nouveau cirque", *La Dépêche*, 28 novembre 1898.

décembre
- *The Critic*, décembre 1898.

3 décembre
- *The World*, 3 décembre 1898.

4 décembre

• "Balzac statue", *Tribune*,
4 décembre 1898.

8 décembre

• "Le 'Balzac' de Rodin",
La France, 8 décembre 1898.

1899 ———

• Bouchot, Henri,
"L'iconographie de Balzac",
La Contemporaine, 1899,
pp. 1-23.
• Loliée, Frédéric, "Balzac
et le roman de sa vie", *Le Mois
littéraire et pittoresque*, n° 6,
1899, pp. 694-702.

janvier

• Schneider, Gustave,
"Alexandre Falguière.
Exposition de ses œuvres au
Nouveau-Cirque", *Le Moniteur
général de l'Exposition de 1900*,
1-15 janvier 1899.
• Calonne, Alphonse de,
"Lettres foraines", *Le Moniteur
universel*, 11 janvier 1899.
• "Lettres foraines", *Le Moniteur
universel*, 11 janvier 1899.
• "Le 'Balzac' de Falguière",
Le Petit Temps, 18 janvier 1899.
• "Le 'Balzac' de Falguière",
Le Télégramme, 18 janvier 1899.
• Le Domino noir, "Billets
du soir. Balzac et Falguière",
Le Stéphanois, 18 janvier 1899.
• *The Daily Messenger*,
20 janvier 1899.
• *La Paix*, 20 janvier 1899.
• "La statue de Balzac",
La Volonté, 22 janvier 1899.
• *Le Journal*, 28 janvier 1899.
• "Les lettres et les arts",
La Petite République française,
30 janvier 1899.

février

• G. M., "Les monuments de
Rodin", *L'Art décoratif*, n° 5,
février, pp. 205-206.
• Mitron, Jean, *La Petite
République française*, 13 février
1899. Même article : *Le Peuple*,
13 février 1899.

• Leblond, Marius, "Chronique.
Au Luxembourg", *Le Voltaire*,
27 février 1899.

mars

• O'Monroy, Richard, *L'Univers
illustré*, 4 mars 1899.
• Claretie, Léo, "Entretiens.
Le 'Balzac' de Falguière",
Journal des débats,
27 mars 1899.
• "Le 'Balzac' de Rodin",
La France, 28 mars 1899.
• "Chronique. Le Balzac
de Falguière", *L'Art décoratif*,
n° 6, mars 1899, p. 304.

avril

• Silvestre, Armand, "Notes
d'art. Avant les salons",
La Petite Gironde, 7 avril 1899.
• "Le centenaire de Balzac",
Le Messager de Bruxelles, 8 avril
1899.
• Riotor, Léon, "Auguste
Rodin", *La Revue populaire
des beaux-arts*, n° 14,
8 avril 1899, pp. 210-222.
• Fagus, Félicien [Georges
Faillet, *dit*], *La Revue blanche*,
15 avril 1899.
• "L'exposition Rodin",
Le Cri de Paris, 16 avril 1899.
• Champanhet, P., "Balzac
à Tours", *Le Messager
de Valence*, 20 avril 1899.
• Merlet, J.-F. Louis, *Tout Lyon*,
23 avril 1899.
• Geffroy, Gustave,
"Les salons de 1899", *Le Journal*,
30 avril 1899. Repris : Geffroy,
La Vie artistique, 6ᵉ série, Paris,
H. Floury éditeur, 1900,
pp. 390-433.
• Le Petit Alfred, "Nos artistes :
A. Rodin", *The French Magazine*,
n° 2, avril 1899, pp. 22-26.

mai

• Sherard, Robert H.,
"The new Balzac statue",
The Sun, 1ᵉʳ mai 1899.
• *The Morning Post*, 2 mai 1899.
• Descaves, Lucien,
"Types balzaciens", *L'Aurore*,
3 mai 1899.

• "Chronique. Aux deux salons",
Le Petit Troyen, 4 mai 1899.
• *La Vie illustrée*, 4 mai 1899.
• Diégo, "Désagréments
posthumes", *La Croix*,
5 mai 1899.
• Ferville, "Balzac au Panthéon",
L'Événement, 5 mai 1899.
• Hugues, Clovis, "Courrier
de partout", *L'Événement*,
5 mai 1899.
• Lecomte, Georges, "Les salons
de 1899. La sculpture", *Les Droits
de l'homme*, 5 mai 1899.
• Néron, Marie-Louise
[Mme Passérieu, *dite*], "Balzac",
La Fronde, 5 mai 1899.
• Valensol, "Les réalistes",
Le Petit Parisien, 5 mai 1899.
• "La critique et le salon
de 1899", *La Revue populaire
des beaux-arts*, n° 18,
6 mai 1899, pp. 278-282.
• Fouquier, Henry, "La vie
de Paris", *Le Rappel*, 6 mai 1899.
• Normand, Maurice,
"Le centenaire de Balzac.
Une collection balzacienne
à Bruxelles", *L'Illustration*,
n° 2932, 6 mai 1899, pp. 294-297.
• Santillane [Ch. Bert
et R. d'Archer, *dits*], "La vie
parisienne. Au Panthéon",
Le Gil-Blas, 6 mai 1899.
• "Le vernissage",
Le Cri de Paris, 7 mai 1899.
• Lyonne de Lespinas,
Fin de siècle, 7 mai 1899.
• "Le centenaire de Balzac",
Le Petit Journal, 9 mai 1899.
• Champal, "Un salon Rodin
à Bruxelles", *La Réforme*,
9 mai 1899.
• Brisson, Adolphe, "La vallée
du lys", *Le Temps*, 10 mai 1899.
• "En province. Les fêtes de
Balzac", *Le Gaulois*, 10 mai 1899.
• "Les fêtes de Balzac",
L'Éclair, 10 mai 1899.
• "Les fêtes de Balzac à Tours.
Dernière journée", *La République
française*, 10 mai 1899.
• Jourdain, Frantz, *Le Journal
du peuple*, 10 mai 1899.
• "Lettre de Paris", *Le Courrier
de l'Aisne*, 10 mai 1899.

• Meurville, Louis de, "À propos
du salon : l'évolution artistique",
Le Correspondant, 10 mai 1899,
pp. 486-504.
• Eekhoud, Georges,
"Honoré de Balzac",
La Réforme, 11 mai 1899, p. 3.
• "Falguière et Balzac",
La Mayenne, 13 mai 1899.
• *Annales politiques
et littéraires*, 14 mai 1899.
• Fos, F., "Les portraits
de Balzac", *Le Soleil du
dimanche*, 14 mai 1899.
• Courtrai, S. de, *L'Illustré
mondain*, 14 mai 1899.
• Un Domino, *Le Gaulois*,
14 mai 1899.
• Lemonnier, Claude, "Judith
Cladel. Conférence sur Rodin à
la Maison d'art", *L'Art moderne*,
n° 20, 14 mai 1899, pp. 167-168.
• "Petite chronique", *L'Art
moderne*, n° 20, 14 mai 1899,
p. 170.
• Semainier, "Un concours,
S. V. P. !", *Le Tintamarre*,
14 mai 1899.
• Thébault, Eugène, "Le salon
de 1898 (1ᵉʳ article)", *L'Écho
de la semaine*, 14 mai 1899.
• Alexandre, Arsène,
"Excès de politique",
Le Progrès, 15 mai 1899.
• "L'exposition Rodin",
L'Étoile belge, 15 mai 1899.
• Lanquest, G[eorges],
Le Home, 15 mai 1899.
• Linois, Jacques,
"La sculpture", *Le Patriote*,
15-21 mai 1899.
• *The Daily Messenger*,
16 mai 1899.
• *Le Petit Bleu*, 16 mai 1899.
• *Guardian*, 17 mai 1899.
• *New York Tribune*,
17 mai 1899.
• "The sculptors of Balzac",
Home Journal, 17 mai 1899.
• Charpentier, Octave,
"Le Balzac de Falguière",
La Revue comique,
20 mai 1899. Même article :
Mon Droit, 27 mai 1899.
• Mesnil, Mona, *The Ladies
Field*, 20 mai 1899.

• Morice, Charles, "L'œuvre de Rodin. II", *L'Art moderne*, n° 21, 21 mai 1899, pp. 173-175.
• "Rodin's statue of Balzac", *The Evening Stern*, 26 mai 1899.
• "Balzac", *La Vie marseillaise*, 27 mai 1899.
• Charpentier, Octave, "Le Balzac de Falguière", *Mon Droit*, 27 mai 1899. *Cf.* Charpentier, 20 mai 1899.
• Eekhoud, Georges, "Chronique. Le centenaire de Balzac", *Le Réveil du Nord/ L'Égalité*, 27 mai 1899. Même article : *Le Peuple*, 28 mai 1899.
• Guillemot, Maurice, "Le portrait de Balzac", *Le Gil-Blas*, 27 mai 1899.
• Plouchard, E. [Eugène], *L'Écho du Nord*, 27 mai 1899.
• Eekhoud, Georges, "Chronique. Le centenaire de Balzac", *Le Peuple*, 28 mai 1899. *Cf.* Eekhoud, 27 mai 1899.
• *Le Journal*, 28 mai 1899.

juin
• *Moniteur de la mode/ Revue de la Mode*, 3 juin 1899.
• Saunier, Charles, "Salon de 1899. La sculpture", *La Revue populaire des beaux-arts*, n° 22, 3 juin 1899, pp. 337-340.
• "Degeneracy of the Paris Salon", *The Commercial Tribune*, 4 juin 1899.
• R. H., *Literature*, 10 juin 1899.
• Schmitt, Jean E., "Chronique artistique", *L'Humanité nouvelle*, 10 juin 1899.
• *The Sketch*, 14 juin 1899.
• "Chronique parisienne", *La Provence artistique*, 15 juin 1899.
• Denoinville, G. [Georges Besnus, *dit*], *La Revue de France*, 15 juin 1899.
• Mitron, Jean, "Les lettres et les arts", *La Petite République socialiste*, 15 juin 1899.
• "Art notes", *Ledger*, 29 juin 1899.
• Basset, Serge, "Actualités. Autour du Balzac de Rodin", *Matines*, n° 8, juin 1898, pp. 535-536.

juillet
• Bénédite, Léonce, "Les salons", *La Grande Revue*, 1er juillet 1899, pp. 240-244.
• Maus, Octave, "Auguste Rodin", *L'Art moderne*, n° 27, 2 juillet 1899, pp. 224-225.
• Marx, Roger, "Les salons de 1899", *La Revue encyclopédique*, 15 juillet 1899, n° 306, pp. 541-560.
• Mitron, Jean, "Les lettres et les arts", *La Petite République socialiste*, 18 juillet 1899.
• Quantin, A., "Les salons de 1899", *Le Monde moderne*, n° 55, juillet 1899, pp. 65-101.

août
• Romain du Roseau, comte, "Notes d'art", *La Revue technique*, 25 août 1899.

octobre
• Mourey, Gabriel, "Auguste Rodin", *La Revue illustrée*, 15 octobre 1899.

novembre
• *La Presse*, 18 novembre 1899.
• Ferry, Gabriel, "La statue du Balzac", *Le Monde moderne*, n° 59, novembre 1899, pp. 641-654.

décembre
• *The World*, 3 décembre 1899.
• Colton, Francis B., "Balzac statue", *The Tribune*, 4 décembre 1899.
• *Elite : an Illustrated Society Journal*, 9 décembre 1899.
• "Balzac complete", *Sun*, 15 décembre 1899.
• "M. Rodin will show his sculptures", *Herald*, 31 décembre 1899.
• "Paris talks politics, art and alcoholism", *Inquirer*, 31 décembre 1899.

1900 ─────────

• Mauclair, Camille, *Auguste Rodin et son œuvre*, Paris, éditions de "La Plume", 1900. *Cf.* Mauclair, 15 mai 1900.

• Marguillier, Auguste, "Auguste Rodin", *Kunst und Kunsthandwerk*, VIe fascicule, 1900, pp. 237-262.

mai
• Geffroy, Gustave, "Alexandre Falguière", *Gazette des beaux-arts*, 1er mai 1900, pp. 397-406. Repris : Geffroy, *La Vie artistique*, 8e et dernière série, Paris, H. Floury éditeur, 1903, pp. 279-297.
• Mauclair, Camille, "La technique de Rodin", *La Plume*, n° 266 (n° exceptionnel "Rodin", Ier fascicule), 15 mai 1900, pp. 307-315. Repris : *Auguste Rodin et son œuvre*, Paris, éditions de "La Plume", 1900, pp. 19-27. *Cf.* Mauclair, 1er janvier 1898, pp. 20-23 ; et 15 juin 1898.
• Merrill, Stuart, "La philosophie de Rodin", *La Plume*, n° 266 (n° exceptionnel "Rodin", Ier fascicule), 15 mai 1900, pp. 305-307. Repris : *Auguste Rodin et son œuvre*, Paris, éditions de "La Plume", 1900, pp. 17-19.
• Morice, Charles, "Rodin", *La Plume*, n° 266 (n° exceptionnel "Rodin", Ier fascicule), 15 mai 1900, pp. 319-320. Repris : *Auguste Rodin et son œuvre*, Paris, éditions de "La Plume", 1900, pp. 31-32. *Cf.* Morice, 1900, pp. 9-11 et 20-22.
• "La statue de Balzac", *Le Petit Bleu de Paris*, 26 mai 1900.
• Verhaeren, Émile, "Chronique de l'exposition", *Mercure de France*, n° 125, t. XXXIV, mai 1900, pp. 458-465.

juin
• Mirbeau, Octave, "Préface", *La Plume*, n° 267 (n° exceptionnel "Rodin", IIe fascicule), 1er juin 1900, pp. 337-340. Repris : *Auguste Rodin et son œuvre*, Paris, éditions de "La Plume", 1900, pp. 1-5.

• Mockel, Albert, "Le 'Balzac' et le 'Baiser' de Rodin", *La Plume*, n° 267 (n° exceptionnel "Rodin", IIe fascicule), 1er juin 1900, pp. 346-352. Repris : *Auguste Rodin et son œuvre*, Paris, éditions de "La Plume", 1900, pp. 10-16. *Cf.* Mockel, 29 mai 1898.
• *The Commercial Advertiser*, 2 juin 1900.
• Fagus, Félicien [Georges Faillet, *dit*], "Discours sur la mission de Rodin", *La Revue blanche*, n° 169, t. XXII, 15 juin 1900, pp. 241-252.
• Geffroy, Gustave, "Auguste Rodin", *La Plume*, n° 268 (n° exceptionnel "Rodin", IIIe fascicule), 15 juin 1900, pp. 369-382. Repris : *Auguste Rodin et son œuvre*, Paris, éditions de "La Plume", 1900, pp. 33-46. *Cf.* Geffroy, 1893, pp. 62-115.

juillet
• Harris, Frank, "Un chef d'œuvre de l'art moderne", *La Plume*, n° 269 (n° exceptionnel "Rodin", IVe fascicule), 1er juillet 1900, pp. 406-408 (trad. par Henry D. Davray). Repris : *Auguste Rodin et son œuvre*, Paris, éditions de "La Plume", 1900, pp. 54-56. *Cf.* Harris, 2 juillet 1898.
• Rambosson, Yvanhoé, "Le modelé et le mouvement dans les œuvres de Rodin", *La Plume*, n° 270 (n° exceptionnel "Rodin", Ve fascicule), 1er juillet 1900, pp. 422-425. Repris : *Auguste Rodin et son œuvre*, Paris, éditions de "La Plume", 1900, pp. 70-73.
• Geffroy, Gustave, "Rodin", *La Justice*, 4 juillet 1900.
• Mirbeau, Octave, "Une heure chez Rodin", *Le Journal*, 8 juillet 1900. Repris en partie : *Les Arts français*, Paris, n° 14 (n° spécial "A. Rodin 1840-1917"), février 1918, p. 38. Repris : Mirbeau, 1924, pp. 111-117.

- Fontainas, André, "Art moderne", *Mercure de France*, n° 127, t. XXXV, juillet 1900, pp. 268-270.

août
- Bouyer, Raymond, "Rodin méconnu", *La Plume*, n° 271 (n° exceptionnel "Rodin", VIe fascicule), 1er août 1900, pp. 482-483. Repris : *Auguste Rodin et son œuvre*, Paris, éditions de "La Plume", 1900, pp. 82-83 ; et Bouyer, *Les Maîtres artistes*, 15 octobre 1903, pp. 269-270.
- Case, Jean, "Lo scultore Rodin", *La Rassegna internazionale*, 1er août 1900.
- Frantz, Henri, "Le Balzac de Rodin", *La Plume*, n° 271 (n° exceptionnel "Rodin", VIe fascicule), 1er août 1900, pp. 483-484 (trad. par H.-D. Davray). Repris : *Auguste Rodin et son œuvre*, Paris, éditions de "La Plume", 1900, pp. 83-84.
- "Au jour le jour", *Le Temps*, 2 août 1900.
- "Rodin jugé par un Anglais", *L'Art moderne*, n° 32, 12 août 1900, pp. 256-257.
- "Les dévots de Balzac", *La Flandre libérale*, 15 août 1900.
- Mélia, Jean, "Balzac révolutionnaire", *La Petite République socialiste*, 15 août 1900.
- "Balzac et le Pasteur. Les maquettes du maître Falguière", *Le Soir*, 16 août 1900.
- Pascal, Félicien, "La vraie figure de Balzac", *Le Soleil*, 18 août 1900.
- Schneider, Gustave, "Le cinquantenaire de Balzac", *La République française*, 19 août 1900.
- Frontis, "Notes parisiennes en l'honneur de Balzac", *L'Événement*, 20 août 1900.
- *L'Est républicain*, 22 août 1900.
- Alexandre, Arsène, "L'ombre de Balzac", *Le Populaire*, 29 août 1900.

septembre
- Legrand, Marc, "Hommage à Auguste Rodin", *L'Art méridional*, n° 155, 1er septembre 1900, pp. 139-140.
- "Les lettres et les arts", *La Petite République socialiste*, 10 septembre 1900.
- Geffroy, Gustave, "Art. La sculpture française à l'exposition. III. De Carpeaux à Rodin", *L'Écho de la semaine*, 16 septembre 1900.
- Pene du Bois, Henri, "Rodin's Balzac, Gould's", *The New York Journal*, 25 septembre 1900.
- "L'art méridional", *Le Réformiste*, 28 septembre 1900.

octobre
- La Sizeranne, Robert de, "L'art à l'exposition de 1900", *La Revue des deux mondes*, t. CLXI, 15 octobre 1900, pp. 866-897.
- Geffroy, Gustave, "Rodin", *Art et Décoration*, n° 10, octobre 1900, pp. 97-110.

1901

- Alexandre, Arsène, "Balzac", *Volné Směry*, n° 5, vol. 5-6, (n° spécial "A. Rodin"), 1901, pp. 112-114.
- Bahr, Hermann, "Zur Austellung", *Ver Sacrum*, IVe fascicule, 1901, pp. 71-85.
- Hofbauer, Arnost, "Nekolik hodin u Rodina", *Volné Směry*, n° 5, vol. 5-6, (n° spécial "A. Rodin"), 1901, pp. 135-142.

janvier
- "Chronique judicaire des arts. La statue de Balzac", *L'Art moderne*, 6 janvier 1901.
- Brownel, W. C., "Auguste Rodin", *Scribners Magazine*, janvier 1901, pp. 88-101. Repris : Brownel, *French Art*, New York, Charles Scribner's Sons, 1901, pp. 203-228.

février
- *Ver Sacrum*, n° 4, 15 février 1901.
- "L'œuvre du sculpteur Rodin", *L'Actualité humaine étrangère et littéraire*, n° 57, 24 février 1901, p. 117.
- "Paris annoying M. Rodin and trouble brews for famous sculptor", *New York Herald*, 24 février 1901.

mars
- *La Politique coloniale*, 4-5 mars 1901.
- Chapelle, "Notes parisiennes. Les malheurs d'une statue", *La République*, 6 mars 1901. Repris : Chapelle, *Annales politiques et littéraires*, 17 mars 1901.
- B. P., "La statue de Balzac", *La Petite Gironde*, 7 mars 1901.
- "La statue de Balzac", *L'Italie*, 7 mars 1901.
- "Chronique parisienne", *La Croix*, 9 mars 1901.
- "Échos", *Le Charivari*, 11 mars 1901.
- Cena, Giovanni, "Artisti moderni. Augusto Rodin", *Nuova Antologia*, vol. XCII, 16 mars 1901, pp. 284-302.
- Chapelle, *Annales politiques et littéraires*, 17 mars 1901. Cf. Chapelle, 6 mars 1901.
- Robert, Albert, *La Petite Gironde*, 22 mars 1901.
- "Waxworks", *New York Herald*, 25 mars 1901.

avril
- Régnier, Henri de, "Le bronze et l'argent", *Le Gaulois*, 5 avril 1901. Repris : Régnier, *La Semaine française*, 14 juillet 1901.

mai
- Fagus, Félicien [Georges Faillet, dit], "Quelques brochures sur Rodin", *La Revue blanche*, 1er mai 1901.
- "Égratignures et caresses", *Le Monde artistique*, 26 mai 1901.

juin
- Delphi, Fabrice, "Échos de partout. Balzac jettature", *Le Petit Bleu de Paris*, 4 juin 1901.
- Éric, Paul, "Le monument de Balzac", *Le Journal*, 21 juin 1901.
- *Le Courrier australien*, 30 juin 1901.
- Frantz, Henri, "The new salon of 1901", *The Magazine of Art*, juin 1901, pp. 363-367.

juillet
- Régnier, Henri de, "Le bronze et l'argent", *La Semaine française*, 14 juillet 1901. Cf. Régnier, 5 avril 1901.
- Duquesnel, Félix, "Chronique du lundi", *Le Petit Journal*, 15 juillet 1901.
- Frontis, "Notes parisiennes. Quelques statues", *L'Événement*, 17 juillet 1901.
- Mac Kenna, Stephen, "In Rodin's studio. The personality and doctrine of a revolutionary sculptor", *The Criterion*, n° 4, vol. II, juillet 1901, pp. 6-8.

août
- Mauclair, Camille, "Auguste Rodin", *La Revue universelle*, n° 33, 17 août 1901, pp. 769-775.
- *L'Est républicain*, 22 août 1901.

novembre
- Éon, Henry, "L'art moderne", *Les Partisans*, 5 novembre 1901.
- "Rodin classes", *New York Herald*, 29 novembre 1901.
- Le Bavard, *Le Journal illustré*, 30 novembre 1901.

décembre
- "Berliner Kunstausstellungen", *Der Tag*, 5 décembre 1901.
- Chapelle, "Notes parisiennes. Le roman d'une statue", *La République*, 15 décembre 1901.
- "Notes parisiennes", *L'Événement*, 15 décembre 1901.
- Faverolles, "La statue errante", *Le Gaulois*, 16 décembre 1901.

• Frontis, "Chronique parisienne. Statues en panne", *Le Petit Monégasque*, 17 décembre 1901.
• *Le Bulletin de l'art ancien et moderne*, 21 décembre 1901.
• Charles, Étienne, "Les malheurs de Balzac", *Le Salut public*, 21 décembre 1901.
• Fouquier, Henry, "Aventures de statues", *La Tribune de l'Aube*, 21 décembre 1901.
• Rameau, Jean [L. Labaigt, *dit*], "Balzac et Verlaine", *Le Gaulois*, 21 décembre 1901.
• L'Étoile, Jean de, "La semaine d'un passant", *Le Courrier français*, 22 décembre 1901.
• Masque de fer, Le [Émile Blavet, *dit*], *Le Figaro*, 22 décembre 1901.
• *Le Soleil*, 22 décembre 1901.
• "M. Rodin's Balzac", *New York Herald*, 23 décembre 1901.
• Frollo, Jean, "Autour d'une statue", *Le Petit Parisien*, 31 décembre 1901.
• Franchetti, Édouard, "À Rodin", *L'Idée*, décembre 1901, pp. 20-22.

1902

• Mauclair, Camille, "Moderni malir", *Volné Smèry*, n° 6, vol. 9, 1902, pp. 202-210.
• Salda, F. X., "Geniova materstina. (Prolog k vystave Rodinove), *Volné Smèry*, n° 6, vol. 9, 1902, pp. 184-201.

janvier
• "À propos du Balzac de Rodin", *La Plume*, 15 janvier 1902.

février
• *The English Mail*, 6 février 1902.

avril
• *The Daily Messenger*, 19 avril 1902.

mai
• Péladan [Joséphin], "Le salon de la Société nationale (Sculpture)", *La Nouvelle Revue*, 15 mai 1902, pp. 145-150.

juin
• Claris, Edmond, "L'impressionnisme en sculpture. Auguste Rodin et Medardo Rosso", *La Nouvelle Revue*, 1er juin 1902, pp. 321-326. Repris : *cf.* Claris, 1902.
• Destrem, Hugues, "L'impressionnisme en sculpture", *Le Rappel*, 2 juin 1902.
• "Chez les artistes", *Le Pavé de Paris*, 7 juin 1902.

juillet
• Desgenais, "Libres propos", *Le Messager de Bruxelles*, 5 juillet 1902.
• Bles, Arthur, "Pelleas et Mélisande", *Musical Courier*, 16 juillet 1902.

octobre
• Ferry, Gabriel, "La popularité de Balzac au seuil du XXe siècle", *La Revue des revues*, n° 20, vol. XLVII, 15 octobre 1902, pp. 201-210.
• Uzanne, Octave, "Les effigies de Balzac", *L'Écho de Paris*, 15 octobre 1902.
• Audebrand, Philibert, "La statue de Balzac", *Le Figaro*, 19 octobre 1902.
• Céard, Henry, "Zola et Balzac", *L'Événement*, 21 octobre 1902. Même article : *Paris*, 22 octobre 1902 ; *Le Jour*, 23 octobre 1902.
• "Chronique", *La Paix*, 23 octobre 1902.
• Josz, Virgile, "La statue de Balzac", *L'Européen*, 25 octobre 1902.
• Montorgueil, Georges, "Les orateurs de la statue de Balzac", *Le Petit Havre*, 27 octobre 1902. Même article : *Le Courrier du Centre*, 28 octobre 1902.
• "Les lettres et les arts", *La Petite République socialiste*, 30 octobre 1902.

novembre
• Josz, Virgile, "La statue de Balzac", *Le Télégramme*, 4 novembre 1902.

• *Le Figaro*, 10 novembre 1902.
• *Le Journal de Saint-Pétersbourg*, 17 novembre 1902.
• "Le monument de Balzac. Les deux dernières statues du grand écrivain. Un daguerréotype en débraillé. Comment étaient les mains de Balzac. Le froc inévitable", *Les Nouvelles illustrées*, n° 26, 20 novembre 1902, p. 7.
• La Jeunesse, Ernest, "Le monument de Balzac", *Le Journal*, 22 novembre 1902.
• Riquet, "Libres propos. Balzac", *Le Messager de Bruxelles*, 22 novembre 1902.
• *L'Art moderne*, n° 47, 23 novembre 1902.
• "Chez Rodin", *Le Petit Bleu*, 23 novembre 1902.
• *Le Figaro*, 23 novembre 1902.
• Nain Jaune, Le [M. Hutin, *dit*], *L'Écho de Paris*, 23 novembre 1902.
• Sergines, "Les échos de Paris", *Annales politiques et littéraires*, 23 novembre 1902, pp. 325-327.
• "La statue de Balzac", *La Presse*, 23 novembre 1902.
• "Tout arrive : la statue de Balzac a été enfin inaugurée hier", *Le Petit Bleu de Paris*, 23 novembre 1902.
• Riotor, Léon, "La statue de Balzac", *Le Rappel*, 25 novembre 1902.
• Teste, Louis, "Billet parisien. La statue de Balzac", *Le Patriote*, 25 novembre 1902.
• "A estatua de Balzac", *Diario de Noticias*, 26 novembre 1902.
• *Allgemeine Zeitung*, 26 novembre 1902.
• Lestrange, Robert, "Les deux statues", *Le Tintamarre*, 30 novembre 1902.
• Valabrègue, Marcel, "Les portraits de Balzac", *Le Journal du dimanche*, 30 novembre 1902.

décembre
• Grappe, Georges, "À propos d'une statue. Balzac",

La Quinzaine, n° 195, 1er décembre 1902, pp. 385-405.
• Lécuyer, Raymond, "Une enquête. Ceux de Balzac. A. Rodin", *La Presse*, 1er décembre 1902.
• "Le père Tasse et le père Pion", *La Revue idéaliste*, 1er décembre 1902.
• Debusschère, Henri, *La Dépêche*, 2 décembre 1902.
• *Le Critique*, 5 décembre 1902.
• O'Monroy, Richard, "Balzac et Zola", *Le Gil-Blas*, 6 décembre 1902.
• *L'Ouest artiste*, 9 décembre 1902.
• "La estatua de Balzac en Paris", *Prensa*, 14 décembre 1902.

1903
janvier
• Stiti, Louis, aîné, "Crimes. Martyrs", *La Plume*, n° 330, 15 janvier 1903, pp. 81-83.
• Houssaye, Henry [Henry Housset, *dit*], "Historia de la estatua de Balzac. El proyecto primitivo...", *La Prensa*, 18 janvier 1903.
• Poutney, M. E., "Rodin and Balzac", *The Weekly Critical Review devoted to literature, music and the fine arts*, 22 janvier 1903.

février
• Cladel, Judith, "Rodin pris sur la vie", *La Plume*, n° 332, 15 février 1903, pp. 238-245.
• Scheffer, Robert, "Critique des romans. Péladan : modestie et vanité (Mercure de France)", *La Plume*, n° 332, 15 février 1903, pp. 254-256.

mars
• Rodin, Auguste, *La Plume*, n° 333, 1er mars 1903, pp. 276-277.

juin
• Meier-Graefe, Julius, *Die Zukunft*, 20 juin 1903, pp. 457-460.

octobre

• Bouyer, Raymond, "Rodin méconnu", *Les Maîtres artistes*, n° 8, 15 octobre 1903, pp. 269-270.

• Crowley, Aleister, "Balzac", *Les Maîtres artistes*, n° 8, 15 octobre 1903, p. 283 (trad. française par Marcel Schwob).

• Leblond, Marius-Ary, "Rodin social", *Les Maîtres artistes*, n° 8, 15 octobre 1903, pp. 278-282.

• Mac-Coll, D.-S. [Dugald-Sutherland], "Auguste Rodin", *Les Maîtres artistes*, n° 8, 15 octobre 1903, pp. 304-311 (trad. française par Dan-Léon).

• Mauclair, Camille, "Auguste Rodin. Son œuvre, son milieu, son influence", *Les Maîtres artistes*, n° 8, 15 octobre 1903, pp. 271-278.

• Montesquiou, Robert, comte de, "Auguste Rodin", *Les Maîtres artistes*, n° 8, 15 octobre 1903, pp. 262-265.

• Pica, Vittorio, "Rodin à l'étranger. Rodin en Italie", *Les Maîtres artistes*, n° 8, 15 octobre 1903, pp. 293-295.

• Simoni, H.-Ernest, "Poussières de marbre", *Les Maîtres artistes*, n° 8, 15 octobre 1903, pp. 265-268.

• Treu, Georg, "Auguste Rodin", *Les Maîtres artistes*, n° 8, 15 octobre 1903, pp. 295-298 (trad. française par René Chéruy).

1904

• La Sizeranne, Robert de, "L'esthétique des tombeaux", *La Revue des deux mondes*, t. XXIV, pp. 128-157, 1904.

• "M. Rodin in London. The Beauty of our streets", *The Daily News*, 11 janvier 1904.

• "International society", *The Daily Telegraph*, 14 janvier 1904.

• "Rodin on English visit", *The Daily Telegraph*, 20 janvier 1904.

• Alexandre, Arsène, "Enquêtes sur l'art moderne. Auguste Rodin", *Paris illustré*, n° 13, mars 1904, pp. 1-20.

1905

• Fitz-Gerald, William G., "A personal study of Rodin", *World's Work*, 1905, pp. 6818-6834.

• *Literary World*, 15 février 1905.

• Clemen, Paul, "Auguste Rodin", *Die Kunst*, n° 3, t. 11, 1er avril 1905, pp. 321-335.

• "À propos de Rodin", *L'Indépendant*, 1er décembre 1905.

1906

• Roger-Milès, L[éon], "Rodin", *Le Figaro illustré*, n° 192, mars 1906, pp. 61-80.

• Mauclair Camille, "Auguste Rodin", *Avanti della Domenica*, n° 15, 15 juillet 1906.

• Sarfatti, Marguerita, "Il Balzac", *Avanti della Domenica*, n° 15, 15 juillet 1906, p. 8.

• Mauclair, Camille, "L'illogisme des statues modernes", *La Revue bleue*, 8 septembre 1906, pp. 328-331.

• Saint-Point, Valentine, "La double personnalité d'A. Rodin", *La Nouvelle Revue*, t. XLIII, n° 170, 1er novembre 1906, pp. 29-42.

• Kahn, Gustave, "Auguste Rodin", *L'Art et le Beau*, n° 12 ("Numéro consacré à Auguste Rodin"), décembre 1906, pp. 101 (237)-135 (271). Repris : *L'Art et le Beau*, n° 2 (n° exceptionnel "Auguste Rodin"), 1906 ; Kahn, *Auguste Rodin. Cinquante-quatre illustrations teintées et deux gravures*, Paris, imprimerie de la Librairie artistique et littéraire, 1906.

1907

• Rilke, Rainer Maria, "Auguste Rodin", *Kunst und Künstler*, Ier fascicule, octobre 1907, pp. 28-39.

• Gsell, Paul, "Propos de Rodin sur l'art et les artistes", *La Revue*, n° 21, 1er novembre 1907, pp. 95-107.

1908

• Steichen, Eduard J., "Painting and Photography", *Camera Work*, n° 23, juillet 1908, pp. 3-5.

• Mourey, Gabriel, "Sur le Balzac de Rodin", *L'Opinion*, 18 juillet 1908.

1909

• Devaldès, Manuel, "Honoré de Balzac", *Portraits d'hier*, n° 5, 15 mai 1909.

• E. B., "Un 'Rodin' japonais", *L'Illustration*, n° 3464, 17 juillet 1909, pp. 34-35.

• "La 'Dilecta' de Balzac", *L'Instantané (Supplément illustré de la Revue hebdomadaire)*, n° 30, 24 juillet 1909.

• Caffin, Charles H., "Prints by Eduard J. Steichen of Rodin's 'Balzac'", *Camera Work*, n° 28, octobre 1909, pp. 23-25.

1910

• "Au jour le jour. La statue de Balzac", *Le Journal*, 1910.

• "Nadar et Balzac", *Le Cri de Paris*, 3 avril 1910.

1911

• Frantz, Henri, *Excelsior*, 19 février 1911.

• Hartmann, Sadakichi, "Rodin's Balzac", *Camera Work*, nos 34-35, avril-juillet 1911, pp. 19-21.

• Alexandre, Arsène, "La semaine artistique. Figures d'aujourd'hui. Le statuaire Desbois", *Comoedia*, 2 novembre 1911.

1912

• Breck, Joseph, "The Collection of sculptures by Auguste Rodin in the Metropolitan Museum", *Supplement to the Bulletin of the Metropolitan Museum of Art*, mai 1912, pp. 9-20. Repris en volume : *The Collection of Sculptures by Auguste Rodin*, New York, The Metropolitan Museum of Art, 1913.

1913

• "La douane et l'art", *Le Cri de Paris*, 13 juillet 1913.

1916

• "A sculptor's tribute to a sculptor. M. Rodin and a russian disciple", *Pall Mall Gazette*, 27 avril 1916.

• *L'Univers et le Monde*, 27 avril 1916.

1917

• Daudet, Léon, "Le génie de Rodin", *L'Action française*, 20 novembre 1917. Repris en partie : *Les Arts français*, Paris, n° 14 (n° spécial "A. Rodin 1840-1917"), février 1918, pp. 38-39.

• Laurent, Marcel, "Notes d'un passant. Rodin et Balzac", *L'Événement*, 24 novembre 1917.

• H. P., "Un 'Balzac' inédit de Rodin", *Excelsior*, 27 novembre 1917.

• Vauxcelles, Louis, "Les arts. À propos du 'Balzac' de Rodin", *Le Pays*, 28 novembre 1917.

• Pérаté, André, "Rodin", *Le Correspondant*, 10 décembre 1917, pp. 874-882. Repris en partie : *Les Arts français*, Paris, n° 14 (n° spécial "A. Rodin 1840-1917"), février 1918, p. 36.

• La Sizeranne, Robert de, "L'œuvre de Rodin", *La Revue des deux mondes*, t. XLII, 15 décembre 1917, pp. 915-934. Repris en partie : *Les Arts français*, Paris, n° 14 (n° spécial "A. Rodin 1840-1917"), février 1918, pp. 39-40.

• Morice, Charles, "Rodin", *Mercure de France*, n° 468, t. LXXIV, 16 décembre 1917, pp. 577-596.

Bibliographie après 1917

Coupures de presse, ouvrages et revues

1918

• Alexandre, Arsène, "Le tombeau de Rodin", *Les Arts*, n° 168 (n° spécial : "Au musée Rodin"), 1918, pp. 2-9.

• Bénédite, Léonce, "Le musée Rodin", *Les Arts*, n° 168, (n° spécial : "Au musée Rodin"), 1918, pp. 10-24.

• Cladel, Judith, "Rodin's statue of Balzac", *The Centurion*, 1918, pp. 10-11.

• Constant, Benjamin, "Notes sur Rodin", *Les Arts français*, Paris, n° 14 (n° spécial : "A. Rodin 1840-1917"), février 1918, pp. 37-38. *Cf.* Constant, "Promenade du peintre aux salons de 1898", *Le Figaro*, 6 mai 1898.

• Daudet, Léon, *Les Arts français*, n° 14 (n° spécial : "A. Rodin. 1840-1917"), février 1918, pp. 38-39. *Cf.* Daudet, "Le génie de Rodin", *L'Action française*, 20 novembre 1917.

• Fontainas, André, "Au pied du portique : souvenirs sur Rodin", *La Revue de Hollande*, n° 4, avril 1918, pp. 383-392.

• Geffroy, Gustave, "L'œuvre de Rodin à l'exposition de 1900", *Les Arts français*, n° 14 (n° spécial :"A. Rodin. 1840-1917"), février 1918, pp. 24-29. Repris de : Geffroy, *La Vie artistique*, 7ᵉ série, Paris, H. Floury éditeur, 1901, pp. 263-274.

• Hamel, Maurice, "La défense du 'Balzac'", *Les Arts français*, Paris, n° 14 (n° spécial : "A. Rodin. 1840-1917"), février 1918, p. 40. Repris en partie de : Hamel, "Les salons de 1898", *La Revue de Paris*, n° 12, 15 juin 1898, pp. 871-898.

• Lintilhac, Eugène, "Rodin et l'hôtel Biron. Deux conceptions d'art", *Les Arts français*, n° 14 (n° spécial : "A. Rodin. 1840-1917"), février 1918, p. 42.

• Mauclair, Camille, *Auguste Rodin. L'homme et l'œuvre*, Paris, La Renaissance du livre, 1918. Édition anglaise : Mauclair, *Auguste Rodin. The Man, his Ideas, his Works*, Londres, Duckworth and Co., 1905. Repris en partie : *Les Arts français*, Paris, n° 14 (n° spécial : "A. Rodin. 1840-1917"), février 1918, p. 30.

• Rodin, Auguste, "La défense du 'Balzac'", *Les Arts français*, Paris, n° 14 (n° spécial : "A. Rodin. 1840-1917"), février 1918, pp. 40-41.

• Saunier, Charles, "Auguste Rodin", *Les Arts français*, Paris, n° 14 (n° spécial : "A. Rodin. 1840-1917"), février 1918, pp. 17-23.

1919

• Babin, Gustave, "L'inauguration du musée Rodin", *L'Illustration*, n° 3988, 9 août 1919, pp. 118-119.

• Bénédite, Léonce, *Catalogue sommaire des œuvres d'Auguste Rodin et autres œuvres d'art de la donation Rodin*, Paris, Frazier-Soye imp., 1919.

• Gsell, Paul, "Le musée Rodin", *L'Art et les Artistes*, n° 2, juin 1919, pp. 45-71.

1920

• Burckhardt, Carl, *Rodin und das Plastische Problem*, Bâle, Basler Kunstverein, 1920.

• Havelaar, Just, *Auguste Rodin*, Leiden, A. W. Sijthoff's UitgeversMij, 1920.

1921

• Alexandre, Arsène, "Balzac dans un fauteuil", *La Renaissance de l'art français et des industries de luxe*, n° 2, février 1921, pp. 53-56.

• Bénédite, Léonce, *Catalogue sommaire des œuvres d'Auguste Rodin et autres œuvres d'art de la donation Rodin*, Paris, Frazier-Soye imp., 1921 (rééd.).

• Pennell, Elisabeth et Joseph, *The Whistler Journal*, Philadelphie, J. P. Lippincott Company, 1921.

1922

• Bénédite, Léonce, *Catalogue sommaire des œuvres d'Auguste Rodin et autres œuvres d'art de la donation Rodin*, Paris, Beresniak imp., 1922 (rééd.).

• Geffroy, Gustave, *Claude Monet, sa vie, son œuvre*, Paris, Crès et Cie, 1922. Rééd. : *cf.* Geffroy, 1924 et 1980.

1923

• Gsell, Paul, "Le musée Rodin à Meudon", *La Renaissance de l'art français et des industries de luxe*, n° 8, août 1923, pp. 457-465.

1924

• Bénédite, Léonce, *Catalogue sommaire des œuvres d'Auguste Rodin et autres œuvres d'art de la donation Rodin*, Paris, Béresniak imp., 1924 (rééd.).

• Geffroy, Gustave, *Claude Monet, sa vie, son œuvre*, Paris, Crès et Cie, 1924. *Cf.* Geffroy : 1ʳᵉ éd., 1922 ; rééd., 1980.

• Mirbeau, Octave, *Des artistes. Deuxième série. Peintres et sculpteurs, 1897-1912. Musiciens, 1884-1902. Claude Monet, Camille Pissaro, Vincent Van Gogh, Auguste Rodin, César Franck, Gounod, Franz Servais, L'Opéra, L'Opérette*, Paris, Ernest Flammarion éditeur, 1924. *Cf.* Mirbeau, *Le Journal*, 12 septembre 1897 ; *Le Journal*, 15 mai 1898 ; et Mirbeau, 1995.

1925

• Coquiot, Gustave, *Rodin*,
Paris, Albin Michel, 1925.
1re éd. : *cf.* Coquiot, *Rodin*,
Paris, Bernheim-Jeune, 1915.
• Tirel, Marcelle, *The Last Years
of Rodin*, Londres,
A. M. Philpot Ltd, 1925, préface
de Judith Cladel (trad. anglaise
par R. Francis).

1926

• Bénédite, Léonce, *Musée Rodin.
Catalogue sommaire des œuvres
d'Auguste Rodin et autres œuvres
d'art de la donation Rodin*, Paris,
Lapina imp., 1926 (rééd.).
• Bénédite, Léonce, *Rodin*, Paris,
F. Rieder & Cie éditeurs, 1926.
• Bonnefon, Jean de,
*Triptyque d'âmes. Chopin,
Rodin, Barbey d'Aurevilly*,
Paris, Picart éditeur, 1926.
• Gasquet, Joachim,
Cézanne, Paris, Les Éditions
Bernheim-Jeune, 1926. Rééd. :
cf. Cézanne, 1978.
• Ludovici, Anthony M., *Personal
Reminiscences of Auguste Rodin*,
Londres, John Murray, 1926.

1927

• Aveline, Claude, *Rodin.
L'homme et l'œuvre*, Paris,
Les Écrivains réunis, 1927.
• Herriot, Édouard, *À la gloire de
Rodin. 14 décembre 1927*, Paris,
éditions Marcel Seheur, 1927.
• Grappe, Georges, *Catalogue
du musée Rodin*, Paris, musée
Rodin, 1927 (1re éd.).
• Gronkowski, Camille,
*Catalogue sommaire des
collections municipales*, Paris,
imprimerie Crété, 1927.
• Kemeri, Sandor, *Promenades
d'Anatole France*, Paris,
Calmann-Lévy éditeurs, 1927.
• Rilke, Rainer Maria, "Auguste
Rodin", *L'Art vivant*, n° 50,
15 janvier 1927, pp. 41-42 (trad.
française par Maurice Betz).
• Riotor, Léon, *Rodin*, Paris,
librairie Félix Alcan, 1927.
• Von Nostitz Hindenburg,
Helene, *Rodin in Gesprächen
und Briefen*, Dresde,
Wolfgang Jess Verlag, 1927.
Éd. américaine : *cf.* Von Nostitz
Hindenburg, 1931.

1928

• Grappe, Georges, "Rodin
collectionneur", *Le Cousin Pons*,
XI, 1-15 janvier 1928, pp. 7-15.
• Herriot, Édouard, "Dans
les jardins de l'hôtel Biron",
L'Art vivant, n° 73, 1er janvier
1928, pp. 1-5.
• Kunstler, Ch., "Rodin",
ABC Magazine, n° 44,
août 1928, pp. 198-204.
• Laloy, Louis, *La Musique
retrouvée. 1902-1927*, Paris,
librairie Plon, 1928.
• René-Jean, "Le salon
d'automne", *Gazette des
beaux-arts*, juillet-août 1928,
pp. 333-352.
• Rey, Robert, "La sculpture au
salon d'Automne", *L'Art vivant*,
n° 95, 1er décembre 1928,
pp. 905-906.
• Rilke, Rainer Maria, "Auguste
Rodin. Une conférence",
Europe, n° 65, t. XVII, 15 mai
1928, pp. 5-36 (trad. française
par Maurice Betz).
• Rilke, Rainer Maria, *Auguste
Rodin*, Paris, éditions Émile-Paul
Frères, 1928 (trad. française par
Maurice Betz). Éd. allemande :
Rilke, *Auguste Rodin*, Leipzig,
Insel-Verlag, 1913. Repris de :
Rilke, *Auguste Rodin*, Berlin,
Julius Bard Verlag, 1903.

1929

• Fuss-Amore, Gustave, "Mes
souvenirs parisiens", *La Revue
belge*, 15 juillet 1929, pp. 170-182.
• Grappe, Georges, *Catalogue
du musée Rodin*, Paris, musée
Rodin, 1929 (2e éd.).
• Huneker, James, *Essays
by James Huneker*, New York,
Charles Scribner's Sons, 1929
(textes sélectionnés par
L. Mencken).
• Mac Allister, Isabel, *Alfred
Gilbert*, Londres, A. & C.
Black Ltd, 1929.

• Rivière, Georges, "La leçon
égyptienne dans l'œuvre
de Rodin", *L'Art vivant*, n° 102,
15 mars 1929, pp. 233-240.

1930

• De Bongnie, Émile,
"Chronique artistique", *La Gaule*,
n° 6, 16 mars 1930, pp. 169-170.
• "Rodin bronzes. Balzac
galleries", *American Art News*,
18 janvier 1930.
• Schneider, René, *L'Art
français. XIXe et XXe siècles.
Du réalisme à notre temps*, Paris,
Henri Laurens éditeur, 1930.

1931

• Blanche, Jacques-Émile,
Les Arts plastiques, Paris,
Les Éditions de France, 1931.
• Grappe, Georges, *Catalogue
du musée Rodin*, Paris, musée
Rodin, 1931 (3e éd.).
• Jourdain, Frantz, *Feuilles
mortes et Fleurs fanées*, Paris,
édition de la Jeune Académie,
1931.
• Von Nostitz Hindenburg,
Helene, *Dialogues with Rodin*,
New York, Duffield & Green,
1931 (trad. de l'allemand
par H. L. Ripperger).
Éd. allemande : *cf.* Von Nostitz
Hindenburg, 1927.

1932

• Sigogneau, Albert (docteur),
*À propos de Rodin. Quelques
mécanismes psychologiques
présidant à l'activité esthétique*,
Bordeaux, imprimerie-librairie
de l'Université, Y. Cadoret,
Delmas, successeur, 1932.

1934

• Fagus, Félicien [Georges
Faillet, *dit*], "Lettres de Fagus",
Le Divan, n° 189, octobre-
novembre 1934, pp. 241-246.
• Grappe, Georges,
"Auguste Rodin", *in* Dodge,
Ernest R. ; Mendel, M. J. et
Caro-Delvaille, A., *La France
vivante*, États-Unis, American
Book Company, 1934.

• Morhardt, Mathias,
"La bataille du 'Balzac'",
Mercure de France, n° 876,
t. CCLVI, 15 décembre 1934,
pp. 463-489.

1935

• Cladel, Judith,
"Rodin et l'amitié",
*Le Supplément illustré de
la Revue hebdomadaire*, n° 10,
9 mars 1935, pp. 168-190 ;
n° 11, 16 mars 1935,
pp. 340-360.
• Cladel, Judith, "Rodin.
L'affaire du 'Balzac'", *La Revue
de France*, n° 11, 1er juin 1935,
pp. 509-537 ; n° 12, 15 juin
1935, pp. 697-722.

1936

• Cladel, Judith, "Rodin
et l'affaire", *Annales politiques
et littéraires*, 10 mai 1936,
pp. 474-481.
• Cladel, Judith, *Rodin,
sa vie glorieuse, sa vie
inconnue*, Paris, Bernard
Grasset, 1936. Rééd. :
cf. Cladel, 1950.
• Lemarchand, Georges,
"Proposition tendant
à l'érection de la statue
de Balzac, par Rodin, sur
une place de Paris, déposée
par M. Georges Lemarchand,
conseiller municipal.
Paris, le 24 avril 1936",
*in Conseil municipal de
Paris 1936*, Paris, Hôtel
de Ville, Imprimerie
municipale, 1936.

1937

• Besson, George, "Prenez
garde à la sculpture", *Le Point*,
n° 5, décembre 1937,
pp. 227-242.
• Bourdelle, Antoine,
La sculpture et Rodin, Paris,
Émile-Paul Frères, 1937,
avec quatre pages de journal
par Claude Aveline.
• Cladel, Judith, "Rodin",
Le Point, n° 5, décembre 1937,
pp. 249-250.

• Lecomte, Georges, "La vie courante. Hier et aujourd'hui. Le 'Balzac' de Rodin", *La Revue de France*, n° 23, 1er décembre 1937, pp. 556-563.
• Vauxcelles, Louis, "Le 'Balzac' de Rodin", *Le Monde illustré*, 23 octobre 1937, p. 738.

1938
• Fontainas, André, "Le 'Balzac' de Rodin est offert à Paris", *Mercure de France*, t. CCLXXXV, n° 962, 15 juillet 1938, pp. 286-297.
• Grappe, Georges, "La sculpture française contemporaine", *Le Bulletin du Centre d'informations documentaires*, n° 16, novembre 1938, pp. 1-10.
• Grappe, Georges, *Catalogue du musée Rodin*, Paris, musée Rodin, 1938 (4e éd.).

1939
• Cladel, Judith, "Après quarante ans de discussions le 'Balzac' de Rodin est inauguré au carrefour du boulevard Raspail", *France-Soir*, 2 juillet 1939.
• Daudet, Léon, *Mes idées esthétiques*, Paris, librairie Arthème Fayard, 1939.
• Frisch, Victor et Shipley, John T., *Auguste Rodin. A Biography*, New York, Frederick A. Stokes and Co, 1939.
• Grappe, Georges, *Rodin*, Paris, Éd. du Phaïdon, Charles Massin et Albert Lévy, 1939.
• Hoffman, Malvina, *Sculpture Inside and Out*, New York, W. W. Norton & Company, 1939.
• Lecomte, Georges, "L'inauguration du Balzac de Rodin le 1er juillet 1939", *Chronique de la Société des gens de lettres*, 1er juillet 1939, pp. 208-214.
• Lecomte, Georges, "Le triomphe du 'Balzac' de Rodin", *L'Illustration*, 1er juillet 1939, pp. 335-336.

1944
• Grappe, Georges, *Catalogue du musée Rodin*, Paris, musée Rodin, 1944 (5e éd.).

1946
• Aubert, Marcel, "Le musée Rodin", *in* Werth, Léon ; Roger-Marx, Claude ; Étienne-Martin ; Aubert, Marcel et Martin, Raymond, *Images de Rodin*, Paris, Les Publications techniques et artistiques, 1946, pp. 33-40.
• Cladel, Judith, "Dans l'intimité du génie", *in* Werth, Léon ; Roger-Marx, Claude ; Étienne-Martin ; Aubert, Marcel et Martin, Raymond, *Images de Rodin*, Paris, Les Publications techniques et artistiques, 1946, pp. 15-29.
• Gaillot, Édouard, *Le Mensonge de Rodin*, Tours, éditions L. H. S., 1946.
• Lecomte, Georges, *Rodin*, Paris, Les Publications techniques et artistiques, 1946.

1947
• Aubert, Marcel, "La réouverture du musée Rodin", *Pro Arte*, n° 57, janvier 1947, pp. 9-17.
• Martinie, A.-Henri, *Rodin*, Paris, Braun & Cie, 1947.

1948
• Aubert, Marcel, "La villa des Brillants à Meudon et le musée Rodin", *Musées de France*, juin 1948, pp. 115-117.
• Cladel, Judith, *Rodin*, Paris, éditions Terra/éditions Aimery Somogy, 1948.

1949
• Emde, Ursula, *Rilke und Rodin*, Marbourg-sur-le-Lahn, Kunstgeschichtlichen Seminar, 1949.
• Havelaar, Just, *Auguste Rodin*, Utrecht, Uitgeversmaatschappij, Havelaar N. V., 1949 (3e éd.).
• Herriot, Édouard, *Rodin*, Lausanne, éditions Jean Marguerat, 1949.

• Jourdain, Francis, *Rodin*, Lausanne, éditions Jean Marguerat, 1949.

1950
• Cladel, Judith, *Rodin, sa vie glorieuse, sa vie inconnue*, Paris, Bernard Grasset, 1950. 1re édition : *cf.* Cladel, 1936.

1951
• Cassou, Jean, *Rodin*, Londres, Phaïdon/Paris, librairie centrale des Beaux-Arts, 1951.
• Charbonneaux, Jean, *Les Sculptures de Rodin*, Paris, Fernand Hazan, 1951.

1952
• Aubert, Marcel, *Rodin Sculptures*, Mulhouse, éditions Tel Braun imprimeur, 1952 (trad. anglaise par R. Shedlin).
• Brancusi, Constantin, "Hommage à Rodin", *in* cat. exp. Paris, 1952, n.p.
• Goldscheider, Cécile, "La genèse d'une œuvre. Le 'Balzac' de Rodin", *La Revue des arts*, n° 1, mars 1952, pp. 37-44.

1955
• Martinie, A.-Henri, *Auguste Rodin. 1840-1917*, Paris, éditions Braun et Cie, 1955.

1955-1956
• Schmoll gen Eisenwerth, Joseph Adolf, "Rodins Balzac", in *Sitzungsberichte der Kunstgeschichte Gesellschaft zu Berlin*, octobre 1955-mai 1956, pp. 8-10.

1957
• Maurice, Jacques, "Le château de l'Islette", *Bulletin de la Société archéologique de Touraine*, t. XXXII, 1957, pp. 35-37.

1960
• Elsen, Albert E., *Rodin's Gates of Hell*, Minneapolis, University of Minnesota Press, 1960.

• Patterson, Spencer Eleanor, "Notes on the nature of the sculpture", *The Baltimore Museum of Art News*, Baltimore, n° 3, vol. 23, printemps 1960, pp. 4-14.

1962
• Goldscheider, Cécile, *Rodin. Sa vie, son œuvre, son héritage*, Paris, Les Productions de Paris, 1962.
• Scolari Baar, Margaret, "Medardo Rosso and his Dutch patroness Etha Fless", *Nederlandsch Kunsthistorisch Jaarboek*, 1962, pp. 217-251.

1963
• Elsen, Albert E., *Rodin*, New York, The Museum of Modern Art, 1963.
• Grand, P. M., "Rodin : Genius with giblets", *Art News*, vol. 62, n° 3, 1963, pp. 24-28.
• Lipchitz, Jacques, "Homage", *in* Elsen, 1963, p. 5.
• Selz, Peter, "Postscript : Rodin and America", *in* Elsen, 1963, pp. 191-203.
• Steichen, Eduard J., *A Life in Photography*, New York, Doubleday, 1963.

1964
• Caso, Jacques de, "Rodin and the cult of Balzac", *The Burlington Magazine*, n° 735, juin 1964, pp. 279-284.
• Goldscheider, Cécile, *Rodin. 1886-1917*, Paris, Fernand Hazan, 1964.

1966
• Caso, Jacques de, "The Balzac and Rodin in Rhode Island", *The Bulletin of the Rhode Island School of Design*, n° 4, vol. LII, mai 1966, pp. 1-22.
• Sutton, Denys, *Triumphant Satyr : the World of Auguste Rodin*, New York, Hawthorn Books, 1966.

1967

• Bernier, Rosamond, "Henry Moore parle de Rodin", *L'Œil*, n° 155, novembre 1967, pp. 26-33 et 63.

• Champigneulle, Bernard, *Rodin*, Paris, éditions Aimery Somogy, 1967. *Cf.* Champigneulle : nouvelle éd. revue et complétée, 1980 ; rééd., 1994.

• Crispolti, Enrico, "La vicenda della scultura da Rodin al purismo", *L'Arte moderna*, n° 67, vol. VIII, 1967, pp. 121-152.

• Descharnes, Robert et Chabrun, Jean-François, *Auguste Rodin*, Lausanne, Édita/Paris, Vilo, 1967.

• Durbè, Dario, "Rodin, Rosso e l'ultima produzione impressionista", *L'Arte moderna*, n° 4, vol. I, 1967, pp. 121-152.

• Elsen, Albert E., "Rodin's 'Naked Balzac'", *The Burlington Magazine*, n° 776, vol. CIX, novembre 1967, pp. 606-617.

• Jianou, Ionel et Goldscheider, Cécile, *Rodin*, Paris, Arted, 1967.

• Rodin, Auguste, *L'Art*, Paris, Gallimard, coll. "Idées/Art", 1967. *Cf.* Rodin : 1ʳᵉ éd., 1911 ; rééd., 1986.

• Schlumberger, Eveline, "Rodin consciencieux, célèbre, discuté, opiniâtre, génial, bafoué. Rappelez-vous : l'affaire Balzac", *Connaissance des arts*, n° 182, avril 1967, pp. 57-65.

• Spear, Athena Tacha, *Rodin Sculpture in the Cleveland Museum of Art*, Cleveland (Ohio), The Cleveland Museum of Art, 1967.

• Taillandier, Yvon, *Rodin*, Paris, Flammarion, 1967.

1969

• Elsen, Albert E., *in* cat. exp. Baltimore, 1969-1970.

1970

• Goldscheider, Ludwig, *Rodin. Sculptures*, Londres/New York, Phaïdon, 1970.

• Jianou, Ionel, "Le combat de Rodin", *in* cat. exp. Rochechouart, 1970, n.p.

1971

• "Communication de Mademoiselle Andrée Jacob : 'La statue de Balzac par Rodin'", *in* Ville de Paris, Procès-verbal de la séance du lundi 1ᵉʳ février 1971, nᵒˢ 1, 2 et 3, 1ᵉʳ février 1971, pp. 20-25.

• Laude, Jean, "La sculpture en 1913", *in L'année 1913. Les formes esthétiques de l'art à la veille de la Première Guerre mondiale*, t. 1, Paris, Klincksieck, 1971, pp. 202-276 (sous la direction de L. Brion-Guerry).

1972

• Steinberg, Léo, *Other Criteria. Confrontations with Twentieth-Century Art*, Oxford, University Press, 1972.

1973

• Elsen, Albert E., *in* cat. exp. Stanford, 1973.

• Maurice, Jacques, *Histoire de la Vallée du lys*, Tours, imprimerie centrale de Touraine, 1973.

• McGough, Stephen C., "The critical reception of Rodin's Monument to Balzac", *cf.* Elsen, 1973, pp. 60-67.

1974

• Elsen, Albert E., *Origins of Modern Sculpture. Pioneers and Premises*, New York, George Braziller, 1974.

• Spear, Athena Tacha, *A Supplement to Rodin Sculpture in the Cleveland Museum of Art*, Cleveland, The Cleveland Museum of Art, 1974.

1976

• Lévy, Pierre, *Des artistes et un collectionneur*, Paris, Flammarion, 1976.

• Strachan, W. J., *Towards Sculpture. Maquettes and Sketches from Rodin to Oldenburg*, Londres, Thames and Hudson, 1976.

• Tancock, John L., *The Sculpture of Auguste Rodin*, Philadelphie, Philadelphia Museum of Art/David R. Godine, 1976.

1977

• Caso, Jacques de et Sanders, Patricia B., *Rodin's Sculpture. A Critical Study of the Spreckels Collection. California Palace of the Legion of Honor*, San Francisco, The Fine Arts Museums/Rutland (Vermont), Tokyo, Charles E. Tuttle Co., Inc., 1977.

• Krauss, Rosalind, *Passages in Modern Sculpture*, Londres, Thames and Hudson, 1997. Éd. française : Paris, éditions Macula, 1997.

• Newton, Joy et Fol, Monique, "Zola et Rodin", *Les Cahiers naturalistes*, n° 51, 1977, pp. 177-185.

• Schnell, Werner, *Rodin zwischen Innovationssetzung und Publikumserwartung. Studie zum Konflikt von Künstler und Publikum*, Cologne, Du Mont, 1977.

1978

• Baudry, Marie-Thérèse et Bozo, Dominique, *Principes d'analyse scientifique. La sculpture. Méthode et vocabulaire*, Paris, Imprimerie nationale, 1978.

• Cézanne, Paul, *Conversations avec Cézanne*, Paris, éditions Macula, 1978 (sous la direction de P. M. Doran). 1ʳᵉ éd. : *cf.* Gasquet, 1926.

• Laurent, Monique, "Les sculptures", *Le Petit Journal*, 27 octobre-27 novembre 1978, n.p.

• Longwell, Dennis, *Steichen. The Master Prints. 1895-1914*, New York, The Museum of Modern Art, 1978.

1979

• Guitry, Sacha, *Le Petit Carnet rouge et autres souvenirs inédits*, Paris, librairie académique Perrin, 1979.

• Pingeot, Anne, "Le 'Flaubert' et le 'Balzac' de Chapu", *La Revue du Louvre et des musées de France*, n° 1, 1979, pp. 35-43.

1980

• Butler, Ruth, *Rodin in Perspective*, Prentice-Hall, Inc. Englewood Cliffs (New York), 1980.

• Champigneulle, Bernard, *Rodin*, Paris, Somogy, éditions d'Art, 1980. *Cf.* Champigneulle : 1ʳᵉ éd., 1967 ; rééd., 1994.

• Elsen, Albert E., *Dans l'atelier de Rodin. Le sculpteur et les photographes*, Oxford, Phaïdon/Paris, musée Rodin, 1980.

• Geffroy, Gustave, *Claude Monet, sa vie, son œuvre*, Paris, éditions Macula, 1980 (édition présentée et annotée par Claudie Judrin) ; suivi de : *Souvenirs sur Claude Monet, 1889-1909* par Lilla Cabot Perry. 1ʳᵉˢ éd. : *cf.* Geffroy, 1922 et 1924.

• Maus, Madeleine Octave, *Trente Années de lutte pour l'art. Les XX. La Libre Ésthétique 1884-1914*, Bruxelles, éditions Lebeer Hossmann, 1980.

• Schnell, Werner, *Der Torso als Problem der Modernen Kunst*, Berlin, Gebr. Mann Verlag, 1980.

1981

• Apollinaire, Guillaume, *Chroniques d'art, 1902-1918*, Paris, Gallimard, collection "Idées", 1981 (textes réunis avec préface et notes par L.-C. Breunig).

• Jamison, Rosalyn Frankel, "Humanization of the muse", *in* cat. exp. Washington, pp. 105-125.

• Marchiori, Giuseppe, "Era un divo mondano il padre della scultura moderna", *La Rivista dell'arte*, n° 114, décembre 1981, pp. 78-88.

• Vincent, Clare, "Rodin at the Metropolitan Museum of Art. A history of the collection", *The Metropolitan Museum of Art Bulletin*, n° 4, vol. 38, printemps 1981, pp. 3-48.

1982 ————————

• Delbée, Anne, *Une femme*, Paris, Presses de la Renaissance, 1982.

• Hanotelle, Micheline, *Paris/Bruxelles. Rodin et Meunier. Relations des sculpteurs français et belges à la fin du XIXᵉ siècle*, Paris, Le Temps, 1982, préface de Cécile Goldscheider.

• Le Normand-Romain, Antoinette, "La statue de Balzac", in *Champs-Élysées, faubourg Saint-Honoré, Plaine Monceau*, Paris, éditions Henri Veyrier, 1982, pp. 226-229 (sous la direction d'Yvan Christ).

• Varnedoe, Kirk, "In detail : Rodin and Balzac", *Portfolio*, n° 3, mai-juin 1982, pp. 94-99.

1983 ————————

• Carnot, Radegonde, "Le sculpteur Anatole Marquet de Vasselot (1840-1904), *Bulletin de la Société d'histoire de l'art français*, 1983, pp. 247-266 (séance du 5 décembre 1981).

• Clifford Barney, Nathalie, *Souvenirs indiscrets*, Paris, Flammarion, 1983.

• Ginepro, Jacques, "L'apothéose de Rodin", *L'Estampille*, n° 153, janvier 1983, pp. 4-29.

• Laurent, Monique, "Les éditions de bronze du musée Rodin", in *Rodin et la sculpture contemporaine*, Paris, musée Rodin, 1983, pp. 13-18 (compte rendu du colloque organisé par le musée Rodin).

• Schmoll gen. Eisenwerth, Joseph Adolf, "Rodin et l'Allemagne", in *Rodin et la sculpture contemporaine*, Paris, musée Rodin, 1983, pp. 99-114 (compte rendu du colloque organisé par le musée Rodin).

• Schmoll gen. Eisenwerth, Joseph Adolf, *Rodin-Studien. Persönlichkeit. Werke. Wirkung. Bibliographie*, Munich, Prestel-Verlag, 1983.

• Sollers, Philippe, "Écrire la sculpture", in *Rodin et la sculpture contemporaine*, Paris, musée Rodin, 1983, pp. 215-221 (compte rendu du colloque organisé par le musée Rodin).

• Sutton, Denys, "Rodin et l'Angleterre", in *Rodin et la sculpture contemporaine*, Paris, musée Rodin, 1983, pp. 89-97 (compte rendu du colloque organisé par le musée Rodin).

1984 ————————

• Güse, Ernst-Gerhardt, "Rodins Zeichnungen der Neunziger Jahre. Die Periode des Übergangs", *in* cat. exp. Münster, pp. 205-241.

• Judrin, Claudie, *Inventaire des dessins*, t. IV, Paris, musée Rodin, 1984.

• Kriessbach, Martina, *Rilke und Rodin. Wege einer Erfahrung des Plastischen*, Francfort-sur-le-Main, Peter Lang, 1984.

1985 ————————

• Ehrard, Antoinette, "Art et polémique. Les deux affaires de Rodin", *Le Discours polémique. Aspects théoriques et interprétations*, Tübingen, Gunter Narr Verlag/Paris, éditions Jean-Michel Place, 1985, pp. 65-74 (sous la direction de Georg Roellenbleck).

• Goldscheider, Cécile, *Auguste Rodin, la statue de Balzac, étapes de sa réalisation (1891-1898)*, Paris, palais de l'Institut, 1985.

• Judrin, Claudie, *Inventaire des dessins*, t. III, Paris, musée Rodin, 1985.

• Newton, Joy et Fol, Monique, "La correspondance de Zola et Rodin (14 février 1889-25 avril 1898)", *Les Cahiers naturalistes*, n° 59, 1985, pp. 187-201.

• Pinet, Hélène, *Rodin sculpteur et les photographes de son temps*, Paris, Sers, 1985.

• Rodin, Auguste, *Correspondance de Rodin, 1860-1899*, vol. I, Paris, musée Rodin, 1985 (textes classés et annotés par Alain Beausire et Hélène Pinet).

1986 ————————

• Beausire, Alain, "Rodin et la statue de Balzac", *Le Courrier balzacien*, n° 24, juillet 1986, pp. 11-16.

• Lampert, Catherine, *in* cat. exp. Londres, 1986-1987.

• Mason, Raymond, "Une opportunité pour parler de sculpture", conférence prononcée le 10 décembre 1986 à la Hayward Gallery de Londres, non publiée.

• Pinet, Hélène, *in* cat. exp. Paris ; Esslingen-sur-le-Neckar ; Brême, 1986-1987.

• Pingeot, Anne, "Balzac", *in* Pingeot, Anne, Le Normand-Romain, Antoinette et Margerie, Laure de, *Histoire d'un art. La sculpture. L'aventure de la sculpture moderne. XIXᵉ et XXᵉ siècles*, Genève, Skira, 1986, pp. 104-106.

• Rodin, Auguste, *L'Art*, Paris, Bernard Grasset, 1986. 1ʳᵉˢ éd. : *cf.* Rodin, 1911 et 1967.

• Rodin, Auguste, *Correspondance de Rodin, 1900-1907*, vol. II, Paris, musée Rodin, 1986 (textes classés et annotés par Alain Beausire et Florence Cadouot).

1987 ————————

• Butler, Ruth, "Rodin and his american collectors", *in* Weisberg, Gabriel P. et Dixon, Laurinda S., *The Documented Image. Visions in Art History*, Syracuse (New York), Syracuse University, 1987, pp. 87-110.

• Grunfeld, Frederic V., *Rodin. A Biography*, New York, éditions Holt & Company, 1987. Éd. française : *cf.* Grunfeld, 1988.

• Newton, Joy, "Rodin and Henri Rochefort", *Laurels*, vol. 58, n° 3, hiver 1987, pp. 169-184.

• Rodin, Auguste, *Correspondance de Rodin, 1908-1912*, vol. III, Paris, musée Rodin, 1987 (textes classés et annotés par Alain Beausire et Florence Cadouot).

• Zola, Émile, *Correspondance (1887-mai 1890)*, t. VI, Montréal, Les Presses de l'Université de Montréal/ Meudon, éditions du Centre national de la recherche scientifique, 1987 (sous la direction de B. H. Bakker).

1988 ————————

• Beausire, Alain, *Quand Rodin exposait*, Paris, musée Rodin, 1988.

• Daix, Pierre, *Rodin*, Paris, Calmann-Lévy, 1988.

• Domecq, Jean-Philippe, "Micro-têtes et médias-masques en l'an 1987", *L'Esprit*, n° 138, mai 1988, pp. 47-60.

• Goley, Mary Anne, *in* cat. exp. Washington, 1988.

• Grunfeld, Frederic V., *Rodin*, Paris, Fayard, 1988. Éd. américaine : *cf.* Grunfeld, 1987.

• Laurent, Monique, *Rodin*, Paris, éditions du Chêne-Hachette, 1988.

• Marandel, Patrice J., "Rodin's thinker : notes on the early history of the Detroit cast. Followed by part two of a correspondance between Auguste Rodin and Max Linde", *Bulletin of the Detroit Institute of Arts*, n° 3/4, vol. 63, 1988, pp. 33-55.

• Montagne, Édouard, *Histoire de la Société des gens de lettres de France*, Paris, Société des gens de lettres, 1988.
• Newton, Joy, "Portrait of an art critic : Gustave Geffroy", *Laurels*, n° 3, vol. 59, hiver 1988, pp. 163-188.
• Pia-Lachapelle, Léone, "François Pompon sculpteur bourguignon, sa vie, son œuvre", *Les Cahiers du Vieux-Dijon*, n°s 15-16, 1988.
• Pinet, Hélène, *Rodin. Les mains du génie*, Paris, Gallimard, 1988.
• Py, Geneviève, *Éphéméride de la Société des gens de lettres de France de 1888 à 1987 (Extraits des procès-verbaux)*, Paris, Société des gens de lettres, 1988.

1989 ————————
• Goncourt, Edmond et Jules, *Journal. Mémoires de la vie littéraire*, Paris, Robert Laffont, coll. "Bouquins", 3 volumes, 1989 (texte intégral établi et annoté par Robert Ricatte).
• Hargrove, June, *Les Statues de Paris. La représentation des grands hommes dans les rues et sur les places de Paris*, Anvers, Fonds Mercator/Paris, Albin Michel, 1989.
• Zola, Émile, *Correspondance (juin 1890-septembre 1893)*, t. VII, Montréal, Les Presses de l'Université de Montréal/Meudon, éditions du Centre national de la recherche scientifique, 1989 (sous la direction de B. H. Bakker).

1990 ————————
• Borel, France, *Les Illusions de la réalité. Le modèle ou l'artiste séduit*, Genève, Skira, 1990.
• Brügel, Eberhard, *Analyse und Interpretation. Auguste Rodin : Das Balzac-Denkmal, 1891-1898*, Francfort-sur-le-Main, Als Verlag, 1990.

• Chotard, Loïc et Meyer-Petit, Judith, *in* cat. exp. Paris, Maison de Balzac, 1990.
• Pinet, Hélène, *in* cat. exp. Paris, musée Rodin, *Rodin et ses modèles*, 1990.
• Renard, Jules, *Journal 1887-1910*, Paris, Robert Laffont, coll. "Bouquins", 1990 (éd. présentée et annotée par Henry Bouillier).
• Wagner, Anne M., "Rodin's reputation", *in* Hunt, Lynn, *Eroticism and the Body Politic*, Baltimore, Londres, The Johns Hopkins University Press, 1990, pp. 191-242.

1991 ————————
• Danto, Ginger, "Rodin : die Erotische Inspiration durch die Natur", *in* cat. exp. Brême, Düsseldorf, 1991-1992, pp. 197-206.
• De Haes, Frans, "'Les sirènes' de Rodin", *L'Infini*, n° 35, automne 1991, pp. 27-33.
• Meyer-Petit, Judith, "Rodin à la Maison de Balzac", *Le Courrier balzacien*, nouvelle série, n° 44, 1991, pp. 9-10.
• Meyer-Petit, Judith et Panchout, Anne, *Maison de Balzac. Guide général*, Paris, Maison de Balzac, 1991.
• Zola, Émile, *Correspondance (octobre 1893-septembre 1897)*, t. VIII, Montréal, Les Presses de l'Université de Montréal/Meudon, éditions du Centre national de la recherche scientifique, 1991 (sous la direction de B. H. Bakker).

1992 ————————
• Celant, Germano, *in* cat. exp. Düsseldorf, Kunsthalle, 1992.
• Di Micheli, Mario, *La Scultura dell'Ottocento*, Turin, Union Tipografico Ed. Torinese, 1992.
• Dujardin-Beaumetz, François, *Entretiens avec Rodin*, Paris, musée Rodin, 1992. 1re éd. : *cf.* Dujardin-Beaumetz, 1913.

• Judrin, Claudie, *Inventaire des dessins*, t. V, Paris, musée Rodin, 1992.
• Laurent, Monique, *Guide du musée Rodin à l'hôtel Biron*, Paris, Hazan, 1992.
• Rodin, Auguste, *Correspondance de Rodin, 1913-1917*, vol. IV, Paris, musée Rodin, 1987 (textes classés et annotés par Alain Beausire et Frédérique Vincent).

1993 ————————
• Bresson, Alain, "Le Balzac de Rodin, une naissance difficile", in *Travaux d'étudiants*, Lyon, Institut d'histoire, Université Lumière Lyon II, séminaires de maîtrise et de DEA, 1993-1994, pp. 63-66. Essai dactylographié.
• Butler, Ruth, *Rodin. The Shape of Genius*, New Haven, Londres, Yale University Press, 1993.
• Fagioli, Marco et Minunno, Lucia, *Medardo Rosso*, Florence, Opus Libri, 1993.
• Jarrassé, Dominique, *Rodin. La passion du mouvement*, Paris, éditions Pierre Terrail, 1993.
• Martinez, Rose-Marie, *Rodin, l'artiste face à l'État*, Paris, Séguier, 1993.
• Néret, Gilles, *Auguste Rodin. Skulturen und Zeichnungen*, Cologne, Benedikt Taschen Verlag, 1993 (trad. allemande par Bettina Blumenberg). Éd. française : *cf.* Néret, 1994.

1994 ————————
• Champigneulle, Bernard, *Rodin*, Paris, Somogy, éditions d'Art, 1994. 1res éd. : *cf.* Champigneulle, 1967 et 1980.
• Fezzi, Elda, *Medardo Rosso. Scritti e pensieri, 1889-1927*, Cremona Turris, 1994.
• Gauthier, Michel, "Transferts", *Les Cahiers du musée d'Art moderne, Centre Georges Pompidou*, n° 47, printemps 1994, pp. 117-131.

• Kausch, Michael, "Das Mennschenbild Auguste Rodins", *Kunstgeschichtliche Studien-Innsbruck*, vol. 1, 1994, pp. 121-149. Repris : *cf.* Kausch, 1996.
• Levkoff, Mary L., *Rodin in his Time. The Cantor Gifts to the Los Angeles County Museum of Art*, Los Angeles, County Museum of Art, 1994.
• Licht, Fred, "Origins of modern sculpture", *in* cat. exp. Chicago, 1994.
• Mittelman, Éliane, "Le cri de la terre. Rodin sculpteur et la conscience", *Les Carnets du yoga*, n° 158, avril 1994, pp. 2-20.
• Néret, Gilles, *Auguste Rodin. Sculptures et dessins*, Francfort-sur-le-Main, Benedikt Taschen Verlag, 1994. Éd. allemande : *cf.* Néret, 1993.
• Pierrot, Roger, *Honoré de Balzac*, Paris, librairie Arthème Fayard, 1994.
• Rosso, Medardo, *La Sculpture impressionniste*, Paris, L'Échoppe, 1994 (textes et chronologie établis par Giovanna Lista).
• Vilain, Jacques (sous la direction de), *Catalogue du vidéodisque. Rodin. Sculptures. Dessins. Photographies*, Paris, Jacques London, 1994. Par Alain Beausire, Janine Durand-Révillon, Claudie Judrin, Hélène Marraud et Hélène Pinet.

1994-1995 ————————
• Heilbrun, Françoise, "L'art du portrait photographique chez Félix Nadar", *in* cat. exp. Paris, New York, 1994-1995, pp. 42-103.

1995 ————————
• Chevillot, Catherine, *Peintures et Sculptures du XIXe siècle. La collection du musée de Grenoble*, Paris, Réunion des musées nationaux, 1995.

• Mirbeau, Octave,
Rodin, l'affaire du Balzac.
Les dessins d'Auguste Rodin,
Paris, Séguier, 1995. Repris de :
Mirbeau, "Préface aux dessins
d'Auguste Rodin", *Le Journal*,
12 septembre 1897 ;
"*Ante porcos*", *Le Journal*,
15 mai 1898. *Cf.* Mirbeau,
1924.
• Pingeot, Anne, *La Sculpture*
au musée d'Orsay, Paris,
éditions Scala, 1995.
• Watt, Pierre, "Le match Rodin
contre Rosso", *Beaux-Arts*,
n° 135, juin 1995, p. 38.

1996 —————————————
• Bowditch, Lucy L., *Eduard*
Steichen : Artistic Practice and
National Identity, 1899-1923,
Ann Arbor (Michigan), U.M.I.,
1996.
• Delacroix, Eugène, *Journal*
(1822-1863), Paris, Plon, 1996,
préface d'Hubert Damison,
introduction et notes par
André Joubin.
• Kausch, Michael,
"Das Menschenbild Auguste
Rodins", *in* cat. exp. Vienne,
1996, pp. 51-80. Repris de :
cf. Kausch, 1994.
• Le Normand-Romain,
Antoinette et Marraud, Hélène,
Rodin à Meudon. La villa
des Brillants, Paris, musée
Rodin, 1996.
• Pinet, Hélène, *in* cat. exp.
Tokyo, 1996, pp. 10-12.
• Vilain, Jacques (sous la
direction de), *Rodin, le musée*
et ses collections, Paris, éditions
Scala, 1996. Par Alain Beausire,
Claudie Judrin, Stéphanie
Le Follic, Antoinette
Le Normand-Romain, Hélène
Marraud et Hélène Pinet.

1997 —————————————
• Bond, Anthony, "Embodying
the real", *in* cat. exp. Sydney,
1997, pp. 11-80.
• Lajoix, Anne, "Auguste Rodin
et les arts du feu", *Revue de*
l'art, n° 116, 1997, pp. 76-88.

• Le Normand-Romain,
Antoinette, *Rodin*, Paris,
Flammarion, 1997.
• Niven, Penelope, *Steichen.*
A Biography, New York,
Clarkson Potter, 1997.
• Panchout, Anne,
"La naissance de la 'Maison de
Balzac'", *in* cat. exp. Moscou,
1997-1998, pp. 306-315.
• Pinet, Hélène, "Jeux de
plume", *in* cat. exp. Charleroi,
1997, pp. 211-213.
• Stasi, Laure, *La Place de la*
sculpture aux deux premiers
salons de la Rose+Croix
(1892-1893), Paris, Université
de Paris I Panthéon-Sorbonne,
1997, mémoire de maîtrise
non publié (sous la direction
d'Éric Darragon).
• Vassalo, Isabelle, "Balzac",
in cat. exp. Charleroi, 1997,
pp. 177-179.

1998 —————————————
• Le Normand-Romain,
Antoinette, "Acquisitions. Paris,
musée Rodin. Balzac, buste
avec bras", *Revue du Louvre*,
n° 2, avril 1998, pp. 94-95.

Liste
des expositions

1893 ————————
• Paris, palais du Champ-de-Mars, dôme central, *Salon de la Rose+Croix*, 1er-30 avril 1893.

1897 ————————
• Paris, palais du Champ-de-Mars, *Société nationale des beaux-arts. Exposition de 1897*, 24 avril-30 juin 1897.

1898 ————————
• Paris, palais du Champ-de-Mars, galerie des Machines, *Société nationale des beaux-arts. Exposition de 1898*, 1er mai-30 juin 1898.
• Paris, palais du Champ-de-Mars, galerie des Machines, *Société des artistes français. Exposition annuelle des beaux-arts, Salon de 1898*, 1er mai-30 juin 1898.
• Paris, Nouveau-Cirque, Petit Foyer, 251, rue Saint-Honoré, *Exposition A. Falguière*, 15 novembre-20 décembre 1898.

1899 ————————
• Paris, palais du Champ-de-Mars, galerie des Machines, *Société des artistes français. Exposition annuelle des beaux-arts, Salon de 1899*, 1er mai-30 juin 1899.
• Bruxelles, Maison d'art ; Rotterdam, Rotterdamsche Kunstkring ; Amsterdam, Maatschappij "Arti et Amicitiae" ; La Haye, Haagsche Kunstkring, *Tentoonstelling van beeldhouwwerken door A. Rodin, Parijs*, 8 mai-5 novembre 1899.

1900 ————————
• Paris, pavillon de l'Alma, *Exposition de 1900. L'œuvre de Rodin*, 15 avril-12 novembre 1900.

1901 ————————
• Vienne, Sécession, I. Friedrichstrasse 12, *IX Kunst Ausstellung der Vereinigung Bildender Künstler Österreichs Secession*, 13 janvier-février 1901.

• Berlin, galerie Keller & Reiner, *Rodin*, mars-avril 1901.
• Venise, Palazzo dell'Esposizione, *IVa Esposizione internazionale d'arte della città di Venezia*, 22 avril-31 octobre 1901.
• Helsinki, Ateneum, *Exposition française des beaux-arts*, 21 septembre-fin octobre 1901

1902 ————————
• Paris, école nationale des Beaux-Arts, *Œuvres de Falguière*, 8 février-8 mars 1902.
• Prague, pavillon Manès, jardin Kinsky, *Stava del A. Rodina v Praze 1902*, 10 mai-15 juillet 1902 (prolongée jusqu'au 10 août 1902).

1903 ————————
• New York, National Arts Club, *Exposition de la collection Loïe Fuller*, 7-17 mai 1903.

1904 ————————
• Düsseldorf, Städtischen Kunstpalast, *Internationalen Kunstausstellung*, 1er mai-23 octobre 1904.

1913 ————————
• Rome, palais des Beaux-Arts, *Prima esposizione internazionale d'arte della "Secessione"*, 22 mars-juin 1913.

1918 ————————
• Bâle, Société des amis des arts de Bâle ; Zurich, Kunsthaus ; Genève, Bâtiment électoral, *Auguste Rodin 1840-1917, exposition de sculptures, aquarelles, dessins et estampes originales du Maître*, 4 avril-6 octobre 1918.

1919 ————————
• Paris, Grand Palais, *Salon d'automne*, 1er novembre-10 décembre 1919.

1924 ————————
• Anvers, Salle des fêtes, *L'art contemporain, Salon de 1924*, 24 mai-22 juin 1924.

1928 ————————
• Paris, Grand Palais, *Salon d'automne*, 4 novembre-16 décembre 1928.

1930 ————————
• Bruxelles, palais des Beaux-Arts, *Rodin* ; Amsterdam, Stedelijk Museum ; La Haye, Gemeente Museum, *Tentoonstelling Rodin* ; Copenhague ; Charlottenbourg, *Rodin-Udstillingen. Skulpturer. Malerier. Techniger*, 8 mars-28 septembre 1930.

1933 ————————
• Paris, musée du Louvre, pavillon de Marsan, *Le décor de la vie sous la IIIe République de 1870 à 1900*, 27 avril-1er août 1933.

1937 ————————
• Paris, pavillon des Salons, esplanade des Invalides, *Salon d'automne. Présentation du Balzac de Rodin. Études et dessins de Rodin pour le Balzac*, 30 octobre-28 novembre 1937.

1940-1941 ————————
• Paris, musée de l'Orangerie, *Exposition du centenaire "Monet-Rodin"*, 22 décembre 1940-fin février 1941 (prolongée jusqu'au 16 mars 1941).

1948 ————————
• Bâle, Kunsthalle, *Auguste Rodin. 1840-1917*, 10 avril-4 juillet 1948.

1950 ————————
• Paris, musée Rodin, *Balzac et Rodin*, 23 juin-septembre 1950.
• Orléans, musée des Beaux-Arts, *Quelques sculpteurs français 1900-1950*, 17 octobre-20 novembre 1950.

1952 ————————
• Paris, 134, avenue du Parc Montsouris, *IVe Salon. La jeune sculpture*, octobre 1952.

1953 ——————
• Yverdon, hôtel de ville, *Auguste Rodin, 150 sculptures, aquarelles et dessins,* 8 août-24 septembre 1953.

1960-1961 ——————
• Paris, musée national d'Art moderne, *Les sources du xxᵉ siècle, les arts en Europe de 1884 à 1914,* 4 novembre 1960- 23 janvier 1961.

1961 ——————
• Munich, Städtische Galerie, *Auguste Rodin,* 10 mai-13 août 1961.

1962-1963 ——————
• Paris, musée du Louvre, *Rodin inconnu,* 7 décembre 1962-17 février 1963.

1963 ——————
• Moscou, musée Pouchkine, *Rodin et son temps,* 18 juin-3 août 1963.
• Londres, Roland, Browse & Delbanco, *Rodin. A Selection from the Exhibition "Rodin inconnu" at the musée du Louvre,* juillet-août 1963.

1964 ——————
• Beyrouth, musée Nicolas Sursock, *Exposition de 65 sculptures, 61 dessins et aquarelles d'Auguste Rodin,* 13 avril-15 juin 1964.

1967 ——————
• Rome, Académie de France, villa Médicis, *Mostra di Rodin,* 26 mars-30 juin 1967.
• Montréal, *Exposition internationale de sculpture contemporaine,* 28 avril-29 octobre 1967.

1967-1968 ——————
• Paris, musée Rodin, *Rodin collectionneur,* 25 novembre 1967-25 février 1968.

1969-1970 ——————
• Baltimore, The Baltimore Museum of Art, *The Partial Figure in Modern Sculpture from Rodin to 1969,* 2 décembre 1969- 1ᵉʳ février 1970.

1970 ——————
• Londres, The Hayward Gallery, *Rodin : Sculpture and Drawings,* 24 janvier-5 avril 1970.
• Rochechouart, Centre artistique et littéraire, *Hommage à Auguste Rodin,* 18 avril-18 mai 1970.

1971 ——————
• Paris, Maison de Balzac, *Les Portraits de Balzac connus et inconnus,* 23 février-18 avril 1971.

1973 ——————
• Stanford, The Stanford University, *Rodin and Balzac. Rodin's Sculptural Studies for the Monument to Balzac,* 3 mai-12 août 1973.
• Saché, musée Balzac, *Balzac et Rodin,* 1ᵉʳ juillet-30 septembre 1973.

1976 ——————
• Paris, musée Rodin, *Rodin et les écrivains de son temps,* 23 juin-18 octobre 1976.

1977-1978 ——————
• Calais, musée des Beaux-Arts ; Paris, musée Rodin, *Auguste Rodin. Le Monument des Bourgeois de Calais (1884-1895) dans les collections du musée Rodin et du musée des Beaux-Arts de Calais,* 17 décembre 1977- 25 septembre 1978.

1978 ——————
• Saintes, musée des Beaux-Arts ; Bordeaux, musée des Beaux-Arts, *Auguste Rodin. Sculptures et dessins,* 1ᵉʳ juillet-27 novembre 1978.

1979 ——————
• Milan, Palazzo della Permanente, *Mostra di Medardo Rosso (1858-1928),* 17 janvier-11 mars 1979.
• Paris, musée Rodin, *Rodin et l'Extrême-Orient,* 4 avril-2 juillet 1979.
• Takaoka, musée municipal d'Art ; Fukui, musée préfectoral d'Art ; Tokyo, musée d'art Funabashi Seibu ; Yamanashi, musée préfectoral d'Art ; Asahikawa, Centre municipal de culture ; Iwaki, Centre municipal de culture ; Nagasaki, mémorial de la Banque 18, *Rodin,* 27 avril-11 novembre 1979.
• Berlin, Nationalgalerie der Staatlichen Museen, *Auguste Rodin. Plastik, Zeichnungen, Graphik,* 16 mai-12 août 1979.

1980 ——————
• Paris, musée Bourdelle, *Chapeau !,* 28 mai- 30 septembre 1980.
• Vienne, Orangerie. Palais Auersperg, *Auguste Rodin (1840-1917) : Skulpturen, Zeichnungen,* 11 septembre- 26 octobre 1980.
• Vendôme, musée, *Quinzaine Balzac en vendômois,* 30 octobre-30 novembre 1980.

1981-1982 ——————
• Washington, The National Gallery of Art, *Rodin Rediscovered,* 28 juin 1981-2 mai 1982.

1982 ——————
• Mexico, Museu del palacio de Bellas Artes, *Rodin,* 12 mai-31 juillet 1982.

1982-1983 ——————
• New Delhi, The National Gallery of Modern Art, *Rodin Sculptures & Drawings ;* Bombay, National Centre for the Performing Arts ; Calcutta, Birla Academy of Art and Culture, *Rodin Sculptures,* 27 novembre 1982-1ᵉʳ juin 1983.

1984 ——————
• Martigny, fondation Pierre Gianadda, *Rodin,* 12 mai-7 octobre 1984.

1984-1985 ——————
• Münster, Westfälisches Landesmuseum für Kunst und Kunstgewerbe ; Munich, villa Stück, *Auguste Rodin, Zeichnungen und Aquarelle,* 25 novembre 1984-7 avril 1985.

1985 ——————
• Genève, musée d'Art et d'Histoire, *Pygmalion photographe. La sculpture devant la caméra 1844-1936,* 28 juin- 3 septembre 1985 (reprise : *cf.* Châlon-sur-Saône, 1986).
• Séoul, musée national d'Art moderne, *Auguste Rodin,* 25 juillet-29 août 1985.

1985-1986 ——————
• Nagoya, musée de la ville ; Himeji, musée d'Art de la ville ; Kure, musée d'Art ; Tokyo, Museum Harajuku ; Kagoshima, musée d'Art de la ville ; Shimonoseki, musée d'Art de la ville ; Niigata, musée d'Art de la ville ; Yokohama, musée d'Art de Sogo, *Auguste Rodin. 1840-1917,* 4 octobre 1985-27 août 1986.

1986 ——————
• Châlon-sur-Saône, musée Nicéphore Niepce, *Pygmalion photographe. La sculpture devant la caméra 1844-1936,* 24 janvier-17 mars 1986 (*cf.* Genève, 1985).
• Paris, galeries nationales du Grand Palais, *La sculpture française au xixᵉ siècle,* 10 avril- 28 juillet 1986.

1986-1987 ——————
• Paris, musée Rodin ; Esslingen-sur-le-Neckar, Galerie der Stadt, villa Merkel ; Brême, Kunsthalle, *Rodin Photographien der Bildhauer im Licht seiner Photographen,* 9 avril 1986-4 janvier 1987.

• Londres, The Hayward
Gallery, *Rodin. Sculptures and
Drawings*, 1er novembre 1986-
25 janvier 1987.

1987 —————————
• Barcelone, Museu d'Art
modern, parc de la Citadella,
*Rodin. Bronzes i aquarelles
del Museu Rodin de Paris*,
8 avril-14 juin 1987.
• Rome, Palazzo Venezia,
Secessione romana 1913-1916,
28 mai-5 juillet 1987.

1988 —————————
• Washington, Gallery
Entrance, Federal Reserve
Board Fine Arts Advisory Panel,
*The Paintings of Eduard J.
Steichen. From Tonalism
to Modernism*, 4 octobre-
9 décembre 1988.

1988-1989 —————————
• Paris, musée Rodin,
*Couleurs du temps, Étienne
Clémentel : photographies en
relief. 1915*, 10 octobre 1988-
27 février 1989.
• Paris, musée Jacquemart-André,
*Les Champs-Élysées et leur
quartier*, 16 novembre 1988-
15 janvier 1989.

1989 —————————
• Paris, musée Rodin,
Quand Rodin exposait,
13 juin-17 septembre 1989
(sans catalogue).
• Paris, musée Jacquemart-
André, *L'Europe des grands
maîtres quand ils étaient
jeunes... 1870-1970*,
21 septembre-12 novembre
1989.
• Buenos Aires, Fundacion
San Telmo, *Auguste Rodin.
Dibujos y acuarelas*,
27 septembre-29 octobre 1989.

1990 —————————
• Paris, musée d'Orsay ;
Francfort-sur-le-Main, Shirn
Kunsthalle, *Le corps en morceaux*,
5 février-26 août 1990.

• Paris, musée Rodin, *Rodin et ses
modèles, le portrait photographié*,
24 avril-3 juin 1990.
• Paris, musée Rodin,
Rodin et la caricature,
25 juin-11 novembre 1990.
• Sapporo, Museum of
Contemporary Art, *Exposition
Rodin, 150e anniversaire de
sa naissance*, 29 septembre-
28 octobre 1990.

1991-1992 —————————
• Brême, Kunsthalle ;
Düsseldorf, Städtische
Kunsthalle, *Rodin, Genius
Rodin, Eros und Kreativität*,
3 novembre 1991-22 mars 1992.
• Le Mée-sur-Seine, Maison des
associations, musée Chapu ;
Melun, espace Saint-Jean,
Centenaire Henri Chapu,
15 novembre 1991-12 janvier
1992.
• Paris, palais de Tokyo,
Photographies de sculptures,
21 novembre 1991-4 avril 1992.

1992 —————————
• Düsseldorf, Kunsthalle,
Mapplethorpe versus Rodin,
25 janvier-22 mars 1992.

1992-1993 —————————
• Paris, musée Rodin, *Rodin
sculpteur. Œuvres méconnues*,
24 novembre 1992-11 avril 1993.
• Prague, galerie de la Ville,
Hommage à Rodin 1902-1992,
18 décembre 1992-31 janvier
1993.

1993 —————————
• Pékin, Meishuguan ; Shanghai,
Exhibition Center, *Auguste Rodin
1840-1917*, 15 février-18 avril 1993.
• Paris, musée Rodin, *Le salon
de photographies. Les écoles
pictorialistes en Europe
et aux États-Unis vers 1900*,
22 juin-26 septembre 1993.

1994 —————————
• Chicago, The Art Institute,
*Chiseled with a Brush :
Italian Sculpture 1860-1925

from the Gilgore Collection,
14 mai-14 août 1994.
• Dijon, musée Magnin, *Dessins
de sculpteurs. 1850-1950*,
28 mai-11 septembre 1994.
• Arles, espace Van Gogh,
Eduard Steichen,
21 juin-30 août 1994.
• Paris, hôtel Turgot, *Hommage
à un collectionneur.
25 ans d'acquisitions
de la collection Fritz Lugt*,
16 novembre-18 décembre 1994.

1994-1995 —————————
• Paris, musée d'Orsay, 7 juin-
11 septembre 1994 ; New York,
The Metropolitan Museum of Art,
3 avril-9 juillet 1995, *Nadar. Les
années créatrices : 1854-1860*.
• Paris, musée d'Orsay, *Ingres,
Courbet, Monet, Rodin,
Gauguin... Les Oubliés
du Caire. Chefs-d'œuvre
des musées du Caire*,
5 octobre 1994-8 janvier 1995.

1995 —————————
• Rio de Janeiro, Museu nacional
de Bellas Artes ; São Paulo,
Pinacoteca ; Mexico, Museo del
Palacio de Bellas Artes, *Rodin*,
18 avril-10 septembre 1995.
• Montréal, musée des Beaux-Arts,
*Paradis perdu : l'Europe
symboliste*, 8 juin-15 octobre 1995.
• Venise, Palazzo Grassi,
*La Biennale di Venezia.
46 Esposizione internazionale
d'arte. Identità e alterità, figure
del corpo 1895-1995*, 8 juin-
15 octobre 1995.
• Francfort, Schirn Kunsthalle,
*Sehnsucht nach Glück. Wiens
Aufbruch in die Moderne :
Klimt, Kokoschka, Schiele*,
23 septembre-3 décembre 1995.

1995-1996 —————————
• La Haye, Het Paleis ; Laren,
Singer Museum, *Rodin*,
14 octobre 1995-16 janvier 1996.

1996 —————————
• Paris, musée Rodin, *Rodin et la
Hollande*, 6 février-31 mars 1996.

• Vienne, palais Harrach, *Auguste
Rodin. Eros und Leidenschaft*,
21 mai-26 août 1996.
• Avignon, palais des Papes,
Deux palais pour Rodin,
24 mai-1er septembre 1996.
• Paris, espace Électra/
fondation Électricité de France,
*Monument et modernité
à Paris : art, espace public et
enjeux de mémoire 1891-1996*,
30 mai-21 juillet 1996.
• Tokyo, The Contemporary
Sculpture Center,
Rodin et ses modèles,
8 novembre-27 décembre 1996.

1996-1997 —————————
• Amsterdam, musée
Van Gogh ; Leeds, Henry
Moore Institute, *The Colour
of Sculpture 1840-1910*,
26 juillet 1996-6 avril 1997.
• Saragosse, La Lonja ; Palma,
Fundacio La Caixa, *Auguste
Rodin i la seva relacio
amb Espanya*, 19 septembre
1996-19 janvier 1997.

1997 —————————
• Marseille, musée des
Beaux-Arts, *Rodin :
La Voix intérieure*,
26 avril-27 juillet 1997.
• Charleroi, palais
des Beaux-Arts, *Rodin
et la Belgique*, 7 septembre-
14 décembre 1997.
• Sydney, The Art Gallery
of New South Wales, *Body*,
12 septembre-16 novembre 1997.

1997-1998 —————————
• Duisbourg, Wilhelm
Lehmbruck Museum, *Skulptur
im Licht der Photographie,
1850-1990*, 21 novembre 1997-
11 mars 1998.
• Moscou, musée Pouchkine,
Balzac dandy et créateur,
9 décembre 1997-8 mars 1998.

1998 —————————
• Québec, musée du Québec,
Rodin au Québec,
4 juin-6 septembre 1998.

Index

Crédits photographiques

- Ackland Art Museum, The University of North Carolina at Chapel Hill, Ackland Fund : fig. 139.
- Besançon, musée des Beaux-Arts et d'Archéologie : fig. 15.
- Genève, musée d'Art et d'Histoire : fig. 60.
- Glasgow Museums : fig. 121.
- Jacqueline Hyde : fig. 17.
- Londres, Tate Gallery : fig. 120.
- New York, The Metropolitan Museum of Art : fig. 14, 114.
- Paris, © bibliothèque de l'Institut de France (Photo Jean de Calan) : fig. 128.
- Paris, Bibliothèque nationale de France : fig. 20.
- Paris, musée d'Orsay : fig. 7, 12.
- Paris, musée d'Orsay (Photo Geneviève Lacambre) : fig. 17, 118.
- Paris, © musée Rodin : cat. 2, 4 à 8, 21 à 24, 29, 34, 52, 54, 56, 58 à 66, 79 à 81, 83, 92, 93, 96, 105 à 111, 119 à 140, 142, 143, 148 à 155, 158 à 170 ; fig. 1, 4, 13 et 13bis, 18, 19, 23, 25, 27, 31, 32, 34, 35, 41 à 45, 50 à 59, 61 à 92, 95, 105 à 107, 137, 148, 150.
- Paris, © musée Rodin (Photo Anne-Marie Barrère) : fig. 24, 108, 149.
- Paris, © musée Rodin (Photo Olivier Brunet) : fig. 119.
- Paris, © musée Rodin (Photo Jean de Calan) : cat. 42.
- Paris, © musée Rodin (Photo Béatrice Hatala) : cat. 53, 73, 87 à 89, 102, 113 à 115 ; fig. 26.
- Paris, musée Rodin (© photo Bruno Jarret/adagp) : cat. 31, 38, 40, 45, 70, 76, 99, 112, 145, 147 ; fig. 11, 37, 40, 117, 123, 124, 125, 127, 131, 133, 134, 141, 144, 146.
- Paris, © musée Rodin (photo Luc et Lala Joubert) : cat. 171.
- Paris, © musée Rodin (Photo Jérôme Manoukian) : cat. 118.
- Paris, musée Rodin, adagp (Photo Adam Rzepka) : cat. 51, 69, 74, 75, 82, 84, 85, 98, 100, 103, 104, 146 ; fig. 130, 132, 138, 140, 147.
- Paris, © musée Rodin (Photo Adam Rzepka) : cat. 10, 11, 25 à 27, 33 A et B, 36, 37, 39, 41, 43, 44, 46 à 50, 55, 57, 67, 71, 72, 78, 90, 91, 95, 116, 117 A, B, C, D, 144, 146 ; fig. 33, 129.
- Paris, musée Rodin (© photo Adam Rzepka/adagp) : cat. 18 à 20, 28, 30, 32, 35, 68, 77, 86, 94, 97, 101, 141, 156 ; fig. 28, 110 à 113, 115, 126, 135, 136, 142, 145.
- Paris, © musée Rodin, documentation des sculptures : fig. 24, 116.
- Paris, photothèque des musées de la Ville de Paris : cat. 9, 12 à 14, 16, 157 ; fig. 36.
- Paris, photothèque des musées de la Ville de Paris (Photo Joffre) : fig. 21, 38, 39.
- Paris, photothèque des musées de la Ville de Paris (Photo Trocaz) : fig. 6, 16.
- Paris, R.M.N : cat. 17 ; fig. 8, 9, 10, 22.
- Paris, © Société des gens de lettres (Photo Jérôme Manoukian) : cat. 15.
- Paris, Ville de Paris, C.O.A.R.C. : fig. 96 à 104.
- Philadelphie, Philadelphia Museum of Art : fig. 46 à 49, 122.
- Rome, Soprintendenza Speciale alla Galleria Nazionale d'Arte Moderna e Contemporanea : fig. 29, 30.
- San Francisco, The Fine Arts Museums, gift of Alma de Bretteville Spreckels, 1941, 34. 5 : fig. 143.
- Tours, musée des Beaux-Arts : cat. 1.
- Tours, musée des Beaux-Arts (Photo Patrick Boyer) : cat. 3.
- University of Nebraska, Sheldon Memorial Art Gallery : fig. 94.
- Versailles, archives départementales des Yvelines : fig. 2 et 3.
- Viallefont-Haas, Myriam : fig. 5.
- Yale University, Beinecke Library : fig. 93.

Publication des éditions
du musée Rodin

Fabrication et commercialisation
Jean-Luc Pichon
Annie-Claude Demagny

Conception graphique
et maquette
Jean-Yves Cousseau,
assisté de Marion Clément

Relecture des textes
Sarah Clément
Isabelle Sauvage

Ouvrage composé
en Futura et Garamond
sur papier Idéal mat 150 g

Photogravure et flashage
NeoTypo, Besançon

Achevé d'imprimer
en juin 1998
sur les presses de l'imprimerie
NeoTypo, Besançon

© musée Rodin, 1998
Dépôt légal : 2e trimestre 1998
ISBN : 2 901 428 66 5